MICHEL CONTAT
MICHEL RYBALKA



# Les Écrits de Sartre

*Chronologie, bibliographie commentée*

*nrf*

GALLIMARD

*Il a été tiré de l'édition originale de cet ouvrage quarante-sept exemplaires sur vélin pur fil Lafuma-Navarre numérotés* 1 *à* 47.

*A Bouvard et à Pécuchet.*

## LETTRE-PRÉFACE

*Chers amis,*

*Votre travail est remarquable. Je sais que les auteurs n'ont pas qualité pour juger des bibliographies qui leur sont consacrées : les recherches bibliographiques exigent une rigueur et une discipline dont nous ne sommes guère capables et elles ne peuvent être appréciées à leur valeur, sinon par des bibliographes. Mais, justement, tout en reconnaissant mon incompétence, j'ai, d'un point de vue très personnel, aimé votre livre comme un Bogomoletz de ma mémoire : non seulement j'y ai retrouvé tous les écrits, sans exception, dont je me souvenais, mais vous avez ressuscité ceux que j'avais oubliés. Je les retrouve avec un certain étonnement, parfois non sans malaise : la plupart d'entre eux sont des témoins à charge. Mais il m'est agréable de pouvoir, malgré tout, ne jamais les renier. D'une façon plus générale, votre rare mérite a été d'humaniser ce qui n'eût été, sans vous, qu'un inventaire après décès. Grâce à vos analyses brèves et denses, vous avez transformé ce dénombrement en portrait; je veux dire que vous avez restitué le mouvement par lequel tout écrivain, bon ou mauvais, s'objective dans son œuvre : quels que soient les sentiments que ce portrait suscite, sa vérité est indéniable s'il est vrai qu'on n'est rien d'autre que ce que l'on a fait. Je viens à moi comme un étranger, parfois difficile à connaître. Mais je ne puis rien récuser : d'une certaine façon, grâce à vos bons offices, le sujet du tableau, c'est bien l'auteur peint par lui-même ; et si je n'aime qu'à demi cette peinture, c'est évidemment parce qu'elle est vraie.*

J.-P. Sartre.

# INTRODUCTION

Quel que soit l'angle sous lequel on envisage aujourd'hui sa pensée et son œuvre, Jean-Paul Sartre apparaît sans conteste comme le philosophe et l'écrivain le plus marquant de notre temps. « Tâcheron énorme, veilleur de nuit présent sur tous les fronts de l'intelligence », comme le définissait déjà en 1953 Jacques Audiberti, il a su, avec une lucidité exemplaire et à travers les différentes étapes d'une vie intellectuelle mouvementée, nous faire comprendre notre époque et nous parler un langage toujours contemporain. Vers 1965 cependant, date à laquelle nous avons commencé séparément nos recherches, il n'existait, malgré plusieurs tentatives louables, aucun recensement systématique de ses écrits et aucun examen rigoureux de l'ensemble de son œuvre; un grand nombre de textes, même connus, étaient inaccessibles, et il fallait, bon gré mal gré, se contenter d'une vue partielle et d'une information incomplète et souvent approximative. C'est, à l'origine, ce sens d'une nécessité et un souci de la totalité qui nous ont amenés à entreprendre un travail habituellement fastidieux et sans gloire; l'un d'entre nous, après avoir terminé une étude sur Boris Vian, s'est tout naturellement retrouvé dans le rôle de Chick dans *L'Écume des jours*, l'autre, après avoir écrit sur *Les Séquestrés d'Altona*, a choisi d'expérimenter lui-même pendant trois ans cette forme raffinée de séquestration volontaire que constitue la bibliographie.

Quelles que soient ses implications freudiennes, ce volume, conçu au premier chef comme un *ouvrage de documentation*, a l'ambition de reconstituer une sorte de « vie bibliographique » de Sartre et se propose les buts suivants :

— donner un instrument solide qui permettra aux étudiants et, plus généralement, au public d'avoir une vue d'ensemble de l'œuvre et aux chercheurs de ne plus perdre leur temps en investigations bio-bibliographiques. Dans ce sens, on pourrait soutenir, avec quelque manque de modestie, que ce volume, en fonction même de son caractère documentaire, résume, corrige et précise une bonne partie de ce qui s'est écrit jusqu'à présent sur Sartre;

— mettre à la disposition du public un certain nombre de textes inédits, rares ou difficilement accessibles;

— promouvoir un nouveau genre bibliographique à la fois rigoureux et souple, qui évite le purisme et le formalisme des bibliographies traditionnelles et tente, au contraire, de communiquer le plus efficacement possible un certain nombre d'informations.

Nous avons décidé pour cela :

— de ne pas utiliser de sigles ou d'abréviations;

— de réduire les références au minimum nécessaire;

— d'accorder peu de place aux renseignements d'ordre purement bibliophilique;

— de joindre à chaque référence une notice où, avec le plus de concision possible, nous tentons de fournir des renseignements sur la nature et le contenu des textes ainsi que sur les circonstances où ils ont vu le jour.

Cet ouvrage conserve évidemment un caractère *provisoire* et ne peut prétendre être *exhaustif*, bien que cette ambition soit restée la nôtre. Nous avons approximativement doublé le nombre des références connues et nous sommes à peu près certains de n'avoir manqué aucun texte essentiel. Cependant, étant donné la variété des activités de Sartre et leur dispersion géographique et historique, étant donné aussi qu'il n'existe, semble-t-il, aucune collection suivie de ses écrits, un certain nombre de références ont sans aucun doute échappé à nos investigations, surtout en ce qui concerne les interviews dans de petits périodiques ou à l'étranger; une recherche systématique s'imposerait, par exemple, en Italie. Nous avons pu localiser un nombre considérable de manuscrits, mais nous n'en avons guère tenu compte dans le cadre de cette étude.

Dans la chronologie, les repères biographiques donnés sont d'importance inégale. La plupart des articles biographiques que nous avons consultés manquent de précision et quelques-uns sont même franchement fantaisistes. On se référera, pour une information plus vivante et plus étoffée, aux mémoires de Simone de Beauvoir et aux écrits autobiographiques de Sartre.

Les notices constituent nécessairement la partie la plus subjective et, par conséquent, la plus critiquable de l'ouvrage. Elles sont conçues pour informer et pour guider le lecteur dans l'œuvre plutôt que pour exprimer un point de vue critique. Nous nous rendons compte, par ailleurs, que nos commentaires se prêteraient particulièrement bien à une sémiologie du style universitaire, qui est une rhétorique de la prudence. Qu'on ne s'attende pas à trouver dans nos notices des formulations de caractère définitif; les jugements portés sont rapides et nos analyses se limitent généralement aux points les plus saillants. Chaque fois que nous disposions des commentaires de Sartre sur ses propres ouvrages, nous les avons utilisés de préférence à ceux que nous pouvions nous-mêmes proposer. Le point de vue adopté sur l'œuvre est donc *interne* à celle-ci et c'est pourquoi nous présentons notre travail comme une *bibliographie commentée* plutôt que comme une bibliographie critique. Les notices sont toujours le résultat d'une collaboration; cependant, en général, la partie politique et philosophique a été rédigée par Michel Contat, tandis que la partie littéraire et théâtrale est due à Michel Rybalka.

Étant donné notre souci primordial d'informer le plus complètement possible le lecteur sur les écrits et les interviews les moins connus de Sartre, la longueur des notices est presque en raison inverse de la notoriété des textes et n'est pas indicative de leur valeur. Nous avons accepté la variété de présentation que ces textes imposent souvent eux-mêmes par leur diversité. En effet, nous nous sommes aperçus, à l'usage, qu'il était impossible de s'en tenir à un système absolument uniforme et que, s'il y avait un genre où la souplesse était de rigueur, c'était bien la bibliographie. Pour tous les textes facilement accessibles en librairie ou en bibliothèque, nous avons éliminé les résumés : le lecteur en trouvera de bons — pour chaque œuvre majeure de Sartre

— dans le *Dictionnaire des œuvres contemporaines* édité par Laffont-Bompiani.

Il était hors de question d'inclure dans ce volume l'énorme masse des ouvrages, études et articles consacrés à Sartre, et nous ne les avons mentionnés qu'exceptionnellement. Nous poursuivrons notre collaboration pour publier prochainement, dans la collection « Calepins de bibliographie » des éditions Minard-Lettres modernes, un répertoire de la critique sartrienne de langue française. Signalons ici la bibliographie de la critique anglo-saxonne de Sartre, établie par Allen J. Belkind (Kent State U. Press, 1969).

Si certaines des limites de l'ouvrage ont été voulues, d'autres nous ont été imposées par la nature même du sujet et par cet état de sous-développement bibliographique qui rend extrêmement longues, incomplètes et pénibles la plupart des recherches effectuées dans les bibliothèques parisiennes. Reconnaissons ici la gentillesse et la bonne volonté de certains bibliothécaires (notamment à l'Arsenal), mais souhaitons que soit radicalement réformé le système malthusien actuellement en vigueur à la Bibliothèque nationale, en particulier dans la salle des Périodiques.

Le fonds Rondel de la bibliothèque de l'Arsenal ainsi que les dossiers de presse de la maison Gallimard nous ont été précieux; en revanche, nous avons été grandement handicapés par le manque d'un index auteurs-sujets pour les périodiques français et italiens; la période 1967-1968 se ressent quelque peu de cette lacune.

Le meilleur instrument pour l'étude de la littérature française contemporaine est indubitablement *French VII Bibliography* (bientôt *French XX*), édité chaque année par le French Institute de New York. On trouvera également des références originales dans :

DREVET, Marguerite L. : *Bibliographie de la littérature française 1940-1949*. Genève, Droz, et Lille, Giard, 1954;

KLAPP, Otto : *Bibliographie der französischen Literaturwissenschaft*. Frankfurt am Main, V. Klostermann. 5 volumes.

Parmi les bibliographies de Sartre qui nous ont été les plus utiles, citons celles de :

DOUGLAS, Kenneth : *A Critical Bibliography of Existentialism*

*(The Paris School)*. Yale French Studies Special Monograph, nº 1, 1950. Réédité par Kraus (New York) en 1966.

Agréable à lire et de loin la plus complète pour l'époque.

KOHUT, Karl. *Was ist Literatur? Die Theorie der « littérature engagée » bei Jean-Paul Sartre.* Inaugural-Dissertation, Marburg, 1965.

La plus complète des bibliographies récentes : donne 219 références d'écrits de Sartre et plus de 1 300 d'écrits sur Sartre. Non critique.

DREYFUS, Dina, et TROTIGNON, Pierre : « Bibliographie de Jean-Paul Sartre », *Revue de l'Enseignement philosophique*, 16e année, nº 2, décembre 1965-janvier 1966, p. 16-38. Compléments dans les numéros suivants : 16e année, nº 6, août-septembre 1966; 17e année, nº 1, octobre-novembre 1966; 17e année, nº 3, février-mars 1967.

Bibliographie non critique, bien documentée du point de vue politique; comporte des lacunes et des approximations.

PRUNAIR, Jacques : Bibliographie inédite d'une centaine de pages où nous avons repris plusieurs références.

BURNIER, Michel-Antoine : *Les Existentialistes et la politique.* Gallimard, coll. « Idées », 1966.

Cette excellente étude comporte en notes de nombreuses références sur les écrits politiques de Sartre.

THODY, Philip : *Jean-Paul Sartre : A Literary and Political Study.* London, Hamish Hamilton, 1960.

*Biblio*, 1re année, nº 5, mai-juin 1950, p. 13-14; *Livres de France*, 17e année, nº 1, janvier 1966, p. 24-27.

*Yale French Studies*, nos 1, 10, 16 et 30.

*

Ce volume n'aurait pas été possible sans le soutien constant, amical et généreux de Jean-Paul Sartre. Les nombreux renseignements indispensables qu'il nous a donnés au cours de plusieurs entretiens et indirectement nous ont notamment permis de retrouver beaucoup de textes qu'il n'avait pas de raisons particulières de souhaiter voir exhumer. Dans le cas d'un auteur dont les écrits très abondants jalonnent déjà près d'un demi-siècle et sont souvent liés étroitement à des circonstances qui ont entraîné de sa part une profonde évolution, une telle générosité mérite d'être soulignée. Elle témoigne en effet d'une rigoureuse honnêteté intellectuelle : davantage peut-être qu'aucun autre, Sartre est un écrivain qui assume tous ses textes. Ceux qu'il a bien voulu nous autoriser à reproduire, en nous laissant l'entière liberté de leur choix, sont pour la plupart des écrits mineurs et c'est pourquoi il ne les a pas repris dans les volumes de *Situations*. Ils offrent cependant tous, nous a-t-il semblé, un intérêt de quelque ordre et certains sont de grande qualité.

Nous devons à Sartre bien plus que des remerciements. Pour éviter tout malentendu, signalons cependant que les renseignements et les jugements de nos notices sont donnés sous notre entière responsabilité et qu'ils ne l'engagent en aucune façon.

Nous avons trouvé dans l'entourage de Sartre un concours inappréciable. Pendant plus de deux ans, Arlette El Kaïm-Sartre nous a aidés en transmettant avec une bonne grâce infatigable les questions qui surgissaient au fur et à mesure de nos recherches. Un bon nombre de renseignements inédits nous a été fourni par Michelle Vian qui nous a également apporté un concours précieux. Notre dette à l'égard de Simone de Beauvoir se mesure à la quantité d'informations que nous devons à ses mémoires; les fréquentes citations que nous faisons des *Mémoires d'une jeune fille rangée*, de *La Force de l'âge* et de *La Force des choses* rappelleront au lecteur que sans ces livres essentiels un travail tel que le nôtre eût été irréalisable.

Il nous est impossible de mentionner ici toutes les personnes qui ont contribué à ce volume. Notre reconnaissance toute particulière va à Freddy Buache, qui nous a signalé certains textes très peu connus et a mis à notre disposition les ressources de la Cinémathèque suisse, nous permettant ainsi de compléter la bibliographie par un appendice filmographique; à Michel-Antoine Burnier, qui nous a aidés avec efficacité tout au long de nos recherches, notamment en nous procurant plusieurs textes introuvables; à Georges Michel, qui nous a communiqué sa collection d'articles de

Sartre; à Michel Thévoz, qui nous a fait profiter par d'utiles suggestions de sa profonde connaissance de la pensée sartrienne.

Nous remercions MM. Gilbert Guisan, professeur à l'Université de Lausanne [1], et Oreste F. Pucciani, professeur à l'Université de Californie à Los Angeles, qui sont par leur enseignement et leurs encouragements personnels à l'origine directe de cet ouvrage [2].

Enfin, les personnes suivantes ont chacune un titre à notre reconnaissance : Luc Chessex, Stanko Lasič, Kaspar Locher, Jacqueline Pace, André Puig, Philippe Schwed, Dominique Spinetta, Katrina Streiff.

Dans un ouvrage de cette ampleur, un certain nombre d'erreurs sont inévitables. Nous saurions infiniment gré aux lecteurs de bien vouloir nous les signaler et de nous écrire par l'entremise des éditions Gallimard (5, rue Sébastien-Bottin, Paris-VII[e]) au cas où ils auraient connaissance de textes ou de renseignements que nous aurions omis.

1. Ce travail a pu être accompli, pour une moitié, grâce au soutien matériel du Fonds national suisse de la recherche scientifique, à qui j'exprime ici ma vive gratitude. M. C.

2. Je tiens à remercier l'Université de Rochester qui, par son concours matériel, a grandement facilité mes recherches. M. R.

# CHRONOLOGIE DE J.-P. SARTRE

(établie à partir
des écrits autobiographiques
de Sartre et de Simone de Beauvoir
et complétée
par divers renseignements).

1904

Mariage de Jean-Baptiste Sartre, fils d'un médecin de campagne, officier de marine, et d'Anne-Marie Schweitzer, fille de Charles Schweitzer et de Louise Guillemin.

1905

Naissance à Paris (2, rue Mignard, XVIe), le 21 juin 1905, de Jean-Paul-Charles-Aymard Sartre.

1906

Mort de Jean-Baptiste Sartre.

1908

Naissance de Simone de Beauvoir et de Maurice Merleau-Ponty.

1905-1915

« Jusqu'à dix ans, je restai seul entre un vieillard et deux femmes. » Sur cette période, voir *Les Mots*.

De 1905 à 1911, Sartre habite avec sa mère et ses grands-parents à Meudon. En 1911, Charles Schweitzer déménage à Paris, 2, rue Le Goff, où il fonde un institut de langues vivantes.

Vers 1909, apprend à lire en déchiffrant *Sans famille*, d'Hector Malot.

Vers 1912-1913, lit *Madame Bovary*, *Michel Strogoff*, Corneille, Michel Zévaco; il est fortement impressionné par le cinéma; établit une collection d'illustrés; récrit en alexandrins les fables de La Fontaine, écrit des « romans » : « Pour un papillon» , « Le Marchand de bananes »; adresse le 26 janvier 1912 une lettre à Courteline.

1913

Placé en huitième puis en dixième au lycée Montaigne; leçons particulières et Institution Poupon.

1915

*Octobre :* Entre en sixième A II comme externe au lycée Henri-IV. Un de ses professeurs, M. Olivier, le juge ainsi après le premier trimestre : « Excellent petit enfant, mais très irréfléchi. Ne fait presque jamais une réponse juste du premier coup. Doit s'habituer à penser davantage. » Il fait beaucoup de progrès et ses professeurs le notent à la fin de l'année scolaire comme « excellent à tous égards ».

1916

Il est rejoint en cinquième par Paul-Yves Nizan. Son professeur de français, M. Noël, note : « Dans les premiers de la classe pour le français. De l'ouverture d'esprit — déjà un petit bagage littéraire, et une mémoire fort présente. »

En cours d'année scolaire, sa mère se remarie avec un ingénieur de la marine, M. Mancy. Le jeune couple s'installe dans un appartement indépendant, tandis que « Poulou » reste chez ses grands-parents, tout en étant maintenant externe surveillé à Henri-IV. La fin de sa cinquième est perturbée par ce bouleversement familial.

1917-1920

M. et Mme Mancy s'installent à La Rochelle. Fait sa quatrième, sa troisième et sa seconde au lycée de La Rochelle.

L'adolescence est un âge assez malheureux pour Sartre, principalement à cause des différences psychologiques et culturelles qu'il y a entre lui et son beau-père. Il a une sorte de « brouille intérieure » avec sa mère, établit des rapports de contre-culturation avec sa famille et coupe les ponts avec son passé. Il est alors un élève médiocre, non intégré par ses camarades, et, en troisième, deux ans après le remariage de sa mère, il vole systématiquement à sa famille de l'argent et des livres (qu'il revend). Sartre décrit les années 1916-1920 comme « les trois ou quatre plus mauvaises années de ma vie ». Dans la préface à *Aden-Arabie*, il affirme : « J'ai vécu dix ans de ma vie sous la coupe d'un polytechnicien. »

En seconde, ses résultats scolaires redeviennent satisfaisants. De son expérience de lycéen, il tirera quelques années plus tard la matière d'un roman, *Jésus la Chouette*.

1920

Revient en première A au lycée Henri-IV, où il retrouve Nizan, et reste jusqu'en 1922. Son professeur, M. Georgin, note : « A certainement de l'étoffe. »

1921-1922

Selon un de ses condisciples, il aurait écrit une pièce ubuesque, « Vaticiner sans pouvoir », qui serait une description grotesque du *Penseur* de Rodin. Sartre n'en conserve aujourd'hui aucun souvenir.

1921

*Juin :* Est présenté au Concours général et passe le baccalauréat, première partie.

1922

A la fin de sa classe de philosophie, M. Chabrier l'apprécie en ces termes : « Excellent élève : esprit déjà vigoureux, habile à discuter une question, mais doit compter un peu moins sur lui-même. »

*Juin :* Baccalauréat, deuxième partie.

1922-1924

Prépare le concours d'entrée à l'École normale supérieure au lycée Louis-le-Grand, où il sera dans le même dortoir que Nizan.

1923

Publie dans *La Revue sans titre* une nouvelle, *L'Ange du morbide*, et, sous le pseudonyme de Jacques Guillemin, plusieurs chapitres d'un roman, *Jésus la Chouette, professeur de province.*

1924

*Juin :* Réussit le concours d'entrée à l'École normale supérieure en compagnie de Paul Nizan, Raymond Aron, Daniel Lagache, etc.

1924-1929

Suit principalement des cours de philosophie et de psychologie et prépare l'agrégation de philosophie.

1925

Fait la connaissance de « Camille », de son vrai nom Simone Jolivet. Dans deux longues lettres (inédites) à celle-ci, expose son idée de la contingence et de la conscience comme vide dans l'être.

*28 mars :* Joue le rôle de Lanson dans *Le Désastre de Langson*, revue présentée à l'École normale supérieure. Participe par la suite à plusieurs spectacles de ce genre.

1926

Selon Daniel Lagache : « Nous avons eu le projet, Sartre, Nizan, Aron et moi, de tirer un scénario de *Poil de carotte*. [...] Sartre avait dit très justement : "Ce qu'il faut que nous mettions au centre, c'est le besoin de tendresse." »

Présente un diplôme d'études supérieures sur l'imagination sous la direction du professeur H. Delacroix (mention très bien). Ce travail, modifié, sera repris en volume en 1936.

1927-1928

Écrit « Une défaite », roman qui s'inspirait des amours de Nietzsche et de Cosima Wagner et qui fut « judicieusement » refusé par Gallimard, « Er l'Arménien » et un article sur le droit pour la *Revue universitaire internationale*. Avec Nizan, participe à la traduction de la *Psychopathologie générale* de Jaspers.

1928

Échoue à l'écrit de l'agrégation, à la surprise générale.

1929

Répond à une enquête faite par *Les Nouvelles littéraires*. Fait la connaissance de Simone de Beauvoir qui, dans ses mémoires, trace du Sartre de l'époque un portrait vivant et attachant : « "Il n'arrête pas de penser", m'avait dit Herbaud. Cela ne signifiait pas qu'il sécrétât à tout bout de champ des formules et des théories : il avait en horreur la cuistrerie. Mais son esprit était toujours en alerte. Il ignorait les torpeurs, les somnolences, les fuites, les esquives, les trêves, la prudence, le respect. Il s'intéressait à tout et ne prenait jamais rien pour accordé. »

Il prépare avec Simone de Beauvoir l'oral de l'agrégation et lui propose, quelque temps plus tard, « un bail de deux ans ». Ils seront tous deux reçus au concours, lui à la première place, elle, à la seconde.

Vers 1929-1930, s'amuse à tourner avec Simone de Beauvoir et les Nizan de petits films amateurs dont l'un s'intitule « Le Vautour de la sierra ».

Pose sa candidature pour un poste de lecteur au Japon à partir d'octobre 1931, poste que, finalement, il n'obtiendra pas.

*Novembre :* Commence un service militaire de dix-huit mois dans la météorologie au fort de Saint-Cyr. Est transféré en janvier 1930 à Saint-Symphorien, près de Tours. Pendant son service, jouissant d'une certaine liberté, il écrit des poèmes, le premier chapitre d'un roman, puis « La Légende de la vérité », ainsi que « Épiméthée », pièce en un acte, inspirée de Pirandello, sur un personnage qui prépare son enterrement. La pièce comprend trois personnages : Prométhée l'ingénieur, Épiméthée le Baladin et Pandore.

1931

*Février :* Ayant refusé de suivre la préparation d'élève officier de réserve, il est libéré comme deuxième classe. Il est nommé professeur de philosophie au Havre pour le dernier trimestre 1931 ainsi que pour les années scolaires 1931-1932 et 1932-1933.

*Juin : Légende de la vérité* paraît dans *Bifur*. Nizan le présente alors ainsi : « Jeune philosophe. Prépare un volume de philosophie destructrice. »

*12 juillet :* Sartre fait un discours de distribution des prix sur le cinéma au lycée du Havre.

*Été :* Voyage en Espagne avec Simone de Beauvoir. Nombreuses visites au Prado, où il admire Bosch et déteste le Titien.

*Octobre :* Le volume d'essais « La légende de la vérité » est refusé par tous les éditeurs.

*Fin :* Commence un « factum sur la contingence » qui, considérablement modifié, deviendra *La Nausée*.

1931-1933

Conférences, salle de la Lyre havraise, sur des sujets littéraires : « Le monologue intérieur : Joyce » et « Problèmes moraux des écrivains contemporains. »

1932

*Voyage au bout de la nuit*, de Céline : « Sartre en prit de la graine. »

*Pâques :* Vacances en Bretagne.

*Été :* Voyage au Maroc espagnol et en Espagne.

Vers cette époque, découvre le yo-yo : « Sartre s'y exerçait du matin au soir avec un sombre acharnement. »

1933

*Pâques :* Vacances à Londres; légère dissension avec Simone de Beauvoir.

*Été :* Italie, Venise et le Tintoret.

*Septembre :* Sartre boursier à l'Institut français de Berlin, où il succède à Raymond Aron et découvre la phénoménologie. Vacances de Noël en France.

1934

Lit Faulkner, Kafka, Husserl.

A Berlin, achève une deuxième version de *La Nausée* et écrit *La Transcendance de l'ego*.

*Pâques :* Vacances à Paris.

*Juillet-août :* Rendez-vous avec Simone de Beauvoir à Hambourg, puis voyage en Allemagne, en Autriche et à Prague.

1934-1936

Professeur au lycée du Havre. Selon le témoignage de l'un de ses élèves : « Sartre entra dans sa classe pour la première fois en veston de sport, en chemise noire et sans cravate; nous comprîmes tout de suite qu'il ne serait pas un prof comme les autres : M. le censeur le comprit aussi et fronça les sourcils. Immédiatement Sartre subjugua ses élèves par sa cordiale autorité et son non-conformisme. En fait, il ne professait pas, il parlait avec de jeunes amis et ce qu'il disait paraissait tellement évident, tellement certain que nous avions l'impression de découvrir la Vérité. »

« Plus d'une fois pendant ces années, Sartre fut vaguement tenté d'adhérer au P.C. »

1935

Représenté partiellement sous les traits de Lange dans *Le Cheval de Troie* de Nizan.

*Février :* Se fait piquer à la mescaline par son ancien condisciple, le docteur Lagache; il en résulte une dépression accompagnée d'hallucinations qui dure plus de six mois :

« Il avait vu des parapluies-vautours, des souliers-squelettes, de monstrueux visages; et, sur ses côtés, par derrière, grouillaient des crabes, des poulpes, des choses grimaçantes. »

*Été :* Croisière en Norvège avec ses parents, qui inspirera la nouvelle inédite « Soleil de Minuit », puis randonnée avec Simone de Beauvoir dans le centre de la France : « Sartre me dit abruptement qu'il en avait assez d'être fou. »

1936

Publie chez Alcan *L'Imagination*, première partie d'un ouvrage qui aurait dû s'intituler « L'Image » ou « Les Mondes imaginaires. »

Sartre et Simone de Beauvoir intègrent Olga Kosakiewicz à leur vie commune : « Au lieu d'un couple, nous serions désormais un trio. Nous pensions que les rapports humains sont perpétuellement à inventer, qu'*a priori* aucune forme n'est privilégiée, aucune impossible : celle-ci nous parut s'imposer. » L'échec de la tentative inspirera à Simone de Beauvoir son roman *L'Invitée*.

Remet « Melancholia » *(La Nausée)* à Gallimard; bonne appréciation de Paulhan, mais refus.

Écrit la nouvelle *Érostrate*. A Pâques, voit le film *Les Temps modernes*.

Ne vote pas aux élections. Se voit proposer une khâgne à Lyon, mais préfère un poste à Laon.

*Juillet :* Début de la guerre d'Espagne, « drame qui pendant deux ans et demi domina toute notre vie ».

*Été :* Voyage en Italie, Naples, Rome, Venise. A la suite de ce voyage, écrit la nouvelle « Dépaysement » dont un fragment sera publié plus tard sous le titre *Nourritures*.

1936-1937

Professeur à Laon.

1937

Grâce aux interventions de Dullin et de Pierre Bost, « Melancholia » est finalement accepté par Gaston Gallimard qui suggère pour le livre le titre « La Nausée ».

*Été :* Vacances en Grèce avec Simone de Beauvoir et Jacques Bost. Le village d'Embrosio lui inspirera le décor des *Mouches*.

*Automne :* Est nommé à Paris, au lycée Pasteur.

1938

Termine un traité de psychologie de 400 pages, « La Psyché », dont un fragment formera en 1939 *Esquisse d'une théorie des émotions*.

En mars, publie *La Nausée*, qui obtiendra un assez grand succès critique.

Articles sur Dos Passos et Nizan.

*Pâques :* Vacances au Pays basque.

*Juillet :* Termine *L'Enfance d'un chef*, le dernier des récits du *Mur*. Forme le projet d'un roman en deux parties, « Lucifer », qui deviendra plus tard *Les Chemins de la liberté*.

*Été :* Vacances au Maroc ; inspireront le scénario « Typhus » qui, travaillé en 1943-1944, puis déformé, servira pour le film *Les Orgueilleux* (1953).

1939

Publie en janvier *Le Mur* et en décembre *Esquisse d'une théorie des émotions*.

Collabore à un numéro de *Verve* sur la figure humaine.

Articles sur Husserl, Mauriac, Nabokov, Denis de Rougemont, Charles Morgan, Faulkner.

*2 septembre :* Mobilisé, rejoint la 70e division à Nancy, puis est transféré à Brumath et à Morsbronn, en Alsace, où il travaille à *L'Age de raison* et à *L'Être et le Néant*.

Période de travail intense : Sartre remplit une série de carnets qu'il égare par la suite.

*1er novembre :* Simone de Beauvoir rend visite à Sartre à Brumath.

*Les Nouvelles littéraires*, dans leur numéro du 30 décembre, annoncent la parution de *L'Age de raison* pour 1940 à la N.R.F.

1940

Publication de *L'Imaginaire* en mars.

*Début février :* Permission à Paris; Simone de Beauvoir remarque chez lui un sérieux changement : il commence à concevoir la notion d'engagement.

*Avril :* Sartre obtient une deuxième permission et reçoit le prix du Roman populiste pour *Le Mur.*

*23 mai :* Mort de Paul Nizan, tué au front.

*21 juin :* Sans avoir vu le feu, Sartre est fait prisonnier à Padoux, en Lorraine, puis dirigé vers Nancy, caserne des gardes mobiles, où on le garde jusqu'à la mi-août; il est alors transféré au stalag XII D à Trèves.

Fait un cours sur Heidegger à un groupe de curés prisonniers.

*Décembre :* Compose et met en scène pour ses camarades de captivité une pièce de Noël, *Bariona ou le Fils du tonnerre*, où il joue lui-même le rôle d'un Roi mage.

1941

*Fin mars :* Libéré en se faisant passer pour civil. Simone de Beauvoir est frappée par la raideur de son moralisme. « La guerre m'avait enseigné qu'il fallait s'engager. »

Après les vacances de Pâques, professeur au lycée Pasteur. Fait la connaissance de Giacometti.

Fonde avec Merleau-Ponty le groupe de résistance intellectuelle « Socialisme et Liberté ». Cherche en vain à prendre contact avec les communistes qui font courir le bruit qu'il est un agent provocateur. Termine *L'Age de raison.*

Article sur *Moby Dick* dans *Comœdia* du 21 juin.

*Été :* Voyage à bicyclette en zone libre pour organiser un mouvement de résistance; rencontre Gide, Malraux.

*Septembre :* Professeur de khâgne au lycée Condorcet, où il enseignera jusqu'en 1944.

*Octobre :* Se résout à disperser le groupe « Socialisme et Liberté ». « Il s'attela alors opiniâtrement à la pièce qu'il avait commencée [*Les Mouches*] : elle représentait l'unique forme de résistance qui lui fût accessible. »

1942

Écrit abondamment (surtout au Flore) et finit *Les Mouches.* Publie des pages de journal.

Sur la vie quotidienne de Sartre pendant cette année d'occupation, voir *La Force de l'âge*, p. 516-549.

1943

Publie *Les Mouches* en avril et, au début de l'été, *L'Être et le Néant*, qui passe presque inaperçu.

Articles sur Camus, Drieu La Rochelle, Blanchot et Bataille.

*Début :* Rejoint le C.N.E. et le C.N.Th., et collabore aux *Lettres françaises* clandestines.

*2 juin :* Première des *Mouches* au théâtre de la Cité. Mise en scène de Charles Dullin. La pièce aura vingt-cinq représentations, puis sera reprise à l'automne.

*Été :* Vacances dans le centre de la France.

Engagé par la maison Pathé, par l'intermédiaire de Jean Delannoy, écrit en 1943-1944 plusieurs scénarios : *Les Jeux sont faits*, « Typhus », « La Fin du monde », etc.

Interrompt *Le Sursis* pour écrire une pièce qui s'intitulera « Les Autres », puis *Huis clos*. Propose à Camus de jouer le rôle de Garcin et de se charger de la mise en scène.

Dullin lui confie un cours sur l'histoire du théâtre qui porte principalement sur la dramaturgie grecque.

Décide de fonder une revue après la guerre.

A partir de 1943, figure parmi les collaborateurs de *Combat* clandestin, sans donner de textes.

Le mot « existentialisme » est lancé par Gabriel Marcel.

1944

Articles sur Brice Parain, Francis Ponge.

*Février :* Rend hommage à Jean Giraudoux, à la mort de celui-ci.

*5 mars :* Participe à une discussion sur le péché chez Marcel Moré.

*Mars :* Joue le Bout rond dans *Le Désir attrapé par la queue* de Picasso chez Michel Leiris. Prend part, à l'époque, à une série de « fêtes ».

*Mai :* Fait la connaissance de Jean Genet au Flore en compagnie de Camus.

*27 mai :* Première de *Huis clos* au Vieux-Colombier. Mise en scène de R. Rouleau. La pièce sera reprise après la Libération, en septembre.

*Juin :* Conférence sur le théâtre à la demande de Jean Vilar.

*Août-septembre :* Reportage sur les journées de la Libération dans *Combat*, avec l'aide de Simone de Beauvoir.

*Septembre :* Le comité directeur des *Temps modernes* est constitué; Malraux n'accepte pas d'en faire partie.

Rencontre Hemingway au Ritz.

*Décembre :* Camus lui offre de représenter *Combat* aux U.S.A. Il publie une mise au point sur l'existentialisme, pour répondre à des attaques communistes.

1945

Publication de *Huis clos* en mars, de *L'Age de raison* et du *Sursis* en septembre.

Refuse la Légion d'honneur (de même que Camus).

*12 janvier :* Part en avion pour les États-Unis comme envoyé spécial de *Combat* et du *Figaro*. Reste en Amérique jusqu'en mai. Fait la connaissance de M. (Dolorès), rencontre le président Roosevelt et visite Hollywood.

*21 janvier :* Mort du beau-père de Sartre, M. Mancy.

*Été :* Voyage en Belgique avec Simone de Beauvoir et participation à un colloque organisé par les éditions du Cerf.

*Septembre-octobre :* Début de la grande vogue de l'existentialisme et de la notoriété de Sartre.

*15 octobre :* Parution du premier numéro des *Temps modernes*.

*29 octobre :* Célèbre conférence sur le sujet : « L'existentialialisme est un humanisme », donnée au Club Maintenant.

*Fin 1945 :* Écrit *Morts sans sépulture*.

*12 décembre :* Repart aux États-Unis pour une tournée de conférences dans les universités américaines.

1946

Parution de : *L'Existentialisme est un humanisme*, *Morts sans sépulture*, *La Putain respectueuse*, *Réflexions sur la question juive* et *Les Jeux sont faits*.

Préface des extraits de Descartes et les *Écrits intimes* de Baudelaire.

*Avril :* A les oreillons.

*Mai-juin :* Conférences en Suisse, 20 mai : Genève; 22 et 23 mai : Zurich; 1er juin : Lausanne, où il rencontre André Gorz.

*Juin :* Voyage et conférences en Italie.

*Juin :* Soutient vainement Vian pour le prix de la Pléiade (Sartre avait fait la connaissance de Boris et Michelle Vian au début de l'année).

*Juin :* Premier éclatement de l'équipe des *Temps modernes* avec le départ de Raymond Aron et d'Albert Ollivier.

*Octobre :* Préface une exposition Calder.

*1er novembre* : Conférence à la Sorbonne sur la responsabilité de l'écrivain, à l'occasion de la constitution de l'UNESCO.

*8 novembre :* Première de *Morts sans sépulture* et de *La Putain respectueuse* au théâtre Antoine. Le titre de la deuxième pièce est censuré. Grosse manchette, « Scandale à Paris », dans *France-Dimanche* du 17 novembre.

*Novembre :* Voyage en Hollande, où il travaille à *Qu'est-ce que la littérature ?* Première brouille avec Camus jusqu'en mars 1947.

1947

Parution de *Situations, I, Baudelaire* et *Théâtre, I.*

*Février :* Commence la publication de *Qu'est-ce que la littérature?* dans *Les Temps modernes.*

*Février :* Participe au comité de défense Henry Miller.

*Avril-juin :* Prend la défense de Nizan, diffamé par les communistes.

*31 mai :* Conférence sur Kafka.

*2 juin :* Exposé « Conscience de soi et connaissance de soi » à la Société française de Philosophie.

*Juillet :* Voyage et conférence de presse à Londres pour présenter *Morts sans sépulture* et *La Putain respectueuse.*

Soutient Jean Genet pour le prix de la Pléiade.

*Été :* Voyage en Suède et en Laponie avec Simone de Beauvoir.

*19 septembre :* Communication à un congrès de filmologues à qui il présente *Les Jeux sont faits.*

*Octobre-novembre :* Tribune des *Temps modernes* à la radio (dates : 20, 22, 27 octobre, 3, 10, 17 et 24 novembre). Après avoir provoqué de vives réactions, l'émission est supprimée.

Sartre se brouille avec Raymond Aron et Arthur Koestler.

*Novembre :* Appel à l'opinion internationale signé par *Esprit, Les Temps modernes,* Camus, Sartre, Rousset, etc.

1948

Parution de : *Les Mains sales, Situations, II, L'Engrenage.*

*Février :* Voyage à Berlin; conférence et discussion sur *Les Mouches.*

Sartre rejoint le groupe qui était à l'origine du R.D.R. et signe l'appel qui annonce la naissance du mouvement.

*15 février :* Témoigne au procès Misrahi.

*10 mars :* Participe avec David Rousset à une conférence de presse R.D.R.

*12 mars :* Assemblée générale du R.D.R. aux Sociétés savantes.

*19 mars :* Allocution au meeting R.D.R., salle Wagram. Collabore au journal *La Gauche R.D.R.*

*2 avril :* Première des *Mains sales* au théâtre Antoine. Très grand succès. Campagne communiste contre la pièce.

*2 avril :* Conférence dans une loge maçonnique.

*Mai :* Prend position en faveur de la création de l'État d'Israël.

*11 juin :* Intervention à un meeting R.D.R.

*18 juin :* Entretien sur la politique avec D. Rousset et G. Rosenthal; deuxième entretien le 24 novembre. Le livre paraîtra en mars 1949.

*Été :* Voyage avec Simone de Beauvoir en Algérie.

*30 octobre :* Par décret du Saint-Office, toute l'œuvre de Sartre est mise à l'index.

*18 novembre :* Intervention à un meeting sur le Maroc.

*Fin novembre :* Proteste contre l'adaptation des *Mains sales* à New York et intente un procès à ce sujet à l'éditeur Nagel.

*Début décembre :* Démarche soviétique auprès des autorités d'Helsinki pour empêcher la représentation des *Mains sales*, considérée comme « propagande hostile à l'U.R.S.S. »

Vers cette époque, est traité de « hyène stylographe » par Fadeev.

*13 décembre :* Meeting salle Pleyel avec R. Wright, Carlo Levi, etc.

*Fin 1948 : Les Temps modernes* quittent Gallimard et sont repris par Julliard (cf. *La Force des choses*, p. 186).

Sartre travaille à sa « Morale » et commence une longue étude sur Mallarmé.

1949

Publie : *La Mort dans l'âme, Situations, III, Entretiens sur la politique.*

*Janvier-février :* Polémique avec Lukács, en visite à Paris.

*24 avril :* Conférence au Centre d'études de politique étrangère : « Défense de la culture française par la culture européenne. »

*30 avril :* En désaccord avec les positions que commence à prendre le mouvement, refuse son concours à un meeting R.D.R.

*Mai :* Controverse avec Mauriac.

*30 juin :* Provoque la réunion d'un congrès extraordinaire du R.D.R.

*Été :* Visite le Guatemala, Panama, Curaçao, Haïti et Cuba. Rend visite à Hemingway à La Havane.

*4 octobre :* Envoie un télégramme au procès Gary Davis.

*15 octobre :* Démissionne officiellement du R.D.R.

Rôle et texte dans le film de Nicole Védrès, *La Vie commence demain* (qui sortira en 1950).

Sartre rompt avec M.

Travaille à une préface pour les œuvres de Genet et fait paraître une partie du tome IV des *Chemins de la liberté* dans *Les Temps modernes* de novembre et décembre.

1950

Selon Simone de Beauvoir, « Sartre avait pratiquement renoncé à toute activité politique ». Il abandonne sa « Morale », s'occupe d'histoire et d'économie, relit Marx, entreprend d'écrire un livre sur l'Italie, « La Reine Albemarle et le dernier touriste ». La préface à Genet prend les dimensions d'un gros ouvrage et est publiée en partie dans *Les Temps modernes*.

Écrit plusieurs préfaces.

Entretiens avec le philosophe marxiste Tran Duc Thao (non publiés).

*Début 1950 :* Fait une conférence sur le théâtre à un club d'autodidactes de la rue Mouffetard.

*Janvier :* S'élève avec Merleau-Ponty contre l'existence des camps de concentration soviétiques.

*Février :* Adhère à un comité pour la révision du procès de Tananarive.

*Février :* Fait lire un hommage à Charles Dullin à l'Atelier.

*Printemps* : Voyage au Sahara et en Afrique noire. Retour par le Maroc.

*Mai-juin :* Ne signe pas l'appel de Stockhol .

*Juin :* Début de la guerre de Corée qui suscite d'importantes divergences entre Sartre et Merleau-Ponty. Politiquement, Sartre « nage dans l'incertitude ».

1951

*Début :* Compose *Le Diable et le Bon Dieu*, qu'il achèvera au cours de répétitions mouvementées.

Écrit un article sur Gide, à la mort de celui-ci.

*7 juin :* Première de la pièce au théâtre Antoine. Mise en scène de Louis Jouvet.

*Été :* A partir de la mi-juillet, voyage avec Simone de Beauvoir en Norvège, Islande, Écosse.

*Les Mains sales*, film de Fernand Rivers.

1952

Publication de *Saint Genet, comédien et martyr*.

*Janvier :* Est reçu par le président Auriol à qui il présente une demande de grâce pour Henri Martin. Accepte de collaborer à un livre sur l'affaire Henri Martin.

*Printemps-été :* Voyage dans le Midi et en Italie; travaille à son étude sur Mallarmé.

« Révisant ses positions politiques, il menait de front un travail intérieur qui lui coûtait et des études qui dévoraient ses journées. »

*Juin :* Écrit la première partie des *Communistes et la Paix*, qui paraît dans le numéro de juillet des *Temps modernes*. La deuxième partie est publiée en octobre-novembre. Pendant quatre ans, avec l'exception de *Kean*, les activités de Sartre vont être presque exclusivement dominées par la politique.

*Août : Réponse à Albert Camus*. Sartre se brouille définitivement avec Camus.

*15 novembre :* Signe le « Manifeste contre la guerre froide » du C.N.E.

*19 novembre :* Interdit la représentation des *Mains sales* à Vienne.

*12 décembre :* Intervention de Sartre à la séance d'ouverture du Congrès des peuples pour la paix à Vienne.

*23 décembre :* Parle à un meeting au Vél' d'Hiv' sur le Congrès de Vienne organisé par le Mouvement de la Paix.

Entretien à la R.T.F. dans une émission consacrée à Pierre Brasseur.

Fait une longue conférence à Fribourg-en-Brisgau et rend visite à Heidegger.

*La P... respectueuse*, film de Marcel Pagliero.

1953

« Sartre est absorbé par la politique et ses écrits. »

*Janvier :* Assiste à la leçon inaugurale de Merleau-Ponty au Collège de France.

*Mars :* P. Brasseur demande à Sartre d'adapter *Kean*.

*Mars :* Nouvelle controverse avec François Mauriac.

*Avril : Réponse à Claude Lefort*.

*5 mai :* Intervention à un meeting du Mouvement de la Paix à la Mutualité.

*Juin :* Proteste violemment contre l'exécution des Rosenberg, survenue le 19 juin.

*Juillet :* Écrit *Kean* à Rome; à partir de 1953, Sartre passe tous les étés dans cette ville (sauf en 1960).

*24 octobre :* Dédicace *L'Affaire Henri Martin* à la vente du C.N.E. (dont il était devenu membre du comité directeur au début de l'année).

*14 novembre :* Première de *Kean* au théâtre Sarah-Bernhardt. Projet de film sur le même sujet.

*Les Orgueilleux*, film d'Yves Allégret.

Vers la fin de l'année, forme le projet d'écrire une autobiographie. « Jeté dans l'atmosphère de l'action, j'ai soudain vu clair dans l'espèce de névrose qui dominait toute mon œuvre antérieure. »

1954

*27 janvier :* Conférence où Sartre proteste contre la C.E.D. et les accords de Bonn et de Paris. Plus tard, allocution à un meeting contre la C.E.D.

*Février :* Participe à la rencontre de Knokke-le-Zoute entre écrivains de l'Est et de l'Ouest.

*28 février :* « Exécute » Kanapa.

*Avril-juin :* Termine la préface pour le livre de photographies de Cartier-Bresson, *D'une Chine à l'autre.*

*Avril :* Conférence à Berlin : « L'Universalité de l'histoire et son paradoxe. »

*Mai :* Proteste contre l'interdiction des ballets soviétiques après la défaite de Dien Bien Phu.

*24-25 mai :* Participe à une session extraordinaire du Conseil mondial de la Paix à Berlin.

*26 mai-juin :* Premier voyage en U.R.S.S. : Moscou, Léningrad, Uzbekistan. Pendant son séjour, est transporté à l'hôpital, où il est soigné dix jours à la suite d'une crise d'hypertension.

*24 juin :* Retour à Paris. Sartre sera très affaibli pendant plusieurs mois.

*Juillet :* Publie un compte rendu de son voyage en U.R.S.S. dans *Libération* et dans *L'Unità*. Controverse avec les Lazareff.

*Été :* Séjour en Italie où il rencontre Togliatti.

*Fin août-septembre :* Voyage avec Simone de Beauvoir en Allemagne, Autriche et Tchécoslovaquie puis retour en Italie.

*23 septembre :* Conférence de presse à Vienne pour s'opposer à la représentation des *Mains sales.*

*Décembre :* Sartre est nommé vice-président de l'association France-U.R.S.S.

Publication des *Mandarins.*

*Huis clos,* film de Jacqueline Audry.

1955

*20 février :* Allocution à un meeting France-U.R.S.S. commémorant la victoire de Stalingrad.

*8 juin :* Première de *Nekrassov* au théâtre Antoine, après plusieurs retards dus à des changements de texte et de distribution ainsi qu'à des répétitions difficiles. La pièce, soutenue par les communistes, se heurte à une violente campagne de presse et n'obtient que peu de succès.

*26 juin :* Intervention au congrès du Mouvement de la Paix à Helsinki, où il rencontre Lukács.

*Juin :* Parution des *Aventures de la dialectique* de Merleau-Ponty, qui met au jour le différend entre les deux philosophes. Sartre se tait, mais Simone de Beauvoir répond par l'article « Merleau-Ponty et le pseudo-sartrisme ».

*Septembre-novembre :* Avec Simone de Beauvoir, Sartre passe deux mois en Chine. Arrivé le 6 septembre, il assiste le 1<sup>er</sup> octobre au défilé de Pékin, puis revient par l'U.R.S.S., où il passe une semaine à Moscou et participe à un congrès de critiques.

Signe un tract invitant à voter pour Roger Garaudy.

*Novembre :* Commence le scénario du film *Les Sorcières de Salem.*

1956

Continue son autobiographie et le scénario des *Sorcières de Salem.*

Décide avec Garaudy de confronter les méthodes existentialiste et marxiste à propos de Flaubert.

*27 janvier :* Meeting salle Wagram contre la guerre d'Algérie.

*2 février :* Préside une réunion sur la Chine.

*Février :* Polémiques avec Pierre Hervé et Pierre Naville.

*26-31 mars :* Participe activement à la réunion de la Société européenne de culture à Venise (où il retrouve Merleau-Ponty).

*16 mai :* Conférence à la Sorbonne : « Idéologie et histoire. »

*Juillet :* Sartre fait la connaissance d'Arlette El Kaïm. Originaire de Constantine, la jeune fille préparait à Versailles le concours d'entrée à l'École normale supérieure de Sèvres et lui avait écrit à la suite de travaux scolaires qu'elle avait faits en se référant à la philosophie de Sartre, ce qui avait été mal jugé par son professeur de philosophie. Sartre l'adoptera en mars 1965.

*Été-automne :* Voyage en Italie, Yougoslavie et Grèce, puis long séjour en Italie. Sartre y apprend la nouvelle de l'insurrection hongroise.

*9 novembre :* Dans une interview accordée à *L'Express*, Sartre condamne l'intervention soviétique en Hongrie. Il signe plusieurs appels, quitte France-U.R.S.S., mais reste au C.N.E. et au Mouvement de la Paix. Écrit *Le Fantôme de Staline* et publie un numéro spécial des *Temps modernes*. Novembre et décembre dominés par l'affaire de Hongrie.

1957

Se sent en sympathie avec les communistes polonais et les communistes oppositionnels.

Publie « Existentialisme et marxisme » dans une revue polonaise (cf. *Questions de méthode*). Étude sur le Tintoret.

Commence *Critique de la raison dialectique;* au cours d'un séjour à Rome, écrit la préface au *Traître* de Gorz.

S'élève à plusieurs reprises contre la torture et la guerre en Algérie.

*Janvier :* Voyage en Pologne pour la première polonaise des *Mouches.*

*4 avril :* Hommage à Brecht au théâtre des Nations.

*7-16 avril :* Écrit « Une entreprise de démoralisation », première version de *Vous êtes formidables*, refusé par *Le Monde.*

*1^er^ juin* : Intervention sur l'Algérie au Mouvement de la Paix.

*Été :* Séjour en Italie.

*10 décembre :* Déposition au procès Ben Sadok.

*Les Sorcières de Salem,* film de Raymond Rouleau.

1958

Travaille à une pièce qui devait devenir *Les Séquestrés d'Altona* et qui devait être présentée à l'automne 1958.

Écrit « furieusement » la *Critique.*

*Février :* Écrit pour *L'Express* un commentaire sur *La Question* d'Henri Alleg qui provoque la saisie du journal. A partir de cette date, les saisies, en particulier celles des *Temps modernes,* se multiplient.

*Printemps :* Reprend contact avec les communistes italiens.

Conférence « Dialectique et aliénation », à la demande de Jean Wahl.

*30 mai :* Participe à la manifestation antigaulliste de la Nation.

*30 mai :* Conférence de presse sur « les violations des droits de l'homme en Algérie ».

*2 juin :* Participe à une nouvelle manifestation.

*Juin :* Accepte d'écrire un scénario sur Freud pour John Huston; un premier travail est terminé en décembre.

*16 juin-15 septembre :* Séjour en Italie, où il rencontre Alberto Moravia, Merleau-Ponty, etc.

*Septembre :* Articles dans *L'Express* appelant à voter non au référendum du 28 septembre.

*22 septembre :* Allocution à un meeting antifasciste.

*Septembre-octobre :* Désillusion profonde à la suite des résultats du référendum du 28 septembre.

*Octobre* : Sartre évite de justesse une attaque : sa santé donne les plus vives inquiétudes à son entourage. La pièce, prévue pour l'automne 1958, est repoussée à l'automne 1959.

1959

Accorde une interview à Francis Jeanson pour le journal clandestin *Vérités pour.*

*Été :* Séjour à Rome, où il termine *Les Séquestrés d'Altona.*

Comme d'habitude, la composition et surtout les répétitions de la pièce l'occupent énormément.

*24 septembre :* Première des *Séquestrés* au théâtre de la Renaissance. Gros succès.

*Septembre :* Court séjour en Irlande pour travailler au film *Freud* avec Huston.

1960

Parution de *Critique de la raison dialectique.*

*4 janvier :* Mort d'Albert Camus.

*Mi-février :* Départ pour Cuba avec Simone de Beauvoir ; rencontre Fidel Castro, Che Guevara ; parle à la télévision ; assiste aux obsèques des victimes de l'explosion du La Coubre, le 5 mars. Au retour, s'arrête à New York, où il donne une conférence de presse sur Cuba. Entreprend un gros ouvrage dont il tire *Ouragan sur le sucre*, publié dans *France-Soir* du 28 juin au 15 juillet.

*Mars :* Au cours du séjour à Cuba, termine la préface à *Aden-Arabie* de Nizan.

*Fin mars :* Sartre et Simone de Beauvoir assistent à la réception donnée par Khrouchtchev à Paris, à l'ambassade soviétique.

*29 mars :* Importante conférence sur le théâtre à la Sorbonne.

*11 mai :* Arrive à Belgrade, où il est invité avec Simone de Beauvoir par l'Union des écrivains yougoslaves ; le 13, il est reçu par Tito ; assiste aux représentations des *Séquestrés d'Altona* et de *Huis clos* ; donne une conférence à la Faculté des lettres de Belgrade.

*10 juin :* Intervient au Congrès national pour la paix en Algérie par la négociation. Participe aux débats les 11 et 12 juin.

*17 juin :* Témoigne au procès Georges Arnaud.

*Mi-août-novembre :* Voyage au Brésil avec Simone de Beauvoir. Visite tout le Brésil et en particulier l'Amazonie ; donne de nombreuses interviews et conférences (sur la littérature, le colonialisme, la dialectique) ; dédicace la traduction brésilienne d'*Ouragan sur le sucre*.

*Août :* Signe le manifeste des 121.

*20 septembre :* Fait lire une déposition au procès du réseau Jeanson.

*Octobre :* *Les Temps modernes* sont saisis. Des anciens combattants défilent sur les Champs-Élysées en criant : « Fusillez Sartre. » *Paris-Match* titre un éditorial : « Sartre, une machine à guerre civile. »

*Fin octobre-novembre :* Retour du Brésil par Cuba (où il donne une conférence de presse et a des entretiens) et par l'Espagne. N'est pas arrêté, comme le bruit en avait couru, mais demande à être inculpé avec Simone de Beauvoir pour l'affaire des 121. Rentré en France le 4 novembre, il est entendu le 8 novembre par la police judiciaire.

*1er décembre :* Sartre donne une conférence de presse où il recommande de voter non au référendum du 6 janvier 1961.

1961

*Hiver :* Mort de Richard Wright.

Séjour à Antibes. Sartre écrit une seconde version de son étude sur le Tintoret.

*Mars :* Conférence à l'École normale supérieure à laquelle assiste Merleau-Ponty.

*Mai :* Préface l'exposition Lapoujade.

*4 mai :* Mort de Merleau-Ponty. En octobre, un numéro spécial des *Temps modernes* lui est consacré.

*19 mai :* Assiste avec Emmanuel d'Astier, Claude Bourdet, etc., à un meeting P.S.U.

*19 juillet :* L'appartement de Sartre, rue Bonaparte, est plastiqué.

*Fin juillet-octobre :* Séjour à Rome, où il écrit son article sur Merleau-Ponty et où il s'entretient longuement avec Frantz Fanon, peu avant la mort de celui-ci. Écrit une préface aux *Damnés de la terre* en septembre.

*1er novembre :* Manifestation silencieuse place Maubert.

*18 novembre :* Nouvelle manifestation, suivie d'une conférence de presse à l'hôtel Lutétia.

*7 décembre :* Participe à la Semaine de la pensée marxiste à la Mutualité (controverse sur la dialectique avec Garaudy, Vigier, Hyppolite).

*Décembre :* Séjour à Rome, où il donne une conférence à l'Institut Gramsci ("Subjectivité et marxisme")et où il tient un meeting sur l'Algérie (13 décembre).

Élu membre de l'Institut international de Philosophie (cadre de l'UNESCO).

*19 décembre :* Participe à une manifestation contre l'O.A.S.

Reprend le "Flaubert" qu'il avait commencé en 1957.

1962

*7 janvier :* Deuxième attentat au plastic contre le 42, rue Bonaparte. Depuis plus d'un mois, Sartre habitait un appartement au boulevard Saint-Germain; il le quitta pour s'installer quelque temps quai Blériot.

*Janvier :* Témoigne en faveur de l'abbé R. Davezies.

*11 février :* Intervention aux assises du F.A.C. (rassemblement antifasciste).

*13 février :* Participe au défilé protestant contre le massacre du métro Charonne.

*12 mars :* Meeting à Bruxelles sur l'Algérie; brève interview à la télévision : « Le fascisme en France. »

*14 mars :* Sartre est élu vice-président du Congrès de la Communauté européenne des Écrivains.

*15 mars :* Meeting du F.A.C. à la Mutualité.

*Juin :* Marcel Péju doit se retirer de l'équipe des *Temps modernes.*

*Juin-juillet :* Voyage en Pologne et en U.R.S.S. Sartre est reçu par Khrouchtchev et a une discussion avec l'équipe de *Inostranaia Literatura.*

*9-14 juillet :* Participe à un congrès d'écrivains à Moscou et prononce un discours sur la démilitarisation de la culture. Retour de l'U.R.S.S. par la Pologne.

*31 octobre :* Autorise la publication hors commerce de *Bariona.*

*Fin 1962 :* Séjour à Rome où il projette une nouvelle pièce.

*Freud,* film de John Huston. Sartre fait retirer son nom du générique.

*Les Séquestrés d'Altona,* film de Vittorio de Sica.

*No Exit,* film argentin de Pedro Escudero et Tad Danielewski, d'après *Huis clos.*

*L'Uomo Sartre,* court métrage de Leonardo Autera et Gregorio Lo Cascio.

1963

*Début janvier :* Au cours d'un séjour à Moscou, prend des contacts en vue de la création d'une Communauté internationale d'écrivains.

*21 janvier :* Conférence de presse sur le sort des insoumis et des déserteurs condamnés.

*20 février :* Ne témoigne pas au procès Bastien-Thiry.

*Avril :* Fait l'éloge du film *Les Abysses* de Nico Papatakis.

*24 juin :* Conférence anti-apartheid.

*5-8 août :* Congrès de la C.O.M.E.S. à Léningrad, où Sartre fait une communication sur le roman.

*9 août :* Conférence de presse à Léningrad.

Termine et publie *Les Mots.*

*Novembre :* Séjour en Tchécoslovaquie où il est invité avec Simone de Beauvoir par l'Union des Écrivains; entretien sur la notion de décadence à Prague; allocution à la radio tchécoslovaque; assiste à la première des *Séquestrés d'Altona* à Prague.

1964

Parution de *Il Filosofo e la politica* en Italie et de *Situations, IV, V* et *VI* en France.

*Mars :* Sartre autorise, après douze ans de refus, la représentation des *Mains sales* à Turin.

*Printemps :* Interviews avec J. Piatier et Yves Buin.

*24 avril :* Communication au colloque sur Kierkegaard organisé par l'UNESCO à Paris.

*23 mai :* Très importante conférence à un colloque sur la morale et la société organisé par l'Institut Gramsci à Rome.

*Juin :* Voyage en U.R.S.S. Sartre écrit une courte préface à la traduction russe des *Mots.*

*Juillet-août :* Séjour à Rome, où il écrit *Les Troyennes.*

*Août :* Écrit un article à la mémoire de Palmiro Togliatti.

*15 octobre :* Sartre apprend qu'on songe à lui attribuer le prix Nobel. Le 16, envoie une lettre pour informer qu'il refusera le prix. La réception de la lettre est confirmée officieusement le 21 octobre.

*22 octobre :* L'Académie suédoise décerne cependant à Sartre le prix (qui comporte l'attribution d'une somme de 250 000 couronnes, soit 260 000 nouveaux francs). Le soir même, Sartre remet à la presse suédoise un communiqué dans lequel il expose les raisons de son refus. Très nombreux articles dans la presse française et mondiale.

*9 décembre :* Intervention à un débat à la Mutualité : « Que peut la littérature? »

*Fin 1964 :* Enregistre une introduction à la version enregistrée de *Huis clos.*

1965

Parution de *Situations, VII.* Entretien avec Pierre Verstraeten.

*26 janvier :* Introduit une requête pour adopter Arlette El Kaïm. Requête accordée le 18 mars 1965.

*10 mars :* Première des *Troyennes* au T.N.P. Mise en scène de M. Cacoyannis.

*Mars :* Refuse de se rendre aux États-Unis à Cornell University pour y faire une série de conférences.

*Juin :* Articles politiques contre l'idée de grande fédération de Gaston Defferre.

*Août :* Voyage en U.R.S.S.

*Septembre :* Reprise des *Séquestrés d'Altona* à l'Athénée.

*6 octobre :* Intervention sur la notion d'avant-garde à un congrès de la C.O.M.E.S.

*Octobre : Huis clos* présenté à la télévision dans une mise en scène de Michel Mitrani qui avait auparavant déjà fait une adaptation télévisée de *La Chambre.*

*Décembre :* Après avoir exprimé des réserves, soutient *in extremis* la candidature de Mitterrand.

1966

Extraits du « Flaubert » dans *Les Temps modernes.*

*Février :* Préface à *La Promenade du dimanche* de Georges Michel.

*Juillet :* A la demande de Bertrand Russell, accepte de faire partie d'un « tribunal » chargé d'enquêter sur les crimes de guerre américains au Vietnam.

*Juillet-août :* Voyage en Grèce.

*Septembre-octobre :* Séjour et conférences au Japon.

*Octobre :* Numéro spécial de *L'Arc* sur Sartre, reproduisant un autre fragment du « Tintoret » et une interview.

*9 novembre :* Préside à Paris une conférence sur l'apartheid.

*13-15 novembre :* Réunion du « tribunal Russell » à Londres pour définir ses statuts et ses objectifs.

*4 décembre :* Conférence à Bonn sur le théâtre.

1967

*25 février-13 mars :* Voyage et conférences en Égypte; entretien avec Nasser, visite de camps de réfugiés.

*14-30 mars :* Voyage et conférences en Israël; entretien avec Levi Eshkol.

*13 avril :* Lettre de Sartre au général de Gaulle sur le tribunal Russell.

*19 avril :* Réponse de de Gaulle, suivie par une réponse de Sartre fin avril.

*2-10 mai :* Session du tribunal Russell à Stockholm; Sartre, président exécutif.

*2 mai :* Intervention à la séance inaugurale.

*3 mai :* Lettre à Dean Rusk.

Sartre, de même qu'Aragon, décline une invitation à participer au Xe Congrès des écrivains soviétiques afin de marquer par là son désaccord avec l'organisation et le verdict du procès Siniavsky-Daniel.

*Fin mai :* Écrit la préface au numéro spécial des *Temps modernes* sur le conflit israélo-arabe.

*30 mai :* Meeting pour Régis Debray à la Mutualité.

*30 mai :* Prend position pour Israël en ce qui concerne l'ouverture du golfe d'Akaba. Violentes réactions dans les pays arabes.

*Juillet-août :* Voyage privé en Espagne.

*5 septembre :* Conférence de presse sur le film *Le Mur* de Serge Roullet au festival de Venise.

*23 octobre :* Présentation du *Mur* à Paris en duplex avec New York.

*27 octobre :* Conférence sur le Vietnam à Bruxelles.

*20 novembre-1er décembre :* Deuxième session du tribunal Russell à Roskilde, près de Copenhague.

1968

*Janvier :* Ne peut, pour raisons de santé, assister au Congrès culturel de La Havane.

*27 février :* Témoigne au procès des Guadeloupéens.

*23 mars :* Participe à une journée des intellectuels sur le Vietnam.

*6 mai :* Prend position en faveur du mouvement étudiant et contre la répression policière.

*12 mai :* Interview à Radio-Luxembourg sur la révolte étudiante.

*20 mai :* Participe à un débat avec les étudiants dans la Sorbonne insurgée.

*20 mai :* Entretien avec Cohn-Bendit.

*Juin :* Dégage dans deux interviews le sens des journées de mai.

*Juillet :* Dans une interview donnée au *Spiegel*, accuse le parti communiste d'avoir trahi la révolution de mai.

*Juillet :* Voyage privé en Yougoslavie. Longue interview diffusée par la chaîne nationale de télévision.

*Été :* Italie. Soutient la contestation du festival cinématographique de Venise.

*24 août :* Dans une interview à *Paese Sera*, condamne l'intervention des troupes soviétiques en Tchécoslovaquie.

*Octobre :* Reprise de *Nekrassov* à Strasbourg dans une mise en scène d'Hubert Gignoux.

*14 novembre :* Reprise du *Diable et le Bon Dieu* au T.N.P. avec François Périer, dans une mise en scène de Georges Wilson.

*28 novembre-1er décembre :* Court séjour en Tchécoslovaquie pour assister à la première des *Mouches* à Prague où est également représenté *Les Mains sales* (joué pour la première fois dans un État socialiste).

1969

*30 janvier :* Mort de Mme Mancy, la mère de Sartre.

*10 février :* Participe, avec notamment Michel Foucault, à un meeting à la Mutualité pour protester contre l'expulsion de trente-quatre étudiants de l'Université de Paris. Prend position contre la loi d'orientation de la réforme universitaire.

*Mars-avril :* Préconise le boycott du référendum sur la régionalisation.

*Mai :* Signe un appel en faveur du candidat de la Ligue communiste Alain Krivine, mais ne soutient pas activement sa candidature à la présidence de la République.

*Été :* Séjour en Yougoslavie et en Italie; poursuit la rédaction du « Flaubert ».

*Novembre :* Demande, avec Malraux et François Mauriac, la libération de Régis Debray; dénonce la répression en Tchécoslovaquie.

*11 décembre :* Est interviewé à la télévision par Olivier Todd sur la guerre du Vietnam et le massacre de Song-My. C'est la première fois qu'il accepte de paraître à l'O.R.T.F.

# BIBLIOGRAPHIE

# MODE D'EMPLOI DE LA BIBLIOGRAPHIE

Les textes sont numérotés par année et dans l'ordre de leur parution. Exemple : 38/11 pour LA NAUSÉE dénote que ce texte a paru en 1938 et qu'il est le onzième que nous répertorions. Les volumes (titres en majuscules) se trouvent en tête de l'année, suivis par les articles (titres en italiques) et par les interviews (titres entre guillemets) dans l'ordre chronologique. Les notes sont groupées à la fin de chaque année. Un certain nombre de notices concernant un même sujet (exemple : le « Tribunal Russell », ou le conflit israélo-arabe) sont regroupées sans tenir compte de leur ordre de parution : ainsi la *Préface* parlée à l'enregistrement de HUIS CLOS, réalisée en 1965, suit immédiatement le titre principal (44/47) et porte le numéro 65/48. Rappelons ici que les titres d'articles ou d'interviews n'ont pas toujours été choisis par Sartre lui-même.

Les références ne comportent pas d'indications de pages ou de numéros pour les quotidiens et hebdomadaires, sauf quand ces indications nous apparaissent comme nécessaires. Le nombre des pages et le format des volumes, surtout dans le cas des éditions Gallimard, peuvent varier légèrement. Le lieu d'édition est toujours Paris, sauf mention contraire.

Dans le corps des notices, les citations de Sartre sont en italiques, les autres, entre guillemets. Dans un souci de clarté et de cohésion, et sans que cela soit absolument une règle, les titres ainsi que certains signes typographiques ont été normalisés.

L'indication APPENDICE dénote que le texte donné en référence est reproduit *in extenso* dans la dernière partie de l'ouvrage. On trouvera en fin de volume une liste des écrits répertoriés, dans l'ordre alphabétique, une liste des périodiques utilisés et un index des noms et des sujets cités.

# 1923

23/1

*L'Ange du morbide*, conte.

— *La Revue sans titre*, Organe de défense des jeunes, Revue de l'Association générale des jeunes écrivains et artistes. Direction : Charle Fraval, nº 1, s. d. [15 janvier 1923].

APPENDICE

Reproduite presque intégralement par Marc Beigbeder dans *L'Homme Sartre* (Bordas, 1947) et souvent citée pour tout ce qu'elle annonce de l'univers obsessionnel sartrien, cette nouvelle est le premier texte publié par Sartre, à l'âge de dix-huit ans. Elle raconte sur un ton violemment satirique l'aventure avec une jeune phtisique d'un médiocre professeur de lycée provincial, préfiguration du « salaud » de l'œuvre à venir.

Nous en donnons en *Appendice* le texte complet, que nous avons pu obtenir grâce à l'amabilité de M. Jean Gaulmier, professeur à la Faculté des lettres de Strasbourg, qui possède une collection de cette revue rarissime.

23/2

*Jésus la Chouette, professeur de province*, fragments d'un roman, sous le pseudonyme de Jacques Guillemin.

— *La Revue sans titre*, nº 2 [10 février 1923]; nº 3, [25 février 1923]; nº 4, [10 mars 1923]. Aucun numéro n'est paginé. Cote B. N. : Jo. 72736.

APPENDICE

La Bibliothèque nationale ne possède que les numéros 3 et 4 de *La Revue sans titre*. Le numéro 2 nous a été communiqué par Jean Gaulmier. On trouvera dans l'intéressant article de ce dernier, « Quand Sartre avait dix-huit ans... » (*Le Figaro littéraire*, 5 juillet 1958), un grand nombre de détails sur la brève histoire de cette revue qui cessa de paraître avec le numéro 4. Le premier numéro fut tiré à trois cents exemplaires et eut assez de succès pour qu'une seconde édition se révélât nécessaire. *La Revue sans titre* publia aussi les premières tentatives littéraires de deux condisciples de Sartre promis à la célébrité. On y trouve en effet une critique de *Siegfried et le Limousin* de Giraudoux ainsi que des poèmes par René Maheu, actuel directeur général de l'UNESCO., et deux textes de Paul Nizan, dont le second s'intitule joliment : « Complainte du carabin qui disséqua sa petite amie en fumant deux paquets de Maryland. » Notons encore dans le courrier des lecteurs une lettre par laquelle l'étudiant Pierre Mendès France donne son adhésion enthousiaste aux objectifs que se fixait la revue et qu'elle formulait ainsi sur la couverture du numéro 2 : « La République des Lettres ne doit pas être une République de camarades. *La Revue sans titre* est ouverte à tous. »

Les trois livraisons de *Jésus la Chouette* sont les seuls fragments qui subsistent d'un roman de jeunesse dont le manuscrit est perdu. Sartre nous a précisé que ce roman s'inspirait du cas réel d'un de ses professeurs du lycée de La Rochelle, pauvre médiocre chahuté par ses élèves et qui finit par se suicider. C'est ce qui explique l'emploi, unique dans sa carrière, d'un pseudonyme, pour lequel il a choisi le nom de jeune fille de sa grand-mère.

Le titre pourrait faire croire à un roman dans le goût de Francis Carco, que le jeune Sartre admirait alors beaucoup. Mais l'influence de Carco s'arrête au titre. Écrits dans un style déjà ferme, bien qu'assez scolairement classique, les chapitres qui ont survécu tracent le portrait balzacien d'un grotesque professeur, surnommé Jésus la Chouette, et décrivent sur un mode satirique le milieu mesquin des universitaires de province, cible favorite, semble-t-il, du jeune écrivain. Ces fragments sont trop brefs pour qu'on puisse juger de la valeur du roman; seuls y apparaissent évidents des dons d'écriture qu'il serait sans doute par trop facile de juger rétrospectivement prometteurs. Leur principal intérêt tient à la lumière qu'ils jettent indirectement sur la période la plus mal connue de la vie de Sartre. Avec *L'Ange du morbide*, ce sont les seules traces qui nous restent des très nombreux écrits de l'adolescence.

# 1927

27/3

*The Theory of State in modern French Thought* [traduction anglaise].

— *The New Ambassador*//*Revue universitaire internationale*, An International University Review, Official Organ of the Fédération universitaire internationale, English Edition, Paris, nº 1, January 1927, p. 29-41.
Cote British Museum : P. P. 3555, al.

APPENDICE

Il nous a été impossible de retrouver l'édition française de cette revue qui était publiée à Paris par la Fédération universitaire internationale simultanément en français, anglais et allemand. Le titre de l'édition française est : *Revue universitaire internationale*. Elle ne figure au catalogue d'aucune bibliothèque de France.

Cet article avait été demandé à Sartre par son condisciple à l'École normale supérieure Daniel Lagache pour la revue qu'il dirigeait alors pour le compte d'une association universitaire liée à la Société des Nations (cf. à ce sujet l'interview de D. Lagache dans l'article de Claude Bonnefoy : « Rien ne laissait prévoir que Sartre deviendrait "Sartre". Enquête sur la jeunesse du grand écrivain. » *Arts*, 11-17 janvier 1961).

Il s'agit d'une étude brillante et solidement documentée où Sartre, déployant la virtuosité intellectuelle d'un normalien bien entraîné, examine la philosophie du droit de quelques théoriciens français du droit international, en particulier de Hauriou, de Davy et de Léon Duguit.

# 1928

28/4

Révision, en collaboration avec Paul Nizan, de la traduction française de *Psychopathologie générale* de Karl Jaspers par A. Kastler et J. Mendousse (Librairie Félix Alcan, 1928).

Une note précise, p. III : « Nous remercions MM. Sartre et Nizan, élèves de l'École normale supérieure, d'avoir bien voulu mettre au point le manuscrit et participer à la correction des épreuves. »

Il semble, d'après le souvenir de Sartre, que leur participation ait été bien au-delà d'une simple révision. On sait qu'avant d'aborder la phénoménologie allemande, Sartre avait fait de sérieuses études de psychologie et qu'il consacra en 1926 son diplôme d'études supérieures à l'imagination.

# 1929

## 29/5

Fragment d'une lettre dans : « Enquête auprès des étudiants d'aujourd'hui », enquête conduite par Roland Alix.

— *Les Nouvelles littéraires*, 2 février 1929, p. 10.

Ce texte a été reproduit par Simone de Beauvoir dans ses *Mémoires d'une jeune fille rangée*, p. 341-342.

Il s'agit d'un fragment d'une longue lettre adressée par Sartre aux *Nouvelles littéraires* en réponse à une enquête sur les étudiants. (L'hebdomadaire avait publié précédemment, dans son numéro du 8 décembre 1928, une interview de Nizan.) Sartre tentait à cette occasion un exposé systématique de ses idées philosophiques, dont certaines se retrouveront dans L'ÊTRE ET LE NÉANT. Le fragment publié se termine sur cette phrase où, comparant sa génération à la précédente, Sartre conclut : *Nous sommes plus malheureux, mais plus sympathiques.*

# 1931

31/6

*Légende de la vérité.*

— *Bifur*, nº 8, juin 1931, p. 77-96.

APPENDICE

Il s'agit de l'unique fragment publié d'un ouvrage écrit en 1929 et qui portait le titre *La Légende de la vérité*. Cet ouvrage comprenait trois parties : « Légende du certain », « Légende du probable » et « Légende de l'homme seul ». Le certain représente la science, et son corollaire social, la démocratie; le probable définit le champ de la philosophie abstraite et correspond à l'aristocratie; enfin « l'homme seul » est évidemment Sartre lui-même, tentant d'aller au-delà du certain et du probable pour découvrir la vérité par une recherche individuelle et concrète qui débouchait sur une attitude sociale anarchiste.

Simone de Beauvoir donne de *La Légende de la vérité* la présentation suivante : « Cette fois encore [Sartre] livrait ses idées sous la forme d'un conte; il ne lui était guère possible de les exposer sans ambages : refusant tout crédit aux affirmations universelles, il s'ôtait le droit d'énoncer même ce refus sur le mode de l'universel; au lieu de dire, il lui fallait montrer. Il admirait les mythes auxquels, pour des raisons analogues, Platon avait eu recours et il ne se gênait pas pour les imiter. Mais ce procédé désuet imposait à sa pensée batailleuse des contraintes qui la servaient mal, et qui se reflétaient dans la raideur de son style. Pourtant des nouveautés perçaient sous cette armature; dans *La Légende de la vérité*, les théories les plus récentes de Sartre s'annonçaient; déjà il rattachait les divers modes de la pensée aux structures des groupes humains. "La vérité procède du commerce", écrivait-il; il liait le commerce à la démocratie; lorsque des citoyens se considèrent comme interchangeables, ils s'obligent à porter sur le monde des jugements identiques, et la science exprime cet accord de leurs esprits. Les élites dédaignent cette universalité; elles forgent, à leur seul usage, ces idées qu'on nomme générales et qui n'atteignent qu'à une incertaine probabilité. Sartre détestait encore plus ces idéologies de chapelle que l'unanimisme des savants. Il réservait sa sympathie aux thaumaturges qui, exclus de la Cité, de sa logique, de ses mathématiques, errent en solitaires dans les lieux sauvages et, pour connaître les choses, n'en croient que leurs yeux. Ainsi n'accordait-il qu'à l'artiste, à l'écrivain, au philosophe, à ceux qu'il appelait "les hommes seuls", le privilège de saisir sur le vif la réalité » (*La Force de l'âge*, p. 49-50).

Le manuscrit de *La Légende de la vérité* fut remis par Nizan aux éditions d'Europe, qui le refusèrent (cf. *ibid.*, p. 83-84). Sartre renonça dès lors à le publier. Grâce à Nizan, un fragment en parut cependant dans *Bifur*[1], revue à laquelle il collaborait et que dirigeait Georges Ribemont-Dessaignes. L'intérêt principal de ce texte, qui n'annonce en rien sur le plan formel l'œuvre ultérieure, est de nous indiquer la manière dont Sartre conçut tout d'abord son projet d'unir philosophie et littérature.

Le manuscrit de l'ouvrage entier est conservé et il fera l'objet d'une prochaine étude qui devrait permettre de préciser, en particulier, le point de départ de la pensée politique de Sartre. De façon plus générale, l'ouvrage constitue probablement l'expression la plus achevée de ce que le Sartre des MOTS (cf. p. 207-213) appellera son « imposture » ou encore sa « névrose » : la certitude d'être *élu*, d'avoir reçu mandat de sauver le monde par la littérature.

## 31/7

*L'Art cinématographique.*

*a*) Dans une brochure publiée par le lycée du Havre (grand Lycée) : *Distribution solennelle des prix*, sous la présidence de M. Albert Dubosc..., le dimanche 12 juillet 1931. Le Havre, Imprimerie du journal Le Petit Havre, 1931, p. 25-31.

1. Ce même numéro de *Bifur*, qui fut le dernier à paraître, publiait également la traduction d'un fragment de *Was ist Metaphysik?* de Heidegger.

*b*) Reproduit sous le titre « Le Cinéma n'est pas une mauvaise école » dans *Gazette du Cinéma*, nº 2, juin 1950; nº 3, septembre 1950.

APPENDICE

Il s'agit d'un discours de distribution des prix prononcé par Sartre alors qu'il occupait son premier poste de professeur de philosophie au lycée du Havre. Ce discours, dont l'intérêt est surtout rétrospectif, témoigne cependant de l'importance que Sartre accorda très tôt au cinéma. Il voit d'emblée en celui-ci l'art qui *reflète par nature la civilisation de notre temps*, à une époque où nombre d'esprits cultivés le considéraient avec méfiance, comme un art mineur, quand ils ne le condamnaient pas catégoriquement.

On trouve dans LES MOTS le récit de ce que furent les premiers contacts de Sartre avec le cinéma : *Dans l'inconfort égalitaire des salles de quartier, j'avais appris que ce nouvel art était à moi, comme à tous. Nous étions du même âge mental : j'avais sept ans et je savais lire, il en avait douze et ne savait parler. On disait qu'il était à ses débuts, qu'il avait des progrès à faire ; je pensais que nous grandirions ensemble* (p. 100). Ici, c'est à ses élèves que, dix-neuf ans plus tard, le jeune professeur tente de prouver que le cinéma est bien un art.

# 1936

36/8

L'IMAGINATION

*a*) Librairie Félix Alcan, 1936. 162 p.
L'auteur est présenté comme « professeur au lycée du Havre ».
*b*) Presses universitaires de France, coll. « Nouvelle Encyclopédie philosophique », 1949. Plusieurs réimpressions, dont la dernière (1969) est présentée sous une nouvelle couverture.

Ce livre fut demandé à Sartre par le Professeur H. Delacroix, sous la direction duquel il avait écrit son diplôme d'études supérieures et qui dirigeait aux éditions Alcan la collection « Nouvelle Encyclopédie philosophique ». Dans son D.E.S., qui lui avait valu la mention « très bien », Sartre avait entrepris de faire la somme de ses recherches sur l'imagination. Interrompant la rédaction de ce qui allait devenir LA NAUSÉE, Sartre reprit son travail de diplôme pour le développer en un ouvrage intitulé « L'Image ». Alcan ne retint que la première partie de celui-ci et le publia sous le titre L'IMAGINATION. Tel quel, le livre représente l'introduction critique à L'IMAGINAIRE que Sartre élaborera par la suite en reprenant la partie rejetée par Alcan.

Passant en revue les différentes théories de l'imagination qui se sont succédé depuis la doctrine cartésienne, Sartre les soumet à une critique rigoureuse pour aboutir, dans son second chapitre, à l'exposé des conceptions de Husserl.

Dans le compte rendu de L'IMAGINATION qu'il fait dans le *Journal de psychologie normale et pathologique* (vol. 33, nº 9-10, novembre-décembre 1936, p. 756-761), Merleau-Ponty parle favorablement du livre mais suggère que les critiques adressées à Bergson sont trop sévères.

36/9

*La Transcendance de l'ego : esquisse d'une description phénoménologique.*

*a*) *Recherches philosophiques*, n° 6, 1936-1937, p. 85-123.

*b*) Traduction anglaise en volume : THE TRANSCENDANCE OF THE EGO : An Existentialist Theory of Consciousness. Translated and annoted with an introduction by Forrest Williams and Robert Kirkpatrick. New York, Noonday Press, 1957. 119 p.

*c*) Réédition en volume : LA TRANSCENDANCE DE L'EGO : esquisse d'une description phénoménologique. Introduction, notes et appendices par Sylvie Le Bon. Librairie philosophique Vrin, 1965. 134 p.

Écrit en 1934 durant le séjour de Sartre à Berlin et resté pendant près de trente ans pratiquement introuvable pour le public français, ce premier essai philosophique important a été réédité avec beaucoup de soin et de compétence par une amie de Sartre et de Simone de Beauvoir, Sylvie Le Bon. Dans son « Introduction », celle-ci indique la continuité qui relie cet essai aux ouvrages ultérieurs et elle reproduit l'excellente présentation qu'en a donnée Simone de Beauvoir dans *La Force de l'âge* (p. 189-190), ce qui nous évite de la reprendre ici.

*La Transcendance de l'ego* contient en germe la plupart des positions philosophiques que développera L'ÊTRE ET LE NÉANT et se termine par ce qu'on pourrait appeler le programme de toute l'œuvre philosophique à venir, jusqu'à CRITIQUE DE LA RAISON DIALECTIQUE et à la « Morale » toujours en cours d'élaboration :

*Rien n'est plus injuste que d'appeler les phénoménologues des idéalistes. Il y a des siècles, au contraire, qu'on n'avait senti dans la philosophie un courant aussi réaliste. Ils ont replongé l'homme dans le monde, ils ont rendu tout leur poids à ses angoisses et à ses souffrances, à ses révoltes aussi.* [...] *Il m'a toujours semblé qu'une hypothèse de travail aussi féconde que le matérialisme historique n'exigeait nullement pour fondement l'absurdité qu'est le matérialisme métaphysique. Il n'est pas nécessaire, en effet, que l'*objet *précède le* sujet *pour que les pseudo-valeurs spirituelles s'évanouissent et pour que la morale retrouve ses bases dans la réalité. Il suffit que le* Moi *soit contemporain du Monde et que la dualité sujet-objet, qui est purement logique, disparaisse définitivement des préoccupations philosophiques. Le Monde n'a pas créé le Moi, le Moi n'a pas créé le Monde, ce sont deux objets pour la conscience absolue, impersonnelle, et c'est par elle qu'ils se trouvent reliés.* [...] *Et le rapport d'interdépendance qu'elle établit entre le Moi et le Monde* *suffit pour que le Moi apparaisse comme « en danger » devant le Monde, pour que le Moi (indirectement et par l'intermédiaire des états) tire du Monde tout son contenu. Il n'en faut pas plus pour fonder philosophiquement une morale et une politique absolument positives.*

# 1937

37/10

*Le Mur*, nouvelle.

*a*) *La Nouvelle Revue française*, nº 286, juillet 1937, p. 38-62.

*b*) Repris sans variantes dans LE MUR.

Cette nouvelle, la première que Sartre ait publiée dans son âge mûr, a été acceptée par Jean Paulhan en même temps que *La Chambre* et semble avoir été écrite en 1936. Son succès a été immédiat et constant : plus « absurdiste », plus politique et moins érotique que les autres nouvelles du MUR, elle a été reprise dans de nombreuses anthologies. Signalons en outre :
— une mauvaise traduction de Lucy Cores sous le titre de « Three who died » dans le magazine américain *Living Age* (nº 353, October 1937, p. 135-140);
— une fidèle adaptation cinématographique en 1967 par Serge Roullet (cf. *Appendice Cinéma*).

Une interview récente (cf. *Jeune Cinéma*, nº 25, octobre 1967, p. 24-28, répertoriée ici sous le chiffre 67/476) donne de nombreux renseignements sur la nouvelle et précise les intentions de l'auteur. Sartre déclare notamment : Le Mur *n'est pas une œuvre de philosophe, c'est au contraire une réaction affective et spontanée à la guerre d'Espagne.* Sur le plan anecdotique, le texte a en effet l'origine suivante :

*Il se trouvait que j'étais en relation d'amitié avec des hommes* [...] *qui étaient liés à Malraux, et Malraux organisait le passage des volontaires en Espagne. Et un de mes amis, un de mes anciens élèves, tout jeune, à la suite de déceptions personnelles, m'avait demandé de le faire passer en Espagne et j'étais très embêté parce que, d'une part je considérais qu'il n'avait pas la formation militaire et même biologique suffisante pour tenir dans les coups durs, et que d'autre part je ne pouvais refuser à un homme qui me demandait cela en confiance l'autorisation — s'il pouvait l'obtenir — d'aller se battre.*

Selon *La Force de l'âge* (p. 298-299), l'ancien élève dont il est question ici est Jacques-Laurent Bost. Le médecin belge est un personnage réel qui se trouvait mentionné dans un texte dont Sartre ne se rappelle plus l'origine : *C'était un médecin qui avait demandé à voir des condamnés à mort ; c'étaient des soldats qui s'étaient enfuis et le personnage réel n'était d'ailleurs pas belge ; il avait enregistré avec beaucoup de précision les signes avant-coureurs de la mort.*

Cette *méditation personnelle sur la mort possible d'un ami* se replace cependant dans un contexte plus général : *Quand j'ai écrit* Le Mur, *je n'étais pas en rapport avec les thèses marxistes, j'étais simplement en révolte totale contre le fait du fascisme espagnol, et par conséquent, comme à ce moment-là nous étions sur le plan de la défaite espagnole, je me trouvais beaucoup plus sensible à l'absurdité de ces morts qu'aux éléments positifs qui pouvaient se dégager d'une lutte contre le fascisme.* Le personnage principal du *Mur*, Pablo, n'est pas un héros positif : il n'est pas *réellement et totalement engagé dans la lutte* et n'est pas *suffisamment dévoué à une cause pour que sa mort ne lui paraisse pas absurde.*

On a souvent utilisé *Le Mur* pour une comparaison Sartre-Camus; les précisions apportées par Sartre dans son interview devraient permettre d'éviter désormais des conclusions trop hâtives.

# 1938

38/11

LA NAUSÉE, roman.

*a*) Première édition : Gallimard, [1938]. 223 pages. Dédié : Au Castor [Simone de Beauvoir]. 23 exemplaires sur pur fil, 40 sur alfa. Mis en vente le 21 mars 1938.

Nombreuses réimpressions, dont le format et le nombre de pages varient quelque peu.

*b*) Relié d'après la maquette de Mario Prassinos : Gallimard, [1944]. 550 exemplaires héliona.

*c*) Gallimard, coll. « Pourpre », [1950].

*d*) Sauret, coll. « Grand prix des meilleurs romans du demi-siècle », nº 11, [1951].

*e*) Avec douze gouaches de Mario Prassinos : Gallimard, coll. « Le Rayon d'or », [1951].

Volume tiré à 3 600 exemplaires sur vélin, reliés.

*f*) Le Club du Meilleur Livre, coll. « Romans », [1954].

*g*) Gallimard, « Le Livre de Poche », nº 160, [1956].

*h*) Gallimard, coll. « Soleil », [1960]. 243 pages.

*i*) *Œuvre romanesque*, t. I, illustrée par W. Spitzer : éditions Lidis, [1965].

*j*) Avec étude et notes de Georges Raillard : Gallimard, « Le Livre de Poche Université », [1966].

Texte de l'édition *g*) suivi de 70 pages de notes.

*k*) Édition club avec des notes d'André Gérel : Culture, Arts, Loisirs, [1967].

Le prière d'insérer de la première édition, rédigé par Sartre, se lit ainsi :

*Après avoir fait de longs voyages, Antoine Roquentin s'est fixé à Bouville, au milieu des féroces gens de bien. Il habite près de la gare, dans un hôtel de commis voyageurs, et fait une thèse d'histoire sur un aventurier du XVIII*e *siècle, M. de Rollebon. Son travail le conduit souvent à la bibliothèque municipale, où son ami l'Autodidacte, un humaniste, s'instruit en lisant les livres par ordre alphabétique. Le soir, Roquentin va s'asseoir à une table du « Rendez-vous des Cheminots » pour entendre un disque — toujours le même :* Some of these days. *Et parfois, il monte avec la patronne du bistrot dans une chambre du premier étage. Depuis quatre ans, Anny, la femme qu'il aime, a disparu. Elle voulait toujours qu'il y ait des « moments parfaits » et s'épuisait, à chaque instant, en efforts minutieux et vains pour recomposer le monde autour d'elle. Ils se sont quittés ; à présent Roquentin perd son passé goutte à goutte, il s'enfonce tous les jours davantage dans un étrange et louche présent. Sa vie même n'a plus de sens : il croyait avoir eu de belles aventures ; mais il n'y a pas d'aventures, il n'y a que des « histoires ». Il s'accroche à M. de Rollebon : le mort doit justifier le vivant.*

*Alors commence sa véritable aventure, une métamorphose insinuante et doucement horrible de toutes ses sensations ; c'est la Nausée, ça vous saisit par derrière et puis on flotte dans une tiède mare de temps. Est-ce Roquentin qui a changé? Est-ce le monde? Des murs, des jardins, des cafés sont brusquement pris de nausée ; une autre fois il se réveille dans une journée maléfique : quelque chose a pourri dans l'air, dans la lumière, dans les gestes des gens. M. de Rollebon meurt pour la seconde fois : un mort ne peut jamais justifier un vivant. Roquentin se traîne au hasard des rues, volumineux et injustifiable. Et puis, le premier jour du printemps, il comprend le sens de son aventure : la Nausée, c'est l'Existence qui se dévoile — et ça n'est pas beau à voir, l'Existence. Roquentin garde encore un peu d'espoir : Anny lui a écrit, il va la retrouver. Mais Anny est devenue une lourde femme grasse et désespérée ; elle a renoncé aux moments parfaits, comme Roquentin aux Aventures ; elle aussi, à sa manière, elle a découvert l'Existence : ils n'ont plus rien à se dire. Roquentin retourne à la solitude, tout au fond de cette énorme Nature qui s'affale sur la ville et dont il prévoit déjà les prochains cataclysmes. Que faire? Appeler au secours d'autres hommes? Mais les autres hommes sont des gens de bien : ils échangent des coups de chapeau, et ne savent pas qu'ils existent. Il va quitter Bouville ; il entre au « Rendez-vous des Cheminots » pour écouter, une dernière fois :* Some of these days *et, pendant que le disque tourne, il entrevoit une chance, une maigre chance de s'accepter.*

Avec son ton mi-ironique mi-sérieux, ce prière d'insérer constitue de toute évidence un compromis entre le contenu anecdotique du livre et son sens philosophique; il offre, d'autre part, plusieurs possibilités d'interprétation qui n'ont guère été exploitées jusqu'à présent.

La genèse de LA NAUSÉE nous est aujourd'hui bien connue grâce à Simone de Beauvoir qui a elle-même participé de près à l'élaboration du roman (voir toute la première partie de *La Force de l'âge* et notamment les pages 49, 111, 154-155, 189, 198, 208-209, 292-294, 304-308). Au cours de son service militaire, Sartre avait composé ou terminé trois œuvres qui, à des degrés divers, devaient lui fournir un point de départ pour le « factum sur la contingence » qu'il commença à l'automne 1931 : un poème intitulé « L'Arbre », la pièce « Épiméthée » ainsi qu'un volume d'essais, *La Légende de la vérité*, qui fut refusé par plusieurs éditeurs. Simone de Beauvoir, après avoir cité une lettre où Sartre lui parle longuement d'un marronnier, décrit cette première tentative en ces termes (p. 111) :

« Dans sa toute première version, le nouveau factum ressemblait encore beaucoup à *La Légende de la vérité :* c'était une longue et abstraite méditation sur la contingence. J'insistai pour que Sartre donnât à la découverte de Roquantin [Roquentin] une dimension romanesque, pour qu'il introduisît dans son récit un peu du *suspense* qui nous plaisait dans les romans policiers. Il fut d'accord. »

Une deuxième version de l'œuvre fut achevée au cours du séjour à Berlin en 1934 : Sartre avait cette fois « abusé des adjectifs et des comparaisons » (p. 209). Il interrompit la rédaction d'une troisième version pour se replonger dans la psychologie et écrire L'IMAGINATION; le manuscrit final, intitulé « Melancholia » d'après une gravure de Dürer, fut prêt dans les premiers mois de 1936. Partant d'une méditation sur l'absurde et sur l'aventure, il était en quelque sorte la somme transposée des expériences que Sartre avait vécues depuis quatre ans et il reflétait ses années de professorat au Havre, sa découverte de la phénoménologie et de Kafka, la profonde dépression dont il avait été victime après s'être fait piquer en février 1935 à la mescaline, etc. L'œuvre, désengagée en apparence et terminée avant le Front populaire et le début de la guerre d'Espagne, ne faisait pratiquement aucune place aux événements politiques de l'époque; Sartre avait pourtant été frappé par la montée du fascisme en Europe et il avait personnellement assisté au triomphe du nazisme en Allemagne; il avait même été « vaguement tenté » d'adhérer au parti communiste.

Le manuscrit de « Melancholia » fut remis une première fois par Nizan à un lecteur de la maison Gallimard; à la suite de quoi, « Sartre reçut un mot de Paulhan l'avisant que, malgré certaines qualités, l'ouvrage n'était pas retenu » (p. 292). A l'automne 1936, le manuscrit fut recommandé une nouvelle fois à Gaston Gallimard par Charles Dullin et Pierre Bost et il fut définitivement accepté en avril ou mai 1937. Sartre raconte lui-même sa visite à la maison

Gallimard et ses entretiens avec Paulhan et Brice Parain dans une longue lettre reproduite dans *La Force de l'âge* (p. 304-307). Il apparut alors que Paulhan avait seulement refusé de publier « Melancholia » en feuilleton dans *La Nouvelle Revue française* à cause de sa longueur. Nous ne reviendrons pas ici sur les autres détails.

Sartre apporta quelques modifications au manuscrit original, mais il est difficile de préciser lesquelles; on sait, en revanche, que c'est sur la suggestion de Gaston Gallimard que le titre passa de « Melancholia » à « La Nausée ».

Le volume, publié au printemps 1938, fut bien accueilli par la critique, connut un assez grand succès, sans toutefois devenir un *best-seller*, et établit surtout Sartre comme un écrivain avec qui l'on devait désormais compter. Parmi la trentaine de critiques que nous avons pu relever, citons exceptionnellement celles de :

— Paul Nizan (*Ce Soir*, 16 mai 1938) : « M. Sartre pourrait être un Kafka français [...] si sa pensée [...] n'était entièrement étrangère aux problèmes moraux »;

— Edmond Jaloux (*Les Nouvelles littéraires*, 18 juin 1938) : compte rendu perspicace et très favorable;

— Armand Robin (*Esprit*, n° 70, juillet 1938, p. 574-575) : « Il semble peu douteux que *La Nausée* ne soit une des œuvres remarquables de notre époque. [...] C'est un roman en quête d'une vie »;

— Jean Daniélou (*Études*, t. CCCXXVII, octobre 1938, p. 140-141) : « Le dégoût d'Antoine Roquentin me semble aller plus loin [que l'esthétisme de Valéry et de Proust] et ne pouvoir se dépasser rigoureusement que par une réinvention difficile de la nécessité de l'homme même »;

— Albert Camus (*Alger républicain*, 20 octobre 1938; repris dans le volume Pléiade, *Essais*, p. 1417-1419).

L'ambition première de Sartre était d' « exprimer sous une forme littéraire des vérités et des sentiments métaphysiques » (*La Force de l'âge*, p. 293). La critique semble avoir suivi un peu trop à la lettre cette direction en privilégiant constamment l'aspect philosophique de LA NAUSÉE aux dépens des autres approches possibles. Il nous apparaît cependant aujourd'hui que les images et métaphores de l'œuvre ne sont pas toujours là pour illustrer un système mais qu'au contraire Sartre invente une philosophie pour unifier ces images et rendre compte de ses propres obsessions. LA NAUSÉE est, d'une part, une œuvre de recherche où Sartre se révèle tout entier, d'autre part, une œuvre de transition qui, avant même la parution du volume en 1938, marquait un stade déjà révolu dans l'évolution de sa pensée.

Sartre n'a jamais renié ce qu'il avait écrit dans LA NAUSÉE, mais son attitude envers son œuvre et, en particulier, envers Antoine Roquentin, s'est considérablement modifiée au cours des années. Au début, si l'on compare Roquentin — nom que Sartre a peut-être trouvé chez Flaubert — avec les « salauds » et surtout avec le personnage de Lucien Fleurier dans *L'Enfance d'un chef*, on doit lui reconnaître un caractère qui, s'il n'est pas positif, est tout au moins authentique et lucide : dans *Matérialisme et révolution* (cf. SITUATIONS, III, p. 184 et suivantes), Sartre établit d'ailleurs implicitement un parallèle assez suivi entre la situation de Roquentin et celle du révolutionnaire. Par la suite, cependant, il s'attaquera à cette image de lui-même et l'attribuera à sa « névrose » :

*J'avais la berlue. Tant qu'elle dura, je me tins pour tiré d'affaire. Je réussis à trente ans ce beau coup : d'écrire* [décrire] *dans* La Nausée *— bien sincèrement, on peut me croire — l'existence injustifiée, saumâtre de mes congénères et mettre la mienne hors de cause.* J'étais *Roquentin, je montrais en lui, sans complaisance, la trame de ma vie ; en même temps j'étais* moi, *l'élu, annaliste des enfers, photomicroscope de verre et d'acier penché sur mes propres sirops protoplasmiques.* [...] *Truqué jusqu'à l'os et mystifié, j'écrivais joyeusement sur notre malheureuse condition. Dogmatique je doutais de tout sauf d'être l'élu du doute ; je rétablissais d'une main ce que je détruisais de l'autre et je tenais l'inquiétude pour la garantie de ma sécurité. J'étais heureux* (LES MOTS, p. 209-210).

Dans une interview donnée à Jacqueline Piatier (cf. 64/405), il déclare, dans le même ordre d'idées :

*Ce que j'ai regretté dans* La Nausée *c'est de ne m'être pas mis complètement dans le coup. Je restais extérieur au mal de mon héros, préservé par ma névrose qui, par l'écriture, me donnait le bonheur... J'ai toujours été heureux. Même si j'avais été plus honnête vis-à-vis de moi-même, à ce moment-là, j'aurais encore écrit* La Nausée. *Ce qui me manquait c'était le sens de la réalité. J'ai changé depuis. J'ai fait un lent apprentissage du réel. J'ai vu des enfants mourir de faim. En face d'un enfant qui meurt,* La Nausée *ne fait pas le poids.*

On trouvera à la notice 64/405 un commentaire sur les réactions suscitées par cette dernière phrase. Nous arrêterons ici nos remarques sur LA NAUSÉE : une étude spécialisée de Michel Rybalka, à paraître prochainement, proposera une interprétation de l'œuvre et donnera une plus ample documentation.

Cf. 38/12 et 13.

38/12

« Jean-Paul Sartre, romancier philosophe », article-interview de Claudine Chonez.

— *Marianne*, 23 novembre 1938.

38/13

« A qui les lauriers des Goncourt, Fémina, Renaudot, Interallié? » article-interview de Claudine Chonez.

— *Marianne*, 7 décembre 1938.

Claudine Chonez a tiré deux articles de l'interview que lui a accordée Sartre au moment de la course aux prix littéraires, dans laquelle LA NAUSÉE, parue quelques mois plus tôt, figurait en bonne place à côté de *La Conspiration* de Nizan. Selon le propre souvenir de Sartre, il s'agit de la première interview qu'on lui ait jamais demandée.

Claudine Chonez présente Sartre comme un « pur esprit », tente d'expliquer ce qu'est la phénoménologie, décrit en quelques mots LA NAUSÉE et expose les projets de Sartre, parmi lesquels un essai intitulé *Les Mondes imaginaires*. Sartre déclare : *J'aurais rêvé de n'exprimer mes idées que dans une forme belle — je veux dire dans l'œuvre d'art, roman ou nouvelle. Mais je me suis aperçu que c'était impossible. Il y a des choses trop techniques, qui exigent un vocabulaire purement philosophique. Aussi je me vois obligé de doubler, pour ainsi dire, chaque roman d'un essai. Ainsi, en même temps que* La Nausée, *j'écrivais* La Psyché, *ouvrage qui va bientôt paraître et qui traite de la psychologie du point de vue phénoménologique.* L'article décrit ensuite le roman que Sartre est en train de composer. Cette fois, les propos de Sartre ne sont pas rapportés directement et il se peut qu'il se soit amusé à mystifier son interlocutrice. En effet, celle-ci parle de ce qui deviendra *Les Chemins de la liberté* en ces termes : « Roquentin, dans le prochain roman, découvrira sa liberté mais il lui faudra pour cela un grand bouleversement du monde : utilisant en bon romancier ce qu'il a sous les yeux, Jean-Paul Sartre fait vivre à son héros les jours récents où nous avons cru que tout allait être balayé dans la guerre; il l'imagine mobilisé, découvrant dans cette rupture sa liberté totale et enivrante. Au retour, Antoine est mûr pour la volupté de l'acte gratuit, à la suite de Lafcadio et des surréalistes. Mais Sartre a soin de noter que les précurseurs de son héros se sont généralement donné bien du mal pour parfaire un acte gratuit; tandis qu'Antoine ne peut s'en empêcher.

« Naturellement il viole une femme et fait commettre un crime. C'est en effet la loi des actes gratuits, dirigés contre toute entrave et tout utilitarisme, que de s'orienter sur les domaines réprouvés par la morale sociale. Et pourtant, il n'en s'agit pas moins là d'une profonde reconstruction morale de l'individu, d'une véritable résurrection, de la nausée à l'ardeur, du suicide au goût de la vie, de la vie unique, irréversible, libre. »

Il faut se garder, bien entendu, de prendre ces affirmations au pied de la lettre et d'en tirer des conclusions trop précises sur ce que furent les premiers états des *Chemins de la liberté*. Mais on remarquera tout de même que, dès l'achèvement de LA NAUSÉE, Sartre pense à Mathieu comme à un possible de Roquentin et qu'il a même pu envisager de continuer le personnage. En effet, dans le second article, Claudine Chonez rapporte encore ce propos de Sartre : « *On a accusé* La Nausée *d'être par trop pessimiste. Mais attendons la fin. Dans un prochain roman, qui sera la suite, le héros redressera la machine. On verra l'existence réhabilitée, et mon héros agir, goûter l'action.* » Ceci marque clairement l'intention première qu'eut Sartre d'incarner en Mathieu le passage à une morale positive (cf. 49/191 et 192).

## 38/14

*La Chambre*, nouvelle.

*a*) *Mesures*, 3e année, nº 1, 15 janvier 1938, p. 119-149.
*b*) Reprise sans variantes majeures dans LE MUR.

Cette nouvelle a été acceptée pour les cahiers trimestriels de *Mesures* par Jean Paulhan. Elle reprend le thème de la séquestration qui va marquer une grande partie de l'œuvre de Sartre. Une excellente adaptation en a été faite en 1966 par Michel Mitrani pour la télévision.

Selon Simone de Beauvoir (cf. *La Force de l'âge*, p. 179), le point de départ de *La Chambre* est une expérience sexuelle atroce survenue à l'une de ses amies.

## 38/15

Sartoris *par William Faulkner.*

*a*) *La Nouvelle Revue française*, nº 293, février 1938, p. 323-328.
*b*) Repris sans variantes dans SITUATIONS, I.

Ce premier article de critique littéraire contribue à établir la réputation de Faulkner en France et témoigne de l'intérêt très vif que Sartre a porté dès le début des années trente au roman américain et à ses innovations techniques.

Sur Faulkner, voir également notre réf. 39/26.

38/16

*Intimité*, nouvelle.

*a*) *La Nouvelle Revue française*, nº 299, août 1938, p. 187-200; nº 300, septembre 1938, p. 381-406.

*b*) Repris dans LE MUR avec une variante : ce qui était *L'Hôtel du Globe* dans l'article devient *L'Hôtel du Théâtre* dans le volume.

Sous le titre ironique d'*Intimité*, Sartre décrit un autre cas d'aliénation, basé cette fois sur la haine que le personnage principal a de son corps. C'est en se fondant sur cette nouvelle et sur *Érostrate* que l'on a pu parler d'une hantise de l'incarnation et d'un « ressentiment érotique » chez Sartre[1], en attribuant à des obsessions personnelles ce qui, ici, est d'abord un intérêt d'écrivain pour des cas limites existentiels.

38/17

*A propos de John Dos Passos et de* 1919.

*a*) *La Nouvelle Revue française*, nº 299, août 1938, p. 292-301.

*b*) Repris sans variantes majeures dans SITUATIONS, I. Seule a disparu une note mentionnant que *1919* est un ouvrage traduit par Maurice Rémond aux éditions E.S.I.

Cette importante critique consacrée à un auteur auquel Sartre est redevable de la technique simultanéiste du SURSIS est un des articles les plus enthousiastes qu'il ait jamais écrits. Il est sans doute superflu d'ajouter que Sartre, depuis longtemps, ne tient plus Dos Passos pour « le plus grand écrivain de notre temps ».

38/18

*Structure intentionnelle de l'image.*

*a*) *Revue de métaphysique et de morale*, 45e année, nº 4, octobre 1938, p. 543-609.

*b*) Texte incorporé à L'IMAGINAIRE dont il constitue la première partie, intitulée « Le certain » (p. 9-76 de l'édition Gallimard).

1. Cf. Suzanne Lilar, *A propos de Sartre et de l'amour*, Grasset, 1967.

L'article comprend quelques lignes d'introduction supplémentaires et ne comporte pas les croquis se trouvant aux pages 46, 48 et 50 du volume.

### 38/19

La Conspiration *par Paul Nizan.*

*a*) *La Nouvelle Revue française*, nº 302, novembre 1938, p. 842-845.
*b*) Repris dans SITUATIONS, I.

*La Conspiration* a obtenu le prix Interallié en 1938. C'est dans ce roman que Nizan donne le nom de Sartre à un policier. Sartre a sans doute voulu lui rendre la pareille en plaçant un « Général Nizan » dans *L'Enfance d'un chef.*

Sur les rapports Sartre-Nizan, voir 47/128 et 60/333.

### 38/20

*Nourritures.*

*a*) *Verve*, nº 4, [1938], p. 115-116.
Achevé d'imprimer : 15 novembre 1938.
*b*) Traduit sous le titre de « Food » dans l'édition anglaise de la même revue : *Verve*, vol. 1, nº 4, January-March 1939, p. 115-116.
*c*) Repris sans variantes dans NOURRITURES, Jacques Damase, 1949.
Dans ce volume, le texte est daté : « Naples, 1935. »

APPENDICE

*Nourritures* est un fragment d'une nouvelle intitulée « Dépaysement » et restée jusqu'à présent inédite. « Dépaysement » a été écrit à la suite d'un séjour à Naples au cours de l'été 1936 : Sartre s'y inspirait de sa propre expérience lors d'une nuit de beuverie avec un matelot et un maquereau (le même épisode se retrouve transposé dans LE SURSIS dans la scène où Gros-Louis, le berger, est attaqué par ses compagnons à Marseille).

Dans ce texte qui fait penser à certaines pages de LA NAUSÉE, Sartre entreprend de montrer à la fois la *vérité* et l'*horreur* de la nourriture. Remarquons ici que, sans être toujours très marqué, le thème culinaire tient une place importante dans l'œuvre de Sartre et mériterait une étude approfondie.

# 1939

39/21

**LE MUR**

Contient : *Le Mur* (cf. 37/10), *La Chambre* (cf. 38/14), *Érostrate* (inédit jusque-là; écrit en 1936), *Intimité* (cf. 38/16), *L'Enfance d'un chef* (inédit jusque-là; terminé en juillet 1938).

*a*) Première édition : Gallimard, 1939. Mis en vente le 17 janvier 1939. En souscription dès octobre 1938. Comprend 70 exemplaires sur alfa et 40 exemplaires pur fil. Dédié à Olga Kosakiewicz.

Repris également par Gallimard dans la collection « Pourpre » [1954] et dans la collection « Soleil ».

*b*) Édition illustrée de 33 gravures sur cuivre de Mario Prassinos : Gallimard, [1945].

*c*) Coll. « Le Livre de Poche » : Gallimard, [1953].

*d*) Club du Meilleur Livre, coll. « Récits », [1958].

*e*) Avec présentation et introduction par W. Peeters : Anvers, De Sikkel, coll. « L'Étoile », [1964].

*f*) Avec une introduction de Jean-Louis Curtis : Lausanne, éditions Rencontre, [1965].

*g*) Réédité avec jaquette illustrée à l'occasion de la sortie du film : Gallimard, [1967]. La jaquette reproduit au verso une lettre de Sartre à Serge Roullet datée du 10 janvier 1967.

Le prière d'insérer, rédigé par Sartre, se lit comme suit :

*Personne ne veut regarder en face l'Existence. Voici cinq petites déroutes — tragiques ou comiques — devant elle, cinq vies. Pablo, qu'on va fusiller, voudrait jeter sa pensée de l'autre côté de l'Exis-*

*tence et concevoir sa propre mort. En vain. Ève essaie de rejoindre Pierre dans le monde irréel et clos de la folie. En vain ; ce monde n'est qu'un faux-semblant et les fous sont des menteurs. Érostrate se propose de scandaliser les hommes par un refus éclatant de la condition humaine, par un crime. En vain : le crime est fait, le crime existe et Érostrate ne le reconnaît plus, c'est un gros paquet immonde d'où le sang coule. Lola* [Lulu] *se ment : entre soi et le regard qu'elle ne peut pas ne pas jeter sur soi, elle essaie de glisser une brume légère. En vain, la brume devient sur-le-champ transparence ; on ne se ment pas : on croit qu'on se ment. Lucien Fleurier est le plus près de sentir qu'il existe mais il ne le veut pas, il s'évade, il se réfugie dans la contemplation de ses droits : car les droits n'existent pas, ils doivent être. En vain. Toutes ces fuites sont arrêtées par un Mur ; fuir l'Existence, c'est encore exister. L'Existence est un plein que l'homme ne peut quitter.*

A sa parution, le volume, désigné comme « Livre de mars » [1939], a connu un certain succès et a même valu à Sartre le prix du Roman populiste en avril 1940. Violemment attaqué par Robert Brasillach dans *L'Action française* du 13 avril 1939, il a été défendu dans un entrefilet intitulé « A propos d'*Intimité* » paru dans *La Nouvelle Revue française* (nº 308, mai 1939, p. 808).

Parmi les premières critiques, citons celle d'Albert Camus dans *Alger républicain* du 12 mars 1939 (reprise dans le volume Pléiade, *Essais*, p. 1419-1422).

Les nouvelles du MUR ont contribué à donner à Sartre une réputation d'obscénité. Le recueil est cependant considéré par beaucoup comme la meilleure œuvre de fiction qu'il ait écrite. Des nouvelles comme *La Chambre* et *L'Enfance d'un chef* permettent, d'autre part, une meilleure compréhension de LA NAUSÉE : Lucien Fleurier n'est-il pas jusqu'à un certain point un anti-Roquentin ? La lettre que Paul Hilbert adresse aux écrivains dans *Érostrate* n'est-elle pas la condamnation la plus radicale que nous ayons de l'humanisme chez Sartre ?

Si l'on en juge par un passage de SITUATIONS, II (p. 212-213), Lucien Fleurier correspond à un personnage qui a eu sa place dans la vie de Sartre : *J'ai connu vers 1924 un jeune homme de bonne famille, entiché de littérature et tout particulièrement des auteurs contemporains. Il fut bien fou, quand il convenait de l'être, se gorgea de la poésie des bars quand elle était à la mode, afficha tapageusement une maîtresse, puis, à la mort de son père, reprit sagement l'usine familiale et le droit chemin. Il a épousé depuis une héritière.* [...] *Vers le moment qu'il se maria, il puisa dans ses lectures la formule qui devait justifier sa vie. « Il faut, m'écrivit-il un jour, faire comme tout le monde et n'être comme personne. »*

On trouvera dans SITUATIONS, III (p. 184 et suivantes) une définition plus générale du personnage : *Tout membre de la classe dominante est homme de droit divin. Né dans un milieu de chefs, il est persuadé dès son enfance qu'il est né* pour *commander. [...] Il y a une certaine fonction sociale qui l'attend dans l'avenir, dans laquelle il se coulera dès qu'il en aura l'âge et qui est comme la réalité métaphysique de son individu.*

Sur LE MUR, cf. 69/503.

39/22

ESQUISSE D'UNE THÉORIE DES ÉMOTIONS

*a*) Hermann, collection « Actualités scientifiques et industrielles », nº 838, 1939. Essais philosophiques publiés par Jean Cavaillès, 52 pages. Imprimé en décembre 1939. Dépôt légal : 23 février 1940.

*b*) Nouvelle édition, 1960. Texte identique à *a*), mais avec nouvelle couverture et un nouveau format.

Simone de Beauvoir nous apprend dans *La Force de l'âge* p. 326, qu'il s'agit là du seul fragment publié d'un gros traité de psychologie phénoménologique intitulé « La Psyché ». Sartre l'abandonna très près de son achèvement pour terminer le recueil de nouvelles LE MUR.

Par son caractère à la fois accessible et rigoureux, l'ESQUISSE D'UNE THÉORIE DES ÉMOTIONS constitue, en dépit de sa brièveté, la meilleure introduction à l'étude de L'ÊTRE ET LE NÉANT.

39/23

*Une idée fondamentale de la phénoménologie de Husserl : l'intentionnalité.*

*a*) *La Nouvelle Revue française*, nº 304, janvier 1939, p. 129-131.

*b*) Repris dans SITUATIONS, I.

Écrit à Berlin durant son séjour de 1933-1934, au moment même où il découvrait avec enthousiasme la phénoménologie de Husserl, cet article est sans doute l'un des meilleurs de Sartre.

Comparé à *Légende de la vérité*, ce texte marque non seulement un développement majeur de sa pensée mais aussi le début d'une expression philosophique originale. Sartre attaque la psychologie traditionnelle, condamne la *philosophie alimentaire* et donne ensuite de la complexe idée husserlienne d'intentionnalité une interprétation personnelle et parfaitement accessible à un public non spécialisé.

39/24

*M. François Mauriac et la liberté.*

*a*) *La Nouvelle Revue française*, nº 305, février 1939, p. 212-232. Il existe un tiré à part publié en plaquette.
*b*) Repris dans SITUATIONS, I.

Cet éreintement en règle est sans nul doute la plus célèbre de toutes les critiques littéraires de Sartre. Il y montre à propos de *La Fin de la nuit* que toute technique de narration renvoie à une morale et à une métaphysique. Cette idée se révélera extrêmement féconde et sera reprise par une grande partie de la critique moderne.

L'article de Sartre fit à l'époque un bruit considérable. Citons pour mémoire la réaction scandalisée d'André Rousseaux dans *La Revue universelle* du 15 février 1939. Les éditeurs de *La Nouvelle Revue française* prirent la défense de Sartre dans une note parue dans le numéro 306, mars 1939, et intitulée « A propos du François Mauriac de Sartre ». Celui-ci réserva, treize ans plus tard, l'une de ses pointes les plus acérées à André Rousseaux en écrivant dans SAINT GENET, p. 538 : ... *Seriez-vous de neige pure, exempts de tout refoulement, iriez-vous à la vertu par tropisme, comme le puceron ailé à la lumière et M. Rousseaux à l'erreur, Genet vous répugnerait encore, donc vous seriez compromis.*

Quant aux relations entre Mauriac et Sartre, elles n'ont cessé depuis cet article de prendre les dehors d'une polémique endémique, Sartre ne manquant jamais une occasion d'exercer sa malice contre Mauriac, tandis que Mauriac, au contraire, semble subir devant celui qu'il appelle l' « athée providentiel » une irrésistible fascination.

Dans une interview datant de 1960 (cf. 60/321), il fut demandé à Sartre s'il maintenait son affirmation selon laquelle Mauriac ne serait pas un romancier. Voici sa réponse : *Je crois que je serais plus souple aujourd'hui, en pensant que la qualité essentielle du roman doit être de passionner, d'intéresser, et je serais beaucoup moins vétilleux sur les méthodes. C'est parce que je me suis aperçu que toutes les méthodes sont des truquages, y compris les méthodes américaines. On s'arrange toujours pour dire ce que l'on pense, au lecteur, et l'auteur est toujours présent. Le truquage américain est plus subtil, mais il existe. Ceci dit, je pense que ce n'est pas la meilleure méthode pour faire un bon roman que de se manifester soi-même trop visiblement. Si je devais récrire* Les Chemins de la liberté, *j'essaierais de présenter chaque personnage sans commentaires, sans montrer mes sentiments.*

A l'occasion de la sortie de son nouveau roman *Un adolescent d'autrefois*, Mauriac a donné récemment une interview dans laquelle il rend Sartre en quelque sorte responsable de son long silence romanesque : « J'ai été frappé, si vous voulez, par l'attaque de Sartre. Un de mes romans, qui s'appelait *La Fin de la nuit*, a été éreinté par Sartre, qui était non seulement un très jeune auteur, mais en même temps la gloire de sa génération. Et je ne dirai pas que ça m'ait démoralisé, mais tout de même, ça m'a donné à réfléchir [...] » (*France-Soir*, 28 février 1969).

## 39/25

*La chronique de J.-P. Sartre.*

*a*) *Europe*, nº 198, 15 juin 1939, p. 240-249.

Dans cette chronique, Sartre fait le compte rendu des trois ouvrages suivants : *La Méprise*, de Vladimir Nabokov; *L'Amour et l'Occident*, de Denis de Rougemont; *Le Fleuve étincelant*, de Charles Morgan.

*b*) Les critiques de Nabokov et de Denis de Rougemont ont été reprises en chapitres séparés et sans variantes majeures dans SITUATIONS, I. Nous reproduisons ci-dessous intégralement le texte concernant Charles Morgan.

*Après* Fontaine, *après* Sparkenbrooke *on a pu parler du platonisme de M. Morgan*[1] *et rapprocher ses héros d'Iseult et de Tristan*[2]*. Il fournissait donc aux thèses de M. de Rougemont une curieuse confirmation. Mais voici une œuvre qui rend un tout autre son. Certes Fevrers et Karen, qui s'aiment et se désirent, ne se donnent point d'abord l'un à l'autre. Ils élèvent entre eux des barrières et voici de nouveau l'obstacle nécessaire à l'amour, l'épée du roi Mark dont parle M. de Rougemont. Mais les obstacles ne visent point à intensifier la passion, ils ne sont point une figure symbolique de la mort : « (Karen et Fevrers) subordonnent leurs désirs personnels au travail qu'ils ont entrepris en commun et ils ne se donneront pas l'un à l'autre tant que la nature de ce travail et les circonstances réclameront de leur part un dévouement absolu, une ardeur personnelle et une parfaite unité de l'esprit. » Ainsi l'obstacle vient d'abord de ce qu'il faut vivre, accomplir son métier d'homme. Sur ces bases, M. Morgan esquisse quelque chose comme un humanisme de l'amour. L'essentiel, c'est que l'homme réalise et conserve l'unité de son esprit, encore que celle-ci ne soit pas un but mais un moyen de créer et d'agir. Cela peut entraîner parfois une chasteté provisoire : « L'écrivain au point culminant de son travail ou le ministre de Dieu aux prises avec sa foi ou encore l'homme de science en face de ses pro-*

1. *Maxime Chastaing, « De l'imagination chez Charles Morgan » (in* Vie intellectuelle, *du 25 avril 1939).*

2. *P.-H. Simon, « Essai d'une critique chrétienne de Morgan »* (id., ibid.).

*blèmes les plus ardus peut entrevoir le moment où son unité d'esprit sera sauvegardée s'il renonce à l'acte sexuel ; il entre alors de propos délibéré dans une période de séparation. » Voilà de nouveau Tristan ermite, errant seul dans la forêt. Mais cette chasteté n'est point une fin en soi ; au contraire ce qui importe avant tout c'est l'acceptation charnelle, la « reprise » du désir sexuel et son intégration dans l'unité de l'esprit. (Par un parallélisme assez frappant, qui réjouirait le cœur de M. de Rougemont, M. Morgan accepte aussi la guerre.) L'amour devient alors une affirmation de l'unité de la personne, presque un défi au temps et aux puissances destructrices. En lisant ces belles répliques du* Fleuve étincelant :

« *Nous nous aimerons pour toujours, à travers toutes les folies, les infidélités, à travers toutes les faillites et les dénégations. Toutes les séparations, toujours, jusqu'à la fin.*

FEVRERS

*Karen, c'est l'espoir d'un insensé.*

KAREN

*C'est comme l'amour de Dieu* »,

*je ne pouvais m'empêcher de penser à cette fidélité dans le mariage que prône M. de Rougemont et qui est aussi un défi, à sa définition de l'union chrétienne comme effort pour « vivre avec » et non pour « mourir ensemble », à « la folle vertu » qu'il nous propose, à son* personnalisme, *enfin. Seulement la vertu de M. Morgan est moins sévère : c'est un fleuve étincelant.*

*Relisez* Le Pari *de M. Fernandez, lisez* L'Amour et l'Occident *de M. de Rougemont et* Le Fleuve étincelant : *à travers bien des dissemblances et des oppositions, vous verrez se dessiner une tentative curieuse et méritoire pour faire une* éthique de l'amour. *Mais l'amour est-il susceptible d'une éthique? est-il susceptible d'une éthique* dans notre société?

(*Europe*, 15 juin 1939, p. 248-249.)

C'est Jean Cassou qui avait demandé à Sartre de fournir une chronique régulière à *Europe*. La guerre étant survenue peu après, la collaboration de Sartre a été limitée à une seule livraison de la revue.

Signalons d'autre part que Sartre fait assez souvent allusion à Denis de Rougemont et qu'il l'attaque dans *Le Fantôme de Staline*.

39/26

*A propos de* Le Bruit et la fureur : *la temporalité chez Faulkner.*

*a*) *La Nouvelle Revue française*, n° 309, juin 1939, p. 1057-1061 ; n° 310, juillet 1939, p. 147-151.

*b*) Repris avec des variantes mineures dans SITUATIONS, I.

Cette étude dépasse le cadre de l'œuvre de Faulkner pour annoncer déjà le chapitre sur la temporalité que l'on trouvera dans L'ÊTRE ET LE NÉANT.

39/27

*Portraits officiels.*

*a*) *Verve*, n° 5-6, [1939], p. 9-12. Texte non signé dans un numéro spécial consacré à la Figure humaine.
*b*) Traduit sous le titre « Official portraits » dans l'édition anglaise de la même revue : *Verve*, vol. 2, n° 5-6, July-October 1939, p. 9-12. Texte non signé.
*c*) Repris dans VISAGES, Seghers, 1948.

APPENDICE

Ce texte, à l'origine anonyme, sert d'introduction à une série de textes et d'illustrations ayant pour thème général la figure humaine. Il constitue un commentaire original sur quatre portraits reproduits dans le volume, ceux de François Ier, Louis XIV, Charles le Chauve et Napoléon Bonaparte.

Ce commentaire est à mettre en relation avec la fameuse description des portraits du musée de Bouville dans LA NAUSÉE.

39/28

*Visages.*

*a*) *Verve*, n° 5-6, [1939], p. 43-44.
*b*) Traduit sous le titre de « Faces » dans l'édition anglaise de la même revue : *Verve*, vol. 2, n° 5-6, July-October 1939, p. 43-44.
*c*) Repris dans VISAGES, Seghers, 1948.

APPENDICE

L'un des plus beaux textes de Sartre. Il y entreprend la description phénoménologique (« Je dis ce que je vois, simplement ») de ces êtres particuliers qu'on nomme des visages et qui ne sont pas des choses. Ce que Sartre vise, c'est la mise au jour de l'essence au sens phénoménologique, c'est-à-dire de la vérité du visage. Cette eidétique de la figure humaine se résume en l'idée : « *Le sens d'un visage, c'est d'être la transcendance* visible. »

39/NOTE I.

Le bulletin encarté dans *La Nouvelle Revue française* de février à juin 1939 annonce une étude de Sartre : « Les romans d'André Malraux. » Ce projet d'article n'a jamais eu de suite.

# 1940

40/29

L'IMAGINAIRE, *psychologie phénoménologique de l'imagination.*

*a*) La première partie, intitulée « Le certain », a d'abord paru sous le titre *Structure intentionnelle de l'image* dans *Revue de métaphysique et de morale*, 45e année, no 4, octobre 1938, p. 543-609. Cf. 38/18.

*b*) Gallimard, « Bibliothèque des Idées », 1940.

Volume en souscription dès septembre 1939. Achevé d'imprimer : 15 février 1940. L'édition comprend 20 exemplaires Lafuma numérotés. Dédié à Albert Morel [ancien élève de Sartre, fils de Mme Louis Morel dont Simone de Beauvoir parle dans ses mémoires sous le nom de Mme Lemaire].

*c*) Gallimard, collection « Idées », [1966].

Texte identique à *b*).

Le prière d'insérer de l'édition 1940, rédigé par Sartre, se lit comme suit :

*La Psychologie des Facultés en s'effondrant sous les critiques de la psychologie positive entraîna dans sa ruine l'Imagination ou faculté de former des images. Il ne resta plus que des sensations. On essaya alors, pour expliquer notre vie imaginative, de grouper certaines de ces sensations sous le nom d'images mais on échoua complètement à les distinguer des autres. La distinction des images et des sensations ne peut, en effet, absolument pas se fonder sur une différence* d'être. *Seule une phénoménologie de la conscience et de l'Être pouvait reprendre à neuf le problème de l'imagination pour distinguer* existentiellement *l'objet « en image » de l'objet perçu. J'ai tenté ici de décrire par la méthode phénoménologique certains objets spéciaux qui se présentent à chaque instant à la conscience, qui se distinguent des « choses » réelles par le fait que leur être est un néant d'être et que j'ai nommés « imaginaires » pour éviter d'employer le vieux mot d'image encore souillé de sensualisme et de positivisme. Leur étude m'a conduit à tenter l'examen phénoménologique de la* vie imaginaire, *car dès que la conscience « rencontre » un de ces objets il en résulte pour elle des modifications remarquables, comme on le voit par l'exemple de la schizophrénie, du rêve et de l'hallucination. Enfin par une régression naturelle, j'ai été amené à me demander ce que devait être la conscience en sa nature intime pour que des* imaginaires *puissent lui être donnés en général. Il m'est apparu alors qu'il ne saurait y avoir d'*imaginaire *que sur fond de néantisation du Monde et j'ai montré que « la fonction imageante de la conscience tirait sa source du pouvoir néantisant de l'Esprit ce qui est un autre mot pour désigner sa totale Liberté.* »

Cet ouvrage, que Sartre avait d'abord pensé intituler « Le Monde imaginaire » ou « Les Mondes imaginaires », fait suite à L'IMAGINATION (cf. 36/8) et marque l'aboutissement des recherches sur la perception entreprises depuis les années vingt.

Sartre examine la structure de l'image en appliquant la méthode phénoménologique et en se référant notamment à la théorie husserlienne de l'intentionnalité, selon laquelle la connaissance n'est pas l'enregistrement mental d'une réalité extérieure, mais un acte constitutif de la conscience qui se projette vers ses objets. Cette projection peut prendre deux formes essentiellement distinctes selon que la conscience pose son objet comme existant et présent (perception) ou qu'elle se le donne comme absent ou irréel (imagination). Selon Sartre, ce sont deux attitudes globales, opposées et incompossibles : on ne peut imaginer et percevoir qu'alternativement.

Une telle dichotomie présente certaines difficultés, même du point de vue de la phénoménologie. Ainsi, Merleau-Ponty s'est attaché à montrer dans *Le Visible et l'Invisible* (Gallimard, 1964) que les choses débordent toujours l'observation, et qu'il n'y aurait pas d'objectivité si le visible ne se prolongeait sans solution de continuité vers un inépuisable contenu latent ressortissant à l'imaginaire. D'un autre côté, les psychanalystes s'efforcent de mettre au jour l'activité fantasmatique qui est à l'origine génétique de toutes les fonctions cognitives et qui reste secrètement opérante dans la perception adulte. D'un point de vue psychiatrique, Henri Faure s'élève dans *Hallucinations et réalité perceptive* (P.U.F., Bibliothèque de psychiatrie, 1965) contre l'interprétation « restrictive » donnée par Sartre de l'hallucination, que l'auteur considère comme une organisation spécifique du champ spatial où le réel et l'imaginaire sont indissolublement imbriqués. Enfin, en mettant l'accent sur « la pauvreté essentielle de l'image », Sartre est allé à l'encontre de toutes les psychologies de l'imagination issues des travaux de Bachelard et d'Éliade; ainsi, Gilbert Durand consacre à Sartre de nombreuses pages de son volumineux ouvrage *Les Structures anthropologiques de l'Imaginaire* (P.U.F., Bibliothèque de philosophie contemporaine, 1963) pour dénoncer ce qu'il appelle une « dévaluation ontologique de l'image » (dans la même perspective, cf. Maurice-Jean Lefebve, *L'Image fascinante et le surréel*, Plomb, 1965).

Ce sont sur les principes définis dans L'IMAGINAIRE que Sartre fonde ses analyses esthétiques, notamment dans les domaines de la littérature et des arts plastiques. Il faut ajouter cependant que les quelques pages qu'il consacre à déterminer le statut de l'œuvre d'art peuvent paraître simplistes en regard des analyses qu'il donnera par la suite des œuvres de Francis Ponge, de Giacometti, de Jean Genet ou du Tintoret.

L'une des premières critiques de L'IMAGINAIRE a été celle de Daniel Lagache dans *Bulletin de la Faculté des lettres de Strasbourg*, vol. 19, n° 8, juin 1941, p. 309-325.

40/30

*M. Jean Giraudoux et la philosophie d'Aristote : A propos de* Choix des élues.

*a*) *La Nouvelle Revue française*, n° 318, mars 1940, p. 339-354.

Cet article a été annoncé dans la revue dès juillet 1939 avec le titre « Sur Jean Giraudoux ».

*b*) Repris sans variantes dans SITUATIONS, I.

Poursuivant sa critique des valeurs établies, Sartre s'attaque cette fois avec esprit mais sans malice à un auteur considéré à l'époque comme intouchable et en profite pour montrer le côté anti-aristotélicien de sa propre philosophie.

Cet essai critique n'a cessé d'être commenté depuis sa parution : cf. en particulier Claude-Edmonde Magny dans *Précieux Giraudoux* (Seuil, 1945) et Oreste F. Pucciani (« The "Infernal Dialogue" of Giraudoux and Sartre », *Tulane Drama Review*, n° 4, 1959, p. 57-75). Il a été reproduit à plusieurs reprises, notamment dans les *Cahiers de la Compa-*

*gnie Madeleine Renaud-Jean-Louis Barrault* (nº 36, nov. 1961, p. 53-58).

Voir à la notice 44/43 le texte d'hommage écrit par Sartre à la mort de Giraudoux.

40/NOTE.

Pour BARIONA, la pièce de Noël que Sartre écrivit et fit jouer alors qu'il était prisonnier de guerre à Trèves, voir à la date de publication (62/368).

# 1941

41/31

Sartre a écrit deux ou trois textes dans le bulletin clandestin du groupe « Socialisme et Liberté » en 1941. Ce bulletin, qui n'eut que quelques numéros, semble bien être définitivement perdu. Le *Catalogue des périodiques clandestins diffusés en France de 1939 à 1945* publié par la Bibliothèque nationale n'en fait nulle mention. Il n'a rien à voir avec le journal *Socialisme et Liberté*, d'obédience S.F.I.O., diffusé en zone Nord dès décembre 1941 et qui devint par la suite *Le Populaire*.

Dans un article intitulé « Le Sartre que je connais » (*Jeune Afrique*, 8 novembre 1964), Dominique Desanti, qui milita dans le groupe, en parle sous le nom de « Liberté et Socialisme » et fournit quelques renseignements intéressants. Elle révèle en particulier que le groupe comprenait des marxistes, dont elle-même, et des non-marxistes et que Sartre accepta que les éditoriaux fussent successivement rédigés par des représentants des deux tendances.

Simone de Beauvoir a raconté dans *La Force de l'âge* (p. 495-496 et p. 514), l'existence éphémère de ce groupe de résistance intellectuelle que Sartre mit sur pied au printemps 1941 avec, entre autres, Merleau-Ponty, Bost, Pouillon et elle-même. Du premier éditorial écrit par Sartre, elle dit ceci : « [...] envisageant l'éventualité d'une défaite, Sartre exposa, dans notre premier bulletin, que si l'Allemagne gagnait la guerre, notre tâche serait de lui faire perdre la paix. »

A l'automne, Sartre prit contact avec les communistes mais se heurta à leur méfiance. Peu de temps après, ils firent courir le bruit que les Allemands l'avaient relâché afin qu'il servît d'agent provocateur. Le groupe se trouvait complètement isolé et Sartre prit sur lui de le dissoudre, estimant que son importance réelle était sans commune mesure avec les risques encourus par ses membres (cf. aussi ENTRETIENS SUR LA POLITIQUE, p. 70).

Sartre nous a précisé que c'est à l'époque de « Socialisme et Liberté » qu'il a mis sur papier ses idées concernant l'avenir de l'Europe après la guerre; il rédigea même un projet de constitution.

41/32

Moby Dick *d'Herman Melville : Plus qu'un chef-d'œuvre, un formidable monument.*

— *Comœdia*, Nouvelle série, nº 1, 21 juin 1941.

APPENDICE

Premier article écrit par Sartre à son retour de captivité pour le nouveau *Comœdia* dont il avait accepté de tenir la chronique littéraire. Sa participation en resta là car « la première règle sur laquelle s'accordèrent les intellectuels résistants, c'est qu'ils ne devaient pas écrire dans les journaux de la zone occupée » (*La Force de l'âge*, p. 498).

Il s'agit d'une présentation du grand roman de Melville dont la traduction en France par Jean Giono avait constitué l'événement littéraire majeur de l'année 1941. Sartre égratigne au passage la préface de Giono.

# 1942

42/33

*La Mort dans l'âme*, pages de journal.

— Dans le volume : *Exercice du silence*. Bruxelles, 1942. Achevé d'imprimer le 10 décembre 1942. Éditeur : Jean Annotiau, rue Marché-aux-Herbes, 61, Bruxelles. Copyright by Librairie du Centre. Ouvrage non paginé (le texte de Sartre couvre 15 pages).

Cote B.N. : *Messages* 8° z. 29291 (1942, III).

APPENDICE

Outre le texte de Sartre, le volume intitulé *Exercice du silence* contient, parmi d'autres, des pages de Bachelard, Éluard, Tardieu, Audisio, Queneau, Frénaud, Adamov, Leiris, Lescure, Bataille. Bien qu'il n'en porte nulle part la mention, ce volume est le cinquième cahier de la nouvelle série de la revue *Messages* (« Cahiers de la poésie française ») dirigée par Jean Lescure. Les premiers furent imprimés à Paris, au début de la guerre, *Exercice du silence* à Bruxelles, et le suivant, *Domaine français*, à Genève.

Portant le même titre que le dernier tome paru des *Chemins de la liberté*, ce texte totalement inconnu est d'une grande valeur. Il s'agit de deux fragments des carnets de guerre de Sartre, datés du 10 et du 11 juin 1940. Ils décrivent son expérience directe de la déroute de l'armée française. Ce texte, comparé au roman, offre ceci de passionnant qu'il est le seul à caractère autobiographique qui nous permette d'étudier la transposition littéraire opérée à partir d'une expérience personnelle. La qualité de ces pages laisse bien augurer de la valeur des carnets de guerre perdus par Bost, à qui Sartre les avait confiés lors de la déroute de son unité. Sartre y avait entrepris de faire le point sur sa vie passée et c'est sur eux également qu'il commença la rédaction de ce qui allait devenir L'ÊTRE ET LE NÉANT. Un certain nombre de ces carnets ont été retrouvés par un médecin qui écrivit à Sartre en 1950 pour lui dire qu'il les tenait à sa disposition, mais celui-ci négligea de les récupérer. Par la suite, d'autres carnets retrouvés lui furent proposés contre argent et Sartre, jugeant le procédé indélicat, ne fit pas suite à cette demande.

# 1943

43/34

L'ÊTRE ET LE NÉANT, *Essai d'ontologie phénoménologique.*

*a*) Gallimard, Bibliothèque des Idées, 1943. 724 pages. Dédié « Au Castor » [Simone de Beauvoir]. Achevé d'imprimer : 25 juin 1943. Plusieurs réimpressions depuis 1947. En 1945, le volume fut vendu en librairie entouré d'une bande publicitaire pour laquelle Sartre avait trouvé la formule suivante : « Ce qui compte dans un vase, c'est le vide du milieu. »

*b*) Gallimard, édition reliée d'après la maquette de Colette Duhamel, 1947. Limitée à 1 040 exemplaires sur alfa.

L'ÊTRE ET LE NÉANT est l'aboutissement de recherches philosophiques entreprises par Sartre dès 1933. C'est ce qui explique que cet ouvrage monumental ait été entièrement rédigé en moins de deux ans et, semble-t-il, avec beaucoup de facilité. Les pages des mémoires de Simone de Beauvoir qui relatent la période durant laquelle il fut écrit ne font que de rapides allusions au travail de Sartre et il faut souligner que pendant cette même période il composa LE SURSIS et LES MOUCHES tout en enseignant au lycée Condorcet, ce qui constitue une performance assez stupéfiante et donne une idée de ce que Sartre entend par le « plein emploi de soi-même ».

Le projet de L'ÊTRE ET LE NÉANT paraît avoir été conçu en 1939, pendant la « drôle de guerre », alors que Sartre, mobilisé, et cantonné en Alsace, occupait ses longs loisirs à remplir des carnets, qui furent ensuite perdus (cf. 42/33). Il y avait en particulier ébauché un ouvrage de philosophie dont il exposa les grandes lignes à Simone de Beauvoir lors d'une permission en avril 1940 (cf. *La Force de l'âge*, p. 447-448). Il poursuivit son travail de réflexion pendant sa captivité en donnant un cours sur Heidegger (dont il avait pu se procurer les ouvrages) à un groupe de curés. Libéré, il commença par achever L'ÂGE DE RAISON et ce n'est qu'à l'automne 1941 qu'il entreprit la rédaction de L'ÊTRE ET LE NÉANT. Sartre nous a précisé qu'il avait utilisé certaines analyses de son traité de psychologie phénoménologique « La Psyché » (cf. 39/22) mais qu'il les avait, à son habitude, entièrement récrites et refondues dans L'ÊTRE ET LE NÉANT.

Achevé au début de 1943, le livre parut en été et, étant donné les circonstances, passa à peu près inaperçu. Il fallut attendre 1945, année où la vogue soudaine de Sartre attira sur son œuvre maîtresse une attention qu'aucun ouvrage philosophique n'avait connue précédemment, pour que les commentateurs s'en emparent; l'incompréhension fut d'ailleurs quasi générale. Pourtant le livre avait eu dès sa parution un petit nombre de lecteurs fervents qui se rendirent compte d'emblée de son importance et de sa nouveauté, comme en témoignent, par exemple, André Gorz dans *Le Traître* (Seuil, 1959, p. 245-246) ou les lignes suivantes de Michel Tournier : « Un jour de l'automne 1943, un livre tomba sur nos tables : *L'Être et le Néant*. Il y eut un moment de stupeur, puis une longue rumination. L'œuvre était massive, hirsute, débordante, d'une force irrésistible, pleine de subtilités exquises, encyclopédique, superbement technique, traversée de bout en bout par une intuition d'une simplicité diamantaire. Déjà les clameurs de la racaille antiphilosophique commençaient à s'élever dans la presse. Aucun doute n'était permis : un système nous était donné » (*Les Nouvelles littéraires*, 29 octobre 1964).

Il n'est évidemment pas question de tenter ici une présentation générale d'un ouvrage qui a fait l'objet d'innombrables études et qui est aujourd'hui relativement bien commenté, même s'il subsiste autour de lui des malentendus qu'une brève notice ne saurait de toute façon prétendre lever. Nous nous bornerons donc à quelques remarques sommaires.

On pourrait relever tout d'abord que L'ÊTRE ET LE NÉANT a la réputation, à tort, nous semble-t-il, d'être un ouvrage inabordable pour le public non spécialisé. S'il est vrai que le livre demande un certain effort, sa lecture, une fois surmontées les difficultés d'ordre terminologique, s'avère parfaitement accessible et bien vite passionnante, en raison surtout des nombreuses analyses concrètes de situations qu'on rencontre souvent dans la vie quotidienne. Cette lecture peut d'ailleurs par elle-même fournir le minimum de familiarité avec la technique philosophique

que l'œuvre exige pour être pleinement comprise. Il est donc bien préférable de lire L'ÊTRE ET LE NÉANT, en se servant peut-être de L'ESQUISSE D'UNE THÉORIE DES ÉMOTIONS comme introduction, plutôt que de chercher dans des ouvrages de seconde main une information qui restera, au mieux, partielle et, au pire, trompeuse.

D'autre part, l'évolution ultérieure de la pensée sartrienne permet de placer le livre dans ses justes perspectives en le situant dans la continuité de l'ensemble de l'œuvre comme un stade fondamental à partir duquel Sartre a opéré par la suite un dépassement dialectique. La lecture préalable de *Questions de méthode* peut ainsi déployer autour de L'ÊTRE ET LE NÉANT son horizon implicite en lui ajoutant une dimension qui en est presque totalement absente, celle de l'histoire et de la lutte des classes. On évitera de cette façon l'erreur fréquente qui consiste à voir dans cet ouvrage l'expression d'un pessimisme radical et, en particulier, à considérer l'analyse des relations originellement conflictuelles avec autrui comme un *a priori* relevant d'une vision tragique de l'existence humaine.

Sartre n'est revenu qu'en de rares occasions et toujours incidemment sur L'ÊTRE ET LE NÉANT; il n'en a jamais remis en question les conclusions essentielles. Une note de CRITIQUE DE LA RAISON DIALECTIQUE (p. 285-286) relie d'ailleurs explicitement la problématique de sa seconde grande œuvre philosophique à celle de la première, tout en indiquant nettement l'élargissement et le développement qu'il lui a apportés et en mettant en garde contre l'interprétation erronée à laquelle L'ÊTRE ET LE NÉANT peut donner lieu. Dans un important entretien datant de 1965 (cf. 65/430), il s'est adressé le reproche d'avoir usé dans cet ouvrage d'un langage trop littéraire et de s'être ainsi exposé à des malentendus. Il faut relever aussi l'expression « eidétique de la mauvaise foi » employée par Sartre en 1961 (cf. SITUATIONS, IV, p. 196) pour désigner L'ÊTRE ET LE NÉANT. Cette formule marque clairement les limites de l'ouvrage : dans une première étape, Sartre fonde sa phénoménologie de la conscience sur l'analyse des conduites par lesquelles les individus, envisagés dans une perspective psychologique et morale, manifestent leur fondamentale aliénation, mais il ne rend pas encore compte des causes historiques et sociales de cette aliénation et c'est justement à quoi il s'efforcera avec de plus en plus de précision dans toute son œuvre ultérieure.

Pour la « Morale » annoncée à la fin de l'ouvrage, voir 49/179, 187, 191, 192 et 66/436.

43/35

LES MOUCHES, drame en trois actes.

*a*) Fragments dans : *Confluences*, vol. III, nº 19, avril-mai 1943, p. 371-391.

*b*) Édition en volume : Gallimard, [1943]. 145 pages. 15 exemplaires pur fil et 525 exemplaires reliés Héliona dont l'achevé d'imprimer est de décembre 1942. Volume mis en vente en avril 1943. Dédicace : « A Charles Dullin en témoignage de reconnaissance et d'amitié. »

*c*) Repris dans THÉÂTRE, I (1947).

*d*) Repris dans THÉÂTRE (1962).

*e*) Édition scolaire américaine : Annotée, avec une bonne introduction, par F. C. St-Aubyn et Robert G. Marshall. New York, Evanston & London : Harper & Row, [1963].

*f*) Édition scolaire anglaise : Introduction bien documentée et notes de Robert J. North. London : George G. Harrap, [1963].

*g*) Repris dans : *Huis clos* suivi de *Les Mouches*. Gallimard, « Le Livre de Poche », nº 1132, [1964].

Le prière d'insérer de l'édition *b*), rédigé par Sartre, se lit ainsi :

*La tragédie est le miroir de la Fatalité. Il ne m'a pas semblé impossible d'écrire une tragédie de la liberté, puisque le Fatum antique n'est que la liberté retournée. Oreste est libre pour le crime et par-delà le crime : je l'ai montré en proie à la liberté comme Œdipe est en proie à son destin. Il se débat sous cette poigne de fer, mais il faudra bien qu'il tue pour finir, et qu'il charge son meurtre sur ses épaules et qu'il le passe sur l'autre rive. Car la liberté n'est pas je ne sais quel pouvoir abstrait de survoler la condition humaine : c'est l'engagement le plus absurde et le plus inexorable. Oreste poursuivra son chemin, injustifiable, sans excuses, sans recours, seul. Comme un héros. Comme n'importe qui.*

LES MOUCHES est la seule pièce de Sartre qu'il ait qualifiée de « drame ». Elle a été créée le 3 juin 1943 au théâtre de la Cité (ex-théâtre Sarah-Bernhardt sous l'occupation) dans une mise en scène de Charles Dullin et des décors de Henri-Georges Adam. Rôles principaux :

| | |
|---|---|
| JUPITER | Charles Dullin |
| ORESTE | Jean Lannier |
| ÉGISTHE | H. Norbert |
| ÉLECTRE | Olga Dominique |

Ce fut à l'occasion d'une représentation des *Suppliantes* au stade Roland-Garros au cours de l'été 1941 (dans une mise en scène de Jean-Louis Barrault, une musique de Honegger et des décors de Labisse) que Sartre, encouragé par Olga Kosakiewicz et par d'autres amis, conçut le projet de la pièce. J.-L. Barrault, d'abord pressenti pour la mise en scène, « se défila » et ce fut Charles Dullin qui, malgré les péripéties de l'affaire Néron (cf. *La Force de l'âge*, p. 529-532), se chargea de la pièce et réussit à la mettre sur pied.

LES MOUCHES fut annoncé par une interview de Sartre dans *Comœdia* (voir ci-dessous) et par un article de Dullin dans *La Gerbe* (3 juin 1943). Les vingt-cinq représentations prévues eurent un succès assez ambigu et *Comœdia* du 19 juin 1943 pouvait noter :

« La création des *Mouches* au théâtre de la Cité a suscité des « mouvements divers » dans l'opinion artistique. Dans sa grande majorité, la critique a jugé avec dureté l'œuvre de Jean-Paul Sartre [...].

Cependant, le retentissement produit par *Les Mouches* a été profond, aussi bien dans les milieux intellectuels que chez les jeunes qui y ont vu une prise de contact avec un monde nouveau et ressenti une impression de découverte. Aussi ouvrirons-nous prochainement un débat sur *Les Mouches*. »

Le débat prévu ne semble pas avoir été publié, mais la pièce fut reprise à l'automne 1943 et réimprimée en janvier 1944. La plupart des critiques de l'époque négligèrent le sens politique de l'œuvre et s'attaquèrent à elle sur le plan esthétique, lui reprochant en particulier d'être du sous-Giraudoux. Les critiques les plus défavorables furent celles d'Alain Laubreaux (*Le Petit Parisien*, 5 juin 1943; *L'Œuvre*, 7 juin; *Je suis partout*, 11 juin), de Roland Purnal (*Comœdia*, 12 juin) et surtout d'André Castelot (*La Gerbe*, 17 juin). Le compte rendu de Frédérique Straub dans les pages françaises du *Pariser Zeitung* (17 juin) ne fut pas hostile et insista principalement sur les défauts formels de la pièce. Les textes les plus clairvoyants furent écrits par Michel Leiris (*Les Lettres françaises* clandestines, n° 12; repris avec quelques modifications dans *Brisées*, Mercure de France, p. 74-78) et par Merleau-Ponty (*Confluences*, n° 25, septembre-octobre 1943, p. 514-516).

Sartre a lui-même fait plusieurs déclarations qui permettent de préciser ses intentions :

43/36

« Ce que nous dit Jean-Paul Sartre de sa première pièce », interview par Yvon Novy.

— *Comœdia*, 24 avril 1943.

*J'ai voulu traiter de la tragédie de la liberté en opposition avec la tragédie de la fatalité. En d'autres mots, le sujet de ma pièce pourrait se résumer ainsi : « Comment se comporte un homme en face d'un acte qu'il a commis, dont il assume toutes les conséquences et les responsabilités, même si par ailleurs cet acte lui fait horreur. »* [...] *Il est évident que le problème ainsi posé ne peut s'accommoder du principe de la seule liberté intérieure dans laquelle certains philosophes, et non des moindres, comme Bergson, ont voulu trouver la source de tout affranchissement vis-à-vis de la destinée. Une telle liberté reste toujours théorique et spirituelle.* [...] *Libre en conscience, l'homme qui s'est haussé à ce point au-dessus de lui-même ne deviendra libre en situation que s'il rétablit la liberté pour autrui, si son acte a pour conséquence la disparition d'un état de choses existant et le rétablissement de ce qui devrait être.* [...]

*Si j'avais imaginé mon héros, l'horreur qu'il eût inspirée le condamnait sans merci à être méconnu. C'est pourquoi j'ai eu recours à un personnage qui, théâtralement, était déjà situé. Je n'avais pas le choix !*

Cette interview est à lire en grande partie entre les lignes : Sartre évite de parler directement du contenu politique de la pièce, mais y fait néanmoins des allusions très claires.

Dans une interview donnée à *Carrefour* quelques jours après la libération de Paris (cf. 44/52), Sartre s'attaque aux pièces à sujet mythologique (*Ces pièces appartiennent à un genre inférieur, ce sont des pièces symboliques*) et il ajoute : *Pourquoi faire déclamer des Grecs* [...] *si ce n'est pour déguiser sa pensée sous un régime fasciste ?* [...] *Le véritable drame, celui que j'aurais voulu écrire, c'est celui du terroriste qui, en descendant des Allemands dans la rue, déclenche l'exécution de cinquante otages.*

Dès juin 1940, le régime de Vichy avait tenté d'imposer aux Français sa politique de contrition. S'adressant à la nation, Philippe Pétain-Égisthe déclarait dans un message du 17 juin 1941 : « Vous souffrez et vous souffrirez encore longtemps, car nous n'avons pas fini de payer toutes nos fautes. » Au cours d'une discussion sur LES MOUCHES tenue à Berlin (cf. 48/161), Sartre confirme qu'il a écrit sa pièce pour *extirper quelque peu cette maladie du repentir, cette complaisance au repentir et à la honte* et il poursuit :

*Il fallait alors redresser le peuple français, lui rendre courage. Oreste c'est le petit groupe de Français qui commirent des attentats contre les Allemands et portèrent ensuite en eux cette angoisse du repentir, soutinrent cette tentation d'aller se dénoncer.*

Lors de la reprise des MOUCHES au Vieux-Colombier en janvier 1951, Sartre rédigea le texte suivant :

51/37

*Ce que fut la création des « Mouches ».*

— *La Croix*, 20 janvier 1951. Texte intégral :

*Ma pièce « Les Mouches » est liée pour moi au souvenir de Charles Dullin. Il lui fallut beaucoup de courage pour accepter de monter cette pièce. D'abord j'étais un auteur inconnu, ensuite « Les Mouches » avaient, entre autres significations, celle d'être une « pièce politique ». Nous étions en 1943 et Vichy voulait nous enfoncer dans le repentir et dans la honte. En écrivant « Les Mouches », j'ai essayé de contribuer avec mes seuls moyens à extirper quelque peu cette maladie du repentir, cet abandon à la honte qu'on sollicitait de nous.*

*Les collaborateurs ne s'y trompèrent point. De violentes campagnes de presse obligèrent rapidement le théâtre Sarah-Bernhardt à retirer la pièce de l'affiche et le travail remarquable de celui qui était notre plus grand metteur en scène ne fut pas récompensé. Mais l'intérêt que Charles Dullin devait porter à ma première pièce devait être pour moi le plus précieux encouragement.*

Il n'est pas impossible que ce texte — qui comporte plusieurs approximations — ait été celui qui a été lu au cours d'un hommage à Charles Dullin à l'Atelier en février 1950. Sartre a associé LES MOUCHES à Dullin dans plusieurs textes (cf. 47/129 et 66/443) et, en particulier, dans une interview récente (cf. 68/487) :

*Mon dialogue était verbeux; Dullin, sans m'en faire reproche ni me conseiller d'abord des coupures, me fit comprendre, en s'adressant aux seuls acteurs, qu'une pièce de théâtre doit être exactement le contraire d'une orgie d'éloquence, c'est-à-dire : le plus petit nombre de mots accolés ensemble, irrésistiblement, par une action irréversible et une passion sans repos.*

Tout comme L'ÊTRE ET LE NÉANT, l'œuvre pourrait être définie comme une « *eidétique de la mauvaise foi* » (cf. 43/34). C'est dans cette perspective qu'il faut, semble-t-il, interpréter aujourd'hui le personnage d'Oreste et résoudre l'ambiguïté qui plane sur la fin de la pièce. En effet, Oreste représente la prise de conscience d'une liberté qui choisit d'échapper à la mauvaise foi. Mais l'acte d'héroïsme solitaire par lequel cette liberté s'affirme est un moyen de salut personnel et non de libération pratique. Cette attitude correspond à celle de Sartre à une époque où il concevait encore l'engagement comme un problème de morale individuelle. Sartre n'a véritablement dépassé cette conception que plus tard, lorsqu'il s'est rendu compte que la morale qu'il était en train d'élaborer risquait de rester une « morale d'écrivain ».

L'étude des MOUCHES la mieux documentée est celle

du Suédois Thure Stenström, p. 190-260 du volume *Existentialismen* (Stockholm : Natur och Kultur, 1966). T. Stenström donne plusieurs renseignements inédits obtenus au cours des entretiens qu'il a eus avec Sartre et Simone de Beauvoir en juin 1965 et signale que les sources historiques de la pièce pourraient être deux ouvrages parus en 1942 : *Les Mythes romains* de Georges Dumézil et *Les Étrusques et leur civilisation* de V. Basanoff.

Sartre s'est rendu lui-même en Tchécoslovaquie au début du mois de décembre 1968 pour assister à une représentation des MOUCHES et exprimer ainsi sa solidarité avec le peuple tchécoslovaque. Il est à noter cependant que cette représentation était déjà prévue avant l'intervention des troupes soviétiques.

Cf. 47/124, 48/161, 66/443.

## 43/38

*L'Age de raison*, [« Fragment d'un roman à paraître aux éditions Gallimard »].

— Dans *Domaine français*, *Messages*, 1943, éditions des Trois Collines, Genève-Paris, p. 51-60, [août 1943].

Publié à Genève par Jean Lescure et François Lachenal, qui fut l'éditeur suisse de quelques-uns des plus importants écrits de la Résistance, ce recueil de textes de la plupart des écrivains français antifascistes contient l'épisode de L'ÂGE DE RAISON où Brunet propose à Mathieu de s'inscrire au parti communiste (p. 126 à 132 de la future édition Gallimard). *Domaine français* cite en couverture les publications précédentes de la revue *Messages*, parmi lesquelles les « Pages de journal » d'*Exercice du silence* (cf. 42/33), ce qui explique que ce texte figure parfois dans les bibliographies sous un faux titre. Le volume contient également un article d'un ancien élève de Sartre, le futur cinéaste Alexandre Astruc : « Signification de Sartre » (p. 415-426).

## 43/39

*Explication de* L'Étranger.

*a*) *Cahiers du Sud*, nº 253, février 1943, p. 189-206.

*b*) Repris en volume : éditions du Palimugre, Sceaux, 1946. Cf. 46/94.

*c*) Repris dans SITUATIONS, I.

Texte fondamental pour la connaissance de Camus; écrit en septembre 1942. A noter que Sartre ne fera la connaissance de Camus que quelques mois plus tard, à la générale des MOUCHES (cf. 52/223).

43/40

*Drieu la Rochelle ou la haine de soi.*

*a*) *Les Lettres françaises* (clandestines), n° 6, avril 1943. Multigraphié. Texte non signé.

*b*) Un fragment de ce texte a été reproduit dans : Grover, Frédéric. *Drieu la Rochelle*. Gallimard, « Bibliothèque idéale », 1962, p. 224.

APPENDICE

Les articles non signés de Sartre pour *Les Lettres françaises* parues dans la clandestinité sont authentifiés par l'Album des *Lettres françaises clandestines* (cote B. N. : Rés. Gr. z. 200) qui a reproduit en fac-similé, en 1947, les vingt numéros publiés sous l'occupation par le C.N.E., dont *Les Lettres françaises* étaient l'organe et auquel Sartre appartint dès janvier 1943 (sur la collaboration de Sartre aux *Lettres françaises* clandestines, cf. ENTRETIENS SUR LA POLITIQUE, p. 71-74).

Sartre démontre la logique du choix qui a mené Drieu la Rochelle à la collaboration. Quelques-unes des idées contenues ici seront reprises dans *Qu'est-ce que la littérature?* (SITUATIONS, II, p. 228).

43/41

Aminadab *ou du fantastique considéré comme un langage.*

*a*) *Cahiers du Sud*, n° 255, avril 1943, p. 299-305; n° 256, mai 1943, p. 361-371.

*b*) Repris dans SITUATIONS, I.

Importante étude critique où Sartre, en comparant Blanchot à Kafka, aboutit à une définition générale du fantastique.

43/41 A

*Les Chats*, extrait de L'ÂGE DE RAISON.

— *L'Arbalète*, [Lyon], nº 7, été 1943, sur 14 pages. Numéro tiré en août 1943 à 425 exemplaires.

Cet extrait reprend l'un des meilleurs passages de L'ÂGE DE RAISON, celui où Daniel va noyer ses chats (p. 89-98 de l'édition en volume, cf. 45/60).

43/42

*Un nouveau mystique.*

*a*) *Cahiers du Sud*, nº 260, octobre 1943, p. 782-790; nº 261, novembre 1943, p. 866-886; nº 262, décembre 1943, p. 988-994.

*b*) Repris dans SITUATIONS, I.

Autre étude majeure. Sartre, analysant *L'Expérience intérieure* de Georges Bataille, s'en prend au mysticisme sans la foi de celui-ci et conteste au passage la sociologie de Durkheim ainsi que la psychanalyse de Freud.

Sur G. Bataille, cf. 45/62.

# 1944

44/43

[Hommage à Jean Giraudoux].

*a*) *Comœdia*, 5 février 1944.
*b*) Repris dans *Voici la France de ce mois*, nº 49, mars 1944, p. 10-11.

Sous le titre général « Hommages à Giraudoux », *Comœdia* avait rassemblé à l'occasion de la mort de l'écrivain, survenue le 31 janvier 1944, de brefs textes de Colette, Valéry, Arland, A. Arnoux, Audiberti, Crommelynck, Ed. Bourdet, Cocteau, L.-P. Fargue, D. Halévy, J. Grenier, Jouhandeau, H. Mondor, J.-L. Vaudoyer et Sartre.

Nous reproduisons intégralement ci-dessous le texte, resté jusqu'à présent pratiquement inconnu, dans lequel Sartre rend hommage à un écrivain qu'il affectionnait malgré la distance qui les séparait. L'influence du style de Giraudoux est cependant notable dans ses deux premières pièces, BARIONA et LES MOUCHES.

*On disait de quelqu'un, devant Giraudoux : « C'est un faux frère » et il répondit : « Il faut que nous ayons la force, alors il deviendra un vrai frère. » On lui demandait comment faire un bon film sans perdre de vue les nécessités du commerce cinématographique et il répondait : « Ne vous souciez que de bien faire, un bon film est toujours commercial. » Je ne sais s'il avait raison, mais ces raisons venaient du plus profond de lui-même, de cet optimisme métaphysique qui tient que toute force véritablement efficace peut seulement produire le bien et que « le pire n'est pas toujours sûr ». Mais, dans le monde païen de Giraudoux, s'il était difficile de mal faire, ce n'est pas qu'un Dieu tout-puissant retînt les hommes, c'est parce que les choses s'arrangeaient d'elles-mêmes. Une rare harmonie unissait les hommes aux pierres, aux bêtes, aux autres hommes, chacun n'avait souci que de réaliser son essence mais, du même coup, réalisait celle du monde. Et cet équilibre entre la nature de l'homme et les forces de la terre, du soleil et de l'eau se nommait le bonheur. L'événement a semblé donner tort à Giraudoux et il s'est effacé, emportant avec lui la clé de ce monde inutile, où les hommes ne voulaient plus entrer. Ce n'est pas en vain pourtant que ses livres « de vacances », écrits dans le bonheur — il disait : « J'écris pour m'amuser » — nous parlent du bonheur. Rien ne se perd : ils sont là, anachroniques et pourtant témoins de l'époque. Les vieilles valeurs de mesure, d'ordre, de raison, d'humanisme, qu'il a redécouvertes, demeurent, après sa mort, « proposées ». Toutes nos violences n'empêcheront pas qu'elles existent et qu'elles se nomment Bella, Fontranges, Églantine et qu'elles resteront, quel que soit le chemin que nous choisissions demain, comme une chance encore possible ou comme un beau regret, ou peut-être comme un remords.*

44/44

*Aller et retour.*

*a*) *Les Cahiers du Sud*, nº 264, février 1944, p. 117-133; nº 265, mars 1944, p. 248-270.

*b*) Repris dans SITUATIONS, I.

Consacré à l'œuvre de Brice Parain, dont les *Recherches sur la nature et la fonction du langage* avaient paru deux ans plus tôt, ce long article peut être considéré comme une esquisse de l'application que fera plus tard Sartre de la méthode existentielle à l'étude d'une pensée. Il y décrit en effet l'itinéraire de Brice Parain, itinéraire qu'il met en rapport à la fois avec l'histoire personnelle de ce *paysan déraciné* et avec la progression de la littérature de l'entre-deux-guerres. Après un exposé où se manifeste son aptitude à saisir la pensée d'autrui en profondeur et en sympathie, Sartre fait dans les dernières pages à Brice Parain une critique de base : il lui reproche de méconnaître la nature du langage en tant qu' « être-pour-autrui » (retenons la formule : *le langage n'est rien que l'existence en présence d'autrui*) et de fonder sa doctrine sur des principes théoriques périmés. Il dit en conclusion que Brice Parain touche la nouvelle génération avant tout par sa morale, qui est proche de celle de Camus.

Sartre connaissait Brice Parain depuis 1934 et poursuivait avec lui, selon les propres termes de cet article, *un long dialogue amical*. On sait le rôle déterminant qu'il joua pour la publication de LA NAUSÉE chez Gallimard. Après la guerre, leurs rapports se sont distendus pour des motifs politiques et Brice Parain lui a violemment reproché, en 1956, d'avoir atténué sa condamnation de l'intervention soviétique en Hongrie par des considérations politiques (cf. son article « Sartre a parlé » dans *Monde nouveau*, décembre 1956).

## 44/45

*La littérature, cette liberté.*

— *Les Lettres françaises* (clandestines), nº 15, avril 1944, p. 8. Texte non signé.

Sartre entreprend ici de montrer — idée qu'on retrouvera dans *Qu'est-ce que la littérature?* — pourquoi les écrivains collaborateurs n'ont pas, et ne peuvent pas avoir de talent : la littérature étant un acte de communication, elle exige et postule la liberté du lecteur. *La littérature n'est pas un chant innocent et facile qui s'accommoderait de tous les régimes; mais elle pose d'elle-même la question politique; écrire, c'est réclamer la liberté pour tous les hommes; si l'œuvre ne doit pas être l'acte d'une liberté qui veut se faire reconnaître par d'autres libertés, elle n'est qu'un infâme bavardage.* Or le paradoxe des écrivains pro-allemands, c'est qu'ils écrivent pour un public muselé, et qu'ils souhaitent asservir davantage, mais dont ils ne sauraient pourtant se passer : ... *il est clair qu'ils n'aiment pas écrire, qu'ils haïssent même la littérature, parce qu'ils savent, au fond d'eux-mêmes, qu'ils n'ont pas de talent.*

L'exemple implicite semble être une fois de plus Drieu La Rochelle.

## 44/46

*Un film pour l'après-guerre.*

— *L'Écran français*, incorporé aux *Lettres françaises* (clandestines), nº 15, avril 1944, p. 3-4. Texte non signé.

On sait l'admiration de Sartre pour les films de Griffith et de King Vidor. Se référant à ces exemples qui témoignent de la vocation privilégiée du cinéma en tant qu'art des foules, le seul art capable de montrer l'individu dans l'intégralité de sa situation sociale, Sartre déplore l'intimisme mystifiant dans lequel le cinéma s'est dévoyé *(On a contraint ce géant à peindre des miniatures)* et souhaite pour l'après-guerre de grandes fresques sociales sur l'occupation et la Résistance, qui renoueront avec la vocation profonde du cinéma : *Ainsi la libération du cinéma accompagnera la libération du territoire.*

44/47

HUIS CLOS, pièce en un acte.

*a*) Publié sous le titre « Les Autres » dans : *L'Arbalète*, n° 8, printemps 1944, p. 37-80.

Ce numéro de *L'Arbalète*, édité à Lyon par Marc Barbezat, fut tiré à 1 100 exemplaires en avril 1944 : il comprend également des textes de Jean Genet (extraits de *Notre-Dame des Fleurs*) et de Mouloudji *(En souvenir de Barbarie)*. *Les Autres* est dédié à Mme Louis Morel [qui apparaît sous le nom de Mme Lemaire dans les mémoires de Simone de Beauvoir].

Le texte est celui de l'édition Gallimard, avec quelques changements de ponctuation et la substitution de *veux* à *peux* dans une réplique de Garcin (cf. THÉÂTRE, I, p. 178). Signalons à ce propos que la question d'Inès qui précède se lit bien : *Tu veux vraiment me convaincre ?*, et non : *Tu peux vraiment me convaincre*, comme l'indique l'édition "Le Livre de Poche", p. 71.

*b*) *Huis clos*, pièce en un acte. Gallimard, [1945]. 125 pages.

Achevé d'imprimer : 19 mars 1945. Dédié énigmatiquement : « A cette Dame. » 24 exemplaires sur Madagascar et 2250 sur châtaignier.

*c*) Édition de Londres avec texte en français : Horizon French Texts, [1945]. 59 pages. Tiré à 500 exemplaires en octobre 1945.

*d*) Texte *b*) repris dans THÉÂTRE, I (1947).

*e*) Texte *b*) repris dans THÉÂTRE (1962).

*f*) Édition scolaire américaine, annotée par Jacques Hardré et George B. Daniel. New York : Appleton-Century-Crofts, [1962].

*g*) *Huis clos* suivi de *Les Mouches*. Gallimard, « Le Livre de Poche », n° 1132, [1964].

La pièce a, d'autre part, donné lieu à :

— un film de Jacqueline Audry (1954). Adaptation et dialogues additionnels de Pierre Laroche. Il existe un script de 214 pages couvrant 166 plans (cf. *Appendice Cinéma*);

— *No Exit*, un film argentin de Pedro Escudero et Tad Danielewski (1962);

— une version télévisée, diffusée par l'O.R.T.F. en octobre 1965, réalisée par Michel Mitrani avec Michel Auclair, Judith Magre et Evelyne Rey dans les rôles principaux;

— un enregistrement réalisé par la Deutsche Grammophon Gesellschaft (nº 43902/03, 1965) avec les voix de Michel Vitold, Christiane Lenier, Gaby Sylvia et R.-J. Chauffard ainsi qu'une préface de Jean-Paul Sartre dite par l'auteur (voir ci-dessous).

Signalons enfin qu'un certain J. C. P. Alberts éprouva l'impérieux besoin de compléter l'œuvre de Sartre par des scènes supplémentaires dans une brochure intitulée bien à propos *La Porte ouverte/De Open Hel* (La Haye, 1949).

HUIS CLOS a été présenté pour la première fois au théâtre du Vieux-Colombier le 27 mai 1944, dans une mise en scène de Raymond Rouleau et un décor de Max Douy. Les premières critiques datent seulement du 4 juin et Simone de Beauvoir donne pour la générale la date du 10 juin. Distribution :

| | |
|---|---|
| INÈS | Tania Balachova |
| ESTELLE | Gaby Sylvia |
| GARCIN | Michel Vitold |
| LE GARÇON | R.-J. Chauffard |

La pièce, créée avec *Le Souper interrompu* de P.-J. Toulet, obtint immédiatement un très grand succès et fut reprise dès la fin du mois d'août 1944 avec *Le Tombeau d'Achille* d'André Roussin. Elle est aujourd'hui considérée comme un classique et a été jouée à de nombreuses reprises sur les scènes parisiennes. Elle fut interdite par la censure en Angleterre en septembre 1946, mais connut le succès aux États-Unis où elle reçut en 1947 le prix de la meilleure pièce étrangère.

Selon Simone de Beauvoir (*La Force de l'âge*, p. 568), ce fut Marc Barbezat qui suggéra à Sartre d'écrire pour sa femme Olga et pour Wanda Kosakiewicz « une pièce, facile à monter, qu'on pût promener à travers la France. [...] L'idée de construire un drame très bref, avec un seul décor et seulement deux ou trois personnages, tenta Sartre. Il pensa tout de suite à une situation à huis clos : des gens murés dans une cave pendant un long bombardement; puis l'inspiration lui vint de boucler ses héros en enfer pour l'éternité ».

Au début de l'automne 1943, Sartre interrompit la rédaction du SURSIS et composa la pièce très vite, en une quinzaine de jours. Il proposa alors à Albert Camus — dont il avait fait la connaissance à la générale des MOUCHES — d'assurer la mise en scène et de jouer le rôle de Garcin. Camus accepta et les premières répétitions eurent lieu dans la chambre de Simone de Beauvoir avec Wanda Kosakiewicz, Olga Barbezat et un ancien élève de Sartre, R.-J. Chauffard. Le projet de tournée échoua à la suite de difficultés matérielles et de l'arrestation d'Olga Barbezat. La pièce fut alors acceptée par Annet Badel, un industriel qui venait de devenir le directeur du théâtre du Vieux-Colombier. Après que Camus se fut retiré, Badel confia la mise en scène à Raymond Rouleau et engagea des acteurs professionnels; de l'ancienne équipe, seul subsista Chauffard.

HUIS CLOS illustre de toute évidence les idées développées par Sartre dans le chapitre de L'ÊTRE ET LE NÉANT, « Les relations concrètes avec autrui ». On a pu également y déceler l'influence possible de *Au grand large* de Sutton Vane pour le début et celle de *La Danse de mort* de Strindberg pour le dénouement. Les problèmes d'interprétation que pose la pièce n'ont pas toujours été résolus d'une façon satisfaisante : la critique catholique, tout particulièrement, a pris l'expression « L'enfer c'est les autres » trop à la lettre et, l'interprétant dans un sens résolument non dialectique, a attribué à Sartre un pessimisme qui était loin d'être le sien. On a souvent négligé de voir que les personnages de HUIS CLOS sont des consciences mortes et que leur existence est avant tout une existence théâtrale. On peut à ce sujet rapprocher la pièce d'un autre texte écrit à la même époque, le scénario LES JEUX SONT FAITS (cf. 47/118).

Parmi les mises au point que Sartre a faites sur son œuvre, relevons la plus récente (cf. 68/487) :

*Pour* Huis clos, *je suis parti d'une double préoccupation, de fond et de forme. De fond : si j'avais le souci de dramatiser certains aspects de l'inexistentialisme, je n'oubliais pas le sentiment que j'avais eu au stalag à vivre constamment, totalement, sous le regard des autres, et l'enfer qui s'y établissait naturellement. De forme : je voulais tenir compte des exigences des comédiens qui ne supportent pas que leurs partenaires aient plus de lignes de texte qu'eux. D'où l'idée de laisser les personnages tout le temps ensemble.*

On pourrait remarquer ici que le thème du huis clos ou de la séquestration ne date pas chez Sartre du stalag, mais parcourt toute son œuvre sous des formes diverses (voir à ce sujet l'étude de Marie-Denise Boros, *Un séquestré : l'homme sartrien*, Nizet, 1968).

Une seconde mise au point est plus importante :

65/48

*Préface* parlée à l'enregistrement de HUIS CLOS (Deutsche Grammophon Gesellschaft).

*a*) Reprise sous le titre « Sartre donne les clefs de *L'enfer, c'est les Autres* », *Le Figaro littéraire*, 7-13 janvier 1965.

*b*) Extraits dans un article intitulé « *Huis clos* sur le petit écran » : *L'Express*, 11-17 octobre 1965.

Dans cette présentation d'un enregistrement qui est une remarquable réussite, Sartre déclare notamment :

*Quand on écrit une pièce, il y a toujours des causes occasionnelles et des soucis profonds.*

*La cause occasionnelle, c'est que, au moment où j'ai écrit* Huis clos *vers 1943 et début 1944, j'avais trois amis et je voulais qu'ils jouent une pièce, une pièce de moi, sans avantager aucun d'eux, c'est-à-dire : je voulais qu'ils restent ensemble tout le temps sur la scène, parce que je me disais : « S'il y en a un qui s'en va, il pensera que les autres ont un meilleur rôle au moment où il s'en va... » Je voulais donc les garder ensemble. Et je me suis dit : « Comment peut-on mettre ensemble trois personnes sans jamais en faire sortir l'une d'elles et les garder sur la scène jusqu'au bout, comme pour l'éternité ? »* [...]

*« L'enfer, c'est les autres » a été toujours mal compris. On a cru que je voulais dire par là que nos rapports avec les autres étaient toujours empoisonnés, que c'étaient toujours des rapports interdits. Or, c'est tout autre chose que je veux dire. Je veux dire que si les rapports avec autrui sont tordus, viciés, alors l'autre ne peut être que l'enfer.* [...] *Les autres sont, au fond, ce qu'il y a de plus important en nous-mêmes, pour notre propre connaissance de nous-même.* [...]

Sartre insiste ensuite sur le fait que les personnages de HUIS CLOS sont morts et que nous sommes vivants, et il poursuit : *Bien entendu, ici, « morts » symbolise quelque chose. Ce que j'ai voulu indiquer, c'est précisément que beaucoup de gens sont encroûtés dans une série d'habitudes, de coutumes, qu'ils ont sur eux des jugements dont ils souffrent, mais qu'ils ne cherchent même pas à changer.* [...] *C'est une mort vivante que d'être entouré par le souci perpétuel de jugements et d'actions que l'on ne veut pas changer. De sorte que, en vérité, comme nous sommes vivants, j'ai voulu montrer par l'absurde l'importance, chez nous, de la liberté, c'est-à-dire l'importance de changer les actes par d'autres actes. Quel que soit le cercle d'enfer dans lequel nous vivons, je pense que nous sommes libres de le briser. Et si les gens ne le brisent pas, c'est encore librement qu'ils y restent. De sorte qu'ils se mettent librement en enfer.* [...]

Avant de rendre hommage aux acteurs qui, à la création et par la suite, ont interprété HUIS CLOS, Sartre résume ainsi son exposé : *Rapports avec les autres, encroûtement et liberté — liberté comme l'autre face à peine suggérée — ce sont les trois thèmes de la pièce.*

La chanson *Rue des Blancs-Manteaux*, dont les paroles furent écrites par Sartre dans les années trente, a été mise en musique par Joseph Kosma et publiée par les éditions Enoch en 1949.

44/49

*L'Espoir fait homme.*

— *Les Lettres françaises* (clandestines), nº 18, juillet 1944, p. 2. Texte non signé.

Sous ce titre ironique, Sartre parle de la pièce de Marcel Aymé, *Vogue la galère*, que la critique pro-allemande avait saluée comme « la première pièce de théâtre directement inspirée par les principes du national-socialisme ». Or, cette œuvre prétend montrer que la nature humaine est irrémédiablement mauvaise. Sartre compare dès lors le pessimisme maladif des écrivains collaborateurs, *tout-puissants et grassement payés*, à l'optimisme généreux des écrivains résistants, pourtant pourchassés et constamment traqués. Tout en étant sévère pour Marcel Aymé, Sartre le distingue cependant des écrivains collaborateurs : *Il est certainement coupable, mais non pas criminel comme Brasillach et Châteaubriant.*

44/50

*A propos du* Parti pris des choses.

*a*) *Poésie 44*, nº 20, juillet-octobre 1944, p. 58-77; nº 21, novembre-décembre 1944, p. 74-92.

*b*) Repris sous le titre « L'homme et les choses » et daté « Décembre 1944 » dans SITUATIONS, I.

*c*) Repris en un volume intitulé L'HOMME ET LES CHOSES, Seghers, 1947. Cf. notice 47/120.

Article de base sur Francis Ponge. Celui-ci, dans les années de l'après-guerre, a été le seul communiste que Sartre ait fréquenté sur un pied d'amitié. Dans SITUATIONS, II (p. 329), il apparaît comme le *seul écrivain authentique de la littérature communiste.*

44/51

## UN PROMENEUR DANS PARIS INSURGÉ
(série de sept articles sur la libération de Paris)

Écrit à la demande de Camus et publié au fur et à mesure des événements, ce très vivant reportage décrit par le détail les scènes auxquelles Sartre a assisté en parcourant à pied et à bicyclette les rues de la capitale insurgée. Notons qu'en dépit de l'affirmation initiale : *Je ne raconte que ce que j'ai vu*, la collaboration de Simone de Beauvoir confère à Sartre une certaine ubiquité. On trouve, sous une forme plus concise, un récit parallèle à celui de Sartre dans *La Force de l'âge*, p. 606-613. Les citations données ci-dessous ne prétendent pas restituer l'intégralité du reportage, mais seulement à en souligner quelques traits saillants.

*I. L'Insurrection.* Mardi 22 août.
— *Combat*, 28 août 1944.

*Je ne raconte que ce que j'ai vu. Ce que tout promeneur a pu voir comme moi.* [...]

*Ça commence comme une fête et, aujourd'hui encore, le boulevard Saint-Germain, désert et balayé par intermittence du feu des mitraillettes, garde un air de solennité tragique.* [...]

*La rue* [...] *est redevenue, comme en 89, comme en 48, le théâtre des grands mouvements collectifs et de la vie sociale.* [...]

*Tous ont besoin, en ce moment d'ivresse et de joie, de se retremper à chaque instant dans la vie collective.* [...]

*Au milieu de la chaussée, un énorme camion gisait, renversé, comme un crabe sur le dos.* [...]

Dans ce premier article, Sartre s'attache surtout à décrire les réactions des civils et de la foule.

*II. Naissance d'une insurrection.* Samedi matin.
— *Combat*, 29 août 1944.

Sartre établit *la géographie de l'insurrection* puis montre comment les civils, peu à peu, deviennent des insurgés.

*Déjà, avec la chaleur de midi, quelque chose de sinistre pèse sur la joie du matin. Le Sénat énorme et noir, tout au bout de sa rue vide, paraît vénéneux avec cet insupportable drapeau qu'on regarde malgré soi.* [...]

*III. Colère d'une ville.* Dimanche. Lundi.
— *Combat*, 30 août 1944.

*Toute la matinée, c'est la colère qui souffle sur la ville. Cette foule a enfin décidé de prendre son destin entre ses propres mains.* [...]

Sartre relate un certain nombre d'escarmouches et d'incidents, en particulier le suivant :

*On vient de signaler aux F.F.I. un groupe de miliciens de Darnand qui, d'un hôtel de la rue de Buci, essayaient de tirer dans la rue. Les F.F.I. entrent dans l'hôtel et redescendent bientôt avec une douzaine de petits bonshommes jaunes, à la mine inquiète et fermée, des* Japonais *qui lèvent les bras en l'air. Voilà donc les hommes qui composaient la milice « bien française » de Vichy. Soudain le rire devient homérique : des gens se sont emparés de quelques-uns de ces assassins. Ils les ont déculottés et fessés énergiquement. Les voilà qui gagnent à présent la voiture cellulaire qui vient d'arriver, leur culotte sur les talons, par petits bonds, comme pour une course au sac. Aux fenêtres, il y a des rires, des fleurs, quelques drapeaux déjà, des visages de femmes.* [...]

*IV. Toute la ville tire.*

— *Combat,* 31 août 1944,

*On connaît la consigne : assommer un Allemand et lui prendre son revolver, conquérir un fusil, avec le fusil s'emparer d'une voiture, avec la voiture prendre une auto-mitrailleuse et un tank. Plus d'un en a souri, parmi les incrédules de la résistance. Et pourtant, ce programme s'est réalisé point par point sous mes yeux. Un de mes amis s'est battu avec un mousqueton réquisitionné à un antiquaire. Encore ne l'a-t-il pas gardé longtemps. Au bout d'une demi-heure, un F.F.I. sans armes le lui arrachait des mains : « Donne-le, moi, je sais mieux tirer que toi. »* [...]

*Un premier camion allemand passa, en direction de l'Est. De grands hommes blonds, assez beaux, se tenaient debout à l'arrière, sans méfiance. Les Parisiens, penchés sur leurs balcons, savaient qu'ils n'avaient qu'un geste à faire, un appel à lancer pour sauver ces hommes de la mort. Mais cet appel, ils ne* voulaient *pas, ils ne* pouvaient *pas le lancer. Ils ont laissé le camion rouler vers son destin, avec le sentiment obscur d'assister à une fête tragique et mortelle, à une corrida. Dans les corridas aussi, on attend, penché sur l'arène, la mort fatale de la brute au soleil, la « mort dans l'après-midi ».* [...]

*V. Espoirs et angoisses de l'insurrection.*

— *Combat,* 1er septembre 1944.

Sartre insiste sur l'angoisse qui a précédé l'entrée des troupes alliées dans Paris puis raconte sa rencontre, en compagnie d'Armand Salacrou, d'un espion allemand qui se faisait passer pour un parachutiste canadien.

*VI. La délivrance est à nos portes.*
— *Combat*, 2 septembre 1944.

Sartre décrit l'enthousiasme et la joie de la foule à l'arrivée des soldats de la division Leclerc.

*Pendant quatre ans, la guerre avait tourné vers nous une face inhumaine; le visage tendu, les yeux vides, les soldats que nous croisions semblaient marqués par un impitoyable destin, ils appartenaient à un monde étranger, un monde fantastique et désolé. Et voilà que, sous l'uniforme kaki, ces guerriers que nous saluons aujourd'hui, ces vainqueurs, ce sont des hommes. Ils regardent, ils crient, ils sourient. Ils nous saluent de leurs deux doigts écartés en forme de V et nous sentons que leur cœur bat au même rythme que le nôtre.* [...]

Plus loin, Sartre regrette l'esprit de vengeance qui s'est emparé de certains Parisiens et s'émeut au spectacle d'une vieille femme qui a été tondue :

*Il m'a semblé que les visages des hommes qui l'escortaient étaient sans gaîté : une espèce de fatigue honteuse pesait sur eux. La victime était-elle coupable? L'était-elle plus que ceux qui l'avaient dénoncée, que ceux qui l'insultaient? Eût-elle été criminelle, ce sadisme moyenâgeux n'en eût pas moins mérité le dégoût.* [...] *Il est regrettable* [*que la foule*] *ait choisi souvent d'exprimer sa joie et son zèle patriotique en assouvissant étourdiment de basses vengeances.*

*VII. Un jour de victoire parmi les balles.*
— *Combat*, 4 septembre 1944.

Sartre fait une très belle description du défilé de la Libération qu'il caractérise ainsi :

*Jamais, de mémoire d'hommes, l'insurrection n'a ainsi voisiné, fraternisé avec l'armée; jamais on n'a vu défiler, sous les mêmes acclamations, des combattants civils, armés pour la guérilla et l'embuscade, pour la révolte, et pour la lutte inégale des barricades, et des soldats impeccables avec leurs chefs. La foule applaudissait les uns et les autres, elle comprenait obscurément le double caractère de ce défilé patriotique et révolutionnaire; elle sentait toutes les promesses contenues dans cette cérémonie extraordinaire — et qu'il ne s'agissait pas seulement de chasser les Allemands de France, mais de commencer un combat plus dur et plus patient pour conquérir un ordre neuf.* [...]

Le défilé est interrompu par des coups de feu; Sartre, installé sur un balcon de la rue de Rivoli, voit passer la voiture du général de Gaulle, et assiste à la débandade de la foule jusqu'au moment où des F.F.I. bien intentionnés ouvrent *bravement* le feu sur lui et les personnes qui l'accompagnent. Sartre relate ensuite comment un valet de chambre innocent (qui s'avère par la suite être un homosexuel) échappe de justesse à la mort. Le reportage se termine sur ces mots :

*Encore quelques coups de feu et c'est fini. Finie aussi la grande fête ; finie la semaine de gloire. Le lendemain sera un dimanche très morne, désert ; un véritable lendemain de fête. Et, le lundi, les magasins, les bureaux rouvriront : Paris se remettra au travail.*

44/52

« Pour un théâtre d'engagement — Je ferai une pièce cette année et deux films », interview par Jacques Baratier.

— *Carrefour*, nº 3, 9 septembre 1944.

Au lendemain de la libération de Paris, Sartre revient sur ses premières pièces (LES MOUCHES, HUIS CLOS, BARIONA) et parle surtout de ses projets :

*J'écrirai cette année une pièce sur un sujet d'aujourd'hui.* [...] *A travers les événements actuels on essaiera de faire voir les relations constantes entre les hommes. L'éternel doit se dégager avec effort du quotidien.* [...] *Je viens d'écrire deux scénarios :* Les Jeux sont faits *et* Typhus.

44/53

*La République du silence.*

*a*) *Les Lettres françaises*, nº 20 [premier numéro légal], 9 septembre 1944, p. 1.

*b*) Repris dans : *L'Éternelle Revue*, nouvelle série, nº 1, 1er décembre 1944, p. 2-5.

Le texte « La voix de Robespierre » attribué à Sartre au sommaire du même numéro n'est évidemment pas de lui.

*c*) Repris en français dans un ouvrage scolaire :

— Liebling, Abbot Joseph *and* Sheffer, Eugene Jay. *The Republic of Silence* : *The Story of the French Resistance*. New York : Harcourt, Brace and Co., 1946. P. 442-445.

Ce livre doit son titre à Sartre et a connu une édition exclusivement en langue anglaise :

— Liebling, A. J. *The Republic of Silence*. New York : Harcourt, Brace, 1947. Le texte de Sartre se trouve p. 498-500.

*d*) Repris dans SITUATIONS, III.

Ce beau texte a été souvent cité et traduit. Parmi les traductions, citons en particulier celles de *Atlantic Monthly* (December 1944) et de *Playboy* (January 1966).

44/54

*23 septembre 1938* [fragment du SURSIS].

— *Les Lettres françaises,* 28 octobre 1944. Ce fragment correspond aux premières pages du volume publié en 1945.

44/55

*Dullin et l'Espagne.*

— *Combat,* 8 novembre 1944.

Les mises en scène de Dullin pour *La vie est un songe* et *Le Médecin de son honneur* de Calderón ainsi que *Les Amants de Galice* de Lope de Vega, avaient rencontré l'incompréhension de la critique. Sartre les défend, rapproche *ces trois œuvres austères et pures* de la tragédie grecque ou cornélienne et les oppose à la tragédie racinienne, où la passion est *mécanique.*

44/56

*Paris sous l'occupation.*

*a*) *La France libre,* [Londres], n° 49, 15 novembre 1944, p. 9-18.
*b*) Repris dans : *La France libre,* numéro anthologique, septembre 1945, p. 56-68.
*c*) Repris dans SITUATIONS, III.

Dans cet article qui est sans doute l'un des meilleurs témoignages que nous ayons sur les années d'occupation, Sartre entreprend de reconstituer, pour des lecteurs qui n'ont pas vécu en France à l'époque, ce qu'a été l'atmosphère de la période 1940-1944 : *Pendant quatre ans, on nous a volé notre avenir. Il fallait compter sur les autres.* [...]

Cf. 45/64.

44/57

« Lectures de prisonniers », article de Claire Vervin comportant des interviews de plusieurs écrivains, dont Sartre.

— *Les Lettres françaises,* 2 décembre 1944, p. 3.

Sartre dit qu'il lisait un peu n'importe quoi, au hasard de ce qu'il trouvait. A Baccarat, pendant la « drôle de guerre » il a lu, après le pillage de la bibliothèque des gardes mobiles, les *Mémoires* de Montluc, *Histoire des deux Restaurations* de Vaulabelle (où il a trouvé un parallèle avec la restauration vichyste) et *Le Tour du Monde en quatre-vingts jours*.

A Trèves, au stalag XII D, il lut avec passion, parce que c'était une évasion, *un Dekobra ridicule*. Mais aussi *Les Filles de feu* de Nerval, le théâtre de Sophocle, *Le Cid*, *Mithridate*, les *Sermons* de Bossuet, des poèmes de Rilke et de Carossa en allemand. Il fit deux découvertes majeures : *Le Journal d'un curé de campagne* et surtout *Le Soulier de satin* dont il aurait voulu monter des extraits au théâtre du stalag.

Ce furent toutes des lectures de rencontre : *Je n'ai jamais rencontré là-bas les ouvrages que j'y aurais emmenés si j'avais su devoir y vivre. Dans ces journées, tellement inactives, où la rêverie avait une fonction d'évasion et où l'on évitait pourtant de trop penser au passé, la lecture avait un charme et une puissance d'envoûtement que je ne lui ai connus que dans mon enfance.*

## 44/58

« Jean-Paul Sartre ou l'interview sans interview », article-interview de Pierre Lorquet.

— *Mondes nouveaux*, n° 2, 21 décembre 1944, p. 3. Cote B. N. : Gr. Fol. 2196.

Cette interview a été publiée dans un hebdomadaire qui cessa de paraître après trois numéros et qui devint par la suite *Mondes*, puis *Le Rouge et le Noir*. Sartre y parle surtout de littérature et montre ce qui le préoccupe au lendemain de la Libération :

*La morale, voilà, en effet, quelle est ma préoccupation dominante, et telle elle fut toujours.* [...] *Le beau, je ne l'ai guère cherché. D'un livre que je fais, je voudrais qu'on dise qu'il est, et non pas qu'il est beau.* [...] *Dire l'être, voilà ce qui importe !*

*Les Français, somme toute,* [...] *m'ont peu apporté. Si grande que soit mon admiration pour Proust, il m'est tout opposé : il se complaît dans l'analyse, et je ne tends qu'à la synthèse. Valéry me retient sans doute davantage, mais je n'aime guère son rationalisme. Non, vraiment, chez nous, un seul a agi profondément sur mon esprit, c'est Descartes. Je me range dans sa lignée et me réclame de cette vieille tradition cartésienne qui s'est conservée en France.*

[...] *La guerre m'a enseigné qu'il fallait m'engager.* [...]

44/59

*A propos de l'existentialisme : Mise au point.*

*a*) *Action*, n° 17, 29 décembre 1944, p. 11.

*b*) Larges fragments dans *Lettres*, [Genève], n° 1, 1945, p. 82-85.

*c*) Fragments dans : Picon, Gaétan. *Panorama de la nouvelle littérature*. Gallimard, éd. 1960, p. 654-657.

APPENDICE

Sitôt dissipée l'euphorie de la Libération qui avait rapproché Sartre et les communistes, ceux-ci commencèrent à attaquer durement l'existentialisme en l'accusant d'être une philosophie de diversion dans la lutte des classes. L'hebdomadaire communiste *Action*, dont la section culturelle était alors dirigée par Francis Ponge, s'était en particulier fait le véhicule de ces accusations mais offrit à Sartre la possibilité d'y répondre. Telle est l'origine de cette *Mise au point* qui, malgré sa modération, ne suffit pas à freiner la détérioration des rapports de Sartre et du marxisme officiel. Quelques mois plus tard, *Action* (n° 40, 8 juin 1945) publiait en effet « Existentialisme et marxisme : Réponse à une mise au point » où Henri Lefebvre « tout en feignant de ne plus reprocher à Sartre "d'avoir été le disciple du nazi Heidegger", le traitait d'idéaliste, de subjectiviste, de fabricant de machines de guerre contre le marxisme » (Michel-Antoine Burnier, *Les Existentialistes et la politique*, Gallimard, coll. « Idées », 1966, p. 53. — On se reportera avec profit à la précieuse étude de Burnier, en particulier au chapitre III de celle-ci, pour tout ce qui concerne les rapports de Sartre et du P.C. au cours des premières années de l'après-guerre. Cf. également *La Force des choses*, p. 19 et p. 55, où Simone de Beauvoir précise que l'animosité des communistes atteignit Sartre comme une injustice).

Pour les réactions non communistes à cet article voir : Pierre Emmanuel, « Réflexions sur une mise au point », *Fontaine*, n° 41, avril 1945, p. 111-117, et Jean Beaufret, « A propos de l'existentialisme (III) : Jean-Paul Sartre », *Confluences*, n° 5, juin-juillet 1945, p. 531-538; n° 6, août 1945, p. 637-642.

Voir enfin les commentaires de Sartre lui-même dans ENTRETIENS SUR LA POLITIQUE, p. 72.

44/NOTE I.

Il est possible que Sartre soit l'auteur de l'article intitulé « Puissance du cinéma » paru dans *Les Lettres françaises* clandestines (n° 18, juillet 1944, p. 5) et resté par la suite anonyme.

44/NOTE 2.

Sartre se souvient d'avoir rédigé un éditorial de *Combat* concernant l'Allemagne. Nous n'avons pu l'identifier, malgré toutes nos recherches.

44/NOTE 3.

Dans son livre *Les Courants de pensée de la Résistance* (P. U. F., 1962, p. 421), Henri Michel cite les lignes suivantes, qu'il attribue à Sartre : « On nous dit beaucoup que l'Europe future ne saurait se passer de la France. Je n'y crois guère. Quatre ans d'occupation nous ont donné une espèce de paresse et de fatalisme. » La référence donnée est celle-ci : « *Étude* d'un philosophe », envoyée à Alger en mai 44, papiers Oudard, archives C.H.G. »

L'existence de cet intéressant document soulève des problèmes que nous n'avons pu résoudre. Il est conservé aux Archives du Comité d'Histoire de la Seconde Guerre mondiale (32, rue de Léningrad, Paris-8e) où il figure parmi les papiers déposés par M. Georges Oudard; nous avons pu le consulter grâce à l'obligeance de ce dernier et de M. Henri Michel, directeur du C.H.G. Le document porte le numéro CCD/D.I. et est « adressé personnellement à M. Woliner. Réception : mai 44. Source : Alain. » L'en-tête porte en surcharge un tampon « TRÈS SECRET » ainsi que cette indication manuscrite : « Jean-Paul Sartre, normalien, adhère au Front national. » Le texte est intitulé « *La Résistance : la France et le monde de demain*, par un philosophe »; il couvre cinq grandes pages dactylographiées. Nous le résumons ici dans ses très grandes lignes :

L'étude commence par faire de l'état d'esprit et du rôle effectif de la Résistance en France occupée une description très pessimiste : la lutte se déroule dans des conditions matérielles et surtout psychologiques désastreuses; à l'exception des communistes et des résistants conservateurs, la majorité des patriotes a une idéologie confuse, hésitante, purement négative ou uniquement soucieuse de moralité individuelle. Suit une analyse historique de la cause de cet état de choses, à savoir que la France n'est plus une puissance de premier ordre. Il y a présentement une hésitation profonde de la pensée française, une crise de l'esprit.

L'essentiel de l'étude est ensuite consacré à décrire cette crise d'un point de vue philosophique. L'auteur oppose l'esprit d'analyse qui est à la base des raisonnements et du comportement individualiste des Français à la pensée synthétique qui a donné naissance ailleurs aux différents modes du totalitarisme, en particulier au National-Socialisme. Cette pensée représente un énorme progrès car elle seule permet de rendre compte de la diversité et de l'interaction des situations, particulières ou collectives. Si le totalitarisme doit être vaincu par la victoire sur les fascismes, il doit aussi être assimilé d'une certaine façon. Les Français commencent à comprendre qu'ils existent en société et qu'on change l'homme en changeant la collectivité où il vit. Cette exigence les mènerait pour la plupart au communisme si elle ne se heurtait en eux à leur parti pris d'analyse et d'individualisme. Ce conflit explique peut-être le caractère exclusivement négatif de la Résistance. Le drame de la France occupée, c'est qu'elle ne peut choisir entre un programme qui subordonnerait l'homme à la collectivité et un retour pur et simple à l'isolement démocratique. La solution de ce conflit réside dans la construction d'un socialisme qui se donnerait pour fin la libération de la personne. « Un gouvernement en exil qui prendrait conscience des difficultés où nous nous débattons et qui choisirait pour mot d'ordre la réalisation de la liberté concrète par la collectivisation des moyens de production réunirait autour de lui la majorité des Français; il donnerait à la Résistance une foi positive; la France pourvue d'un tel message retrouverait une politique et une dignité; elle se ferait dans le monde une place nouvelle. »

Nous avons soumis ce document à Sartre; il n'a pu faire davantage que d'avouer une perplexité mêlée d'un peu de stupéfaction. S'il reconnaît en grande partie ses idées de l'époque, et jusqu'à son style, il n'a en revanche aucun souvenir d'avoir écrit ce texte et ne voit pas comment celui-ci aurait pu parvenir à Alger. Il n'a en effet jamais adressé de rapport au gouvernement d'Alger et, surtout, il n'avait plus une vue aussi pessimiste de la Résistance à la date mentionnée sur le document.

Pour notre part, nous sommes persuadés que ce texte est bien de Sartre ou, sinon, qu'il l'a directement inspiré. Le principal problème, selon nous, est celui de la date à laquelle cette étude aurait été écrite : la seule indication, dans le texte lui-même, qui permette de la déterminer est l'allusion à « quatre ans d'occupation »; elle semble donc confirmer la date de réception à Alger. Il nous paraît cependant plus probable que le texte a été rédigé longtemps auparavant, peut-être même à l'époque de « Socialisme et Liberté » (cf. 41/31), et qu'il a été modifié, en ce qui concerne la date, par quelqu'un qui l'avait en sa possession et qui l'a fait parvenir à Alger. Il se pourrait aussi qu'il ait été établi à partir de notes antérieures de Sartre ou encore rédigé par quelqu'un de son entourage qui connaissait ou partageait ses idées au point de lui emprunter son style et ses tournures familières.

M. Henri Michel nous a fait part dans une lettre de l'hypothèse qui lui paraît la plus vraisemblable : « C'est celle qui réunirait cette étude à l'ensemble des travaux effectués par le Comité général des experts (C.G.E.); ce Comité, créé par Jean Moulin, a multiplié les enquêtes; quelques-unes seulement ont été publiées dans les *Cahiers politiques;* d'autres, non publiées, ont été envoyées à Londres ou à Alger, naturellement sans indication précise du nom de l'auteur, pour des raisons de sécurité; il est arrivé que les auteurs des études ne sachent même pas qu'ils travaillaient pour le C.G.E. »

Espérons que des renseignements nouveaux nous permettront dans l'avenir de déterminer quelle est l'origine exacte de ce texte. S'il devait se confirmer que Sartre en est l'auteur, il s'agirait là d'un document de première importance pour fixer la date d'un stade capital dans l'évolution de sa pensée philosophique et politique. On pourrait en particulier y voir Sartre assumer pour la première fois le terme « totalitaire » appliqué à la pensée dialectique — idée qu'il ne formulera avec précision que dans *Questions de méthode* et CRITIQUE DE LA RAISON DIALECTIQUE. Par ailleurs, et sur un plan plus général, on trouverait dans ce texte la première formulation approfondie d'une idée que Sartre n'a jamais abandonnée, celle de la nécessaire alliance du socialisme et de la liberté.

NOTE : Une information obtenue au moment de mettre sous presse nous permet de préciser que ce texte a été à l'origine rédigé vers la fin de 1941 par Merleau-Ponty, à la suite de discussions avec Sartre et Jean Desanti.

# 1945

45/60

L'ÂGE DE RAISON, t. I des *Chemins de la liberté.*

*a*) Fragment sous le titre « L'Age de raison », *Domaine français.* Genève-Paris, éditions des Trois Collines, 1943. P. 51-60. Cf. 43/37.

*b*) Autre fragment intitulé « Les Chats » : *L'Arbalète*, n° 7, été 1943. Cf. 43/41 A.

*c*) Édition en volume : Gallimard, [1945]. 309 pages. Achevé d'imprimer : 15 mars 1945. Mis en vente en septembre 1945 en même temps que LE SURSIS. Dédié à Wanda Kosakiewicz. 8 exemplaires sur vergé antique; 1 000 sur châtaignier, reliés.

Recomposé en 1949, le volume a été également publié dans la collection « Soleil » en 1962.

*d*) Gallimard, « Le Livre de Poche », n°s 522-523, [1960].

*e*) *Œuvre romanesque*, t. III. Illustrée par W. Spitzer. Éditions Lidis, [1965].

45/61

LE SURSIS, t. II des *Chemins de la liberté.*

*a*) Fragment intitulé « La nuit du 29 septembre 1938 » : *Les Étoiles* [périodique dirigé par P. Emmanuel et G. Sadoul], n° 6, 19 juin 1945.

Ce fragment constitue les pages 349-355 de l'édition Gallimard recomposée.

*b*) Volume : Gallimard, [1945]. 350 pages.

Achevé d'imprimer : 31 août 1945. 8 exemplaires sur vergé antique; 1 000 sur châtaignier, reliés.

Recomposé en 1949 et tiré à cette occasion à 1 050 exemplaires sur alfa, le volume a été également publié en 1962 dans la collection « Soleil ».

*c*) Gallimard, « Le Livre de Poche », n^os^ 654-655, [1961].

*d*) *Œuvre romanesque*, t. IV. Éditions Lidis, [1965].

Sartre a rédigé le prière d'insérer suivant pour L'ÂGE DE RAISON et LE SURSIS :

*Mon propos est d'écrire un roman sur la liberté. J'ai voulu retracer le chemin qu'ont suivi quelques personnes et quelques groupes sociaux entre 1938 et 1944. Ce chemin les conduira jusqu'à la libération de Paris, non point peut-être jusqu'à la leur propre. Mais j'espère du moins faire pressentir par-delà ce temps où il faut bien que je m'arrête, quelles sont les conditions d'une délivrance totale. En ce roman qui comprendra trois volumes, je n'ai pas cru devoir user partout de la même technique. Pendant la bonace trompeuse des années 37-38, il y avait des gens qui pouvaient encore garder l'illusion, en de certains milieux, d'avoir une histoire individuelle bien cloisonnée, bien étanche. C'est pourquoi j'ai choisi de raconter* L'Age de raison *comme on fait d'ordinaire, en montrant seulement les relations de quelques individus. Mais avec les journées de septembre 1938, les cloisons s'effondrent. L'individu, sans cesser d'être une monade, se sent engagé dans une partie qui le dépasse. Il demeure un point de vue sur le monde, mais il se surprend en voie de généralisation et de dissolution. C'est une monade qui fait eau, qui ne cessera plus de faire eau, sans jamais sombrer. Pour rendre compte de l'ambiguïté de cette condition, j'ai dû avoir recours au « grand écran ». On retrouvera dans* Le Sursis *tous les personnages de* L'Age de raison *mais perdus, circonvenus par une foule d'autres gens. Je désirais à la fois éviter de parler d'une foule ou d'une nation comme d'une seule personne en lui prêtant des goûts, des volontés, et des représentations, à la manière dont en use Zola dans* Germinal, *et de la réduire à la somme des éléments qui la composent. J'ai tenté de tirer profit des recherches techniques qu'ont faites certains romanciers de la simultanéité tels Dos Passos et Virginia Woolf. J'ai repris la question au point même où ils l'avaient laissée et j'ai essayé de retrouver du neuf dans cette voie. Le lecteur dira si j'ai réussi.*

*Je demande qu'on ne juge pas mes personnages sur ces deux premiers volumes dont l'un tente de décrire le marasme français des années d'entre deux guerres et dont l'autre vise à restituer le désarroi qui a saisi tant de gens au moment du sursis dérisoire de Munich. Beaucoup de mes créatures, même celles qui paraissent présentement les plus lâches, feront preuve plus tard d'héroïsme et c'est bien un roman de héros que je veux écrire. Mais, à la différence de nos bien-pensants, je ne crois pas que l'héroïsme soit facile.*

Le projet des *Chemins de la liberté* semble dater de l'été 1938. Après avoir terminé *L'Enfance d'un chef*, Sartre écrit à Simone de Beauvoir (cf. *La Force de l'âge*, p. 337) : *J'ai trouvé d'un coup le sujet de mon roman, ses proportions et son titre. Juste comme vous le souhaitez : le sujet, c'est la liberté.* Et Simone de Beauvoir ajoute : « Le titre qu'il m'indiquait en caractères d'imprimerie, c'était *Lucifer*. Le tome I s'appellerait *La Révolte* et le tome II *Le Serment*. En épigraphe : « Le malheur, c'est que nous sommes libres. »

Les deux articles-interviews de Claudine Chonez (cf. 38/12 et 13) permettent de mieux entrevoir quelles ont été les premières intentions de Sartre; celui-ci présente son prochain roman comme une suite à LA NAUSÉE et pense à Mathieu comme à une continuation de Roquentin. Celui-ci *découvrira la liberté, redressera la machine; on verra l'existence réhabilitée, et mon héros agir, goûter l'action.*

Au début de 1939, l'œuvre ne s'appelle plus « Lucifer » mais trouve son titre définitif, *Les Chemins de la liberté*. Sartre continue d'écrire le premier tome lorsqu'il est mobilisé en Alsace. Un pavé publicitaire paru dans *Les Nouvelles littéraires* du 30 décembre 1939 (p. 3) annonce : « La N.R.F. publiera en 1940 [...] *L'Age de raison*, roman par Jean-Paul Sartre. » *La Nouvelle Revue française* (revue) annoncera ensuite à partir de mars 1940 et jusqu'en juin 1940 parmi les articles à paraître très prochainement : « *L'Age de raison* (fragments). »

Sartre mettra la dernière main à son roman dès son retour de captivité, au printemps 1941. Jugé trop scandaleux pour être publié sous le régime du maréchal Pétain, le manuscrit sera gardé en réserve jusqu'à fin 1944, date à laquelle il sera remis à Gallimard avec le texte du SURSIS.

L'ÂGE DE RAISON est axé sur les problèmes personnels d'un groupe d'individus qu'on a pu identifier, dans une certaine mesure, à des familiers de Sartre. Le roman se termine avant Munich.

Le deuxième volume des *Chemins de la liberté* couvre la crise de Munich jusqu'à l'abdication de Chamberlain et de Daladier (23 au 30 septembre 1938) et essaie, cette fois, de décrire une « totalité détotalisée ». LE SURSIS a été écrit en 1943-1944.

Les deux volumes publiés conjointement en septembre 1945 firent sensation, sinon scandale, dans le monde des lettres. Rares furent les critiques qui, malgré les précisions données dans le prière d'insérer, n'intentèrent pas un procès de moralité à Sartre et ne déplorèrent pas, sur un ton plus ou moins scandalisé, ce qu'ils considéraient comme une complaisance à l'ordure. On trouvera un sottisier (bien involontaire) de ces réactions dans le petit volume de Raymond Las Vergnas, *L'Affaire Sartre* (Hautmont, 1946). Parmi les quelques critiques clairvoyantes publiées çà et là, citons celles de C.-E. Magny (*Clartés*, 19 octobre 1945, et *Poésie 46*, janvier 1946) et de Maurice Blanchot (*L'Arche*, octobre 1945).

Sartre lui-même entreprit de justifier ses deux romans dans une interview accordée à Christian Grisoli en octobre 1945 (cf. 45/87) :

*Je pense que ce qui rend surtout mes personnages gênants, c'est leur lucidité. Ce qu'ils sont, ils le savent, et ils choisissent de l'être. Hypocrites ou aveugles, ils seraient plus acceptables. On s'est ému qu'une histoire d'avortement soit au centre de* L'Age de raison. *Bien à tort. Car, enfin, en 1938, on poursuivait l'avortement : c'est donc qu'il existait. Pourquoi se crever volontairement les yeux?* [...] *Oui, Mathieu est coupable. Mais sa véritable faute n'est pas où on l'a vue. Elle est moins dans l'avortement qu'il propose à Marcelle que dans son engagement sans amour huit ans auparavant. Ou plutôt Mathieu ne s'est pas engagé véritablement à l'égard de Marcelle. Non parce qu'il ne l'a pas épousée : le mariage est à mes yeux un acte indifférent, il n'est que la forme sociale de l'engagement. Mais parce qu'il savait bien que cette liaison n'était pas véritablement une entreprise à deux. Ils se voient quatre fois par semaine. Ils disent qu'ils se disent tout : en réalité, ils ne cessent pas de se mentir, parce que leur rapport est faux et menteur.*

Après avoir fait allusion à l'épisode de l'évacuation des malades dans LE SURSIS et après avoir analysé le personnage de Charles, Sartre poursuit :

L'Age de raison *et* Le Sursis *ne sont encore qu'un inventaire des libertés fausses, mutilées, incomplètes, une description des apories de la liberté. C'est seulement dans* La Dernière Chance *que se définiront les conditions d'une liberté véritable.* [...]

*Mathieu incarne cette disponibilité totale que Hegel appelle liberté terroriste et qui est véritablement la contre-liberté. Il ressemble à Oreste au début des* Mouches, *sans poids, sans attache, sans lien au monde. Il n'est pas libre parce qu'il n'a pas su s'engager.* [...] *Il se sent exclu de l'entreprise qui se joue.* [...] *Mathieu, c'est la liberté d'indifférence, liberté abstraite, liberté pour rien. Mathieu n'est pas libre, il n'est rien, parce qu'il est toujours dehors.* [...]

*Brunet incarne l'esprit de sérieux, qui croit aux valeurs transcendantes, écrites au ciel, intelligibles, indépendantes de la subjectivité humaine, posées comme des choses. Pour lui, il y a un sens absolu du monde et de l'histoire qui commande ses entreprises. Brunet s'engage parce qu'il faut une certitude pour vivre. Son engagement n'est qu'une obéissance passive à cette exigence. Il se délivre à peu de frais de l'angoisse. Il n'est pas libre. L'homme est libre pour s'engager, mais il n'est libre que s'il s'engage pour être libre. Il y a une autre vie militante que celle de Brunet. Mais Brunet est un militant qui manque sa liberté.* [...]

C'est en écrivant LE SURSIS que Sartre conçut l'idée d'un troisième volume des *Chemins de la liberté*. Ce volume devait à l'origine s'appeler « La Dernière Chance », mais il devint en 1949 LA MORT DANS L'ÂME et le titre fut alors transféré à un quatrième tome dont une moitié fut publiée dans *Les Temps modernes* et l'autre resta inédite.

Cf. 49/179, 191 et 192.

HUIS CLOS, pièce en un acte.

— Gallimard, [1945]. 125 pages.

Cf. 44/47.

45/62

Participation à « Discussion sur le péché ».

— *Dieu vivant*, nº 4, 1945, p. 83-133.

Sténographie d'un débat qui eut lieu le 5 mars 1944 chez Marcel Moré, à la suite d'une conférence de Georges Bataille sur le problème du Bien et du Mal (reproduite plus tard dans *Sur Nietzsche* (Gallimard, 1945) avec un développement provoqué en partie par les objections de Sartre). Y participaient, entre autres, le R. P. Daniélou, Klossowski, Adamov, de Gandillac, Madaule, Hyppolite, L. Massignon, Gabriel Marcel.

Dans ses interventions, Sartre se tient avant tout sur le terrain de la logique et met en lumière les difficultés de la position adoptée par Bataille. Ces difficultés proviennent de l'utilisation que fait l'auteur de *L'Expérience intérieure* des notions et du vocabulaire chrétiens, alors même qu'il rejette les valeurs de l'éthique chrétienne. Bataille répondra par la suite, citant Nietzsche : « Nous voulons être les héritiers de la méditation et de la pénétration chrétiennes... dépasser tout christianisme au moyen d'un *hyperchristianisme* et ne pas nous contenter de nous en défaire. » Sartre déclare trouver chez Bataille une morale de la recherche pour elle-même (cf. aussi 43/42).

45/63

*Un Collège spirituel*, fragment d'une étude sur Baudelaire.

— *Confluences*, nouvelle série, nº 1, janvier-février 1945, p. 9-18.

Ce fragment correspond aux pages 153-169 de l'édition Gallimard (1947) et tire son titre d'une expression utilisée à la page 166.

Cf. 46/101 et 47/115.

45/64

*Une grande revue française à Londres.*

— *Combat*, 7-8 janvier 1945.

Court article présentant de manière très favorable *La France libre*, revue publiée à Londres à partir de novembre 1940 par André Labarthe et Raymond Aron.

## REPORTAGES AUX ÉTATS-UNIS, 1945

Vers la fin de novembre 1944, l'Office of War Information de Washington, voulant faire connaître l'effort de guerre américain, invita un groupe de journalistes français à visiter les États-Unis. Camus proposa à Sartre de représenter *Combat*; Sartre accepta avec enthousiasme (voir à ce sujet *La Force des choses*, p. 27-28) et il fut convenu par la suite qu'il serait également l'envoyé spécial du *Figaro*. Sartre quitta la France le 12 janvier 1945 par avion, en compagnie de six autres journalistes, et fit un séjour de plusieurs mois aux États-Unis.

Nous avons pu dénombrer trente-deux articles écrits alternativement pour *Le Figaro* et pour *Combat* et se répartissant en huit séries différentes (que nous groupons ici afin d'en faciliter le classement). Les articles pour *Combat* sont généralement plus techniques et moins littéraires que ceux donnés au *Figaro*, ce qui, d'ailleurs, avait désolé Camus (cf. *La Force des choses*, p. 29).

*Note :* Les titres d'articles le plus souvent ne sont pas de Sartre, mais de la rédaction des journaux.

45/65

Série : *Les journalistes français aux États-Unis.*

*I. La France vue d'Amérique.*

— *Le Figaro*, 24 janvier 1945.

Câble daté New York, 22 janvier. Ce premier article souligne l'accueil extrêmement chaleureux reçu à New

York puis insiste sur les luttes entre pétinistes, giraudistes et gaullistes qui ont marqué la vie de la colonie française au cours des années de guerre. Sartre prend nettement parti pour les gaullistes et, dans un passage qui allait faire scandale, accuse sans les nommer certains journalistes d'avoir fait paraître avec l'argent de la haute finance ou celui du Département d'État, un journal qui fit beaucoup de tort à la cause française.

Le *New York Times* du 25 janvier publie une dépêche de son correspondant parisien qui relève ce passage et reproche à Sartre de s'attaquer aux fondements mêmes de l'amitié franco-américaine. Une lettre de Geneviève Tabouis parue dans le même journal le 31 janvier prétend réfuter les allégations de Sartre et identifie le journal mis en cause comme étant *Pour la Victoire*.

Ces diverses réactions amènent Sartre à écrire une mise au point parue sous le titre :

45/66

*Mr. Sartre explains article.*

— *The New York Times*, 1 February 1945, p. 22.

Lettre, datée New York 30 janvier, où Sartre reproche au correspondant parisien du *New York Times* d'avoir déformé l'esprit de son premier article par des citations incomplètes et où il affirme qu'il croit à l'amitié franco-américaine et que son intention n'était aucunement de mettre celle-ci en cause.

*II. Victoire du gaullisme.*

— *Le Figaro*, 25 janvier 1945.

Sartre attaque *la France petite-bourgeoise des Giraud et des Pétain* et, reprenant l'expression de Malraux, affirme que *le sang qui a coulé à Paris au mois d'août était un sang de gauche.*

45/67

*Le Président Roosevelt dit aux journalistes français son amour de notre pays.*

— *Le Figaro*, 11-12 mars 1945.

Cet article rapporte une entrevue qui a eu lieu le 10 mars

à Washington entre les journalistes français et le président Roosevelt. Celui-ci nous est décrit en ces termes :

*Ce qui frappe d'abord c'est le charme profondément humain de ce long visage à la fois délicat et dur, aux yeux brillants d'intelligence. On y discerne une sorte de chaleur généreuse : quelque chose d'ouvert et de communicatif qui se mélange curieusement avec l'âpreté un peu féroce des mâchoires.*

45/68

Série pour *Combat* :

*Un Français à New York.*

— *Combat*, 2 février 1945.

*Jamais les Américains n'ont eu tant d'argent.*

— *Combat*, 3 février 1945.

*Les Américains dans le souci.*

— *Combat*, 4-5 février 1945.

Cette série décrit les conditions de vie aux États-Unis. Sartre voit surtout un *contraste de richesse et d'économie, de plaisirs et de profonde tristesse, de confort et d'angoisse.*

45/69

Série pour *Combat* :

*Déséquilibre aux U.S.A.*

— *Combat*, 4-5 mars 1945.

*Deux courants politiques dans les U.S.A. de demain : isolationnisme contre intervention.*

— *Combat*, 6 mars 1945.

*Roosevelt et son « brain-trust » envisagent de réformer demain la géographie industrielle des États-Unis.*

— *Combat*, 7 mars 1945.

*La vallée du miracle.*

— *Combat*, 8 mars 1945.

*L'échec ou la réussite de l'expérience tentée aux U.S.A. dans le Tennessee influera demain sur la politique américaine.*

— *Combat*, 9 mars 1945.

Ces trois derniers articles portent plus particulièrement sur la Tennessee Valley Authority.

45/70

Série sur Hollywood pour *Combat* :

*Hollywood 1945.*

— *Combat*, 27 mars 1945.

*Hollywood 1945 : Comment les Américains font leurs films.*

— *Combat*, 30 mars 1945.

*Hollywood évolue.*

— *Combat*, 1-2 avril 1945.

Traite des guildes, de la lutte contre le fascisme, des films de guerre et salue la naissance du « film pensant ».

*Un film sur Wilson a apporté des voix à Roosevelt.*

— *Combat*, 5 avril 1945.

*Hollywood aura demain un concurrent de plus : le Mexique.*

— *Combat*, 7 avril 1945.

45/71

Série pour *Le Figaro* :

« *En cherchant l'âme de l'Amérique* »

*I. Un pays où l'on n'est jamais seul.*

— *Le Figaro*, 29 mars 1945.

*II. Comment on fait un bon Américain.*

— *Le Figaro*, 30 mars 1945.

*III. Hors des ligues, point de salut.*

— *Le Figaro*, 31 mars 1945.

Ce reportage a été repris sous le titre « Individualisme et conformisme aux États-Unis » dans SITUATIONS, III, où il est daté février 1945.

45/72

Série pour *Le Figaro* :
« *Villes d'Amérique* »

*Chaque jour, naît une cité. Chaque jour, meurt un village.*

— *Le Figaro*, 6 avril 1945.

*II. La Cité. Pour nous c'est un passé, pour eux c'est un avenir.*

— *Le Figaro*, 13 avril 1945.

*III. Le passé, ici, ne laisse pas de monuments mais seulement des résidus.*

— *Le Figaro*, 14 avril 1945.

*Seuls quelques Noirs, ici, ont le temps de rêver.*

— *Le Figaro*, 23 avril 1945.

Ce reportage a été repris sous le titre « Villes d'Amérique » dans SITUATIONS, III.

45/73

Série de 7 articles sur les travailleurs américains pour *Combat* :

*Les travailleurs américains ne sont pas encore des prolétaires.*

— *Combat*, 6 juin 1945.

*Les États-Unis pays de colons.*

— *Combat,* 7 juin 1945.

*La table de l'ouvrier américain n'est pas moins bien garnie que celle de son patron.*

— *Combat,* 9 juin 1945.

Sartre décrit ici en détail le niveau de vie, les menus et le budget des ouvriers américains, mais il ajoute : *Il faut le dire, leur niveau de vie, surtout aujourd'hui, tend à leur masquer les vrais problèmes.*

*Hello Jim! dit l'évêque de Chicago au balayeur d'école. — Hello évêque! répond le balayeur.*

— *Combat,* 10-11 juin 1945.

Sartre remarque *cette gentillesse vraiment humaine qui préside au rapport entre les classes* et affirme que *les signes extérieurs de la classe sont inexistants.*

*Une tristesse faite de fatigue et d'ennui pèse sur les travailleurs américains.*

— *Combat,* 12 juin 1945.

Sartre insiste ici sur la mécanisation du travail et sur la crainte du marxisme.

*Depuis la crise de 1930, la travailleur américain vit dans la crainte de redevenir un jour chômeur.*

— *Combat,* 14 juin 1945.

[...] *Cette profonde contradiction américaine : l'Amérique est le pays le plus optimiste, celui dont la population a toujours considéré la guerre comme un accident évitable et le recours à la force comme un procédé toujours injustifiable, mais c'est aussi le pays dans lequel on trouve, à l'état latent, les plus grandes possibilités de violence.*

*Deux grandes organisations groupent aux U.S.A. un tiers des travailleurs : l'A.F.L. avec 5 800 000, le C.I.O. avec 5 200 000.*

— *Combat,* 30 juin 1945.

La sympathie de Sartre va au C.I.O. qui comprend des communistes et des Noirs et qui est plus conscient des limites du libéralisme économique.

Dans le même numéro de *Combat* commence un reportage de Jacques-Laurent Bost, « A travers les U.S.A. »

45/74

Série de deux articles portant le même titre pour *Le Figaro* :

*Retour des États-Unis. Ce que j'ai appris du problème noir.*

— *Le Figaro*, 16 juin 1945 *et* 30 juillet 1945.

Reportage objectif faisant état aussi bien de faits généraux et de statistiques que de contacts personnels. La conclusion est la suivante : *Le problème noir n'est ni un problème politique, ni un problème culturel : les Noirs appartiennent au prolétariat américain et leur cause est la même que celle des ouvriers blancs.* [...] *Il semble qu'il n'y ait qu'une seule solution au problème noir — et elle n'est pas prochaine : lorsque le prolétariat américain — noir et blanc — aura reconnu l'identité de ses intérêts en face de la classe patronale, les nègres lutteront avec les ouvriers blancs et à égalité avec eux pour la reconnaissance de leurs droits.* [...] *Tout progrès, en Amérique, dépend, au fond, de l'évolution de la classe ouvrière.*

En juillet 1945, Sartre a donné au Centre d'études de la rue de Varenne une conférence intitulée « Les Américains tels que je les ai vus » (cf. compte rendu dans *L'Ordre*, 14 juillet 1945).

45/75

*L'homme ligoté : Notes sur le* Journal *de Jules Renard.*

*a*) *Messages II*, 1944, [non paginé].

Tiré à 1513 exemplaires. Achevé d'imprimer : 15 avril 1945. *L'homme ligoté* occupe douze pages de ce numéro soustitré « Risques, Travaux, Modes » et dans lequel on trouve également *Le Désir attrapé par la queue* de Picasso, des « Exercices de style » de R. Queneau et une nouvelle de Mouloudji.

*b*) Repris dans SITUATIONS, I sans indication d'origine mais avec la date 1945.

Cette étude semble avoir été écrite à la même époque que le BAUDELAIRE : Sartre s'efforce d'y démontrer avec des exemples précis que l'aliénation de l'homme recouvre exactement celle de l'écrivain.

*Il s'est tu, il n'a rien fait. Son entreprise fut de se détruire. Saucissonné, bâillonné par sa famille, par son époque et son milieu, par son parti pris d'analyse psychologique, par son mariage, stérilisé par son* Journal, *il n'a trouvé de ressources que dans le rêve.*

L'expression « *homme ligoté* » revient assez souvent chez Sartre en 1944-1945.

## 45/76

*New writing in France : The Resistance « taught that literature is no fancy activity independent of politics ».*

*a*) *Vogue*, July 1945, p. 84-85.
*b*) Traduit de l'anglais sous le titre « Neue Literatur in Frankreich » dans *Neue Rundschau*, n° 2, Januar 1946, p. 248-253.

Faisant le point sur la littérature en France en 1945, Sartre distingue deux générations d'écrivains : celle qui, avec Bataille, Blanchot et Anouilh, produit des œuvres intéressantes, mais se rattache à l'avant-guerre et n'a pas de postérité, et celle qui, avec Leiris, Cassou et surtout Camus, est issue de la Résistance et représente l'avenir. Malraux est l'écrivain d'avant-guerre qui, bien qu'il n'ait rien publié depuis cinq ans, s'est le mieux adapté au présent et *reprendra naturellement sa place d'honneur à nos yeux.*

Une bonne moitié de l'article est consacrée à Camus qui représente selon Sartre les chances d'un nouveau classicisme en France. Sartre ne tarit pas d'éloges sur l'homme comme sur l'écrivain, analyse ses œuvres et résume même l'intrigue de *La Peste* (qui ne devait paraître que deux ans plus tard).

## 45/77

*Quand Hollywood veut faire penser...* Citizen Kane *d'Orson Welles.*

— *L'Écran français*, n° 5, 1er août 1945.

Relisant cet article dont il n'avait gardé aucun souvenir, Sartre n'a guère reconnu son style et a émis quelques doutes quant à l'authenticité de sa signature. Il a en revanche bien retrouvé les idées que lui avait suggérées *Citizen Kane* lors d'une première vision aux États-Unis. Bien qu'il continue à ne pas le tenir pour un chef-d'œuvre incontestable, Sartre a quelque peu modifié son opinion en faveur du film lorsqu'il l'a revu en France.

L'article reconnaît parfaitement la maîtrise technique de Welles et la justesse idéologique de son film; il exprime pourtant de sérieuses réserves en ce qui concerne la valeur de *Citizen Kane* et doute qu'il puisse servir d'exemple pour le cinéma français. Le film se voit reprocher d'être *une œuvre intellectuelle, une œuvre d'intellectuel* qui ne serait pas conforme au génie propre du cinéma. Suit une longue et ingénieuse analyse des procédés de narration du film — en particulier du bouleversement délibéré opéré dans l'ordre temporel. Ces procédés constitueraient un avatar américain de « l'écriture artiste ». Conclusion de l'article : *Dans* Citizen Kane, *les jeux sont faits. Nous n'avons pas affaire à un* roman, *mais à un récit au* temps passé. [...] *Tout est analysé, disséqué, présenté dans l'ordre intellectuel, dans un faux désordre qui est la subordination des événements à celui des causes, tout est mort.* [...] *L'œuvre d'Orson Welles illustre bien, à mon avis, le drame de l'intelligentsia américaine qui est sans racines et totalement coupée des masses.*

A notre connaissance, la seule référence à cet article se trouve dans une critique d'André Bazin, « La technique de *Citizen Kane* », parue dans *Les Temps modernes* (n° 17, février 1947, p. 943-949) et qui cite longuement l'analyse de Sartre.

## 45/78

*La libération de Paris : Une semaine d'apocalypse.*

— *Clartés*, n° 9, 24 août 1945, p. 1.

APPENDICE

Cet important article, à notre connaissance, n'a jamais été mentionné. Il commémore le premier anniversaire de la libération de Paris. Dénonçant la vanité de l'affirmation *a posteriori*, selon laquelle Paris se serait libéré lui-même, Sartre écrit que le combat des insurgés *tire sa grandeur de ses limites :* [...] *ils ont voulu affirmer la souveraineté du peuple français et ils ont compris qu'ils ne disposaient, pour légitimer un pouvoir issu de lui, d'aucun autre moyen que de verser leur sang.*

Il met en rapport l'insurrection parisienne avec la prise de la Bastille et montre que les deux événements ont eu le même caractère de fête ou d'Apocalypse. Reprenant ce terme au Malraux de *L'Espoir*, Sartre le définit comme *une organisation spontanée des forces révolutionnaires* et précise :

*Ainsi ce qu'on va, chaque année, commémorer officiellement et dans l'ordre, c'est l'explosion de la liberté, la rupture de l'ordre établi et l'invention d'un ordre efficace et spontané.* On reconnaîtra ici l'ébauche de la description que Sartre donnera du « groupe en fusion » dans CRITIQUE DE LA RAISON DIALECTIQUE et l'on se rappellera qu'il a vécu lui-même pendant les journées d'août 1944 cette victoire exaltante sur l'ordre sériel et que cette expérience l'a profondément marqué (cf. 44/51).

45/79

*Qu'est-ce qu'un collaborateur?*

*a*) *La République française*, 2e année, no 8, août 1945, p. 5-6; no 9, septembre 1945, p. 14-17.

*b*) Repris dans SITUATIONS, III.

*La République française* était un journal français paraissant à New York.

Sartre fait ici un portrait psychologique et social du collaborateur en prenant surtout comme exemple Drieu La Rochelle; il décèle chez celui-ci les caractères suivants : *Réalisme, refus de l'universel et de la loi, anarchie et rêve d'une contrainte de fer, apologie de la violence et de la ruse, haine de l'homme* [...] (cf. 43/40).

45/80

*Présentation* [des *Temps modernes*].

*a*) Une traduction abrégée de ce texte a d'abord paru sous le titre : « The case for responsible literature » dans : *Horizon*, [London], vol. 2, no 65, May 1945, p. 307-312. La traduction est de Natalie Galitzine.

*b*) Même traduction abrégée dans : *Partisan Review*, vol. 12, no 3, Summer 1945, p. 304-308.

*c*) Première publication en français : *Les Temps modernes*, no 1, 1er octobre 1945, p. 1-21.

Dédié : « A Dolorès. »

*d*) Repris sans variantes dans SITUATIONS, II, sous le titre « Présentation des Temps modernes. »

Ce texte où Sartre définit de façon frappante la direction qu'il compte donner à la revue ainsi que son idée de la littérature engagée a connu un très grand retentissement à l'époque et a suscité de nombreux commentaires — pour la plupart consternés — dans les milieux littéraires. Gide, en particulier, fut l'un des premiers à attaquer dans *Terre des Hommes* la notion d'engagement.

### 45/81

*La fin de la guerre.*

*a*) *Les Temps modernes*, nº 1, 1er octobre 1945, p. 163-167.

*b*) Repris sans variantes dans SITUATIONS, III.

Dans ce texte désabusé écrit après la capitulation du Japon, Sartre semble prévoir les problèmes de la guerre froide et indique déjà quelles seront les lignes principales de son action politique dans les années à venir : *Aujourd'hui, 20 août 1945, dans ce Paris désert et affamé, la guerre a pris fin, la Paix n'a pas commencé.* [...] *La fin de la guerre, c'est tout simplement la fin de* cette *guerre.*

### 45/82

*A la Kafka.*

— *Les Temps modernes*, nº 1, 1er octobre 1945, p. 191. Texte non signé.

Plusieurs témoignages permettent d'attribuer avec certitude à Sartre ce court texte où il proteste contre la suspension sans limite de temps de certains metteurs en scène qui avaient travaillé pendant la guerre à la Continental et dans des firmes italiennes.

### 45/83

*La Nationalisation de la littérature.*

*a*) *Les Temps modernes*, nº 2, 1er novembre 1945, p. 193-211.

*b*) Repris dans SITUATIONS, II.

Cet article comprend un assez grand nombre d'éléments autobiographiques (allusions à Nizan, à Dullin, à LA

NAUSÉE, etc.) et pourrait bien avoir été inspiré à Sartre par la publicité faite autour de son nom à partir de 1945 (*Il n'est pas plaisant d'être traité de son vivant comme un monument public*, SITUATIONS, II, p. 43).

45/84

*La Liberté cartésienne*, extrait d'une introduction à Descartes.

— *Labyrinthe*, [Genève], nº 14, 15 novembre 1945, p. 7.

Cet extrait reprend la fin de l'introduction à l'édition Traits (cf. 46/102).

45/85

« Qu'est-ce que l'existentialisme? Bilan d'une offensive », article-interview de Dominique Aury.

— *Les Lettres françaises*, 24 novembre 1945.

Début d'une enquête de Dominique Aury qui comprend de courtes interviews de Sartre, Pierre Emmanuel et Henri Lefebvre.

Sartre parle des problèmes du roman et, en particulier, de la liberté des personnages : *Chez Zola, tout obéit au plus étroit déterminisme. Les livres de Zola sont écrits au passé, tandis que mes personnages ont un avenir.* [...] *L'enfance de Mathieu* [...] *n'importe pas.* [...] *Il s'est ligoté par sa maîtresse, par sa culture.*

Relevons également, à titre de curiosité, les déclarations de Pierre Emmanuel : « [L'existentialisme], je ne veux pas en parler. C'est infect. [...] L'existentialisme me paraît comme une maladie de l'esprit et, par conséquent, sans remède. Pourquoi veut-on nous faire croire que l'homme est un chancre abominable sur le visage de la nature? »

Quant à H. Lefebvre, il voit en l'existentialisme « un phénomène de pourriture qui est tout à fait dans la ligne de décomposition de la culture bourgeoise ». Pour lui, « l'humanisme est une reconquête de la santé humaine. Dire : "L'enfer c'est les autres", c'est nier l'humanisme. »

L'enquête de D. Aury se poursuit dans *Les Lettres françaises* du 1er décembre 1945 avec des interviews de Simone de Beauvoir, Gabriel Marcel et Francis Ponge. L'opinion de Ponge sur Sartre est favorable : « Un certain goût de l'homme et de ses œuvres m'incite à faire crédit à une philosophie qui n'a pas encore exprimé sa morale. » Quant à Gabriel Marcel, il affirme avec sa subtilité habituelle : « L'existentialisme de Sartre est négatif. Or il y a l'existentialisme chrétien qui est positif. »

45/86

*Portrait de l'antisémite.*

— *Les Temps modernes*, n° 3, décembre 1945, p. 442-470.

Première partie de RÉFLEXIONS SUR LA QUESTION JUIVE (p. 7-65 de l'édition Gallimard — cf. notice 46/98). L'ensemble de cet essai fut écrit en octobre 1944, comme le précise une note du volume (p. 86, éd. Gallimard). Mais une lettre de Sartre à un intellectuel juif progressiste (cf. 46/99) nous apprend qu'au moment de le publier dans *Les Temps modernes*, il accepta d'en retrancher cinquante pages consacrées à l'inauthenticité et à l'authenticité juives, cédant ainsi à la demande d'amis juifs qui craignaient que ces développements ne desservent leur cause. Ces pages, qui constituent apparemment la III^e partie de l'essai, furent finalement publiées dans le volume RÉFLEXIONS SUR LA QUESTION JUIVE. Il n'est donc pas impossible que ce soit la réaction positive de milieux juifs progressistes qui ait encouragé Sartre à publier intégralement son étude.

Rappelons qu'une phrase du *Portrait de l'antisémite (Si Céline a pu soutenir les thèses socialistes des nazis, c'est qu'il était payé)* a inspiré à l'auteur de *Bagatelles pour un massacre*, qui fut aussi celui du *Voyage au bout de la nuit* auquel LA NAUSÉE doit beaucoup, le plus violent pamphlet qu'on ait jamais écrit contre Sartre : *A l'agité du bocal*, P. Lanauve de Tartas éditeur, s.d. [1948]. Céline se plaignait que, par cette phrase, Sartre eût voulu le faire assassiner : « Voici donc ce qu'écrivait ce petit bousier pendant que j'étais en prison, en plein péril qu'on me pende. Satanée petite saloperie gavée de merde, tu me sors de l'entre-fesse pour me salir au-dehors ! »

45/87

« Entretien avec Jean-Paul Sartre », par Christian Grisoli.

— *Paru*, [Monaco], n° 13, décembre 1945, p. 5-10.

Entretien réalisé le lendemain de la conférence de Sartre au Club Maintenant en octobre 1945 (cf. 46/88). Revient sur les principaux thèmes de celle-ci; parle de l'accueil fait aux *Chemins de la liberté* et analyse plusieurs de ses personnages principaux (Mathieu, Brunet, Charles); justifie la scène des évacués de Berck dans LE SURSIS; précise le sens de la divergence profonde qui le sépare de Camus; définit sa position par rapport au marxisme (c'est celle qu'on trouvera dans *Matérialisme et révolution*); déclare enfin ne pas vouloir de disciples.

45/NOTE 1.

La plupart des bibliographies, suivant en cela le catalogue de la Bibliothèque nationale, attribuent à Sartre une préface à *Liberté Ship* de Suzanne Normand (Nagel, 1945). Il s'agit d'une erreur grossière qui s'explique néanmoins par la présence en tête du volume d'un court texte sans titre, vraisemblablement de l'auteur, qui porte en exergue une phrase de Sartre, d'ailleurs tronquée.

45/NOTE 2.

Un article de Sartre intitulé successivement « Nationalisme et révolution » et « Nationalisme des révolutionnaires » est annoncé au verso de la couverture des *Temps modernes* (novembre et décembre 1945). Cet article n'est jamais paru, du moins sous ce titre.

45/NOTE 3.

La collection de l'hebdomadaire *Terre des hommes* ne contient aucun texte de Sartre. Elle renferme cependant plusieurs articles consacrés à Sartre et à l'existentialisme, en particulier, dans le numéro 8 (17 novembre 1945), une attaque de Gide contre les idées exprimées dans la *Présentation* des *Temps modernes*.

# 1946

46/88

## L'EXISTENTIALISME EST UN HUMANISME

— Éditions Nagel, collection « Pensées », [1946]. 141 pages. Volume paru en mars 1946. Nombreuses réimpressions.

Texte légèrement modifié d'une conférence donnée au Club Maintenant le lundi 28 octobre 1945 à la salle des Centraux, rue Jean-Goujon. Cette conférence marqua une date dans l'histoire anecdotique de l'existentialisme : l'affluence fut telle que des femmes s'évanouirent et que le conférencier eut de la peine à se faire entendre (cf. les comptes rendus de *Combat* du 29 octobre, de *Terre des hommes* du 3 novembre, etc., ainsi que la transposition burlesque de Boris Vian dans le chapitre XXVIII de *L'Écume des jours*). La discussion sur l'exposé de Sartre fut impossible; pour permettre à celle-ci de s'exercer, la conférence fut répétée en privé devant quelques contradicteurs. Une partie de la dicussion, celle qui fait intervenir le marxiste Pierre Naville, est reprise à la fin du volume Nagel.

Au cours de la conférence, Sartre avait provoqué quelque étonnement en qualifiant T. E. Lawrence d'existentialiste : toute référence à Lawrence disparaît dans le texte définitif.

L'EXISTENTIALISME EST UN HUMANISME fut l'un des ouvrages les plus lus et les plus critiqués de Sartre et suscita de considérables malentendus. Comme l'a bien vu M.-A. Burnier dans *Les Existentialistes et la politique* (p. 31), « l'importance prise par ces pages semble due à la paresse d'un bon nombre de critiques qui hésitaient à lire *L'Être et le Néant* et qui furent heureux de pouvoir attaquer Sartre sans grande fatigue et avec bonne conscience après avoir parcouru 141 pages ». Il est bon de rappeler cependant que l'ouvrage constitue une assez mauvaise introduction à la philosophie de Sartre, surtout pour un public non averti. Centré principalement sur le problème moral, il vulgarise, au prix de simplifications qui les travestissent en une sorte de moralisme, les thèses saillantes de l'existentialisme. C'est d'ailleurs le seul volume que Sartre ait en grande partie renié.

*Note :* Contrairement à ce qu'indique Simone de Beauvoir dans *La Force des choses* (p. 50), la conférence s'intitulait « L'Existentialisme est un humanisme » et non « L'Existentialisme est-il un humanisme ? »

46/89

MORTS SANS SÉPULTURE

*a*) Premier acte publié sous le titre « Les Vainqueurs » dans : *Valeurs*, [Alexandrie], nº 4, janvier 1946, p. 6-23.

*b*) Texte du Ier acte, IIe tableau, dans : *Spectateur*, 12 novembre 1946.

*c*) Édition originale : Lausanne, Marguerat, [1946]. 195 pages. Achevé d'imprimer : 30 novembre 1946. Volume tiré à 60 exemplaires sur vélin du marais et 6 000 exemplaires sur alfa. Dédicace : « A Dolorès. »

MORTS SANS SÉPULTURE est décrit ici comme une « pièce en trois actes », l'acte III étant divisé en deux tableaux. A la suite d'une confusion, la scène deux du dernier tableau est désignée comme « scène cinquième ».

Le texte comporte des variantes par rapport à celui de l'édition Gallimard (qui donne la version utilisée pour la création au théâtre). Elles sont presque toutes mineures, sauf celles de la 3e scène du 4e tableau (p. 181-191 de l'édition Marguerat, p. 244-249 de l'édition Gallimard), que nous commentons brièvement à la fin de la notice ci-dessous.

*d*) Texte modifié et présenté comme « pièce en 4 actes » dans : *France-Illustration, Supplément littéraire et théâtral*, nº 1, mars 1947, p. 15-38. Avec photos de la représentation et une photo de Sartre prise au cours des répétitions.

*e*) Texte modifié, en « 4 tableaux », repris dans THÉÂTRE, I, [1947].

Dans la distribution de la pièce, apparaît un énigmatique Corbier, joué par Maïk.

*f*) Texte en « deux actes, quatre tableaux » dans : *La*

*P... respectueuse* suivi de *Morts sans sépulture*. Gallimard, « Le Livre de Poche », nº 55, [1954].

*g*) Repris dans THÉÂTRE [1962].

MORTS SANS SÉPULTURE et LA PUTAIN RESPECTUEUSE sont portés au registre des auteurs comme étant de Sartre et de Simone de Beauvoir.

La pièce a été représentée pour la première fois en France le 8 novembre 1946 au théâtre Antoine avec, en complément de programme, LA PUTAIN RESPECTUEUSE. Elle avait été produite quelques jours auparavant à Copenhague (cf. *Le Figaro*, 6 novembre 1946).

Mise en scène de Michel Vitold. Décors d'André Masson. Principaux rôles :

| | |
|---|---|
| LUCIE | Marie-Olivier |
| SORBIER | R.-J. Chauffard |
| CANORIS | François Vibert |
| HENRI | Michel Vitold |
| JEAN | Alain Cuny |
| LANDRIEU | Yves Vincent |

La première représentation fit scandale, principalement à cause des scènes de torture du deuxième tableau. On entendit des cris « Au Grand-Guignol! », « Assassins! », et on assista au départ de Mme Stève Passeur (cf. *Le Monde*, 9 novembre 1946). *France-Dimanche* (17 novembre 1946) titra en grosse manchette « Scandale à Paris » et donna des photos d'évanouissements. Le lendemain de cette représentation, Sartre fit lire, avant le lever de rideau, un avertissement par lequel il déclarait qu'il ne recherchait pas le scandale, qu'il s'était gardé *d'un réalisme de mauvais aloi* et qu'il n'avait voulu que *montrer la grandeur humaine*. Par ailleurs, des coupures furent faites dans la scène de tortures et on n'arracha plus les ongles de Sorbier sur scène, on se contenta de le matraquer.

Dès 1944, Sartre avait exprimé l'intention d'écrire une pièce sur un sujet contemporain. Il choisit finalement un épisode de la Résistance et prit un thème qui réapparaît constamment dans son œuvre, celui de la torture. La pièce fut écrite fin 1945 et eut apparemment comme premier titre « Les Vainqueurs »; Sartre en parle ainsi dans une interview donnée en octobre 1945 (cf. 45/87) : *Les personnages ont déjà parcouru, eux, le chemin de la liberté. L'action se passe dans un maquis, et la pièce a pour thème ce que j'appellerai, faute d'un mot meilleur, l'héroïsme. Je m'efforcerai de montrer ce qu'il y a dans l'héroïsme de total, comme je montrerai, dans un prochain numéro des* Temps modernes, *ce qu'il y a de total dans l'antisémitisme.* [...] La pièce fut annoncée à paraître dans *Les Temps modernes* (nº 3, 1er décembre 1945) sous son titre définitif.

Dans *La Force des choses* (p. 127), Simone de Beauvoir décrit ainsi les intentions de Sartre : « Au moment où les anciens collaborateurs commençaient à relever la tête, il avait eu envie de rafraîchir les mémoires. Pendant quatre ans il avait beaucoup pensé à la torture; seul, et entre amis, on se demandait : ne parlerais-je pas? Comment faut-il s'y prendre pour tenir le coup? Il avait rêvé aussi sur le rapport du tortionnaire à sa victime. Il jeta dans la pièce tous ses fantasmes. Il y opposa encore une fois morale et *praxis :* Lucie se bute dans son orgueil individualiste tandis que le militant communiste, à qui Sartre donne raison, vise l'efficacité. »

MORTS SANS SÉPULTURE fut mal accueilli par la critique et n'a jamais été repris sur une scène parisienne. Sartre pouvait déclarer à son sujet en 1960 (cf. 60/346) :

*C'est une pièce manquée. En gros, j'ai traité un sujet qui ne donnait aucune possibilité de respiration : le sort des victimes était absolument défini d'avance, personne ne pouvait supposer qu'ils parleraient, donc, pas de suspense, comme on dit aujourd'hui. Je mettais en scène des gens au destin clairement marqué. Il y a deux possibilités au théâtre : celle de subir et celle d'échapper. Les cartes étaient déjà sur la table. C'est une pièce très sombre, sans surprise. Il aurait mieux valu en faire un roman ou un film.*

Le jugement est quelque peu sévère : la pièce n'est pas séduisante, mais elle a une rigueur et une dureté qui finissent par devenir étranges et qui lui donnent une place à part dans l'œuvre théâtrale de Sartre.

Les variantes mentionnées plus haut sous *c*) sont intéressantes car elles attirent l'attention sur une autre particularité de la pièce. Dans la première version d'une des scènes finales, Lucie, qui ne souhaite que mourir, parce qu'elle se sent irrémédiablement avilie par les tortures subies, cède aux arguments de Canoris, puis d'Henri, qui ont décidé de faire de faux aveux pour sauver leur vie. Ils la persuadent en en appelant au devoir de solidarité avec tous ceux à qui leur vie pourra encore être utile. Dans la seconde version de cette scène, Lucie reste sourde à ces mêmes arguments (qui sont d'ailleurs repris sous une forme moins développée : quelques-unes des phrases les plus moralistes, en particulier, disparaissent), et c'est le bruit de la pluie et le souvenir de l'odeur de la terre mouillée qui réveillent finalement en elle son désir de vivre. Ces modifications, contrairement à ce qu'on a pu en dire (cf. Garaudy in *Perspectives de l'homme*), n'entraînent pas de changement dans la signification de la pièce; elles s'expliquent davantage par un souci de vraisemblance psychologique que par une intention d'ordre idéologique. Elles n'empêchent pas MORTS SANS SÉPULTURE d'être la seule pièce de Sartre où s'affirment explicitement des valeurs positives proches d'un certain humanisme « réaliste-socialiste », incarné dans le personnage du communiste Canoris. En dépit de sa fin apparemment tragique et de son caractère extrêmement âpre, il s'agit bien, en définitive, d'une pièce optimiste.

Pour les interviews concernant MORTS SANS SÉPULTURE, voir après la notice suivante.

46/90

LA PUTAIN RESPECTUEUSE, pièce en un acte et deux tableaux.

*a*) Éditions Nagel, [1946]. 164 pages.

Achevé d'imprimer : 29 octobre 1946. Dédicace : « A Michel et à Zette Leiris. » 500 exemplaires sur vélin alma.

*b*) Repris dans THÉÂTRE, I [1947].

*c*) *La P... respectueuse* suivi de *L'Engrenage*. Gallimard, « Le Livre de Poche », n° 55, [1954].

*d*) *La P... respectueuse* suivi de *Morts sans sépulture*. Gallimard, « Le Livre de Poche », n° 55, [1954].

*e*) Repris dans THÉÂTRE [1962].

*f*) Repris dans : *L'Avant-Scène Théâtre*, nos 402-403, 1er-15 mai 1968, p. 19-31.

La pièce a également donné lieu à :

— une adaptation cinématographique de Marcel Pagliero (1952) avec Barbara Laage et Ivan Desny (cf. *Appendice Cinéma*);

— un enregistrement intégral par la troupe Les Tréteaux de Paris : L'Avant-Scène 33 tours, 1968;

— une « comédie lyrique », partition d'Olivier Bernard, créée en octobre 1967 au Théâtre-Maison de la culture de Caen.

La pièce a été présentée pour la première fois le 8 novembre 1946 au théâtre Antoine (direction Simone Berriau) en complément de spectacle pour MORTS SANS SÉPULTURE. La mise en scène est non signée, mais elle est due à Sartre lui-même, assisté de Michel Vitold. Décors d'André Masson.

Rôles principaux :

| | |
|---|---|
| LIZZIE | Héléna Bossis |
| LE NÈGRE | Habib Benglia |
| FRED | Yves Vincent |
| LE SÉNATEUR | Robert Moor |

Sartre écrivit la pièce en quelques jours pour compléter le spectacle prévu au théâtre Antoine. Le problème noir était d'actualité en 1946 à la suite de la politique raciste du sénateur Bilbo et d'une série de lynchages dans le sud des États-Unis; il n'allait pas tarder à être exploité littérairement (cf. *J'irai cracher sur vos tombes* de Vernon Sullivan). Sartre s'inspira d'un cas célèbre rapporté d'une façon partielle par Vladimir Pozner dans *Les États désunis* (Denoël, 1938; chapitre intitulé Le Viol, p. 97-109) : en 1931, à Scottsboro (Alabama), neuf Noirs furent accusés de viol sur la personne de deux prostituées, Victoria Price et Ruby Bates, et furent condamnés, sur leur témoignage, à la chaise électrique. L'affaire eut un retentissement international; elle fut compliquée par le fait que les deux prostituées, cédant aux différentes pressions exercées sur elles, changèrent plusieurs fois leur témoignage.

Avant guerre déjà, Sartre avait trouvé déplorable que le titre de la pièce de John Ford *'Tis a Pity She's a Whore* eût été traduit en français par « Dommage qu'elle soit une prostituée ». Le titre qu'il donna à sa pièce fut considéré par certains comme un outrage aux bonnes mœurs et suscita en particulier une interpellation au préfet de police de la part de M. Frédéric Dupont, conseiller municipal. Celui-ci, demandant l'interdiction de la pièce, déclara (cf. *Le Figaro*, 21 novembre 1946) : « Ce titre, déjà discutable, constitue une grossière diffamation à l'encontre de la grande démocratie américaine. » La direction du Métropolitain, qui avait permis l'affichage de titres tels que *Le Cocu magnifique* et *Une femme dans son lit*, exigea que le mot putain soit censuré et la pièce fit carrière sous le titre *La P... respectueuse*, donnant à ce dernier mot un sens qu'il était loin d'avoir jusqu'alors et faisant de Sartre un néologiste malgré lui.

Sartre prit beaucoup plus au sérieux le reproche d'antiaméricanisme qui lui avait été fait de plusieurs côtés et, notamment, par Thierry Maulnier dans *Spectateur* du 19 novembre 1946 :

« Cette pièce où, deux ans après la libération de Paris, des Américains nous sont montrés avec le visage de la férocité, de l'imposture et de l'hypocrisie les plus répugnantes, produit une gêne presque intolérable. S'il y avait eu un soldat des États-Unis dans la salle, je n'aurais pas osé le regarder. »

A un lecteur américain qui, dans le *New York Herald Tribune* du 13 novembre, l'avait accusé lui aussi d'être antiaméricain, Sartre répondit par le texte suivant :

46/91

*A letter from M. Sartre*, lettre datée du 18 novembre 1946. — *The New York Herald Tribune* [édition européenne], 20 November 1946, p. 2.

Extraits (notre traduction) :

*Je ne suis pas du tout antiaméricain et je ne comprends pas ce que « antiaméricain » veut dire.* [...] *Il est vrai que, si je n'avais montré que les aspects contestables de votre civilisation, on aurait pu dire que je suis contre elle. Mais ce n'est pas le cas. Je viens de consacrer aux États-Unis deux numéros entiers de ma revue* Les Temps modernes. [...]

*Le devoir d'un écrivain et sa mission spéciale envers le public est de dénoncer l'injustice partout où elle se trouve, et ceci d'autant plus lorsqu'il aime le pays qui laisse commettre cette injustice.*

Sartre reprit la même argumentation dans la préface qu'il rédigea à la version américaine de LA PUTAIN RESPECTUEUSE en 1948 (cf. 48/160).

Du côté progressiste, il y eut un autre genre de critiques que résume bien Simone de Beauvoir (*La Force des choses*, p. 129) : « Les communistes regrettaient que Sartre n'eût pas présenté au public, au lieu d'un Noir tremblant de peur et de respect, un vrai lutteur. "C'est que ma pièce reflète l'impossibilité actuelle de résoudre le problème noir aux États-Unis", répondit Sartre » (cf. 45/74).

LA PUTAIN RESPECTUEUSE, produite par la « Respectful Company », connut dans une traduction mutilée un assez gros succès aux U.S.A. et eut dans plusieurs villes et notamment à Chicago des démêlés avec la censure. Cette adaptation fut indirectement la source de graves désagréments financiers pour Sartre. Une clause du contrat, signé à la va-vite avec la « Respectful Company », spécifiait que celle-ci se réservait les droits d'une adaptation cinématographique; en 1951, Sartre, voulant obliger l'un de ses amis, Marcel Pagliero, l'autorisa à filmer une version française de la pièce. Arguant de son contrat, la « Respectful Company » intenta un procès à Sartre, réussit à bloquer ses droits aux États-Unis et le fit condamner à lui verser la somme de 25 000 dollars.

Notons ici que Sartre permit à Pagliero de donner une fin optimiste à son film (1952) et qu'en 1954, il accepta également que la version soviétique de sa pièce soit modifiée dans le même sens. Cette version fut présentée à Moscou sous le titre pudique de « Lizzie MacKay », l'héroïne de la pièce, et parut dans *Inostranaia Literatura* en 1955.

Dans l'interview donnée à *Libération* (16 juillet 1954), Sartre précise que les Soviétiques *utiliseront la fin du film et non la fin de la pièce : que la fille ait une lueur de conscience puis soit complètement dupée, c'est une idée qu'ils ne peuvent pas admettre. Je n'ai rien contre cette modification puisque j'ai écrit les deux versions.* Dans une interview ultérieure (*The Observer*, 25 June 1961), il donne la justification suivante : *J'ai connu trop de jeunes ouvriers qui avaient vu la pièce et avaient été découragés de la voir finir tristement. Et je me suis rendu compte que ceux qui sont vraiment poussés jusqu'à la limite, ceux qui s'accrochent à la vie comme ils peuvent, ceux-là ont besoin d'espoir.*

LA PUTAIN RESPECTUEUSE est, avec NEKRASSOV, l'une des deux œuvres dramatiques de Sartre à avoir été représentées publiquement en U.R.S.S. (cf. 67/note 3, p. 457).

La pièce fut également jouée à La Havane en février-mars 1960, lors du séjour de Sartre et de Simone de Beauvoir à Cuba. D'une façon générale, elle a obtenu un succès bien plus important que MORTS SANS SÉPULTURE.

Sartre reçut individuellement les représentants de la presse parisienne le 29 octobre 1946 pour leur parler de MORTS SANS SÉPULTURE et de LA PUTAIN RESPECTUEUSE. Nous avons pu relever les interviews suivantes, qui reprennent toutes plus ou moins les mêmes arguments.

46/92

« *Morts sans sépulture* n'est pas une pièce sur la Résistance. »

— *Combat*, 30 octobre 1946.

> *Ce qui m'intéresse, ce sont les situations-limites et les réactions de ceux qui s'y trouvent placés. J'ai pensé un moment situer ma pièce pendant la guerre d'Espagne. Elle pourrait aussi bien se passer en Chine.* [...]
>
> *J'ai voulu montrer en particulier cette espèce d'intimité qui finit par naître entre le bourreau et sa victime.*

46/93

« Jean-Paul Sartre va faire ses débuts de metteur en scène avec *La Putain respectueuse* », interview par Jacques Marcerou.

— *Libération*, 30 octobre 1946.

46/94

« "La torture pose le problème de la liberté humaine", nous dit Jean-Paul Sartre », interview par André Warnod.

— *Le Figaro*, 1er novembre 1946.

Sartre définit ici LA PUTAIN RESPECTUEUSE comme une « comédie-bouffe ».

46/95

« Les deux pièces de M. Jean-Paul Sartre », interview par H. K.

— *Le Monde*, 5 novembre 1946.

46/96

« Jean-Paul Sartre installe l'existentialisme chez Antoine », interview par Marc Blanquet.

— *Opéra*, 6 novembre 1946.

A propos de LA PUTAIN RESPECTUEUSE, Sartre dit : *J'y ai fait* [...] *de timides débuts, dont je m'excuse, dans la mise en scène.*

***

46/97

EXPLICATION DE « L'ÉTRANGER »

— Sceaux : Aux dépens du Palimugre, 1946.

Bien qu'en principe hors commerce, cette plaquette, imprimée en janvier 1946, a connu une large diffusion et semble avoir été à l'origine de la carrière d'éditeur de Jean-Jacques Pauvert.

Cf. notice 43/39.

46/98

RÉFLEXIONS SUR LA QUESTION JUIVE

*a*) Fragment *Portrait de l'antisémite* dans : *Les Temps modernes*, nº 3, décembre 1945, p. 442-470(cf. 45/86).

*b*) Édition en volume : Paul Morihien, [1946]. 198 pages. 120 exemplaires sur pur fil Lafuma et 3 000 sur alfa. Achevé d'imprimer : 20 novembre 1946.

*c*) Réédition : Gallimard, [1954]. 189 pages.
*d*) Gallimard, coll. « Idées », [1961].

L'un des plus célèbres de Sartre, cet essai est devenu un classique pour quiconque se préoccupe du problème juif et il a sans nul doute contribué à faire prendre de celui-ci une conscience plus claire (cf. aussi notice suivante et 47/132; sur Israël : 48/164, 49/185 et 65/457 à 67/463 et 68/501, 69/504). Sartre, aujourd'hui, estime cependant ce livre partiel en plusieurs points et il a déclaré dans une interview datant de 1966 (cf. 66/458) :

*Les insuffisances me sautent aux yeux. Je devais traiter le problème d'un double point de vue, historique et économique. Je m'en suis tenu à une description phénoménologique. Si je devais reprendre mon essai, aujourd'hui, je m'inspirerais d'une série d'ouvrages remarquables — comme l'*Histoire de l'antisémitisme *de Poliakoff — qui ont paru depuis et je tenterais de l'approfondir dans les deux directions que j'ai indiquées. Mais je ne crois pas que mes conclusions changeraient beaucoup. Le lien du Juif et de l'antisémitisme est toujours aussi virulent. Et je garderais ma distinction entre Juif authentique et Juif inauthentique. L'authenticité ne signifie pas nécessairement qu'on a opté pour Israël : un Juif est authentique quand il a pris conscience de sa condition de Juif et qu'il se sent solidaire de tous les autres Juifs.*

Voir aussi *La Force des choses*, p. 57, où Simone de Beauvoir écrit : « Les *Réflexions sur la question juive* assouplissent et enrichissent par un constant recours au social la méthode phénoménologique; les bases concrètes d'une histoire de l'antisémitisme leur font défaut. »

Les réactions juives à cet essai ont été, en général, assez partagées. Elles sont bien résumées par l'opinion suivante, exprimée par Arnold Mandel : « Les *Réflexions* sont à la fois la pire et la meilleure des choses. [...]. [La meilleure est le portrait de l'antisémite] tracé avec une admirable perspicacité [...]. [La pire est] le catégorique refus d'envisager la sphère pourtant réelle où le Judaïsme représente, pour les Juifs, plus et autre chose qu'un sobriquet du voisin, que l'on affiche par sentiment de défi. [...] La grande lacune de Sartre, en l'occurrence, c'est son manque presque total d'expérience d'une dimension juive organique et partant vraiment authentique » (*L'Arche*, février 1962, p. 48). L'accueil des milieux juifs traditionalistes a été beaucoup plus sévère (cf., par exemple, Josué Jéhouda, *L'Antisémitisme, miroir du monde*, Genève, 1958, p. 261-264).

Rappelons enfin le livre, dédié à Sartre, d'Albert Memmi, *Portrait d'un Juif* (Gallimard, 1962), qui, tout en étant proche des thèses sartriennes, constitue contre celles-ci une sorte de protestation du « fait juif ».

46/99

*Une lettre de Jean-Paul Sartre.*

— *Hillel* (Organe de l'Union mondiale des étudiants juifs), [Paris], n° 3, décembre 1946-janvier 1947, p. 29.

Concernant *Portrait de l'antisémite* et adressée à un collaborateur de la revue *Hillel* (il s'agit probablement de Robert Misrahi ou d'Albert Memmi), cette lettre non datée mais ayant apparemment été écrite en décembre 1945 est présentée ainsi par la revue : « Venant de l'extérieur, cette vision du problème juif pourrait utilement servir d'enseignement à certains de nos coreligionnaires. »

Nous reproduisons intégralement ci-dessous le passage publié :

... *Je viens de trouver votre lettre et je veux vous dire tout le plaisir qu'elle m'a fait : je suis* entièrement *d'accord avec vous sur le problème juif... au moment où votre lettre est arrivée ici, paraissait dans les « Temps modernes » une étude que j'avais intitulée « Portrait de l'antisémite ». Or, cette étude comportait une longue suite où je faisais le portrait du Juif inauthentique (comme l'ouvrier qui voudrait nier sa condition d'ouvrier en s'embourgeoisant au lieu de réclamer sa libération à titre* ouvrier, *c'est-à-dire de dépasser sa situation par une attitude révolutionnaire qui implique la reconnaissance de cette situation). Je terminais en montrant ce que pouvait réclamer le Juif authentique, c'est-à-dire ses pleins droits* comme Juif *et comme homme, au lieu de tenter de masquer ses caractères particuliers. Ces caractères pour moi ne sont ni ethniques, ni physiologiques, ni religieux. Mais simplement la situation du Juif est d'être l'homme que les autres hommes désignent comme Juif. Et c'est vraiment une situation, c'est-à-dire qu'il ne s'agit pas pour un Juif de déclarer que cette attitude est absurde ou criminelle (encore qu'elle le soit) mais de dépasser par la lutte la condition que les autres lui font, en reconnaissant pleinement cette condition. Je crois sincèrement que l'authenticité commence pour un Juif à partir du moment où il dit : Je suis juif, c'est-à-dire où il reprend à son compte dans une décision fière et résolue le caractère que les autres ont voulu lui conférer du dehors et qui finit par le pénétrer jusqu'aux moelles, comme le regard d'autrui. C'est en tant que Juif et non pas seulement en tant qu'homme (c'est-à-dire en tant que cette situation séculaire a développé chez vous une culture, une conception du monde et des vertus particulières) que vous devez revendiquer votre égalité absolue avec les non-Juifs. Il est toujours difficile, lorsqu'on n'est pas soi-même en danger, lorsqu'on n'a pas connu soi-même l'humiliation et l'angoisse des persécutions, de donner des conseils et de juger. Aussi lorsque mes amis juifs me demandèrent de supprimer les 50 pages où j'exprimais cet avis, je l'ai fait sans protester : c'était à eux, non à moi, de juger ce qui était pour eux le meilleur. (Je pense que la plupart d'entre eux hésitent entre l'assimilation et l'authenticité.) Mais je suis tout particulièrement heureux de trouver un Juif qui pense comme moi sur ce sujet et qui, lui, a le droit de dire ce qu'il pense...*

46/100

*Les mobiles de Calder.*

*a*) Texte daté 1946 et paru dans le catalogue : *Alexandre Calder : Mobiles Stabiles Constellations*. Galerie Louis-Carré, 10, avenue de Messine, Paris-VIIIe. P. 7-19.

Édité pour une exposition qui eut lieu du 25 octobre au 16 novembre 1946 et distribué par la librairie La Hune. Achevé d'imprimer : 22 octobre 1946.

Outre l'article de Sartre et la liste des œuvres exposées, le catalogue comprend un texte de James Johnson Sweeney.

*b*) Une traduction partielle a paru dans le périodique américain *Art News* (December 1947).

*c*) Repris sans variantes dans SITUATIONS, III.

Tentative de description et de définition, sous une forme presque poétique, de ces « êtres étranges, à mi-chemin entre la matière et la vie » que sont les mobiles.

Sartre avait rencontré Calder en Amérique; il assista au vernissage de son exposition à la galerie Louis-Carré (cf. *La Force des choses*, p. 133).

46/101

[Étude sur Baudelaire.]

*a*) Fragment sous le titre « Un Collège spirituel » : *Confluences*, no 1, janvier-février 1945, p. 9-18. Cf. 45/63.

*b*) « Fragment d'un portrait de Baudelaire » in *Les Temps modernes*, no 8, mai 1946, p. 1345-1377.

Ce fragment, dédié à Jean Genet, correspond aux pages 58-114 de l'édition Gallimard et ne comporte pas de variantes.

*c*) Publié comme introduction à : Baudelaire. *Écrits intimes* : Fusées, Mon cœur mis à nu, Carnet, Correspondance. Introduction par Jean-Paul Sartre. Éditions du Point du Jour, 1946. P. I-CLXV.

Achevé d'imprimer : 3 novembre 1946. Ce volume, le quatrième de la collection « Incidences », a été tiré à 2 040 exemplaires numérotés et 50 exemplaires hors commerce. Le choix de lettres a été fait par l'éditeur R. B. [René Bertelé] et Jean-Paul Sartre.

*d*) Introduction reprise en volume séparé sous le titre *Baudelaire :* Éditions du Point du Jour, 1946. 166 pages. Cette édition, rarissime, est un tiré à part du volume *c*); les pages y sont numérotées en chiffres arabes et non plus en chiffres romains.

*e*) Édition en volume : Gallimard, [1947]. Cf. 47/115.

*Note :* Nous n'avons pu retrouver trace de l'édition « D.A.C., Monaco » que mentionnent une ou deux bibliographies.

Cet essai sur Baudelaire, conçu d'abord comme une introduction à ses *Écrits intimes* — le fait est important à souligner — a été écrit en 1944, c'est-à-dire à une époque où, d'une part, Sartre tenait à insister sur la nécessité de l'engagement et sur la responsabilité morale de l'écrivain et où, d'autre part, selon Simone de Beauvoir (*La Force des choses*, p. 56), il était « encore loin d'avoir compris la fécondité de l'idée dialectique et du matérialisme marxiste ».

Essayant de reconstituer ce que fut l'expérience de Baudelaire, Sartre fait appel à la notion de *choix originel* et déclare en conclusion : *Le choix libre que l'homme fait de soi-même s'identifie absolument avec ce qu'on appelle sa destinée.* Pour lui, Baudelaire, *c'est l'homme qui a choisi de se voir comme s'il était autre ; sa vie n'est que l'histoire de cet échec.*

Baudelaire étant devenu une institution nationale et le symbole même de la poésie, l'essai a fait scandale et a été violemment attaqué de toutes parts. On a reproché surtout à Sartre — malgré les limites que lui-même avait tracées à son étude — de n'avoir parlé que de l'homme et d'avoir ignoré le « fait poétique ». On n'a pas manqué de contester par la suite la distinction morale établie entre Baudelaire et Genet. Bien que Sartre ait reconnu lui-même les insuffisances de sa méthode (il estime qu'il n'a pas assez expliqué Baudelaire à partir de son corps et des faits de son histoire), il n'en reste pas moins que son étude, avec les violentes réactions qu'elle a soulevées, a marqué une date dans la critique baudelairienne.

Malgré plusieurs ressemblances de surface, en particulier le remariage de la mère, il n'y a pas lieu, nous semble-t-il, d'établir un parallèle trop marqué entre le cas de l'enfant Baudelaire et celui de l'enfant Sartre. En revanche, le personnage de Philippe dans *Les Chemins de la liberté* paraît directement inspiré de Baudelaire tel que l'a décrit Sartre.

46/102

*La Liberté cartésienne*, introduction à un volume de morceaux choisis de Descartes.

*a*) Extrait dans *Labyrinthe*, nº 14, 15 novembre 1945, p. 7. Cf. 45/84.

*b*) Publié dans le volume : *Descartes 1596-1650*. Introduction et choix par J.-P. Sartre. Genève-Paris : Traits, éd. des Trois Collines, collection « Les Classiques de la Liberté », [1946]. P. 9-52.

Ce volume est le premier de la collection « Les Classiques de la Liberté » dirigée par Bernard Groethuysen. Achevé d'imprimer le 30 mai MCMIVL (1946 et non 1944, comme l'ont cru lire certains). Le texte correspond à celui de SITUATIONS, I à l'exception de quelques changements minimes de ponctuation et de la note finale qui a été ajoutée à la suite d'un article de Simone Pétrement, « La Liberté selon Descartes et selon Sartre », paru dans *Critique* (nº 7, décembre 1946, p. 612-620).

*c*) Repris dans SITUATIONS, I.

Dans une interview donnée en 1944 (cf. 44/58), Sartre affirmait que Descartes était le seul qui, en France, avait agi profondément sur son esprit. En termes clairs et précis, il définit ici ce qui fait, selon lui, l'originalité et les limites de Descartes : celui-ci a compris, bien avant Heidegger, que *l'unique fondement de l'être était la liberté* et que le libre arbitre était lié à la négativité mais il n'a pas pu *concevoir cette négativité comme productrice* et il a ainsi attribué à Dieu un rôle qui revient en propre à l'homme.

Plusieurs développements, en particulier ceux sur la responsabilité et l'engagement, permettent de mieux comprendre la position de Sartre en 1945. Notons la formule : *Être libre, ce n'est point pouvoir faire ce que l'on veut, mais c'est vouloir ce que l'on peut.*

46/103

[Conversation avec Roger Troisfontaines.]

— Fragments dans : Troisfontaines, Roger. *Le Choix de J.-P. Sartre*. Aubier-Montaigne. Deuxième édition, [1946]. P. 52-53, 85-87.

Cette conversation eut lieu à Bruxelles le 23 octobre 1945 et porta sur plusieurs des critiques formulées par le père Troisfontaines dans la première édition de son étude sur Sartre (même éditeur, 1945).

R. Troisfontaines avait écrit le passage suivant (p. 51-52) :

« Qu'est-ce qu'un moins de quarante ans qui fréquente le café? Voyez-le, échoué sur la banquette de moleskine, à une place quelconque. S'il vit habituellement dans cette salle commune, c'est parce qu'il n'a pas de « chez-soi », de foyer où s'épanouirait sa famille, où il recevrait ses intimes. Ceux qu'il nomme ses amis sont de vagues camarades, et l'amour, il « le fait avec » des femmes de rencontre. De politique, ah! il disserte beaucoup mais sans s'y engager vraiment sinon pour critiquer et comploter : service social, vie civique, métier, tout ce qui serait effectif, constructif vient mourir à la porte vitrée. Ne parlons pas de vie religieuse... Ni d'amour de la nature... Qu'en reste-t-il dans ce milieu frelaté où les produits terrestres eux-mêmes se consomment en petits verres dans un état de fermentation avancée?...

« L'homme au café », toutes amarres rompues, coupé de ses rapports organiques avec le monde, les autres hommes et Dieu, le fleuve de la vie l'a rejeté tout seul sur la berge. [...] »

Sartre objecte que R. Troisfontaines présente le café comme un mal en soi et précise (p. 52-53) :

*C'est vrai que j'y passe mes journées, et du matin au soir. Mais vous l'interprétez mal, car j'y suis bien plus* « *engagé* » *que chez moi. Dans ma chambre, j'ai envie de m'étendre sur mon lit. Au café, je travaille : c'est là que j'ai composé tous mes livres.* [...] *Ce qui m'attire au café? c'est un milieu d'indifférence où les autres existent sans se soucier de moi et sans que je m'occupe d'eux. Les consommateurs anonymes qui se disputent bruyamment à la table voisine me dérangent moins qu'une femme et des enfants qui marcheraient à pas de loup pour ne pas me gêner. Le poids d'une famille me serait insupportable. Tandis qu'au café les autres sont là, tout simplement. La porte s'ouvre, une jolie femme traverse la salle, s'assied : je la suis des yeux puis je reviens sans effort à ma feuille blanche : elle a passé comme un mouvement dans ma conscience, sans plus.*

Le second thème abordé dans la conversation est celui de l'existence de Dieu; Sartre déclare à ce propos (p. 86) :

*Le monde est évidemment absurde et tout pour nous s'achève à la mort. C'est parce qu'ils ont peur de cette existence gratuite, c'est pour s'assurer une récompense dans l'au-delà que les hommes ont inventé un Dieu. Mais pour nous qui regardons la vie en face, il n'y a pas à s'occuper de ces chimères. Vous vous trompez quand vous m'accusez d'être* contre *Dieu : comment serait-on contre ce qui n'est pas? Je suis* sans *Dieu et j'en suis fier.*

Troisfontaines voit naturellement dans cette attitude celle de Lucifer.

46/104

[Texte sur *Miracle de la rose* de Jean Genet.]

— Encart publicitaire pour la première édition de *Miracle de la rose* (Lyon : Barbezat). Édition limitée à 475 exemplaires et achevée d'imprimer le 30 mars 1946. Cote B. N. : Enfer 1479.

Ce texte semble être le premier que Sartre ait écrit sur Genet. Nous le reproduisons ci-dessous *in extenso* :

*« Puisque vous n'êtes pas homosexuel, comment pouvez-vous aimer mes livres? » demande Genet avec sa naïveté feinte. C'est parce que je ne suis pas homosexuel que je les aime : les pédérastes ont peur de cette œuvre violente et cérémonieuse où Genet, dans de longues, belles phrases parées, va jusqu'au bout de son « vice », en fait un instrument pour explorer le monde et, au terme de cette confession hautaine, une passion. Proust a montré la pédérastie comme un destin, Genet la revendique comme un choix. Tout est choix, dans le* Miracle de la rose, *les mots, les scènes et l'ordre surprenant du récit ; l'auteur a choisi le vol et la prison, il a choisi l'amour et la conscience dans le Mal. Il frôle, il s'exhibe et pourtant ne s'abandonne jamais ; son art tient les lecteurs à distance. Grâce à quoi, au fond de ce monde lointain, dans l'enfer des gâfes, des casseurs et du mitard, on trouve un homme.*

Dans son récent livre sur Genet, Philip Thody signale, d'autre part, qu'un encart publicitaire pour *Our Lady of the Flowers*, la traduction de *Notre-Dame des Fleurs* publiée à Paris en 1949 par Paul Morihien, comporte les lignes suivantes de Sartre (notre traduction) :

*La littérature française est principalement connue à l'étranger dans son aspect universel, rationaliste et humaniste. Mais il ne faudrait pas oublier qu'elle a été marquée depuis ses origines par des œuvres qui sont secrètes et noires — dans le sens de magie noire — et qui sont peut-être les plus belles. Depuis les poèmes de Villon jusqu'aux œuvres de Sade, de Rimbaud et de Lautréamont, elles témoignent de notre conscience coupable. Il n'est pas sûr que Jean Genet, le dernier de ces « magiciens », n'en soit pas aussi le plus grand.*

46/105

« A la recherche de l'existentialisme : M. Jean-Paul Sartre s'explique », interview par Jean Duché.

*a*) *Le Littéraire*, 13 avril 1946.

*b*) Reprise sous le titre « Assumer pleinement sa condition d'homme » dans : Duché, Jean. *Liberté européenne*. Flammarion, 1949, p. 133-140.

Jean Duché adopte un ton frivole et interroge Sartre sur sa prétendue complaisance à l'ordure. Sartre s'explique avec bonne grâce puis prend la défense de Mathieu : *Il y a en lui ce constant effort vers la lucidité, cet orgueil de tout remettre en question, d'assumer pleinement sa condition d'homme,* [...] *l'homme qui cherche est déjà moral.*

A propos du marxisme, Sartre déclare : *Je pense qu'il y a contradiction dans les termes entre matérialisme et dialectique*, mais il affirme partager la volonté des communistes de réaliser la liberté concrète. Il ajoute cependant : *Mais que signifierait la libération d'un homme déterminé? Si l'homme n'était pas libre, il ne vaudrait pas que l'on remue le petit doigt pour lui.*

Il annonce l'apparition d'un humanisme athée qui aura sa place à côté d'un humanisme chrétien ou d'une société communiste. Le dernier volume des *Chemins de la liberté* devrait aider à fonder une morale sur la lucidité, la liberté, la responsabilité (cf. 49/191 et 192).

46/106

*Manhattan : the great American desert.*

*a*) *Town and Country*, May 1946, p. 65 et suivantes.

*b*) Extraits dans : *Time*, 13 May 1946, p. 25-26.

*c*) Repris en volume : Klein, Alexander, ed. *Empire City*. New York, Rinehart, 1955. P. 451-457.

*d*) Retraduit en français sous le titre « Ville coloniale » dans : *Spectateur*, 2 juillet 1946.

Le texte est précédé de la note suivante : « [...] Voici un article qui a paru dans une revue américaine et dont je ne possède pas l'original en français. Faites-le traduire et je le retoucherai. » C'est cet article, retraduit, revisé par l'auteur, que nous publions. »

*e*) Version originale sous le titre *New-York, ville coloniale* dans SITUATIONS, III.

Dans ce texte prenant et mélancolique, Sartre définit ce qu'il appelle le « mal de New York ». On mettra sur le compte de la mélancolie le jugement rapide qu'il porte sur le jazz (p. 123 de SITUATIONS).

46/107

*Forgers of Myths: the young playwrights of France.*

*a*) *Theatre Arts*, [New York], vol. 30, nº 6, June 1946, p. 324-335. Repris dans :

*b*) *Theatre Arts Anthology*. Ed. by Rosamund Gilder. New York, Theatre Arts Books, 1951. P. 135-142.

*c*) Cole, Toby. *Playwrights on Playwriting*. New York, Hill and Wang, 1960. P. 117-124.

*d*) Gassner, J. and Allen, R. G., ed. *Theatre and Drama in the Making*. New York, Houghton, 1964. P. 806-813.

Article traduit en anglais par Rosamund Gilder et dont il n'existe pas de version française. On en trouvera cependant un résumé, avec de nombreuses citations, dans un article intitulé « Jean-Paul Sartre déclare la guerre à la psychologie et se fait l'apôtre du mythe » dans *La Voix de Paris*, 26 juin 1946, et un autre, plus bref, sous le titre « Sartre et le théâtre » dans *Juin*, 23 juillet 1946.

C'est dans cet article qu'on trouve sous leur forme la plus développée les idées de Sartre concernant ce qu'on a pu appeler le « théâtre existentialiste ». Sartre explique au public américain les intentions du théâtre français d'après guerre. La présentation à New York de l'*Antigone* d'Anouilh avait en effet provoqué dans la critique un certain nombre de malentendus que l'article s'efforce de dissiper. Sartre rejette l'idée d'un « retour à la tragédie » ou d'une « renaissance du théâtre philosophique » mais reconnaît que les nouveaux dramaturges sont *moins préoccupés d'innover que de retourner à une tradition*. Il analyse ensuite le sens de la rupture avec le « théâtre de caractères » et expose les buts du « théâtre de situations »; il justifie le refus de la psychologie; donne les raisons de sa préférence pour Corneille contre Racine; prône un théâtre « moral » au sens de « représentation de conflits de droits »; réfute l'affirmation selon laquelle les œuvres des nouveaux dramaturges seraient des pièces à thèses; explique qu'ils recourent aux mythes parce que ceux-ci rendent compte de la condition humaine dans sa totalité; évoque sa propre expérience avec BARIONA qui lui révéla la puissance du théâtre; justifie l'austérité de leurs pièces et le recours aux situations extrêmes; prône un théâtre qui conserve l'allure d'un rite et qui s'exprime dans un langage simple, sobre et concis. Les exemples qu'il cite sont *Antigone* d'Anouilh, *Le Malentendu* et *Caligula* de Camus, *Les Bouches inutiles* de Simone de Beauvoir ainsi que ses propres pièces.

46/108

*Matérialisme et révolution.*

*a*) *Les Temps modernes*, n° 9, juin 1946, p. 1537-1563; n° 10, juillet 1946, p. 1-32.

*b*) Repris dans SITUATIONS, III : les notes aux pages 135, 184, 193, 210 et 215 ont été ajoutées, celle de la page 206 est modifiée.

Il existe plusieurs traductions en volume séparé à l'étranger.

Annoncé dès le premier numéro des *Temps modernes* sous le titre « Matérialisme des révolutionnaires », cet article formule les objections fondamentales de Sartre au matérialisme dialectique — ou plutôt, comme une note ajoutée dans SITUATIONS, III, le précise, *à la scolastique marxiste de 1949. Ou, si l'on veut, à Marx* à travers *le néo-marxisme stalinien.* Écrit à un moment où Sartre, de l'aveu de Simone de Beauvoir, « était encore loin d'avoir compris la fécondité de l'idée dialectique et du matérialisme marxiste », l'article a d'évidentes faiblesses sur le plan de la pensée : « [Sartre] indiquait quelle place la révolution fait nécessairement et effectivement à l'idée de liberté. A ce moment-là sa pensée tournait court car sur la relation liberté-situation, il flottait, et davantage encore sur l'histoire. » La critique de l'idée de dialectique de la nature et du matérialisme en tant que *mythe révolutionnaire* ainsi que l'affirmation de la liberté comme structure constitutive de l'acte seront reprises, approfondies et développées, dépassées en plusieurs points et étayées au moyen d'arguments nouveaux et plus valables dans divers écrits des années cinquante, et trouveront leur expression la plus complète dans *Questions de méthode* et surtout CRITIQUE DE LA RAISON DIALECTIQUE.

Notons que si la polémique avec le marxisme orthodoxe est ferme dans le propos, elle est encore modérée dans le ton. Seul Roger Garaudy, qui avait très violemment attaqué Sartre l'année précédente (cf. « Un faux prophète : Jean-Paul Sartre », *Les Lettres françaises,* 28 décembre 1945), est pris à partie personnellement.

On trouvera dans le livre de Georges Lukács, *Existentialisme ou marxisme?* (Nagel, 1948, p. 141-160 et *passim*), une critique marxiste, faite sans bonne foi excessive, de cet article. Voir aussi : André Lentin, « Sartre, le marxisme et la science », *La Pensée,* n° 9, octobre-novembre-décembre 1946, p. 112-115.

46/109

« Alcune domande a Jean Paul Sartre e a Simone de Beauvoir », interview par Franco Fortini.

— *Il Politecnico*, [Milan], julio-agosto 1946, p. 33-35.

Cette interview, donnée au cours d'un voyage de Sartre en Italie, fait partie d'un ensemble intitulé « Esistenzialismo, l'uomo e la realta » qui comprend également un article de Simone de Beauvoir, « Idealismo morale e realismo politico. » *Il Politecnico*, dirigé par Elio Vittorini, avait déjà publié le manifeste de Sartre sur la littérature engagée (cf. 45/80) et Franco Fortini fit plus tard paraître dans le numéro spécial des *Temps modernes* sur l'Italie (nº 23-24, août-septembre 1947, p. 418-430) un texte intitulé « Biographie d'un jeune bourgeois intellectuel ».

L'interview, bien que courte, a plusieurs intérêts : Sartre analyse d'abord le sentiment religieux (*Dans le Christ, nous avons un Dieu qui se sacrifie pour que l'homme vive ; mais en réalité la passion de l'homme est de se sacrifier perpétuellement pour que Dieu existe. Sacrifice inutile et ruineux* [notre traduction]); il parle de la psychanalyse puis affirme qu'il croit à la nécessité d'une collaboration *latérale* avec les communistes sur le plan de l'action.

46/110

*American Novelists in French Eyes.*

— *Atlantic Monthly*, vol. 178, nº 2, August 1946, p. 114-118.

Traduction par Evelyn de Solis d'une conférence donnée à Yale University en 1946.

Sartre donne les raisons de l'engouement des jeunes romanciers français, tels que Camus, Simone de Beauvoir et lui-même, ainsi que Mouloudji et Jean Jeansion, pour des écrivains comme Faulkner, Hemingway, Dos Passos, Steinbeck et Caldwell, fréquemment tenus par le public lettré des États-Unis pour des auteurs de second rang. L'occupation a augmenté la fascination exercée sur les intellectuels français par la vie américaine, sa violence, sa prolifération, sa mobilité. Mais la raison principale de l'influence du roman américain tient à la révolution qu'il a apportée dans les techniques de narration. *Nous n'avons pas recherché par délectation morose des histoires de meurtre et de viol mais des leçons pour le renouvellement de l'art d'écrire. Nous étions écrasés, sans en être conscients, par le poids de nos traditions et de notre culture. Les romanciers américains, sans traditions et sans aide, ont forgé, avec une brutalité barbare, des instruments d'une valeur inestimable.* [...] *Nous avons utilisé de manière consciente et intellectuelle ce qui était le fruit du talent et d'une spontanéité inconsciente.* [...] *Bientôt vont paraître aux États-Unis les premiers romans français écrits sous l'occupation. Nous allons vous restituer ces techniques que vous nous avez prêtées. Nous vous les rendrons digérées, intellectualisées, moins efficaces et moins brutales — consciemment adaptées au goût français. A cause de cet échange incessant qui amène les nations à redécouvrir chez d'autres nations ce qu'elles ont inventé puis rejeté, vous allez peut-être redécouvrir dans ces livres étrangers la jeunesse éternelle de ce « vieux » Faulkner* [notre traduction].

46/111

*Présentation* [d'un numéro spécial sur les États-Unis].

*a*) *Les Temps modernes*, nº 11-12, août-septembre 1946, p. 193-198.

*b*) Repris sans variantes dans SITUATIONS, III.

On trouvera dans *The Nation* (18 October 1947, p. 402-403) un article intitulé « Americans and their myths », reprenant la majeure partie du texte de Sartre et donnant les réponses de plusieurs Américains à celui-ci.

Dans cette *Présentation*, Sartre fait rapidement le point sur les États-Unis et commente brièvement certains des articles publiés dans le numéro.

46/112

« Sartre dans Paris et dans le monde », article-interview de Pierre Berger.

— *Spectateur*, 1er octobre 1946.

Texte sans aucun intérêt. Sartre y donne quelques détails sur sa jeunesse.

46/113

*La guerre et la peur.*

— *Franchise* (Cahiers de la France retrouvée), n° 3, novembre-décembre 1946.

Numéro spécial « Le Temps des assassins » comprenant, entre autres, un article de Camus intitulé « Nous autres meurtriers ».

Premier des nombreux articles que Sartre écrit à cette époque pour dénoncer la croyance en une fatalité de la guerre. Nous le reproduisons intégralement ci-dessous :

*Cette guerre-ci sera la guerre de la peur. C'est dans la peur qu'elle se prépare. Les gens la laissent venir doucement, avec une sorte d'extase. Ils y croient comme à la chiromancie, comme au confesseur, comme à tout ce qui les dispense de forger leur destin ; ils aiment leur peur, elle les réconcilie avec eux-mêmes, elle suspend les facultés de l'âme comme l'éternuement ou la diarrhée ; et cette menace qui pèse sur leur tête, elle leur dérobe le ciel vide : c'est un toit. Cependant, les gouvernements terrorisés s'observent. Quand une nation, par affolement, fera un geste trop brusque, les autres, par affolement, lui sauteront à la gorge.*

*Alors commencera le massacre abstrait. Autrefois, on risquait sa vie contre celle des autres, on voyait de près l'ennemi mort, on pouvait toucher ses plaies : on tirera sans risque du plus loin, on mourra pour rien. Des techniciens, à Washington, dans le Texas, prépareront les charniers de Bakou, de Leningrad, sans les voir. Sans même les imaginer. Pas de héros, pas de martyrs : un cataclysme sur des bêtes affolées.*

*Je ne crois pas à la fin du monde et je ne sais même pas si je crois à cette guerre. Vingt ans, cinquante ans s'écouleront peut-être avant qu'elle ait lieu. Mais si, pendant tout ce temps, nous continuons à l'attendre, si pendant cinquante ans, il faut mariner dans la peur, si nous nous persuadons qu'il faut, pour entreprendre de vivre, attendre la fin du prochain conflit, alors nous aurons rendu la bombe atomique aux trois quarts inutile : il n'y aura plus d'hommes à tuer, ce sera déjà fait.*

46/114

*Écrire pour son époque.*

Ce fragment de *Qu'est-ce que la littérature?* qui n'a jamais été repris en volume, a connu une large diffusion.

*a*) Paru sous le titre « Der Schriftsteller und seine

Zeit » dans *Die Umschau*, n° 1, September 1946, p. 14-21.

*b*) En version française dans : *Erasme*, [La Haye], n° 11-12, 1946, p. 454-460.

*c*) En version française dans : *Valeurs*, [Alexandrie], n° 7-8, octobre 1946-janvier 1947, p. 105-112.

Numéro paru en janvier 1947.

*d*) En version italienne, « Srivere per il proprio tempo », dans : *Nuova Antologia*, gennaio 1947, p. 51-56.

*e*) En version anglaise, « We write for our own time », dans :

— *The New Adam*, [Londres], January 1947.

— *Virginia Quarterly Review*, vol. 23, n° 2, Spring 1947.

*f*) Repris dans : *Les Temps modernes*, n° 33, juin 1948, p. 2113-2121.

APPENDICE

Cet excellent texte semble répondre aux critiques suscitées par l'article *Présentation* des *Temps modernes* et a les allures d'un manifeste; c'est sans doute pour cette raison qu'il n'a pu trouver place dans la version finale de *Qu'est-ce que la littérature?*

46/NOTE 1.

Sartre a donné à Lausanne, le 1er juin 1946, une conférence intitulée « Qu'est-ce que l'existentialisme? » (compte rendu dans *La Gazette de Lausanne*, 3 juin 1946). C'est à la suite de cette conférence qu'André Gorz fit la connaissance de « Morel » -Sartre (cf. *Le Traître*, Seuil, 1958, p. 245-248). Le portrait que fait Gorz de Sartre à cette occasion est l'un des plus vivants que nous ayons de lui.

46/NOTE 2.

Article annoncé mais non paru : « Bilan provisoire » (*Les Temps modernes*, n° 10, 1er juillet 1946); réduit à « Bilan » (*Les Temps modernes*, n° 15, décembre 1946).

# 1947

## 47/115

### BAUDELAIRE

*a*) Édition courante : Sartre, J.-P. *Baudelaire*. Précédé d'une note de Michel Leiris. Gallimard, coll. « Les Essais », nº XXIV, [1947], 224 pages.

Le volume est dédié à Jean Genet. L'édition originale comprend 30 exemplaires sur vélin pur fil et 1 040 exemplaires sur alfa.

*b*) Réédition : Gallimard, coll. « Idées N.R.F. », nº 31, [1963]. 245 pages. Volume identique au précédent quant à son contenu.

*Note* : Les pages 25-33 de l'édition *a*) ont été reprises comme introduction dans le volume :

Baudelaire, Charles. *Les Fleurs du mal*. Présenté par J.-P. Sartre. « Le Livre de Poche », nº 677, [1961]. P. 5-9.

Cf. notice 46/101.

## 47/116

### THÉÂTRE : LES MOUCHES, HUIS CLOS, MORTS SANS SÉPULTURE, LA PUTAIN RESPECTUEUSE

— Gallimard, [1947]. 301 pages. Les réimpressions ont 317 p.

— Gallimard, coll. « Soleil » [1960].

Dans la liste des œuvres de Sartre, ce volume est présenté comme « Théâtre, I ».

Le texte de MORTS SANS SÉPULTURE présente d'importantes variantes par rapport à celui de l'édition Marguerat (cf. 46/89).

47/117

SITUATIONS, I

— Gallimard, [1947].

Achevé d'imprimer : 20 octobre 1947.

Ce volume, prévu dès 1945, devait d'abord s'intituler « Significations ». Il comprend seize essais critiques disposés dans l'ordre chronologique de leur publication :

— *Sartoris* par W. Faulkner cf. 38/15
— A propos de John Dos Passos et de *1919* 38/17
— *La Conspiration* par Paul Nizan 38/19
— Une idée fondamentale de la phénoménologie de Husserl : l'intentionnalité 39/23
— M. François Mauriac et la liberté 39/24
— Vladimir Nabokov : *La Méprise* 39/25
— Denis de Rougemont : *L'Amour et l'Occident* 39/25
— A propos de *Le Bruit et la fureur :* la temporalité chez Faulkner 39/26
— M. Jean Giraudoux et la philosophie d'Aristote : A propos de *Choix des élues* 40/30
— Explication de *L'Étranger* 43/39
— *Aminadab* ou du fantastique considéré comme un langage [sur Maurice Blanchot] 43/41
— Un nouveau mystique [sur Georges Bataille] 43/42
— Aller et retour [sur Brice Parain] 44/44
— L'homme et les choses [sur Francis Ponge] 44/50
— L'homme ligoté. Notes sur le *Journal* de Jules Renard 45/75
— La liberté cartésienne 45/84

Aucun de ces textes ne comporte de variantes majeures.

47/118

LES JEUX SONT FAITS, scénario de film.

*a*) Éditions Nagel, [1947]. 198 pages.

Achevé d'imprimer : septembre 1947. 500 exemplaires sur vélin pur fil. On trouvera en fin de volume une fiche technique complète du film.

*b*) Édition scolaire américaine, présentée et annotée par Mary E. Storer. New York : Appleton-Century-Crofts,

[1952]. L'introduction et les notes de Mary E. Storer apparaissent aujourd'hui comme bien insuffisantes.

*c*) Édition scolaire danoise, illustrée par Lars Bo.

Copenhague : Gyldendal, [1964].

*d*) Édition scolaire suédoise, présentée et annotée par Clara Westman Ostrogorsky et Eugène Pierre Davoust.

Stockholm : Bonnier, [1966].

Ces trois éditions avec texte en français.

*e*) Le script du film réalisé par Jean Delannoy (194 pages, 518 plans) comporte de légères variantes par rapport à l'édition *a*). Inédit.

L'adaptation est de Jean Delannoy et de J.-L. Bost.

Selon Simone de Beauvoir, ce scénario est le premier que Sartre ait présenté à la maison Pathé, vers la fin de l'année 1943. Il reprend des éléments de la nouvelle *La Chambre* (nom des personnages, thème de la séquestration, etc.) et pose, sous un jour plus poétique et moins réaliste, les mêmes problèmes d'interprétation que HUIS CLOS, pièce écrite approximativement à la même époque.

Le texte de Sartre a été repris fidèlement mais sans génie dans l'adaptation cinématographique de Jean Delannoy (cf. *Appendice Cinéma*). A l'occasion d'une projection du film, en septembre 1947, lors d'un congrès de filmologues qui se tenait à la Sorbonne, Sartre a fait une communication sur le langage cinématographique (cf. *Samedi-Soir*, 27 septembre 1947, et *Le Figaro*, 28 septembre 1947).

47/119

« *Les Jeux sont faits*? Tout le contraire d'une pièce existentialiste, nous dit Jean-Paul Sartre », interview par Paul Carrière.

— *Le Figaro*, 29 avril 1947.

Extraits : *Mon premier film*, Les Jeux sont faits, *ne sera pas existentialiste.* [...] *Tout au contraire l'existentialisme n'admet point que les jeux soient jamais faits. Même après la mort, nos actes nous poursuivent. Nous nous survivons en eux, dussent-ils se développer souvent à contre-courant, dans des directions que nous n'avons pas voulues.* [...]

*Mon scénario baigne dans le déterminisme, parce que j'ai pensé qu'il m'était, moi aussi, permis de jouer.* [...]

47/120

L'HOMME ET LES CHOSES

— Seghers, [1947]. 76 pages.

Achevé d'imprimer : janvier 1947. Cette édition est constituée par : 100 exemplaires sur vélin Johannot; 880 exemplaires sur alfa Marais numérotés; 100 exemplaires marqués H.C.

Cf. notice 44/50.

47/121

*La responsabilité de l'écrivain.*

*a*) *Les Conférences de l'U.N.E.S.C.O.* Fontaine, [1947]. P. 57-73.

*b*) Traduction anglaise : *Reflections of our Age.* London : Allen Wingate, 1948; New York : Columbia University Press, 1949.

Texte d'une conférence donnée en Sorbonne le 1er novembre 1946 pour marquer la création de l'UNESCO. (cf. comptes rendus dans *Franc-Tireur* et *Combat* du 2 novembre, ainsi que dans *Travaux et Documents*, nº 5-6, mai-juin 1947, p. 37-40). On lira dans *La Force des choses* (p. 124-125) les circonstances assez pittoresques dans lesquelles Sartre a préparé son exposé. Celui-ci résume, en une formulation directe et efficace, la plupart des thèmes qui feront plus tard l'objet de *Qu'est-ce que la littérature?* : responsabilité de l'écrivain, différence entre la prose et la poésie, la littérature comme « affirmation perpétuelle de la liberté humaine », situation de l'écrivain dans l'histoire, fonction de l'écrivain bourgeois actuel, etc.

Vers la fin de sa conférence, Sartre pose le problème de la violence :

[...] *Un écrivain ne doit pas condamner la violence* a priori, *il doit la condamner dans son cadre en la regardant comme moyen, et surtout il faut qu'il comprenne qu'il y a un effort à faire non pas pour condamner en général et abstraitement la violence, mais pour essayer d'établir en chaque cas le minimum de violence nécessaire. Car on ne peut rien faire aujourd'hui sans violence, parce que tout est violence. La question n'est donc pas de condamner toute la violence, mais seulement de condamner la violence inutile* (p. 71).

Et il définit comme suit la responsabilité de l'écrivain :

— *Il s'agit de faire une théorie positive de la liberté et de la libération.*

— *Il s'agit de se placer en tout cas pour condamner la violence du point de vue des hommes des classes opprimées.*

— *Il s'agit enfin de déterminer un rapport vrai des fins et des moyens.*

— *Il s'agit de refuser tout de suite, en son nom — ce qui n'empêche rien, bien entendu — à un quelconque moyen de violence de réaliser ou de maintenir un ordre.*

— *Il s'agit, au fond, de réfléchir sans trêve, toujours, sans cesse, au problème de la fin et des moyens, ou encore au problème du rapport de l'éthique et de la politique* (p. 72).

La conclusion nous permet de reconnaître à la fois le Sartre des MOUCHES et celui qui, à partir de 1946, s'élèvera constamment contre la guerre :

*Ce qu'il faut éviter simplement pour nous, écrivains, c'est que notre responsabilité se transforme en culpabilité si, dans cinquante ans, on pouvait dire : ils ont vu venir la plus grande catastrophe mondiale et ils se sont tus* (p. 72).

47/122

*Lettre-préface* à *Le Problème moral et la pensée de Sartre* de Francis Jeanson.

*a*) Éditions du Myrte, coll. « Pensées et Civilisations », [1947]. P. 13-14.

*b*) Réédition : *Le Problème moral et la pensée de Sartre.* Suivi de *Un quidam nommé Sartre (1965).* Éditions du Seuil, [1965]. P. 11-12.

Dans cette lettre-préface extrêmement élogieuse, Sartre écrivait à Jeanson : *S'il fallait démontrer l'excellence de votre méthode ainsi que votre rigoureuse honnêteté, je donnerais cette preuve-ci : vous avez si parfaitement épousé le développement de ma pensée que vous en êtes venu à dépasser la position que j'avais prise dans mes livres au moment que je la dépassais moi-même et à vous poser, à propos des relations de la morale et de l'histoire, de l'universel et de la transcendance concrète, les questions que je me posais moi-même, dans le même temps.* Cette recommandation a contribué à établir aux yeux du public la réputation de Jeanson en tant que commentateur le plus fidèle de la pensée de Sartre. Rappelons que Jeanson n'avait que vingt-cinq ans au moment où il écrivit ce livre qui a pu être tenu longtemps pour la meilleure étude philosophique consacrée au Sartre de L'ÊTRE ET LE NÉANT et des œuvres qui en dépendent directement. La profonde compréhension que possède Jeanson de ce stade fondamental de la pensée sartrienne se manifeste encore dans la pertinente exégèse du théâtre de Sartre à laquelle il s'est livré dans son *Sartre par lui-même* (Seuil, 1955). Malgré l'importance peut-être excessive que ce dernier livre accorde au thème de la « bâtardise », il est souvent considéré comme la meilleure introduction à l'œuvre de Sartre. En revanche, Jeanson ne semble guère avoir suivi de manière aussi précise l'évolution de la pensée sartrienne telle qu'elle apparaît à travers *Questions de méthode* et CRITIQUE DE LA RAISON DIALECTIQUE, si bien qu'on préférera à ses écrits récents sur Sartre ceux de Colette Audry ou d'André Gorz.

(En ce qui concerne les rapports de Sartre et de Jeanson, cf. aussi 59/329 et 68/484.)

47/123

*Sculptures à n dimensions*, introduction à une exposition de David Hare.

*a*) *Exposition David Hare : Catalogue*. Galerie Maeght. « Éditions Pierre à feu », 13, rue de Téhéran, Paris-VIII[e], [1947]. Quatre pages in-f[o].

*b*) Extraits sous le même titre dans : *Arts*, 12 décembre 1947.

*c*) Traduction intégrale intitulée « N-Dimensional Sculpture » : *Women :* a collaboration of artists and writers. New York : S. M. Kootz, [1948].

APPENDICE

David Hare avait pendant la guerre publié à New York une revue sous le patronage d'André Breton, *VVV*. Pendant son séjour en France, il fut un membre actif du groupe surréaliste et publia plusieurs textes dans *Les Temps modernes*. Sartre, qui avait fait sa connaissance par l'intermédiaire de Jacqueline Breton, accepta par amitié pour lui de préfacer son exposition. Celle-ci eut lieu en décembre 1947-janvier 1948.

David Hare vit actuellement à New York; c'est grâce à lui que nous sommes en mesure de reproduire dans sa totalité un texte resté jusqu'à présent pratiquement inaccessible.

47/124

« “ Vous nous embêtez avec Faulkner le vieux ”, disent les Américains », interview par Jean Desternes.

— *Combat*, 3 janvier 1947.

Sartre inaugure ici une enquête sur un sujet à la mode à l'époque, l'influence du roman américain; on trouvera dans *Combat* du 17 janvier la réponse de Camus et dans *Combat* du 26-27 janvier, celle de François Mauriac.

Sartre n'ajoute rien de neuf ou de marquant à ce qu'il a dit ailleurs.

47/125

*Qu'est-ce que la littérature?*

*a*) *Les Temps modernes*, nº 17, février 1947, p. 769-805; nº 18, mars 1947, p. 961-988; nº 19, avril 1947, p. 1194-1218; nº 20, mai 1947, p. 1410-1429; nº 21, juin 1947, p. 1607-1641; nº 22, juillet 1947, p. 77-114.

Première version, à peu près complète, du texte publié dans SITUATIONS, II. La version définitive présente d'importantes variantes : un certain nombre de notes ont été ajoutées (en particulier les notes 2 et 4, p. 85-88; la note 3, p. 115; les notes 5 à 11, p. 198-201; la note 6, p. 316-326) ainsi qu'un passage de 26 lignes aux pages 265-266; un autre passage (p. 177-185) a été transféré du chapitre « Situation de l'écrivain en 1947 »; une phrase a été omise à la page 315, 11e ligne : « Puisque nous sommes écrivains, c'est notre devoir d'aider à faire l'Europe *par nos écrits* », etc.

Plusieurs erreurs n'ont pas été corrigées, en particulier celle à la page 68 où Sartre accole le 2e et le 14e vers du poème « Brise marine » de Mallarmé :

*Fuir, là-bas fuir, je sens que des oiseaux sont ivres,*
*Mais ô mon cœur entends le chant des matelots.*

et ajoute : « *Ce “mais”, qui se dresse comme un monolithe à l'orée de la phrase, ne relie pas le dernier vers au précédent.* » Précisons que cette erreur de citation ne change rien, en définitive, à l'argumentation de Sartre.

*b*) Version définitive dans SITUATIONS, II. Cf. 48/155.

*c*) Édité en volume séparé : Gallimard, coll. « Idées », nº 58, [1964].

Pour mieux être compris, ce manifeste de la littérature engagée doit être replacé dans l'atmosphère des années 1945-1948 et dans un contexte de polémique.

Dans sa *Présentation* des *Temps modernes* et son article *La Nationalisation de la littérature*, Sartre avait posé un certain nombre d'affirmations qu'il n'avait pas eu le loisir d'étayer et qui furent souvent violemment attaquées. S'attaquant ici à la conception traditionnelle de la littérature, il entreprend à la fois de répondre aux critiques qui lui ont été faites et de montrer comment l'art est effectivement *la reprise en charge du monde par une liberté*. Pour cela, il ne s'applique pas à définir une quelconque essence de la littérature ou à mettre au jour le « fait littéraire », il tente au contraire, en répondant aux questions : Qu'est-ce qu'écrire ? Pourquoi écrit-on ? Pour qui écrit-on ? et en analysant la situation de l'écrivain en 1947, de jeter les bases théoriques et pratiques d'une littérature engagée.

Malgré d'assez nombreuses approximations dans la partie historique et quelques erreurs de détail, malgré la rigidité apparente de certaines prises de position, *Qu'est-ce que la littérature?* reste un des ouvrages les plus stimulants à lire et a été reconnu depuis longtemps déjà comme un classique de la critique. Les questions posées par Sartre étaient d'actualité en 1947; bien que la conjoncture historique ait considérablement changé, elles le sont tout autant aujourd'hui.

Sur le plan théorique, la plupart des difficultés d'interprétation résultent du fait que Sartre emploie volontairement les termes *liberté* et *engagement* dans un sens à la fois philosophique et politique (ou moralisant) et qu'il ne prend pas toujours soin de distinguer, comme il le fera plus tard à propos de Flaubert, entre l'engagement politique et « l'engagement littéraire » (l'expression se trouve dans CRITIQUE DE LA RAISON DIALECTIQUE, p. 72). Soucieux de restaurer à la notion d'engagement une plus grande complexité, Sartre a d'ailleurs *constamment* apporté des correctifs à certaines des idées qu'il avait formulées dans *Qu'est-ce que la littérature?;* il n'est jamais revenu cependant sur ses positions de base.

47/126

*Le Processus historique.*

— *La Gazette de Lausanne*, 8 février 1947.

APPENDICE

Dans un article de la *Pravda* (24 janvier 1947) intitulé

« Les Smertchiakine en France » et que *Les Temps modernes* (nº 20, mai 1947, p. 1531-1536) reproduisirent par ironie, un critique soviétique du nom de D. Zaslavski s'était livré à une violente attaque contre les « concoctions nauséabondes et putrides que la réclame bourgeoise essaie de faire passer pour le dernier cri et l'expression la plus originale de la mode philosophique. » On aura reconnu l'existentialisme de Sartre. D. Zaslavski en fournit encore cette forte définition : « L'existentialisme, du français : existence, enseigne que tout processus historique est absurde et fortuit, toute morale mensongère. C'est la doctrine du vide spirituel. Pour elle, il n'y a, il ne peut y avoir ni lois, ni normes. Il n'y a pas d'Histoire, mais une « historification ». Il n'y a pas de morale, mais un « style de vie ». Il n'y a ni peuples, ni société, mais uniquement l'intérêt et le profit personnel, en vertu du principe : *Carpe diem.* »

Sartre répond à ces attaques dans un article que nous citons d'après *La Gazette de Lausanne* mais qui a sans doute paru auparavant dans une publication française.

47/127

*Les Faux Nez*, scénario.

— *La Revue du Cinéma*, nouvelle série, nº 6, printemps 1947, p. 3-27.

Le prince héritier du misérable royaume de Moravie est affligé d'un nez énorme. Pour éviter que cette difformité ne suscite chez lui un sentiment d'infériorité qui le rende inapte à l'exercice du pouvoir, les souverains se sont affublés de faux nez et ont exigé de tous leurs sujets qu'ils ne paraissent jamais à la Cour sans en porter eux aussi. Jusqu'ici le stratagème a réussi. Mais le mariage du prince va créer des difficultés. Les caisses du royaume sont en effet désespérément vides et seul un mariage avec la fille cadette du Roi de Caucasie peut les remplir. On oblige donc cette ravissante personne à se défigurer par un faux nez. Or le jeune prince manifeste à l'égard des femmes une vive répugnance, qui se localise inexplicablement à leur visage, et la princesse n'éprouve que dégoût pour l'apparence disgraciée de son futur époux; tous deux sont ainsi décidés à faire échouer, sans qu'il y paraisse de leur faute, le mariage auquel ils sont contraints. Contre ce mariage se liguent aussi des conjurés menés par le frère du Roi, qui convoite le pouvoir et la princesse. Ils ont résolu de révéler la vérité le jour du mariage. La veille de celui-ci, le prince surprend sa fiancée sans son faux nez et, à la stupéfaction de la jeune femme, il ôte le sien, dévoilant un visage parfaitement normal et même séduisant. Il se croit infirme et souffre en silence depuis sa tendre enfance de cette absence de nez qui le rend différent des autres. Découvrant une infirme pareille à lui, il s'en éprend aussitôt. La princesse, séduite, ne le détrompe pas car elle rêve depuis toujours d'un époux qui n'aurait d'yeux que pour elle. Ils continueront donc de porter leurs masques devant les autres et, quand ils seront seuls, s'aimeront à visage découvert. Mais à l'instant précis où le contrat de mariage va être signé, les conspirateurs retirent leurs nez : va-t-on accepter que le royaume soit gouverné par un monstre ? Le prince, sans se démonter, enlève à son tour son faux nez. La stupéfaction est générale. La nourrice avoue alors : *Le vrai prince héritier est mort à dix mois. Feu la Reine qui ne pouvait plus avoir d'enfants, craignant que le trône ne passât à la branche cadette, a fait mettre en cachette un autre enfant dans le berceau ; et pour qu'il ressemblât au petit mort, elle lui fit mettre un faux nez. De peur qu'il ne se trahît, on l'éleva dans la croyance qu'il était un monstre et qu'il devait cacher à tous les yeux son infirmité. La Reine mourut cinq ans plus tard en faisant jurer à la nourrice de ne dire la vérité à personne, même pas au Roi. De sorte que la Cour continuait à porter des faux nez pour que le Prince ne s'aperçût pas de son infirmité supposée, tandis que le Prince en portait un pour cacher une prétendue infirmité à la Cour.* Tout finit bien : le Roi adopte le prince et la dot de la princesse renflouera le royaume.

Telle est, très résumée, l'ingénieuse intrigue de cette comédie purement divertissante dans laquelle n'apparaît aucun des thèmes sartriens — encore qu'on ne puisse sans doute pas interdire aux amateurs de significations sérieuses d'interpréter les faux nez comme le signe visible de la « mauvaise foi » et de l'esprit de sérieux. Ce scénario représente simplement un moment inhabituel et, semble-t-il, unique de pure fantaisie dans l'œuvre de Sartre et, à ce titre, il n'a vraisemblablement pas manqué de surprendre ceux qui, à l'époque, voyaient en lui un auteur chagrinant, à l'inspiration exclusivement grave et sombre.

Étant donné la malchance qu'a toujours eue Sartre avec le cinéma, il ne faut probablement pas regretter que ce scénario n'ait jamais été tourné. Il a en revanche fait l'objet, en 1948, à Lausanne, d'une adaptation théâtrale par une troupe d'amateurs suisses, animée par Charles Apothéloz et Freddy Buache, qui présenta la pièce à Paris, les 22 et 23 juin 1949, au théâtre de l'Atelier dans le cadre du Concours des jeunes compagnies. La troupe, devenue professionnelle mais aujourd'hui disparue, prit le nom de Compagnie des Eaux-Nez et le théâtre qui l'abrita à Lausanne porte encore ce nom.

Le programme de la création à Lausanne par la troupe des Bellettriens comporte un fragment de *Visages*, le texte intégral de *Portraits officiels* ainsi qu'un court texte anonyme, mais qui est d'André Gorz. Il est intitulé « Tirez votre propre oreille (Nehmt Euch selbst an der Nase) » et décèle avec perspicacité dans *Les Faux Nez* une idée proche de ce que Sartre appellera plus tard la « sérialité ».

47/128

*Le cas Nizan.*

— *Les Temps modernes*, nº 22, juillet 1947, p. 181-184.

Cet article comprend une protestation contre les attaques portées à la mémoire de Paul Nizan, signée par Sartre et d'autres (parue à l'origine dans *Combat* du 4 avril 1947) ainsi qu'une lettre de Sartre au C.N.E.

La protestation mentionnée ci-dessus mettait en demeure les communistes (en particulier Henri Lefebvre) de faire la preuve de leurs allégations contre Nizan. Elle révélait notamment qu'Aragon avait déclaré à l'un des signataires que Nizan « fournissait des renseignements sur l'activité du parti communiste au ministère de l'Intérieur ». Sans prendre position sur le fond, le Comité directeur du C.N.E. s'insurgeait contre « cette sorte de mise en cause personnelle » de l'un de ses membres. Dans sa réponse au C.N.E., Sartre affirmait que c'était à lui qu'Aragon avait fait la déclaration incriminée et demandait si ce dernier le niait : *En ce cas, c'est sa parole contre la mienne. Qu'il le dise et chacun jugera.* Les signataires de la protestation publièrent enfin un communiqué prenant acte du silence des calomniateurs de Nizan. Il faut noter que la vigoureuse réaction de ses défenseurs a fait justice des accusations communistes et que plus personne ne semble soutenir aujourd'hui que Nizan ait été un indicateur de la police.

Sur Nizan, cf. aussi 38/19, 60/333.

47/129

*Déclaration* [à propos de la décision prise par le Conseil municipal de Paris de retirer son théâtre à Charles Dullin].

— *Combat*, 24 mai 1947.

Texte paru dans une série de protestations intitulée « Paris chasse Dullin ».

*Je connais Dullin depuis vingt ans. Je n'ai jamais cessé d'admirer son talent, son intelligence, sa probité et son courage. C'est par lui que je suis venu au théâtre. C'est lui qui m'a conseillé à mes débuts, lui qui a monté ma première pièce,* Les Mouches, *ouvrage imparfait et très violemment attaqué, qui fut un insuccès financier, malgré une magnifique mise en scène. Dullin a soutenu la pièce près d'un an contre les critiques, contre le Conseil municipal, contre les Allemands. Il n'a rien retiré de son effort que des dettes et de la boue.*

*Nombre d'autres auteurs pourraient en dire autant. Presque tous les écrivains dramatiques d'aujourd'hui ont été découverts par lui. Pour les lancer, il s'est ruiné dix fois. Pour les consoler d'un échec provisoire, il lui est arrivé de leur demander leur deuxième pièce, quand la première venait de tomber. Nous lui devons* Jules César, Le Médecin de son honneur, *les pièces de Pirandello,* Le Roi Lear. *Nous lui devons surtout un style de théâtre que les jeunes metteurs en scène s'efforcent en vain d'imiter.*

*Cette mise à la retraite est bien plus qu'une injustice, bien plus qu'une ingratitude. C'est une maladresse. Avant de renvoyer un homme en pleine activité et en pleine possession de son talent, il eût fallu s'assurer peut-être qu'il y avait quelqu'un qui pût le faire oublier. Faute de quoi, on a simplement appauvri le théâtre français.*

47/130

*A propos de la représentation des* Mouches *en Allemagne.*

*a*) *Verger* [Revue du spectacle et des lettres pour la Zone française d'Occupation, Baden-Baden/Paris], 1re année, n° 2, juin 1947, p. 12-13.

*b*) Texte en allemand, « Der Dichter über sein Werk », *Quelle*, Heft 2, 1947, p. 131.

Courte notice écrite pour accompagner les représentations des MOUCHES données en Allemagne par la Compagnie des Dix, dirigée par Claude Martin. Sartre revient sur les circonstances dans lesquelles il a composé sa pièce :

*L'avenir — bien qu'une armée ennemie occupât la France — était neuf. Nous avions prise sur lui, nous étions libres d'en faire un avenir de vaincus ou — au contraire — d'hommes libres qui se refusent à croire qu'une défaite marque la fin de tout ce qui donne envie de vivre une vie d'homme.*

*Aujourd'hui, pour les Allemands, le problème est le même. Pour les Allemands aussi je crois que le remords est stérile.* [...]

Ce texte est suivi par un article d'Alexandre Astruc : « Sartre, le théâtre et la liberté ».

Cf. 43/35 et 48/ 161.

47/131

*Nick's Bar, New York City.*

*a*) *America* (Cahiers France-Amérique-Latinité), nº 5 (spécial « Jazz 47 »), Intercontinentale du Livre, p. 11-13. Date de dépôt légal : 25 juin 1947. « Jazz 47 » comprend des textes de Sartre, Jean Cocteau, Boris Vian, Hugues Panassié, etc., et des illustrations de Fernand Léger, Dubuffet et Labisse.

*b*) Traduit avec des variantes par Ralph de Toledano sous le titre « I Discovered Jazz in America » : *Saturday Review of Literature*, vol. 30, 29 November 1947, p. 48-49. Même traduction reprise en volume : *Saturday Review Treasury*. New York : Simon and Schuster, 1957. P. 315-317.

*c*) Version *a*) reprise avec variantes sous le titre « Au Nick's Bar à New York » : *Caliban*, nº 18, 15 juillet-15 août 1948, p. 13-15.

APPENDICE

Cet article est surtout connu pour sa première phrase : *La musique de jazz, c'est comme les bananes, ça se consomme sur place* [notons que, dans SITUATIONS, II (p. 122), Sartre applique la même comparaison aux ouvrages de l'esprit].

La description que donne Sartre du Nick's Bar n'est pas sans rappeler certains passages de LA NAUSÉE : on y retrouve le même mélange d'humour, de satire et d' « existence », le même sentiment de gratuité et de nécessité, etc. L'ensemble a une certaine force mais frise à plusieurs reprises le lieu commun.

L'intérêt de Sartre pour le jazz date des années vingt : on se rappelle l'importance qu'il donne à l'air « Some of these days » dans LA NAUSÉE et l'on sait que, plus tard, par l'intermédiaire des Vian surtout, il a fréquenté la plupart des hauts lieux du jazz parisien et fait la connaissance de Charlie Parker, Miles Davis, etc. Malgré cet intérêt qui ne s'est jamais démenti (et qu'il faudrait un jour analyser plus longuement), on aurait tort de voir en Sartre autre chose qu'un amateur bienveillant et compréhensif : le choix de « Some of these days », l'erreur commise à propos de l'interprète (la négresse de LA NAUSÉE est en réalité la blanche Sophie Tucker) en sont des preuves. Il n'en reste pas moins que, parmi les écrivains de sa génération, Sartre est sans doute le seul à accorder une telle importance au jazz.

47/132

[Interview sur la question juive.]

— *La Revue juive* de Genève, 10e année, no 6-7, juin-juillet 1947, p. 212-213.

Cette interview est assez curieuse. Elle a été réalisée au cours de l'été 1939, c'est-à-dire à une époque où Sartre — connu du public lettré mais auteur relativement peu célèbre — n'avait pas encore manifesté son intérêt pour la question juive ailleurs que dans les passages de *L'Enfance d'un chef* qui s'en prennent aux antisémites. Est-ce la raison pour laquelle un rédacteur de *La Revue juive* de Genève l'interrogea sur la question? L'interruption de la revue pendant la guerre explique le retard apporté à la publication de ces déclarations. Et c'est la publication des RÉFLEXIONS SUR LA QUESTION JUIVE qui incita les rédacteurs à exhumer l'entretien. Celui-ci, présenté sous le titre « Sa déclaration de 1939 », figure en tête d'un article d'Émile Biollay intitulé « Jean-Paul Sartre, escamoteur d'Israël? » où l'auteur conteste le point de vue de Sartre sur le fait juif mais dit le plus grand bien du portrait de l'antisémite donné dans RÉFLEXIONS SUR LA QUESTION JUIVE.

Nous reproduisons intégralement ci-dessous les déclarations de Sartre. Leur ton serein peut surprendre si l'on oublie la date à laquelle elles ont été faites, mais elles offrent l'intérêt de présenter, si rapidement que ce soit, un premier état de ses idées sur la question.

— Que pensez-vous de l'antisémitisme?

— *A mon sens, l'antisémitisme est en général un phénomène normal dans la société, comme est normal le crime, selon Durkheim. Ceci me paraît tout à fait indépendant du caractère des Juifs à l'égard desquels l'antisémitisme s'exerce. Une société a besoin à certains moments, de se définir « contre » et la société non juive refuse généralement l'assimilation. Cependant, il me paraît que le phénomène normal auquel je fais allusion ne dépasse jamais certaines proportions que l'on pourrait déterminer par une étude scientifique comme constantes. La constante antisémitisme varie naturellement selon les pays. Elle est plus élevée, par exemple, en Allemagne qu'en France. Mais à certaines périodes il y a un développement anormal de l'antisémitisme, en tant que phénomène de compensation, apparition au caractère pathologique prononcé. (Exemple : les affaires Dreyfus et Boulanger après la défaite de 1871.) On a pu constater un regain inhabituel d'hostilité envers les Juifs, en France, en octobre et novembre derniers, à la suite de la défaite de Munich. En ce qui concerne l'Allemagne je crois que l'antisémitisme, dans l'esprit des masses, y a atteint son point culminant et je ne serais pas étonné qu'il y ait maintenant, à cet égard, une scission entre les chefs et la population. En général, je me refuse à voir en le nazisme quelque chose de durable. C'est une manifestation éruptive et provisoire. Je ne crois pas à l'avènement de l' « homme nazi ».*

— Que pensez-vous de l'apport juif à la culture et à la civilisation, en général ?

— *Je crois à l'apport des Juifs à la culture et à la civilisation en tant qu'individus seulement. Il me semble risqué de parler d'un tempérament juif spécifique. En le faisant, on instaure un dialogue entre le philosémite et l'antisémite, sur le dos du Juif, concernant les effets, bons ou mauvais, de sa mentalité particulière. Encore, si cette spécificité était prouvée, il faudrait, en égard à la vérité, accepter ce postulat malgré tout. Mais, il n'en est pas ainsi. La preuve reste à faire. Je constate, pour ma part, que les apports des Juifs sont contradictoires en philosophie. Le constant argument du Juif inquiet, et critique, n'appartenant pas à la catégorie des créateurs, pourrait peut-être bien s'appliquer à Brunschvicg, mais pas à Bergson ni à Spinoza. Il existe certainement des traits propres aux Juifs. Mais nous sommes incapables de les fixer, dans l'impossibilité de déterminer dans quelle mesure ils sont dus à l'époque, aux conditions de vie ou à l'origine ethnique. Et toute tentative de vouloir isoler et définir ces traits est une concession à l'antisémitisme. Chez les Juifs qu'il m'est donné de fréquenter, je ne puis, en ce qui me concerne, trouver des particularités. Je pense que si on en trouve, c'est qu'on les y met. Le violent antisémitisme actuel n'est pas une preuve de l'impossibilité de l'assimilation. Nous assistons peut-être seulement à la rupture provisoire d'une évolution qui reprendra son cours. De toute façon, on ne peut déterminer le sens de l'Histoire que si elle est finie. Mais l'assimilation n'est certainement pas possible sans une profonde transformation de la société. C'est une erreur de vouloir résoudre séparément le problème juif, partie intégrante de toute une série d'autres problèmes.*

*Mon opposition à l'antisémitisme est raisonnée. Je me défie de l' « anti-antisémitisme » basé sur l' « esprit de tolérance » et les « idées larges ». Dès qu'il y a des troubles, la balance penche et alors l' « idée large » qui, comme disait l'autre, est une « idée force », se rétrécit.*

47/133

« Existentialism : A new philosophy — or is it only a word ? » An interview by Vincent Brome.

— *Picture Post*, [London], vol. 36, nº 5, 2 August 1947, p. 4, 31.

Dans cet article d'information destiné au grand public et qui n'offre pas grand intérêt, l'existentialisme est présenté comme une troisième voie entre le marxisme et le thomisme.

L'auteur fait un portrait de Sartre à Londres, à l'occasion de la représentation anglaise de MORTS SANS SÉPULTURE et de LA PUTAIN RESPECTUEUSE, et rapporte, semble-t-il, très librement ses propos. Devant les ruines de Londres, Sartre aurait déclaré : *Tout ce que j'ai vu, ressenti et entendu à Londres me rend moins obstiné, moins péremptoire en ce qui concerne le salut individuel. Londres a porté le coup final à quelque chose qui mûrissait dans mon esprit depuis longtemps. Je suis pressé maintenant : il n'est plus temps pour les paradoxes, il faut que je sois constructif* [notre traduction].

L'article est illustré par de bonnes photos de Sartre et une très belle photo de Simone de Beauvoir.

### ÉMISSIONS RADIOPHONIQUES « LA TRIBUNE DES TEMPS MODERNES »

A l'automne 1947, sur l'initiative de Bonafé, un ancien collègue de Sartre, le ministère Ramadier proposa à celui-ci de tenir une tribune hebdomadaire à la radio. Sartre accepta et fit, malgré de nombreux remous, une série de six émissions avec l'aide de l'équipe des *Temps modernes* et de ses amis. Ces émissions connurent une large audience politique et eurent lieu aux dates suivantes : 20 et 27 octobre, 3, 10, 17 et 24 novembre 1947. « La Tribune des Temps modernes » fut supprimée au début du mois de décembre lorsque le ministère Ramadier fut remplacé par le ministère Schuman (Sur toute l'émission, voir *La Force des choses*, p. 153-154). Nous avons pu dénombrer les textes suivants :

### 47/134

« A la veille de reprendre ses émissions à la radio, Jean-Paul Sartre déclare à *Combat* : "Il est nécessaire de faire campagne contre la croyance en la fatalité de la guerre russo-américaine" », interview par Louis Pauwels.

— *Combat*, 18 octobre 1947.

Reprenant le programme qu'il définit dans la conclusion de *Qu'est-ce que la littérature ?*, Sartre déclare que les écrivains engagés doivent *aller de l'écriture à ces arts-relais que sont le cinéma et la radio* et que ces moyens d'expression n'exigent pas forcément la vulgarisation. Après avoir souligné que son émission est tout à fait indépendante, Sartre développe l'idée contenue dans le titre de l'interview :

*La fatalité historique chemine toujours à travers les esprits. Et nous entrons, pieds et poings liés, dans le monde de cette fatalité. Toute action politique, quelle qu'elle soit, profite nécessairement à un bloc ou à l'autre, et précipite le conflit. Nous sortons de l'ordre de la causalité de l'histoire, qui autorise l'action, pour pénétrer dans l'ordre de la fatalité qui retourne nos actes contre nous. Et ceci par une sorte de laisser-aller de l'esprit, par une sorte d'écoulement de nos forces dans une inquiétude vague que nous transformons nous-mêmes peu à peu en une servitude du désastre que nous verrons bientôt se transformer, si nous n'y prenons pas garde, en le désastre lui-même.*

47/135

« De Gaulle et le " gaullisme " vus par Jean-Paul Sartre (et par l'équipe des Temps modernes) ».

— *L'Ordre de Paris*, 22 octobre 1947.

Texte intégral de l'émission « Tribune des Temps modernes » du 20 octobre. Les participants étaient : Sartre, Simone de Beauvoir, Merleau-Ponty, Pontalis, Bonafé et Chauffard, celui-ci dans le rôle du « gaulliste ».

Sartre dénonce la croyance en une fatalité de la guerre sur laquelle s'appuie la politique gaulliste : il n'y a pas à choisir entre les Américains et les Russes. Merleau-Ponty signale l'absence de programme du gaullisme et affirme : « Une véritable politique française consisterait non pas à choisir entre les deux blocs et non pas non plus à essayer de créer, d'une façon parfaitement artificielle, un troisième bloc égal en puissance aux deux autres. Une politique française consisterait à faire appel à ce qu'il peut y avoir, à l'intérieur même des deux grands pays considérés, de forces hostiles à la politique de guerre et à la politique des blocs. »

Simone de Beauvoir émet des doutes sur la bonne foi des gaullistes de gauche qui voudraient un socialisme national. Ce terme amène Bonafé à attaquer violemment de Gaulle en le comparant à Hitler. Après un appel à la modération de la part de Sartre, Pontalis rappelle le passé maurrassien de l'auteur du *Fil de l'épée* et parle de son mépris pour la masse.

Cette émission suscita des réactions immédiates parmi les partisans du Général : une bande R.P.F. fortement décorée se lança à la recherche de Sartre, et essaya de le trouver au Tabou et au Flore; deux gaullistes connus, Me Henry Torrès et le général Guillain de Bénouville répondirent à Sartre à la radio (cf. ci-dessous); pendant une semaine, les insultes les plus variées parurent dans la presse de droite. Dans un article de *Carrefour* (29 octobre 1947), l'ancien collaborateur des *Temps modernes*, Albert

Ollivier, traita les protagonistes de l'émission de « fascistes virtuels »; dans le même numéro, un Paul Claudel fulminant lança ce mot : « M. Sartre s'en prend au physique du général de Gaulle : est-il si satisfait du sien ? »

47/136

« Tempête à la radio : J.-P. Sartre répond à Guillain de Bénouville et à Henry Torrès qui avaient refusé un débat contradictoire sur le R.P.F. », article-interview de Louis Pauwels.

— *Combat*, 22 octobre 1947.

Cet article reproduit d'abord la protestation Guillain de Bénouville-Henry Torrès : « M. J.-P. Sartre s'exprime sur le général de Gaulle d'une façon indécente et sa comparaison entre le Libérateur de la patrie, restaurateur de la liberté et de la République et le maréchal Pétain, sans même parler de la comparaison avec Hitler, est impossible et justifiable du mépris public. »

Sartre répond : *Parmi ceux qui suivent aujourd'hui de Gaulle se retrouvent beaucoup de ceux qui le condamnaient sous l'occupation.* [...] *On prétend que j'ai comparé de Gaulle à Hitler. C'est faux. J'ai comparé les affiches du R.P.F. avec certaines affiches de propagande nazie.*

47/137

« Mis en cause pour son émission anti-gaulliste d'hier, Sartre m'a dit : "Mon but est d'empêcher les auditeurs d'adhérer à l'un ou l'autre des blocs" », interview.

— *France-Soir*, 22 octobre 1947.

Brève interview portant sur le même sujet que celui décrit ci-dessus.

47/138

« Une mise au point de Sartre. »

*a*) *Libération*, 23 octobre 1947.

*b*) Extrait de la même déclaration sous le titre « L'affaire des "Temps modernes" à la radio » : *Combat*, 23 octobre 1947.

Texte de la brève déclaration faite le 22 octobre par Sartre dans l'émission « La Tribune de Paris » où Sartre regrette que Bénouville et Torrès aient finalement refusé de dialoguer avec lui : *Il est plus facile de se draper dans une dignité offensée que de répondre à des questions précises touchant à la politique.* [...]

47/139

« J.-P. Sartre parle de l'anticommunisme à la Tribune des *Temps modernes*. »

— *Combat*, 28 octobre 1947.

Résumé et citations des propos tenus par Sartre lors de son émission du 27 octobre 1947. Sartre déclare notamment : *La France ne possède pas d'armes de puissance, mais dispose encore d'une arme dont nul jusqu'ici n'a osé se servir et dont cependant l'usage est de plus en plus nécessaire : l'arme de vérité.*

L'attaque modérée à laquelle Sartre se livra contre les communistes calma quelque peu la presse de droite, mais suscita naturellement de vives réactions dans la presse du P. C. Dans un article publié dans *Action* (5 novembre 1947), Pierre Hervé traite Sartre de « bouffon » de Ramadier, l'accuse de faire le jeu du gouvernement S.F.I.O. et conclut : « L'émission consacrée à de Gaulle était (de même que celle consacrée au P.C.) vulgaire et de basse qualité. »

47/140

« L'émission des *Temps modernes* a été "interdite ou supprimée". »

— *Combat*, 3 décembre 1947.

Déclaration où Sartre proteste contre la suppression de « La Tribune des Temps modernes » et où il indique ce qu'il aurait fait au cours des émissions des 1er, 8 et 15 décembre :

*Dans la première de ces émissions, j'aurais interviewé David Rousset sur son récent voyage en Allemagne. Dans la seconde, j'aurais lu et commenté un manifeste d'intellectuels sur la situation internationale* [Il s'agit sans doute de « Premier appel à l'opinion internationale » paru dans *Esprit* de novembre 1947]. *Dans la troisième, répondant à un de mes correspondants, j'aurais essayé de défendre les classes travailleuses contre le reproche de « matérialisme sordide » qu'on leur fait très souvent.*

Sartre reprendra le thème de la troisième émission dans un discours prononcé à un meeting R.D.R., le 19 mars 1948, salle Wagram (cf. 48/170).

48/141

*Jean-Paul Sartre répond à ses détracteurs : L'existentialisme et la politique.*

— In *Pour et contre l'existentialisme.* Grand débat avec J. B. Pontalis, J. Pouillon, F. Jeanson, Julien Benda, Emmanuel Mounier, R. Vailland. Présentation de Colette Audry. Éditions Atlas, 1948. P. 181-190.

Texte de l'une des émissions « Tribune des Temps modernes » de novembre 1947. Sartre examine le nombreux courrier qu'il a reçu après son émission sur le gaullisme, relève les insultes les plus caractéristiques et termine en définissant sa position politique. Les trois dernières pages du texte donnent une idée des thèmes qui seront développés en 1948 par Sartre dans sa campagne pour le R.D.R.

***

47/142

*Gribouille.*

— *La Rue,* nº 12, novembre 1947, p. 1.

Développe l'idée que la peur de la guerre risque de nous y précipiter : *C'est Gribouille, je crois, qui se jetait à l'eau de crainte que la pluie ne le mouillât. Aujourd'hui, on veut faire de nous des Gribouilles : pour nous plonger dans la guerre, on exploite la peur que nous en avons.* [...] *Entre les deux chemins de la guerre, on nous déclare qu'il n'y a pas de troisième chemin. Et cela est vrai :* il n'y en a pas. *Mais, justement, il ne s'agit pas de se fier à un chemin déjà existant. L'homme n'a à se fier qu'à lui-même. Il est encore temps* d'inventer *le chemin de l'Europe socialiste, de la liberté, de la paix.*

47/143

*Pour un théâtre de situations.*

— *La Rue*, nº 12, novembre 1947, p. 8.

APPENDICE

Les vues exprimées dans cet article sont développées plus en détail dans l'article inédit en français, *Forgers of Myths* (cf. 46/107). C'est de *Pour un théâtre de situations* que provient la citation donnée sans référence page 12 par Francis Jeanson dans *Sartre par lui-même* et constamment reprise par la suite pour définir le théâtre sartrien.

47/144

*Présence noire.*

— *Présence africaine*, nº 1, novembre-décembre 1947, p. 28-29.

APPENDICE

Texte écrit pour saluer la naissance de la revue *Présence africaine*, dirigée par Alioune Diop. Sartre faisait partie du comité de patronage (avec Gide, Camus, Mounier, Leiris, etc.) et avait promis d'autres articles.

47/NOTE I.

L'anthologie de Jean Paulhan et Dominique Aury, *La Patrie se fait tous les jours. Textes français 1939-1945* (éd. de Minuit, 1947) reproduit deux textes de Sartre : « Le silence de Jupiter » (*Les Mouches*, acte II, tableau II, scènes IV et V) et *La République du silence.*

47/NOTE 2.

Selon Merleau-Ponty (cf. *France-Observateur* du 2 mars 1961, « Réponse à Olivier Todd »), Sartre serait l'auteur de l'éditorial des *Temps modernes* intitulé « Apprendre à lire » (nº 22, juillet 1947). Sartre nous assure que ce texte est de Merleau-Ponty.

47/NOTE 3.

Le 31 mai 1947, Sartre donna à la salle d'Iéna une conférence intitulée « Kafka, écrivain juif » sous les auspices de la Ligue française pour la Palestine libre. Le compte rendu le plus détaillé est celui de Françoise Derins (« Une conférence de J.-P. Sartre », *La Nef*, nº 32, juillet 1947, p. 165-166).

47/NOTE 4.

Philip Thody, dans son livre *Jean-Paul Sartre : A Literary and Political Study* (Londres, Hamish Hamilton, 1960) et dans son édition scolaire des SÉQUESTRÉS D'ALTONA (cf. 59/295 *e*), commet une erreur en citant comme étant de Sartre un article sur le film *Paris 1900* paru dans *Le Figaro littéraire* du 25 octobre 1947 : « Sartre et Breton à une séance de *Paris 1900.* » L'article est en réalité de Claude Mauriac qui, en un brillant pastiche, joue sur les idées qu'ont pu avoir Sartre et Breton en voyant ensemble le film de Nicole Vedrès lors d'une projection privée.

# 1948

48/145

LES MAINS SALES, pièce en sept tableaux.

*a*) Texte intégral en deux parties dans : *Les Temps modernes*, nº 30, mars 1948, p. 1537-1582; nº 31, avril 1948, p. 1754-1813.

Le texte comporte une erreur de numérotation au deuxième tableau ainsi qu'un certain nombre de variantes mineures par rapport à l'édition Gallimard.

*b*) Extraits en français dans : *Yale French Studies*, vol. 1, nº 1, Spring-Summer 1948, p. 4-20.

*c*) Édition en volume : Gallimard, [1948]. 261 pages. Dédié : « A Dolorès » [qui apparaît comme M. dans *La Force des choses*]. Achevé d'imprimer : 15 juin 1948.

15 exemplaires sur vélin de Hollande; 60 sur vélin pur fil Lafuma Navarre; 210 sur alfa mousse Navarre; 1 040 sur vélin supérieur, reliés.

Repris dans la collection « Soleil » en 1961.

*d*) Gallimard, « Le Livre de Poche », nº 10, [1953].

*e*) Gallimard, collection « Pourpre », [1954].

*f*) Repris dans THÉÂTRE [1962].

*g*) Édition scolaire anglaise, avec introduction et notes de Geoffrey Brereton. London : Methuen, Methuen's Twentieth Century Texts, [1963].

A la médiocre introduction de Geoffrey Brereton, on préférera celle, pourtant bien antérieure, d'Oreste F. Pucciani, précédant le texte français des MAINS SALES dans l'anthologie *The French Theater since 1930* (New York : Blaisdell, 1954).

*h*) Traduction italienne, légèrement modifiée avec l'accord de Sartre et accompagnée d'une importante interview de celui-ci (cf. 64/147) : *Le Mani sporche*. Torino : Einaudi, 1964.

LES MAINS SALES a donné lieu à un film de Fernand Rivers en 1951 (cf. *Appendice Cinéma*).

La pièce a été représentée pour la première fois le 2 avril 1948 au théâtre Antoine (Direction : Simone Berriau), dans une mise en scène de Pierre Valde (« amicalement supervisée » par Jean Cocteau) et des décors d'Émile et Jean Bertin (avec l'aide de Christian Bérard). Dans les rôles principaux :

| | |
|---|---|
| HOEDERER | André Luguet |
| HUGO | François Périer |
| OLGA | Paula Dehelly |
| JESSICA | Marie-Olivier |

Attiré par la personnalité des acteurs et par le thème apparemment anticommuniste de la pièce, s'identifiant sans hésitation avec le personnage de Hugo, le public fit un triomphe aux MAINS SALES : la pièce fut jouée au théâtre Antoine du 2 avril 1948 au 20 septembre 1949 et fut longuement exploitée en tournée. Elle reste, à ce jour, l'œuvre dramatique de Sartre qui a obtenu le plus grand succès de public. Nous reviendrons plus loin sur son histoire mouvementée à l'étranger.

La pièce a été écrite vers la fin de l'année 1947 et mise au point au début de 1948, c'est-à-dire à une époque qui correspond à la gestation et au lancement du R.D.R. *Les Temps modernes* de janvier 1948 annoncent à paraître : « Les Mains sales (fragments) ». Sartre, cependant, semble avoir hésité quelque temps avant de conserver ce titre (qui, rappelons-le, avait été donné en 1946 au scénario L'ENGRENAGE); dans *La Semaine de Paris* de janvier et de février 1948, la pièce était annoncée sous le titre « Les Biens de ce monde », et nous savons par ailleurs que Sartre pensait à plusieurs autres titres possibles, en particulier « Crime passionnel » et « Les Gants rouges ». Le titre finalement adopté devait par la suite faire fortune.

Selon *Le Figaro littéraire* du 3 avril 1948, la pièce aurait eu son origine dans la situation d'un après-midi d'août en 1944 où il fut question de trêve dans l'insurrection de Paris. Sartre lui-même a confirmé deux autres sources dans une interview récente (cf. 68/487) : « Les Mains sales *m'ont été inspirées par les difficultés que des élèves à moi, bourgeois de bonne volonté, avaient avec le parti communiste. J'ai pensé aussi à l'assasinat de Trotsky.* » Simone de Beauvoir amplifie ainsi cette dernière phrase (cf. *La Force des choses*, p. 166) :

« J'avais connu à New York un des anciens secrétaires de Trotsky; il m'avait raconté que le meurtrier, ayant réussi à se faire engager comme secrétaire lui aussi, avait vécu assez longtemps aux côtés de sa victime, dans une maison farouchement gardée. Sartre avait rêvé sur cette situation à huis clos; il avait imaginé un personnage de jeune communiste né dans la bourgeoisie, cherchant à effacer par un acte ses origines, mais incapable de s'arracher à sa subjectivité, même au prix d'un assassinat; il lui avait opposé un militant entièrement donné à ses objectifs. (Encore une fois, la confrontation de la morale et de la praxis.) [...] La sympathie de Sartre va à Hoederer. [...] [Hugo] a si radicalement tort que la pièce pourrait se jouer, en période de détente, dans un pays communiste. »

Notons au passage que LES MAINS SALES a été représenté, jusqu'à présent, en Yougoslavie et en Tchécoslovaquie.

On se reportera aux interviews et, en particulier, à 64/154 pour savoir ce que Sartre pense lui-même de sa pièce. Parmi les nombreuses critiques de l'époque, nous relèverons seulement celle de Jean Biermoz, parue sous forme de lettre dans *Les Temps modernes* (nº 36, septembre 1948, p. 574-576), et celle, très hostile, de Marguerite Duras : « Sartre et l'humour involontaire », *Action*, avril 1948.

## TEXTES ET INTERVIEWS SUR « LES MAINS SALES »

### 48/146

« Drame politique puis crime passionnel... Jean-Paul Sartre nous parle de sa prochaine pièce », interview par Guy Dornand.

— *Franc-Tireur*, 25 mars 1948.

Sartre explique qu'il a longuement hésité à utiliser le titre « Les Mains sales » parce qu'il craignait que celui-ci ne prête à une interprétation tendancieuse, étant donné les milieux politiques où la pièce se déroule. S'il a finalement conservé ce titre, c'est parce que la pièce n'est, *à aucun degré, une pièce politique*. C'est une pièce sur la politique, dont l'épigraphe pourrait être la phrase de Saint-Just : « Nul ne gouverne innocemment. »

L'œuvre ne comporte aucune conclusion : *Je donne raison à tous : au vieux chef réaliste du parti prolétarien qui, parce qu'il transige provisoirement avec la réaction, se voit qualifié de « social-traître » par pur opportunisme. Et aussi à son jeune disciple, éperdu d'idéalisme, que les « durs » ont chargé d'exécuter celui qui fut son idole.*

Un article de Henry Magnan, « Avec J.-P. Sartre avant la première de *Les Mains sales* » (*Le Monde*, 25 mars 1948), inclut une courte déclaration où Sartre dit : *Ma pièce aurait pu tout aussi bien s'appeler « Les Mains pures ».*

Un autre article, « Le "Crime passionnel" projeté par Jean-Paul Sartre », publié dans *Arts* du 26 mars 1948, signale une comparaison possible entre Hoederer et le Créon d'Anouilh et rapporte : *J'ai préféré voir dans ma pièce des comédiens du boulevard pour qu'elle soit jouée le plus simplement possible.*

Une répétition des MAINS SALES a eu lieu le 21 mars 1948 à l'intention des journalistes qui ont été ensuite reçus un à un par Sartre. Celui-ci semble leur avoir tenu, avec quelques variantes, les mêmes propos que ceux rapportés dans *Franc-Tireur*. Il est probable qu'il existe d'autres interviews qui ont échappé à nos recherches.

48/147

« Peut-on entrer dans un parti quelconque sans se salir les mains? », nous demande J.-P. Sartre, écrivain « engagé », interview par Claude Outié.

— *L'Aurore*, 30 mars 1948.

48/148

« Quand Cocteau, le poète, met en scène le philosophe J.-P. Sartre », interview de J. B. Jeener.

— *Le Figaro*, 30 mars 1948.

Brève interview de Sartre et de Jean Cocteau qui avait bien voulu assister Pierre Valde pour la mise en scène.

48/149

« Dans *Les Mains sales*, Jean-Paul Sartre pose le problème de la fin et des moyens », interview par René Guilly.

— *Combat*, 31 mars 1948.

Sartre déclare que Hoederer et Hugo représentent l'un, le réalisme révolutionnaire, l'autre, l'idéalisme révolutionnaire : *Je ne prends pas parti. Une bonne pièce de théâtre doit poser les problèmes et non les résoudre.* Puis il fait allusion à « La Maladie infantile du communisme » de Lénine qui aurait le premier traité le problème du réalisme politique et de l'alliance avec les partis bourgeois réformistes. En refusant la politique de compromis de Hoederer, Hugo *obéit encore à l'idéalisme bourgeois qui, précisément, l'a fait se révolter contre sa classe et qu'il ne parvient pas à surmonter.*

48/150

« Avant la création de *Les Mains sales*, Jean-Paul Sartre nous dit », interview par René Gordon.

— *L'Ordre*, 31 mars 1948.

48/151

« Demain, au théâtre Antoine, Jean-Paul Sartre prendra position devant le problème de l'engagement politique », interview par Pierre-André Baude.

— *L'Aube*, 1er avril 1948.

*Mon héros est un jeune bourgeois qui, par idéologie, s'est engagé dans un parti prolétarien, mais qui, devant le réalisme exigé par l'action, ne peut se dégager des catégories idéalistes qui, précisément, l'ont poussé à se désolidariser de sa classe. D'où son malaise qui ne peut déboucher que dans la mort.* [...] *Je pense, quant à moi, que la politique exige que l'on se « salisse les mains » et qu'il faut qu'il en soit ainsi.*

48/152

« On joue en Amérique une pièce de moi dont j'ignore le texte », interview de J.-P. Vivet.

— *Combat*, 27-28 novembre 1948.

Une adaptation américaine des MAINS SALES par Daniel Taradash, avec Charles Boyer dans le rôle de Hoederer, venait d'être présentée sous le titre *Red Gloves* au public new-yorkais. Sartre qui, malgré des demandes répétées, n'avait pu obtenir le texte de l'adaptation, fut averti par des amis que d'étranges choses se faisaient sous son nom : *Hugo ne meurt pas. Jessica n'est plus la même femme et... Hoederer est devenu le personnage principal.* Pour plaire à Charles Boyer, Hoederer — que Sartre décrit comme « vulgaire » — était devenu un politicien élégant et raffiné qui, à un moment, fait à Hugo un long discours sur Abraham Lincoln.

Dans cette interview, Sartre déclare qu'il s'oppose à ce que la pièce soit représentée dans ces conditions et il refuse qu'on lui donne un côté antisoviétique. Il reproche également à son éditeur Nagel — qui détenait les droits de ses pièces — d'avoir autorisé *Red Gloves* sans son accord et signale qu'il lui a intenté un procès. Cette affaire fut à l'origine d'une brouille apparemment définitive entre les deux hommes.

49/153

« Author! Author? » interview par Roderick MacArthur. — *Theatre Arts*, [New York], nº 33, March 1949, p.11-13.

Cette interview, faite à Paris, donne de nombreux détails sur l'affaire *Red Gloves* et relève la plupart des modifications effectuées par l'adaptateur américain. Sartre conclut que quatre-vingt-dix pour cent du texte n'est pas de lui. Après avoir comparé et résumé les deux versions, l'intervieweur R. MacArthur donne totalement raison à Sartre et souligne, en plus, la basse qualité de l'adaptation.

La critique de *Red Gloves* fut très mauvaise; ainsi, Gilbert W. Gabriel, écrivant dans *Theatre Arts* (January 1949), regretta que l'œuvre de Sartre eût été « massacrée », « sabotée » par une adaptation médiocre, obtuse et bornée, lente du début jusqu'à la fin.

Au moment même où Sartre connaissait ces déboires américains, sa pièce se heurtait à une violente campagne communiste. Au début du mois de décembre 1948, il y eut même une démarche officielle soviétique auprès des autorités d'Helsinki pour empêcher la représentation des MAINS SALES, considéré comme « propagande hostile à l'U.R.S.S. »; *Les Lettres françaises* du 10 février 1949 publièrent une attaque d'Ilya Ehrenbourg sur le même thème.

Sartre fut très mécontent de voir son œuvre utilisée comme un instrument de la guerre froide. Lorsque, à partir de 1952, il se rapprocha des communistes, il décida de n'autoriser la représentation des MAINS SALES qu'avec l'accord des partis communistes intéressés. La pièce fut d'abord interdite par Sartre en Espagne, en Grèce et en Indochine. En novembre 1952, se refusant à en faire une arme contre le Congrès de la Paix auquel il était sur le point de participer, il en interdit la représentation à Vienne (cf. *Le Monde*, 19 novembre 1952). Deux ans plus tard, le 23 septembre 1954, il tint dans la même ville une conférence de presse pour protester contre la présentation des MAINS SALES au Volkstheater et déclara à cette occasion (cf. *Franc-Tireur* et *Le Monde* du 25 septembre 1954) : *Je ne désavoue pas* Les Mains sales, *mais je regrette l'usage qui en a été fait. Ma pièce est devenue un champ de bataille politique, un instrument de propagande politique. Dans l'atmosphère actuelle de tension, je ne crois pas que sa représentation, en des points névralgiques comme Berlin ou Vienne, puisse servir la paix.*

Ce n'est qu'après 1962 que Sartre a autorisé une nouvelle production des MAINS SALES en Yougoslavie, en Italie par le Teatro Stabile de Turin (voir ci-dessous) et en Tchécoslovaquie (1968). En 1966 encore, Sartre, craignant une interprétation tendancieuse, fit interdire la représentation de la pièce à Anvers, où le Fakkel Teater l'avait montée sans autorisation (cf. *Le Monde*, 20 décembre 1966). Il intenta à ce théâtre un procès que, d'ailleurs, il perdit.

64/154

« Una intervista a Jean-Paul Sartre », interview par Paolo Caruso.

— Sartre, Jean-Paul. *Le Mani sporche*. Traduzione di Vittorio Sermonti. Con una intervista a J.-P. Sartre e una testimonianza di Simone de Beauvoir. Torino : Giulio Einaudi editore, 1964. P. 137-149.

Interview accordée le 4 mars 1964 à Paolo Caruso, traducteur italien de CRITIQUE DE LA RAISON DIALECTIQUE, pour marquer la présentation des MAINS SALES par le Teatro Stabile de la ville de Turin. Le témoignage de Simone de Beauvoir consiste en réalité, p. 150-153, en un long extrait de *La Force des choses* traitant de la pièce. Le traducteur signale que l'œuvre a subi les modifications suivantes, approuvées par Sartre :

— L'action se déroule, non plus dans « une fantomatique Illyrie », mais d'une façon précise en Hongrie, de mars 1943 au printemps 1945. Le nom de la Hongrie n'est cependant jamais utilisé et reste sous-entendu. C'est dans cette perspective que le nom de plusieurs personnages est modifié : Louis devient Walter, Georges, Lucas, etc.

Les références historiques sont ainsi rendues plus concrètes.

— Quelques détails « aventureux » ou « sentimentaux » sont éliminés.

— La caractérisation des personnages de la « base », comme Slick et Georges-Lucas, est « atténuée » pour des raisons de traduction et pour éviter un ton « plébéo-gangstérique pour le moins équivoque ».

Les déclarations de Sartre à Paolo Caruso sont essentielles pour une bonne compréhension des MAINS SALES. En voici quelques extraits [Notre traduction] :

*Le sens du drame ne coïncide pas avec la destinée de Hugo. J'ai voulu dire deux choses. D'une part, examiner dialectiquement le problème des exigences de la* praxis *du temps. Vous savez que chez nous, en France, il y a eu un cas analogue à celui de Hoederer, le cas de Doriot, bien qu'il ne se soit pas terminé par un assassinat. Doriot voulait que le P.C. se rapproche des sociaux-démocrates S.F.I.O. et, pour cette raison, il fut exclu du parti. Une année plus tard, pour éviter que la situation française ne dégénérât en fascisme, et sur la base de directives soviétiques précises, le P.C. parcourut exactement le chemin que Doriot avait indiqué, sans jamais reconnaître toutefois que celui-ci avait eu raison; et ceci fut la base du Front populaire. Voici ce qui m'intéresse : la nécessité dialectique à l'intérieur d'une* praxis. *Il y a un autre point que je tiens à préciser : j'ai la plus grande compréhension pour l'attitude de Hugo, mais vous avez tort de penser que je m'incarne en lui. Je m'incarne en Hoederer. Idéalement, bien sûr; ne croyez pas que je prétende être Hoederer.* [...] *Hoederer est celui que je voudrais être si j'étais un révolutionnaire.* [...]

*Hugo, ce sont mes étudiants, mes anciens étudiants. Ce sont les jeunes qui entre 1945 et 1948 ont eu les pires difficultés à adhérer au communisme par le fait que, avec leur formation bourgeoise, ils se trouvaient en face non d'un parti qui aurait pu les aider, mais d'un parti qui, avec son dogmatisme, utilisait leurs défauts pour les rendre radicaux, extrémistes, etc., ou bien les repoussait, les mettant ainsi dans une position intenable.* [...] *Hugo, donc, a mes sympathies dans la mesure où je me dis : Hoederer aurait pu faire quelqu'un de lui. Et il est évident que, sans l'incident (la contingence) que j'ai voulu introduire exprès avec la scène Jessica-Hoederer, Hugo aurait renoncé à son entreprise, il n'aurait pas tué Hoederer, et si Hoederer avait gagné sa propre bataille, Hugo ne serait pas resté son secrétaire, il aurait été formé par lui et serait devenu, tant bien que mal, un vrai révolutionnaire. Mais Hugo est entré au parti, attiré par Walter, par des hommes comme Walter, ce qui signifie qu'au fond le dogmatisme de Walter, qui n'est pas un dogmatisme d'extrême-gauche, s'est traduit dans le « gauchisme » de Hugo.* [...]

Sartre compare ensuite Hugo à Hamlet et voit en lui un personnage *à la Musset;* bien qu'il ne le précise pas, il y a, en effet, de grandes ressemblances entre *Lorenzaccio* et LES MAINS SALES. Sartre rapporte ensuite une anecdote, caractéristique selon lui des erreurs de jugement que l'on pouvait faire sur la pièce :

*Camus avait assisté avec moi à l'une des dernières répétitions (il n'avait pas encore lu le texte), et à la fin, en me raccompagnant, il me dit : « C'est excellent, mais il y a un détail que je n'approuve pas. Pourquoi Hugo dit-il : « Je n'aime pas les hommes pour ce qu'ils sont, mais pour ce qu'ils devraient être »* [Citation approximative tirée de la scène III du tableau V], *et pourquoi Hoederer lui répond-il : « Et moi, je les aime pour ce qu'ils sont »? Selon moi, cela aurait dû être le contraire. » En d'autres mots, il croyait en vérité que Hugo aimait les hommes pour ce qu'ils sont, étant donné qu'il ne voulait pas leur mentir, alors que Hoederer, au contraire, devenait à ses yeux un communiste dogmatique qui considérait les hommes pour ce qu'ils devraient être et qui les trompait au nom d'un idéal. C'est exactement le contraire de ce que je voulais dire.*

Sartre annonce ensuite qu'il va tenter d'éclairer les problèmes soulevés par LES MAINS SALES dans une communication qu'il prépare pour le colloque « Morale et praxis », devant se tenir au mois de mai à l'Institut Gramsci (cf. 66/436), et il admet qu'il y a *une profonde analogie de thèmes* entre LES SÉQUESTRÉS D'ALTONA et LES MAINS SALES. L'interview se termine sur les mots :

*Ma tendance réelle est d'être, comme je l'ai dit, un « compagnon de route » critique. J'ai commis beaucoup d'erreurs, mais je crois qu'une* tension *entre la critique et la discipline est la situation caractéristique de l'intellectuel « compagnon de route ». Et je crois qu'il devrait être désormais possible de l'être à l'intérieur du parti.*

Sartre a repris plusieurs points de l'interview accordée à P. Caruso dans une courte préface, datée avril 1965, à la traduction tchèque des MAINS SALES par A. J. Liehm (in *Dramata*, Praha, Orbis, 1967, p. 75-77).

Voir également une courte déclaration sur la pièce dans le *Sartre par lui-même* de Francis Jeanson (p. 48-49 des premières éditions).

48/155

SITUATIONS, II

*a*) Gallimard, [1948]. 333 pages.

Achevé d'imprimer : 20 mai 1948. 14 exemplaires sur vélin de Hollande; 55 sur vélin pur fil Navarre; 1 040 exemplaires sur alfa, reliés.

Le volume comprend :

— *Présentation* des *Temps modernes* cf. 45/80
— *La Nationalisation de la littérature* 45/83
— *Qu'est-ce que la littérature?* 47/125

Ce dernier texte est dédié : « à Dolorès » [amie de Sartre présentée sous l'initiale M. dans *La Force des choses*] et comprend un certain nombre de variantes. Il est repris intégralement dans un volume séparé :

*b*) QU'EST-CE QUE LA LITTÉRATURE? Gallimard, collection « Idées », [1964].

A la page 370, une coquille intéressante transforme *Drieu* en *Dieu.*

## 48/156

L'ENGRENAGE, scénario.

*a*) Nagel, [1948]. 192 pages.

Achevé d'imprimer : novembre 1948. 500 exemplaires sur vergé, 50 sur alfa et 20 sur arches. Réédition dans la collection « Pensées » en 1964.

*b*) *L'Avant-Scène*, n° 89, [1954].

*c*) *La P... Respectueuse* suivi de *L'Engrenage.* Gallimard, « Le Livre de poche », n° 55, [1954].

*d*) Lausanne, La Guilde du livre, coll. « La Petite Ourse », [s. d.].

Une note liminaire précise : « Ce scénario a été écrit pendant l'hiver 1946. Il était originellement intitulé : *Les Mains sales.* La pièce qui a hérité de ce titre lui est donc postérieure de deux ans. Le sujet du présent ouvrage n'a rien de commun avec celui de la pièce. »

Les droits de *L'Engrenage* avaient été vendus au producteur et réalisateur Bernard Borderie et le scénario devait être tourné vers 1950. Le projet avorta *in extremis.* En revanche, le texte a donné lieu à diverses adaptations théâtrales, la première semblant être celle du Schauspielhaus de Zurich, le 30 novembre 1952. Erwin Piscator en Allemagne et Giorgio Strehler en Italie, au Piccolo Teatro de Milan, ont monté *L'Engrenage.* Enfin, ce scénario a été porté sur scène sans aucune modification par Jean Mercure au théâtre de la Ville de Paris, ex-Sarah-Bernhardt, en février 1969. A cette occasion, Sartre a donné à Bernard Pingaud une interview (cf. 68/499) dans laquelle il fournit plusieurs renseignements intéressants sur le sens qu'avait pour lui ce scénario en 1946 et celui qu'il a pris aujourd'hui :

> [...] *Ce qui m'amusait au départ, c'était de transposer à l'écran une technique que les romanciers anglo-saxons utilisaient couramment avant la guerre : la pluralité des points de vue.* [...] *Dans le film que j'imaginais, non seulement la chronologie était bouleversée, mais le même personnage, Hélène, apparaissait sous des dehors tout à fait différents selon le point de vue de qui parlait de lui.*

*1946, c'était aussi l'époque où, sans connaître encore l'exacte vérité sur les camps, on commençait à découvrir les ravages du stalinisme. [...] En fait le stalinisme lui-même n'était pas en cause. Je suis seulement parti d'une affirmation très répandue, et en grande partie fausse à mon avis : « Staline ne pouvait rien faire d'autre que ce qu'il a fait. » J'ai pensé à un pays où on ne pouvait vraiment « rien faire d'autre ». Un petit pays riche en pétrole, par exemple, qui vivrait totalement dans la dépendance de l'étranger. [...]*

*En 1946, la plus grande partie de l'Amérique latine se trouvait dans une situation de ce genre. Depuis, il y a eu Castro qui a su briser le cercle. Castro a compris que le problème n'était pas de prendre le pouvoir, mais de créer, par la guérilla d'abord, la guerre populaire ensuite, des conditions qui permettent de l'exercer vraiment. Aussi le jour où Jean Mercure m'a proposé d'adapter* L'Engrenage, *mon premier mouvement a-t-il été de modifier le dénouement. [...]*

*Là-dessus se sont produits, à l'Est, les événements que vous savez. La Tchécoslovaquie n'a pas de pétrole, et l'impérialisme soviétique obéit à d'autres lois que l'impérialisme américain. Mais la situation est la même : un grand pays prétend imposer sa loi aux États plus petits situés dans sa zone d'influence. [...] Dans les circonstances actuelles, l'important est de marquer la permanence et le scandale d'une politique de force qui est pratiquée aussi bien dans le camp socialiste que dans le camp capitaliste. C'est pourquoi j'ai renoncé à modifier mon histoire.*

Sartre déclare encore qu'en faisant intervenir dans la conduite de Jean des motifs privés, il a effleuré un problème qui l'a toujours fasciné : *savoir comment s'opère la jonction du public et du privé dans le cas d'un homme d'État. [...] En combinant des analyses de type marxiste et psychanalytique, on devrait pouvoir montrer comment une certaine société et une certaine enfance forment quelqu'un qui sera capable de prendre et d'exercer le pouvoir au nom de son groupe.*

48/157

## VISAGES

— *Visages, précédé de Portraits officiels*. Avec 4 pointes sèches de Wols. Seghers, 1948. 41 p.

Imprimé en janvier 1948. 15 exemplaires sur Chine, 900 exemplaires sur Crèvecœur du Marais et 10 exemplaires hors commerce.

Ce volume est constitué par deux textes précédemment parus dans la revue *Verve* (cf. 39/27 et 39/28).

48/158

ORPHÉE NOIR

*a*) *Anthologie de la nouvelle poésie nègre et malgache de langue française* par Léopold Sedar Senghor. Précédée de *Orphée noir* par Jean-Paul Sartre. Presses Universitaires de France, 1948. XLIV + 227 pages.

Le texte de Sartre se trouve p. IX-XLIV. Il est précédé d'un *Avant-propos* de Ch. André Julien qui déclare en particulier : « Non seulement il [Sartre] s'est plié aux exigences tracassières d'une publication rapide, mais c'est avec enthousiasme qu'il a écrit une étude profondément originale dont l'ampleur a dépassé nos espoirs. *Orphée noir* marquera une date dans l'analyse de la négritude. [...] »

Une nouvelle édition de cette *Anthologie* est prévue pour l'automne 1969.

*b*) Fragments dans *Les Temps modernes*, nº 37, octobre 1948, p. 577-606.

Ces fragments sont suivis, p. 607-625, de poèmes extraits de l'anthologie Senghor. Les passages omis correspondent aux pages 247-251 et 257-261 de SITUATIONS, III.

*c*) Extrait dans : *Présence africaine*, nº 6, [avril] 1949, p. 6-14. Une traduction intégrale en anglais par S. W. Allen a paru dans le même périodique en 1951 (nº 10-11, p. 219-247).

Signalons l'étude de Francis Jeanson, « Sartre et le monde noir », dans *Présence africaine*, nº 7, p. 189-214.

*d*) Repris avec une note supplémentaire (p. 273) dans SITUATIONS, III.

*e*) Traduit en volume séparé par Arthur Gilette : BLACK ORPHEUS. New York, University Place Book Shop.

Ce texte superbe et inspiré devrait être relu par ceux qui prétendent que Sartre n'entend rien à la poésie. Après avoir déclaré que *la poésie noire de langue française est, de nos jours, la seule grande poésie révolutionnaire*, Sartre fait l'éloge de la négritude et, prenant surtout l'exemple d'Aimé Césaire, montre comment, *pour une fois au moins, le plus authentique projet révolutionnaire et la poésie la plus pure sortent de la même source.*

*Jean-Paul Sartre répond à ses détracteurs* in *Pour et contre l'existentialisme.*

Cf. 48/141.

48/159

*Préface* à *Portrait d'un inconnu* de Nathalie Sarraute.

*a*) Sarraute, Nathalie. *Portrait d'un inconnu*. Robert Marin, 1948. P. 7-16.
*b*) Volume repris par les éditions Gallimard, [1956].
*c*) Réédité dans la collection « Le Monde en 10/18 », Union générale d'éditions, [1964].
*d*) Préface reproduite sous le titre « Portrait d'un inconnu » dans SITUATIONS, IV.

Trois siècles après *Le Berger extravagant* (cf. à ce sujet *Le Récit hunique* de J.-P. Faye), Sartre retrouve le terme d' « antiroman » pour qualifier cette œuvre de Nathalie Sarraute ainsi que toute une tendance du roman moderne. Il apprécie la *vision protoplasmique de notre univers intérieur* qu'offre *Portrait d'un inconnu* mais doute que la valeur du livre réside en sa recherche psychologique, comme voudrait nous le faire croire son auteur. Plus tard, en 1963, Simone de Beauvoir reprochera à N. Sarraute de reprendre à son compte « le vieux psychologisme français » (*La Force des choses*, p. 648).

48/160

*Preface to* The Respectful Prostitute.

*a*) *Art and Action*, 10th Anniversary issue Twice a Year 1938-1948, Twice a Year Press, New York, p. 17. Traduction de Harold Clurman.

*Art and Action* était une revue engagée américaine qui publia à partir de 1945 des traductions de Camus, Simone de Beauvoir, etc.

*b*) Reproduit, sous le titre « French writer answers his varied critics », dans *The New York Times*, 21 March 1948, II, p. 3.

Ce court texte précède une traduction de LA PUTAIN RESPECTUEUSE et suit une note d'introduction où Richard Wright explique au lecteur américain les buts poursuivis par Sartre et rappelle le cas célèbre qui a été à l'origine de la pièce (cf. 46/90).

Nous retraduisons ci-dessous environ la moitié de cette préface :

*Quand j'ai fait représenter cette pièce, on a dit que j'avais montré bien peu de reconnaissance envers l'hospitalité américaine* [référence aux voyages de Sartre aux U.S.A. et aux critiques de certains Français comme Thierry Maulnier]. *On a dit que j'étais anti-américain. Je ne le suis pas. Je ne sais même pas ce que ce mot signifie. Je suis antiraciste car je sais ce que le racisme, lui, signifie.* [...]

*On a dit que j'avais vu la paille dans l'œil du voisin mais non la poutre qui se trouvait dans le mien. Il est vrai que nous autres Français avons des colonies et que notre comportement y laisse à désirer. Mais quand c'est d'oppression qu'il s'agit, il n'y a plus ni paille ni poutre : il faut la dénoncer partout où elle existe.* [...]

*Il serait étrange que l'on m'accuse à New York d'antiaméricanisme au moment même où la* Pravda *à Moscou m'accuse énergiquement d'être un agent de la propagande américaine. Mais si cela devait arriver, cela ne prouverait qu'une chose : soit que je suis bien maladroit, soit que je suis dans la bonne voie.*

48/161

« Jean-Paul Sartre à Berlin : Discussion autour des *Mouches.* »

— *Verger,* [Baden-Baden - Paris], vol. I, nº 5, 1948, p. 109-123.

Compte rendu intégral d'une réunion contradictoire qui eut lieu au Hebbel-Theater de Berlin le 1er février 1948 à l'occasion de la représentation des MOUCHES en allemand. Prirent part à la discussion : M. Lusset, Sartre, G. Weisenborn, M. Theunissen, E. Roditi, W. Karsch, W. D. Zimmermann, P. Steinhoff et le metteur en scène des MOUCHES, Jürgen Fehling.

Très bonne discussion où Sartre précise d'abord le sens qu'il voulait originalement donner à sa pièce, se demande si elle s'applique aussi bien à l'Allemagne de 1948 qu'à la France de 1943 et aborde des thèmes plus généraux, l'athéisme, la liberté, la libération de l'homme :

*Il ne s'agit pas de savoir pour quoi nous sommes libres, mais quels sont les chemins de la liberté. Et là nous sommes en plein accord avec Hegel qui affirmait : « Personne, nul homme ne peut être libre, si tous les hommes ne sont pas libres. »* [...]

*Notre but concret, un but très actuel, contemporain, c'est la libération de l'homme et elle a trois aspects. D'abord la libération métaphysique de l'homme. Lui rendre la conscience de sa liberté totale et qu'il doit combattre tout ce qui tend à limiter la liberté. Deuxièmement, sa libération artistique : faciliter à l'homme libre la communication avec les autres hommes grâce aux œuvres d'art et par ce moyen les plonger dans une même atmosphère de liberté.*

*Troisièmement : libération politique et sociale, libération des opprimés et des autres hommes.* [...]

Lors de la représentation des MOUCHES à Berlin, les journaux sous licence russe firent campagne contre son « antihumanisme » et sa « diffamation de la véritable liberté ».

48/162

*La Recherche de l'absolu*, article sur Giacometti.

*a*) Texte écrit à l'occasion d'une exposition des sculptures de Giacometti à la galerie Pierre Matisse de New York en 1948. Traduit sous le titre « The Search for the Absolute », il constitue l'introduction au catalogue de l'exposition (10 janvier au 14 février).
*b*) *Les Temps modernes*, nº 28, janvier 1948, p. 1153-1163.
*c*) Repris sans variantes dans SITUATIONS, III.

Sartre et Simone de Beauvoir avaient déjà remarqué Giacometti au Dôme vers 1936 (« Il avait l'air à la fois solide comme un rocher et plus libre qu'un elfe : c'était trop », *La Force de l'âge*, p. 288); ils firent sa connaissance chez Lipp au printemps 1941 et eurent à partir de là des relations suivies avec sa femme Annette et lui.

Dans l'excellent passage où elle parle de Giacometti (cf. *La Force de l'âge*, p. 499-503), Simone de Beauvoir définit ce que représentent pour elle ses sculptures et précise :

« Il était de ces très rares individus qui, en vous écoutant, vous enrichissent. Il y avait entre Sartre et lui une affinité plus profonde : ils avaient tout misé, l'un sur la littérature, l'autre sur l'art; impossible de décider lequel était le plus maniaque. [...]

Le point de vue de Giacometti rejoignait celui de la phénoménologie puisqu'il prétendait sculpter un visage en situation, dans son existence pour autrui, à distance, dépassant ainsi les erreurs de l'idéalisme subjectif et celles de la fausse objectivité. »

Cette affinité se révèle fortement dans *La Recherche de l'absolu :* tout en décrivant brillamment les œuvres de Giacometti (*ces esquisses mouvantes, toujours à mi-chemin entre le néant et l'être, toujours modifiées, améliorées, détruites et recommencées* [qui] *se sont mises à exister seules et pour de bon*), Sartre discerne chez le sculpteur suisse une entreprise parallèle à la sienne.

Cf. 54/257 pour un autre texte sur Giacometti.

48/163

*Conscience de soi et connaissance de soi*, communication faite devant la Société française de Philosophie, séance du 2 juin 1947.

— *Bulletin de la Société française de Philosophie*, XLII^e année, n° 3, avril-juin 1948, p. 49-91.

Cette importante communication, la seule que Sartre ait faite devant la Société française de philosophie, dont il est toujours membre, est précédée, comme il est d'usage, par un résumé des arguments présentés. La communication elle-même reprend, sans rien y ajouter d'essentiel, les positions philosophiques développées dans L'ÊTRE ET LE NÉANT (cf. Introduction, § 3; I^re partie, chap. II; II^e partie, chap. I, II, § 3, III). Parlant de Husserl et de Heidegger, Sartre, pour situer son propre projet philosophique, conclut : *Il est nécessaire d'opérer une synthèse de la conscience contemplative et non dialectique de Husserl, qui nous amène uniquement à la contemplation des essences, avec l'activité du projet dialectique, mais sans conscience, et par conséquent sans fondement, que nous trouvons chez Heidegger, où nous voyons, au contraire, que l'élément premier est la transcendance* (p. 76).

Notons qu'au cours de la discussion qui suit, Sartre est amené, en réponse à l'objection d'un psychanalyste, à formuler de manière quelque peu brutale sa position en ce qui concerne l'inconscient : sur le terrain ontologique, il est facile de démontrer qu'il n'y a pas d'inconscient; si l'on se place sur le terrain de l'instrumentalisme, la notion d'inconscient peut également être tenue pour inutile car *dans tous les cas où l'on fait appel à l'inconscient, on pourrait faire appel à des notions différentes* (p. 84). Sartre se réfère à Wilhelm Steckel pour soutenir qu'il y a des psychanalystes qui se passent parfaitement de la notion d'inconscient.

48/164

*C'est pour nous tous que sonne le glas.*

— *Caliban*, n° 16, mai 1948, p. 13-16.

Article écrit peu avant la proclamation de l'État d'Israël le 14 mai 1948. Sartre demande que les Hébreux soient armés par l'O.N.U. après le départ des troupes anglaises et déclare : *Un État palestinien, un État indépendant, libre et paci-*

*fique, c'est une garantie de paix, à condition qu'il soit assez fort pour se faire respecter.* [...] Sartre conclut sur une citation : *N'envoie jamais demander, écrit John Donne, pour qui sonne le glas : il sonne pour toi.*

48/165

« Au Président de la République », lettre signée par Jean Cocteau et Jean-Paul Sartre et écrite en faveur de Jean Genet.

— *Combat*, 16 juillet 1948.

Texte intégral :

*Monsieur le Président,*

*Nous avons décidé d'avoir recours à votre haute autorité pour prendre une mesure exceptionnelle en ce qui concerne un écrivain que nous admirons et respectons tous : Jean Genet. Nous n'ignorons pas que son œuvre est en marge des lettres et ne saurait courir les rues. Mais l'exemple de Villon et de Verlaine nous décide à vous demander votre aide pour un très grand poète.*

*En outre nous avons appris, sans que Jean Genet nous en parle, que sa dernière et définitive condamnation est venue de ce qu'il a décidé de prendre à son compte une faute commise par Jean de Carnin, mort sur les barricades à la Libération, afin que son nom ne reçoive aucune tache.*

*C'est encore un titre à notre estime et cela nous encourage dans notre démarche.*

*Toute l'œuvre de Jean Genet l'arrache à un passé de fautes flagrantes et une condamnation définitive le plongerait de nouveau dans le mal dont cette œuvre est arrivée à le délivrer.*

*Nous vous supplions, Monsieur le Président, de prendre, si possible, une décision rapide et de sauver un homme dont toute la vie n'est plus désormais que travail.*

*Veuillez recevoir, Monsieur le Président, l'assurance de toute notre gratitude et de nos sentiments de profond respect.*

Sur Genet, cf. 49/189, 50/202, 52/215.

48/166

« Entrevistas Jean Paul Sartre », interview en espagnol de Marcelo Saporta.

— *Insula*, nº 32, 15 agosto 1948.

Interview d' « époque » : sur le plan politique, Sartre reprend les thèses du R.D.R. tandis que sur le plan littéraire il réaffirme certaines des idées exprimées dans *Qu'est-ce que la littérature?* Il loue, d'autre part *La Peste* de Camus et déclare qu'il travaille surtout à Mallarmé.

Cf. une autre interview de M. Saporta dans *Cuadernos Americanos* (54/251).

*Écrire pour son époque.*

— *Les Temps modernes*, juin 1948. Cf. 46/114.

48/167

Texte du programme du ballet « La Rencontre ou Œdipe et le Sphinx » de Boris Kochno, musique de Henri Sauguet, chorégraphie de David Lichine.

— Ballet des Champs-Élysées, théâtre des Champs-Élysées, album n° 8, novembre 1948.

APPENDICE

Écrit à la demande de Jean Cocteau et de Christian Bérard pour un ballet qui vit les débuts de Leslie Caron, ce texte n'a été mentionné, à notre connaissance, que par Simone de Beauvoir dans *La Force des choses* (p. 195). Il semble être le seul où Sartre ait parlé de la danse.

## TEXTES EN RAPPORT AVEC LE RASSEMBLEMENT DÉMOCRATIQUE RÉVOLUTIONNAIRE (R.D.R.)

Comme l'a bien vu M.-A. Burnier dans *Les Existentialistes et la politique* (cf. p. 63-75), l'épisode du R.D.R. marque une étape importante dans la vie politique de Sartre : c'est la première fois que celui-ci se lance dans le travail de masse et l'action politique directe.

Il faut noter cependant que Sartre ne faisait pas partie du groupe qui, composé de David Rousset, Jean Rous, Georges Altman, etc., a conçu à l'origine l'idée du R.D.R.; ce n'est qu'en février 1948 qu'il a rejoint le comité directeur du mouvement (cf. à ce sujet *La Force des choses*, p. 162-

163). Très vite, néanmoins, le R.D.R. a été connu comme « le parti de Sartre et de David Rousset ». Les activités R.D.R. de Sartre sont très nombreuses au cours de l'année 1948, mais dès l'année suivante il se rend compte que le Rassemblement ne correspond à aucune réalité politique et qu'il fait fausse route; après diverses péripéties, Sartre démissionne du mouvement en octobre 1949.

Nous avons pu dénombrer les textes suivants :

## « Appel du Comité pour le Rassemblement Démocratique Révolutionnaire »

*a*) *Combat* et *Franc-Tireur*, 27 février 1948.
*b*) *Esprit*, 16e année, nº 3, mars 1948, p. 464-466.

Cet appel qui annonce la formation du R.D.R. a été signé par Sartre, Rousset, Altman, Jean Rous, Paul Fraisse, etc. Il a été diffusé fin février 1948 et a été largement reproduit dans la presse.

Rappelons que son précurseur, en quelque sorte, a été, le « Premier appel à l'opinion internationale » diffusé en novembre 1947 et que nous reproduisons d'abord :

### PREMIER APPEL À L'OPINION INTERNATIONALE

Au lendemain de l'armistice, les hommes d'Europe en sont revenus à tabler sur un répit de quelques années ou de quelques mois avant un nouveau massacre. Ils ont perdu confiance en leurs propres forces et n'osent plus rien entreprendre parce que d'habiles propagandes les ont convaincus qu'il leur fallait attendre la mort avec résignation et pour le présent remettre leur sort entre des mains étrangères. Quand l'homme se laisse persuader de son impuissance, le règne de la fatalité commence et le sang va couler.

Nous, qu'un danger si pressant a réunis malgré nos divergences d'opinion et qui vous envoyons cet appel, nous ne sommes pas des pacifistes. Nous tenons au contraire le pacifisme pour abstrait et inefficace, parce qu'il veut éviter la guerre en général, et pour coupable parce qu'il veut l'éviter à tout prix. Nous ne mettons pas la Paix au-dessus de tout. Mais nous croyons que c'est l'homme qui fait l'histoire et que cette *guerre-ci*, absurde et injustifiable, *doit* être évitée.

La guerre *doit* être évitée parce que :

1º Son issue est tellement incertaine et dépend de tant de circonstances ignorées que, si même nous avions des sympathies déclarées pour l'un des deux camps, nous ne pourrions raisonnablement miser sur sa victoire. En outre, la préparation de cette guerre entraîne en chaque bloc le pourrissement des idéaux que, par la guerre, on prétend sauvegarder. Le vainqueur, s'il en est un, et fût-il même celui que nous souhaiterions, viendrait sur nous méconnaissable et porteur des maux que nous redoutons le plus.

2° Si la victoire est incertaine, les conséquences d'un conflit sont manifestes en tout cas : pour l'Europe, la guerre signifie l'occupation ou les ruines du champ de bataille ou les deux.

3° La préparation à la guerre déséquilibre la vie économique du monde et diminue ses chances de relèvement en paralysant les échanges économiques.

4° La préparation à la guerre retarde la libération sociale; la guerre reculerait cette libération indéfiniment : inimaginable dans ses effets et ses destructions, elle rendrait inimaginable tout avenir historique : à ceux, de quelque bloc qu'ils viennent, qui prétendraient que c'est la dernière avant la libération de l'homme ou l'unique moyen de défendre sa liberté, nous répondrons simplement qu'ils se font les complices d'une énorme et criminelle mystification. Qu'on ne vienne pas non plus nous dire que la politique des blocs, en réalisant l'équilibre des puissances, reste un moyen d'assurer la paix : la paix armée n'est pas la paix; si elle devait se prolonger, elle deviendrait l'empêchement majeur et peut-être définitif à l'organisation internationale dans laquelle la vraie paix n'est pas concevable.

La guerre *peut* être évitée.

Mais c'est à la condition que nous autres, hommes de France et d'Europe, nous ne nous prenions pas pour des victimes innocentes. Il est bien vrai que nous sommes des victimes : avant même que la guerre ait éclaté, sans même qu'on sache si jamais elle éclatera, l'Europe est déjà un champ de bataille pour les deux grandes forces ennemies. Pour l'une comme pour l'autre, elle est une proie et une menace. Une proie parce que sa désunion et sa misère la livrent à toutes les influences; une menace parce que ces influences la partagent en deux camps opposés et en font l'image réduite du conflit qui divise le monde entier. Et comme c'est par l'asservissement de l'Europe que chaque bloc tente de se défendre, il cherche sur notre sol des partisans et des soldats, et suscite par ses entreprises les inquiétudes et les entreprises contraires de l'autre bloc. Mais si nous consentons, fût-ce par notre inertie, à cet asservissement, nous cessons d'être des victimes pour devenir des complices. Ballottés entre les deux camps, nous laissant manœuvrer par l'un et par l'autre, la guerre froide a causé notre désunion, notre désunion peut causer la guerre tout court. De ce fait, il n'est plus un pays d'Europe, pas un citoyen d'un pays européen, à qui n'incombe l'immense responsabilité de devenir facteur de guerre ou facteur de paix selon la décision qu'il prendra.

Toutefois, le plus vibrant appel à l'union ne serait efficace, s'il était lancé à l'intérieur d'un *seul* pays. Aucune formation *nationale*, qu'elle s'appelle centrisme ou troisième force, ne peut mettre un terme aux agitations et à la montée du fascisme, tant que la misère, le froid et la faim attiseront les haines parce qu'aucun pays ne peut vaincre à lui seul la famine, la misère ni le froid. Seule une Europe qui administrerait elle-même les ressources et les répartirait selon ses besoins, non seulement selon les intérêts de quelques-uns, pourrait retrouver un niveau de vie convenable et, par là, surmonter ses discussions intérieures. C'est la suppression des intérêts capitalistes et des barrières douanières qui peut seule entraîner la suppression de nos conflits intérieurs. C'est la suppression de ces conflits et la réalisation de l'unité économique qui peuvent seules donner à l'Europe une indépendance relative et le gouvernement d'elle-même. Divisée, l'Europe peut être à l'origine de la guerre; unie, à l'origine de la paix : ce n'est pas l'Europe que l'U.R.S.S. redoute, c'est la politique de l'Amérique en Europe; ce n'est pas l'Europe que redoute l'Amérique, c'est l'influence du Kominform sur les masses européennes. D'un continent qui aura su conquérir sa souveraineté, l'U.R.S.S. et les États-Unis auront beaucoup moins à craindre que d'un ramassis de nations misérables qui n'ont plus que la liberté de choisir le bloc auquel elles vont s'inféoder; et comme la guerre qui menace est une guerre de peur plus encore que d'intérêts, une modification aussi radicale de la situation européenne ne saurait manquer d'amener chaque bloc à réviser sa politique.

Mais il est clair, d'autre part, que, seule une transformation radicale du régime social permettra de régler souverainement l'économie européenne, parce que seule elle permettra de liquider la résistance des intérêts particuliers. Il faut savoir ce que l'on veut : si l'on est décidé à apporter une solution aux problèmes nationaux, il est nécessaire de la chercher dans le cadre d'une organisation internationale et si l'on veut établir cette organisation, il faut savoir qu'elle requiert une révolution socialiste et le remplacement de la propriété privée par la propriété collective réelle. En outre, comme cette Europe qui doit se faire comprend en elle plusieurs empires coloniaux, il va de soi que l'émancipation des classes ouvrières, qui est le but et le moyen de la Révolution, n'aurait aucun sens sans l'émancipation parallèle des masses colonisées. Enfin, la pire faute serait de constituer un troisième bloc qui susciterait autour de lui une nouvelle zone de mépris, de méfiance et d'isolement et qui aurait en outre l'inconvénient majeur d'être plus faible que le plus faible des deux autres. Nous ne demandons pas que l'Europe se ferme sur elle-même. Si nous la considérons comme le point de départ d'un mouvement qui devrait s'étendre au prolétariat du monde entier, c'est d'abord que sa situation lui permet de concevoir avec évidence qu'elle serait dans tous les cas la victime de la guerre sans en être, quelle que soit l'issue qu'on imagine, la bénéficiaire; c'est ensuite que nous ne sommes ni russes, ni américains, mais citoyens d'Europe et qu'il faut travailler où l'on est. Notre appel ne s'adresse donc pas seulement ni surtout aux Français, mais par-delà les frontières, à toutes les forces démocratiques et sociales du monde pour leur demander de se regrouper et de reprendre par-delà leurs divisions et ces nationalismes exaspérés qui dissimulent mal l'action occulte de puissances étrangères, la tradition internationaliste qui doit être inséparable du Socialisme, et qui est le seul moyen d'assurer la paix.

### APPEL DU COMITÉ POUR LE RASSEMBLEMENT DÉMOCRATIQUE RÉVOLUTIONNAIRE

Nous sommes des millions en France, des millions en Europe et dans le monde entier.

Des millions qui cherchons le même chemin.

Survivants de l'enfer, rescapés de la Résistance, militants, sympathisants ou compagnons de route des grands mouvements qui se réclament de l'émancipation sociale, nous estimons que le monde a payé assez cher sa délivrance de l'hitlérisme pour — sauvé de la plus grande tentative d'asservissement que l'histoire ait connue — n'attendre de salut que dans le respect et le maintien des droits de l'homme et de la liberté.

Entre les pourrissements de la démocratie capitaliste, les faiblesses et les tares d'une certaine social-démocratie et la limitation du communisme à sa forme stalinienne, nous pensons qu'un rassemblement d'hommes libres pour la démocratie révolutionnaire est capable de faire prendre une vie nouvelle aux principes de liberté, de dignité humaine en les liant à la lutte pour la révolution sociale.

*Ni la violence pour la violence, ni l'illusion d'organismes tampons, ni l'équivoque d'une Troisième Force parlementaire confuse, sans objectif et sans assise populaire, ne peuvent satisfaire la grande attente de la France et du monde.*

Les peuples sont à la fois saturés de sang, de mort, de charniers, de supplices, de bagnes, de prisons, de guerres et désemparés, écœurés par l'enlisement ou la faillite des vieux systèmes du règne capitaliste.

Laisserons-nous, en manquant la chance qui s'offre à nous d'unir les principes de la démocratie politique aux exigences de la transformation économique, laisserons-nous les néo-fascismes nous gagner de vitesse?

*Il est temps de faire du socialisme une réalité qui attire à elle l'adhésion sans réserve et sans crainte de tous ceux qui repoussent les lâches compromissions des uns ou les aveugles soumissions des autres.*

Nous n'acceptons pas plus la résignation à l'injustice et à l'indignité de la société actuelle qu'un système social qui opprimerait sans frein l'individu. Les moyens sont, pour nous, aussi importants que la fin. Et la fin socialiste ne tolère pas l'emploi de n'importe quel moyen. Pas plus qu'on n'admettait le double jeu dans la lutte, entre le parti des bourreaux et celui des victimes, nous ne saurions admettre ce double jeu qui consiste à pratiquer, dans le présent, des moyens indignes, et que l'on sait tels, pour assurer, dans l'avenir, une fin noble.

C'EST À PARTIR D'UN ACQUIS DE JUSTICE, de lois morales et civiles, de garanties conquises de haute lutte au cours des siècles par tous les peuples contre toutes les tyrannies, c'est à partir d'un héritage de libertés politiques commun à tous les peuples civilisés que nous entendons définir la démocratie révolutionnaire.

*Démocrates, par tout ce que ce terme impliquera toujours de victoires populaires contre le bon plaisir, l'arbitraire, la raison d'État, l'obscurantisme des hommes et des systèmes.*

*Révolutionnaires, parce que la démocratie capitaliste n'est plus que le règne des riches et l'esclavage des pauvres, parce que, de plus en plus débile, elle risque de livrer au fascisme ce qui reste d'elle-même, supprimant ainsi pour longtemps tous les espoirs du futur.*

Nous n'entendons diviser aucune force démocratique et prolétarienne. Qu'un grand nombre de militants restent dans leur parti, que d'autres le quittent, nous n'avons pas ici à les juger ou à les critiquer; en les appelant les uns et les autres à se rencontrer dans le Rassemblement de la démocratie internationale et révolutionnaire, nous croyons le moment venu de les convier à s'unir sur un programme immédiat de défense et d'action républicaine et laïque qui saura profiter de toutes les expériences réformatrices ou révolutionnaires de l'Histoire.

Mais c'est aussi à cette masse de citoyens, de républicains, de démocrates, de syndicalistes, de révolutionnaires en France et dans le monde, à ces millions d'hommes, de femmes, de jeunes gens qui se résignent mal à n'être nulle part et ne veulent point choisir, c'est à cette masse immense de bonne volonté que nous crions :

*Rien n'est perdu, mais tout est à refaire, et à faire.*

Avec tous ceux qui travaillent à l'unité de l'Europe et du monde, il faut ouvrir aux travailleurs et aux hommes libres un champ plus vaste, faire souffler un air nouveau.

*Il n'est pas vrai qu'on doive sacrifier une génération pour répartir équitablement les produits du travail.*

*Il n'est pas vrai que la démocratie ne puisse pas être reprise par des mains nettes et vigoureuses, capables de créer dans ce pays les conditions et les moyens de la gestion populaire dans tous les secteurs de l'économie et de l'administration.*

Il n'est pas vrai que la politique des blocs soit la seule issue à proposer aux hommes.

Il n'est pas vrai que le socialisme doive prendre un visage anémique ou un masque barbare.

Par la République française de 1848, dont nous fêtons le centenaire, par la Révolution russe, l'idée socialiste est descendue sur terre.

Par la libération du nazisme, les libertés démocratiques se sont avérées irremplaçables.

Par les carences de la démocratie capitaliste, la défense et l'union antifasciste redeviennent inéluctables.

Par la faillite des remèdes uniquement libéraux, la solution socialiste est partout à l'ordre du jour.

Par l'oppression et l'éveil des peuples coloniaux, la liberté, toute la liberté doit être proclamée et implantée dans l'Union française.

Par l'exaspération artificielle des nationalismes, la reprise d'une conscience internationale de tous les peuples s'impose.

Tout cela est impliqué dans la démocratie révolutionnaire.

*Il appartient à la France de relancer au monde le cri d'espoir de Saint-Just : « Le bonheur est une idée neuve en Europe. »*

*Et, en le complétant, l'appel de Marx d'il y a cent ans :*

*« Prolétaires et hommes libres de tous les pays, unissez-vous ! »*

*En 1948, comme en 1848, que vienne de chez nous l'appel pour la liberté rénovée et renforcée dans la justice sociale.*

48/168

« La France peut proposer au monde une révolution à faire dans la liberté », interview par Georges Altman.

— *Franc-Tireur*, 10 mars 1948.

Sartre définit ici, avant la conférence de presse du 10 mars, le but général du R.D.R.

48/169

« Les fondateurs du R.D.R. aux représentants de la presse : “ Voici ce que nous sommes et ce que nous voulons... ” »

— *Franc-Tireur*, 11 mars 1948.

Extraits de la conférence de presse donnée le 10 mars par Jean Rous, Sartre et David Rousset pour présenter le R.D.R. Sartre déclare notamment :

*La plupart des Européens semblaient déjà avoir choisi leurs vainqueurs. Nous sommes dans un état de guerre par personnes interposées. Le R.D.R. se refuse à se ranger d'un côté par peur de l'autre. Il veut désintoxiquer, établir des contacts avec tous les groupements démocratiques européens pour mettre l'Europe à la tête de la paix.*

48/170

*Le R.D.R. et le problème de la liberté.*

*a*) *La Pensée socialiste*, nº 19, 1er trimestre 1948, p. 3-5.
*b*) Extraits sous le titre « La faim au ventre, la liberté au cœur » dans *La Gauche R.D.R.*, nº 1, 15-30 mai 1948, p. 1.
*c*) Version modifiée de *b*) sous le titre « Avoir faim, c'est déjà vouloir être libre », dans *Caliban*, nº 20, octobre 1948, p. 11-14.

Discours prononcé au premier meeting du R.D.R., le 19 mars 1948, salle Wagram.

Reprenant l'un des thèmes qu'il n'avait pas eu le temps d'aborder dans l'émission radiophonique « Tribune des Temps modernes », Sartre s'en prend à ceux qui reprochent aux travailleurs leur « matérialisme sordide » et voit dans la faim *la revendication de la liberté* ainsi qu'une manifestation de solidarité : *On n'a pas faim tout seul ; quand cet homme a faim, il a faim avec tous les camarades de sa classe, avec les gens qui sont payés comme lui.* Et Sartre poursuit :

*La question n'est pas d'abandonner la liberté, même pas d'abandonner les libertés abstraites de la bourgeoisie, mais de leur donner un contenu, de les retrouver à leur source, de les voir surgir des exigences les plus élémentaires qui sont les exigences de la vie quotidienne.* [...] *Le premier but du Rassemblement démocratique révolutionnaire, c'est de lier les revendications révolutionnaires à l'idée de liberté.*

La version modifiée publiée dans *Caliban* omet ce qui concerne directement le R.D.R. pour insister davantage sur les relations entre la liberté et la faim : [On dit aux travailleurs] *qu'on leur donnera à manger à leur faim, mais on ne leur dit pas que ce qu'ils veulent, ce n'est pas seulement manger à leur faim, c'est manger à leur faim pour pouvoir être libres.* Relevons également la phrase suivante : *La démocratie, telle qu'on la voit dans les démocraties bourgeoises, est une fumisterie.*

48/171

« Revolutionary democrats », interview par Mary Burnet.
— *New York Herald Tribune* (Paris edition), 2 June 1948.

Voici quelques-unes des idées développées par Sartre :

— Le R.D.R. n'est pas un parti mais un rassemblement : il s'adresse aux individus et non aux groupes constitués. Son objectif immédiat est de préserver l'idéal révolutionnaire et de travailler à établir les conditions d'un socialisme authentique. Il ne veut pas de réformes mais une révolution qui se fasse sans effusion de sang, en préservant les libertés par lesquelles le capitalisme se justifie lui-même et en étendant ces libertés à tous les citoyens (ce que le capitalisme ne fait pas). Cette révolution qui doit se faire à l'échelle européenne devrait permettre à l'Europe de devenir une force intermédiaire entre l'U.R.S.S. et les U.S.A.

— Tout objectif, si valable soit-il, ne peut qu'être compromis et trahi si on met en œuvre des moyens autoritaires pour l'atteindre, etc.

48/172

*Jeunes d'Europe, unissez-vous ! Faites vous-mêmes votre destin.*
— *La Gauche R.D.R.*, n° 3, 16-30 juin 1948, p. 1.

Texte d'une intervention le 11 juin 1948 à un meeting R.D.R., salle des Sociétés savantes. Ce meeting a été marqué par des bagarres avec des groupes R.P.F. qui voulaient saboter la réunion.

Après avoir attaqué le R.P.F. (dont le but est de *préparer la guerre de demain, afin que la France soit aux côtés des vainqueurs, c'est-à-dire des Américains*), le Parti communiste (qui, *depuis la Libération, s'acharne à décourager les bonnes volontés les plus évidentes par le plus maladroit des autoritarismes intérieur, par la plus raide et la plus inopportune activité extérieure*) et la Troisième Force (*vieillotte* et *sans programme)*, Sartre exprime l'espoir qu'*en faisant l'Europe, la jeunesse fera la démocratie.*

Le même numéro de *La Gauche* cite des passages supplémentaires de l'intervention de Sartre dans un compte rendu du meeting : *J'ai rencontré partout en Europe des jeunes qui pensent comme vous.* [...] *Dressez-vous contre les faux prophètes qui veulent vous entraîner dans de sanglantes aventures.*

48/173

*De partout, aujourd'hui, on veut nous mystifier.*

— *La Gauche R.D.R.*, n° 4, juillet 1948, p. 4.

Fragment de *Qu'est-ce que la littérature?* reproduisant les pages 305-310 de SITUATIONS, II. Le même numéro de *La Gauche* comporte un texte d'Albert Camus : « Réflexions sur une démocratie sans catéchisme. »

48/174

*Entretien sur la politique* avec David Rousset et Gérard Rosenthal.

*a*) *Les Temps modernes*, n° 36, septembre 1948, p. 385-428.

Cet entretien qui a eu lieu le 18 juin 1948 n'est signé que des seuls noms de Rousset et de Sartre.

Sartre ayant rapporté des propos que lui avait tenus Raymond Aron (cf. ENTRETIENS SUR LA POLITIQUE, p. 51-56), celui-ci lui reprocha dans une lettre datée du 22 octobre 1948 d'avoir déformé sa pensée. Cette lettre fut publiée dans *Les Temps modernes* (n° 38, novembre 1948, p. 957) avec une courte réponse où Sartre affirme que R. Aron a tenu très exactement les propos qu'il rapporte.

*b*) Repris avec d'assez nombreuses variantes, sous le titre « Premier entretien, 18 juin 1948 », dans :

49/175

ENTRETIENS SUR LA POLITIQUE

— Sartre, J.-P., Rousset, David, Rosenthal, Gérard. ENTRETIENS SUR LA POLITIQUE. Gallimard, [1949].

Le volume, paru en mars 1949, comporte un « Deuxième entretien » daté du 24 novembre 1948.

Le prière d'insérer, qui n'a pas été rédigé par Sartre, se termine comme suit :

« Les " Entretiens sur la politique " constituent une première "somme" des vues de ce " Rassemblement démocratique révolutionnaire " issu de l'initiative d'une poignée d'intellectuels et de militants ouvriers et à qui ses premières manifestations ont déjà acquis une large audience dans les masses et dans la jeunesse. [...]

« Dialogue critique, manifeste, programme, pamphlet, ces libres " Entretiens " ne se développent pas sans soumettre à une dialectique acérée les professions de foi et les personnes des camps adverses du gaullisme et du stalinisme et sans accrocher âprement au passage les mésaventures des intellectuels staliniens, les actes des ministres ou les certitudes des dignitaires R.P.F. »

L'intérêt général du volume est assez faible aujourd'hui; on y trouvera cependant une bonne exposition des idées du R.D.R. et de nombreux renseignements sur les relations de Sartre avec les communistes (cf. surtout p. 70-78).

Parmi les principales réactions, signalons celles de :

— François Mauriac. Cf. notice 49/184;

— Raymond Aron (« Réponse à Jean-Paul Sartre », in *Liberté de l'Esprit*, juin 1949);

— Maurice Mouillaud (« Quand MM. Sartre, Rousset et Rosenthal parlent de politique » in *La Nouvelle Critique*, novembre 1949, p. 15-24).

48/176

*J.-P. Sartre aux Marocains :* « *Ceux qui vous oppriment, nous oppriment pour les mêmes raisons.* »

— *La Gauche*, nº 8, novembre 1948, p. 1, 3.

Extraits d'une intervention à un meeting sur le Maroc tenu à la Maison de la Chimie (Paris) le 18 novembre 1948.

*Tant que nous ne pourrons pas nous dire :* « Pas un homme *sur terre n'est opprimé de notre fait* », *nous ne pourrons même pas concevoir ce que c'est que d'être libre.* [...] *C'est en luttant à vos côtés contre la classe et les institutions qui vous oppriment que nous arriverons à nous libérer nous-mêmes.*

48/177

*Il nous faut la paix pour refaire le monde. Réponse à ceux qui nous appellent* « *munichois* ».

— *Franc-Tireur*, 10 décembre 1948.

APPENDICE

Ce texte n'est pas relié directement au R.D.R. mais est sans doute le meilleur publié à l'époque par Sartre sur la politique.

48/178

*Il faut que nous menions cette lutte en commun.*

*a*) *La Gauche*, n° 10, 20 décembre 1948, p. 1-2.

Texte intégral d'une intervention à une réunion pour « l'internationalisme de l'esprit » tenue le 13 décembre 1948 à la salle Pleyel, avec la participation de Camus, Rousset, André Breton, Carlo Levi, Richard Wright, Theodor Plievier, etc.

*b*) Compte rendu de la réunion avec citations dans : *Franc-Tireur*, 14 décembre 1948.

*c*) Extraits sous le titre « Les écrivains de tous les pays ont en commun les mêmes craintes et les mêmes espoirs », dans : *Combat*, 17 décembre 1948.

Sartre indique ce qui l'oppose à Malraux :

*Un écrivain qui, hélas! est beaucoup plus loin de nous, dans notre propre pays, que ces étrangers qui viennent de toutes les parties de l'Europe, un écrivain qui, dans notre propre langue, use de mots qui n'ont plus le sens que nous leur donnons, a dit un jour : « L'Europe doit se penser en termes de destin. » Et si je veux comprendre ce mot de destin, je dois feuilleter ses livres comme un dictionnaire. La mort transforme notre vie en destin : voilà ce que destin veut dire. Le destin de l'Europe lui vient de ce qu'elle est morte aux yeux de certains. Pour cet écrivain, l'espoir est désormais inscrit ailleurs.*

*Nous, écrivains réunis ici ce soir, ne croyons pas au destin. Nous ne croyons pas que l'Europe soit un destin. Nous pensons encore qu'elle peut être une entreprise, une entreprise commune de tous les Européens.*

Puis il dit en conclusion :

*Partout où des hommes refusent l'oppression, l'exploitation, le colonialisme, l'univers concentrationnaire, là est notre public.* [...] *En attendant d'unifier son économie et sa politique, l'Europe entend elle-même unifier sa littérature.*

Dans une interview de 1955 (cf. 55/267), Sartre résume ainsi l'affaire du R.D.R. : *Je ne suis pour rien dans la fondation du R.D.R., œuvre de David Rousset et d'Altman. Pour sa dislocation, c'est autre chose. D'ailleurs le R.D.R. n'était qu'un petit groupuscule échappant aux grandes lois de l'évolution historique. Un jour ou l'autre, des conflits personnels auraient de toute manière divisé ses quelques milliers d'adhérents.*

48/NOTE 1.

Sartre fut cité comme témoin de moralité lors du procès d'un de ses anciens élèves au lycée Condorcet, Robert Misrahi, qui était accusé, en même temps qu'un autre étudiant juif, de détention d'explosifs (cf. « Le Problème juif? Un problème international, déclare Jean-Paul Sartre au procès des amis du Stern », compte rendu d'audience par Madeleine Jacob, *Franc-Tireur*, 14 février 1948). Après avoir fait l'éloge de celui qu'il tenait pour *son plus brillant élève*, Sartre déclara : *Je considère que le devoir des non-Juifs est d'aider les Juifs, et la cause palestinienne.*

48/NOTE 2.

Le numéro 2 de *Présence africaine* (1948) annonçait deux textes de Sartre à paraître : « Du Paternalisme » et « Réponse à l'enquête sur le mythe du Nègre »; le numéro 6 (1949) : « A propos de l'esclavage. » Aucun de ces articles n'a été écrit.

# 1949

49/179

LA MORT DANS L'ÂME, t. III des *Chemins de la liberté*.

*a*) Texte intégral paru en six parties dans *Les Temps modernes* :

I : nº 39, décembre 1948-janvier 1949, p. 1-45.
II : nº 40, février 1949, p. 230-278.
III : nº 41, mars 1949, p. 443-502.
IV : nº 42, avril 1949, p. 626-666.
V : nº 43, mai 1949, p. 821-867.
VI : nº 44, juin 1949, p. 1025-1079.

*b*) Extraits en feuilleton avec le sous-titre « Le combat sans espoir », *Combat*, 21, 22-23 et 25 octobre 1949.

Le troisième feuilleton est marqué « à suivre ».

*c*) Volume : Gallimard, [1949]. 293 pages.

Achevé d'imprimer : 24 août 1949. Mis en vente en septembre. 8 exemplaires sur vergé antique; 105 sur vélin pur fil; 2050 sur alfa, reliés. Légères variantes avec *a*).

Le volume a paru dans la collection « Soleil » en 1962.

*d*) Gallimard, « Le Livre de Poche », nºs 821-822, [1962].

*e*) *Œuvre romanesque*, t. V. Éditions Lidis, [1965].

Le prière d'insérer de l'édition *c*), rédigé par Sartre, se lit comme suit :

*Ils sont vivants mais la mort les a touchés : quelque chose est fini ; la défaite a fait tomber du mur l'étagère aux valeurs. Pendant que Daniel, à Paris, célèbre le triomphe de la mauvaise conscience, Mathieu, dans un village de Lorraine, fait l'inventaire des dégâts : Paix, Progrès, Raison, Droit, Démocratie, Patrie, tout est en miettes, on ne pourra jamais recoller les morceaux.*

*Mais quelque chose commence aussi : sans route, sans références ni lettres d'introduction, sans même avoir compris ce qui leur est arrivé, ils se mettent en marche, simplement parce qu'ils survivent. Daniel, au plus bas de lui-même, commence, sans le savoir, à monter la pente qui le conduira à la liberté et à la mort. Brunet s'engage dans une entreprise dont il est loin de soupçonner qu'elle brisera sa cuirasse de certitudes pour le laisser nu et libre. À la recherche de la mort qu'on lui a volée, Boris vole vers Londres : ce n'est pas la mort qu'il y trouvera. Et surtout, Mathieu fait timidement l'expérience de la solidarité. Au milieu de tous ces hommes qui se perdent ensemble, il apprend qu'on ne se sauve jamais seul. Dans le coup, c'est lui qui perd le plus : les autres sont refaits de leurs principes ; lui, il est refait de son problème. Qu'on se rassure, il en trouvera un autre.*

Le tome III des *Chemins de la liberté* fut annoncé dès 1945, sous le titre « La Dernière Chance » et des fragments du roman furent sur le point de paraître dans *Les Temps modernes* (cf. nº 26, novembre 1947). Dans une interview donnée en octobre 1945 (cf. 45/87), Sartre déclare que les chemins de la liberté doivent effectivement mener les personnages à leur liberté : « *Mathieu trouvera son amour et son entreprise. Il s'engagera d'un engagement libre, qui donnera au monde un sens pour lui. Ce sera le sujet de* La Dernière Chance ». Par la suite, Sartre ne pouvant réaliser cette ambition en un seul volume, décida de changer de titre et adopta celui de « La Mort dans l'âme » qu'il avait déjà utilisé pour des pages de journal en 1942 (cf. 42/33).

Le volume — qui est sans doute le meilleur de la série — fut écrit en 1947-1948 en même temps, notons-le, que l'ébauche de la morale de l'existentialisme promise à la fin de L'ÊTRE ET LE NÉANT. La première partie couvre chronologiquement la période du 15 au 18 juin 1940 et se termine en laissant Mathieu dans une situation particulièrement désespérée; la deuxième partie décrit le début de captivité d'un groupe de soldats français qui comprend le militant communiste Brunet et un certain Schneider que l'on soupçonne d'être un indicateur.

Cf. 45/60 et 61, 49/191 et 192.

49/180

SITUATIONS, III

Gallimard, [1949]. 315 p. Achevé d'imprimer : 10 juin 1949. Dédié à Jacques Bost. Il existe également une édition reliée tirée à 1 119 exemplaires.

Ce volume comprend douze textes publiés entre 1944 et 1948 et répartis en cinq sections :

I. (Textes sur la Guerre et l'Occupation) :
— *La République du silence* cf. 44/53
— *Paris sous l'occupation* 44/56
— *Qu'est-ce qu'un collaborateur ?* 45/79
— *La fin de la guerre* 45/81

II. (Textes sur les États-Unis) :
— *Individualisme et conformisme aux États-Unis* 45/71
— *Villes d'Amérique* 45/72
— *New York, ville coloniale* 46/106
— *Présentation* (du numéro spécial des *Temps modernes* sur les États-Unis) 46/111

III. *Matérialisme et révolution* 46/108

IV. *Orphée noir* 48/158

V. *La Recherche de l'absolu* (sur Giacometti) 48/162
— *Les mobiles de Calder* 46/100

Aucun de ces textes ne comporte de variantes majeures.

ENTRETIENS SUR LA POLITIQUE

Cf. 49/175.

49/181

NOURRITURES suivi d'extraits de *La Nausée*.

— Jacques Damase, [1949]. Illustré de pointes sèches de Wols. Achevé d'imprimer : 30 septembre 1949. 450 exemplaires sur pur fil Johannot dont 26 marqués de A à Z et 424 marqués de 27 à 450.

Le texte *Nourritures* occupe les pages 13-19.

Ce volume est très rare et ne se trouve pas à la Bibliothèque nationale.

Cf. notice 38/20 et APPENDICE.

49/182

« Jean-Paul Sartre reproche à Georges Lukács de ne pas être marxiste », interview par François Erval.

— *Combat*, 20 janvier 1949.

A l'occasion de la publication en France de son livre *Existentialisme ou marxisme?*, Georges Lukács donna à Paris une série de conférences et fit quelques déclarations à la presse où il attaquait vivement Sartre et l'existentialisme. *Combat* du 13 janvier 1949 publia en particulier une interview de Lukács par François Erval sous le titre « L'existentialisme fait une apologie indirecte du capitalisme ». Dans ses déclarations, Lukács se justifiait d'avoir renié ses premiers ouvrages en affirmant que leur hégélianisme était dépassé. Il prétendait aussi que Sartre ne réussissait pas à faire le pont entre l'heideggerisme de L'ÊTRE ET LE NÉANT et le kantisme de L'EXISTENTIALISME EST UN HUMANISME.

Sartre répond ici qu'il n'aime pas les polémiques philosophiques dans les journaux mais que les attaques de Lukács ne peuvent être laissées sans réponse, même si *elles manquent de bases sérieuses*. Après avoir qualifié au passage *Existentialisme ou marxisme?* de *journalisme philosophique*, il déclare que Lukács, qui a désavoué ses premières œuvres, est particulièrement mal placé pour lui faire grief d'avoir modifié sa philosophie : *Lukács me reproche d'avoir changé, mais je n'ai pas changé du tout. Je revendique cependant le droit de le faire, si l'évolution de ma pensée m'y poussait. Chaque philosophe a évolué au cours de sa carrière, sans toutefois accomplir des tournants en épingle à cheveux qui caractérisent une pensée dépendante. Un vrai philosophe en évoluant ne se sent nullement le besoin de désavouer ses œuvres précédentes ; Marx aussi a changé sa doctrine, mais sans prononcer ce* mea culpa *que Lukács réclame comme un signe de sincérité. D'ailleurs, le mot de désaveu à lui seul suffit à prouver que nous nous trouvons au sein d'une pensée qui n'est pas libre, il provient d'une attitude médiévale et religieuse et ne se conçoit qu'à l'intérieur d'une scolastique.* Sartre conteste formellement avoir changé de L'ÊTRE ET LE NÉANT à L'EXISTENTIALISME EST UN HUMANISME : tout ce que Lukács croit découvrir de neuf était déjà contenu dans L'ÊTRE ET LE NÉANT. Quant à L'EXISTENTIALISME EST UN HUMANISME, ce n'est qu'une *œuvre de passage.* Lukács reproche à Sartre sa conception de la liberté. Or il donne de la liberté une définition avec laquelle Sartre est parfaitement d'accord, encore qu'il ait lui-même été plus loin. En fait Lukács est un *crypto-existentialiste.* Et comme le marxisme de Lukács est plus proche de la méthode statistique — qui est antidialectique — que du marxisme, il est donc également un *crypto-marxiste.*

*Depuis le désaveu prononcé contre son propre passé, Lukács s'occupe de moins en moins de philosophie pour se consacrer à une sorte de sociologie de la philosophie fort contestable. Lorsqu'il parle, par exemple, du contenu social du « cogito » cartésien, il fait de la très mauvaise sociologie. Bien sûr, ce « cogito » reflètera une certaine protestation du monde bourgeois naissant, mais ce qu'il réclame c'est justement la liberté de la subjectivité. Descartes ne cherche pas à se mêler des événements politiques et sociaux de son époque ; dans ce sens, on pourrait dire qu'il est le type même du penseur non engagé, donc antimarxiste. Et si nous voulons examiner de plus près le contenu de son « cogito » qui, d'après Lukács, serait plus social que le « cogito » existentialiste, il faut bien constater que ce dernier est plus riche de contenu social que celui de Descartes puisqu'il implique l'existence d'autrui.*

Pour terminer, Sartre rattache sa pensée à l'action du R.D.R. : *C'est dès à présent que nous voulons traiter les hommes en tant que libertés.*

49/183

« Pour Lukács la terre ne tourne pas », interview par François Erval.

— *Combat*, 3 février 1949.

La polémique s'aigrit. Sous le titre « Sartre pèche contre la probité intellectuelle », Lukács, dans ce même numéro, dénie à son adversaire le droit moral de donner son opinion sur le marxisme et le qualifie d' « universitaire médiocre ».

Dans sa réponse, publiée en regard de l'interview de Lukács, Sartre adopte un ton acidement polémique : *En parlant d'universitaire médiocre, Lukács a donné une définition parfaite de sa propre personne.* Il s'étonne que Lukács ait parlé de lui dans son livre comme d'un « penseur authentique et de grande classe » alors que maintenant il le traite de « grotesque » et de « médiocre »; cependant les raisons sont claires, elles sont d'ordre politique mais s'expliquent aussi par la colère. *Lukács n'est plus habitué à la contestation, chez lui il légifère sans risque d'opposition. Ses arguments sont nuls et non avenus : il n'a pas lu* L'ÊTRE ET LE NÉANT.

Sartre s'efforce néanmoins patiemment de réfuter certaines objections de Lukács concernant le problème de la liberté :

*Si je prends objectivement pour but la liberté d'autrui, je lui fais violence. Mais si je prends ma propre liberté pour but, elle entraîne l'exigence de toutes les autres comme des libertés. Dans le choix que je fais de ma liberté, celle des autres est réclamée, mais lorsque je passe sur le plan de l'action, je suis obligé de prendre l'autre comme moyen et non comme fin. Nous sommes ici, évidemment, en présence d'une antinomie, mais c'est justement elle qui constitue le problème moral. J'examinerai cette antinomie dans ma « Morale », mais il me faut constater dès maintenant qu'une pensée qui se prétend marxiste et qui s'étonne des contradictions est en plein pourrissement.*

Sartre reproche encore à Lukács de n'avoir pas eu le

courage de prononcer le « et pourtant elle tourne » de Galilée lorsqu'il a dû lui aussi abjurer ses convictions. Mais c'est que pour Lukács, probablement, *la terre ne tourne plus*. Il conclut en disant qu'il voudrait bien disposer à Budapest de la même liberté de s'exprimer dont Lukács jouit à Paris.

Notons que *Les Temps modernes*, n° 50, décembre 1949, p. 1119-1121, publièrent un court « Commentaire » où Merleau-Ponty soutenait Sartre : « En 1946 Lukács revendiquait pour l'écrivain le droit de dépasser son passé, en 1949 il lui faut disqualifier ses travaux de critique et d'esthéticien, comme si la haute estime où il tenait Tolstoï et Gœthe n'avait été qu'étourderie et précipitation. Ainsi le communisme passe de la responsabilité historique à la discipline nue, de l'autocritique au reniement, du marxisme à la superstition » (repris dans *Signes*, Gallimard, 1960, p. 328-330).

## 49/184

*Réponse à François Mauriac.*

— *Le Figaro littéraire*, 7 mai 1949.

Dans un article intitulé « La politique de M. Sartre » publié dans *Le Figaro* du 25 avril 1949, Mauriac avait attaqué Sartre à propos des ENTRETIENS SUR LA POLITIQUE.

La réponse de Sartre commence par ces mots : *On a d'autant plus de verve qu'on entend moins ce dont on parle. C'est le cas de M. Mauriac lorsqu'il aborde la politique.* Mauriac l'ayant traité de « belle âme », Sartre déclare : *David Rousset, Rosenthal et moi, nous sommes de belles âmes car nous ne pensons pas qu'il soit en aucun cas « nécessaire » de faire donner la troupe contre les ouvriers. Et s'il était vrai que vous fussiez si sanguinaire, je me permettrais d'écrire, avec votre plume, que c'est une heureuse surprise, quand on ne croit pas à l'âme, d'apprendre qu'on en a une — et belle par-dessus le marché — mais qu'on est bien mal loti quand on croit à l'immortalité de la sienne et qu'elle est laide pour l'éternité.* Mauriac lui ayant dit qu'il soutiendrait sa candidature à l'Académie française, Sartre répond : *Il m'est agréable de pouvoir compter sur votre voix, le jour où je briguerai un fauteuil à l'Académie. Mais je dois décliner votre invitation : en certains académiciens je trouve tant d'amertume, tant de superbe et, sous une humilité de commande, une telle conscience d'être supérieurs à tous, que ce n'est décidément pas là que j'irai apprendre l'égalité.*

Mauriac, dans la réplique qu'il publie en regard de la réponse de Sartre, déplore le ton de celui-ci et se plaint, en substance, d'avoir été traité de vieillard. Il termine : « Je m'étonne qu'un quadragénaire philosophe, lorsqu'il fait sa barbe le matin, ne voie pas surgir au fond du miroir et venir vers lui le redoutable vieillard qu'il est déjà. »

*Note :* « La politique de M. Sartre » ainsi que trois autres articles de Mauriac sur Sartre (« Les tribulations d'un rat visqueux », août 1952; « J.-P. Sartre et la question juive », mars 1953; « La seconde épître sartrienne », décembre 1952) sont repris dans le volume : Mauriac, François. *Mémoires politiques.* Grasset, 1967.

49/185

*Naissance d'Israël.*

— *Hillel*, deuxième série, nº 7, juin 1949, p. 6.

Nous reproduisons ce texte *in extenso* :

*J'ai toujours souhaité et je souhaite encore que le problème juif trouve de solution définitive dans le cadre d'une humanité sans frontières mais, puisque aucune évolution sociale ne peut éviter le stade de l'indépendance nationale, il faut se réjouir qu'un État israélien autonome vienne légitimer les espérances et les combats des Juifs du monde entier. Et comme le problème juif est une expression particulièrement angoissante des contradictions qui déchirent la société contemporaine, la formation de l'État palestinien doit être considérée comme un des événements les plus importants de notre époque, un des seuls qui permettent aujourd'hui de conserver l'espoir. Pour les Juifs, il est le couronnement de leurs souffrances et de leur lutte héroïque : pour nous tous, il marque un progrès concret vers une humanité où l'homme sera l'avenir de l'homme.*

49/186

*Défense de la culture française par la culture européenne.*

— *Politique étrangère*, 14ᵉ année, nº 3, juin 1949, p. 233-248.

Ce texte peu connu est celui d'une brillante conférence donnée le 24 avril 1949 au Centre d'Études de Politique étrangère. Il existe également une brochure dactylographiée de la conférence, ainsi qu'une traduction abrégée, de B. Frechtman, sous le titre « European declaration of independance » dans *Commentary*, vol. 9, May 1950, p. 407-414. Une note indique cependant que la source de cette traduction n'est pas *Politique étrangère :* « Cet article est la version condensée d'un discours prononcé devant la Ligue française contre l'antisémitisme. »

Répondant à la question : « *Notre culture est-elle menacée? Peut-on la sauver, et comment?* » Sartre développe ses idées selon les grandes lignes suivantes :

Tout objet culturel est à la fois un fait du passé et une exigence tournée vers l'avenir. *Nous dirons qu'une culture est vivante quand la communauté présente l'enveloppe et la dépasse, lorsqu'il y a encore, par-delà chaque individu qui naît, un ensemble de possibilités de développement qui correspondent à ce qu'il va chercher. Autrement dit, l'avenir d'une communauté ou d'une époque, sur le plan culturel, est caractérisé par le dépassement de sa culture* (p. 236).

Après avoir comparé la situation de la femme, qui vit dans un univers masculin dont elle n'est pas responsable — ce qui l'empêche de produire de très grandes œuvres —, avec la situation des pays économiquement dépendants, Sartre affirme *qu'il y a culture et production culturelle lorsque l'ensemble des individus qui contribuent à cette culture sont libres et responsables des valeurs de la société dans une communauté elle-même relativement autonome.* [...] *Les communautés inférieures sur le plan de la force interrogent l'idéologie et la culture du pays le plus fort comme leur destin.* [...] *Donc, les idées culturelles, tout à fait indépendamment de leur valeur interne, ont un potentiel de diffusion qui dépend de l'importance économique ou militaire du pays considéré* (p. 238). Un pays de puissance inférieure, mais qui a eu, autrefois, une culture vivante, se trouve par conséquent avoir deux cultures différentes et opposées : *l'une qui sera une sorte de rêverie sur un destin — c'est la culture qui lui vient de l'étranger ; l'autre, un passéisme et une rêverie sur le passé — c'est sa propre culture mais demi-morte, remplacée, oubliée. Il en résulte que le rapport des cultures est, dans une certaine mesure, déterminée par un rapport de forces* (p. 239).

La France ne devrait donc nouer de relations culturelles qu'avec des pays au potentiel égal au sien et s'abstenir de tout commerce avec des pays d'un potentiel supérieur. Mais elle n'est pas en mesure de choisir. *L'hégémonie politique, économique, démographique, militaire d'un pays impose des échanges culturels sans réciprocité* (p. 240). Il s'agit dès lors de considérer *le rapport d'aujourd'hui entre les éléments culturels qui nous viennent d'Amérique et la culture française proprement dite.* Celle-ci *se maintient par suite d'un malentendu : car, si nous trouvons, en France, certaines formes de culture, certaines conceptions de la vie et du travail intellectuel que nous ne trouvons pas ailleurs, elles sont liées à un équipement industriel insuffisant, à une société elle-même basée sur l'injustice et à une natalité insuffisante.* [...] *C'est précisément parce que nous n'avons pas atteint ce degré d'industrialisation et de reconstruction sociale, ou de construction sociale, que nous présentons encore des valeurs qui, pour nous, sont des futurs mais qui, pour beaucoup d'étrangers, ont le charme du passé* (p. 241).

Le malentendu date de 1918, lorsque la France est sortie

victorieuse d'une guerre qui l'avait ruinée démographiquement; mais la Seconde Guerre mondiale a posé le vrai problème : *Pour recréer un milieu dans lequel nos idées puissent retrouver un potentiel et valoir encore, non pas comme passé, mais comme avenir pour les autres pays, nous devons nous rééquiper et nous industrialiser. Mais pour retrouver cette place* [...] *nous nous tournons vers l'Amérique et, à partir de ce moment, l'idéologie américaine et la culture américaine viennent nécessairement à nous avec les écrous, les objets manufacturés et les boîtes de jus de fruits* (p. 242).

Ce qui caractérise la culture européenne par rapport à la culture américaine, *c'est une lutte séculaire contre le mal.* [...] *Le mal est inexpiable dans le monde et la culture européenne, certainement, est une réflexion sur le problème du mal, sur la pensée : que peut faire, que peut être un homme, que peut-il réussir s'il est admis que le mal est dans le monde? Or, en général, le mal n'est pas un concept américain. Il n'y a pas de pessimisme en Amérique touchant la nature humaine et l'organisation sociale. Si je compare le rationalisme français au rationalisme américain, je dirai que le rationalisme américain est blanc, au sens de magie blanche, et que le rationalisme français est un rationalisme noir :* [...] *le rationalisme français est toujours, en fait, un pessimisme.* [...] *La raison est cette lutte contre un universel qui partout nous échappe et qu'on essaie de rattraper; elle est une sorte de confiance limitée dans la liberté humaine vue dans une situation à peu près désespérée.* Le rationalisme américain, au contraire, est optimiste car *la raison américaine est d'abord technique, pratique et scientifique* (p. 242-243).

En Amérique, l'intellectuel et l'écrivain sont divisés. *Mais, chez nous, où l'intellectuel et l'écrivain ne font qu'un, si l'influence américaine conduit l'écrivain à l'idée de la limitation de son influence sociale et à l'idée de l'esthétisme, comme nous n'avons pas la possibilité, pour l'instant, en l'état social actuel, de voir surgir des couches du prolétariat des écrivains qui, perpétuellement, viendraient apporter de l'air frais, nous sombrerons dans la scolastique* (p. 244).

[...] *Peut-on défendre la culture française en tant que telle? A cela, je réponds simplement : non. Le phénomène paraît fatal : la France, livrée à ses seules ressources, n'a d'autre solution, sur le plan bourgeois, que de se tourner vers l'Amérique, de lui demander son aide et, par conséquent, d'adopter son idéologie; sur le plan au contraire, de la lutte sociale, de se tourner vers l'idéologie qui nous vient des pays de l'Est et, par conséquent, de retrouver des éléments communs quoique opposés et de perdre aussi son idéologie.* [...]

*Avons-nous donc un autre moyen de sauver les éléments essentiels de notre culture? Oui. Mais à la condition de reprendre le problème d'une façon entièrement différente et de comprendre qu'aujourd'hui il ne peut plus être question d'une culture française, pas plus que d'une culture hollandaise ou suisse ou allemande. Si nous voulons que la culture française reste, il faut qu'elle soit intégrée aux cadres d'une grande culture européenne* (p. 245).

[...] *C'est en visant à une unité de culture européenne que nous sauverons la culture française; mais cette unité de culture n'aura aucun sens et ne sera faite que de mots si elle ne se place pas dans le cadre d'un effort beaucoup plus profond pour réaliser une unité économique et politique de l'Europe. Cette politique culturelle n'a de chances que si elle est un des éléments d'une politique qui cherche à défendre non seulement l'autonomie culturelle de l'Europe contre l'Amérique et contre l'U.R.S.S., mais aussi son autonomie politique et économique, afin de constituer l'Europe comme une force entière entre les deux blocs et non pas comme un troisième bloc, mais comme une force autonome qui refusera de se laisser déchirer entre l'optimisme américain et le scientisme russe. Le problème culturel, aujourd'hui, n'est qu'un aspect d'un problème beaucoup plus grand, qui est celui du destin entier de l'Europe. Et si l'on pense qu'aucune action n'est possible contre les deux blocs, si l'on pense que l'Europe divisée entre deux zones d'influences doit être un champ de bataille, la culture européenne est assurément perdue.*

*Si l'on suppose qu'on la sauvera par une sorte de monachisme des écrivains qui parleraient des oiseaux dans des couvents pendant qu'on se battrait à côté, elle est perdue de toute façon et pour toujours. Si, au contraire, on suppose qu'il y a possibilité de constituer une société européenne unifiée, socialiste, et dans laquelle les problèmes économiques se posent à l'échelle européenne et non pas à l'échelle nationale, et si cette Europe essaie de reprendre une autonomie en jouant de l'hostilité des États-Unis contre l'U.R.S.S. et de l'hostilité de l'U.R.S.S. contre les États-Unis au lieu d'être ballottée entre l'un et l'autre, alors elle peut être sauvée. Autrement dit, comme la culture est, dans le fait total qu'est l'histoire, un élément seulement, nous avons affaire à un problème total et qui suppose des solutions totales* (p. 247-248).

## 49/187

*Le Noir et le Blanc aux États-Unis* [Fragment de la « Morale »]. — *Combat*, 16 juin 1949.

Comme on sait, les dernières lignes de L'ÊTRE ET LE NÉANT promettaient un ouvrage de morale qui n'a jamais vu le jour, bien qu'il ait longtemps été annoncé sous le titre « L'Homme [1] » au dos de la couverture de la collection « Bibliothèque de Philosophie » que Sartre et Merleau-

1. Ce titre vague et prometteur avait été choisi en manière de plaisanterie par Merleau-Ponty.

Ponty dirigeaient chez Gallimard. Cependant, sur la lancée de L'ÊTRE ET LE NÉANT, Sartre a rédigé environ deux mille pages sur la morale. Il a abandonné ce travail au moment où, vers 1949-1950, se heurtant aux contradictions d'un développement historique qu'il n'avait pu prévoir lorsqu'il avait commencé son ouvrage, il se rendit compte qu'il était en train de forger une éthique purement idéaliste ou, comme il l'a dit parfois une « morale d'écrivain » (cf. aussi 49/192). Au début des années cinquante, il a continué d'écrire par intermittence des pages sur le problème moral mais, quoique la réflexion sur celui-ci se soit poursuivie tout au long de son œuvre ultérieure et qu'il en constitue certainement la préoccupation fondamentale [1], Sartre n'a repris que récemment, en 1964-1965, la rédaction d'un ouvrage entièrement nouveau (cf. 66/436) qu'il a provisoirement abandonné encore une fois pour achever son « Flaubert ».

Les pages publiées par *Combat*, sans être d'une très grande qualité, ont pourtant un intérêt notable car elles semblent être les seules du premier manuscrit à avoir été offertes au public. Une note indique : « Nous remercions Jean-Paul Sartre d'avoir bien voulu nous confier les pages ci-dessous, extraites de la *Morale* qu'il écrit actuellement. Elles font partie d'un chapitre intitulé « La violence révolutionnaire ».

Sartre y analyse le rapport d'oppression tel qu'il est vécu par les oppresseurs et prend pour exemple le racisme aux États-Unis. *L'oppression ne se découvre pas d'abord à l'oppresseur. Elle est masquée. Il ne l'envisage pas avec cynisme comme un état de fait, mais fait et droit sont inextricablement mélangés. L'oppression est « dans la nature » puisque c'est un fait naturel que le Noir est inférieur au Blanc. Elle est « de droit divin » puisque la nature, dans un monde créé, est ménagée selon les volontés de Dieu.*

Il poursuit par une description de l'attitude spontanément conservatrice : *Les concepts et les valeurs sont une série fixe et hiérarchique et les objets participent, ainsi que les hommes, à ces concepts et à ces valeurs, comme la matière aristotélicienne participait aux formes substantielles. Il est certain que la pensée conservatrice, lorsqu'elle n'est pas réaliste et cynique — ce qui ne peut jamais être le cas que d'un petit nombre d'individus éclairés — doit être conceptualiste, participationniste et finaliste. Et pour voir clair dans une situation injustifiable, il n'est pas suffisant que l'oppresseur la regarde honnêtement, il faut aussi qu'il change la structure de ses yeux. Tant qu'il la regarde avec l'appareil conceptualiste, il la jugera convenable et juste. Or il a respiré le conceptualisme avec l'air du temps, car le conceptualisme est la philosophie*

1. Voir en particulier la note fameuse de SAINT GENET (p. 177 citée ici dans la notice 51/205), qui formule de manière saisissante le problème tel que Sartre le voit encore aujourd'hui.

*de l'observation. Si j'observe que le ballon monte, je dis qu'il monte parce qu'il est léger. Si j'observe, enfant, que les Noirs ne se comportent pas comme nous, je dis que c'est parce qu'ils sont noirs. Il faut un renversement de point de vue pour comprendre que l'air pousse le ballon vers le haut et que nous obligeons les Noirs à se comporter ainsi, parce que dans les deux cas le facteur déterminant est caché.*

49/188

*Jean-Paul Sartre ouvre un dialogue.*

— *Peuple du Monde*, nº 11, 18-19 juin 1949. [Ce mensuel des Citoyens du Monde paraissait en supplément à *Combat*.]

En 1949 le mouvement des Citoyens du Monde, dont l'Américain Gary Davis fut l'initiateur, suscita un grand intérêt dans la jeunesse européenne. Camus, notamment, lui donna publiquement son soutien. Interrogé, Sartre répondit par un article où il faisait part, sur un ton amical, de ses objections à l'idéologie quelque peu naïve des Citoyens du Monde. Il critique l'idéalisme utopique de leur projet de gouvernement mondial mais concède que ce thème de propagande peut devenir *un mythe au sens chrétien du terme*. Il s'en prend gentiment à leur méconnaissance des facteurs économiques, sociaux et politiques ainsi que des objectifs à court terme puis indique que leur refus des engagements politiques concrets et immédiats ne peut leur valoir l'audience que de *certains milieux honnêtes, inquiets, mobiles, idéalistes et sans expérience politique de la petite bourgeoisie et des classes moyennes*. Il leur reproche en définitive une attitude moraliste : *Votre paix ne ressemblera-t-elle pas à l'impératif catégorique des kantiens, si pur, si intransigeant que, comme Kant le reconnaît lui-même, personne n'y a jamais obéi sur cette terre?*

Ce texte semble être, d'autre part, le dernier où Sartre se réclame encore du R.D.R.

49/189

[Présentation du *Journal du voleur* de Jean Genet.]

*a*) *Bulletin de la N.R.F.*, juillet 1949, p. 7-8.

Il est difficile de déterminer l'origine de ce second texte de Sartre sur Genet. Sans doute s'agit-il d'une lettre adressée à un éditeur éventuel pour recommander un livre que Sartre appréciait beaucoup et qui lui sera d'ailleurs dédié (ainsi qu'au Castor).

C'est au Flore, en mai 1944, que Sartre et Simone de Beauvoir ont pour la première fois rencontré Genet qui, par la suite, est devenu un de leurs amis les plus proches. Simone de Beauvoir précise dans *La Force de l'âge* (p. 595) : « [Genet était] un esprit entièrement libre. A la base de son entente avec Sartre, il y eut cette liberté que rien n'intimidait, et leur commun dégoût de tout ce qui l'entrave : la noblesse d'âme, les morales intemporelles, la justice universelle, les grands mots, les grands principes et les idéalismes. » En 1947, Sartre dédiera son *Baudelaire* à Genet et lui fera obtenir le prix de la Pléiade pour *Les Bonnes*.

Le texte de présentation mentionné ci-dessus est, en quelque sorte, expurgé : il y manque une quinzaine de lignes qui soulignent le côté « scandaleux » de Genet. Une version plus complète a paru en traduction dans :

*b*) *Merlin* (Paris), vol. 2, nº 1, Spring-Summer 1953.

*c*) Repris en tant que « Foreword » dans : Genet, Jean. *The Thief's Journal*. Translated by Bernard Frechtman. Paris : The Olympia Press, 1954. P. 7-8.

*d*) Réédition du précédent : New York : Grove Press, [1964].

*e*) Texte identique à *a*), intitulé « Jean Genet : Journal du Voleur » : *Bulletin N.R.F.*, nº 213, juin-juillet 1966, p. 11-12.

Sur Genet, cf. 46/104, 48/165, 49/189, 50/202 et 52/215.

*Note :* On se reportera à l'ouvrage de Richard N. Coe, *The Vision of Jean Genet* (London : Peter Owen, 1968), pour une bonne bibliographie et pour une étude détaillée des rapports Sartre-Genet.

49/190

I. « J'ai vu à Haïti un peuple noir fier de sa tradition de liberté », récit recueilli par Georges Altman.

— *Franc-Tireur*, 21 octobre 1949.

II. « Haïti se jette avec passion sur tout ce qui évoque la culture française... et parmi les riches Antilles, cette république noire est la seule à crever de faim. »

— *Franc-Tireur*, 22-23 octobre 1949.

III. « Haïti vu par Jean-Paul Sartre. »

— *Franc-Tireur*, 24 octobre 1949.

A son retour d'un long voyage au Mexique, en Amérique centrale et dans les Antilles, Sartre accorda à Georges Altman, directeur de *Franc-Tireur*, une longue interview au cours de laquelle il raconta en détail son séjour à Haïti, où il avait été en particulier fort impressionné par les manifestations du culte vaudou. Il faut incriminer Georges Altman pour le ton quelque peu bêtifiant des propos rapportés ici. Sartre, en nous signalant cette interview peu connue, se rappelait qu'on lui avait « fait dire des sottises ».

49/191

*Drôle d'amitié*, extraits du tome IV des *Chemins de la liberté*.

— *Les Temps modernes*, n° 49, novembre 1949, p. 769-806; n° 50, décembre 1949, p. 1009-1039.

*Drôle d'amitié*, écrit en 1949, devait faire partie du volume « La Dernière Chance » qui, bien qu'annoncé pour paraître à plusieurs reprises, fut définitivement abandonné par Sartre et ne vit jamais le jour.

Reprenons le résumé que donne Simone de Beauvoir dans *La Force des choses* (p. 213) :

« Un prisonnier nouvellement arrivé au stalag, Chalais, un communiste, reconnaissait en Schneider le journaliste Vicarios qui avait quitté le parti au moment du pacte germano-soviétique : il avait fait l'objet d'une mise en garde du P. C. qui le tenait pour un indicateur. Chalais affirmait que jamais l'U.R.S.S. n'entrerait en guerre et que *L'Humanité* donnait comme consigne la collaboration. Inquiet, indigné, déchiré, quand Brunet apprenait de Vicarios qu'il allait s'évader afin d'affronter ses calomniateurs, il décidait de partir avec lui. Cette fuite en commun scellait l'amitié que Brunet gardait contre tous à Vicarios. Celui-ci était tué, Brunet repris. »

*Drôle d'amitié* montre principalement les séquelles du pacte germano-soviétique et insiste sur le désarroi créé chez les militants communistes, en particulier à la suite de la reparution de *L'Humanité* à Paris en juillet 1940. Le renversement de situation qui se produit entre Brunet et Vicarios annonce un procédé qui sera utilisé dans LE DIABLE ET LE BON DIEU tandis que les discussions entre

Chalais et Brunet reprennent un thème déjà utilisé dans LES MAINS SALES.

On peut jusqu'à un certain point identifier Vicarios à Nizan.

49/192

« La Dernière Chance » [inédit, inachevé].

Il existe un manuscrit autographe de 223 pages pour la partie de « La Dernière Chance » non publiée dans *Les Temps modernes*. Le catalogue de la bibliothèque Gérard de Berny (Vente du 12 mai 1959 à l'hôtel Drouot — IIe partie, p. 61, art. 164) signale ce manuscrit et reproduit en fac-similé une page qui met en scène, dans un camp de prisonniers, Mathieu, Pinette, Garnier, etc.

Ce manuscrit est aujourd'hui entre les mains d'un professeur américain et nous espérons pouvoir le consulter dans un proche avenir.

Simone de Beauvoir, dans *La Force des choses* (p. 213-214), donne le résumé suivant de cette partie inédite :

« Brunet décidait de faire une nouvelle tentative [d'évasion]. On lui avait parlé d'un prisonnier qui dirigeait un réseau d'évasions, il le cherchait; c'était Mathieu qui, au moment où il le retrouvait, participait à l'exécution d'un "mouton". Rescapé, Mathieu, fatigué d'être depuis sa naissance libre "pour rien" s'était enfin et allégrement décidé à l'action. Grâce à son aide Brunet s'échappait et gagnait Paris; il constatait, stupéfait que, — par un retournement analogue à celui qui à la fin des *Mains sales* pousse Hugo au suicide — l'U.R.S.S. étant entrée en guerre, le P. C. condamnait la collaboration. Ayant réussi à réhabiliter Schneider, il reprenait, dans la résistance, ses tâches de militant; mais le doute, le scandale, la solitude lui avaient découvert sa subjectivité : il avait reconquis au sein de l'engagement sa liberté. Mathieu faisait le chemin inverse. Daniel, qui collaborait, lui avait joué le tour de le faire rappeler à Paris comme rédacteur d'un journal contrôlé par les Allemands. Mathieu se dérobait et entrait dans la clandestinité. Au stalag, son entreprise avait encore été celle d'un aventurier individualiste; maintenant, se soumettant à une discipline collective, il avait abouti au véritable engagement; partis, l'un de l'aliénation à la Cause, l'autre de la liberté abstraite, Brunet et Mathieu incarnaient tous deux l'authentique homme d'action, tel que Sartre le concevait. Mathieu et Odette s'aimaient, elle quittait Jacques, ils connaissaient la plénitude d'une passion consentie. Arrêté, Mathieu mourait sous les tortures, héroïque non par essence mais parce qu'il *s'était fait* héros. Philippe aussi résistait, pour se prouver qu'il n'était pas un lâche et par ressentiment contre Daniel. Il était abattu, au cours d'une descente dans un café du Quartier latin. Fou de douleur et de colère, Daniel dissimulait dans sa serviette une des grenades que Philippe cachait dans l'appartement; il se rendait à une réunion d'importantes personnalités allemandes et se faisait sauter avec elles. Sarah, réfugiée à Marseille, le jour où les Allemands l'arrêtaient, se jetait avec son gosse par une fenêtre. Boris était parachuté dans le maquis. Tout le monde mort, ou presque, il n'y avait plus personne pour se poser les problèmes de l'après-guerre. »

Tel que nous le connaissons, ce quatrième volume des *Chemins de la liberté* est le plus rigide et esthétiquement le moins réussi de la série. Cet échec — sur lequel on a beaucoup épilogué — semble correspondre à celui de la "Morale" que Sartre avait en projet depuis 1940 et marque la fin de sa période éthique.

C'est encore Simone de Beauvoir qui nous indique les raisons pour lesquelles Sartre ne put donner de conclusions aux *Chemins de la liberté* (cf. *La Force des choses*, p. 214) :

« Mais c'était [les problèmes de l'après-guerre] qui à présent intéressaient Sartre; la résistance, il n'avait rien à en dire parce qu'il envisageait le roman comme une mise en question et que, sous l'occupation, on avait su sans équivoque comment se conduire. Pour ses héros, à la fin de *Drôle d'amitié*, les jeux étaient faits. [...] Sans qu'il eût abandonné l'idée du quatrième livre, il se trouva toujours un travail qui le sollicitait davantage. Sauter dix ans et précipiter ses personnages dans les angoisses de l'époque actuelle, cela n'aurait pas eu de sens : le dernier volume eût démenti toutes les attentes de l'avant-dernier. Il y était préfiguré d'une manière trop impérieuse pour que Sartre pût en modifier le projet et pour qu'il eût le goût de s'y conformer. »

Sartre lui-même, au cours d'un entretien datant de 1959 (cf. 59/318), s'est expliqué à ce sujet en répondant à une question sur les raisons pour lesquelles il est revenu au théâtre avec LES SÉQUESTRÉS D'ALTONA : *D'abord parce que je suis embêté pour finir mon roman. Le quatrième tome devrait parler de la Résistance. Le choix alors était facile — même s'il fallait beaucoup de force et de courage pour s'y tenir. On était pour ou contre les Allemands. C'était noir ou blanc. Aujourd'hui — et depuis 45 — la situation s'est compliquée. Il faut moins de courage, peut-être, pour choisir, mais les choix sont beaucoup plus difficiles. Je ne puis exprimer les ambiguïtés de notre époque dans ce roman qui se situerait en 43. Et d'un autre côté, cet ouvrage inachevé me pèse : il m'est difficile d'en commencer un autre avant d'avoir fini celui-là.*

# 1950

50/193

*Faux savants ou faux lièvres ?*, préface.

*a*) Dalmas, Louis. *Le Communisme yougoslave depuis la rupture avec Moscou.* Préface de Jean-Paul Sartre, [éd. Sulliver], coll. « Terre des Hommes », série Documents, [1950].

Achevé d'imprimer : 30 juillet 1950. Texte de Sartre : p. IX-XLIII.

*b*) Repris sous le même titre (sans le point d'interrogation) dans SITUATIONS, VI.

Le livre de Louis Dalmas est un témoignage documenté sur la Yougoslavie communiste en même temps qu'une prise de position en faveur de Tito, qui était alors durement attaqué par l'U.R.S.S. et les communistes français. Dans sa préface, Sartre ne cache pas sa sympathie pour la dissidence titiste, mais il s'intéresse beaucoup plus à ses causes et à ses conséquences profondes qu'à ses aspects purement politiques. Il se réfère explicitement à *Humanisme et terreur* de Merleau-Ponty pour situer d'emblée sa réflexion dans le prolongement de celle qu'entreprenait cet ouvrage. *Faux savants ou faux lièvres* marque un tournant dans la pensée politique de Sartre et constitue une seconde et importante étape de la discussion théorique qu'il poursuit avec le marxisme depuis *Matérialisme et révolution* (cf. 46/108).

Il s'interroge ici sur les rapports réciproques de l'objectivité et de la subjectivité. Après avoir souligné que Marx est ambigu à ce sujet, il montre que le marxisme dogmatique des bureaucrates staliniens, en éliminant la subjectivité ou en l'assimilant à l'échec, à l'erreur ou à la trahison, s'est rendu incapable de comprendre le fait historique d'une opposition qui réussit. *Si le titisme a pour nous une importance exceptionnelle, c'est qu'il aboutit à la subjectivité; mais celle-ci ne réapparaît pas comme un idéal formel : elle est produite comme une réalité efficace à partir de l'objectivisme par le mouvement même de l'histoire. Vainqueurs absolus, les opposants décident de l'objectivité; vaincus, l'objectivité du vainqueur les écrase. La demi-victoire de Tito réintègre la subjectivité chez les dirigeants yougoslaves et, du même coup, en affecte les dirigeants soviétiques.*

A la fin de la préface, Sartre parie pour la réussite du titisme et indique ce que va être sa propre tâche à partir des années cinquante : *Il faut repenser le marxisme, il faut repenser l'homme.*

Malgré le rapprochement théorique qu'il implique, ce texte fut très mal reçu des communistes et ne fit que leur donner un nouveau grief contre lui.

La prise de position de Sartre lui valut en revanche la sympathie de la Yougoslavie, qui fut le premier pays socialiste où son œuvre fut traduite. Ses principaux livres, à l'exception des deux ouvrages philosophiques majeurs, sont aujourd'hui largement diffusés en Yougoslavie et y rencontrent un grand intérêt; ils sont une source d'inspiration pour un bon nombre d'intellectuels yougoslaves; quant au grand public, il est touché surtout par les pièces qui sont fréquemment représentées même dans les petites villes.

## 50/194

*Préface* à *La Fin de l'espoir* de Juan Hermanos.

*a*) Hermanos, Juan. *La Fin de l'espoir*. Témoignage traduit de l'espagnol. Julliard, collection « Les Temps modernes », n° 1, [1950]. P. 5-10. Achevé d'imprimer : 25 avril 1950.

Ce volume a inauguré la collection « Les Temps modernes » dirigée à l'origine par Sartre et Merleau-Ponty.

*b*) Repris sous le titre « La Fin de l'espoir » dans *L'Observateur*, n° 3, 27 avril 1950.

*c*) Repris sous le même titre dans SITUATIONS, VI.

Cette préface constitue l'une des nombreuses prises de position de Sartre contre le régime franquiste. *La Fin de l'espoir* a été écrit à Madrid en janvier 1946 par un Espagnol qui signe du nom de Juan Hermanos. *L'auteur*, nous dit Sartre, *a bien choisi son pseudonyme : ces Espagnols sont nos frères.* Le message pessimiste de J. Hermanos a sans doute profondément influencé Sartre, à une époque où il se sentait affecté par son impuissance en matière de politique.

50/195

*Préface* à *L'Artiste et sa conscience* de René Leibowitz.

*a*) Leibowitz, René. *L'Artiste et sa conscience : Esquisse d'une dialectique de la conscience artistique*. L'Arche, édit., [1950]. P. 9-38.

*b*) Repris avec une variante sous le titre *L'Artiste et sa conscience* dans SITUATIONS, IV.

*Non, nous ne voulons pas engager aussi peinture, sculpture et musique, ou, du moins, pas de la même manière*, affirmait Sartre dans *Qu'est-ce que la littérature?*, sans toutefois préciser comment pouvait se concevoir l'engagement du peintre, du sculpteur et du musicien. La préface qu'il écrivit pour le livre de son ami le compositeur René Leibowitz lui permit de poursuivre sa réflexion concernant l'engagement des arts « non signifiants »; elle peut donc être considérée comme un complément à l'essai sur la littérature. Le livre de Leibowitz, présenté comme une « Esquisse d'une dialectique de la conscience artistique » et qui ne tient qu'assez peu les promesses de ce sous-titre, s'efforce d'examiner, dans une perspective sartrienne, les problèmes soulevés par l'engagement de la musique. Il conteste en particulier le jdanovien Manifeste de Prague qui demandait que la musique soit mise au service des masses et de leurs aspirations socialistes. Pour Leibowitz, l'engagement du compositeur socialement conscient réside autant dans les innovations radicales qu'il apporte aux structures musicales que dans le choix de ses sujets. Il cite comme exemple d'œuvre engagée en ce double sens « Le Survivant de Varsovie » d'Arnold Schœnberg.

Dans sa préface, qui n'est sans doute pas l'un de ses meilleurs textes, Sartre élève le débat, pose le problème du public de la musique moderne, devenue de plus en plus complexe, rappelle que la musique n'a pas par elle-même de contenu idéologique — puisqu'elle est productrice de « sens » et non de « signification », selon sa terminologie — et suggère, sans conclure, que l'engagement du musicien à l'égard des exigences propres de son art coïncide avec son engagement total dans les contradictions de son époque.

Notons que le volume comporte dans sa troisième partie (p. 131-159) une « Réponse à Jean-Paul Sartre », écrite à la suite de cette préface. Un fragment du livre de R. Leibowitz a paru sous le titre « Le musicien engagé » dans *Les Temps modernes*, nº 40, février 1949, p. 322-339.

## 50/196

*Introduction* à *Portrait de l'aventurier* de Roger Stéphane.

*a*) Stéphane, Roger. *Portrait de l'aventurier : T. E. Lawrence, Malraux, Von Salomon.* Le Sagittaire, 1950. P. 9-29.
*b*) Repris sous le titre *Portrait de l'aventurier* dans SITUATIONS, VI.
*c*) Nouvelle édition de *a*) : Grasset, 1965.

Sartre reprend ici la critique de l'aventurier qu'il avait déjà abordée dans LA NAUSÉE, mais se refuse, après les avoir comparés, à opposer le militant à l'aventurier : *Aventurier ou militant : je ne crois pas à ce dilemme. Je sais trop qu'un acte a deux faces : la négativité, qui est aventurière, et la construction qui est discipline.*

Pendant plusieurs années, Sartre et Roger Stéphane ont été assez liés sur le plan politique (cf. 51/212)

## 50/197

[Lettre à Georges Courteline, 1912.]

*a*) Reproduite en fac-similé dans un article intitulé « Les débuts de Jean-Paul Sartre dans la vie littéraire » : *Le Figaro littéraire*, 7 janvier 1950.
*b*) Texte également dans un article de Marcel Lapierre : *Presse-Magazine*, 24 mai 1955.

Cette lettre postée le 26 janvier 1912 alors que Sartre avait six ans et demi, a été écrite à l'instigation de Charles Schweitzer; elle est adressée à *Monsieur Courteline, Homme de lettres* et se lit comme suit :

*Cher Monsieur Courteline*

*Grand-père m'a dit qu'on vous a donné une grande décoration cela me fai bien plaisir quart je rit bien en lisant Théodore et Phanthéon Courcelle qui passe devant chez nous. J'ai aussi esseyé de traduire Théodore avec ma bonne allemande mais ma pauvre nina ne comprnait pas le sence de la plaisentrie*

*Votre futur ami (bonne année)*
*Jean-Paul Sartre 6 ans 1/2*

Sartre a été quelque peu irrité que cette lettre soit reproduite dans la presse (cf. LES MOTS, p. 53).

50/198

« Sartre de retour d'Afrique », article-interview d'Yves Salgues.

— *Paris-Match*, 20 mai 1950.

Article destiné au grand public et décrivant Sartre à son retour d'un voyage en Afrique noire (sur ce voyage, voir *La Force des choses*, p. 222-242). Yves Salgues mêle à son reportage, généreusement illustré de photographies, quelques-uns des propos que lui a tenus Sartre et qui paraissent rapportés sans souci excessif de fidélité.

A noter tout de même une information intéressante pour le bibliographe : Sartre parle d'une lettre qu'il vient de recevoir d'un médecin gynécologue du Jura qui soigne un (sic) malade en possession de trois des « Carnets de guerre » perdus par Sartre en 1940 (cf. notice 42/33).

50/199

*Le Cinéma n'est pas une mauvaise école.*

— *Gazette du cinéma*, n° 2, juin 1950; n° 3, septembre 1950.

APPENDICE

Voir 31/7.

50/200

Réponse à un questionnaire : « La neutralité est-elle possible? »

— *L'Observateur*, n° 9, 8 juin 1950, p. 31.

*L'Observateur* avait demandé à ses lecteurs et à un certain nombre de personnalités politiques de répondre à un questionnaire sur les chances d'une éventuelle neutralité de la France.

Sartre prend position contre le Pacte atlantique. Son argumentation est la suivante : *Par le Pacte atlantique, le gouvernement américain veut démontrer que toute guerre serait une guerre de défense de l'Europe occidentale. Le Pacte atlantique fournit aux Américains d'incessants prétextes d'intervention : désormais Pearl Harbour est partout en Europe.* De plus, le pacte est un facteur de division profonde pour la France. En adoptant une politique de neutralité, la France ôterait ses raisons à une guerre américano-russe entreprise au nom de la défense de l'Europe libre. Les conflits de classe subsisteraient mais la neutralité aurait l'avantage de ne pas créer de nouveaux éléments de discorde. S'il doute qu'une politique de neutralité puisse maintenir la France hors du conflit en cas de guerre, Sartre rappelle qu'une telle politique est faite précisément pour éviter la guerre.

50/201

*A propos du Mal.*

— *Biblio*, 1re année, no 5, mai-juin 1950, p. 3-5.

Texte alors inédit qui correspond en gros aux pages 33-35 de SAINT GENET. Ce numéro de *Biblio* est en grande partie consacré à Sartre : il comporte un article de Francis Jeanson, « L'œuvre philosophique de Sartre », ainsi qu'une bibliographie assez substantielle pour l'époque.

50/202

*Jean Genet, ou le Bal des Voleurs.*

— Série de six articles publiée dans *Les Temps modernes* :
No 57, juillet 1950, p. 12-47.
No 58, août 1950, p. 193-233. A partir de ce numéro, le titre change pour devenir « Jean Genet, fragments ».
No 59, septembre 1950, p. 402-443.
No 60, octobre 1950, p. 668-703.
No 61, novembre 1950, p. 848-895.
No 62, décembre 1950, p. 1038-1070.

Cette étude avait d'abord été annoncée dans *Les Temps modernes* de mars 1950 sous le titre « Le langage et Jean Genet ».

Les six articles correspondent approximativement aux pages 49-220 de SAINT GENET, mais comprennent de très nombreuses variantes. De toute évidence, Sartre n'a pas été entièrement satisfait de sa première version et l'a considérablement remaniée pour sa publication en volume. Cf. 52/215.

50/203

*De la vocation d'écrivain.*

— *Neuf*, Revue de la Maison de la Médecine, Robert Delpire, édit., n° 2, Noël 1950, p. 35-36.

APPENDICE

Une photographie de Sartre due à Brassaï accompagne ces excellentes pages extraites du manuscrit de SAINT GENET et qui ne furent pas reprises dans le volume définitif.

50/204

*The Chances of Peace*, extraits d'une longue lettre-article adressée aux Américains.

— *The Nation* [périodique libéral américain], 30 December 1950, p. 696-700.

Écrite spécialement pour le 85e anniversaire de *The Nation* mais arrivée trop tard pour être incorporée au numéro commémoratif du 16 décembre 1950, cette lettre répond à la question : « Est-il possible de négocier un accord avec la Russie sans sacrifier le principe démocratique ? »

Ce texte très important définit la position politique de Sartre en 1950 et son attitude envers les États-Unis et l'U.R.S.S. après le début de la guerre de Corée. L'argumentation de Sartre n'est plus tout à fait celle qu'il avait à l'époque du R.D.R. : elle laisse percer son pessimisme et son désarroi, et permet de présager, dans une certaine mesure, le tournant qu'il accomplira en se rendant en décembre 1952 au Congrès de Vienne. Nous avons pu nous procurer le manuscrit intégral, en français, de la lettre publiée dans *The Nation ;* sa longueur nous empêche de l'inclure en appendice. En voici quelques extraits :

*Nous sommes ici* à la fois *en zone d'influence soviétique (c'est votre Burnham qui le dit) et en zone d'influence américaine (c'est Ehrenbourg qui le prétend). Cela nous confère une sorte de triste liberté : nous entendons les deux sons de cloche, nous connaissons les deux argumentations. Les U.S.A. veulent-ils la paix ? et l'U.R.S.S., la veut-elle ? Ne croyez pas que ces questions provoquent des réponses rapides chez les Européens.* [...].

*Votre morale est généreuse et puritaine et vous faites une politique qui contredit votre morale ; vous la faites avec une mauvaise conscience, avec le sentiment qu'une malédiction pèse sur vous. Mais là n'est pas tant la question : ce qu'il y a, c'est que l'adresse soviétique ne vous laisse partout d'autre appui que les minorités oppressives. La consigne des communistes est de défendre dans le monde entier la cause des opprimés et des exploités, quitte à les abandonner si l'intérêt russe l'exige. Ils seront toujours du* bon *côté.* [...]

*Vous voilà entraînés dans le cycle infernal qui vous conduit à vous battre en Corée contre les Coréens du Nord au milieu d'une population dont les sentiments pour ses défenseurs sont pour le moins douteux, simplement parce que vous n'avez pas su arracher les Sudistes à leur condition par des réformes agraires quand vous étiez tout-puissants, et parce que vous n'avez pas, par la suite, abordé franchement le problème de l'unité coréenne de peur que les communistes du Nord ne l'emportent dans tout le pays.*

[...] *L'appel de Stockholm est un leurre mais puisqu'il se trouve chez vous des gens pour parler de la bombe atomique dès l'entrée de vos troupes en Corée, fût-ce en annonçant qu'on ne s'en servira pas pour le moment, c'est vous qui lui donnez des signataires.*

[...] *L'Europe de l'Ouest ne peut servir de zone tampon entre l'Amérique et l'U.R.S.S. que si elle n'appartient ni à l'une ni à l'autre. Si l'une et l'autre sont de bonne foi, elles peuvent s'entendre pour favoriser la renaissance d'une Europe indépendante sur des bases largement sociales.* [...] *A partir du moment où vous cesserez de voir en nous des soldats, vous retrouverez des amis ; neutres — mais décidés à résister à* toute *agression — nous serions plus utiles à la cause de la paix que, belliqueux sans moyens, nous ne le sommes à la cause de votre guerre.* [...]

*Vous et les Russes donnez à choisir au monde entre des cyniques et des forcenés. Il y a encore chez vous une puissante minorité qui estime que l'idéologie démocratique n'est pas épuisée, qu'elle retrouvera sa force d'expansion si elle sait s'adapter aux conditions nouvelles. Si cette minorité pouvait augmenter à la faveur des circonstances actuelles, s'il se pouvait qu'un jour elle devînt la majorité, le monde entier reprendrait confiance en vous et votre gouvernement pourrait enfin tenter la politique du « risque calculé » : celle qui consiste à risquer non la guerre mais la paix.* [...]

50/NOTE 1.

C'est Merleau-Ponty et non Sartre qui a rédigé le texte de présentation de la collection « Les Temps modernes » inaugurée en 1950 chez Julliard. Ce texte se trouve dans la plupart des numéros des *Temps modernes* à partir de mai 1950 ainsi que dans l'ouvrage de F. Bon et M.-A. Burnier, *Les Nouveaux Intellectuels* (éd. Cujas, 1966, p. 362).

50/NOTE 2.

Un important article intitulé « Les Jours de notre vie », protestant contre l'existence des camps de concentration soviétiques, parut sous la double signature de Merleau-Ponty et de Sartre dans *Les Temps modernes* de janvier 1950 (nº 51, p. 1153-1168). Cet article fut rédigé par Merleau-Ponty seul (sur les circonstances de la publication, cf. SITUATIONS, IV, p. 225-227); il figure d'ailleurs dans *Signes* (Gallimard, 1960, p. 330-343) sous le titre « L'U.R.S.S. et les camps ».

# 1951

51/205

LE DIABLE ET LE BON DIEU, pièce en trois actes et onze tableaux.

*a*) *Les Temps modernes*, nº 68, juin 1951, p. 2113-2168; nº 69, juillet 1951, p. 94-125; nº 70, août 1951, p. 261-299. Version complète avec un certain nombre de variantes dont aucune n'est majeure, à l'exception peut-être de la fin du 1er tableau, supprimée dans l'édition définitive. Plusieurs scènes sont numérotées différemment que dans le volume.

*b*) Édition en volume : Gallimard, [1951]. 283 pages. Achevé d'imprimer : octobre 1951.

L'édition originale comprend 1 540 exemplaires numérotés de 1 à 1475 et de A à O (vergé de Hollande) et de 1476 à 1525 (Navarre).

*c*) Gallimard, « Le Livre de Poche », nº 367, [1958].

*d*) Repris dans THÉÂTRE [1962].

*e*) Repris dans : *L'Avant-Scène Théâtre*, « Spécial Sartre », nos 402-403, 1er-15 mai 1968, p. 37-87.

*f*) Collection du Théâtre national populaire, Gallimard, [novembre 1968].

L'idée du DIABLE ET LE BON DIEU a été inspirée à Sartre par le sujet d'une pièce de Cervantès, *El Rufián dichoso*, que lui avait racontée Jean-Louis Barrault en 1943, quand ils professaient tous deux à l'école de Charles Dullin. Barrault aurait souhaité que Sartre adaptât cette pièce pour lui. Traduite en français sous le titre *Le Rufian bienheureux* ou sous celui de *Le Truand béatifié*, la pièce de Cervantès appartient au genre de la « comedia de santos » illustré par Lope de Vega et Calderón. Elle raconte l'histoire authentique de Cristobal de Lugo, un spadassin brutal, mauvais sujet mais esprit pur, qui décide de devenir moine après avoir gagné aux cartes parce qu'il avait juré, s'il perdait, de se faire bandit de grand chemin. Le premier acte met en scène les prouesses du rufian qui règne sur les bas quartiers de Séville; le second, qui se passe à Mexico, voit celui-ci, devenu Fra Cristobal de la Cruz, se charger des fautes d'une pécheresse impénitente; au troisième acte, enfin, le moine souffre les pires maux avant de mourir saintement. Sartre a principalement retenu de cette pièce l'épisode du bretteur décidant de se convertir au bien sur le hasard du jeu [1]. Mais il le modifia en ceci que son héros, Goetz, triche pour perdre et *choisit* donc de se vouer au bien.

Commencée au début de 1951, la pièce, nous apprend Simone de Beauvoir, comportait dans une première version de l'acte Ier un personnage nommé Dosia qui incarnait la noblesse et que Sartre abandonna (cf. *La Force des choses*, p. 256). Simone Berriau, qui produisait LE DIABLE ET LE BON DIEU pour le théâtre Antoine, tint à en confier la mise en scène à Louis Jouvet (cf. l'article de Jacques Forestier, « Jouvet attend Sartre », dans *Opéra*, 7 février 1951). La pièce fut mise en répétition avant d'être complètement achevée et elle dépassait déjà la durée d'un spectacle normal. Affolée, Simone Berriau fit pression sur Sartre pour qu'il consentît à des coupures alors qu'il était encore en train de rédiger les derniers tableaux (« Sartre prétendait que, lorsqu'elle errait à travers le théâtre, ses doigts imitaient machinalement le mouvement d'une paire de ciseaux » — *La Force des choses*, p. 259). La presse se fit largement l'écho d'une « bataille des coupures » et de graves dissensions entre Sartre et Jouvet, mais il semble que les rapports entre les deux hommes, s'ils furent parfois tendus, ne furent jamais aussi mauvais qu'on le prétendit. Le faste des moyens mis en œuvre pour monter la pièce (le programme mentionnait avec orgueil les 19 400 heures de travail qu'il avait fallu pour réaliser les décors et les costumes), les inquiétudes de la directrice, le caractère fantasque de Pierre Brasseur, créateur du rôle éprouvant de Goetz, les retards de Sartre, peut-être aussi le manque d'intérêt de Jouvet pour une pièce qui allait à l'encontre de ses convictions (cf. *ibidem*, p. 259), suffisent à expliquer le climat agité dans lequel se déroulèrent les répétitions. Jouvet, dont ce fut la dernière mise en scène, était déjà gravement atteint d'une maladie du cœur et devait mourir quelques mois plus tard, le 16 août 1951.

1. La manière dont Sartre résume cet épisode de la pièce de Cervantès dans plusieurs interviews indique bien qu'il s'est basé sur le récit que lui en avait fait Jean-Louis Barrault et qui ne devait pas correspondre rigoureusement à l'intrigue de *El Rufián dichoso*.

LE DIABLE ET LE BON DIEU fut créé au théâtre Antoine le 7 juin 1951 (générale le 6 juin) dans des décors de Félix Labisse et avec la distribution suivante pour les principaux rôles :

| | |
|---|---|
| GOETZ | Pierre Brasseur |
| HEINRICH | Jean Vilar |
| HILDA | Maria Casarès |
| CATHERINE | Marie-Olivier |
| NASTY | Henri Nassiet |
| KARL | R.-J. Chauffard |

La création fut l'événement de la saison théâtrale et la pièce, qui fit scandale dans les milieux catholiques, obtint un très grand succès : elle tint l'affiche jusqu'en mars 1952 et fut reprise en septembre de cette année pour une série spéciale de trente représentations.

L'accueil que lui réservèrent les chroniqueurs parisiens se prêterait à une intéressante étude de « sociologie de la critique ». A de très rares exceptions près, la pièce donna lieu à de grossiers contresens et fut le plus souvent considérée comme une « machine de guerre contre Dieu ». On consultera comme une curiosité à cet égard l'article de Daniel-Rops qui avait obtenu d'assister en cachette à une répétition pour avoir le temps de méditer une ferme mise en garde à l'intention de ses ouailles (cf. « Le Blasphème dérisoire », *L'Aurore*, 9-10 juin 1951); Daniel-Rops, en particulier, y parlait de l'unique perturbateur de la première — qui avait à plusieurs reprises soufflé dans un sifflet à roulette — comme d'un jeune Polyeucte sympathique. Quant à François Mauriac, il titra un article avec une expression qui devait faire fortune : « Sartre, l'athée providentiel » (*Le Figaro*, 26 juin 1951). Les deux articles les plus caractéristiques des réactions de la bourgeoisie éclairée sont celui, défavorable, de Thierry Maulnier (« Y a pas de Bon Dieu », *Combat*, 28 et 29 juin 1951) et celui, favorable avec réserves, de Robert Kemp (*Le Monde*, 13 juin 1951). Un grand nombre de critiques comparèrent LE DIABLE ET LE BON DIEU au *Soulier de satin* pour affirmer souvent que, contrairement à la pièce de Claudel, celle de Sartre manquait de « chair », qu'elle était intellectuelle, démonstrative, verbeuse et condamnée d'avance par la vaine « volonté de prouver l'inexistence de Dieu ». Même dans les articles favorables à la pièce, on rencontre un contresens fréquent concernant la signification du meurtre que Goetz commet à la fin et qui fut en général interprété comme un retour au Mal. Du côté communiste, il faut noter l'opinion d'Elsa Triolet (*Les Lettres françaises*, 14 juin 1951) qui reprochait principalement à la pièce de manquer l'histoire et l'actualité et prenait pour exemple le personnage de Nasty qui excite par des mensonges les paysans à la révolte quand ils ne sont pas encore mûrs pour celle-ci, alors que le prolétariat d'aujourd'hui est révolutionnaire et n'a pas besoin qu'on lui mente.

Parlant des erreurs de la critique lors de la création, Simone de Beauvoir écrit les lignes suivantes, dans lesquelles elle cite des notes inédites de Sartre :

« En vérité, Sartre opposait de nouveau à la vanité de la morale l'efficacité de la *praxis*. Cette confrontation va beaucoup plus loin que dans ses pièces antérieures; dans *Le Diable et le Bon Dieu* se reflète toute son évolution idéologique. Le contraste entre le départ d'Oreste à la fin des *Mouches* et le ralliement de Goetz illustre le chemin parcouru par Sartre de l'attitude anarchiste à l'engagement. Il a noté aussi : *La phrase : « Nous n'avons jamais été plus libres que sous l'occupation », s'oppose au personnage d'Heinrich, traître objectif qui devient traître subjectif, puis fou. Entre les deux, sept ans, et le divorce de la résistance.* En 44, il pensait que toute situation pouvait être transcendée par un mouvement subjectif; il savait en 51 que les circonstances parfois nous volent notre transcendance; contre elles il n'y a pas alors de salut individuel possible, mais seulement une lutte collective. Cependant, à la différence de ses pièces antérieures, le militant, Nasty, ne l'emporte pas sur l'aventurier; c'est celui-ci qui opère entre les deux figures la synthèse dont Sartre rêvait dans sa préface à Stéphane [cf. 50/196] : il accepte la discipline de la guerre paysanne sans renier sa subjectivité, il conserve dans l'entreprise le moment du négatif; il est l'incarnation parfaite de l'homme d'action, tel que Sartre le concevait.

« *J'ai fait faire à Goetz ce que je ne pouvais faire*. Goetz surmontait une contradiction que Sartre ressentait d'une manière aiguë depuis l'échec du R.D.R. et surtout depuis la guerre de Corée, mais sans réussir à la dépasser : *La contradiction n'était pas dans les idées. Elle était dans mon être. Car cette liberté que* j'étais *impliquait celle de tous. Et tous n'étaient pas libres. Je ne pouvais pas sans craquer me mettre sous la discipline de tous. Et je ne pouvais pas être libre seul* » (*La Force des choses*, p. 261-262).

Il semble que l'interprétation de Pierre Brasseur, qui jouait en cabotin hypocrite la seconde partie, celle où Goetz se voue au Bien, ait beaucoup contribué à égarer les commentateurs. Cette partie fut d'ailleurs jugée en général plus faible que la première; Simone de Beauvoir note cependant avec raison que, lorsque le Schauspielhaus de Bochum présenta la pièce en 1956 au théâtre des Nations, avec Hans Messemer dans le rôle principal, les critiques inversèrent ce jugement (*ibid.*, p. 261).

LE DIABLE ET LE BON DIEU a été repris en novembre 1968 au T.N.P. avec François Périer dans le rôle de Goetz.

La mise en scène sobre et efficace de Georges Wilson, très différente de celle de la création, et la performance remarquable de François Périer, qui jouait un Goetz plus « intérieur » que celui de Brasseur, ont pleinement mis en valeur une œuvre qui, comme l'a souligné la majorité des chroniqueurs, pourrait bien être la meilleure pièce de Sartre. Ce jugement ne correspond pas toujours à celui de la critique universitaire qui nous semble ne pas avoir encore entièrement rendu justice à cette pièce. Elle est pourtant, du point de vue proprement théâtral, celle qui nous paraît la plus réussie, celle en tout cas qui répond le mieux aux exigences d'un théâtre moderne n'ayant pas renoncé aux pouvoirs du texte; celui-ci, par sa vigueur et, contrairement à ce qu'on en a dit, par sa force d'émotion, emporte une adhésion qui est loin de rester exclusivement intellectuelle.

LE DIABLE ET LE BON DIEU, dont les significations sont beaucoup plus immédiatement « lisibles » que celles des SÉQUESTRÉS D'ALTONA, a de nombreux points communs avec SAINT GENET qui en constitue le meilleur commentaire philosophique. La pièce a été très bien analysée par Francis Jeanson dans *Sartre par lui-même* (Seuil, 1955, p. 52-71; p. 48-67 de la nouvelle édition refondue en 1967). Centrée sur le problème moral, et non, comme on l'a cru souvent, sur le problème métaphysique de l'existence ou de la non-existence de Dieu, elle illustre la progressive prise de conscience à laquelle Sartre est parvenu entre 1945 et 1950, pendant le temps où il écrivait sa « Morale », dont il formule ainsi la conclusion dans SAINT GENET :

*Ou la morale est une faribole ou c'est une totalité concrète qui réalise la synthèse du Bien et du Mal. Car le Bien sans le Mal c'est l'Être parménidien, c'est-à-dire la Mort; et le Mal sans le Bien, c'est le Non-Être pur. A cette synthèse objective correspond comme synthèse subjective la récupération de la liberté négative et de son intégration dans la liberté absolue ou liberté proprement dite. On comprendra, j'espère, qu'il ne s'agit nullement d'un « au-delà » nietzschéen du Bien et du Mal mais plutôt d'une* "Aufhebung" *hégélienne. La séparation abstraite de ces deux concepts exprime simplement l'aliénation de l'homme. Reste que cette synthèse, dans la situation historique, n'est pas réalisable. Ainsi toute Morale qui ne se donne pas explicitement comme* impossible aujourd'hui *contribue à la mystification et à l'aliénation des hommes. Le « problème » moral naît de ce que la Morale est* pour nous *tout en même temps inévitable et impossible. L'action doit se donner ses normes éthiques dans ce climat d'indépassable impossibilité. C'est dans cette perspective, par exemple, qu'il faudrait envisager le problème de la violence ou celui du rapport de la fin et des moyens. Pour une conscience qui vivrait ce déchirement et qui se trouverait en même temps contrainte de vouloir et de décider, toutes les belles révoltes, tous les cris de refus, toutes les indignations vertueuses paraîtraient une rhétorique périmée* (SAINT GENET, p. 177).

C'est à la lumière de ce texte qu'il faut comprendre la signification du meurtre auquel Goetz se décide à la fin de la pièce et par lequel il commence la moralisation pratique d'un monde où règnent la violence et la lutte des classes : *Il y a cette guerre à faire et je la ferai.*

L'édition blanche Gallimard comporte au verso de la couverture un texte de présentation de Sartre extrait de l'entretien 51/209 et qui se lit comme suit :

> *Cette pièce peut passer pour un complément, une suite aux* Mains sales, *bien que l'action se situe quatre cents ans auparavant. J'essaie de montrer un personnage aussi étranger aux masses de son époque qu'Hugo, le jeune bourgeois, héros des* Mains sales, *l'était, et aussi déchiré. Goetz, mon héros, incarné par Pierre Brasseur, est déchiré, parce que, bâtard de noble et de paysan, il est également repoussé des deux côtés. Le problème est de savoir comment il lâchera l'anarchisme de droite pour aller prendre part à la guerre des paysans...*
>
> *J'ai voulu montrer que mon héros, Goetz, qui est un genre de franc-tireur et d'anarchiste du mal, ne détruit rien quand il croit beaucoup détruire. Il détruit des vies humaines, mais ni la société, ni les assises sociales, et tout ce qu'il fait finit par profiter au prince, ce qui l'agace profondément. Quand, dans la deuxième partie, il essaie de faire un bien absolument pur, cela ne signifie rien non plus. Il donne des terres à des paysans, mais ces terres sont reprises à la suite d'une guerre générale, qui d'ailleurs éclate à propos de ce don. Ainsi, en voulant faire l'absolu dans le bien ou dans le mal, il n'arrive qu'à détruire des vies humaines...*
>
> *La pièce traite entièrement des rapports de l'homme à Dieu, ou, si l'on veut, des rapports de l'homme à l'absolu...*

## INTERVIEWS SUR « LE DIABLE ET LE BON DIEU »

### 51/206

« Jean-Paul Sartre nous présente *Le Diable et le Bon Dieu* », interview par Christine de Rivoyre.

— *Le Monde*, 31 mai 1951.

> *Ma pièce est avant tout une pièce de foules. Les personnages principaux ne sont justifiables et compréhensibles que grâce aux foules qu'ils animent.*

### 51/207

« Si Dieu existe, nous dit Sartre à propos de sa pièce, le Bien et le Mal sont identiques », interview par Claudine Chonez.

— *L'Observateur*, 31 mai 1951.

Sartre loue ici la révérence pour le texte manifestée par Louis Jouvet dans sa mise en scène. A propos du *Goetz von Berlichingen* de Gœthe, il dit : *Il n'y a aucun rapport. D'ailleurs mon Goetz ne s'appelle ainsi que parce que je ne voulais pas feindre d'ignorer le personnage.* En ce qui concerne la signification de la pièce, relevons ces propos : *Goetz s'aperçoit* [...] *de la totale indifférence de Dieu, qui le laisse agir sans jamais se manifester. Aussi lorsque Heinrich, qui a perdu la foi, le lui fait remarquer, il est obligé de conclure à la non-existence de la divinité. Alors il comprend, et se retourne vers les hommes. La morale suspendue à Dieu ne peut aboutir qu'à un antihumanisme. Mais Goetz, au dernier tableau, accepte la morale relative et limitée qui convient à la destinée humaine : il remplace l'absolu par l'histoire.*

51/208

« Le Diable et le Bon Dieu, nous dit Sartre, c'est la même chose... moi je choisis l'homme », interview par Marcel Péju.

— *Samedi-Soir*, 2-8 juin 1951.

Très bonne interview. Sartre y déclare notamment : *L'homme n'est qu'une pauvre chose lorsqu'on croit en Dieu : il faut le perdre pour qu'il surgisse de ses ruines.* La fin de la pièce est décrite comme une *conversion à l'homme.* Péju demande alors s'il s'agit là d'une esquisse de la « Morale » promise et Sartre répond : *Pour la première fois, en effet, la solution est conçue, voulue, possible.* Le Diable et le Bon Dieu, *c'est à sa manière une suite des* Mains sales *avec une conversion de Hugo.*

S'expliquant sur l'aspect antireligieux de la pièce, Sartre dit ensuite : *Pour respecter les conditions particulières du XVIe siècle, tous les personnages se meuvent dans une atmosphère religieuse.* [...] *Le chemin que suit Goetz est un chemin de la liberté.* [...] *Nasty, lui, serait le révolutionnaire. Mais parce qu'il vit au XVIe siècle, il a une dimension religieuse.* [...] *Ce qui m'a frappé quand j'étudiais la Réforme, c'est qu'il n'y a pas d'hérésie religieuse dont la clé ne soit en définitive un malaise social, mais qui se traduit à travers des idéologies propres à l'époque.* [...]

*Goetz est un aventurier dont l'échec ne fera jamais un militant mais qui s'alliera au militant jusqu'à la mort.* [...] *L'échec de Goetz est un peu celui de l'anarchisme, du paternalisme aussi qui est l'anarchisme des maîtres.* [...] *Avec Goetz, la pièce est plutôt optimiste. Avec Heinrich surgit son côté nocturne* [...], *le problème pour lui est absolument sans solution car il est mystifié jusqu'à la moelle.*

51/209

« Dès que deux personnes s'aiment, elles s'aiment contre Dieu », entretien avec Louis-Martin Chauffier, Marcel Haedrich, Georges Sinclair, Roger Grenier et Pierre Berger. — *Paris-Presse-L'Intransigeant*, 7 juin 1951.

Entretien portant d'abord sur LE DIABLE ET LE BON DIEU, puis sur des sujets généraux. Les déclarations de Sartre concernant la pièce sont celles que l'édition blanche Gallimard reproduit sur le verso de la couverture et que nous avons reprises à la fin de la notice 51/205. Il ajoute encore : *En gros, je veux dire ceci. D'abord tout amour est contre Dieu. Dès que deux personnes s'aiment, elles s'aiment contre Dieu. Tout amour est contre l'absolu puisqu'il est l'absolu lui-même. Ensuite : Si Dieu existe, l'homme n'existe pas, et si l'homme existe, Dieu n'existe pas.*

A propos de l'immense et pernicieuse influence qu'on lui attribue sur la jeunesse, Sartre dit : *En réalité, à toutes les époques, il y a toujours, à un moment donné, une sorte de convergence entre la jeunesse et certaines formes littéraires.* [...] *C'est le moment où l'on liquide les valeurs paternelles. Comme on n'est pas encore capable d'en créer de nouvelles, on fait des emprunts à des gens qui ont l'âge du père, mais dont la pensée s'oppose à celle du père.* [...] *On nous attaque comme des corrupteurs, Simone de Beauvoir, Camus et moi, parce que nous proposons une morale. On n'attaque jamais les gens qui présentent simplement une image un peu veule des vices ou des plaisirs d'une époque.*

Il explique ensuite pourquoi il fait de la politique *(Depuis Marx, la philosophie est un acte social, un acte concret, un engagement. Il doit y avoir un rapport entre les pensées d'un philosophe et son attitude comme citoyen)* et pourquoi les communistes sont peut-être ses plus virulents détracteurs : *Leur morale est devenue conformiste. C'est une morale de petits-bourgeois. Le véritable ennemi est toujours celui qui est le plus proche de vous. Dans la mesure où je m'inspire d'un marxisme assez large, je suis un ennemi pour les communistes staliniens.* Mais il ajoute aussitôt : *Jusqu'à nouvel ordre le parti représente à mes yeux le prolétariat et je ne vois pas comment cela changerait avant quelque temps.* [...] *Il est impossible de prendre une position anticommuniste sans être contre le prolétariat.* Et c'est pourquoi il tient à prendre publiquement ses distances par rapport à l'utilisation qui risque d'être faite du film *Les Mains sales* (cf. *Appendice Cinéma*). Sartre dit encore qu'il n'a pas signé l'appel de Stockholm parce que certaines signatures *indiquaient une manœuvre politique* et il termine en déclarant à propos de David Rousset : *Politiquement, je ne peux rien signer avec lui.*

51/210

« Avec *Le Diable et le Bon Dieu* c'est une chronique dramatique que veut nous offrir Jean-Paul Sartre », interview par J. B. Jeener.

— *Le Figaro*, 23 juin 1951.

*Je me suis trouvé devant un problème nouveau pour moi, c'est-à-dire l'obligation de choisir une technique qui rejoignît celle des Anglais, des Espagnols ou de nos auteurs de mystères.*

51/211

« Jean-Paul Sartre répond à la critique dramatique et offre un guide au spectateur pour suivre *Le Diable et le Bon Dieu* », propos recueillis par Jean Duché.

— *Le Figaro littéraire*, 30 juin 1951.

Excellente interview où Sartre essaie de lever un certain nombre de malentendus qui avaient surgi lors de la première. *On a dit que j'avais voulu faire la démonstration que Dieu n'existe pas, et que j'ai échoué. Mais je suis un polygraphe, comme tout écrivain : pour prouver la non-existence de Dieu, j'ai à ma disposition l'essai.* [...] *Je n'ai rien voulu prouver.* [...] *J'ai voulu traiter le problème de l'homme sans Dieu, qui est important non point par une quelconque nostalgie de Dieu, mais parce qu'il est difficile de concevoir l'homme de notre temps entre l'U.R.S.S. et les États-Unis et dans ce qui devrait être un socialisme. C'est le problème actuel, mais les hommes du XX*e *siècle s'en inquiètent sourdement, sans le penser. Au XVI*e *siècle, on retrouve des problèmes analogues, incarnés dans des hommes qui pensaient à Dieu. J'ai voulu transposer ce problème dans une aventure personnelle.* Le Diable et le Bon Dieu *c'est l'histoire d'un individu.*

Sartre a-t-il voulu écrire un anti-*Soulier de satin*, demande Jean Duché. *Écrire des anti-quelque chose n'est pas dans nos mœurs littéraires. Mais puisque vous en parlez,* Le Soulier de satin *est beaucoup plus insultant pour un athée, pour le radical-socialiste de l'époque, visé par Claudel, que ne l'est* Le Diable et le Bon Dieu *pour un catholique. Or le radical-socialiste n'a pas poussé de hauts cris. Le catholique oui.*

Sartre indique ensuite que les répliques qui ont le plus scandalisé sont toutes inspirées par des auteurs chrétiens : la phrase de Nasty : *L'Église est une putain*, est de Savonarole; la réplique de Goetz à celui qui lui dit qu'il est un bâtard : *Oui : comme Jésus-Christ*, est de Clément VII; le monologue de Goetz (scène II du VIIIe tableau) est directement inspiré de saint Jean de la Croix; la réplique de Goetz à Hilda : *Donnez-moi les yeux du lynx de Béotie pour que mon regard pénètre sous cette peau. [...] Moi qui répugne à toucher du doigt le fumier, comment puis-je désirer tenir dans mes bras le sac d'excréments lui-même*, est d'Odilon de Cluny, copiée dans Huizinga, *La Fin du Moyen Age*.

A la question : Êtes-vous sûr que Dieu n'existe pas? Sartre répond : *J'en ai la conviction.* — La conviction ou la certitude? — *La certitude. Je suis né dans une famille mi-protestante, mi-catholique. Devant les contestations, dès l'âge de onze ans, ma conviction était faite. Et là-dessus se sont brochées des réflexions qui ont fait une certitude.*

Jean Duché demande si Sartre n'est pas responsable de l'équivoque puisque le drame ne se joue en fait pas entre le Diable et le Bon Dieu, mais entre le Bien et le Mal. *C'est vrai. Le problème est le même, que Dieu existe ou non. De toute façon, il ne s'agit pas de fonder une morale pour lui plaire, mais une morale sur soi, et, s'il existait, l'homme lui plairait en étant lui-même, en s'acceptant et en acceptant les autres dans leur finitude. Cette phrase d'Odilon de Cluny, que dit Goetz, signifie que l'amour de Dieu lui interdit d'aimer la femme dans sa finitude. Hilda lui répond : « Tu n'aimes rien si tu n'aimes pas tout. » Goetz n'aime pas les hommes. Mais Jouhandeau a très bien dit qu'il ne pouvait aimer les hommes s'il ne les aimait pas contre Dieu, jusque dans leur abjection qui est contre Dieu. Et Malraux, dans* La Condition humaine, *fait dire à Kyo : « Les hommes ne sont pas mes semblables, ils sont ceux qui me regardent et me jugent : mes semblables, ce sont ceux qui m'aiment et ne me regardent pas, qui m'aiment contre tout, qui m'aiment contre la déchéance, contre la bassesse, contre la trahison, moi et non ce que j'ai fait ou ferai, qui m'aimeraient tant que je m'aimerais moi-même. » C'est ça que Goetz finit par comprendre. De sorte qu'il est absurde de dire que Goetz retourne au Mal. Il découvre la voie d'une vérité humaine.*

*Il est une critique catholique qui me paraît plus vraie : que le règne de l'homme sans Dieu commence par la violence. Je le sais bien. Mais l'histoire montre assez que la violence va aussi avec le règne de Dieu.*

***

51/212

*L'Affaire Thorez.*

— *Les Temps modernes*, nº 63, janvier 1951, p. 1343-1344. Texte signé J.-P. S. et R. S. [Roger Stéphane].

Petit dialogue sur le départ de Maurice Thorez en U.R.S.S. et les réactions de la presse française (qui trouvait scandaleux que le secrétaire du Parti communiste préférât se faire opérer par les médecins soviétiques).

51/213

« Rencontre avec Jean-Paul Sartre », interview par Gabriel d'Aubarède.

— *Les Nouvelles littéraires*, 1er février 1951.

Bonne interview, où les propos de Sartre, une fois n'est pas coutume, semblent fidèlement rapportés. Gabriel d'Aubarède commence par faire de Sartre un portrait sympathique et conclut par cette phrase où perce une pointe d'étonnement significative : « Il n'y a rien de "sartrien", en somme, dans l'aspect de Jean-Paul Sartre et dans sa conversation. »

Sartre est interrogé sur les sujets suivants :

— son enfance;

— les écrivains qui l'ont influencé : Proust, Valéry, Alain (indirectement), Gide (pas du tout);

— son amitié avec Nizan;

— l'engagement de la littérature;

— sa puissance de travail : *On peut être fécond sans travailler beaucoup. Trois heures tous les matins, trois heures tous les soirs. Voilà ma seule règle. Même en voyage. J'exécute petit à petit un plan de travail très consciemment élaboré. Roman, pièce, essai, chacun de mes ouvrages est une facette d'un ensemble, dont on ne pourra vraiment apprécier la signification que le jour où je l'aurai mené à son terme;*

— la gloire : *J'ai passé près de deux années de complet désarroi! Le succès est une épreuve très lourde;*

— son influence sur la jeunesse : *Les gens qui me reprochent de pervertir la jeunesse ont intérêt à masquer que les causes de la corruption sont d'ordre social. Aveuglés par une culture bourgeoise personnaliste, ils cherchent l'individu où les causes sont générales et, voulant ignorer les facteurs collectifs, ils prennent pour bouc émissaire un écrivain;*

— les suicides qu'il aurait provoqués : *Je serais heureux de pouvoir croire qu'un écrivain peut provoquer un suicide, parce qu'alors c'est qu'il pourrait aussi l'empêcher. Mais je ne puis croire ni l'un ni l'autre. Un livre ne saurait avoir une action aussi directe dans notre société, du moins dans notre société actuelle. L'écrivain n'y peut exercer qu'une influence à long terme, et très tamisée...;*

— son intérêt pour Genet;

— l'insistance des existentialistes sur les fonctions les plus basses : *Si nous parlons du corps jusqu'en ses fonctions les plus humbles, c'est parce qu'il ne faut pas feindre d'oublier que l'esprit descend jusqu'au corps, en d'autres termes le psychologique jusqu'au physiologique.* [...] *Ce n'est pas pour m'amuser que je parle de ces choses, mais parce qu'à mon sens un écrivain doit saisir l'homme tout entier.* [...] *Il y a interaction du sexe et de la pensée, comme nous l'a enseigné la psychanalyse, à laquelle nous devons un élargissement considérable de la psychologie, et qui n'est pas encore assez connue.*

Pour finir Sartre explique pourquoi il parle souvent du ciel, avec ses nuages, dans ses récits : *Le ciel représente dans mes livres un élément d'évasion. J'ai appris à le regarder quand j'étais prisonnier. Ceux qui se sentent coincés sur terre lèvent la tête.*

Voilà une occasion toute trouvée de citer un texte peu connu de Boris Vian, « Sartre et la... » (*La Rue*, nº 6, 12 juillet 1946), où Sartre se voit efficacement défendu contre le reproche de scatophilie : « Il nous paraît que les exégètes superficiels commettent une erreur grossière en lui attribuant, par une extension abusive, des préférences exclusivement latrinaires. Ils ne lui ont jamais reproché d'aimer le ciel bleu. Or, Sartre en parle quelquefois aussi. [...] On ne peut qu'approuver Sartre de « la » localiser sur le papier au lieu de la répandre à tous les vents comme font les négligents (Claudel, Péguy, Romain Rolland). »

51/214

*Gide vivant.*

*a*) *Les Temps modernes*, nº 65, mars 1951, p. 1537-1541.
*b*) Repris dans SITUATIONS, IV.

Hommage à André Gide, écrit après la mort de celui-ci, survenue le 19 février 1951.

Sartre avait rencontré Gide pour la première fois en 1939. Deux ans plus tard, ayant fondé un groupe de résistance intellectuelle après son retour de captivité (cf. 41/31), il alla le trouver dans le Midi pour établir des contacts avec les écrivains vivant en zone libre. Après la guerre, ils se revirent à trois ou quatre reprises, toujours avec plaisir, selon Sartre. Il avait en effet de l'amitié pour Gide et appréciait particulièrement en lui le cynisme enjoué dont il savait faire preuve en privé.

En été 1950, profitant d'une visite de Sartre, Marc Allégret, qui était en train de tourner son film *Avec André Gide*, filma les deux écrivains en conversation dans le jardin de la maison de Gide à Cabris. La séquence, imparfaite techniquement, ne fut pas conservée dans le montage du film (sorti en 1951).

# 1952

52/215

## SAINT GENET, COMÉDIEN ET MARTYR

*a*) Pour les fragments de la première version publiés en préoriginale dans *Biblio*, *Les Temps modernes* et *Neuf*, voir 50/201, 202, 203.

*b*) Volume : Gallimard, [1952]. 578 pages.

Constitue le tome premier des Œuvres complètes de Jean Genet. Achevé d'imprimer : 28 juin 1952. L'édition originale comprend 198 exemplaires numérotés de 1 à 180 et de A à R. Repris dans la Collection Soleil en 1969.

Annoncé pour l'automne 1950 et finalement paru au cours de l'été 1952, SAINT GENET (dont le titre reprend celui de l'excellente pièce baroque de Rotrou publiée en 1646) a pour origine un projet de préface. A sa parution, le livre fut reçu avec étonnement et un peu comme un monstre : il échappe en effet aux catégories traditionnelles puisqu'on peut le considérer à la fois comme un ouvrage de philosophie, une étude de critique littéraire, un traité de morale, une biographie psychanalytique, etc. Il s'agit en tout cas d'une œuvre majeure, dont la lecture est indispensable autant pour la connaissance de Sartre que pour celle de Genet.

En tant qu'essai philosophique, SAINT GENET se situe à mi-chemin entre L'ÊTRE ET LE NÉANT et CRITIQUE DE LA RAISON DIALECTIQUE et marque une étape importante dans la pensée de Sartre, dans la mesure où il met en œuvre tour à tour la psychanalyse existentielle et la méthode marxiste. Comme essai de critique littéraire, il se place sans doute entre le BAUDELAIRE et le « Flaubert » à venir. Les insuffisances du premier sont ici corrigées puisque SAINT

GENET envisage cette fois l'homme et l'œuvre comme une totalité indissociable dans laquelle, par une dialectique incessante et patiemment décrite, l'œuvre produit l'homme autant qu'elle est produite par lui. A ce titre, l'ouvrage commence à être reconnu aujourd'hui comme une réussite exceptionnelle de la critique (cf. en particulier Serge Doubrovsky dans *Pourquoi la nouvelle critique*).

Alors qu'il jugeait Baudelaire avec sévérité, Sartre ne cache pas sa sympathie pour Genet et avoue son admiration profonde pour son extrémisme moral et esthétique. Pour Sartre, Genet, tout en étant un sophiste, un pédéraste, un voleur, etc., est *un des héros de ce temps* (p. 549); il est l'individu qui, malgré les circonstances les plus défavorables, a réussi à faire quelque chose de ce que les autres ont fait de lui. L'essai de Sartre se termine par une « Prière pour le bon usage de Genet » qui remplace avantageusement l'habituel prière d'insérer et dont le début précise les intentions de l'auteur :

*Montrer les limites de l'interprétation psychanalytique et de l'explication marxiste et que seule la liberté peut rendre compte d'une personne dans sa totalité, faire voir cette liberté aux prises avec le destin, d'abord écrasée par ses fatalités puis se retournant sur elles pour les digérer peu à peu, prouver que le génie n'est pas un don mais l'issue qu'on invente dans les cas désespérés, retrouver le choix qu'un écrivain fait de lui-même, de sa vie et du sens de l'univers jusque dans les caractères formels de son style et de sa composition, jusque dans la structure de ses images, et dans la particularité de ses goûts, retracer en détail l'histoire d'une libération : voilà ce que j'ai voulu* (p. 536).

Le livre a pour illustration dramatique la pièce LE DIABLE ET LE BON DIEU; il y a, en effet, un bon nombre de ressemblances entre Goetz et le Genet que décrit Sartre : la bâtardise, la recherche d'un absolu dans le Mal, le jeu du qui perd gagne, l'effort pour se déprendre de l'aliénation, etc. Chez Genet, la conquête de soi prend le détour de l'œuvre littéraire et, comme l'a bien vu André Gorz : « L'une des conclusions de l'ouvrage, c'est que le travail de libération le plus radical et le plus acharné peut ne trouver à s'effectuer que dans l'imaginaire, faute de pouvoir supprimer la condition originelle de totale aliénation » (*Le Socialisme difficile*, Seuil p. 209).

L'essai est suivi de trois appendices dont le dernier, p. 561-573, est une étude sur *Les Bonnes*. Cette étude a été reprise en anglais comme « Introduction » dans : *The Maids and Deathwatch*. Two plays by Jean Genet. With an introduction by Jean-Paul Sartre. Translated by Bernard Frechtman. New York : Grove Press, [1954]. P. 7-31.

Le texte correspond à celui de l'édition Gallimard mais

comprend au début deux paragraphes qui ne sont pas dans celle-ci et qui expliquent le démonstratif, « *ces* tourniquets ».

Sur Genet, voir aussi 46/104, 48/165, 49/189.

52/216

*Préface* aux Guides Nagel.

— Cette préface de trois pages a été reproduite à partir de 1952 dans les volumes suivants, tous publiés aux éditions Nagel : *Les Pays nordiques, Danemark, Finlande, Islande, Norvège, Suède.*

Sartre a fait plusieurs séjours dans les pays scandinaves, en particulier en 1935 avec ses parents et en 1947 et 1951 avec Simone de Beauvoir.

Dans ce texte, Sartre réfléchit à la condition de touriste et indique ce que devrait être un guide moderne : *Je crois que cette phrase de Camus résume assez bien nos curiosités présentes : « Une manière commode de faire la connaissance d'une ville est de chercher comment on y travaille, comment on y aime et comment on y meurt. » C'est notre temps qui nous intéresse et le passé* dans *notre temps.* [...] *Nous vivons avec des « Guides » qui correspondent aux désirs de nos pères, mais nous n'en avons point qui répondent à nos désirs.*

Pour lui, la Scandinavie a deux originalités : c'est là que le climat rigoureux a lancé aux habitants depuis des siècles un *défi singulier* et c'est là aussi que *les réformes socialistes ou socialisantes ont été poussées le plus loin.*

52/217

« Il n'y a plus de doctrine antisémite », interview.

— *Évidences*, nº 23, janvier 1952, p. 7-8.

La revue *Évidences*, publiée à Paris sous l'égide de l'American Jewish Committee, avait demandé à Albert Camus, à Sartre et au sociologue Michel Collinet d'analyser dans ce numéro le phénomène de la résurgence en France d'une presse ouvertement antisémite. Citant *Aspects de la France, Écrits de Paris* et *Rivarol*, Sartre déclare qu'étant donné le faible tirage de ces périodiques, le problème a peu d'importance. Il dit que la droite ne fait plus de l'antisémitisme une doctrine : *Drumont n'est plus possible.*

*La France a cessé d'être indépendante, économiquement, finan-*

*cièrement, militairement.* [...] *Je dirai que c'est parce que la France n'a plus d'armée que le gaullisme ne sera jamais qu'un fascisme larvé. Plus de grandeur nationale, plus de « France seule » : la droite a perdu ses mythes.* [...] *La minorité antisémite cristallise les tendances projectives ou la mauvaise humeur provoquée par l'échec économique ou social. Il n'en est pas moins vrai que les représentations collectives ou les mythes antisémites sont en voie de disparition.*

Sartre souligne ensuite que *la gauche conformiste d'aujourd'hui* est nationaliste et risque de devenir antisémite : *Le contenu idéologique d'une conscience de gauche est désormais brouillé.* Il déclare pour finir : *L'existence du fascisme et de l'antisémitisme en France est le reflet d'une tension internationale accrue : c'est la crainte de la guerre, la division du monde en deux blocs hostiles qui en favorisent la résurrection.*

52/218

« Il faut rétablir la justice », interview sur l'affaire Henri Martin, par G.-A. Astre.

— *Action*, 24 janvier 1952.

Interview recueillie peu après que Sartre eut été reçu par le président Auriol à qui il présentait une requête en faveur d'Henri Martin. Sartre montre en quoi le cas d'Henri Martin est exemplaire : *Il reflète les embarras de toute une jeunesse, dans une société qu'elle n'approuve plus, lorsqu'elle est aux prises avec des principes et des aspirations qui la portent dans des directions bien différentes de celles qu'on veut lui imposer.* [...] *Il est une manifestation de cette situation étrange où la politique l'emporte sur toute autre valeur. La division du monde prime ici la justice. L'affaire Henri Martin devient Truman contre Staline!* (cf. 53/233).

52/219

*Sommes-nous en démocratie?*

*a*) *Les Temps modernes*, n° 78, avril 1952, p. 1729-1733.
*b*) Repris dans SITUATIONS, VI.

Article écrit pour un numéro spécial des *Temps modernes* sur la presse française, qui devait être le premier élément d'une enquête sur *le fonctionnement* réel *de la démocratie française.*

52/220

*Les Communistes et la Paix* (*I* et *II*).

*a*) *Les Temps modernes*, nº 81, juillet 1952, p. 1-50; nº 84-85, octobre-novembre 1952, p. 695-763.
*b*) Repris dans SITUATIONS, VI.

1952 marque un tournant important de la pensée politique de Sartre. Dès la fin de 1949, date qui correspond à l'échec définitif de l'expérience R.D.R., Sartre avait entrepris, sans abandonner aucun de ses principes ni de ses objectifs, d'élargir sa philosophie en direction du marxisme. Sur le plan politique, un rapprochement s'opère au début 1952 avec le parti communiste à l'occasion de l'affaire Henri Martin (cf. 52/218). Sartre était en Italie lorsqu'il apprit l'arrestation de Jacques Duclos à la suite de la manifestation du 28 mai 1952 contre la venue à Paris du général Ridgway qui succédait à Eisenhower à la tête du S.H.A.P.E. Il fut « submergé de colère » (*La Force des choses*, p. 281) par la réaction triomphante de la droite qui ne manqua pas de voir dans l'échec de la grève de protestation lancée le 4 juin par le P. C. un désaveu manifesté à celui-ci par l'ensemble de la classe ouvrière. *Quand je revins à Paris, précipitamment, il fallait que j'écrive ou que j'étouffe. J'écrivis, le jour et la nuit, la première partie des* Communistes et la Paix (SITUATIONS, IV, p. 249).

Nous renvoyons encore une fois à l'indispensable étude de M.-A. Burnier, *Les Existentialistes et la politique* (p. 84-96), qui fournit une analyse de ces articles et rappelle en détail le contexte dans lequel ils virent le jour.

Le premier article, plein de verve dans la polémique, répond aux diverses accusations formulées contre le P. C. par la droite et par la gauche non communiste. Sartre se propose d'y chercher *dans quelle mesure le P. C. est l'expression* nécessaire *de la classe ouvrière et dans quelle mesure il en est l'expression* exacte.

Le second article montre que l'échec de la grève du 4 juin s'explique par le découragement des ouvriers. Sartre fait ici une distinction fondamentale entre les *masses*, agglomérat d'individus isolés et impuissants, et la *classe ouvrière*, unifiée par une *praxis* révolutionnaire dont le P. C. est la médiation nécessaire.

Le troisième article ne fut écrit qu'un an et demi plus tard (cf. notice 54/254), mais entre-temps Sartre développa l'argumentation des deux premiers dans *Réponse à Claude Lefort* (53/238). Notons d'emblée que la prise de position de Sartre (*le but de cet article est de déclarer mon accord avec les communistes sur des sujets précis et limités, en raisonnant à partir de mes principes et non des* leurs — SITUATIONS, VI, p. 168) eut, dans les limites de la gauche intellectuelle, un retentissement considérable. Au sein même de l'équipe des *Temps modernes*, elle provoqua deux défections, celle de Merleau-Ponty (qui n'exprima publiquement son désaccord avec Sartre qu'après la parution du troisième article) et celle d'Etiemble (cf. sa « Lettre ouverte à Jean-Paul Sartre sur l'unité de mauvaise action » dans *Arts*, 24-30 juillet 1953, reprise dans : Etiemble, R., *Hygiène des lettres (II) : Littérature dégagée (1942-1953)*, Gallimard, 1955). Simone de Beauvoir précise que « malgré la difficulté de sa position, Sartre s'approuva toujours de l'avoir adoptée » (*La Force des choses*, p. 281).

52/221

« Besuch bei Jean-Paul Sartre », interview.

— *Die Presse*, [Wien], Wochenausgabe vom 12 Juli 1952, nº 28, p. 6.

Texte non consulté.

52/222

*Un parterre de capucines.*

*a*) *L'Observateur*, 24 juillet 1952, p. 16-17.

Une note précise : « Retour d'un long séjour en Italie, M. Jean-Paul Sartre a bien voulu, pour *L'Observateur*, extraire le texte suivant d'un livre à paraître. »

*b*) Repris sans variantes dans SITUATIONS, IV.

*Venise, de ma fenêtre* (cf. notice 53/221) et *Un parterre de capucines* sont les seuls fragments publiés d'un livre abandonné au bout de 500 pages et consacré à l'Italie. Ce livre devait s'intituler « La Reine Albemarle et le dernier touriste » : « le dernier touriste » était le narrateur (c'est-à-dire Sartre lui-même). Il était le seul à échapper aux mythes du tourisme et aux pièges qui lui étaient tendus par un guide infidèle, personnage mi-historique, mi-allégorique, la Reine Albemarle.

Simone de Beauvoir précise au sujet de cette œuvre : « [Sartre] y décrivait capricieusement l'Italie, à la fois dans ses structures actuelles, son histoire, ses paysages et il rêvait sur la condition de touriste » (*La Force des choses*, p. 217).

52/223

*Réponse à Albert Camus.*

*a*) *Les Temps modernes*, nº 82, août 1952, p. 334-353.
*b*) Repris dans SITUATIONS, IV.

Sartre et Camus, qui s'étaient mutuellement consacré des articles élogieux (respectivement sur LE MUR — cf. 39/21 — et sur *L'Étranger* — cf. 43/38), se rencontrèrent pour la première fois en juin 1943, à la générale des MOUCHES. Camus venait tout juste de débarquer d'Afrique du Nord. Peu après, Sartre lui offrit de créer le rôle de Garcin dans HUIS CLOS et de mettre en scène la pièce, que Marc Barbezat se proposait de monter pour une tournée en province. Le projet échoua mais fut l'occasion pour les deux hommes de nouer des liens d'amitié qui se renforcèrent de leur commun engagement dans la Résistance, où Camus avait cependant des responsabilités pratiques beaucoup plus importantes que Sartre puisqu'il assumait des fonctions dirigeantes dans le mouvement Combat. Durant les derniers mois de l'occupation et de la guerre, ils se voyaient fréquemment, sur un pied d'intimité, au sein d'un groupe d'amis qui comprenait entre autres Leiris et Queneau. Pour l' « Encyclopédie » que Gallimard projetait de publier, Camus, Merleau-Ponty, Sartre et Simone de Beauvoir devaient écrire la partie consacrée à l'éthique et ils voulaient en faire un « manifeste d'équipe » (*La Force de l'âge*, p. 577). Camus devait aussi participer à la rédaction de la revue dont Sartre avait le projet. À la Libération, Camus, qui dirigeait le journal *Combat* enfin sorti de clandestinité, demanda à Sartre un reportage sur ces journées historiques (cf. 44/51) et, quelques mois plus tard, lui offrit de représenter *Combat* aux États-Unis (cf. 45/65). Trop occupé par ses activités de journaliste, Camus ne se joignit pas au comité directeur des *Temps modernes*. Fin 1945, Camus cédant de plus en plus à l'anticommunisme, de sérieuses dissensions politiques se firent jour entre les deux écrivains, sans toutefois que la cordialité de leurs rapports personnels en fût encore affectée. Peu après, une première brouille, toujours due à une mésentente politique aggravée par le caractère peu conciliant de Camus, les sépara jusqu'en mars 1947 (cf. *La Force des choses*, p. 126). Ils se réconcilièrent au moment de la parution de *La Peste* mais leurs divergences de pensée n'en cessèrent pas moins de s'accuser, Politiquement, un rapprochement éphémère s'esquissa, sur le terrain de leur commune hostilité au gaullisme- lorsque fut lancé le « Premier appel à l'opinion interna tionale » (cf. notice précédant 48/168) que Camus et Sartre signèrent tous deux. En revanche, Camus ne signa pas l'appel pour la création du R.D.R. et ne fit pas partie du mouvement; mais il soutint quelques mois plus tard celui des Citoyens du Monde que Sartre jugeait naïf et inefficace (cf. 49/188).

La parution de *L'Homme révolté* (Gallimard, 1951), où Camus exprimait des positions philosophiques, morales et politiques très opposées à celles de Sartre, devait précipiter une rupture que l'amitié ne suffisait plus désormais à éviter. Le livre parut au milieu de l'automne 1951 et plongea toute l'équipe des *Temps modernes* dans l'embarras, comme le raconte plaisamment Simone de Beauvoir : « A partir de novembre, Sartre réclama un volontaire pour rendre compte de *L'Homme révolté*. [...] Il refusait par amitié qu'on en dît du mal; cependant chez nous personne n'en pensait du bien. Nous nous demandions comment sortir de cette impasse » (*La Force des choses*, p. 271). La gêne des *Temps modernes* se traduisit par un silence de plus de six mois mais finalement Francis Jeanson se résolut à porter le fer dans la plaie; il y mit plus de brusquerie que Sartre n'en aurait sans doute souhaité [1]. Son article, intitulé « Albert Camus ou l'âme révoltée » (*Les Temps modernes*, n° 79, mai 1952, p. 2077-2090), reprochait à Camus, en termes parfois vifs, un « refus de l'histoire », une attitude moralisante et inefficace de belle âme. Camus répliqua, comme Sartre l'y avait par avance invité. Mais au lieu de répondre à Jeanson, il feignit d'ignorer celui-ci et, passant par-dessus sa tête, s'adressa à Sartre en l'appelant M. le Directeur (cf. « Lettre au directeur des *Temps modernes* » [datée du 30 juin 1952], *Les Temps modernes*, n° 82, août 1952, p. 317-333; reprise dans *Actuelles II*, sous le titre « Révolte et servitude », puis dans le volume Pléiade, *Essais*, p. 754-774). Le ton de sa réponse était hautain et cassant; Camus, notamment, se déclarait fatigué de recevoir des « leçons d'efficacité de la part de censeurs qui n'ont jamais placé que leur fauteuil dans le sens de l'histoire ». Dès lors, Sartre se sentit contraint de prendre la défense de Jeanson en exprimant clairement sa propre opinion, plus sévère encore, sur l'attitude de Camus. Il le fit, selon ses propres termes, *sans aucune colère mais, pour la première fois* [...], *sans ménagements*. Et Jeanson renchérit

1. Il est piquant de noter qu'un même embarras, de moindre portée il est vrai, semble avoir été suscité plusieurs années plus tard aux *Temps modernes* précisément par un livre de Francis Jeanson, *Lettre aux femmes* (Seuil, 1965).

à sa suite dans une lettre dont l'intention était bien résumée par le titre : « Pour tout vous dire... » (*Les Temps modernes*, nº 82, août 1952, p. 354-383). L'affaire connut une publicité que Sartre déplora, lui qui avait hésité devant cette polémique par crainte de l'usage qu'en feraient leurs adversaires communs. *Combat* (18 septembre 1952), en particulier, publia en double page et sans son autorisation de larges extraits de sa réponse ainsi que des fragments des textes de Camus et de Jeanson.

Ce sont là les péripéties publiques d'une rupture qui devait être définitive : les deux écrivains ne se rencontrèrent plus jamais. A la mort de Camus, Sartre lui consacra cependant un article émouvant (cf. 60/344) ; car, s'il jugeait faible le penseur et parfois condamnables ses abstentions politiques, il avait conservé sa sympathie à l'homme et son estime à l'écrivain.

En relisant aujourd'hui les quatre textes qui jalonnent cette polémique, on est frappé d'abord par le haut niveau de celle-ci. Elle dépasse de loin une simple querelle d'auteurs car elle institue un débat d'ordre politique et moral qui demeure sur bien des points urgent et ouvert. Qu'on adhère aux positions de Sartre et de Jeanson ou qu'on leur préfère celles de Camus ou encore qu'on récuse les unes et les autres, on ne peut qu'admirer la qualité — de pensée aussi bien que d'expression — d'une controverse qui constitue sans doute un des grands moments de la vie intellectuelle française de l'après-guerre.

La réponse de Sartre est indispensable pour la connaissance de sa pensée telle qu'elle a évolué au début des années cinquante, en particulier sur le problème moral. Il faut signaler enfin que ce texte a été écrit entre les deux premières parties des *Communistes et la Paix*. Comme le remarque Simone de Beauvoir : « Ces deux écrits avaient un même sens: l'après-guerre avait fini de finir » (*La Force des choses*, p. 281).

52/224

« M. Pinay prépare le chemin d'une dictature. »
— *Libération*, 16 octobre 1952.

Courte déclaration protestant contre l'arrestation d'Alain Le Léap, secrétaire général de la C.G.T., inculpé de « démoralisation de la nation » pour s'être opposé à la guerre d'Indochine. *Le fait que la guerre d'Indochine est immorale n'est pas une opinion strictement communiste. C'est pourtant ce que veut faire croire le gouvernement en arrêtant les gens ou en essayant de faire lever l'immunité parlementaire de quelques communistes.*

52/225

« Ces actes semblent indiquer chez le gouvernement l'intention d'utiliser l'anticommunisme à l'américaine », déclaration à propos de l'arrestation du leader de la C. G. T. Alain Le Léap.

— *Ce Soir*, 17 octobre 1952.

TEXTES SE RAPPORTANT AU CONGRÈS DE VIENNE

Sartre commença à s'intéresser aux activités du Mouvement de la Paix dans le courant de l'été 1952. Il participa, à titre personnel, au Congrès des Peuples pour la Paix, organisé à Vienne, du 12 au 19 décembre 1952, par le Conseil mondial de la Paix. Nous avons pu dénombrer les textes suivants, résultant de cette participation :

52/226

[Interview par Paule Boussinot.]

— *Défense de la Paix*, numéro spécial, décembre 1952, p. 12-14.

Avant son départ pour Vienne, Sartre expose les raisons de sa participation au congrès, auquel il accorde la plus grande importance. Les positions qu'il défendra sont celles-ci : coexistence pacifique fondée sur des échanges Est-Ouest, réunification de l'Allemagne sans modification du régime économique des deux zones, paix en Indochine, admission de la Chine à l'O.N.U.

52/227

*Intervention de M. Jean-Paul Sartre*, à la séance d'ouverture le 12 décembre 1952.

*a*) Texte intégral : *Congrès des Peuples pour la Paix*, Service d'Information, [Vienne], nº 2, 13 décembre 1952, p. 7. Cote B. N. : Gr. Fol. G. 67.

*b*) Repris dans le volume : *Congrès des Peuples pour la Paix, Vienne, 12-19 décembre 1952.* Paris, 1953. P. 48-54.

*c*) Principaux extraits sous le titre « On ne construit rien dans l'abstrait » dans *Défense de la Paix*, janvier 1953, p. 24-29.

[...] *La pensée et la politique d'aujourd'hui nous mènent au massacre parce qu'elles sont abstraites. On a coupé le monde en deux et chaque moitié a peur de l'autre. Chacun désormais agit sans connaître les volontés et les décisions du voisin d'en face; on fait des conjectures, on ne croit pas ce qui est dit, on interprète et on adapte les conduites à ce que l'on suppose que fera l'adversaire. A partir de là, une seule position est possible, résumée par une sottise millénaire : si tu veux la paix, prépare la guerre. Triomphe de l'abstraction. Les hommes eux-mêmes deviennent abstraits, dans cette perspective. Chacun est* l'Autre, *l'ennemi possible, on s'en* méfie. *Il est rare, en France, mon pays, de rencontrer des hommes : on rencontre surtout des étiquettes et des noms. Ce qu'il y a de neuf et d'admirable dans ce congrès de la Paix, c'est qu'il réunit des* hommes.

[...] *Nous avons résolu, non de nous substituer à nos gouvernements, mais de communiquer entre nous, sans eux.* [...] *Puisque la souveraineté vient du peuple, nous venons, nous les gouvernés, nous mettre d'accord sur nos exigences et, quand nous serons rentrés chez nous, nous manifesterons dans le* cadre national *une volonté qui sera à la fois celle de chaque peuple et celle de tous.* [...]

*S'il y a encore des gens à l'O.N.U. pour croire que la troisième guerre mondiale sera la lutte du Bien contre le Mal, nous leur disons qu'ils ont tort; les peuples se sont vus, ils se sont parlé, ils se sont touchés, et ils sont d'accord pour dire que, de* toute façon, *la Paix qu'ils veulent faire et qu'ils feront est un Bien. On ne nous fera plus le coup de la croisade.*

[...] *Nous savons qu'on ne peut pas condamner la guerre en général, ni louer la Paix dans l'abstrait. Le pacifiste est très mal équipé pour répondre au guerrier. Puisqu'il veut la Paix à tout prix, pourquoi n'accepterait-il pas la Paix qu'on impose par les armes?* [...] *Nous ne voulons pas de n'importe quelle paix. Et tout particulièrement, nous ne voulons pas de la paix par la terreur.* [...] *A l'inverse de Gary Davis, nous savons* qu'il faut *faire de la politique et que la Paix n'est pas un état stable qu'on reçoit un beau jour comme un certificat de bonne conduite, mais une construction de longue haleine qui est à faire à l'échelle mondiale et qui demande la collaboration de tous les peuples du monde.* [...]

*Entre les États capitalistes et les États socialistes, la guerre serait inévitable si l'on pouvait prouver que leur coexistence est* économiquement *impossible; c'est-à-dire s'il se trouvait que les peuples qui vivent sous l'un des régimes aient besoin pour travailler et pour manger à leur faim de la destruction de l'autre. Or, cela personne ne le dit.* [...]

*Quand on parle de la coexistence de deux systèmes économiques, je ne crois pas que l'on veuille parler de la coexistence de deux blocs. Une coexistence ne veut pas dire une juxtaposition. Celle-ci entretient la méfiance et finit par conduire de la guerre froide à la guerre brûlante.* [...]

*Le congrès doit être notre volonté consciente et c'est au nom de cette volonté que nous nous retrouverons dans nos pays avec des obligations nouvelles et des tâches neuves.* [...]

*Personnellement, je connais beaucoup de gens très honnêtes qui devraient être ici à nos côtés — et qui n'y sont pas. Pourquoi? Eh bien par pessimisme, par résignation, et puis on leur a fait craindre que le congrès ne soit une manœuvre.* [...] *Il faut qu'ils se disent : nous voulions la paix, des hommes sincères se sont réunis pour tenter de la faire et nous n'étions pas là. Le jour où leurs regrets feront fondre un peu de leur défiance et de leur peur, le no man's land, c'est-à-dire l'anticommunisme, aura reculé, et nous pourrons dire qu'avant d'aider à la pacification internationale, nous avons aidé à la réconciliation chez nous.* [...]

52/228

« Le dialogue est engagé, c'est là le fait le plus chargé de promesses », courte déclaration faite à Vienne le 16 décembre 1952.

— *Ce Soir*, 17 décembre 1952.

52/229

« C'est la première fois que je vois un espoir se dessiner parmi les hommes », interview par Jean Bedel.

— *Libération*, 18 décembre 1952.

Interview sans grand intérêt. Sartre insiste sur le fait que la liberté d'expression a été totale au congrès et se dit persuadé que celui-ci aura une portée considérable bien qu'il soit inévitable que ses résultats soient calomniés ou passés sous silence.

# 1953

53/230

« Ce que j'ai vu à Vienne, c'est la Paix. »

— *Les Lettres françaises*, 1er-8 janvier 1953.

Texte intégral de l'intervention de Sartre au meeting du 23 décembre 1952, au Vélodrome d'Hiver, où les personnalités qui avaient pris part au congrès de Vienne rendirent compte de celui-ci. Pour plus de détails sur ce meeting, cf. *La Force des choses*, p. 310, et les comptes rendus de *Libération* (24 décembre 1952) et de *Ce Soir* (25 décembre 1952).

S'étant rendu à Vienne sans être mandaté par aucun groupement, Sartre veut porter témoignage en tant qu'écrivain. Il montre comment la presse a mystifié les gens et provoqué leur défiance en présentant le congrès comme émanant des seuls communistes. Lui-même, avant de partir, a subi les pressions amicales de gens qui craignaient qu'il fût manœuvré. Il donne des exemples précis de certains mensonges de la presse et raconte quelques épisodes du congrès qui furent délibérément mal interprétés par les correspondants des journaux bourgeois.

Sartre affirme que le congrès a été pour lui une expérience extraordinaire : *Il y en a eu trois, pour moi, depuis que j'ai l'âge d'homme, trois qui brusquement ont redonné l'espoir : le Front populaire de 36, la Libération et le Congrès de Vienne.*

Répondant aux arguments par lesquels on a cherché à minimiser l'importance de ce qui a été accompli à Vienne, Sartre dit que ce ne sont pas tant les résolutions finales qui comptent que les contacts pris, les discussions, la fraternité entre des hommes très différents. *Je témoigne donc que le Congrès de Vienne est et restera, malgré les calomnies, un événement historique.*

*Les Lettres françaises* du 8-15 janvier 1953 reproduisent un « Appel des écrivains réunis à Vienne » signé par cent trois écrivains, dont Sartre (qui en est peut-être le rédacteur), et qui se lit comme suit :

« Nous qui croyons dans la puissance de la parole écrite et dont le métier est de porter témoignage pour nous-mêmes et pour d'autres, qui nous ressemblent, nous avons décidé de mettre nos œuvres en accord avec notre volonté de paix et nous disons que nous combattrons la guerre par nos écrits. Comment, et dans quelle mesure, chacun en décidera. Mais, au-delà des divergences religieuses, philosophiques, politiques et littéraires, nous sommes d'accord pour dénoncer sous tous ses masques et jusque dans la littérature la guerre qu'on nous prépare, pour témoigner au nom de tous ceux qui en souffrent, pour montrer le chemin de la paix et pour affirmer notre confiance dans l'homme. [...] »

Il faut rappeler à ce propos que dans une interview à *L'Humanité* (cf. 55/271), Sartre a déclaré, parlant de NEKRASSOV : *Je veux apporter une contribution d'écrivain à la lutte pour la paix. Nous avons pris des engagements à Vienne, il faut les tenir.*

## 53/231

*Le Congrès de Vienne.*

— *Le Monde*, 1er janvier 1953.

Texte figurant dans la rubrique « Libres opinions ». Nous le reproduisons *in extenso* ci-dessous :

*Les journaux nous avaient dit que nous servirions d'otages, qu'on ne nous laisserait pas parler, que nous couvririons d'obscures manœuvres, par notre présence. Nous sommes de retour : qu'attendent-ils pour démentir ? La presse a dû mettre une sourdine à ses attaques, mais elle n'a fait que changer de procédé. Il fallait prouver que le congrès de Vienne, en dépit de changements superficiels, se bornait à répéter celui de Varsovie : on l'assimile donc sournoisement à une conférence de diplomates, on exige de lui — ou l'on feint d'exiger — des résultats que l'O.N.U. même ne saurait donner, pour pouvoir dire ensuite qu'on est déçu et qu'il n'a rien apporté de neuf. On a simplement passé sous silence sa véritable nature : c'est un congrès* des peuples. *Même en acceptant la discussion sur le terrain des résultats diplomatiques, il serait facile de montrer les progrès accomplis — et tout particulièrement, dans l'appel aux peuples, le passage concernant les États neutres et les garanties qui doivent leur être accordées — mais je crois plus important de dégager cet aspect* populaire *du congrès, précisément parce qu'on s'efforce de le masquer.*

*Oui. Bien sûr : il y avait des délégués communistes. Cent pour cent, j'imagine, dans les délégations des démocraties populaires — mais n'était-ce pas eux que nous venions rencontrer? — et une* faible minorité *dans les délégations occidentales. Mais les délégations de l'Ouest, on ne peut plus cacher aujourd'hui qu'elles renfermaient des hommes de toutes conditions et d'opinions très diverses. Or il s'en est fallu d'une vingtaine d'abstentions que les motions finales ne fussent votées à l'unanimité. Il s'est donc trouvé des libéraux en Italie, des radicaux en France, qui,* sans condamner le régime capitaliste, *sont tombés d'accord sur la question de la paix avec des communistes français et avec les délégués soviétiques ; il s'est trouvé des Français qui,* sans condamner le principe de la colonisation, *ont voté la même motion que les Vietminiens.*

*Bien entendu les anticommunistes ont une réponse prête : ces malheureux sont des dupes ou des complices ; de toute façon ils n'appartiennent pas aux partis politiques ou aux groupes confessionnels dont ils se réclament ; voyez-y plutôt de ces produits de désassimilation qu'on trouve en marge de toutes les communautés. Avec les démo-chrétiens, les socialistes ou les M.R.P., ils n'ont plus que le nom de commun. Je ne sais si ces explications, vues d'*ici, *sont convaincantes ; quand on les lisait* là-bas, *elles faisaient rire : nous n'avons pas connu d'abord les opinions ou les croyances de nos camarades non communistes ; mais avant de les « situer » politiquement chacun de nous a pu voir dans les autres des hommes résolus et conscients chez qui l'espoir et la défiance se balançaient, et qui étaient prêts à lutter, s'il en était besoin, pour exprimer leur point de vue ; puis peu à peu chacun s'est détendu, a pris confiance, chacun, pour finir, a voté dans l'enthousiasme.*

*Quant à ceux qui appartenaient à un groupe politique, nous savons aujourd'hui qu'ils étaient profondément intégrés aux partis dont ils portaient l'étiquette et qu'ils en partageaient les principes. Qu'on le veuille ou non, ce sont bien* des radicaux, des *M.R.P.* et des socialistes, *et qui étaient « sains de corps et d'esprit » quand ils ont voté l'appel aux peuples. Voilà précisément l'importance du congrès : tous ces hommes étaient à l'image de millions de Français non communistes qui fussent tombés comme eux d'accord avec les communistes pour sauver la paix. Et pourtant ces millions de Français ne se sont pas fait représenter à Vienne : ils souhaitent une détente entre l'Est et l'Ouest, mais on leur a persuadé qu'ils seraient des dupes s'ils s'unissaient aux délégués de l'Est pour chercher les moyens de la réaliser. La politique ruineuse du réarmement, la menace que constituerait une nouvelle Reichswehr, l'hystérie anticommuniste : tout les inquiète ; l'absurdité du vieil adage* Si vis pacem, para bellum *leur saute aux yeux ; mais ils ont peur : ils voudraient retrouver la concorde sans perdre la « marge de sécurité » que leur donnent les bombes atomiques ; et puis surtout la propagande a fait du bon travail ; elle a créé entre les habitants d'un même pays un* no man's land *invisible et plus infranchissable qu'une barrière de feu : un communiste est un diable ; on ne le juge pas sur ce qu'il dit, on juge ce qu'il dit sur ce qu'il est ; voter une résolution de paix avec les communistes c'est faire un pacte avec Satan : il n'est pas impossible que Satan nous donne la paix, mais ce sera une mauvaise paix, et de toute façon nous seront damnés.*

*Les Français qui sont allés à Vienne ne diffèrent que sur un point de leurs concitoyens : ils ont voulu que leur désir de paix se change en un acte, ils ont voulu refuser le manichéisme et prouver que l'interprétation systématique des comportements soviétiques par le machiavélisme est un signe de folie interprétante plutôt que de sagesse politique ; ils ont refusé de tenir* a priori *les motions de congrès pour des paroles de guerre ; plutôt que de condamner un texte sur les signatures qui l'accompagnaient, ils ont préféré le juger sur son contenu.*

*Accepter une motion pacifique tout uniment pour les idées qu'elle enferme, tenir pour probable que ceux qui votent pour elle sont des amis de la paix : je ne sais si de telles maximes sont très naïves ou très audacieuses ; en tout cas elles sont très anciennes et très neuves : voilà plus de douze ans qu'on ne les avait pas appliquées. Peut-être étions-nous encore, le jour de notre arrivée, séparés par des inquiétudes et par cette propagande incessante qui divise le monde en deux blocs hostiles ; mais par l'acte même de nous rendre à Vienne et de parler entre nous une redistribution des cartes et un regroupement des hommes se sont opérés : pendant quelques heures il y a eu face à face ceux de l'Ouest et ceux de l'Est ; et puis, tout de suite après, il y a eu ceux qui voulaient la paix et qui lui faisaient confiance — et nous, leurs représentants — et ceux qui rêvaient de la paix, qui la souhaitaient sincèrement, mais qui se défiaient encore.*

*J'ai entrevu alors que le congrès pouvait être un exemple et qu'il nous permettrait peut-être, à notre retour, de déplacer le* no man's land *qui nous sépare : là-bas la seule affaire était la paix, nous étions amis — par-delà toutes les divergences — par notre volonté commune. Peut-être sera-t-il possible, si nous savons parler de ce que nous avons vu, de réunir, sans distinction de partis, ceux qui croient à la paix et de réserver l'autre côté du* no man's land *à ceux qui ne croient plus qu'à la guerre.*

*Au retour les machiavels de gazette nous attendaient avec une objection massue : « Votre congrès n'était pas homogène. A l'Ouest, des délégués irresponsables ou, au mieux, les mandataires d'un petit groupe politique ou professionnel ; à l'Est, de véritables plénipotentiaires : la partie n'était pas égale ; il* fallait bien *pour finir, vous aligner sur les Soviets. » Mais d'abord, s'il est vrai que nous ignorions la forme précise que le congrès donnerait aux motions finales, nous connaissions les principes et les thèmes généraux du Mouvement de la Paix ; si nous allions à Vienne, nous étions déjà partisans du « cessez le feu » en Corée, et convaincus que sous une forme ou sous une autre la coexistence des deux blocs n'était pas impossible.*

*Mais surtout on affecte de ne pas voir que le congrès est une étape dans un long développement ; le dialogue entre l'Est et l'Ouest est très lent ; toutes les questions posées n'ont pas trouvé de réponses immédiates. Mais c'est simplement qu'il faut du temps pour les transmettre aux autorités compétentes. En fait ces contacts ont une importance qui déborde le simple dialogue immédiat : pour nous, citoyens sans pouvoir, sans protection contre les mensonges de la presse, sans représentants qualifiés de nos intérêts et de nos espoirs, c'est la seule occasion que nous ayons de rencontrer et de connaître des représentants de l'Union soviétique ; pour la délégation soviétique, c'est la seule occasion de se familiariser avec cette importante fraction de l'opinion française qui, sans être communiste, condamne également l'anticommunisme et la course aux armements. Croyez que les délégués savent en tenir compte : on a pu assister à une sorte de « mise au point » progressive des interventions soviétiques qui s'adaptaient aux courants d'opinion occidentaux ; quant à la déclaration d'Ehrenbourg sur le neutralisme et les garanties de non-agression, on en a beaucoup parlé ici, mais on ignore généralement qu'elle répondait* explicitement *à des questions posées au congrès de Varsovie. J'entends parfois des anticommunistes déplorer que l'U.R.S.S. n'ait qu'une image erronée des Français. C'est bien possible ; mais dans ce cas il y avait un lieu sur terre, au mois de décembre, un seul, où ses représentants pouvaient éclairer leur opinion : c'était Vienne. A Vienne seulement ils pouvaient causer amicalement avec des pasteurs et des curés, avec des radicaux et des M.R.P., sur la vie quotidienne des Français, sur leurs craintes, leurs espoirs et leurs intérêts, sur la culture soviétique ou française ; à Vienne seulement on pouvait leur dire, et on leur a dit, ce que signifiait notre désir d'indépendance nationale. Quand on n'eût pas abouti à autre chose qu'à cette confrontation tranquille, il me semblerait encore que le congrès de Vienne a servi la cause de la paix.*

*Tous l'ont senti comme moi. Je comprends facilement que certains journaux aient passé sous silence ou ridiculisé* l'enthousiasme *du dernier jour ; c'est de bonne* guerre. *Mais cet enthousiasme avait un sens : il a pris naissance lentement et timidement pendant les premiers jours, il a augmenté progressivement pour éclater enfin. Ce n'était ni une criaillerie éphémère ni une hystérie collective : chacun a eu le temps de le mettre à l'épreuve, de le comparer aux événements du congrès, de le contrôler. Pour moi il ne se distingue pas d'une sorte d'évidence qui se renforçait chaque jour : « Il y a là une* vraie force *et une* vraie volonté de paix *— et cette force c'est la nôtre et celle des hommes et des femmes qui nous ont envoyés ici ; le congrès* c'est nous *; il sera ce que nous le ferons, il* est *ce que nous le faisons. » L'aboutissement de cette certitude c'est que dans la grande salle du Konzerthaus où nous faisions au début plus ou moins figure d'invités, chacun s'est senti chez soi, chacun s'est reconnu, avec son peuple, dans les motions finales.*

*On peut sourire de cette conviction basée sur un mouvement de sensibilité. Je ne crois pourtant pas que nos réalistes d'aujourd'hui, fussent-ils machiavéliens, auraient intérêt à sous-estimer les émotions : ils risqueraient de tomber dans l'erreur qui perdit leurs aînés, les réalistes de 1943.*

53/232

« Jean-Paul Sartre retour du congrès de Vienne : nous avons, l'écrivain soviétique Korneitchouk et moi-même, décidé de poursuivre un dialogue fécond », interview par Régis Bergeron.

— *France-U.R.S.S.*, nº 90, février 1953, p. 7-8.

Sartre parle ici des entretiens qu'il a eus avec les écrivains soviétiques au congrès de Vienne et se demande quelle littérature est possible respectivement en U.R.S.S. et en Europe occidentale. Il lui apparaît que seule est valable *une littérature de conflit, quoique les conflits, de classes, par exemple, soient supprimés en U.R.S.S.* Notons également l'affirmation suivante : *Je connaissais très bien la littérature soviétique* [...] *jusque vers 1934-1935.*

53/233

L'AFFAIRE HENRI MARTIN

Commentaire de Jean-Paul Sartre. Textes de Hervé Bazin, Marc Beigbeder, Jean-Marie Domenach, Francis Jeanson, Michel Leiris, Jacques Madaule, Marcel Ner, Jean Painlevé, Roger Pinto, Jacques Prévert, Roland de Pury, Jean-Henri Roy, Vercors, Louis de Villefosse.

— Gallimard, 1953. 289 p.
Achevé d'imprimer : 20 octobre 1953.

Entré dans les F.T.P. à dix-sept ans, Henri Martin s'était engagé dans la Marine en 1945. A la fin de cette année, il se proposait comme volontaire pour la campagne contre le Japon et était envoyé en Indochine où il croyait devoir combattre des Japonais qui n'avaient pas déposé les armes. La vérité, comme on sait, était tout autre : au lieu de Japonais irréductibles, il découvrit un peuple luttant pour son indépendance. A trois reprises, il demanda la résiliation de son engagement. N'ayant jamais obtenu de réponse, il accomplit son devoir de soldat de manière irréprochable mais avec le sentiment grandissant de participer à une terrible injustice. De retour en France fin 1947, il est affecté l'année suivante à l'Arsenal de Toulon. A partir de juillet 1949, il commence à rédiger et à afficher des tracts protestant contre la guerre d'Indochine. Il est arrêté en mai 1950 et jugé en octobre par le Tribunal maritime de Toulon qui le condamne à cinq ans de réclusion. Le verdict et la peine sont confirmés un an plus tard par le Tribunal maritime de Brest.

Au cours de l'année 1951, le parti communiste avait lancé une campagne pour la libération d'Henri Martin. En décembre, des intellectuels du parti demandèrent à Sartre de s'y associer. Il accepta et signa, avec un groupe de personnalités non communistes, une demande de grâce adressée au président de la République. C'est ainsi qu'il fut reçu en janvier 1952 par Vincent Auriol (cf. 52/218) qui lui déclara reconnaître que la peine infligée à Henri Martin était trop lourde, en ajoutant toutefois qu'il ne pouvait envisager de le grâcier aussi longtemps que continuerait la campagne communiste. Le P. C. ne céda pas à ce chantage et c'est sous la pression populaire qu'Henri Martin fut finalement libéré, pour bonne conduite, en août 1953.

Sartre s'était engagé dès le début 1952 à collaborer à la rédaction d'un livre qui devait dévoiler l'affaire dans tous ses détails. Ce livre était destiné à appuyer la demande de grâce. Pour finir, Sartre rédigea seul un long commentaire (imprimé en italiques dans le volume, dont il couvre environ cent pages) sur les témoignages et les documents réunis; mais l'ouvrage ne sortit de presse qu'en octobre 1953, c'est-à-dire après la libération d'Henri Martin. Dans son avertissement, Sartre expliquait que le livre avait maintenant pour but la réouverture du procès.

Ouvrage de circonstance, œuvre de militant intellectuel, au même titre que les écrits consacrés par Voltaire à l'affaire Calas, L'AFFAIRE HENRI MARTIN est loin d'avoir perdu tout intérêt en perdant son actualité. Le texte de Sartre est un modèle dans un genre qui compte peu de réussites, celui du commentaire polémique de l'histoire immédiate. Modèle de style d'abord, rapide, efficace, encore une fois incomparable dans l'ironie allègre ou sarcastique, mais modèle aussi par la rigoureuse honnêteté d'un plaidoyer qui cherche à convaincre, jamais à subjuguer. On y trouve, sous une forme ramassée et percutante, des idées plus longuement développées dans les écrits de la même époque, en particulier dans *Les Communistes et la Paix* (rapports de l'individu à la classe) et SAINT GENET (manichéisme moral de la bourgeoisie). Ne serait-ce que pour cela, L'AFFAIRE HENRI MARTIN, sans doute le plus négligé de tous les volumes de Sartre, mérite au moins une lecture.

53/234

*Mallarmé 1842-1898.*

*a*) Article critique dans : *Les Écrivains célèbres*, t. III. Édité par Raymond Queneau. Lucien Mazenod, 1953. P. 148-151. Cet ouvrage luxueux consiste en une série d'articles sur les grands auteurs écrits par les meilleurs écrivains contemporains : Melville est traité par A. Camus, Poe par Julien Gracq, etc.

Achevé d'imprimer : 15 novembre 1952.

*b*) Repris sans variantes comme *Préface* dans : Mallarmé, Stéphane. *Poésies*. Gallimard, collection Poésie, [1966]. P. 5-15.

Vers 1948-1949, Sartre écrivit près de cinq cents pages sur Mallarmé que, plus tard, il perdit : il en subsiste néanmoins quelques fragments inédits. L'étude publiée par Mazenod fut demandée à Sartre par Raymond Queneau et fut composée en 1952.

Par la suite, Sartre est revenu à plusieurs reprises sur Mallarmé et a même projeté d'écrire un livre sur lui.

C'est à partir des textes sur Mallarmé et sur Genet que l'on voit s'approfondir la réflexion de Sartre sur la fonction propre de la *praxis* littéraire. Le radicalisme du projet littéraire de Mallarmé — ce que Sartre appelle son « terrorisme de la politesse » — confère à son œuvre, si « désengagée » soit-elle apparemment, une portée révolutionnaire. Dans une interview donnée en 1960 à Madeleine Chapsal (cf. 60/334), Sartre précise d'ailleurs :

*Mallarmé et Genet,* [...] *je vais à eux en toute sympathie : ils sont l'un et l'autre engagés consciemment.* [...] *Mallarmé devait être très différent de l'image qu'on a donnée de lui. C'est notre plus grand poète. Un passionné, un furieux. Et maître de lui jusqu'à pouvoir se tuer par un simple mouvement de la glotte !... Son engagement me paraît aussi total que possible : social autant que poétique.*

53/235

*Venise, de ma fenêtre.*

*a*) *Verve*, vol. VII, nº 27-28, [1953], p. 87-90. Achevé d'imprimer : 15 janvier 1953.

Une note indique : « Fragment d'un ouvrage à paraître. Copyright Gallimard. »

*b*) Repris sans variantes dans SITUATIONS, IV.

Fragment d'un ouvrage abandonné : « La Reine Albemarle et le dernier touriste. » Cf. notice 52/222.

53/236

*Message* [en faveur d'André Kedros].

— *Les Lettres françaises*, 29 janvier-5 février 1953.

Sartre ne put assister à une soirée d'hommage organisée le 26 janvier 1953 à la Mutualité pour protester contre la menace d'expulsion qui pesait sur André Kedros, écrivain de nationalité grecque mais d'expression française. Il envoya un message dont le début se lit comme suit :

*En 1945, André Kedros obtient une bourse du gouvernement français ; en 1952, on veut l'expulser sans un mot d'explication. Est-ce lui qui a changé ? Est-ce la France ? Non, ni l'un ni l'autre. Ce qui a changé, c'est le gouvernement français. En 1945, nos représentants et nos ministres étaient libres et voulaient la liberté pour tous. En 1952, ils sont esclaves et ne tolèrent que des esclaves. En 1945, la « collaboration » venait de prendre fin ; aujourd'hui elle recommence.* [...]

53/237

*Réponse à M. Mauriac.*

— *L'Observateur*, 19 mars 1953.

Nouvel épisode du différend Sartre-Mauriac. Mauriac, dans *Le Figaro* du 17 mars 1953, avait cette fois reproché à Sartre son mutisme au sujet de l'antisémitisme en U.R.S.S. Sartre répond, sans trop de verve, que *Les Temps modernes* s'apprêtent à aborder le problème dans un article sur l'affaire Slansky ainsi que dans la suite des *Communistes et la Paix. M. Mauriac s'inquiète de mon silence : il peut se rassurer ; les revues ne paraissent silencieuses que parce que les quotidiens sont trop bavards.* Sartre assure que, contrairement à ce que croit Mauriac, il n'a pas l'intention de justifier dialectiquement l'antisémitisme en U.R.S.S. et qu'il tient toujours pour vraie la dernière phrase des RÉFLEXIONS SUR LA QUESTION JUIVE. Il affirme qu'il ne parlera pas de ce problème pour s'attirer l'estime de la rédaction du *Figaro* mais qu'il s'adressera à ses *amis de gauche, communistes ou non, Juifs ou non, car c'est eux d'abord que le problème concerne et c'est pour eux seulement qu'il prend la forme d'un drame. Eux seuls, et non M. Mauriac, ont le droit de m'interroger sur ce que je pense, et ce sont les seuls que je souhaite interroger sur leur pensée.*

Sartre poursuit : *M. Mauriac, pour me tenter, me laisse entrevoir que je pourrais, dans un proche avenir, « devenir ce que je suis ». Bref, il me convie à choisir une attitude qui décidera « à jamais » de ma figure. Mais je ne me soucie pas de ma figure. J'ai toujours pensé que l'important n'est pas ce que l'on est, mais ce que l'on fait.*

53/238

*Réponse à Claude Lefort.*

*a*) *Les Temps modernes*, nº 89, avril 1953, p. 1571-1629. Fait suite à l'article de Claude Lefort, « Le marxisme et Sartre », p. 1541-1570.

*b*) Repris dans SITUATIONS, VII.

Ami de Merleau-Ponty, Claude Lefort, intellectuel de formation trotskyste et collaborateur régulier des *Temps modernes*, avait avec Sartre de vives discussions au sujet des positions prises par ce dernier dans *Les Communistes et la Paix*. Sartre lui proposa de formuler ses critiques dans la revue. Il le fit avec quelque hargne et Sartre, fâché, lui répondit sur le même ton, en recourant incidemment à des attaques personnelles qui indisposèrent Merleau-Ponty au point que celui-ci menaça de démissionner. Sartre consentit à retirer un paragraphe « inutilement violent » (cf. SITUATIONS, IV, p. 257).

Les critiques de Lefort portent essentiellement sur la manière dont Sartre conçoit la *praxis* révolutionnaire de la classe ouvrière et le rôle du parti. Dans sa réponse, beaucoup plus élaborée que ne l'est l'article de Lefort, Sartre reprend longuement ces questions et fournit ainsi un complément indispensable aux deux premières parties des *Communistes et la Paix* (cf. notice 52/220) dont il ne fait d'ailleurs que confirmer les thèses.

Pour situer rapidement les problèmes soulevés dans cette polémique, on peut dire que la controverse Lefort-Sartre prend place dans le débat permanent qui oppose au sein du mouvement ouvrier international les tenants du « spontanéisme » et ceux du « centralisme démocratique », Sartre se faisant à cette époque l'avocat des thèses bolcheviques, telles que Lénine, en particulier, les avait exposées dans *Que faire?*

Lefort répondit dans une lettre datée de juin 1953 et intitulée « De la réponse à la question » (*Les Temps modernes*, nº 104, juillet 1954, p. 157-184) que Sartre fit suivre de ces quelques mots : *Sur les problèmes précis que j'avais étudiés dans ma réponse à Lefort, cette lettre n'apporte rien de nouveau. Quant aux autres questions qu'elle pose, et aux inquiétudes qu'elle exprime, la suite des* Communistes et la Paix *y répond d'elle-même.*

53/239

« La machine infernale », texte enregistré au cours d'un débat à la Mutualité, le 5 mai 1953.

— *Défense de la Paix*, juin 1953, p. 15-21.

La machine infernale dont il est question dans cette analyse de la situation française au printemps 1953 est celle que la politique gouvernementale depuis 1947 a eu pour résultat de construire. Sartre tente de démontrer que l'intention du gouvernement d'internationaliser la guerre d'Indochine, au moment où des négociations sont entamées pour mettre fin au conflit coréen, fait de la politique française *un des principaux facteurs de la tension internationale* et risque de déclencher un conflit mondial.

53/240

*Les Animaux malades de la rage.*

*a*) *Libération*, 22 juin 1953.

*b*) Repris dans : *Le Chant interrompu : Histoire des Rosenberg*. Textes réunis et présentés par Catherine Varlin et René Guyonnet. Gallimard, 1955. P. 224-228.

APPENDICE

Sartre apprit lors d'un séjour à Venise l'exécution des Rosenberg, en faveur desquels il avait signé plusieurs manifestes. Sa colère suscita l'un des textes les plus vigoureux qu'il ait jamais écrits.

*Les Temps modernes* (nº 92, juillet 1953, p. 1-5) publièrent également sur l'affaire Rosenberg un éditorial intitulé « American way of death ».

Cf. aussi 54/252.

## 53/241

« Le devoir d'un intellectuel est de dénoncer l'injustice partout », interview par Serge Montigny.

— *Combat*, 31 octobre-1er novembre 1953.

Interview donnée à l'occasion de la sortie de L'AFFAIRE HENRI MARTIN. Sartre explique en détail les raisons pour lesquelles le livre a été écrit et le sens que prend celui-ci à la suite de la mesure administrative qui a libéré Henri Martin en août 1953 (cf. 53/233).

La suite de l'interview porte sur le rôle des intellectuels dans le contexte de la guerre froide. Sartre déclare en particulier que les pétitions et protestations d'intellectuels occidentaux visant les injustices commises dans les pays communistes n'ont aucune efficacité sur les gouvernements de ces pays et sont par conséquent des actes de *pure cérémonie* qui se transforment fatalement en *actes de guerre* dans le climat actuel. Il ajoute : *Le devoir d'un intellectuel n'en est par moins de dénoncer l'injustice partout. Mais dans la situation présentes coupé comme il l'est de la moitié du monde, son seul recours, quand il s'agit de faits qui se sont produits dans cette moitié, c'est de publie, des articles ou des livres qui les commentent et les dénoncent en toute objectivité.* C'est le but que se proposent *Les Temps modernes* avec les articles sur l'affaire Slansky.

L'intervieweur demande ensuite à Sartre s'il récrirait aujourd'hui LES MAINS SALES : *Non je ne la récrirais pas, mais croyez-vous que je récrirais aucune de mes autres œuvres? Cela ne veut pas dire que je les désavoue. Je ne désavoue pas* Les Mains sales *et je suis loin de regretter cette pièce. Elle exprimait alors une position qui, en 1948, était parfaitement légitime.*

Sartre dit pour finir qu'il travaille actuellement à sa « Morale » et à son autobiographie. Cette précision confirme que, bien qu'il ait abandonné son traité de morale en 1949 (cf. 49/187 et 66/436), il a, après cette date, continué d'écrire par intermittence sur le sujet.

## 53/NOTE.

Le scénario « Typhus », écrit par Sartre en 1943-1944, fut utilisé pour le film d'Yves Allégret *Les Orgueilleux* sorti en 1953 (cf. *Appendice Cinéma*). Il existe une version dactylographiée de 112 pages couvrant 32 scènes et préparée pour une publication éventuelle en volume. Le projet n'eut pas de suite (cf. 56/287).

## 1954

54/242

KEAN, adaptation en cinq actes de *Kean ou Désordre et génie*, comédie d'Alexandre Dumas père.

*a*) Dumas, Alexandre. *Kean.* Adaptation de Jean-Paul Sartre. Gallimard, [1954]. 309 pages.

Achevé d'imprimer : 15 février 1954.

56 exemplaires sur vergé de Hollande, 170 sur vélin et 750 sur alfa, reliés.

Dans sa deuxième partie, le volume donne également le texte intégral de la pièce de Dumas.

*b*) Adaptation reprise seule dans THÉÂTRE (1962).

KEAN fut représenté pour la première fois au théâtre Sarah-Bernhardt le 14 novembre 1953 dans une mise en scène de Pierre Brasseur et des décors d'A. Trauner. Rôles principaux :

| | |
|---|---|
| KEAN | Pierre Brasseur |
| ANNA DAMBY | Marie-Olivier |
| ELENA, comtesse de Koefeld | Claude Gensac |
| Etc. | |

Pour situer son adaptation, Sartre écrivit le texte suivant (que nous reproduisons intégralement) :

53/243

*A propos de Kean* [texte daté 8 novembre 1953].

— Programme de KEAN, théâtre Sarah-Bernhardt. Saison 1953-1954.

*Lorsque le célèbre Kean, de passage à Paris, jouait Shakespeare en anglais sur la scène de l'Odéon, Frédérick Lemaître lui faisait faire le tour des cabarets. Kean buvait et lui racontait sa vie; Lemaître buvait et l'écoutait, pensant : « Il n'y a que deux acteurs au monde, lui et moi. » Kean s'en retourna en Angleterre et, peu après, mourut. Frédérick Lemaître pensa : « Il n'y a plus qu'un seul acteur au monde » et, pour en mieux persuader le public, il conçut le désir insensé de s'identifier au mort. M. de Courcy, polygraphe en renom, reçut donc commande d'une pièce sur Kean dont Lemaître interpréterait le principal rôle. Et Alexandre Dumas? Que vient-il faire dans cette histoire? Je suppose qu'on ne le saura jamais : ce qui est sûr, c'est qu'il signa et toucha de l'argent; la pièce figure aujourd'hui dans ses œuvres complètes avec sa seule signature. Le succès acheva de tourner la tête du comédien français qui finit par se confondre tout à fait avec son confrère anglais : à la fin de sa vie, il eut la douleur d'apprendre qu'on reprenait* Kean *— à l'Odéon, je crois — mais avec un interprète italien; dans sa rage, il couvrit Paris d'affiches qui portaient ces mots : « Le véritable Kean, c'est moi. » Plus tard, le rôle séduisit d'autres comédiens, en particulier Lucien Guitry; après la Première Guerre mondiale, Ivan Mosjoukine fut Kean au cinéma. La raison de ce succès persistant, c'est que la pièce est toujours actuelle : elle permet tous les vingt-cinq ans à un acteur célèbre de « faire le point »; Lemaître, Guitry, Mosjoukine, à tour de rôle, sont venus parler au public de leur art, de leur vie privée, de leurs difficultés et de leurs infortunes, mais selon les règles de leur métier : discrètement, pudiquement, c'est-à-dire en se glissant dans la peau d'un autre. Tous ces grands morts qui l'ont joué successivement ont enrichi le rôle de leurs souvenirs. Aujourd'hui, Kean, avec ses désordres, son génie et ses malheurs, a cessé d'être un personnage historique; il s'est élevé au rang des mythes : c'est le patron des acteurs. Ce soir, si Pierre Brasseur a la chance que je lui souhaite, le miracle se reproduira, qui depuis cent ans fait la fortune de la pièce : vous ne saurez plus si vous voyez Brasseur en train de jouer Kean ou Kean en train de jouer Brasseur. La tâche de l'adaptateur était modeste : il fallait ôter la rouille et quelques moisissures, bref nettoyer, émonder, pour permettre au public de prêter toute son attention à ce spectacle exceptionnel : un acteur dont le rôle est d'incarner son propre personnage.*

Cette introduction donne la plupart des renseignements historiques nécessaires. Précisons que l'acteur anglais Kean vécut de 1787 à 1833 et que la pièce de Dumas-Courcy fut écrite spécialement pour Frédérick Lemaître en 1836.

Sartre avait déjà mentionné son intérêt pour *Kean* au cours des répétitions de LE DIABLE ET LE BON DIEU. Lorsque, quelque temps plus tard, Pierre Brasseur lui proposa d'adapter la pièce, Sartre « qui adore les mélodrames ne dit pas non » (*La Force des choses*, p. 309). Il composa l'adaptation « en quelques semaines et en s'amusant beaucoup » (*ibid.*, p. 320). Le manuscrit est daté de Rome, juillet 1953.

Les répétitions de KEAN ne semblent pas avoir posé de problèmes et la pièce, obtenant un grand succès, fut jouée du 14 novembre 1953 au 5 juin 1954, avec une interruption de trois semaines due à une maladie de Brasseur.

Dans son *Sartre par lui-même* (p. 78 et suivantes), Francis Jeanson montre d'une façon excellente ce qui rattache Kean aux autres bâtards de l'œuvre de Sartre, Genet, Goetz, Hugo, Oreste, etc., et découvre dans la pièce non seulement une expression limite mais aussi une tension qui est « la plus personnelle, la plus intimement *sartrienne* » (p. 29).

On trouvera une étude comparée des pièces de Dumas et de Sartre dans la communication d'Annie Ubersfeld « Structures du théâtre d'Alexandre Dumas père » parue dans *Linguistique et littérature :* Colloque de Cluny (numéro spécial de *La Nouvelle Critique*, 1968).

### INTERVIEWS SUR « KEAN »

53/244

« Pourquoi j'ai modernisé Dumas. »

— *Le Figaro*, 4 novembre 1953.

Déclaration de quelques lignes sans grand intérêt.

53/245

« Jean-Paul Sartre a coupé *Kean* (la pièce d'Alexandre Dumas) aux mesures de Pierre Brasseur », article-interview de Paul Morelle.

— *Libération*, 4 novembre 1953.

Cette interview raconte la vie tumultueuse du véritable Kean. Interrogé sur ses projets, Sartre parle de son autobiographie : *A travers mon histoire, c'est celle de mon époque que je veux transcrire.*

53/246

« Mon adaptation d'Alexandre Dumas ne sera pas une pièce de Jean-Paul Sartre », interview par Jean Carlier.

— *Combat*, 5 novembre 1953.

Sartre déclare qu'il a essayé *d'actualiser le mélodrame sans, à aucun moment, vouloir en faire une parodie* et indique que l'adaptation l'a conduit à une réflexion générale sur l'acteur : *L'acteur, c'est l'opposé du comédien qui, lorsqu'il a fini de travailler, redevient un homme comme les autres, alors que l'acteur « se joue lui-même » à toutes les secondes. C'est à la fois un don merveilleux et une malédiction : il en est la propre victime, ne sachant jamais qui il est vraiment, s'il joue ou ne joue pas.* [...]

53/247

« Quand Sartre " rewrite " Dumas pour s'amuser et exaucer Brasseur », article-interview de Jean Duché.

— *Le Figaro littéraire*, 7 novembre 1953.

Il s'agit ici d'un article intelligent et bien documenté dont le début rapporte quelques propos de Sartre, mêlés à un commentaire abondant.

53/248

« La véritable figure de Kean », interview par Renée Saurel.

— *Les Lettres françaises*, 12-19 novembre 1953.

Sartre donne de nombreux détails historiques sur la personnalité et la carrière de Kean, *cet homme qui devint acteur pour s'évader de son ressentiment contre la société, et qui apporta avec lui une sorte de force révolutionnaire.* Pour lui, Kean est également *le Mythe même de l'Acteur. L'acteur qui ne cesse plus de jouer, qui joue sa vie même, ne se reconnaît plus, ne sait plus qui il est. Et qui, finalement, n'est personne.* Avant de se déclarer séduit par l'idée de la *trinité Kean-Lemaître-Brasseur,* Sartre poursuit : *Tous les personnages de* Kean *sont plus ou moins ainsi : des grands qui sont aux prises avec des ombres qui sont leurs propres personnages. Il n'y a guère qu'un personnage à peu près authentique : c'est celui d'Anna Damby.* [...]

L'interview se termine sur les mots : *Il y a de l'*Hernani *dans* Kean, *et j'aime bien* Hernani.

54/249

« Kean, c'est tout le drame de l'acteur de génie », interview.

— *Ciné-Club*, numéro spécial, avril 1954.

Sartre parle du film soviétique *Kean* de Volkov, réalisé en 1924 avec Mosjoukine dans le rôle principal. Il a vu ce film il y a près de trente ans et l'a revu après avoir écrit son adaptation; il remarque que Volkov a, lui aussi, transformé le dernier acte de la pièce de Dumas et il se demande quels problèmes poserait en 1954 une adaptation cinématographique de la vraie vie de Kean.

Sartre a eu, en effet, pendant quelque temps le projet d'écrire pour Pierre Brasseur le scénario d'un film qui aurait porté surtout sur les dernières années de la vie de Kean. Ce film devait être réalisé par Alexandre Astruc, mais le projet n'aboutit pas. La pièce de Dumas-Sartre a été en revanche portée à l'écran en Italie par Vittorio Gassman (cf. *Appendice Cinéma*).

54/250

*Préface* à *D'une Chine à l'autre*.

*a*) Cartier-Bresson, Henri *et* Sartre, Jean-Paul. *D'une Chine à l'autre*. Delpire éditeur, collection « Neuf », nº 14, [1954].

Achevé d'imprimer : 30 novembre 1954. Dépôt légal : début 1955. Le volume comprend 144 photos de Cartier-Bresson (prises en 1948-1949 et légendées par le photographe) et le texte de Sartre (qui couvre neuf pages).

*b*) Deux fragments repris sous le titre « Le journal de voyage de H. Cartier-Bresson » dans : *Les Lettres françaises*, 30 décembre 1954-6 janvier 1955.

*c*) Important fragment intitulé « Jean-Paul Sartre et Henri Cartier-Bresson racontent : La Chine sans lotus ni Loti » : *Horizons*, nº 45, février 1945, p. 11-19.

*d*) Texte intégral sous le titre « D'une Chine à l'autre » dans SITUATIONS, V.

Ce texte attachant a été écrit au cours du séjour de Sartre en U.R.S.S. en juin 1954, c'est-à-dire bien avant le voyage qu'il fit en Chine à l'automne 1955 (cf. à ce sujet 55/281). Commentant les photographies de Cartier-Bresson, Sartre montre comment le regard de celui-ci, authentique et généreusement humaniste, s'oppose à la vision mythico-touristique de la Chine.

Le texte comprend un excellent passage autobiographique (cf. SITUATIONS, V, p. 8).

Dans *La Longue Marche* (Gallimard, 1957), Simone de Beauvoir signale le fait suivant : « *Le Figaro* a repris certaines photos pourtant datées reproduites dans *D'une Chine à l'autre* en les attribuant au régime communiste alors qu'elles avaient été prises avant la libération de Shanghaï » (p. 441).

Rappelons que Cartier-Bresson est l'auteur de ce que l'on pourrait appeler *la* photo classique de Sartre.

54/251

« Una entrevista con Jean-Paul Sartre », interview en espagnol par Marcel Saporta.

— *Cuadernos Americanos*, año XIII, vol. LXXIII, nº 1, enero-febrero 1954, p. 57-64.

Dans cette interview accordée en automne 1953, Sartre parle presque exclusivement de politique. Sur le plan général, il s'élève contre la « marshallisation » de l'Europe et préconise une politique européenne indépendante. Sur le plan national, il estime que la politique française s'est ossifiée à cause du malthusianisme économique et de la guerre d'Indochine (qui lie la France aux U.S.A.) et il affirme la nécessité d'un nouveau Front populaire.

Il donne ensuite son interprétation des MAINS SALES en opposant Hoederer à Hugo : le premier, avec son esprit de synthèse représente le Front populaire et une politique sociale efficace, tandis que le second est simplement un jeune bourgeois aux prises avec les contradictions inhérentes à sa classe sociale, contradictions qu'il ne peut résoudre que par sa mort. L'évolution de Goetz dans LE DIABLE ET LE BON DIEU montre comment on peut sortir du dilemme idéalisme-opportunisme et nous voyons dans le dernier tableau ce que Hugo aurait pu faire s'il avait pu dominer ses contradictions.

Sartre déclare pour terminer qu'il n'est pas responsable de l'anticommunisme intellectuel, qu'il a toujours souhaité l'unité d'action avec les communistes et que c'est le rôle des *Temps modernes* de favoriser cette unité d'action et de permettre la reconstitution d'une idéologie de Front populaire.

Pour une autre interview de M. Saporta, cf. 48/166.

54/252

*Les enfants Rosenberg.*

— *Libération*, 22 février 1954.

*Libération* avait annoncé un article de Sartre sur le sort des enfants Rosenberg qui provoquait de vives inquiétudes. Des nouvelles moins alarmantes étant parvenues en Europe, il ajourna la rédaction de cet article et donna ses raisons dans un court texte où il appelait néanmoins à la vigilance.

54/253

*Opération Kanapa.*

*a*) *Les Temps modernes*, nº 100, mars 1954, p. 1723-1728.
*b*) Extraits sous le titre « Jean-Paul Sartre exécute Kanapa » dans : *L'Observateur*, 11 mars 1954.

Ces extraits ont été publiés sans l'autorisation des *Temps modernes* (voir lettre de Marcel Péju dans *L'Observateur*, 18 mars 1954).

*c*) Repris sans variantes dans SITUATIONS, VII.

Le texte est daté en manuscrit du 28 février 1954.

Jean Kanapa, journaliste communiste, ancien élève de Sartre, avait attaqué celui-ci à de nombreuses reprises durant la période 1946-1950 (cf. en particulier *Comme si la lutte entière...*, Nagel, 1946, où Sartre est représenté sous les traits de Labzac, et *L'Existentialisme n'est pas un humanisme*, Éditions sociales, 1947) mais s'était réconcilié avec lui en 1952.

Le 22 février 1954, Kanapa publia dans *L'Humanité* un article intitulé « Un "nouveau" révisionnisme à l'usage des intellectuels », destiné à stigmatiser le livre du « renégat » Dyonis Mascolo, *Le Communisme*, et reprochant à Colette Audry d'en avoir fait un compte rendu favorable dans *Les Temps modernes*. Sartre, qui depuis 1952 avait soutenu la politique du parti communiste, s'estima directement attaqué et prit énergiquement la défense de sa revue : *Il faut plus d'une hirondelle pour ramener le printemps, plus d'un kanapa pour déshonorer un parti.*

Kanapa publia plus tard dans *L'Humanité* (24 mars 1954) une lettre déclarant qu'il s'agissait là d'un malentendu et qu'il n'avait pas voulu viser Sartre.

Dans *a*), *b*) et *c*), le premier article de Kanapa précède le texte de Sartre.

54/254

*Les Communistes et la Paix (III).*

*a*) *Les Temps modernes*, nº 101, avril 1954, p. 1731-1819.

Cet article porte la mention « à suivre » et la fin des *Communistes et la Paix* est annoncée jusqu'en février 1956. En mai 1956 une note précise : « En manière de conclusion aux "Communistes et la Paix", nous publierons dans un de nos prochains numéros un article de Jean-Paul Sartre : *Réponse à Pierre Hervé et à quelques autres.* » Ce dernier titre est encore annoncé en septembre-octobre 1956 puis semble avoir fait place au *Fantôme de Staline* (cf. 57/291).

*b*) Repris dans SITUATIONS, VI, avec une note supplémentaire (p. 384).

Pour les parties I et II, voir notice 52/220.

Sartre cherche ici les causes du découragement ouvrier révélé par les événements qui avaient suscité les deux premiers articles. Il se réfère à l'histoire du XIXe siècle — telle que Henri Guillemin, en particulier, l'a étudiée — pour montrer que les massacres de juin 1848 et de 1871 sont à l'origine du climat de peur, de haine, de violence et de guerre civile dans lequel s'est établie en France la lutte des classes. *Pour tous les ouvriers du monde, le bourgeois est le produit du capital; pour les nôtres il est aussi le fils de ses œuvres, un tueur — et il va le rester longtemps.* Devant la menace permanente que constitue la classe ouvrière pour le pouvoir de la bourgeoisie, celle-ci a recouru au malthusianisme économique pour assurer la stabilité sociale. Le prolétariat français est la victime et le produit du malthusianisme, *il est conditionné dans sa lutte même par le mal contre lequel il doit lutter* [...] *le découragement du prolétariat est un produit de la sous-production industrielle; il traduit subjectivement les bornes objectives que la structure de l'économie impose à la* praxis. Sartre décrit ensuite la division de la classe ouvrière entre ouvriers qualifiés, dont les intérêts s'exprimèrent par le syndicalisme révolutionnaire, et O.S. (ouvriers spécialisés, c'est-à-dire sans qualifications professionnelles), apparus avec l'automatisation. Subissant l'oppression la plus radicale, l'O.S. a sur la société le seul point de vue qui soit vrai, celui du plus défavorisé. C'est sur l'O.S., autrement dit sur les masses, que se fonde un *humanisme du besoin.* Mais les masses, pour dépasser leur statut de masses, ne peuvent agir sur la société que par la médiation du seul parti qui les représente, le parti communiste.

Telle est, très schématiquement résumée, l'argumentation que développe le troisième article, le plus important des trois. Pour le lecteur qui en prend connaissance aujourd'hui dans SITUATIONS, VI, *Les Communistes et la Paix* reçoit ses limites du fait qu'il s'agit là en même temps d'un texte polémique de circonstance et d'une analyse théorique où Sartre s'est heurté, en particulier en ce qui concerne le malthusianisme de la bourgeoisie possédante, à des difficultés qui ne seront résolues que dans CRITIQUE DE LA RAISON DIALECTIQUE. A la fin de cet ouvrage, Sartre revient en effet explicitement sur sa précédente analyse : *J'ai tenté ailleurs de montrer comment le malthusianisme du patronat français était — à ne le considérer que dans le cadre national — une véritable pratique répressive dont l'origine se trouve dans les répressions sanglantes du XIX*e *siècle. A ce sujet, des lecteurs m'ont souvent demandé ce que pouvait signifier ce malthusianisme, comme* praxis *processus de classe puisque je refusais également l'idée d'une entente de chacun avec chacun — qui ferait de la classe un groupe en acte — et celle d'un hyperorganisme dont les actes individuels refléteraient les décisions hyperindividuelles* (p. 704). Dans les pages suivantes, Sartre montre au moyen de deux concepts qui lui faisaient défaut à l'époque des *Communistes et la Paix*, ceux de *pratico-inerte* et d'*altérité sérielle*, comment il peut être rendu compte de la contradiction entre la pratique malthusienne du patronat et la recherche du profit par l'expansion, qui définit précisément le capitaliste : *Ici encore, rien que de fort intelligible : il s'agit seulement de transformer en* pratique *une détermination déjà inscrite dans le pratico-inerte.* [...] *Nulle conspiration, nulle délibération, nulle communication, nul regroupement commun, sauf dans le cas des groupes puissants qui ont inventé et inauguré la pratique. Tout s'est opéré sériellement et le* malthusianisme *comme processus économique est sérialité* (p. 729).

Par ailleurs, la qualité des trois articles de 1952-1954 se ressent de la hâte avec laquelle ils ont été écrits. Comme beaucoup de textes où Sartre n'a pas eu le temps d'être bref, ceux-ci comportent des redites; un certain désordre dans la succession des idées nuit parfois aussi à la clarté de l'exposé.

Il faut noter que si Sartre n'a jamais renié ces articles, il en a reconnu plus tard les insuffisances. M.-A. Burnier rapporte que, parlant de l'explication de la situation sociale dans la France d'après-guerre par le malthusianisme, Sartre lui a déclaré en 1963 que *son article cessait d'être exact au moment même où il l'écrivait* (*Les Existentialistes et la politique*, p. 93). En 1965, Sartre a encore fait à Burnier cet intéressant commentaire touchant les lacunes théoriques des *Communistes et la Paix : Dans la période où il n'est seulement que ce qui empêche le groupe de se sérialiser* [...], *le Parti ne représente que lui-même. Ce qui pose le problème suivant : est-il possible de concevoir une démocratie dans le Parti en dehors des moments révolutionnaires? Un parti dans la période non révolutionnaire est un parti d'attente. Il doit à la fois mobiliser et démobiliser (pour faire attendre). C'est le problème de l'Église à partir du moment où le royaume de Dieu n'est plus pour demain. Ainsi, le parti d'attente ne peut être jugé que sur son action : il n'est pas légitime en soi. Il n'est légitime que s'il agit comme il faut. C'est pour cela qu'on ne peut concevoir de représentants* réels *du prolétariat dans l'attente ou dans une dictature de type stalinien. Cette réflexion sur la notion de légitimité est ce qui manque dans* Les Communistes et la Paix. [...] *En France, à l'heure actuelle, le Parti lui-même est devenu sériel.*

Merleau-Ponty s'était politiquement distancé de Sartre dès 1950. Il attendit jusqu'en 1955 pour déclarer publiquement son désaccord avec les positions exprimées dans *Les Communistes et la Paix.* Dans « Sartre et l'ultra-bolchevisme », chapitre v des *Aventures de la dialectique* (Gallimard, 1955), il expliqua ces positions par ce qui constitue à ses yeux les vices fondamentaux de la pensée de Sartre, le dualisme antidialectique de l'objet et du sujet, la « folie du Cogito » et le volontarisme. Sartre s'abstint de répondre à ces attaques mais Simone de Beauvoir, dans un article intitulé « Merleau-Ponty et le pseudo-sartrisme » *(Les Temps modernes,* nº 114-115, juin-juillet 1955, repris dans *Privilèges),* prit sa défense avec vigueur et sur un ton plus polémique que celui qu'avait adopté Merleau-Ponty.

54/255

*A nos lecteurs.*

— *Les Temps modernes,* nº 102, mai 1954, p. 1923-1924.

Le numéro précédent des *Temps modernes* (nº 101, avril 1954) comportait à l'origine un éditorial intitulé « Nous ne partirons pas pour la croisade » qui avait été rédigé par Marcel Péju mais était signé T. M. Lorsque Sartre en prit connaissance en le lisant dans le numéro déjà broché, il décida de le supprimer et les pages qu'il occupait furent retirées avant diffusion dans tous les exemplaires. Cependant *L'Unità* (29 avril 1954) reproduisit, sans avoir demandé l'autorisation de Sartre, une partie de cet éditorial et un passage fut ensuite retraduit d'après le journal italien dans un article de Pierre Simier, « Quand Sartre se tait... l'écho communiste répète... » (*Le Populaire,* 28 mai 1954) : « Et qu'on nous permette d'admirer avant tout ces petits hommes qui, à pied dans la jungle et dans la montagne, sortant du sol comme lève le blé, portant sur leur dos leur ration de riz et les obus, se lancent sous un ciel de napalm à l'assaut des barbelés qui emprisonnent leur pays. Il faut le dire : nous sommes avec eux. Ces soldats combattent pour nous et avec nous tous les hommes qui, dans le monde, conquièrent le droit d'être hommes. »

Il s'agissait précisément du passage qui avait motivé la décision de Sartre; en effet, la phrase originellement imprimée parlait même de « ces petits hommes jaunes » et Sartre jugea à juste titre cette formulation maladroite. Cependant, afin de ménager l'amour-propre du rédacteur, le motif publiquement invoqué pour justifier cette auto-censure fut le risque de saisie que la prise de position en faveur des nationalistes vietnamiens faisait courir à la revue. *L'Express* du 2 mai 1954 signala d'ailleurs que l'éditorial incriminé avait été supprimé parce qu'il était trop mal écrit.

On comprend que Sartre, par solidarité rédactionnelle, donne ici une explication quelque peu différente au retrait de cet éditorial. Sa mise au point lui fournit l'occasion de définir plus précisément les objectifs des *Temps modernes* : *Ce que le public demande à notre revue, ce n'est pas* d'agiter *mais d'exposer les événements, d'analyser les situations, d'en éclairer le sens, s'il se peut, bref de commenter et de convaincre. Nous ne reculerons pas devant le risque d'une saisie quand il s'agira de donner à nos lecteurs des documents ou des informations : lorsque nous avons parlé des atrocités de la guerre indochinoise, le gouvernement n'a pas osé nous poursuivre parce qu'il savait que nous pouvions prouver nos dires. Mais nous ne chercherons pas délibérément à nous faire saisir : nous voulons témoigner, tel est notre office. Tous nos lecteurs savent que nous tenons la politique du gouvernement pour néfaste et pour méprisables les hommes qui l'inspirent : mais notre tâche est de le démontrer sans cesse. C'est seulement en* démontrant *que nous pouvons espérer servir. Nous continuerons : s'il est défendu d'appeler Bidault un criminel, nous dirons que c'est un grand coupable ; si l'on nous refuse le droit de parler du sang qu'il a sur les mains, nous parlerons des écailles qu'il a sur les yeux. Ce n'est qu'une affaire de terminologie.*

54/256

*Les boucs émissaires.*

— *Libération*, 17 mai 1954.

A la suite de la défaite de Dien Bien Phu, le gouvernement Laniel avait interdit les représentations à Paris des ballets soviétiques. Faisant allusion à un incident comique dont le président du Conseil avait été la victime, Sartre parle du *providentiel coup de pied* [qui a permis] *à M. Laniel de s'élever pour la première fois de sa vie hors du commun*, puis il met très bien en lumière le sens du réflexe gouvernemental : quand, par sa seule faute, on a perdu une guerre, pour éviter que l'opinion publique ne s'en prenne à vous, il faut lui désigner des responsables; point de meilleur moyen pour cela que de les frapper : on chasse donc les ballets soviétiques et l'opinion publique, mystifiée, se dit ceci : *Pour avoir obligé le gouvernement à interdire les ballets, pour l'avoir menacé d'incen-*

*dier l'Opéra, il fallait que je fusse bien en colère. Et de fait je me sens indignée. C'était donc* contre les communistes *que cette rage était dirigée?* Mais le coup ratera car tout le monde sait que c'est le gouvernement des Bidault, Laniel et Pleven qui a voulu cette guerre et qui l'a perdue. Les ballets soviétiques reviendront : *Car l'an prochain, monsieur Laniel, Oulanova dansera encore. Mais vous ne serez plus président du Conseil.*

54/257

*Les peintures de Giacometti.*

*a) Derrière le miroir* [Revue de la galerie Maeght], nº 65, mai 1954.

Texte écrit à l'occasion d'une exposition à la galerie Maeght (14 mai au 15 juin 1954).

*b) Les Temps modernes*, nº 103, juin 1954, p. 2221-2232.

*c)* Repris sans variantes dans SITUATIONS, IV.

Pour Sartre, Giacometti est l'homme qui a réussi à *peindre le vide*. Sur Giacometti, voir 48/162.

A la deuxième page de l'article, Sartre décrit longuement la crise d'agoraphobie dont il a été victime en avril 1941, à son retour de captivité.

54/258

*Julius Fucik.*

— *Les Lettres françaises*, 17-24 juin 1954.

APPENDICE

Ce texte a été lu par Sartre devant un public ouvrier au cours d'une réunion organisée par le C.N.E. dans une grande usine de la banlieue parisienne.

Commentant le livre de l'écrivain tchèque Julius Fucik, *Écrit sous la potence*, Sartre se livre à une très émouvante méditation morale sur la torture et sur cette question que beaucoup se sont posée : « Et nous, aurions-nous tenu le coup sous la torture? »

54/259

*La bombe H, une arme contre l'Histoire.*

— *Défense de la Paix*, nº 38, juillet 1954, p. 18-22.

Discours prononcé lors d'une session extraordinaire du Conseil mondial de la Paix en mai 1954 à Berlin.

Sartre développe cette idée : *Pour empêcher le monde de suivre son cours, on menace de supprimer l'Histoire par liquidation de l'agent historique. [...] La bombe est par elle-même la base et le résumé d'une politique entièrement hostile au vrai développement de l'humanité et qui veut imposer cette alternative : le* statu quo *ou la destruction radicale.*

54/260

« LES IMPRESSIONS DE JEAN-PAUL SARTRE SUR SON VOYAGE EN U.R.S.S »,
propos recueillis par Jean Bedel en 5 articles

I. « La liberté de critique est totale en U.R.S.S. et le citoyen soviétique améliore sans cesse sa condition au sein d'une société en progression continuelle. »

— *Libération*, 15 juillet 1954.

II. « De Dostoïevski à la littérature contemporaine, un grand débat est ouvert entre les écrivains : pour ou contre le roman héroïque. »

— *Libération*, 16 juillet 1954.

III. « Ce n'est pas une sinécure d'appartenir à l'élite car elle est soumise à une critique permanente de tous les citoyens. »

— *Libération*, 17-18 juillet 1954.

IV. « Les philosophes soviétiques sont des bâtisseurs... le marxisme est pour eux ce que sont pour nous les principes de 89. »

— *Libération*, 19 juillet 1954.

V. « La Paix par la paix. L'Union soviétique poursuit sa marche vers l'avenir. »

— *Libération*, 20 juillet 1954.

Texte également publié dans *L'Unità* à partir du 15 juillet 1954.

*Libération* fit un tiré à part de cette interview et le diffusa sous forme de plaquette. Celle-ci fut traduite en allemand sous le titre *Meine Reise in die Sowjet-Union*, Düsseldorf, L. Zimmerer, 1954.

Les titres, dont Sartre n'est pas responsable, donnent une idée du faible niveau de cette interview où se manifeste un enthousiasme sans nuances. Rappelons que Sartre était tombé malade en U.R.S.S. et que l'état d'épuisement dans lequel il se trouvait à son retour a dû quelque peu émousser son habituel sens critique. Simone de Beauvoir précise au sujet de cette interview : « [Sartre] parla hâtivement et quand on lui proposa de revoir le texte, il se déroba » (*La Force des choses*, p. 331). Quelques pages plus loin, elle nous apprend que même Ehrenbourg « reprocha à Sartre, sur un ton d'amitié presque grand-paternelle, certains détails de l'interview que celui-ci avait donnée à *Libération* » (p. 347).

54/261

*Réponse de Sartre à une lettre de Hélène et Pierre Lazareff.*

— *Libération*, 22 juillet 1954.

Les époux Lazareff, qui avaient voyagé en U.R.S.S. à peu près en même temps que Sartre, publièrent dans *France-Soir* un reportage assez malveillant à l'égard de l'U.R.S.S. Sartre les attaquait à ce sujet dans son interview à *Libération* et les Lazareff écrivirent à la direction de ce journal une lettre comminatoire à laquelle Sartre, alors en Italie, répondit sur un ton plus badin que polémique.

54/262

« La coscienza dei francesi » [interview].

— *Il Contemporaneo*, [Rome], 31 luglio 1954.

Interview portant surtout sur la situation politique en France après l'armistice en Indochine.

54/263

« Une interview de Jean-Paul Sartre », recueillie par Albert-Paul Lentin.

— *France-U.R.S.S.*, n° 107, août 1954, p. 5; n° 108, septembre 1954, p. 4.

Reprend l'essentiel des propos tenus à *Libération* (cf. 54/260).

55/264

*L'amitié, seule politique possible*, message adressé en décembre 1954 au congrès France-U.R.S.S.

— *France-U.R.S.S.*, n° 112, janvier 1955, p. 15.

Sartre n'avait pu assister en personne à ce congrès France-U.R.S.S. au cours duquel il fut porté à la vice-présidence de l'Association. Dans son message, il affirme la nécessité de l'amitié franco-soviétique et déclare : *Quand je suis parti pour l'U.R.S.S., j'étais acquis depuis toujours à la cause de la paix : mais depuis que je suis revenu, je n'hésite pas à dénoncer comme parfaitement criminelle toute politique qui risquerait de coûter la vie à quelques-uns de ces hommes et de ces femmes dont le labeur et l'immense espoir m'ont si profondément ému.* [...]

## 1955

55/265

NEKRASSOV, pièce en huit tableaux.

*a*) *Les Temps modernes*, nº 114-115, juin-juillet 1955, p. 2017-2071 ; nº 116, août 1955, p. 85-125 ; nº 117, septembre 1955, p. 277-323.

Texte intégral de la pièce. Le cinquième tableau (*Les Temps modernes*, nº 116) comporte une erreur de numérotation : la scène finale est marquée IX au lieu de VIII.

*b*) Publication en volume : Gallimard, 1956.

Les variantes sont minimes : la distribution p. 6-10 a été ajoutée et l'erreur de numérotation du cinquième tableau a été rectifiée.

*c*) Les scènes III et IV du quatrième tableau ont d'abord été publiées dans *Libération*, 20 juin 1955.

Il existe, d'autre part, un tableau inédit qui n'a pas été repris en volume :

55/266

*Tableau inédit de Nekrassov : le Bal des Futurs Fusillés.*

— *Les Lettres françaises*, 16-23 juin 1955.

APPENDICE

Ce tableau, pourtant l'un des plus réussis de la pièce, a été supprimé sur les instances de Simone Berriau et de Jean Meyer (cf. *La Force des choses*, p. 343). Sartre y parle de façon à peine voilée de plusieurs personnalités connues :

le journaliste Champenois ressemble beaucoup à Georges Altman, et l'écrivain Cocardeau à Malraux.

NEKRASSOV a été représenté pour la première fois le 8 juin 1955 au théâtre Antoine (direction Simone Berriau) dans une mise en scène de Jean Meyer et avec des décors de Jean-Denis Malclès. Rôles principaux :

| | |
|---|---|
| GEORGES DE VALERA | Michel Vitold |
| INSPECTEUR GOBLET | R.-J. Chauffard |
| JULES PALOTIN | Armontel |
| SIBILOT | Jean Parédès |
| VÉRONIQUE | Marie-Olivier |

Comme la plupart des pièces de Sartre, NEKRASSOV eut des répétitions assez mouvementées : la première dut être repoussée à plusieurs reprises à cause de la défection de plusieurs acteurs, des craintes de Simone Berriau et du problème posé par la longueur du manuscrit original.

Le soir de la première, un tract distribué par le « Cercle libre d'Études russes » stigmatisait la pièce comme étant « la mystification d'un salonnard qui n'a jamais combattu nulle part et dont les mains sont sales depuis qu'il a serré celles des bourreaux du peuple russe ».

Fortement marquée comme œuvre « crypto-communiste » NEKRASSOV fut évidemment éreintée par la critique anti-communiste et ne connut que soixante représentations. La pièce fut en revanche reprise avec un grand succès à partir de novembre 1955 au théâtre de la Satire à Moscou sous le titre de « Georges de Valera » (Nekrassov étant le nom d'un écrivain classique russe).

A l'origine de NEKRASSOV, il y a un projet de pièce sur le maccarthysme et la psychanalyse. L'œuvre a été ensuite annoncée comme une « farce en huit tableaux ».

Dans une interview donnée en 1960 (cf. notice 60/346), Sartre déclare : [*Nekrassov* est] *une pièce à demi manquée. Il aurait fallu centrer sur le journal, et non sur l'escroc qui n'est pas intéressant en soi. Il aurait mieux valu le montrer pris dans l'engrenage du journal. Mais ce n'est pas seulement pour cela que la critique a jugé la pièce mauvaise. J'attaquais la presse, la presse a contre-attaqué.*

Regrettons que NEKRASSOV n'ait pas été représenté depuis 1955 sur la scène d'un théâtre parisien : à la lecture, en effet, la pièce apparaît comme l'une des meilleures que Sartre ait écrites. Elle a d'ailleurs été reprise récemment (en novembre 1968) par Hubert Gignoux au Théâtre national de Strasbourg et a remporté un grand succès.

## INTERVIEWS SUR « NEKRASSOV »

### 55/267

« Avant la création de *Nekrassov* au théâtre Antoine, Sartre nous dit... », interview par Henry Magnan.

— *Le Monde*, 1er juin 1955.

Très importante interview qui donne quelques détails sur NEKRASSOV (pièce qui *transpose à peine l'actualité visible* et rejoint *la tradition d'Aristophane* puis aborde des sujets plus généraux.

Sartre regrette l'ostracisme qui semble frapper NEKRASSOV : *Certains journaux refusent d'accueillir les communiqués de publicité — évidemment payants — de ma pièce.* Puis il parle longuement de son autobiographie (cf. notice 63/384), de son projet d'essai sur l'existentialisme et le marxisme, du R.D.R. (cf. 48/168 à 178), du personnage de Dubreuilh dans *Les Mandarins* de Simone de Beauvoir :

*Dans un sens, Dubreuilh n'a rien à voir avec moi. Il occupe une position politique, il assume des responsabilités politiques : il est allé beaucoup plus loin que moi. Personnellement je ne veux que prouver la possibilité pour les écrivains de gauche de continuer d'agir comme des écrivains.*

Il montre en même temps comment il conçoit son rôle politique :

*Je suis incompétent sur le plan de l'action technique politique. La politique, en ce qui me concerne, se limite à l'usage que je fais de mon bulletin de vote. Si dans ce que j'écris se reflètent les misères du temps et l'ouverture que je leur entrevois, c'est en écrivain que j'en rends compte et que j'en suis heureux : à cet égard, il y a de la mauvaise foi à me reprocher de n'être pas plus un homme d'action que ne le sont Mauriac et Montherlant.*

Sartre définit pour terminer ses relations avec le parti communiste :

*Si j'étais convaincu de la vérité de faits nouveaux, quand même leur révélation pourrait-elle d'aventure gêner le P.C., je les révélerais.* [...] *Mais je tiens à dire que pour avoir le droit de critiquer valablement un mouvement aussi important que le mouvement communiste, il faut travailler avec lui. 90 % des critiques qu'on lui adresse sont le fait d'une incompréhension majeure de sa définition et de sa vocation.*

55/268

« Il n'y a pas de méchants dans *Nekrassov* », interview par Raphael Valensi.

— *L'Aurore*, 7 juin 1955.

Le seul intérêt de cette interview réside dans les commentaires perfides de R. Valensi. Le 6 juin 1955, tous les courriéristes de Paris avaient été convoqués devant la loge de Louis Jouvet au théâtre Antoine où ils étaient reçus un à un par Sartre. Valensi trouve le procédé quelque peu cavalier.

Il est probable qu'il existe d'autres interviews que celles que nous citons ci-dessous.

55/269

« Au train où vont les réactions je ne suis pas sûr que ma pièce trouve un public », interview par Serge Montigny.

— *Combat*, 7 juin 1955.

*Ce que j'ai voulu faire avec* Nekrassov *c'est une pièce satirique. D'abord parce qu'on ne peut s'exprimer sur la société contemporaine que sous cette forme, ensuite parce qu'il y a eu en France une sorte de censure latente qui étouffe ce genre de théâtre.* [...]

*Une certaine presse crie déjà avant de connaître le sujet de ma pièce et avant d'avoir été écorchée.*

55/270

« *Nekrassov* n'est pas une pièce à clef », interview par Paul Morelle.

— *Libération*, 7 juin 1955.

*Ma pièce est ouvertement une satire sur les procédés de la propagande anticommuniste.*

Sartre déclare également qu'il n'a voulu attaquer directement aucun journaliste parisien et il cite l'exemple du personnage de Palotin : celui-ci devait être joué à l'origine par Louis de Funès qui, par sa petite taille, aurait fait penser à Pierre Lazareff, mais il fut remplacé par Armontel qui, avec ses un mètre soixante-quinze, évoquait non plus

Lazareff mais Pierre Brisson dans l'esprit de ceux qui voulaient à tout prix trouver des clefs à la pièce.

55/271

« En dénonçant dans ma nouvelle pièce les procédés de la presse anticommuniste... je veux apporter une contribution d'écrivain à la lutte pour la paix », interview par Guy Leclerc.

— *L'Humanité*, 8 juin 1955.

*Je veux apporter une contribution d'écrivain à la lutte pour la paix. Nous avons pris des engagements à Vienne, il faut les tenir.* [...] *Cette pièce marque ma volonté d'aborder la réalité sociale sans mythes. Dans* Le Diable et le Bon Dieu, *j'abordais bien cette réalité, mais à travers des mythes. Je veux être tout à fait clair. Mais il faut bien le dire, il y a un divorce entre les sujets que je veux traiter et le public actuel des théâtres parisiens. Au fond, c'est un paradoxe que faire jouer une telle pièce dans des conditions pareilles.*

55/272

« Avec Jean-Paul Sartre à la veille de *Nekrassov* », interview par Claudine Chonez.

— *France-Observateur*, 9 juin 1955.

55/273

« La pièce vise des institutions et non des individus », article-interview par J.-F. Rolland.

— *L'Humanité-Dimanche*, 19 juin 1955.

*J'ai voulu* [...] *que mes personnages ne soient pas complètement noirs : Sibilot n'est pas un simple journaliste vendu. Il est aussi mystifié, victime de l'idéologie que défend son journal.* [...] *Une satire de gauche doit être une satire des institutions et non des individus.*

Après avoir commenté les réactions de la presse et les critiques qui ont été adressées à sa pièce, Sartre, annonçant l'interview qu'il va donner à *Théâtre populaire* (cf. 55/276), parle de la crise et des contradictions du théâtre bourgeois.

55/274

Discours prononcé à Helsinki le 26 juin 1955 devant l'Assemblée mondiale de la Paix.

*a*) Texte intégral dans : *Assemblée mondiale de la Paix, Helsinki, 22-29 juin 1955*. Volume édité par le Secrétariat du Conseil mondial de la Paix. P. 220-227. Cote B.N. : 8º R. 60722.

*b*) Extraits, sous le titre « La paix que nous voulons ne doit pas ressembler à ce qu'on a nommé "l'entre-deux guerres" », dans *L'Humanité*, 27 juin 1955.

Sartre entend montrer ce qui, par-delà les divergences, réunit à Helsinki des hommes d'horizons très différents : la volonté de paix, évidemment, mais non de n'importe quelle paix. Selon Sartre, c'est dans les masses que la volonté de paix est aujourd'hui la plus forte. Cela tient peut-être à l'existence de la bombe H :

*La bombe H possède une sorte d'universalité négative : ses effets, même lointains, peuvent atteindre n'importe qui. Cette universalité négative a provoqué directement un mouvement d'universalisation positive ; le danger, permanent, universel, a donné un sens concret et précis à ce terme autrefois si vague : l'espèce humaine. L'espèce humaine, ce n'est plus un terme biologique, mais une expression historique, sociale et politique ; elle est faite de ces centaines de milliers d'hommes qui, séparés encore par des intérêts et des croyances très divers, sont d'abord unis par un même danger et par la volonté commune d'éviter coûte que coûte la catastrophe.* [...] *Ou bien cette paix ne sera pas, ou elle sera imposée par les peuples à leurs gouvernements.*

Il n'est pas question de maintenir le *statu quo* — politique des blocs et guerre froide —, mais bien de faire éclater les blocs sous l'effort des peuples. *Il ne s'agit pas seulement de réclamer quelques mesures négatives comme l'interdiction de l'arme atomique, mais c'est tout un de vouloir changer le monde et de vouloir la paix.* [La guerre froide] *est une structure des relations internationales qui a* [eu] *un retentissement jusque dans la structure interne des nations.* Sartre met en effet implicitement le stalinisme et explicitement le maccarthysme au compte de la guerre froide, celle-ci engendrant à l'intérieur le raidissement et la terreur. La paix doit être un nouveau régime, *un tout indécomposable, un lien indissoluble entre une certaine espèce de rapports internationaux et une certaine espèce de rapports politiques et sociaux à l'intérieur des nations.* [...] *Par-delà la grande division des régimes sociaux, un fait économique neuf doit apparaître : la paix et la coexistence pacifique sont liées à la stabilité économique et celle-ci, en période de reconversion* [*i. e.* des industries de guerre], *est liée à une sorte d'économie de don* [*i. e.* aux nations sous-développées]. L'aide doit être apportée en même temps, et sans intention d'asservir, par les deux grandes puissances. La coexistence n'est pas la pure contiguïté mais la coopération entre l'U.R.S.S. et les U.S.A. *Cette coopération seule peut briser le système des blocs.*

Sartre se prononce ensuite pour l'indépendance et la souveraineté des nations plus que pour la neutralité, qui n'a de sens que lorsque la guerre a déjà éclaté. Il prend position en faveur de la réunification de l'Allemagne.

Puis il aborde le problème colonial et affirme que l'ère colonialiste touche à sa fin : *La prise de conscience des nations africaines et asiatiques doit être un facteur de paix.* La France doit faire droit aux revendications algériennes, tunisiennes et marocaines par la négociation pacifique.

Sartre conclut enfin que vouloir la paix et vouloir la liberté est une seule et même chose : *Puisque la paix* [...] *exige le retour de chaque nation à l'indépendance, le respect mutuel et la coexistence dans l'égalité, à l'Ouest comme à l'Est, notre paix ne peut avoir qu'un sens : c'est la possibilité pour les nations, pour les hommes, de maîtriser leur propre destin, en un mot, c'est la liberté. Voilà, il me semble, le sens commun de notre entreprise : nous voulons construire la paix par la liberté et rendre la liberté aux peuples par la paix.*

55/275

*La leçon de Stalingrad.*

— *France-U.R.S.S. Magazine*, avril 1955, p. 4-5.

Texte d'une allocution prononcée le 20 février 1955, salle Pleyel, au cours d'une réunion commémorative organisée par l'Association France-U.R.S.S.

Dans ce texte qui marque sans doute l'apogée de son prosoviétisme et dont l'emphase s'explique en partie par le fait qu'il s'agit d'un discours de meeting, Sartre commence par rappeler l'importance historique de la bataille :

*Notre destin ne s'est joué ni en Normandie, ni en Belgique, mais en U.R.S.S., au bord de la Volga. C'est Stalingrad qui a rendu possible le débarquement de Normandie, je dirai même qui l'a rendu nécessaire. Si les Anglais et les Américains souhaitaient participer à la victoire finale, ils étaient, bon gré mal gré, obligés de participer à l'attaque. Aussi ce que les demandes répétées du commandement russe n'avaient pu obtenir aux heures sombres, on le décida en hâte après Stalingrad. Ce n'est pas la première fois qu'on vole au secours de la victoire.*

Sartre voit deux leçons à tirer de cette victoire :

*La première, c'est qu'il serait dangereux d'établir une différence entre le peuple russe et ses dirigeants.* Le courage et la volonté avec lesquels les soldats soviétiques se sont battus prouve que le régime est populaire. *On a prétendu qu'ils se battaient par patriotisme. Et, certes, ce n'est pas faux : mais la patrie n'est ni un climat, ni une terre, ni même une langue. C'est une entreprise collective, une lutte contre le passé, une construction patiente de l'avenir. Ces hommes acceptaient de tomber pour la Russie. Mais ce n'était pas à la Russie des tsars qu'ils donnaient leur vie, ni à la Russie éternelle. C'était à* leur *Russie, à la Russie socialiste qui les avait délivrés de l'oppression et qui construisait l'avenir de leurs fils.* [...] *Le peuple a fait son régime et il en est inséparable.* [...] *La deuxième leçon que nous devons tirer, dès 1943, de Stalingrad, c'est que — mises à part toute reconnaissance et toute considération sociale — l'intérêt politique est de se rapprocher de l'U.R.S.S.* [...] *A l'occasion de ce nouvel anniversaire de Stalingrad, il faut dévoiler l'absurdité de ceux de nos dirigeants qui commettent la faute impardonnable de méconnaître les nécessités les plus élémentaires, de renverser les alliances et d'armer les Allemands, nos ennemis séculaires, contre la Russie, nos alliés de 1914 et de 1940.*

*En face d'un peuple qui a donné son sang pour sauver son avenir, le nôtre et celui de l'Univers, qui a prouvé par ses sacrifices qu'il entendait* faire *l'histoire et non la subir, en face d'un peuple qui, depuis un demi-siècle, chaque fois que l'Allemagne menaçait la paix, s'est toujours trouvé à nos côtés, une seule attitude est possible : la gratitude et l'amitié.*

Rappelons que Sartre fut membre de l'association France-U.R.S.S. jusqu'en novembre 1956.

## 55/276

« Jean-Paul Sartre nous parle de théâtre », entretien avec Bernard Dort.

*a*) *Théâtre populaire*, n° 15, septembre-octobre 1955, p. 1-9.
*b*) Extraits sous le titre « Controverse J.-P. Sartre-Jean Vilar » dans *L'Express* [quotidien], 24 novembre 1955.

Jean Vilar répond à l'argument de Sartre : « Le T.N.P. n'a pas de public populaire. »

Dans cet important entretien, Sartre oppose d'abord théâtre bourgeois et théâtre populaire puis situe les dramaturges contemporains.

*Théâtre populaire.* [...] *Cette expression* [...] *signifie pour moi* tout *le théâtre.* [...] *A un public populaire, il faut d'abord présenter des pièces pour lui : qui ont été écrites pour lui et qui parlent de lui.* [...] *En France, le seul exemple de théâtre populaire que je connaisse, c'est la tournée qu'a faite Claude Martin dans les usines avec une pièce sur Henri Martin. [...] Seul le théâtre bourgeois n'a pas été un théâtre populaire. Toute la tradition du théâtre a été populaire jusqu'à l'avènement de la bourgeoisie.*

Sartre voit cependant une cassure entre Corneille et Racine et une interruption du théâtre populaire entre 1660 et 1730. Il poursuit :

*Pour moi, maintenant, je n'ai plus rien à dire aux bourgeois. Mais le vrai problème n'est sans doute pas celui des structures, ni même des thèmes du théâtre populaire, mais celui de sa technique.* [...]

*Oui, pour moi, le principal problème est là : il s'agit de trouver une organisation de la parole et de l'acte, où la parole ne paraisse pas superfétatoire, où elle garde un pouvoir, au-delà de toute éloquence.* [...]

*J'ai beaucoup aimé* En attendant Godot. *Je crois même* [que] *c'est ce qu'on a fait de mieux au théâtre depuis trente ans. Mais tous les thèmes de* Godot *sont bourgeois : ceux de la solitude, du désespoir, du lieu commun, de l'incommunicabilité. Ils sont tous le produit interne de la solitude de la bourgeoisie. Et peu importe ce que peut être Godot : Dieu ou la Révolution... Ce qui compte, c'est que Godot ne vient pas à cause de la faiblesse des héros ; qu'il ne peut pas venir à cause de ce « péché », parce que les hommes sont ainsi.*

[...] *Toute l'œuvre de Ionesco, c'est une société du proverbe : l'union entre les hommes, mais vue à l'envers.* [...] *Le problème de ces écrivains, c'est celui de l'intégration* [...], *de n'importe quelle intégration, de leur intégration à n'importe quelle société : en ce sens, a-politiques, ils sont aussi réactionnaires.*

*Le cas d'Adamov est un peu différent. C'est même le seul dont on puisse attendre quelque chose sur ce plan du théâtre populaire.* [...]

Avant de conclure sur *Les Sorcières de Salem* (cf. 56/287), Sartre fait allusion à un spectacle, *une fête pour la paix*, qu'il comptait organiser au Vél d'Hiv' vers 1953 avec Fernand Léger, puis indique ce qui le sépare de Brecht : *Je crois, moi, profondément, que toute cette mystification doit être en un sens mystifiante. Ou plutôt que, devant une foule en partie mystifiée, on ne peut se confier aux seules réactions critiques de cette foule. Il faut lui fournir une contre-mystification. Exactement de la façon dont, pendant la Contre-Réforme, opéraient les Jésuites — ces Jésuites qui ont été les maîtres de nos amis les communistes.*

Note : Dans un texte non identifié, Sartre avait écrit à propos de Vilar, lors du premier festival d'Avignon : *On dénonce volontiers la médiocrité du théâtre contemporain. Mais le public a le théâtre qu'il mérite. Il faut aider Vilar, ou renoncer à se plaindre.*

55/277

*Ces gens-là nous aiment...*

— *France-U.R.S.S.*, nº 121, octobre 1955, p. 3-4.

Avant le voyage à Moscou de MM. Edgar Faure et Antoine Pinay, Sartre, se référant à l'accueil enthousiaste fait par Leningrad aux voyageurs français du bateau *Batory*, souhaite un rapprochement politique entre l'U.R.S.S. et la France et exhorte les ministres français à tenir compte de l'amitié qui se développe entre les deux peuples.

55/278

« Une soirée à Pékin avec Jean-Paul Sartre et Simone de Beauvoir », article-interview par Paul Tillard.

— *L'Humanité-Dimanche*, 23 octobre 1955.

Tillard, qui a passé une soirée avec les deux écrivains dans un petit théâtre de Pékin puis au restaurant, rapporte leurs propos où s'exprime au sujet de la Chine un enthousiasme sans réserve.

55/279

« Tout dans ce pays est émouvant », interview par Pierre Heutges.

— *L'Humanité*, 1er novembre 1955.

Interview réalisée à Moscou, au retour du voyage de Sartre en Chine, et donnant ses impressions sur l'U.R.S.S., où il séjourne pour la seconde fois.

A la question : « Que pense-t-on en Chine des Soviets ? », Sartre répond : *Je n'en dirai que ceci : chaque fois que je me promenais là-bas dans la rue, on me prenait pour un Soviétique (pour les Chinois, un blanc c'est un Soviétique) et on me faisait fête... C'est de la pure folie que de s'imaginer qu'il puisse exister entre ces deux peuples des raisons quelconques d'un divorce.*

Sartre dit de l'U.R.S.S. : *Ce pays est beaucoup plus émouvant, plus pathétique que tout ce que j'avais pu concevoir.*

55/280

*Mes impressions sur la Chine nouvelle* [article traduit en chinois]. — *Jen Minh Jen Pao* [Le Quotidien du Peuple, Pékin], [2 novembre] 1955.

Cet article est cité par David Rousset, qui l'attaque très violemment, dans *Demain* (5-11 janvier 1956). Nous n'avons pu le consulter. Sartre nous dit y avoir écrit en gros la même chose que dans son article de *France-Observateur* (cf. notice suivante). A propos de l'attaque de Rousset, qui écrivait dans son article : « Sartre a trahi », celui-ci a eu ce mot : *J'ai laissé dire : on ne répond pas à Rousset ; on le laisse gagner sa vie comme il peut* (SITUATIONS, VII, p. 135).

55/281

*La Chine que j'ai vue.*

— *France-Observateur*, 1er décembre 1955; 8 décembre 1955.

Une note liminaire précise : « Cet article est extrait d'une longue étude que Jean-Paul Sartre rédige actuellement sur son récent voyage en Chine. »

Sartre n'a jamais mené à terme le projet dont il est question ci-dessus. C'est Simone de Beauvoir qui en définitive l'a repris avec son livre *La Longue Marche* (Gallimard, 1957). *Les Temps modernes* ont également publié un numéro spécial (nos 127-128, septembre-octobre 1956) intitulé « Chine d'hier et d'aujourd'hui » (cf. aussi 54/250).

L'article débute par une comparaison entre la révolution russe, surgie de la défaite, et la révolution chinoise, née d'une victoire. Ce qui frappe dès l'abord en Chine, c'est que le pays est en ordre : *Paradoxalement la révolution chinoise a commencé par bannir de la Chine l'inflation, la misère et la hausse des prix, l'insécurité, l'anarchie et les despotismes locaux, bref, le cortège des maux qui, aux yeux des conservateurs, accompagnent précisément les révolutions.* [...] *Toutes les terreurs révolutionnaires ont eu pour cause la faiblesse du pouvoir central : si la Terreur est un mot inconnu en Chine, si le gouvernement de Mao Tsé-toung a pu montrer l'admirable modération dont j'ai vu tant de preuves, c'est que son armée victorieuse, en s'enracinant dans le peuple, lui a donné ce qu'aucun gouvernement révolutionnaire n'a jamais possédé du premier coup : le calme de la toute-puissance.*

Sartre poursuit par une description des traits originaux de la révolution chinoise. Il insiste en particulier sur l'exemple du « capitaliste heureux » que l'État conserve parce qu'il connaît son métier : *Oui, c'est là ce qu'on peut voir en Chine : un capitaliste qui est artificiellement conservé par le processus même qui doit le « supprimer », un capitaliste qui, en poursuivant sans défaillance ses activités de capitaliste, contribue volontairement à édifier le régime qui le détruira.*

Parlant de la construction du socialisme chinois, Sartre note : *Tout contribue à nous faire faire une découverte singulière : la réalité présente de la Chine, c'est son avenir.* [...] *Dans cinquante ans, Mao Tsé-toung promet l'épanouissement d'une civilisation nouvelle.* [...] *Quelquefois, ce demi-siècle posé sur la grande plaine nous gênait personnellement : entre les Chinois qui nous accueillaient, il créait une connivence dont nous étions exclus. L'un de nous disait : « En Chine, on se sent déjà mort. » C'est souvent vrai : parce que la réalité la plus tangible, c'est un avenir que verront les jeunes, et que nous ne verrons certainement pas. Un hôpital bien neuf, bien ripoliné, bien moderne, mais qui attend encore une partie de son équipement et la totalité de ses malades, une fabrique aussi grande qu'une ville, mais vide encore, toutes ces ruines de l'avenir incitent beaucoup plus que le Colisée à méditer sur la mort.*

55/282

« Sartre Views the New China », interview par K. S. Karol.
— *New Statesman and Nation*, 3 December 1955.

Après avoir noté que Sartre est très difficile à interviewer parce qu'il parle d'abondance, qu'il guide lui-même l'entretien et qu'il change de sujet avec beaucoup de rapidité, Karol résume les propos que Sartre lui a tenus à son retour de Chine et qui correspondent rigoureusement au contenu de l'article publié dans *France-Observateur*.

55/NOTE 1.

Dans son livre *Sartre par lui-même* (éd. du Seuil, 1955), Francis Jeanson cite plusieurs fragments de conversations qu'il a eues avec Sartre. Signalons que cette excellente étude, que nous mentionnons à plusieurs reprises, est jusqu'à présent (1968) le plus grand succès de la collection « Écrivains de toujours » avec un tirage de 150 000 exemplaires.

55/NOTE 2.

Dans le numéro « Connaissance de Sartre » des *Cahiers de la Compagnie Madeleine Renaud-Jean-Louis Barrault* (cahier XIII, octobre 1955), Colette Audry rapporte, p. 54-55, le sujet d'une pièce que Sartre projetait et qu'il lui a racontée. Ce sujet, où l'on retrouve des éléments de BARIONA, des JEUX SONT FAITS et des MOUCHES, s'intitule « Le Pari ». Nous reproduisons ci-dessous le passage *in extenso* :

« Le rideau se lève sur un couple misérable de personnes déplacées qui sont au plus bas de leur détresse, d'autant plus que la femme s'est aperçue qu'elle attend un enfant. L'homme et la femme discutent ensemble. Le mari voudrait que la femme le fasse passer; la femme, instinctivement, y répugne; le mari argumente, lui dit que si c'est pour faire un gosse qui doit avoir une vie semblable à celle qu'ils ont, ce n'est vraiment pas la peine de mettre un malheureux sur la terre. La femme répond : "Mais qui te dit qu'il sera malheureux?" Discussion entre le mari et la femme qui ne sont pas d'accord sur l'issue de cette grossesse. Tout à coup : coup de tonnerre; effet fantastique à la manière du théâtre moyenâgeux.

« Apparition d'un personnage surnaturel, disons : plus ou moins diabolique.

« Ce personnage s'intéresse au couple et dit : "Mes amis, je vous vois hésitants sur le sort de votre enfant. Je vais vous faire un grand cadeau : Je vais vous montrer la vie qui l'attend, et d'après la vie que vous aurez contemplée, vous déciderez si vous devez le garder ou le faire disparaître; il est bien entendu que sa vie est tracée irrévocablement sur le plan des épisodes, des intrigues et de l'action : on ne peut rien y changer. Tout le monde est prêt derrière ce rideau, il ne manque plus qu'une seule personne, c'est votre enfant. Voulez-vous voir sa vie?" Le couple acquiesce. Coup de tonnerre.

« Le rideau s'ouvre et découvre la scène qui est remplie de différentes mansions, comme au Moyen Age. Tous les personnages qui doivent rencontrer l'enfant puis l'homme sont là, chacun dans une case.

« Le personnage surnaturel décrit d'une façon animée et avec l'aide des personnages des différentes cases, l'existence de cet être humain qui doit naître. C'est une existence atroce : difficultés, misère, et qui se termine au poteau d'exécution.

« Le noir se fait, le rideau se referme et le personnage surnaturel dit maintenant au couple : "A présent que vous connaissez la vie qui attend votre enfant, vous n'avez plus qu'à décider. Au revoir, mes amis." Et il disparaît.

« Le mari triomphe et dit à sa femme : "Eh bien, maintenant, tu vois ce qu'il te reste à faire; si tu as envie d'accoucher d'un malheureux, fais-le, mais tu as la garantie que sa vie sera un martyre." Et la femme, obstinée, répond : "Moi je fais le pari qu'il s'en tirera.

« — Mais, espèce d'imbécile, puisqu'il n'y a rien à changer de sa vie! — Peut-être ne changera-t-il pas sa vie, mais je fais le pari qu'il la transformera."

« Devant une abrutie pareille, le mari est découragé, et le couple disparaît après voir décidé que la femme ferait son gosse. C'est la fin de la première partie.

« Quand la deuxième partie commence, le rideau se lève sur les mêmes cases avec les mêmes personnages que l'on a vus, mais cette fois, il y a un personnage supplémentaire, c'est le jeune homme, fils de ce couple de personnes déplacées.

« Le public connaît donc sa vie et, lui, est le seul à ne pas savoir ce qui va arriver.

« Effectivement, il ne change rien au matériel de son existence et sa vie se termine comme convenu au poteau d'exécution, mais grâce à son apport personnel, à son choix et à son sens de la liberté, il métamorphose cette vie atroce en une vie sublime.

« Je crois qu'il y a là un sujet qui peut nous permettre de comprendre presque physiquement le sens que Sartre donne au mot : liberté. »

# 1956

NEKRASSOV, pièce en huit tableaux.

— Gallimard, [1956]. 214 pages.

Cf. 55/265.

56/283

*Le Réformisme et les fétiches.*

*a*) *Les Temps modernes*, nº 122, février 1956, p. 1153-1164.
*b*) Repris dans SITUATIONS, VII.

Pierre Hervé, intellectuel communiste qui occupait d'importantes fonctions dans le P. C., avait publié en janvier 1956 un petit ouvrage intitulé *La Révolution et les fétiches* (Éd. La Table Ronde) où il critiquait à mots couverts l'absence de discussion démocratique à l'intérieur de son parti et le dogmatisme de celui-ci. Le livre connut un certain retentissement et fut violemment attaqué par la presse communiste, en particulier par Guy Besse dans *L'Humanité* du 25 janvier 1956. Peu après, Hervé fut exclu du parti par décision du Bureau politique.

L'article que Sartre consacra à cette affaire est daté du 10 février 1956, c'est-à-dire quatre jours avant l'exclusion d'Hervé. Il frappe par la modération de son ton alors même qu'il porte un jugement extrêmement sévère sur les intellectuels communistes. Désirant préserver les bonne relations qu'il entretenait à cette époque avec le P. C., Sartre relevait les insuffisances du livre d'Hervé tout en déplorant par ailleurs les méthodes employées par Guy Besse pour le critiquer. Il ajoutait : *Porté par l'histoire, le P. C. manifeste une extraordinaire intelligence objective : il est rare qu'il se trompe ; il fait ce qu'il faut ; mais cette intelligence — qui se confond avec la* praxis *ne s'incarne pas souvent dans ses intellectuels.* En effet, si *depuis la mort de la pensée bourgeoise,* [le marxisme] *est à lui seul la Culture, car c'est lui seul qui permet de comprendre les hommes, les œuvres et les événements,* la démission des intellectuels communistes a laissé à des non-marxistes le soin de poursuivre les recherches pour lesquelles les méthodes marxistes auraient été plus fécondes. (Parmi les livres qui *ont fait avancer la connaissance* et dont il souligne le fait que *ce ne sont* jamais *des communistes qui en sont les auteurs,* Sartre cite en particulier les travaux de Guillemin et de Lévi-Strauss.) La conclusion est péremptoire : *en France, le marxisme est arrêté.* Sartre analysera par la suite les causes de cet arrêt dans *Questions de méthode* (cf. aussi notice suivante).

Hervé répondit dans *Lettre à Sartre et à quelques autres par la même occasion* (éd. La Table ronde), paru en avril 1956; dans leur numéro de mai 1956 *Les Temps modernes* annoncèrent un article de Sartre intitulé « Réponse à Pierre Hervé et à quelques autres »; il devait servir de conclusion aux *Communistes et la Paix* mais ne fut jamais écrit, ayant fait place au *Fantôme de Staline.*

56/284

*Réponse à Pierre Naville.*

*a*) *Les Temps modernes,* nº 123, mars-avril 1956, p. 1510-1525.
*b*) Repris dans SITUATIONS, VII.

Réponse, datée du 23 mars 1956, à un article de Pierre Naville intitulé « Les mésaventures de Nekrassov » (*France-Observateur,* 8 mars 1956). Cet article s'en prenait à celui de Sartre sur Hervé (cf. notice précédente). Naville écrivait en substance qu'il est faux de prétendre que le marxisme est arrêté, à moins d'identifier, comme l'aurait fait Sartre, le marxisme au parti communiste. Sartre dénonce les contresens commis par Naville dans l'interprétation de son article. Sa réponse lui permet de préciser sa pensée au sujet de l'affirmation contestée par Naville, de dire brièvement le sens qu'a pour lui la déstalinisation annoncée par le XX^e^ Congrès et de réclamer entre hommes de gauche, *même dans les discussions les plus vives, un ton de courtoisie et de camaraderie.* On notera que cet article est le dernier où Sartre, avant la rupture consécutive à l'affaire de Hongrie, défend le P. C. ([...] *je suis loin de prétendre que le Parti ne se soit jamais trompé. Je dis que ses positions, dans l'ensemble, ont été justes*).

Naville répondit avec « Les nouvelles mésaventures de Nekrassov » (*France-Observateur*, 19 avril 1956). Ses deux articles sont repris dans son livre *L'Intellectuel communiste* (éd. Rivière, 1956, p. 57-60 et 60-64). Rappelons, s'il le faut, que Pierre Naville est un intellectuel marxiste, oppositionnel de tendance trotskyste dès 1927 et auteur de nombreux ouvrages que Sartre juge ici sévèrement.

56/285

*Le colonialisme est un système.*

*a*) Dans : *Colonialisme et guerre d'Algérie*, brochure publiée par le Centre des Intellectuels et qui comprend, entre autres, des textes de J.-J. Mayoux, D. Mascolo, R. Barrat, D. Guérin, M. Leiris, J. Rous.

*b*) *Les Temps modernes*, n° 123, mars-avril 1956, p. 1371-1386.

*c*) Repris dans SITUATIONS, V.

Texte d'une intervention à un meeting pour la paix en Algérie tenu le 27 janvier 1956 à la salle Wagram sous l'égide du Comité d'Action des Intellectuels contre la poursuite de la guerre en Afrique du Nord. L'intervention d'Aimé Césaire à ce meeting précède celle de Sartre dans le même numéro des *Temps modernes* (p. 1366-1370).

Sartre fait ici une mise en garde contre la *mystification néo-colonialiste* et entreprend pour cela de démonter les mécanismes économiques de l'exploitation coloniale du XIXe siècle à l'époque présente. Son argumentation, richement documentée, ne paraît guère contestable. Elle aboutit à la conclusion suivante : *La seule chose que nous puissions et devrions tenter — mais c'est aujourd'hui l'essentiel — c'est de lutter* [aux] *côtés* [du peuple algérien] *pour délivrer à la fois les Algériens et les Français de la tyrannie coloniale.*

56/286

[Interview par M. N., en serbe.]

— *Politika*, [Belgrade], 25 [juillet] 1956, p. 7.

Interview donnée au cours d'un voyage en Yougoslavie

et portant principalement sur le théâtre (Beckett, Adamov, Ionesco).

Sartre donnera par la suite plusieurs interviews et plusieurs textes à *Politika.*

56/287

*Les Sorcières de Salem*, scénario de film tiré de la pièce d'Arthur Miller *The Crucible.*

*a*) « *Les Sorcières de Salem* à l'écran : Dans la prison de Salem. Dialogue de Jean-Paul Sartre » : *Les Lettres françaises*, 2-8 août 1956.

Seul extrait publié de l'adaptation de Sartre : il s'agit d'une des scènes finales entre John Proctor et sa femme Elizabeth. Proctor va être pendu à moins qu'il ne signe des aveux reconnaissant qu'il est sorcier. Sa femme vient le supplier de vivre. Il refuse. Elle finit par l'approuver.

Cette situation de type cornélien (cf. *Polyeucte*) est rendue par un dialogue éminemment sartrien. Exemple : « Tu me croyais ton juge et je n'étais que ton bourreau. »

*b*) Scénario inédit : il existe plusieurs manuscrits dont l'un est daté « novembre 55-février 56 », puis, pour la fin, « avril-mai 56 », ainsi qu'une version dactylographiée de 286 pages (avec notes ajoutées au début et à la fin) couvrant 669 plans.

Sartre avait envisagé à une époque de publier en un même volume le texte des *Sorcières de Salem* ainsi que celui de « Typhus » (cf. 53/note).

L'histoire de ce scénario est assez facile à établir. Sartre avait jugé sévèrement l'adaptation de Marcel Aymé présentée avec un très grand succès en 1955 au théâtre Sarah-Bernhardt et il avait longuement parlé de la pièce dans l'interview donnée à *Théâtre populaire* (cf. 55/276) peu après NEKRASSOV :

[Je pense] *beaucoup de bien de la mise en scène de Rouleau. Pour la pièce, ce qui me gêne, c'est l'ambiguïté de sa conclusion. De ce qui était un phénomène spécifiquement américain, on a fait quelque chose d'universel et qui, du même coup, ne signifie plus rien, sinon que l'intolérance est partout et que tout, toujours, revient au même.*

*L'erreur a sans doute été de confier à Marcel Aymé le soin d'adapter la pièce. Ainsi tout un côté violent, passionnel, en a disparu. L'accent n'est plus mis sur les « sorciers », l'inscription sociale de l'affaire s'est complètement estompée.*

*En fait, il s'agit d'une lutte entre anciens émigrants et nouveaux, entre riches et pauvres — pour la possession des terres. Cela, nous ne le reconnaissons plus dans l'adaptation d'Aymé. Nous y voyons un homme poursuivi on ne sait trop pourquoi, et toute la fin des* Sorcières de Salem *relève d'un idéalisme déconcertant. La mort de Montand, le fait qu'il accepte cette mort, auraient eu un sens si on nous les avait montrés comme un acte de révolte au cœur même d'un combat social. Or, dans la représentation du théâtre Sarah-Bernhardt, ce combat social est devenu incompréhensible et la mort de Montand apparaît comme une attitude purement éthique, non comme un acte libre qu'il fait pour déchaîner le scandale, pour nier effectivement sa situation, comme le seul acte qu'il puisse encore faire.*

*Ainsi affadie, châtrée, la pièce de Miller me semble être exactement une pièce mystifiante.* [...] *Et cela parce que les données politiques et sociales réelles du phénomène chasse aux sorcières n'y apparaissent pas en clair.*

C'est le besoin d'écrire, après NEKRASSOV, un autre texte contre le maccarthysme qui a poussé Sartre à adapter *Les Sorcières de Salem* à l'écran. Le scénario fut composé entre novembre 1955 et mai 1956; le film, mis en scène par Raymond Rouleau avec Yves Montand, Simone Signoret et Mylène Demongeot dans les rôles principaux, sortit en 1957 (cf. *Appendice Cinéma*).

56/288

Interventions à un colloque organisé par la Société européenne de Culture à Venise du 25 au 31 mars 1956.

*a*) Texte intégral des débats, sous le titre « Discordia Concors : Rencontre Est-Ouest à Venise », dans : *Comprendre*, [Venise], nº 16, septembre 1956, p. 201-301. Un index permet de se reporter rapidement aux interventions de Sartre.

*b*) Extraits sous le titre « Entre Merleau-Ponty, Sartre, Silone et les écrivains soviétiques, premier dialogue Est-Ouest à Venise » dans *L'Express*, 19 octobre 1956.

La Société européenne de Culture est un organisme fondé en 1950 qui réunit des savants, des artistes, des écrivains et des intellectuels de la plupart des pays de l'Est et de l'Ouest européens. A la rencontre de Venise participaient les personnalités suivantes : Mikhaïl Alpatov, Karl Barth, J. D. Bernal, Umberto Campagnolo, Konstantin Fedine, Jacques Havet, Jaroslaw Iwaszkiewicz, Carlo Levi, Merleau-Ponty, Guido Piovene, Boris Polevoi-

Kampov, Alan Pryce-Jones, Marko Ristić, Sartre, Ignazio Silone, Stephen Spender, Giuseppe Ungaretti, Vercors, Victor Volodine.

Le texte intégral des débats est d'une lecture quelque peu fastidieuse; il offre cependant, en tant que document, un intérêt certain, surtout si l'on considère sa date. Le XX^e^ Congrès du P. C. de l'Union soviétique venait d'avoir lieu, accélérant le dégel des relations Est-Ouest. Quelques mois plus tard l'affaire hongroise allait donner momentanément un brutal coup d'arrêt à ces relations et la « large conférence » décidée pour l'année suivante à l'issue de la réunion ne put avoir lieu.

Le débat s'amorce sur la notion d'engagement et se poursuit, avec de nombreux détours, par un examen des possibilités d'échange entre hommes de culture de l'Est et de l'Ouest.

Ce texte présente pour nous l'intérêt principal d'être le seul où se trouve consignée une discussion entre Sartre et Merleau-Ponty. (Sur les conditions dans lesquelles les deux hommes se sont retrouvés à cette réunion de Venise après près de trois ans d'éloignement, voir SITUATIONS, IV, p. 280). Nous reproduisons ci-dessous l'essentiel de cette discussion qui eut lieu lors de la deuxième séance, le 26 mars. Merleau-Ponty avait fait une intervention dans laquelle il réclamait que les débats portent sur les problèmes philosophiques soulevés par le « dégel »; il demandait si la nouvelle ligne soviétique impliquait l'abandon de la « formule intellectuelle de la guerre froide, selon laquelle la vie intellectuelle n'est pas un dialogue, mais une lutte » et si le dégel allait fournir la base d'un « universalisme nouveau ». Et il ajoutait : « A mon sens, cela n'est possible qu'au prix d'un changement très profond et consubstantiel au régime soviétique. »

SARTRE : *Je voudrais répondre sur un point soulevé par Merleau-Ponty, concernant le dégel, les conditions dans lesquelles il nous place. Merleau-Ponty me semble avoir oublié de poser une question, parce qu'évidemment il considère le dégel — il l'a dit lui-même —, comme le dégel de cette moitié de l'humanité qui est communiste. Mais quand il fait si froid qu'une moitié de l'humanité est gelée, il faut bien considérer que l'autre l'est aussi. Par conséquent, ce que je voudrais qu'on demandât, ce n'est pas seulement ce que nous devons faire devant le dégel des Soviétiques ; mais comment, nous aussi, nous allons nous dégeler, et nous dégeler par rapport aux Soviétiques. Il m'a semblé que dans la manière dont Merleau-Ponty posait le problème, il n'y avait pas de progrès, car comme l'a remarqué Silone, il avait été posé auparavant de la même manière. J'ai remarqué dans son intervention un tournant. J'ai été tout à fait d'accord avec lui jusqu'au moment où, d'après les textes d'Engels et de Marx, il démontrait que les chefs-d'œuvre de l'humanité n'étaient pas en relations immédiatement décelables avec les conditions socio-économiques, et que, par conséquent, on pouvait demander aux Soviétiques et aux Démocraties populaires d'apprécier des œuvres qui se font dans d'autres conditions, sans se reporter immédiatement aux critères socio-économiques. Et, aussitôt après, il a dit qu'il posait ainsi la question aux Soviétiques : est-ce que vous admettez, non plus seulement dans le domaine des œuvres d'art, mais dans celui de la sociologie, de la psychologie américaines, qu'il peut y avoir des vérités qui dépassent l'état de la recherche dans les pays de l'Est ? Or, cette manière de poser la question me paraît constituer un saut. Parce qu'alors il s'agit de bien voir qu'une sociologie a des fins, appartient à une idéologie, a des méthodes, qui ne sont pas une méthode dialectique, qu'elle a des buts, même des buts sociaux ; et si des vérités peuvent effectivement être découvertes par ces méthodes, un marxiste ne peut jamais les considérer à l'état isolé.*

MERLEAU-PONTY : J'ai justement dit qu'il n'est pas question de justifier par cette méthode la sociologie américaine. J'ai demandé si l'on admet, dans les nouvelles perspectives, qu'il peut y avoir acquisition de vérités par un régime qui est socialement inférieur ?

SARTRE : *D'accord. Seulement ce qu'il faudrait ajouter, c'est : à la condition que la reconnaissance de ces vérités soit faite dans la perspective marxiste, que les marxistes veuillent les intégrer à leur système. Je ne crois pas que l'on puisse demander — qu'il y ait dégel ou non — à des gens en possession d'une idéologie culturelle telle que le marxisme, d'accepter une vérité appartenant à un autre système idéologique, sans essayer de voir à quelles conditions elle peut s'intégrer au marxisme. Je pose la question, parce que justement, dans les nombreuses conversations que j'ai eues aujourd'hui avec des communistes intellectuels, j'ai constaté que c'est cette position qu'ils adoptent.*

*Nous en arrivons ici au fond du problème culturel : c'est que les cultures sont aussi des idéologies. C'est ce qu'on ne note pas ici ; et j'y vois une des preuves qu'à l'Ouest, nous ne sommes pas dégelés, nous. Nous ne nous rendons pas compte que nous vivons en période d'idéologie bourgeoise ; que nos idées, d'une manière ou d'une autre, sont conditionnées par l'idéologie bourgeoise, exactement comme les idées des Soviétiques sont conditionnées par l'idéologie soviétique. Cela se fait directement, d'une manière systématique. Chez nous, le propre de l'idéologie bourgeoise c'est la diversité. Mais il ne serait pas difficile, dans la plupart des choses que j'ai entendues ce matin, de déceler ce qui fait l'idéalisme bourgeois ; de montrer à quel niveau il appartient ; et de prouver qu'entre nous le problème n'est pas tellement clair, parce que nous n'avons pas seulement à trouver l'universel en essayant de vraiment poser la question ; nous avons affaire à deux types idéologiques qui sont en contact. De sorte que, pour moi, le vrai problème n'est pas de chercher un universel, au sens où il s'agirait d'idées qui seraient valables dans l'un et l'autre système ; mais plutôt de demander une discussion des idées, dans la perspective marxiste, pour les communistes ; de demander à ceux-ci de chercher ce qu'ils peuvent en assumer ; de la même manière que nous, nous devrions les comprendre de notre point de vue idéologique, de notre base. Il ne s'agirait pas ainsi d'une universalité sans opposition, mais au contraire d'une universalité par opposition, d'une universalité qui progresse. Je crois que nous devons amorcer un mouvement de rapprochement à partir de discussions ; mais non pas espérer trouver un contenu commun à une idée quelconque.*

*Nous devons essayer nous aussi, dans ces discussions, de réviser notre point de vue. Il m'a semblé que jusqu'ici nous posions surtout des questions aux Soviétiques, et je trouve tout naturel que nous leur en posions : « Que voulez-vous faire ? Qu'acceptez-vous ? Quels changements cuturels produisent en U.R.S.S. les événements actuels ? » Ces questions doivent être posées ; et les Soviétiques auraient raison, à mon avis, de nous poser des questions identiques.*

MERLEAU-PONTY : Je n'ai pas cherché à élaborer un contenu commun, qui serait le résultat de la suppression de ce qui nous divise, et que les marxistes nous reprochent. Je n'ai rien à objecter à l'idée que nous devrions faire un effort pour apercevoir l'origine socio-économique de nos préjugés ou de nos idéologies; pendant que les Soviétiques feraient un effort pour intégrer à leur pensée des choses trouvées ailleurs. Je ne crois pas avoir dit quoi que ce soit dans le sens contraire.

SARTRE : *Il a tout de même été question de l'universalité, n'est-ce-pas ?*

MERLEAU-PONTY : J'ai employé le mot d'universalité parce qu'il s'agit tout de même d'universalité. Et Sartre est dans l'universalisme, quand il parle ainsi; parce que s'il raisonne à partir de la notion d'idéologie, que représente notre réunion ici, au point de vue idéologique ? C'est évidemment une superstructure de la bourgeoisie occidentale. Mais tout ce qui s'y fera est-il condamné de ce fait ?

SARTRE : *Non, parce que nous avons aussi, parmi nous, des représentants de l'autre côté.*

MERLEAU-PONTY : Mais ils n'ont pas parlé jusqu'ici. Et même s'ils ne parlent pas, j'estime que le temps n'est pas perdu; car du moment que l'on commence à discuter comme nous le faisons, nous sortons forcément de la conception des idéologies. Celle-ci, si je l'emploie en parlant à quelqu'un, consiste à lui dire que tout ce qui sort de sa bouche, je ne peux le considérer intrinsèquement, parce qu'il appartient à une formation sociale déterminée; et tout ce qui sort de ma bouche à moi n'a pas valeur de vérité, puisque je ne suis moi-même aussi que l'expression d'une autre classe sociale. Dès que nous parlons comme nous le faisons actuellement, nous sortons de la conception des idéologies.

SARTRE : *A mon avis, non ; parce que l'idéologie est considérée alors sur le plan extrême, comme c'est le cas dans la préface du livre d'Hervé. Des idées peuvent avoir des valeurs, même de grandes valeurs, à l'intérieur d'une idéologie ; mais elles ressortissent à la fois de deux critiques. Parce que je refuse l'alternative : critique interne ou critique socio-économique. A mon avis, les deux critiques sont nécessaires, et toutes deux se lieront l'une à l'autre.*

*Depuis un certain temps, je demande ce que j'appelle, d'un mot malheureux, une critique totalitaire, c'est-à-dire une critique interne et une critique socio-économique, mais où toutes deux soient liées l'une à l'autre. Il ne me semble pas qu'on abandonne alors le point de vue de l'idéologie ; on abandonne simplement cette idéologie sectaire qui consiste à dire : tout ce qui vient d'ici est faux, parce que c'est idéologiquement faux ; tout ce qui vient de là est bon, parce que c'est idéologiquement bon.*

MERLEAU-PONTY : J'ai essayé de me mettre à la place d'un marxiste, en soulignant à plusieurs reprises que ce que j'avançais sortait du contenu marxiste; mais qu'enfin on peut l'intégrer au marxisme, à condition de le voir de telle ou telle façon. Sartre disait qu'on ne peut demander à un marxiste d'admettre une vérité qui vient d'ailleurs, à moins qu'elle ne s'intègre à sa façon de penser. Mais enfin, qu'est-ce que le marxisme?...

SARTRE : *Une telle position ne peut admettre un ensemble d'enquêtes et d'inductions américaines, si elles ne sont pas reprises dans un contexte marxiste, c'est-à-dire que si, à la base, il y a tout de même une étude de la structure économique, etc., permettant de retrouver une superstructure. Je suis si bien de cet avis, que je disais récemment à un communiste que la psychanalyse tout entière peut être intégrée par le marxisme ; mais je ne demanderai jamais à un marxiste d'accepter la psychanalyse comme une discipline solitaire. Je lui demanderai de la réintégrer, en lui faisant remarquer, par exemple, qu'après tout l'histoire individuelle d'un homme mal élevé ne fait que répéter l'histoire de sa famille, c'est-à-dire l'histoire de la société, et que, par conséquent, on peut très bien dans une certaine mesure, et même normalement, récupérer la psychanalyse comme discipline annexe à l'étude socio-économique. Mais je ne lui demanderai jamais de prendre la psychanalyse comme vérité, en disant qu'elle va plus loin.*

MERLEAU-PONTY : Pour qu'il l'intègre au marxisme, il faudrait que le marxiste commence par la prendre au sérieux. Et qu'il ne la dévalue pas d'un seul mot, en disant qu'elle est une idéologie bourgeoise.

SARTRE : *Il est vrai que c'est une idéologie bourgeoise ; mais elle ne le sera plus, si elle est libérée de l'autre côté. Elle est bourgeoise par ses limites et par ses négations ; elle peut ne pas l'être, si elle est prise dans une totalité.*

MERLEAU-PONTY : C'est là une transsubtantiation. Il faut tout de même commencer par reconnaître que ce problème bourgeois a touché quelque chose, et que, par conséquent, dans cette mesure, la théorie des idéologies est en défaut.

SARTRE : *On peut toujours considérer qu'une vérité de détail peut être trouvée dans n'importe quelle idéologie ; mais si on la fait passer dans une autre, il faut quelle soit prise, reprise et intégrée. Je crois que sur ce point, on ne trouverait actuellement aucune difficulté, au moins chez les intellectuels marxistes français avec lesquels j'ai parlé. On peut concevoir la possibilité de reprendre n'importe quelle vérité de détail, si elle se retrouve à l'intérieur du marxisme.*

MERLEAU-PONTY : Ma question est justement que tout cela est possible dans les conversations. Il y a des années que nous le faisons dans nos conversations avec nos compatriotes communistes, qui sont intelligents et agréables dans la conversation; mais dans l'application, c'est tout différent.

SARTRE : *La seule chose que je demande c'est qu'au lieu de parvenir à une coexistence, comme Merleau-Ponty semble le demander, avec une idée là, une autre là, on admette que la coexistence ne peut être qu'un mouvement dynamique d'intégration.*

Les désaccords entre les deux philosophes apparaissent nettement dans cette discussion. Il faut noter toutefois qu'ils défendirent les mêmes positions au moment du débat sur le communiqué final et que Merleau-Ponty reconnut au cours d'une séance ultérieure le bien-fondé des remarques de Sartre concernant la nécessité d'un « dégel » occidental.

## 56/289

« Après Budapest, Sartre parle », interview.

— *L'Express*, supplément au numéro 281, 9 novembre 1956. Cette interview a connu une grande diffusion à l'étranger.

Sartre était à Rome lorsque éclata l'insurrection hongroise. La répression soviétique provoqua en lui l'angoisse et la révolte; il n'hésita pas un instant à la condamner, bien qu'il ne voulût pas remettre entièrement en cause les efforts qu'il avait faits depuis 1952 pour se rapprocher du P.C. en luttant de toutes ses forces contre l'anticommunisme (cf. *La Force des choses*, p. 379-386). Rentré à Paris, il ne tarda pas, après la seconde intervention soviétique (4 novembre), à faire connaître sa réprobation indignée. Sartre avait à ce moment-là des rapports tendus avec *France-Observateur* (cf. SITUATIONS, VII, p. 135 et suivantes); c'est ce qui explique qu'il ait donné son interview à *L'Express*; il fit d'ailleurs préciser par l'hebdomadaire qu'il l'avait choisi malgré de nombreux désaccords politiques afin « d'exprimer le plus vite et le plus complètement possible sa position ».

Cette position est parfaitement claire : si Sartre explique

l'intervention par la menace d'une *liquidation entière de ce qu'on appelle les bases socialistes du régime*, il ajoute aussitôt : *Mais expliquer n'est pas excuser : en tout état de cause, l'intervention était un crime.* [...] *Et le crime, pour moi, ce n'est pas* seulement *l'attaque de Budapest par les blindés, c'est qu'elle ait été rendue possible et peut-être nécessaire (du point de vue soviétique évidemment) par douze ans de terreur et d'imbécillité.* [...] *Ce que le peuple hongrois nous apprend avec son sang, c'est la faillite complète du socialisme en tant que marchandise importée d'U.R.S.S.* Sans chercher à réduire la responsabilité soviétique, il relève aussi le rôle qu'a joué la politique américaine dans le processus qui a abouti à l'affaire hongroise : *D'abord le plan Marshall ; son but avoué était d'empêcher la construction du socialisme dans les « satellites » : la responsabilité de l'Amérique est incontestable dans les événements actuels.* La divulgation brutale du rapport secret de Khrouchtchev au XXe Congrès du P.C.U.S. lui paraît par ailleurs une grave maladresse : *Il fallait savoir ce qu'on voulait, jusqu'où l'on voulait aller, entreprendre des réformes sans les claironner d'abord, mais les faire progressivement. De ce point de vue, la faute la plus énorme a probablement été le rapport Khrouchtchev, car, à mon avis, la dénonciation publique et solennelle, l'exposition détaillée de tous les crimes d'un personnage sacré qui a représenté si longtemps le régime est une folie quand une telle franchise n'est pas rendue possible par une élévation préalable, et considérable, du niveau de vie de la population.*

Sartre résume sa position en ces termes : *Je condamne entièrement et sans aucune réserve l'agression soviétique. Sans en faire porter la responsabilité au peuple russe, je répète que son gouvernement actuel a commis un crime et qu'une lutte de fractions au sein des milieux dirigeants a donné le pouvoir à un groupe (militaires « durs », anciens staliniens?) qui dépasse aujourd'hui le stalinisme après l'avoir dénoncé.*

*Tous les crimes de l'Histoire s'oublient, nous avons oublié les nôtres et les autres nations les oublieront peu à peu. Il peut venir un temps où l'on oubliera celui de l'U.R.S.S. si son gouvernement change et si de nouveaux venus tentent d'appliquer vraiment le principe de l'égalité dans les relations entre les nations socialistes ou non. Pour l'instant, il n'y a rien d'autre à faire qu'à condamner. Je brise à regret, mais entièrement, mes rapports avec mes amis les écrivains soviétiques qui ne dénoncent pas (ou ne peuvent dénoncer) le massacre en Hongrie. On ne peut plus avoir d'amitié pour la fraction dirigeante de la bureaucratie soviétique : c'est l'horreur qui domine.*

Sartre condamne avec la même fermeté la direction du P.C.F. qui a approuvé la sanglante intervention de l'armée soviétique : *Autant je dis qu'après des années d'inquiétude, de rancœur, d'amertume, il sera peut-être possible de reprendre des rapports avec l'Union soviétique — il suffit que change nettement sa tendance politique — autant avec les hommes qui dirigent en ce moment le parti communiste français il n'est pas, il ne sera jamais possible de reprendre des relations. Chacune de leurs phrases, chacun de leurs gestes, est l'aboutissement de trente ans de mensonge et de sclérose. Leurs réactions sont absolument celles d'irresponsables.*

Parlant enfin des répercussions de l'affaire hongroise sur la situation de la gauche française, Sartre déclare que son ultime espoir réside dans *une sorte de front populaire de type nouveau, dont l'élément médiateur pourrait être la « nouvelle gauche ». La gauche chrétienne, qui existe vraiment et qui est vraiment à gauche, les éléments dynamiques du radicalisme même, les inorganisés, pourraient rejoindre ce grand courant. Mais si celui-ci ne naît pas, il faut le dire franchement : la gauche est perdue.* Et il conclut : *Quelque déplaisant qu'il me soit de rompre avec le parti communiste, c'est parce que j'ai dénoncé à temps la guerre d'Algérie que je peux le faire : je ne suis pas en contradiction avec tous les hommes sincères et honnêtes de la gauche, même ceux qui restent dans les rangs du P.C. Je demeure solidaire d'eux, même s'ils me repoussent demain.*

Sartre a longuement développé les raisons de sa condamnation dans *Le Fantôme de Staline* (cf. 57/291).

Il faut rappeler encore que Sartre signa le 7 novembre avec les membres du Comité directeur du C.N.E., dont il faisait alors partie, une lettre qui demandait notamment à Kadar de « protéger les intérêts physiques et moraux des écrivains hongrois » (publiée sous le titre « Contre l'intervention soviétique » dans *France-Observateur*, 8 novembre 1956). Trente-cinq écrivains soviétiques signèrent une « Lettre ouverte aux écrivains français » (*Literaturnaia Gazeta*, 21 novembre 1956) où ils désapprouvaient la position prise par Sartre et ses confrères. La réponse, dont Sartre était encore un des signataires, est intitulée « Réponse collective aux écrivains soviétiques » et a paru dans *France-Observateur* (29 novembre 1956). Signalons à ce propos que *Les Temps modernes* (nº 129-130-131, janvier 1957, p. 1061) reproduisent un passage d'une interview de Claude Roy à *Nowa Kultura* : « — Que pensez-vous de l'attitude de Jean-Paul Sartre? — Que c'est une réaction passionnelle, sur laquelle Sartre est fort heureusement revenu, puisqu'il a signé une lettre aux écrivains soviétiques, et repris donc avec eux une discussion qui est plus que jamais nécessaire ». Cette citation est suivie de la note suivante de la rédaction : « Claude Roy exprime ici une opinion toute personnelle. » Enfin, M.-A. Burnier donne ce renseignement : « Les 1er et 2 décembre, en présence de Laurent Casanova, Sartre et d'autres non-communistes parviennent à faire adopter au Conseil national du Mouvement de la Paix une résolution demandant le retrait des troupes soviétiques » (*Les Existentialistes et la politique*, p. 115). Sartre, en effet, s'il a quitté l'Association France-U.R.S.S. pour protester contre l'intervention soviétique, est resté membre du Mouvement de la Paix.

56/290

*Lettre-préface* à *La Tragédie hongroise ou Une Révolution socialiste antisoviétique* de François Fejtö.

— Éditions de Flore, 1956. La lettre de Sartre se trouve p. 13-15.

Dans cette lettre-préface très élogieuse, Sartre commence par dire de l'*Histoire des démocraties populaires* du même auteur qu'il s'agit là de l'unique ouvrage susceptible de renseigner le public *sur ces pays si proches et, depuis dix ans, si mystérieux.* Il vante l'objectivité, la parfaite impartialité de Fejtö et la qualité de ses articles, qui préfigurent le livre présenté. *En cette époque trouble de mensonges et de violence, ce qu'il nous faut surtout est ce que vous nous donnez sur la Hongrie : la vérité.*

# 1957

57/291

*Le Fantôme de Staline.*

*a*) *Les Temps modernes*, nos 129-130-131, novembre-décembre 1956-janvier 1957, p. 577-697.

Paru vers le milieu du mois de janvier 1957.

*b*) Repris dans SITUATIONS, VII.

Le numéro triple des *Temps modernes* intitulé « La Révolte de la Hongrie » avait été presque entièrement préparé par François Fejtö, Ladislas Gara et Gérard Spitzer avant le déclenchement de l'insurrection. Sartre écrivit *Le Fantôme de Staline* pour préciser les motifs de sa condamnation de la répression soviétique. L'article, destiné d'abord à répondre aux objections soulevées par sa prise de position dans *L'Express*, reprend méthodiquement et développe les arguments utilisés à cette occasion. Ils sont étayés ici par un examen détaillé des événements, une analyse des contradictions nées des conditions particulières de la prise du pouvoir en Hongrie par les communistes, une explication du stalinisme, des causes et des modalités de la déstalinisation. (On trouvera notamment, p. 229 à 233 de SITUATIONS, VII, des vues éclairantes sur la signification sociale du culte de la personnalité en U.R.S.S.) En définitive, Sartre attribue la répression soviétique à une victoire provisoire de la fraction non déstalinisée de la bureaucratie dirigeante en U.R.S.S.

*Le Fantôme de Staline*, étant donné les positions prises précédemment par Sartre en faveur des communistes, eut un retentissement considérable (*France-Soir* du 18 janvier 1957, par exemple, en reproduisit de larges extraits). L'article peut être considéré comme la conclusion de la série inachevée des *Communistes et la Paix*. Cette conclusion, en ce qui concerne les rapports de Sartre avec le P.C., est formulée ainsi : *Pour notre part, voici douze ans que nous discutons avec les communistes. D'abord avec violence, plus tard dans l'amitié. Mais notre but était toujours le même : concourir avec nos faibles forces à réaliser cette union des gauches qui* seule *peut encore sauver notre pays. Aujourd'hui, nous retournons à l'opposition : par cette raison très simple qu'il n'y a pas d'autre parti à prendre ; l'alliance avec le P.C. tel qu'il est, tel qu'il entend rester, ne peut avoir d'autre effet que de compromettre les dernières chances du Front Unique. Notre programme est clair : à travers cent contradictions, des luttes intestines, des massacres, la déstalinisation est en cours ; c'est la seule politique effective qui serve, dans le moment présent, le socialisme, la paix, le rapprochement des partis ouvriers : avec nos ressources d'intellectuels, lus par des intellectuels, nous essaierons d'aider à la déstalinisation du Parti français.*

57/292

*Brecht et les classiques.*

*a*) Programme du *Théâtre des Nations*, « Hommage international à Bertolt Brecht », 4 au 21 avril 1957. Cote B. N. 4° Wz. 672.

*b*) Repris avec une traduction anglaise (« Brecht as a classic ») dans *World Theatre/Théâtre dans le Monde*, vol. VII, n° 1, 1958, p. 11-12, 16-19.

APPENDICE

Dans ce texte écrit à l'occasion des premières représentations en France du Berliner Ensemble au théâtre des Nations, Sartre montre comment Brecht renoue avec la tradition classique et souligne la parenté entre la « distanciation » brechtienne et l'effet de purification recherché par la tragédie antique et classique. *La « purification » s'appelle aujourd'hui d'un autre nom : c'est la prise de conscience.*

57/293

« *Vous êtes formidables.* »

*a*) *Les Temps modernes*, n° 135, mai 1957, p. 1641-1647.
*b*) Repris dans SITUATIONS, V.

Le journal *Le Monde* avait demandé à Sartre de commenter

la brochure *Des rappelés témoignent* où de jeunes soldats décrivaient les tortures dont ils avaient été les témoins en Algérie. Sartre écrivit du 7 au 16 avril 1957 un texte intitulé « Une entreprise de démoralisation » qui fut jugé trop violent par *Le Monde*. Sartre décida alors de publier une version légèrement modifiée de ce texte dans *Les Temps modernes*, en lui donnant le titre d'une émission radiophonique de Jean Nohain très populaire à l'époque.

Une troisième forme de *Vous êtes formidables* fut utilisée par Sartre pour une intervention au Mouvement de la Paix le 1er juin 1957.

57/294

« Jean-Paul Sartre on his autobiography », interview par Olivier Todd.

— *The Listener*, [Londres], 6 June 1957, p. 915-916.

Traduction en anglais d'une interview programmée par la B.B.C.

Importante interview, surtout si l'on considère la date à laquelle elle a été publiée. Sartre s'y explique en effet sur l'autobiographie qu'il est en train d'écrire, la nature de son marxisme, la manière dont il voit aujourd'hui L'ÊTRE ET LE NÉANT, sa propre conception de la psychologie — qu'il illustre en analysant longuement le cas de Flaubert. Cette interview annonce donc ses principaux ouvrages à venir, de CRITIQUE DE LA RAISON DIALECTIQUE au « Flaubert », en passant par LES MOTS.

57/295

*Marksizm i Egzystencjalizm* [traduit par Jerzy Lisowski].

*a*) *Twórczość*, [Cracovie], vol. XIII, nº 4 [numéro spécial sur la France], kwiecien [avril] 1957, p. 33-79.

*b*) Extraits retraduits du polonais dans un article intitulé « Il faut savoir le polonais pour savoir où en est Sartre » : *L'Express*, 21 juin 1957.

Sartre pensait depuis plusieurs années à écrire une étude sur les rapports de l'existentialisme et du marxisme. L'occasion lui en fut fournie lorsqu'un des responsables de *Twórczość* lui demanda, au cours d'un séjour en Pologne, de traiter le sujet « Situation de l'existentialisme en 1957 » pour le numéro spécial sur la culture française que la revue préparait. Par la suite, Sartre reprit ce texte et le modifia considérablement *pour l'adapter aux exigences des lecteurs français* (CRITIQUE DE LA RAISON DIALECTIQUE, *Préface*, p. 9). Il fut alors publié dans *Les Temps modernes* sous le titre *Questions de méthode* (cf. notice suivante).

Les variantes entre le texte polonais et *Questions de méthode* feront l'objet d'une étude ultérieure.

*Les Temps modernes* (nº 173-174, août-septembre 1960, p. 394-417) ont publié un article d'Adam Schaff, traduit du polonais, « Sur le marxisme et l'existentialisme », qui examine l'essai de Sartre paru dans *Twórczość*.

## 57/296

*Questions de méthode.*

*a*) *Les Temps modernes*, nº 139, septembre 1957, p. 338-417; nº 140, octobre 1957, p. 658-698.

*b*) Repris sans variantes majeures, mais avec l'adjonction d'une *Conclusion*, dans : CRITIQUE DE LA RAISON DIALECTIQUE, précédé de *Question de méthode*. Gallimard, [1960]. P. 13-111 (cf. 60/332).

*c*) Texte *b*) repris en volume indépendant : QUESTIONS DE MÉTHODE. Gallimard, coll. « Idées », [1967] (cf. 67/451).

Dans sa *Préface* à CRITIQUE DE LA RAISON DIALECTIQUE, Sartre s'est expliqué sur l'origine de ce très important essai (cf. aussi notice précédente) : Questions de méthode *est une œuvre de circonstance : c'est ce qui explique son caractère un peu hybride ; et c'est par cette raison aussi que les problèmes y semblent toujours abordés un peu de biais.* [...] *Ce qui s'appelait à l'origine* Existentialisme et Marxisme *a pris le titre de* Questions de méthode. *Et, finalement, c'est* une *question que je pose. Une seule : avons-nous aujourd'hui les moyens de constituer une anthropologie structurelle et historique?*

L'essai est divisé en trois parties. Dans la première, Sartre commence par situer l'existentialisme par rapport au marxisme. Celui-ci *reste la philosophie de notre temps : il est indépassable parce que les circonstances qui l'ont engendré ne sont pas encore dépassées ;* lui seul peut constituer à proprement parler un Savoir. Mais ce Savoir, pour des raisons historiques contingentes, s'est arrêté et transformé en un dogmatisme figé qui s'est avéré incapable de rendre compte de la dimension vécue des phénomènes humains qu'il prétend *expliquer*, alors qu'il ne les *comprend* pas. C'est cette carence du marxisme du XXᵉ siècle qui a donné naissance à l'existentialisme, idéologie qui vit en marge du Savoir et qui tente de s'y intégrer pour le revivifier de l'intérieur. L'existentialisme est donc une enclave provisoire au sein de la philosophie marxiste. Et Sartre précise : *Aussitôt qu'il existera* pour tous *une marge de liberté* réelle *au-delà de la production de la vie, le marxisme aura vécu ; une philosophie de la liberté prendra sa place. Mais nous n'avons aucun moyen, aucun instrument intellectuel, aucune expérience concrète qui nous permette de concevoir cette liberté ni cette philosophie.*

La deuxième et la troisième partie de l'essai sont essentiellement consacrées à une critique du marxisme « paresseux » qui a la prétention d'ériger en savoir déjà constitué un certain nombre d'affirmations *a priori*. L'existentialisme, au contraire, veut rester une *méthode euristique* qui emprunte ses principes au marxisme en les tenant pour des *idées régulatrices*, des *indications de tâches* et non pour des vérités concrètes. Et Sartre insiste tout particulièrement sur l'idée que *seul le projet, comme médiation entre deux moments de l'objectivité, peut rendre compte de l'histoire, c'est-à-dire de la* créativité *humaine*. S'appuyant principalement sur des exemples pris dans la Révolution française et sur le cas de Flaubert, Sartre montre, d'une part, que le marxisme doit utiliser en histoire l'apport de la sociologie américaine et, d'autre part, qu'il doit intégrer la psychanalyse pour pouvoir saisir l'individu dans sa totalité.

La problématique définie dans *Questions de méthode* sera reprise et fondée philosophiquement dans CRITIQUE DE LA RAISON DIALECTIQUE (cf. 60/332).

☞ Selon le catalogue de la bibliothèque Gérard de Berny (IIe partie, p. 61, article 165 — Vente du 12 mai 1959 à l'hôtel Drouot), il existe un manuscrit autographe de 181 pages, en feuilles, qui est décrit ainsi : « Questions de Méthode, I. Marxisme et existentialisme — II. Le Problème des Médiations et des Disciplines auxiliaires. »

Ce manuscrit présenterait « de très nombreuses différences (modifications, suppressions, ajouts) » avec le texte imprimé dans *Les Temps modernes*.

57/297

[Réponse à Daniel Guérin.]

— *Les Temps modernes*, nº 142, décembre 1957, p. 1137

Dans *Questions de méthode*, Sartre prend des exemple dans la Révolution française pour illustrer sa discussion de méthodes marxistes en histoire. Il se sert pour cela du livr de Daniel Guérin, *La Lutte des classes sous la première Répu blique* (Gallimard, 1946) qu'il qualifie de *discutable mais passionnant et riche de vues nouvelles,* [...] *un des seuls apports enrichissants des marxistes contemporains aux études historiques* (CRITIQUE DE LA RAISON DIALECTIQUE, p. 34). Sartre adresse néanmoins à Guérin un certain nombre de critiques portant sur sa *volonté de forcer l'histoire.* Dans une lettre publiée par *Les Temps modernes* (même numéro, p. 1132-1137) sous le titre « Sartre, Lukács et... la Gironde », Guérin contesta le bien-fondé de ces critiques. Sartre commente : *La réponse de Guérin ne prouve pas seulement qu'il n'a pas compris un mot de ce que j'ai dit : elle montre — et c'est plus grave — qu'il n'entend rien à son propre livre. Je me bornerai donc à l'assurer que c'est un excellent livre. Son meilleur, de loin.*

57/298

Portrait du colonisé, *précédé du* Portrait du colonisateur, *par Albert Memmi (éd. Corrêa).*

*a*) *Les Temps modernes,* nº 137-138, juillet-août 1957, p. 289-293.

*b*) Repris sans variantes dans SITUATIONS, V.

*c*) Repris comme « Préface » dans : Memmi, Albert. *Portrait du colonisé.* Précédé de *Portrait du colonisateur.* J.-J. Pauvert, coll. « Libertés », 1966.

*Nul ne peut traiter un homme « comme un chien », s'il ne le tient d'abord pour un homme. L'impossible déshumanisation de l'opprimé se retourne et devient l'aliénation de l'oppresseur : c'est lui, c'est lui-même qui ressuscite par son moindre geste l'humanité qu'il veut détruire.* [...]

57/299

« Gespräch mit Jean-Paul Sartre », interview par Ingeborg Brandt.

— *Welt am Sonntag,* [Hambourg], 6 Oktober 1957.

Interview sans grand intérêt, réalisée lors d'un séjour de Sartre à Capri. Sartre parle brièvement des ouvrages auxquels il est en train de travailler : l'étude sur le Tintoret, celle sur l'existentialisme et le marxisme, son livre sur Flaubert et enfin son autobiographie (dont il dit que le premier volume ira jusqu'à sa vingtième année). Au sujet du « Tintoret » (cf. 57/300 et 66/448), il précise : *Mon éditeur parisien Gallimard voulait un texte sur la peinture, quelque chose de facile à illustrer. J'avais moi-même, à l'origine, des projets très différents. Depuis 1947, je viens presque chaque année en Italie. J'ai un faible pour ce pays et je voulais lui consacrer une grosse monographie, avec les arrière-plans historiques, les problèmes sociaux, les constellations politiques, l'Antiquité, l'Église, le tourisme, tout devait s'y trouver. Puis je m'aperçus que le sujet était beaucoup trop large, trop grand. Alors la solution Tintoret m'est apparue comme un moyen commode de ramasser mon expérience italienne* [notre traduction]. Rappelons que l'ouvrage auquel Sartre fait ici allusion devait s'appeler « La Reine Albemarle et le dernier touriste » (cf. 52/222 et 53/235).

## 57/300

*Le Séquestré de Venise.*

*a*) *Les Temps modernes*, nº 141, novembre 1957, p. 761-800. Une note précise : « Fragment d'une étude sur le Tintoret, à paraître chez Gallimard. »

*b*) Repris dans SITUATIONS, IV avec des variantes mineures.

Il s'agit là d'un fragment d'un livre que Sartre avait presque achevé mais qu'il abandonna car il n'était pas satisfait de son style. Un autre fragment a été publié en 1966 sous le titre « Saint Georges et le dragon » (cf. 66/448).

Simone de Beauvoir précise dans *La Force des choses* (p. 394) : « Un éditeur lui demanda, pour une collection d'art, un texte sur un peintre : Sartre avait toujours aimé le Tintoret : il avait été intéressé, avant guerre déjà, et surtout depuis 46, par la manière dont il concevait l'espace et le temps. »

Sartre avait en effet découvert le Tintoret au cours d'un séjour à Venise en 1933. Par la suite, il se réfère à plusieurs reprises au peintre vénitien dans ses œuvres, en particulier dans SITUATIONS, II (p. 61). En mai 1954, *Les Temps modernes* (nº 102, p. 1965-2006) ont publié un article de Jules Vuillemin, « La personnalité esthétique du Tintoret », où Sartre a trouvé la confirmation de certaines de ses idées. Le nom de Vuillemin est ici cité en note, mais la référence exacte de son article est omise.

L'analyse que donne Sartre du Tintoret est à la fois sociologique et existentielle : elle montre la dialectique qui lie l'histoire d'une ville à la passion d'un homme. Le texte, par ailleurs, éclaire certains aspects des SÉQUESTRÉS D'ALTONA, en particulier le thème du puritanisme.

Un excellent résumé du *Séquestré de Venise* est donné par Bernard Pingaud dans *L'Arc* (nº 30, 1966, p. 35).

57/301

*Quand la police frappe les trois coups...*

*a*) *France-Observateur*, 5 décembre 1957.
*b*) Repris dans SITUATIONS, VII.

A propos de *La Reine de Césarée*, la pièce de Robert Brasillach qui avait provoqué de la part d'anciens résistants des manifestations vivement attaquées par la presse de droite, Sartre met en parallèle cette affaire et l'interdiction officieuse du *Balcon* de Genet, pour analyser les conditions politiques dans lesquelles le théâtre parisien est contraint de fonctionner.

57/NOTE.

Dans un compte rendu du procès Ben Sadok, *Le Monde* (12 décembre 1957, p. 2) indique que Sartre déposa le 10 décembre en faveur de l'accusé et qu'il le compara même à Charlotte Corday.

Sur le procès, voir de nombreux détails dans *La Force des choses*, p. 402-405.

# 1958

58/302

UNE VICTOIRE

Écrit à propos de *La Question*, ouvrage d'Henri Alleg paru le 17 février 1958 aux éditions de Minuit et traitant du problème de la torture en Algérie, ce texte — qui n'est pas techniquement une préface — a eu un retentissement politique considérable et une publication mouvementée.

Membre du parti communiste algérien, Henri Alleg a été directeur du journal *Alger républicain* de 1950 jusqu'à son interdiction en septembre 1955. En novembre 1956, il passe dans la clandestinité. Arrêté en juin 1957 par les parachutistes de la 10e D. P., il est séquestré pendant un mois entier à El-Biar. C'est le récit de cette détention qu'il fait dans *La Question*.

*a*) Paru d'abord en article dans *L'Express*, 6 mars 1958. Ce numéro de *L'Express* a été saisi par les autorités à cause de l'article de Sartre. Quelque temps plus tard, le 27 mars, le gouvernement, par une mesure sans précédent en France depuis le XVIIIe siècle, décidait de saisir également *La Question* pour « participation à une tentative de démoralisation de l'armée, ayant pour objet de nuire à la défense nationale ».

A la suite de la saisie de *L'Express*, des extraits d'UNE VICTOIRE ont été repris par la presse étrangère (cf. en particulier *The Observer*, 9 March 1958, « Almost as mute as during Occupation ») et le texte a été reproduit dans :

*b*) Une plaquette [mars 1958] qui a été aussitôt saisie et détruite.

*c*) *Le Canard enchaîné*, 12 mars 1958.

Présenté comme un canular, l'article de Sartre était imprimé en très petits caractères mais pouvait néanmoins être lu à la loupe.

*d*) Un volume imprimé en Suisse et réunissant le texte d'Alleg et celui de Sartre :

— Alleg, H. : *La Question*, Sartre, J.-P. : *Une victoire*. Lausanne : La Cité, 1958. Imprimé le 11 avril 1958.

Le texte de Sartre se trouve p. 97-125.

*e*) *Témoignages et Documents*, nº 2, [mars ou avril 1958].

*f*) *Témoignages et Documents*, nº 3, [avril 1958].

Ce périodique a reproduit deux fois le texte intégral d'UNE VICTOIRE, mais en le faisant précéder la seconde fois de *La Question*.

*g*) SITUATIONS, V.

*h*) Une réédition identique quant au contenu à *d*) : *La Question* suivi de *Une victoire*. J.-J. Pauvert, collection « Libertés », 1966.

*Les Temps modernes* (nº 145, mars 1958, p. 1529-1530) ont publié un éditorial signé T. M. intitulé : « La réponse d'Henri Alleg. »

En écrivant UNE VICTOIRE, Sartre non seulement dénonce la torture mais approfondit une réflexion sur la dialectique du bourreau et de la victime qui n'a cessé, depuis l'occupation et MORTS SANS SÉPULTURE, de le préoccuper.

La pensée éthique au XXᵉ siècle ne peut éviter le problème de la torture et Sartre nous donne sur celui-ci un texte fondamental.

58/303

*Des rats et des hommes*, avant-propos au *Traître* d'André Gorz.

*a*) Gorz, André. *Le Traître*. Éd. du Seuil, [1958]. P. 11-47.

*b*) Extrait sous le titre « Portrait de l'Indifférent », dans *L'Express*, 3 avril 1958.

*c*) Repris dans SITUATIONS, IV.

Cette préface admirable, qui compte à n'en pas douter parmi les meilleurs écrits de Sartre, introduit l'un des livres les plus marquants de notre époque récente. *On placera* Le Traître *en deçà et au-delà de l'entreprise littéraire.* [...] *Puisque l'œuvre d'art crie à tous les vents le nom de l'artiste, ce grand mort qui a décidé de tout,* Le Traître *n'est pas une œuvre d'art : c'est un événement, une brusque précipitation, un désordre de mots qui s'ordonnent; vous tenez dans vos mains cet objet surprenant :* un ouvrage *en train de faire* son *auteur.*

Il s'agit de la tentative radicale d'un intellectuel pour trouver, en la faisant, sa vérité et pour comprendre, au moyen d'une méthode qui doit plus encore à Sartre qu'à Marx et à Freud, l'origine de ses choix, de sa singularité et du mouvement de sa pensée à partir des faits de son histoire. Sartre, qui joue dans le livre un rôle important, y est décrit sous le nom de Morel (cf. 46/note 1).

André Gorz, que Sartre avait connu à Lausanne en 1946, appartient au comité directeur des *Temps modernes* depuis la réorganisation de la revue en février 1961. Il y est chargé plus particulièrement, de même que Jean Pouillon, des questions politiques; il a rédigé de nombreux éditoriaux et dirigé un certain nombre de numéros spéciaux sur les « Problèmes du mouvement ouvrier ». C'est lui qui a donc repris, dans une certaine mesure, la fonction assumée par Merleau-Ponty au sein de la revue dans les années 1945-1950 et qui a contribué à donner aux *Temps modernes* l'orientation politique qu'on lui connaît actuellement. André Gorz, qui gagne sa vie comme journaliste spécialisé en économie, est un théoricien politique de première importance (*Stratégie ouvrière et néo-capitalisme*, Seuil, 1964; *Le Socialisme difficile*, Seuil, 1967) et il est aujourd'hui en France le meilleur commentateur de la pensée philosophique de Sartre (cf. en particulier « Sartre et le marxisme » dans *Le Socialisme difficile*, p. 215-244).

Des extraits du *Traître* avaient paru, avant la publication en volume, dans *Les Temps modernes* d'octobre 1957 et de mars 1958. Gorz a donné une suite à cet ouvrage sous le titre « Le vieillissement » (*Les Temps modernes*, nº 187, décembre 1961, p. 638-665; nº 188, janvier 1962, p. 829-852); ces pages constituent sans doute jusqu'à présent sa plus grande réussite littéraire.

Le texte de Sartre a été écrit à Rome en été 1957. Cette préface est avant tout une réflexion passionnée sur ces êtres gênants que l'on nomme des intellectuels : *L'intelligence n'est ni un don ni une tare : c'est un drame; ou, si l'on préfère, une solution provisoire qui se change le plus souvent en condamnation à vie. Quelqu'un disait à notre traître : "Tu pues l'intelligence comme on pue des aisselles." Et c'est vrai : l'intelligence pue. Mais pas plus que la bêtise : il y a des odeurs pour tous les goûts. Celle-ci sent le fauve, celle-là sent l'homme.* Le texte mêle des souvenirs personnels, des portraits allusifs (Vercors, p. 49-50 de SITUATIONS, IV; Koestler, *ibid.* p. 50-52; Cocteau, *ibid.*, p. 62-63), des considérations générales sur notre condition de *rats en proie à l'homme* à la patiente description d'une entreprise de libération qui fait du livre de Gorz une « Invitation à la vie ». Le titre, *Des rats et des hommes*, se réfère à une nouvelle de Frank M. Robinson, « Le Labyrinthe », traduite par Boris Vian dans *Les Temps modernes* d'octobre 1951. Ce récit de science-fiction montre des astronautes débarquant sur Vénus et servant à leur insu de cobayes aux habitants invisibles de la planète qu'ils croient conquérir. *Voilà, me semble-t-il, notre condition commune, à ceci près que nous sommes nos propres Vénusiens et nos propres cobayes. Ouvrez* Le Traître, *vous êtes colons, vous considérez en hochant la tête un étrange animal — peut-être un indigène — qui court, tout affolé, sur le sol de Vénus. Mais je ne vous donne pas deux minutes pour vous apercevoir que l'indigène est un rat et que ce rat n'est autre que vous.* Cette image parcourt tout le texte pour illustrer le thème de l'altérité qui trouve ici son expression la plus saisissante.

## 58/304

« Le théâtre peut-il aborder l'actualité politique ? Une "table ronde" avec Sartre, Butor, Vailland, Adamov. »

*a*) *France-Observateur*, 13 février 1958.
*b*) Repris en volume : Adamov, Arthur. *Ici et maintenant.* Gallimard, coll. « Pratique du Théâtre », 1964. P. 65-73.

Gilles Martinet et Morvan Lebesque participent aussi à une discussion qui, à propos de la pièce d'Adamov *Paolo Paoli*, porte sur les problèmes de l'actualité, de la censure et de la technique au théâtre.

Prenant comme exemple *Le Rouge et le Noir*, Sartre affirme : *Celui qui voudrait aujourd'hui récrire ce livre devrait faire de Julien [Sorel] un personnage féminin. Car telle est l'évolution qu'a subie notre société : l'émancipation féminine a créé une réalité.* [...] Et il continue plus loin : *Je voudrais défendre les pièces d'actualité en disant que ce sont les seules pièces qui permettraient aujourd'hui un renouvellement du théâtre. Ces pièces ne doivent pas être nécessairement des pièces ennuyeuses. Elles peuvent être traitées comme des pièces de boulevard mais avec une autre technique. Ce qu'il faut surtout combattre, c'est l'idée que la pièce qui parle du monde comme il est doit être une pièce qui ressemble à* La Petite Hutte. *Quand les spectateurs vont voir* La Petite Hutte, *ils vont voir l'éternel féminin. Il faudrait qu'on leur montrât un jour une femme d'aujourd'hui, cette femme à la Julien Sorel dont je parlais tout à l'heure, et ils feraient le décalage nécessaire.* [...]

Sartre émet ici une idée qu'il développera plus sérieusement en 1961-1962 avec un projet de pièce sur Alceste, la femme qui accepte de se sacrifier à la place de son mari (cf. interview 61/363). Il pense aussi visiblement à écrire ce qui deviendra plus tard LES SÉQUESTRÉS D'ALTONA; il parle en effet *d'une pièce sur la décomposition qui peut naître à l'intérieur d'une famille, du fait du silence observé par un rappelé à son retour d'Algérie.*

58/305

*Nous sommes tous des assassins.*

a) *Les Temps modernes*, nº 145, mars 1958, p. 1574-1576.
b) Repris dans SITUATIONS, V.

A propos de la condamnation à mort des époux Guerroudj pour complicité dans un acte de sabotage lié à la guerre d'Algérie, Sartre rappelle opportunément la culpabilité française dans le bombardement de Sakiet.

Simone de Beauvoir avait été témoin de moralité pour Jacqueline Guerroudj, une de ses anciennes élèves (cf. *La Force des choses*, p. 405). Le même numéro des *Temps modernes* contient sur cette affaire un article de Michel Bruguier, avocat des Guerroudj, ainsi que les déclarations d'Abdelkader Guerroudj au procès. Rappelons que la campagne menée par la gauche obtint la grâce des condamnés.

58/306

*Le Prétendant.*

a) *L'Express*, 22 mai 1958.
b) Repris dans SITUATIONS, V.

Première prise de position contre de Gaulle dans laquelle Sartre, au lendemain du coup de force du 13 mai et de la fameuse conférence de presse où de Gaulle annonça qu'il se tenait « prêt à assumer les pouvoirs de la République », analyse la situation intérieure française pour conclure : *La solitude de cet homme enfermé dans sa grandeur lui interdit, en tout état de cause, de devenir le chef d'un État républicain. Ou ce qui revient au même, interdit à l'État dont il sera le chef de demeurer une République.*

58/307

Conférence de presse du 30 mai 1958 sur les violations des droits de l'homme en Algérie.

— *Témoignages et documents sur la guerre d'Algérie*, document n° 5, numéro spécial, juin 1958.

A cette conférence de presse participaient également Laurent Schwartz, François Mauriac, Daniel Mayer, le bâtonnier Thorp et le général Billotte.

Sartre parle du problème de la torture en Algérie et de la tâche d'information qui incombe aux intellectuels et aux journalistes.

58/308

*Introduction à une critique de la raison dialectique.*

— *Voies nouvelles*, n° 3, juin-juillet 1958, p. 4-9.

Premier fragment publié de CRITIQUE DE LA RAISON DIALECTIQUE alors inédit. Il correspond aux pages 118, ligne 10, à 130, ligne 21 (plus la note de la page 130) de l'édition Gallimard.

58/309

*La Constitution du mépris.*

*a*) *L'Express*, 11 septembre 1958.
*b*) Reproduit dans *Témoignages et Documents*, n° 7, septembre 1958.
*c*) Repris dans SITUATIONS, V.

58/310

*Les Grenouilles qui demandent un roi.*

*a*) *L'Express*, 25 septembre 1958.
*b*) Repris dans SITUATIONS, V.

Selon *La Force des choses* (p. 459), Sartre s'était entendu à Rome avec Jean-Jacques Servan-Schreiber pour écrire contre le référendum sur la constitution gaulliste trois articles dans *L'Express*, le 11, le 18 et le 25 septembre. Il n'en écrivit pour finir que deux. Le premier fut rédigé à Rome. Malgré les coupures que Simone de Beauvoir et Servan-Schreiber se chargèrent d'y faire, Sartre en était mécontent : il le jugeait terne. De retour à Paris, il s'astreignit, en dépit d'une grande fatigue, à donner plus de vigueur au second article et passa vingt-huit heures d'affilée à le rédiger. Simone de Beauvoir se chargea encore une fois d'y faire des coupures et elle conclut dans son journal : « L'article est vraiment excellent et les raccords ne se voient pas trop » (*La Force des choses*, p. 466).

*La Constitution du mépris* dénonce le chantage qui est à la base du référendum et appelle à répondre « non » à la question posée par celui-ci.

Dans *Les Grenouilles qui demandent un roi*, qui est en effet bien meilleur, Sartre entreprend par une analyse pertinente de montrer les raisons de la faillite de la Quatrième République issue de la Libération. S'adressant à la couche de techniciens honnêtes et épris d'efficacité dans laquelle se recrutent les lecteurs de *L'Express*, il tente de démontrer que de Gaulle ne fait que continuer le système si justement décrié et il trace les grandes lignes d'un programme qui serait réellement novateur.

Se référant en particulier à ces articles, Sartre dira dans une interview en 1964 (cf. 64/412) : *Personnellement, je me reproche d'avoir été, dans mes articles, beaucoup trop respectueux pour de Gaulle. Il ne fallait pas tenir compte du fait qu'il était respecté par un grand nombre de Français et marquer du respect pour ce respect. Il fallait l'attaquer ouvertement comme un personnage nuisible.*

58/NOTE.

Au cours de la cérémonie de « Remise du prix Lénine pour la consolidation de la paix entre les peuples à M. Emmanuel d'Astier », qui se tint à Paris, à l'hôtel Lutétia, le 21 février 1958, un message de Sartre fut lu devant l'assemblée par Mme Yves Farge. Dans son chaleureux hommage, Sartre relevait en particulier le rôle d'Emmanuel d'Astier dans le Mouvement de la Paix au moment où celui-ci connaissait d'importantes dissensions à la suite de l'affaire de Hongrie : *Votre premier mérite, en cette année 1956, a été de maintenir la paix au sein du Mouvement de la Paix lui-même.* [...] *Nous ne croyons ni vous, ni moi, à l'efficacité d'une action individuelle et vous souririez si je vous disais que vous avez préservé à vous seul l'intégrité de notre Mouvement. Mais ce qui me paraît sûr, c'est que votre combat et celui des hommes qui vous soutenaient — de quelque milieu, de quelque parti ou de quelque pays qu'ils vinssent — oui, que votre combat a permis de dépasser nos contradictions vers une unité nouvelle. En ce sens, vous avez vraiment été l'homme de la Paix car il faut préserver contre tout notre Mouvement qui est véritablement et authentiquement un mouvement des peuples et dont les tâches sont plus que jamais urgentes aujourd'hui.* Sartre regrette par ailleurs que le congrès de Ceylan n'ait pas cru devoir suivre la proposition de d'Astier visant à la suppression de la peine de mort en matière politique mais il se dit persuadé que cette idée fera son chemin. En conclusion, il appelle le Mouvement de la Paix à faire campagne pour l'indépendance de l'Algérie.

Ce texte n'a pas été publié mais il figure dans la sténotypie de la séance, dont il existe des exemplaires multigraphiés.

# 1959

59/311

LES SÉQUESTRÉS D'ALTONA, pièce en cinq actes.

*a*) Fragments dans *France-Observateur*, 24 septembre 1959.

*b*) *Les Temps modernes*, n° 164, octobre 1959, p. 584-656; n° 165, novembre 1959, p. 813-874.

Texte intégral de la pièce. Il comporte deux erreurs de numérotation des scènes aux actes Ier et IVe.

*c*) Publication en volume : Gallimard, [1960]. 227 pages.

Le volume comporte une *Note préliminaire* dans laquelle Sartre présente ses excuses aux amis et aux proches de Hellmuth von Gerlach, l'un *des plus courageux et des plus notoires adversaires du national-socialisme*, pour avoir, sans le savoir, emprunté son nom.

*d*) Repris dans THÉÂTRE, Gallimard, [1962]. Publié aussi dans la collection « Soleil ».

*e*) Gallimard, « Le Livre de Poche », n° 1418-1419, [1965].

*f*) Edited with an Introduction by Philip Thody. London : University of London Press, Coll. Textes français classiques et modernes, 1965.

Cette édition, très soignée, comprend en particulier une introduction fournissant une étude détaillée de la pièce.

Au cours d'une table ronde sur le théâtre et l'actualité politique, qui eut lieu en février 1958 (cf. 58/304), Sartre avait évoqué, sans le présenter comme un projet, le sujet d'une pièce sur la torture et sur *la décomposition qui peut naître à l'intérieur d'une famille, du fait du silence observé par un rappelé à son retour d'Algérie*. D'après les propos tenus à cette occasion, il semble que Sartre ait d'abord voulu situer en

France la pièce à laquelle il pensait et que ce soit le risque d'interdiction par la censure qui l'ait en partie décidé à transposer en Allemagne le sujet qui allait donner LES SÉQUESTRÉS D'ALTONA. La pièce, parfois annoncée à tort sous le titre « L'Amour », était promise à Simone Berriau, directrice du théâtre Antoine, pour la rentrée théâtrale de 1958. Interrompant la rédaction de CRITIQUE DE LA RAISON DIALECTIQUE, Sartre se mit à l'écrire au début de juillet, à Rome, et pensait pouvoir la terminer rapidement. A la suite de l'attaque dont il faillit être victime pour s'être imposé un intense surmenage intellectuel et affectif (cf. *La Force des choses*, p. 474-476), la pièce fut renvoyée à l'automne suivant. Simone de Beauvoir, qui avait sévèrement jugé les premiers états d'une pièce que Sartre remania à plusieurs reprises, nous dit que celui-ci, « peut-être à cause des circonstances où il l'avait commencée, n'eut jamais d'amitié pour cette pièce » (*ibid.*, p. 496). C'est, de toutes ses œuvres théâtrales, celle qui lui coûta le plus d'efforts. Terminée en été 1959, sauf pour le monologue final de Frantz qui ne trouva sa version définitive qu'au cours des répétitions, la pièce fut créée, après avoir subi un certain nombre de coupures, au théâtre de la Renaissance (direction : Véra Korène), le 23 septembre 1959, dans une mise en scène de François Darbon et avec la distribution suivante pour les principaux rôles :

| | |
|---|---|
| FRANTZ | Serge Reggiani |
| LE PÈRE | Fernand Ledoux |
| JOHANNA | Evelyne Rey |
| LENI | Marie-Olivier |
| WERNER | Robert Moncade |

LES SÉQUESTRÉS D'ALTONA fut en général accueilli avec faveur par les critiques qui s'accordèrent, pour la plupart, pour saluer la pièce comme l'une des plus importantes de Sartre, sinon la meilleure. Elle remporta un très grand succès de public et tint l'affiche pendant toute la saison 1959-1960. La remarquable interprétation de Serge Reggiani recueillit des suffrages à peu près unanimes; en revanche, la mise en scène et les décors furent vivement critiqués. La pièce a connu un nouveau succès lors de sa reprise en 1965 au théâtre de l'Athénée, dans une mise en scène de François Périer. Par ailleurs, elle a fait l'objet, en 1963, d'une adaptation cinématographique dont Sartre s'est déclaré très mécontent (cf. *Appendice Cinéma*).

Œuvre massive et complexe, imposante par l'ampleur de ses ambitions, parfois rebutante par ses lourdeurs ou déroutante par ses obscurités, parfois gênante aussi par ses artifices boulevardiers, LES SÉQUESTRÉS D'ALTONA n'est sans doute pas la plus réussie des pièces de Sartre. Mais malgré ses défauts — concentrés principalement dans le Ier et le IIIe acte — elle est d'une richesse de sens, d'une rigueur dans la construction et d'une fermeté dans le dialogue qui la font classer, avec HUIS CLOS et LE DIABLE ET LE BON DIEU, au nombre de ses trois pièces majeures.

Du point de vue des significations, elle pose des problèmes d'interprétation qui trouvent dans CRITIQUE DE LA RAISON DIALECTIQUE leur éclairage le plus révélateur. Car, de même que HUIS CLOS reçoit son commentaire de la phénoménologie de la « mauvaise foi » constituée par L'ÊTRE ET LE NÉANT, de même encore que LE DIABLE ET LE BON DIEU s'ordonne selon la dialectique du Bien et du Mal décrite dans SAINT GENET, LES SÉQUESTRÉS D'ALTONA ne se comprend exactement qu'au moyen de la notion d'*altérité sérielle* exposée dans CRITIQUE. Volontairement ambiguë, la pièce met en scène des personnages totalement impuissants qui sont les victimes consentantes d'un processus sur lequel ils n'ont aucune prise et dont ils restent pourtant entièrement responsables, bien qu'il les condamne sans recours à l'échec et à la solitude, c'est-à-dire à la séquestration; à ce titre, elle représente le moment le plus pessimiste, le plus sombre, de toute l'œuvre de Sartre.

## INTERVIEWS SUR « LES SÉQUESTRÉS D'ALTONA »

### 59/312

« Entretien avec Sartre », par Madeleine Chapsal.

— *L'Express*, 10 septembre 1959.

Interview réalisée pendant les répétitions de la pièce. Sartre y établit une intéressante comparaison entre la structure dramatique des SÉQUESTRÉS et celle de HUIS CLOS : *Dans* Huis clos, *il y avait trois personnes à faire avancer — ici il y en a cinq — et il n'y avait pas d'événements : tout résidait dans le mouvement que se donnaient ces personnes en agissant les unes sur les autres. Ici, c'est pareil, mais il y a cinq personnes à faire évoluer au lieu de trois, cinq personnes qui sont tenues les unes par les autres et se commandent mutuellement. Les difficultés sont multipliées. Deux d'entre elles, le père et le fils, communiquent à distance sans se voir. Ce mouvement — qui peut être différent pour chaque pièce, sinusoïdal, en hélicoïde — je le vois ici en spirale. Ça n'a pas été facile à mettre au point. En plus, j'ai voulu introduire dans* Les Séquestrés *une dimension qui ne se trouvait pas dans* Huis clos : *le passé. On parlait du passé dans* Huis clos, *mais il n'intervenait pas pour modifier le présent. Ici les personnages sont tout le temps commandés, tenus par le passé comme ils le sont les uns par les autres. C'est à cause du passé, du leur, de celui de tous, qu'ils agissent d'une certaine façon. Comme dans la vie réelle.* [...]

59/313

« Entretien avec Sartre », par Maria Craipeau.

— *France-Observateur*, 10 septembre 1959.

Rien de marquant.

59/314

« Voici l'histoire des *Séquestrés d'Altona* », interview.

— *Le Figaro*, 11 septembre 1959.

*Toute la pièce est centrée sur le problème de l'amour filial et paternel.*

59/315

« Jean-Paul Sartre fait sa rentrée après quatre ans de retraite », interview par Pierre Berger.

— *Paris-Journal*, 12 septembre 1959.

Interview sans grand intérêt pour la pièce. Sartre se défend contre la rumeur selon laquelle il serait resté silencieux pendant plusieurs années et il cite ses travaux récents. *Il n'y a pas eu de silence. En ce qui concerne le théâtre, c'est une habitude que j'ai de faire une pièce tous les trois ou quatre ans. Je ne suis d'ailleurs pas un auteur dramatique, mais un écrivain qui croit devoir écrire pour le théâtre, et qui aime cela.*

59/316

« Sartre fait sa rentrée au théâtre (de la Renaissance) avec une pièce sur les séquelles de la défaite allemande », interview par Jacqueline Fabre.

— *Libération*, 14 septembre 1959.

59/317

« A propos des *Séquestrés d'Altona*, Jean-Paul Sartre nous dit : « On ne peut émouvoir qu'avec de vrais problèmes... », interview par Georges Léon.

— *L'Humanité*, 16 septembre 1959.

59/318

« Deux heures avec Sartre », entretien avec Robert Kanters.

— *L'Express*, 17 septembre 1959.

Traduit sous le titre « The Theater » dans : *Evergreen Review*, vol. IV, nº 11, January-February 1960, p. 143-152.

Traduit sous le titre « La parte del diavolo », dans *L'Illustrazione*, ottobre 1959, p. 27-30.

Important entretien. Sartre y donne d'abord les raisons pour lesquelles il n'a pas achevé « La Dernière Chance » (cf. 49/191 et 192); puis, parlant des thèmes possibles pour le théâtre, il déclare : *Nous savons tous que le monde change, qu'il change l'homme et que l'homme change le monde. Et si ce n'est pas cela qui doit être le sujet profond de toute pièce de théâtre, alors c'est que le théâtre n'a plus de sujet.*

Une grande partie de l'entretien est ensuite consacrée à Brecht, avec qui Sartre se dit d'accord pour refuser le théâtre bourgeois fondé sur la participation et l'identification affective aux personnages. *L'idéal du théâtre brechtien, ce serait que le public fût comme un groupe d'ethnographes rencontrant tout à coup une peuplade sauvage. S'approchant et se disant soudain, dans la stupeur : ces sauvages, c'est nous. C'est à ce moment que le public devient lui-même un collaborateur de l'auteur : en se reconnaissant, mais dans l'étrangeté, comme s'il était un autre, il se* fait exister *en face de lui comme* objet *et il se voit sans s'*incarner, *donc en se comprenant.* Pour Sartre, l'idéal de sa propre dramaturgie serait de *montrer et d'émouvoir en même temps.* Il l'a tenté dans LES SÉQUESTRÉS en introduisant le point de vue et le jugement de l'avenir : *J'aimerais que le public voie, du dehors, notre siècle, chose étrangère, en témoin. Et qu'en même temps, il participe, puisqu'il fait ce siècle. Il y a d'ailleurs quelque chose de particulier à notre époque : c'est que nous savons que nous serons jugés.*

59/319

« Entretien avec Jean-Paul Sartre », par Charles Haroche.

— *France nouvelle*, 17 septembre 1959.

Sartre fait ici un intéressant résumé de la pièce en insistant sur les contradictions historiques dans lesquelles les personnages sont pris. *Je n'ai pas voulu seulement mettre en scène des caractères, mais suggérer que des circonstances objectives conditionnent la formation et le comportement de tel ou tel individu, à un moment donné. J'avais pensé donner un autre titre à ma pièce : par exemple, « Qui perd gagne », mais il aurait manqué l'autre face de la médaille qui me paraît aussi importante : « Qui gagne perd. »* [Rappelons que la pièce a été représentée en Angleterre avec le titre « Loser Wins ».] *J'ai voulu* [...] *établir le constat de décès d'un monde.*

[...] *Quand je parle de l'ambiguïté de notre temps, je veux dire par là que jamais l'homme n'a été aussi prêt qu'aujourd'hui à conquérir sa liberté et qu'il se trouve en même temps plongé dans les combats les plus graves.* [...] *Jusqu'alors, j'avais fait des pièces avec des héros et des conclusions qui, d'une manière ou d'une autre, supprimaient les contradictions. C'est le cas du* Diable et le Bon Dieu. *Mais dans la société bourgeoise où nous vivons, il est très difficile de faire autre chose, pour un auteur comme moi, que du réalisme critique. Si un héros, à la fin, se réconcilie avec lui-même, le public qui le regarde faire — dans la pièce — risque de se réconcilier avec ses interrogations, avec les questions non résolues.*

59/320

« *Les Séquestrés d'Altona.* Jean-Paul Sartre : "Il ne s'agit ni d'une pièce politique... ni d'une pièce à thèse" », interview par Claude Sarraute.

— *Le Monde*, 17 septembre 1959.

Sartre dément dans cette interview avoir transposé en Allemagne le cas d'un rappelé qui a torturé en Algérie : *Je ne pense pas que l'on puisse établir de comparaison terme à terme entre notre situation actuelle et celle de nos voisins. Elles sont radicalement différentes. Reste alors un problème d'ordre général : la responsabilité du soldat que les circonstances ont conduit à aller trop loin, un cas de conscience comme il en existera toujours et partout. La situer, la dater en France aujourd'hui entraînait trop de risques. Dont le moindre n'était pas de tomber dans le réalisme socialiste, négation même du théâtre. Il ne s'agit pas d'une pièce politique, notez-le, mais d'un sujet d'actualité vis-à-vis duquel j'ai tenu à garder mes distances, pour le dépasser et réserver ainsi la part du mythe. Dans* Nekrassov, *la seule de mes pièces dont l'action se déroule dans notre pays, de nos jours, le recul était obtenu, je crois, par le comique, le grotesque de la situation. Tout le reste de mon théâtre, à la seule exception des* Morts sans sépulture, *témoigne de ce même désir d'éloignement.*

Notons encore, au passage, une déclaration flatteuse à l'égard de Françoise Sagan : *Son succès est parfaitement justifié. Partant d'une expérience personnelle, elle a apporté* [...] *quelque chose de neuf.*

En réponse à une question insidieuse, Sartre reconnaît de bonne grâce qu'il a renoncé à écrire des romans en partie par manque d'expérience personnelle. L'entretien s'achève sur un rapide commentaire sur l'autobiographie qu'il a commencée.

59/321

« Jean-Paul Sartre : "Frantz non plus n'était pas nazi" », interview par Jacqueline Autrusseau.

— *Les Lettres françaises*, 17-23 septembre 1959.

*Je n'ai voulu montrer que le négatif. Ces gens-là ne peuvent pas se renouveler. C'est la déconfiture, le « crépuscule des dieux ».*

59/322

« A la veille de la première des *Séquestrés d'Altona*, Jean-Paul Sartre fait le point », interview par Claudine Chonez.

— *Libération*, 21 septembre 1959.

Interview portant surtout sur la politique. A relever la déclaration suivante, à propos du titre « L'Amour » qui fut quelque temps attribué aux SÉQUESTRÉS : *Je ne ferai jamais une pièce d'amour, ce sentiment ne m'intéresse pas.* [...]

Sartre dit aussi ne pas s'expliquer les attaques portées contre lui par Malraux au cours d'un voyage officiel au Brésil. Rappelons que Malraux avait laissé entendre à un auditoire brésilien que Sartre aurait collaboré en faisant représenter LES MOUCHES sous l'occupation avec la bénédiction de la censure allemande. Sartre affirme ici que la pièce fut créée avec l'accord du C.N.E.

59/323

« *Les Séquestrés d'Altona* nous concernent tous », entretien avec Bernard Dort.

— *Théâtre populaire*, nº 36, 4e trimestre 1959, p. 1-13.

Le plus intéressant des entretiens consacrés à la pièce. Répondant aux objections formulées par Bernard Dort au nom de la dramaturgie brechtienne, Sartre est amené à préciser ses intentions avec plus de rigueur qu'il ne l'avait fait auparavant.

Pour justifier le fait que la pièce est représentée dans un théâtre bourgeois, Sartre commence par expliciter les rapports qu'elle entretient avec la situation née de la guerre d'Algérie et montre que ce sont les contradictions de la bourgeoisie qui sont surtout impliquées dans cette œuvre. *Je ne veux pourtant pas dire que j'ai écrit* Les Séquestrés *pour un public exclusivement bourgeois* [...] ; *dans cette pièce j'ai essayé de démystifier l'héroïsme (militaire) en montrant le lien qui l'unit à la violence inconditionnée. Cela concerne tout le monde.* [...] *Quoique nous ne soyons pas les Allemands, quoique nos problèmes diffèrent de ceux qui étaient les leurs au moment du nazisme, il y a entre les Allemands et nous des liens très particuliers. Nous nous sommes trouvés, vis-à-vis d'eux, exactement dans la situation où se trouvent les Algériens vis-à-vis de nous aujourd'hui.* [...] *Ce que je soutiens dans* Les Séquestrés, *c'est que personne dans une société historique qui se transforme en société de répression, n'est exempt du risque de torturer.*

Sartre se défend ensuite contre le reproche d'avoir choisi des personnages trop exceptionnels : *Avec des personnages comme les Gerlach, j'avais d'emblée à ma disposition une contradiction fondamentale : celle qui existe entre la puissance industrielle de ces gens, leur titre nobiliaire, leur passé, leur culture, et leur collaboration avec les nazis qu'ils méprisent. Ils pensent contre et ils agissent pour. Ainsi pouvais-je poser en clair le problème de la* collusion, *qui est essentiel si l'on veut comprendre les hommes.* Il explique aussi que le mode tragique lui a été imposé par le sujet qu'il avait choisi : *Mon sujet, c'est un jeune qui revient d'Algérie, qui a vu là-bas certaines choses, qui y a peut-être participé, et qui se tait. Impossible de le mépriser, de l'éloigner de nous par le comique — impossible théâtralement et même politiquement. Car enfin la situation française exige aussi que l'on récupère de tels hommes, en dépit des saloperies qu'ils ont pu faire.* [...] *Il faut montrer les gens* après. *Ils ont été des bourreaux, ils ont accepté de l'être : comment vont-ils s'en arranger ou ne pas s'en arranger? Mon sujet idéal, c'eût été de montrer non seulement celui qui revient, qui s'est constitué tel qu'il est, mais sa famille autour de lui, autour de son silence. Il est là comme un ferment grâce auquel les contradictions se multiplient, et lui-même n'est que contradictions... A partir de là, il serait possible d'esquisser, théâtralement, une véritable étude sociale. Dans* Les Séquestrés, *j'ai gonflé ce sujet jusqu'au mythe.*

L'entretien se poursuit sur des questions de mise en scène et de décors, en rapport avec la scénographie brechtienne à laquelle Dort se réfère pour contester la manière dont la pièce a été montée.

60/324

« Entretiens avec Jean-Paul Sartre », par Alain Koehler.

— *Perspectives du Théâtre*, nº 3, mars 1960, p. 18-23; nº 4, avril 1960, p. 5-9.

Dans ce long entretien un peu confus, Sartre reprend la plupart des idées qu'il a exprimées dans d'autres interviews sur LES SÉQUESTRÉS. Il analyse d'abord les deux personnages de femmes et les rapports qu'elles entretiennent avec Frantz *(Au fond, le seul rapport humain de Frantz s'établit avec son père)*. Le protestantisme de la famille Gerlach, sur lequel il insiste beaucoup, lui fournit l'occasion de considérations générales sur les protestants ainsi que cette précision personnelle : *Il est certain qu'en général je me suis plutôt mieux entendu, dans la vie littéraire, avec des protestants ou avec des lecteurs protestants, qu'avec des lecteurs catholiques. Ces protestants étaient, tout en faisant les réserves que vous pouvez imaginer puisqu'ils étaient croyants, beaucoup plus près d'accepter des idées comme l'idée de la solitude et du délaissement de l'homme. Nous nous sommes trouvés tout à fait en accord quand il s'agissait de l'homme seul.*

La seconde partie de l'entretien porte plus particulièrement sur les rapports de la philosophie et du théâtre. *A mon avis, ce qui échappe à la philosophie, c'est toujours le singulier en tant que tel, c'est-à-dire ce qui arrive à un individu.* Si le roman ou le cinéma peuvent atteindre l'individualité singulière (Sartre cite Proust et *Citizen Kane*), la fonction du théâtre est de présenter l'individu sous forme de mythe : *Il s'agit* [...] *de trouver un personnage qui contienne, d'une façon plus ou moins condensée, les problèmes qui se posent à nous à un moment donné.*

60/325

« Wir alle sind Luthers Opfer », interview par Walter Busse et Günther Steffen.

*a*) *Der Spiegel* (Hambourg), nº 20, 11 Mai 1960, p. 70-79.
*b*) Fragments traduits dans *L'Express*, 26 mai 1960.

Au cours de cet entretien destiné au public allemand, Sartre précise surtout qu'il n'a pas cherché à traiter les problèmes spécifiques de l'Allemagne d'aujourd'hui. Il fait ensuite une longue et intéressante analyse du moralisme universaliste des protestants (*aristocrates de l'Universel*) et compare cette attitude à celle des catholiques. L'entretien se poursuit sur la notion de culpabilité collective (au sujet de laquelle Sartre dit s'être dans une certaine mesure inspiré des idées de Karl Jaspers) et sur celle de responsabilité individuelle. Il insiste sur le fait que Frantz ne se suicide pas par remords mais parce qu'il a pris conscience de sa totale inutilité (*c'est son impuissance qui le tue*) ; la pièce, selon lui, ne propose pas une morale mais une description. Pour finir, Sartre dit qu'il aurait voulu développer le caractère de Werner dans un sens plus positif, si la pièce n'avait déjà été trop longue.

65/326

*La question.*

*a*) Texte du programme de la reprise des *Séquestrés d'Altona* au théâtre de l'Athénée, *Théâtre vivant*, septembre 1965, cahier nº 9, saison 1965-1966.

*b*) Repris, sans les quelques lignes du début, dans : Contat, Michel. *Explication des* Séquestrés d'Altona *de Jean-Paul Sartre*. Minard, coll. « Archives des Lettres modernes », nº 89, 1968. P. 72-73.

*Hier* Les Séquestrés d'Altona *condamnaient une pratique intolérable. Aujourd'hui, avec le retour de la paix, cette pratique, en France, a disparu. Si l'on reprend la pièce aujourd'hui, si, par quelque côté, comme je le souhaite, elle demeure actuelle, c'est — en dehors de toute condamnation et de toute conclusion — qu'elle a posé, presque en dépit de moi-même, et qu'elle pose encore au public* la *question principale : qu'as-tu fait de ta vie?*

65/327

*Lettre de Sartre*, datée du 6 novembre 1965, au directeur du K.N.S. Nederlands Toneel, Dre Poppe, à l'occasion de la présentation de *De Gevangenen van Altona* du 20 au 29 novembre 1965. Suivie, dans le programme, de la traduction en néerlandais du texte *La question.*

• Sartre a donné une interview sur les ondes de *Europe nº 1* à l'occasion de la création de la pièce en septembre 1959.

• En avril 1966, Sartre assista au procès de Frantz qui eut lieu lors d'une « Conférence Berryer » (tournoi d'éloquence pour les jeunes avocats). Frantz fut condamné à l'oubli et au mépris. Sartre commenta le jugement en ces termes : *Je suis d'accord avec ce verdict : C'est l'oubli qu'il mérite. A la condition qu'il se tue, comme dans ma pièce. La torture représente l'acte radical qui ne peut être aboli que par le suicide de celui qui l'a commis* (cf. l'article de Jean-Paul Lacroix, « Le "séquestré d'Altona" condamné à un deuxième suicide », *Paris-Presse*, 29 avril 1966).

***

59/328

*Marxisme et philosophie de l'existence.*

— Lettre publiée dans : Garaudy, Roger. *Perspectives de l'homme : existentialisme, pensée catholique, marxisme.* P.U.F., 1959. P. 111-114; 3ᵉ éd., 1961, p. 110-113.

L'ouvrage de Roger Garaudy, qui se propose d'examiner les principaux courants de la pensée moderne, contient un chapitre sur l'existentialisme, dont la première partie est consacrée à Sartre. Il s'agit d'un exposé qui survole avec quelque légèreté l'évolution de la pensée de Sartre en présentant rapidement les principales objections marxistes à celle-ci. La conclusion de Garaudy est que l'existentialisme se trouve contraint de choisir entre une foi irrationaliste et une intégration au marxisme qu'il ne peut accomplir qu'en renonçant à ses prémisses.

Garaudy avait soumis le manuscrit de cette partie de son travail à Sartre en lui proposant de la commenter. La lettre de Sartre, fort bien venue, date vraisemblablement de 1959; elle ne contient aucune idée nouvelle par rapport à *Questions de méthode* (cf. 57/296) mais présente l'intérêt de formuler en quelques pages, et avec la plus grande clarté, sa position à l'égard du marxisme.

*En ce qui me concerne — puisque vous avez bien voulu parler de moi — il y a fort longtemps que vous m'accusez d'irrationalisme alors que, contrairement à Kierkegaard, je fonde la Raison sur la distinction du Savoir et de l'Être. Il vous sera facile ensuite de montrer comment le marxisme m'a peu à peu gagné à la pensée rigoureuse et dialectique quand, vingt ans plus tôt, je m'égarais encore dans l'obscurantisme du non-savoir. En fait, j'ai toujours considéré les méthodes de la phénoménologie et la saisie des projets existentiels comme d'excellents instruments pour approcher la question fondamentale de la* praxis. [...] *Si la pensée existentialiste (en tout cas la mienne) rejoint le marxisme et veut s'y intégrer, c'est en vertu de ses ressorts internes et non par l'excellence de la pensée marxiste.* [...] *L'existentialisme athée se maintient parce que le marxisme* concret *n'existe pas, mieux, parce que cette doctrine immense qui devrait être une* Culture *n'est qu'un idéalisme volontariste, c'est-à-dire quelques affirmations maintenues de force sur* l'idée *de matière et sur* l'idée *dialectique.* [...] *Le marxisme est* à faire. [...] *Entre les connaissances sans fondement de la pensée bourgeoise et le fondement sans connaissances qu'est resté le matérialisme historique, notre siècle demeure — les sciences exactes mises à part — celui du non-savoir.* [...] *Dans ce* no man's land *culturel qu'est aujourd'hui le marxisme, il me paraîtrait un peu outrecuidant, mon cher Garaudy, que vous nous attendiez, les bras chargés de fleurs et la tête pleine de savoir, comme si nous étions vos enfants prodigues.* [...] *Je suis convaincu pour ma part que seules des recherches concrètes permettront à la philosophie qui produit toutes nos pensées de s'enrichir et de manifester dialectiquement ses vrais problèmes. Il me paraît, en outre, que dans ce domaine, nous avons pris de l'avance : nous nous occupons des hommes et je crains que vous ne les ayez un peu oubliés.*

Cf. aussi 62/369.

59/329

« Interview de Sartre », recueillie par Francis Jeanson. — *Vérités pour...* [mensuel clandestin], nº 9, 2 juin 1959, p. 14-17.

APPENDICE

Francis Jeanson a longtemps compté au nombre des proches collaborateurs de Sartre : de janvier 1951 à novembre 1956, il a assumé la gérance des *Temps modernes*. Jeanson ayant refusé de suivre Sartre dans sa sévère condamnation de l'intervention soviétique en Hongrie lors de l'insurrection de 1956, les deux hommes cessèrent de se voir jusqu'à ce que leur commune — et radicale — opposition à la guerre d'Algérie les réunisse à nouveau en mai 1959 (voir à ce sujet la postface intitulée *Un quidam nommé Sartre* que Jeanson a écrite pour la réédition de son livre *Le Problème moral et la pensée de Sartre*, Seuil, 1965, p. 298-300. Cf. 47/122). Entre-temps, Jeanson, qui avait publié dès 1955, avec *L'Algérie hors la loi* (Seuil), une vigoureuse défense de la révolution algérienne, était passé à l'action clandestine en participant à la mise sur pied d'un réseau de soutien aux insoumis et d'aide au F.L.N. A la suite du procès intenté en septembre 1960 à plusieurs membres du réseau, celui-ci fut désigné sous le nom de son principal animateur et la presse parla dès lors du « réseau Jeanson ». Le réseau diffusait clandestinement depuis le début de 1958 un bulletin ronéotypé intitulé *Vérités pour...*

Dans *Un quidam nommé Sartre*, Jeanson nous apprend que la présente interview provient de cette première rencontre après plus de deux ans d'éloignement : « Quand [Sartre] repartit, deux heures plus tard, j'avais une interview de lui pour notre journal clandestin, ainsi que quelques adresses qui allaient nous devenir fort précieuses. » En acceptant que ses propos soient rapportés sous son nom, Sartre se mettait sciemment sous le coup de la loi. Témoignant par lettre un an plus tard au procès des membres du réseau de soutien (cf. 60/352), Sartre devait d'ailleurs préciser : *Je suppose* [que l'une des questions qu'aurait pu me poser le tribunal militaire] *aurait eu pour objet l'interview que j'ai accordée à Francis Jeanson pour son bulletin* Vérités pour... *et j'y répondrai sans détour. Je ne me rappelle plus la date exacte ni les termes précis de cet entretien. Mais vous les retrouverez aisément si ce texte figure au dossier. Ce que je sais en revanche, c'est que Jeanson vint me trouver en tant qu'animateur du « réseau de soutien » et de ce bulletin clandestin qui en était l'organe, et que je l'ai reçu en pleine connaissance de cause.*

59/330

« Jean-Paul Sartre spiega la crisi della gioventu di oggi », article-interview de Costanzo Costantini.

— *Il Messagero di Roma*, 25 agosto 1959.

Sartre parle ici de la crise de la jeunesse (blousons noirs, etc.) et de la faillite des générations précédentes. La rébellion des jeunes est liée à la guerre froide ainsi qu'à la sclérose et à l'assoupissement progressif de la société contemporaine. Sartre inclut l'U.R.S.S. dans sa critique et dit en passant : *Entrer aujourd'hui dans un parti communiste signifie entrer dans un parti pratiquement conservateur.*

C'est la première fois, semble-t-il, que Sartre met ainsi l'accent sur le problème des blousons noirs et de la jeunesse révoltée.

59/331

Présentation de l'exposition Francine Galliard-Risler.

— Présentation du catalogue de l'exposition : Décors et costumes de Francine Galliard-Risler, Chez Dominique, novembre 1959.

Extrait :

*Souvent le décorateur vit en exil : on lui demande de représenter la terre, les pierres, des végétaux choisis et, à la rigueur, certains produits de l'industrie ; la figure humaine, non... Francine Galliard-Risler échappe à cette malédiction.*

F. Galliard-Risler a dessiné en 1951 les costumes de LE DIABLE ET LE BON DIEU.

59/NOTE.

En avril 1959, *L'Express* avait soumis à ses lecteurs un questionnaire sur le thème « Croyez-vous à la démocratie ? » et avait plus tard confié à Colette Audry le soin de faire une synthèse. Celle-ci parut dans le numéro du 27 août 1959 sous le titre « La démocratie et nous ». Elle comporte deux courtes déclarations de Sartre faites au cours d'un entretien sur le questionnaire. Nous les reproduisons ci-dessous :

*Notre société vise à produire des êtres exceptionnels et en même temps elle les coupe. Elle produit des gens de talent et met des idiots à sa tête. Parce que c'est un pur hasard qu'un monsieur arrive à faire ce pour quoi il est fait. Je n'aime pas le mot d'« élite ». Un homme d'élite est le contraire d'un homme total. C'est un malade avec une spécialité.*

*Il est certain qu'on n'est pas un homme total si on ne prend pas son sort politique en main avec les autres. Il est certain aussi que cette intégration dans le social ne doit pas empêcher l'individu d'assumer la responsabilité de sa propre vie. Et comprenons-nous bien : les impératifs sociaux et le destin individuel sont une* vraie *contradiction, leur conciliation ne va pas de soi.*

# 1960

60/332

CRITIQUE DE LA RAISON DIALECTIQUE, précédé de *Question de méthode*. T. I, « Théorie des ensembles pratiques ».

*a*) Pour *Question de méthode*, cf. 57/296.

*b*) Fragment dans : *Voies nouvelles*, juin-juillet 1958 (cf. 58/308).

*c*) Volume : Gallimard, « Bibliothèque des Idées », 1960. 757 pages. Dédié « Au Castor » [Simone de Beauvoir].

Achevé d'imprimer : 6 avril 1960. L'édition originale comprend 105 exemplaires numérotés de 1 à 95 et de A à J. Une partie de l'édition courante a été reliée.

De même que L'ÊTRE ET LE NÉANT avait été préparé depuis 1933 avant d'être rédigé en 1941-1943, la seconde grande œuvre philosophique de Sartre est le résultat d'une réflexion qui a commencé au début des années cinquante, c'est-à-dire en même temps qu'il se rapprochait des communistes sur le plan politique. Dès cette époque, Sartre se mit à relire Marx et les principaux écrits marxistes et il ne cessa désormais de s'interroger sur les rapports de l'existentialisme et du marxisme, autrement dit de chercher une synthèse philosophique entre sa propre démarche, qui prend pour point de départ la subjectivité, et la méthode objective du matérialisme dialectique. Les différents écrits qui jalonnent cette période, sans rien renier de ses positions initiales, marquent sa progression constante en direction du marxisme et Simone de Beauvoir peut noter qu'en 1956, Sartre, « converti à la dialectique, [...] cherchait, à partir de l'existentialisme, à la fonder » (*La Force des choses*, p. 369). Il décida alors, avec Roger Garaudy, de confronter dans une étude parallèle sur Flaubert l'efficacité des méthodes existentialiste et marxiste. Cette confrontation n'aboutit pas à une publication immédiate mais prépara Sartre à l'essai qui lui fut demandé par la revue polonaise *Twórczość* (cf. 57/295 et 296). C'est sur la lancée de cet essai qu'il entreprit la rédaction de CRITIQUE DE LA RAISON DIALECTIQUE : « Depuis des années il y réfléchissait, mais ses idées ne lui paraissaient pas encore mûres; il lui fallut une sollicitation extérieure pour sauter le pas » (*La Force des choses*, p. 394).

L'ouvrage fut entièrement composé entre la fin de 1957 et le début de 1960, avec des interruptions et au prix d'un effort épuisant. Simone de Beauvoir, qui dépeint en détail le climat sinistre que la guerre d'Algérie entretenait autour du travail de Sartre, nous décrit celui-ci de la manière suivante : « Il ne travaillait pas comme d'habitude avec des pauses, des ratures, déchirant des pages, les recommençant; pendant des heures d'affilée, il fonçait de feuillet en feuillet sans se relire, comme happé par des idées que sa plume, même au galop, n'arrivait pas à rattraper; pour soutenir cet élan, je l'entendais croquer des cachets de corydrane dont il avalait un tube par jour » (*ibid.*, p. 407).

Lorsque, en automne 1958, la tension affective due à la lamentable défaite de la gauche devant le gaullisme s'ajouta à cet effort qui l'avait mené à la limite de ses forces, Sartre faillit être victime d'une grave attaque et dut momentanément s'interrompre. Il continua ensuite son ouvrage plus posément, tout en achevant parallèlement LES SÉQUESTRÉS D'ALTONA.

CRITIQUE DE LA RAISON DIALECTIQUE, qui, au total, est d'un bon tiers plus long que L'ÊTRE ET LE NÉANT (390 000 mots contre 250 000 pour un nombre sensiblement égal de pages, comme le remarque avec quelque effroi Anthony Manser dans son *Sartre, A Philosophical Study*), se ressent évidemment de la hâte acharnée que Sartre a mise à l'écrire. Il pourrait reprendre à son propos un mot de Marx parlant du *Capital :* « Je n'ai pas eu le temps de faire court. » Dans son entretien avec Pierre Verstraeten (cf. 65/430), il a répondu par la suite à une critique visant la difficulté de lecture que présente cet ouvrage : *Je pouvais certainement écrire mieux — ce sont des questions anecdotiques — la* Critique de la raison dialectique. *Je veux dire par là que si je l'avais lue encore une fois, en coupant, en resserrant, elle n'aurait peut-être pas un aspect aussi compact ; donc, de ce point de vue, il faut tout de même tenir compte de l'anecdote et de l'individu. Mais à cette autocritique près, elle aurait quand même beaucoup ressemblé à ce qu'elle est, parce qu'au fond chaque phrase n'est si longue, n'est si pleine de parenthèses, d'entre guillemets, de « en tant que... », etc., que parce que chaque phrase représente l'unité d'un mouvement dialectique.*

*Avons-nous aujourd'hui les moyens de constituer une anthropologie structurale et historique?* C'est à répondre à cette question que Sartre consacre le premier tome de CRITIQUE DE LA RAISON DIALECTIQUE. Ce titre kantien, de même que le sous-titre parodique « Prolégomènes à toute anthropologie future » donné par Sartre en passant (p. 153), indique clairement la nature, l'ambition et aussi les limites d'un ouvrage qui se propose, en un premier temps, de constituer les fondations critiques du matérialisme historique marxiste en examinant les conditions *formelles* de possibilité et d'intelligibilité de la dialectique de l'Histoire et non le devenir concret de l'histoire réelle. Il s'agit en effet d'un projet purement philosophique, qui vise à fonder ontologiquement la vérité du marxisme pour permettre à celui-ci de rendre compte de lui-même, c'est-à-dire de comprendre ses propres présupposés.

Pour relier très schématiquement L'ÊTRE ET LE NÉANT à CRITIQUE DE LA RAISON DIALECTIQUE, on pourrait dire que le problème que Sartre cherche à résoudre dans le second ouvrage est le suivant : comment pouvons-nous comprendre que l'Histoire, produit de la libre *praxis* de l'homme, se retourne contre son agent et se mue en une nécessité inhumaine qui fait de l'homme l'objet du processus historique? La perspective essentiellement psychologique de L'ÊTRE ET LE NÉANT s'élargit donc dans CRITIQUE DE LA RAISON DIALECTIQUE en une perspective historique et sociologique qui doit permettre de rendre compte de l'existence de la liberté *aliénée*.

Le passage de L'ÊTRE ET LE NÉANT à CRITIQUE DE LA RAISON DIALECTIQUE soulève des problèmes philosophiques considérables et qui, jusqu'à présent, ne semblent pas avoir été étudiés de manière approfondie et rigoureuse. Tantôt les commentateurs ont affirmé que CRITIQUE DE LA RAISON DIALECTIQUE manifestait l'abandon pur et simple par Sartre de ses positions initiales (cf. Serge Doubrovsky in *Nouvelle Revue française*, septembre, octobre, novembre 1961); tantôt, au contraire, l'accent a été mis sur la continuité absolue entre les deux ouvrages, que ce soit pour les déclarer marqués des mêmes vices de fond (cf. Roger Garaudy in *Perspectives de l'homme*, nouvelle édition augmentée, P.U.F., 1969) ou pour certifier leur parfaite compatibilité (cf. Colette Audry in *Sartre et la réalité humaine*, Seghers, 1966). La principale difficulté qui nous semble aujourd'hui devoir être levée est celle de savoir s'il y a ou non une « coupure épistémologique » entre L'ÊTRE ET LE NÉANT et CRITIQUE DE LA RAISON DIALECTIQUE.

De manière générale, force est de constater que l'ouvrage majeur du « second Sartre » reste, particulièrement en France, très insuffisamment étudié et, ce qui est plus regrettable encore, qu'il n'a inspiré jusqu'ici que fort peu de travaux originaux. Parmi ces travaux, on notera surtout ceux d'André Gorz et de Nicos Poulantzas. Alors qu'il existe un grand nombre de livres et d'articles présentant et résumant L'ÊTRE ET LE NÉANT, seul, à notre connaissance, l'utile petit volume de vulgarisation de Colette Audry, cité plus haut, remplit partiellement cet office pour CRITIQUE DE LA RAISON DIALECTIQUE, qui présente pourtant de bien plus grandes difficultés pour le lecteur non spécialisé. En Angleterre et aux États-Unis, il faut signaler cependant les précieux livres de R. D. Laing et D. G. Cooper, *Reason and Violence, A Decade of Sartre's Philosophy 1950-1960* (London, Tavistock, 1964) et de Wilfrid Desan, *The Marxism of Jean-Paul Sartre* (New York, Doubleday, 1965), qui permettent au public de langue anglaise de prendre connaissance d'une présentation fidèle d'un ouvrage non encore traduit.

L'accueil réservé à CRITIQUE DE LA RAISON DIALECTIQUE donnerait lieu, à lui seul, à toute une étude. Nous ne pouvons faire davantage ici que de noter rapidement que, si l'ouvrage fut en général reçu avec faveur par les philosophes (cf., par exemple, Mikel Dufrenne in *Esprit*, avril 1961, et Pierre Javet in *Revue de Théologie et de Philosophie*, 1961), il souleva des objections fondamentales de la part des spécialistes des sciences humaines (cf. en particulier le chapitre intitulé « Histoire et dialectique » dans *La Pensée sauvage* de Claude Lévi-Strauss; en 1961, ce dernier a consacré un semestre entier de ses séminaires de l'École pratique des hautes études à l'examen de la CRITIQUE; ces séminaires furent animés par Jean Pouillon; il faut souhaiter que l'ensemble de ces travaux soit prochainement publié).

Plusieurs commentateurs déclarèrent vouloir attendre la publication du second tome, annoncé par Sartre dans sa préface, pour porter un jugement d'ensemble sur l'œuvre. Ce second tome ne paraîtra probablement jamais (cf. 69/511). A l'heure actuelle, seuls deux chapitres sont entièrement rédigés. Sartre les a écrits aussitôt après la parution du premier tome. L'un de ces chapitres consiste en une description d'un combat de boxe, l'autre est consacré à Staline. Sartre s'est interrompu lorsqu'il s'est rendu compte que l'élaboration du second tome — qui, rappelons-le, devait atteindre le niveau de l'histoire concrète — nécessitait une somme de lectures et de recherches historiques représentant pour un philosophe l'œuvre d'une vie ou, pour un groupe de chercheurs, le travail de nombreuses années. Signalons encore que, dans l'esprit de Sartre, l'élaboration de ce second tome et celle de la « Morale » ont toujours constitué deux projets distincts et que, s'il a abandonné le premier, le deuxième devrait être réalisé dans un avenir relativement proche.

60/333

*Avant-propos* à *Aden Arabie* de Paul Nizan.

*a*) Nizan, Paul. *Aden Arabie.* Nouvelle édition présentée par J.-P. Sartre. Maspero, coll. « Cahiers libres », nº 8, 1960. P. 9-62.

Le texte de Sartre est daté de mars 1960.

Le volume a été l'un des plus grands succès de l'éditeur Maspero et a été réédité en 1967 dans la « Petite Collection Maspero ».

*b*) Repris sous le titre « Paul Nizan » dans SITUATIONS, IV.

Cet avant-propos, écrit dans des conditions assez difficiles (cf. *La Force des choses*, p. 522-523) et terminé en mars 1960 au cours du séjour de Sartre à Cuba, peut être considéré comme l'un de ses textes majeurs. Il constitue, en effet, non seulement une étude de fond sur Nizan mais aussi une attachante autobiographie où Sartre dresse un réquisitoire contre toute son époque et se juge lui-même sans indulgence. (Dans la préface de son livre *Signes* (Gallimard, 1960, p. 32-47), Merleau-Ponty commente longuement ce texte et prend en quelque sorte la défense de Sartre contre l'autocritique de celui-ci.)

Les relations Sartre-Nizan sont analysées en détail dans la thèse de doctorat que Jacqueline Leiner vient de consacrer à l'auteur d'*Aden Arabie*. Contentons-nous ici de rappeler rapidement quelques faits. Du même âge que Sartre, Paul Nizan a été son ami le plus intime depuis les petites classes du lycée Henri-IV (1916); tous deux ont fait les mêmes études (classes terminales à ce même lycée Henri-IV, préparation du concours d'entrée à l'École normale supérieure au lycée Louis-le-Grand, succès à ce concours en 1924, études de philosophie rue d'Ulm puis agrégation de philosophie en 1929), et ont participé aux mêmes activités (collaboration à *La Revue sans titre*, révision de la traduction de la *Psychopathologie générale* de Jaspers, etc.). On les voyait si souvent ensemble qu'on les prenait parfois l'un pour l'autre et qu'on les surnommait à l'École normale « Nitre et Sarzan ». Sartre écrit lui-même : *De 1920 à 1930, surtout, lycéens puis étudiants, nous fûmes indiscernables.* Dans les années trente, leurs relations prirent un autre tour et se firent plus distantes à la suite principalement du militantisme de Nizan et de l'apolitisme de Sartre. Leur amitié, cependant, continua jusqu'à la mort de Nizan en mai 1940 : on retrouvera dans les mémoires de Simone de Beauvoir et au fil de nos notices un grand nombre de renseignements permettant de mieux la situer.

Un autre intérêt de l'avant-propos est autobiographique : c'est la première fois que Sartre fait allusion à ses relations avec son beau-père (*J'ai vécu dix ans de ma vie sous la coupe d'un polytechnicien* [...], SITUATIONS, IV, p. 160-161). C'est également la première fois, semble-t-il, que, s'adressant à la jeunesse, Sartre fait un tableau aussi sombre de la situation française depuis 1945 et dresse un tel réquisitoire contre sa propre génération (*Nous n'avons plus rien à dire aux jeunes gens : cinquante ans de vie en cette province attardée qu'est devenue la France, c'est dégradant) ;* la *radicale impuissance* de la gauche est soulignée en des termes que l'on pourrait aujourd'hui qualifier de « gauchistes » : *Croit-on qu'elle puisse attirer les fils, la Gauche, ce grand cadavre à la renverse, où les vers se sont mis? Elle pue, cette charogne.* [...]

Sartre ne se trompait pas lorsqu'il prévoyait que Nizan avait quelque chose à dire aux jeunes de 1960 : accompagnée de son explosive préface, la réédition d'*Aden Arabie* eut un assez grand retentissement et fut le début d'un renouveau d'intérêt pour une œuvre qui, bien que datée par certains côtés, n'en est pas moins l'une des plus significatives de notre époque.

Sur « l'affaire Nizan », cf. 47/128.

## 60/334

« Jean-Paul Sartre », interview par Madeleine Chapsal.

— Chapsal, Madeleine. *Les Écrivains en personne*. Julliard, [1960]. P. 203-233.

Cette interview a été traduite en partie dans *Yale French Studies*, n° 30, 1962, p. 30-44.

Donné peu avant la parution de CRITIQUE DE LA RAISON DIALECTIQUE et avant le voyage à Cuba, cet entretien est essentiel pour la connaissance de Sartre : il permet à celui-ci de faire le point sur son œuvre présente et passée, sur lui-même et sur le rôle que doit jouer la littérature en 1960. Tout l'entretien, en effet, tourne en définitive autour de la notion d'engagement; reprenons à ce propos les passages suivants :

*Si la littérature n'est pas* tout, *elle ne vaut pas une heure de peine.* [...] *Elle sèche sur pied si vous la réduisez à l'innocence, à des chansons. Si chaque phrase écrite ne résonne pas à tous les niveaux de l'homme et de la société, elle ne signifie rien* (p. 211).

*Le vrai travail de l'écrivain engagé* [...] : *montrer, démontrer, démystifier, dissoudre les mythes et les fétiches dans un petit bain d'acide critique* (p. 230).

Sartre traite également des rapports de la philosophie

avec la littérature et le théâtre, parle de Mallarmé et de Flaubert et donne son opinion sur plusieurs écrivains contemporains : Nathalie Sarraute (dans ses livres, *la totalité brille par son absence*), Robbe-Grillet (analyse de deux pages aux conclusions assez mitigées), Beckett et surtout Butor *(Il y en a un seul, en France, pour se formuler clairement le problème* [de la totalité] *et répondre aux exigences du* tout : *c'est Butor.)*

Tout au long, Sartre donne de nombreux détails de caractère autobiographique et annonce déjà plusieurs thèmes qu'il développera dans LES MOTS.

## TEXTES RÉSULTANT DU VOYAGE DE SARTRE A CUBA EN 1960

Sartre n'était plus retourné à Cuba depuis sa première visite en 1949 lors de son voyage en Amérique centrale et dans les Caraïbes. En 1959, absorbé par la rédaction de CRITIQUE DE LA RAISON DIALECTIQUE, il n'exprima pas publiquement sa sympathie pour la révolution castriste. Vers la fin de l'année, il fut invité par Carlos Franqui, directeur du journal cubain *Revolución*, à venir voir sur place, en compagnie de Simone de Beauvoir, les progrès d'une révolution en marche. Le voyage de Sartre et de Simone de Beauvoir dura environ un mois (du 22 février au 20 mars 1960), prit l'allure d'une visite officielle et eut de ce fait un très grand retentissement. Sartre rencontra en particulier Che Guevara, parcourut l'île avec Fidel Castro, eut de nombreux entretiens et apparut même longuement à la télévision cubaine.

Ce voyage avait deux buts, l'un personnel, l'autre politique : d'un côté, Sartre, écœuré par la situation intérieure de la France et par la guerre d'Algérie, voulait éviter de se « recroqueviller dans le malheur français » (selon l'expression de Simone de Beauvoir) et désirait retrouver un espoir dans la révolution cubaine; de l'autre, il pensait pouvoir être utile à celle-ci, à un moment où sa signification était mal perçue à l'étranger et où elle commençait à souffrir de l'hostilité américaine. Sartre arriva à La Havane en pleine euphorie de la « fête cubaine » et de ce qu'on a appelé « la lune de miel de la révolution ». Multipliant les contacts, visitant l'île en long et en large, s'informant minutieusement, il vécut ce moment privilégié de tout bouleversement social qu'il venait de décrire dans CRITIQUE DE LA RAISON DIALECTIQUE : le moment de la « fusion » et de la spontanéité révolutionnaire, dans lequel chacun est lié à tous les autres au sein d'une entreprise collective. Ses espoirs furent comblés au-delà de toute attente : pour la première fois, Sartre rencontrait une révolution à laquelle il pût adhérer pleinement (cf. aussi *La Force des choses*, p. 511-515). La profonde amitié qu'il conçut pour Fidel Castro ajouta à son approbation idéologique le sentiment d'un lien personnel avec la révolution cubaine et, à son retour en Europe, il exprima un enthousiasme sans réserves.

A la fin de l'année, repassant par Cuba après son voyage au Brésil, Sartre constata le durcissement du régime sous la menace étrangère (dont il avait vu, neuf mois plus tôt, le premier signe évident avec l'explosion du *La Coubre*) : la fête cubaine était terminée (cf. *La Force des choses*, p. 596-598).

Le séjour de Sartre à Cuba coïncida avec les représentations de LA PUTAIN RESPECTUEUSE par le Théâtre national. A peine arrivé, Sartre fut l'objet de vives attaques de la part du journal d'extrême droite *Diario de la Marina* qui protestait contre la présence à Cuba de l'auteur de LA PUTAIN RESPECTUEUSE, œuvre « immorale et hérétique ». Dans un article intitulé « Bienvenido Jean-Paul Sartre », *Revolución* du 26 février 1960 prit vigoureusement la défense de Sartre. Celui-ci, accompagné de Fidel Castro, assista à une représentation de sa pièce. Ses commentaires sur la mise en scène — qu'il jugea excellente — et l'interprétation — sur laquelle il fit des réserves, en particulier en ce qui concerne le rôle du sénateur — sont cités dans un article de Humberto Arenal publié par *Revolución* du 19 mars 1960 qui reproduit aussi en fac-similé une brève déclaration inscrite par Sartre sur le livre d'or du Théâtre national.

60/335

« Sartre y Beauvoir por la Provincia d'Oriente », article-interview de Lisandro Otero.

— *Revolución*, 27 février 1960.

Otero rapporte longuement les commentaires de Sartre et de Simone de Beauvoir au cours de leur visite de la province d'Oriente. Sartre donne aussi ses impressions sur Fidel Castro : ce qu'il aime surtout en lui, c'est sa timidité. Le texte est accompagné de nombreuses photographies dues à Korda.

60/336

[Interview de Sartre sur Cuba faite le 11 mars 1960.]

— Interview diffusée par l'agence cubaine Prensa Latina et dont nous n'avons pu voir, dans les archives de *L'Express*, qu'un texte dactylographié en espagnol.

60/337

« Cuba es una democracia directa », conférence de presse télévisée de Sartre et de Simone de Beauvoir à l'Hotel Nacional de La Havane [texte intégral].

— *Revolución*, 11 mars 1960.

Sartre insiste particulièrement sur deux aspects de la révolution cubaine : son caractère pédagogique et le fait que, n'ayant pas d'idéologie préconçue, elle n'est absolument pas dogmatique. Venue de la campagne et issue d'une guerre de libération, la révolution cubaine se distingue par là des révolutions communistes traditionnelles. Cette conférence de presse, diffusée dans toute l'île, rendit Sartre extrêmement populaire à Cuba.

60/338

« Discussion avec les étudiants de l'Université de La Havane » [14 mars 1960].

— *Revolución*, 15 mars 1960.

Répondant aux questions des étudiants, Sartre déclare que sa philosophie n'a jamais été pessimiste, critique l'individualisme bourgeois et relève quelques traits de la personnalité cubaine (gaieté, sens des responsabilités chez les paysans, dynamisme des noirs). Selon lui, la révolution cubaine est originale par rapport aux révolutions française et soviétique en ceci qu'elle fait naître la théorie de la pratique. Pour finir, Sartre pose lui-même quelques questions aux étudiants.

60/339

*Ideología y revolución* [en espagnol].

*a*) *Lunes de Revolución*, nº 51, 21 [mars] 1960.

Ce texte, dont une page manuscrite est reproduite en fac-similé, fait partie d'un numéro spécial intitulé « Sartre visita a Cuba » et comprenant également l'entretien mentionné plus bas.

*b*) Repris dans SARTRE VISITA A CUBA.

Un court extrait est aussi reproduit sous le titre « Testimonio de Jean-Paul Sartre », in *Cuba : transformación del hombre*. La Habana : Casa de Las Americas, 1961. Après p. 120.

*c*) Traduit en anglais sous le titre « Ideology and revolution » in *Studies on the Left*, vol. I, nº 3, 1960, p. 7-16.

Reproduit dans : SARTRE ON CUBA. New York : Ballantine Books, 1961.

Cet article, écrit à Cuba, semble ne jamais avoir paru en français. Sartre y répond à une question qui lui avait été posée lors de la discussion avec les étudiants de l'Université de La Havane et qu'il se reprochait d'avoir traitée trop hâtivement : « Peut-il y avoir une révolution sans idéologie ? » Les développements fournis ici reprennent, sans rien y ajouter de marquant, l'idée de Sartre selon laquelle l'originalité de la révolution cubaine réside dans le fait qu'elle se forge son idéologie dans la *praxis* révolutionnaire et évite ainsi à la fois l'empirisme et le volontarisme. Sartre montre aussi comment le processus de radicalisation permanente de la révolution résulte de la menace extérieure et répond aux besoins concrets de la population.

60/340

« Sartre conversa con los intellectuales cubanos en la casa de Lunes. »

— *Lunes de Revolución*, nº 51, 21 marzo 1960.

Peut-être l'interview reprise dans SARTRE VISITA A CUBA.

60/341

Conférence de presse tenue à New York par Sartre et Simone de Beauvoir à leur retour de Cuba.

— Compte rendu dans : *France-Observateur*, 24 mars 1960.

*Le régime issu de la révolution cubaine est une démocratie directe.* [...] *La révolution cubaine est une véritable révolution.*

60/342

**OURAGAN SUR LE SUCRE : UN GRAND REPORTAGE A CUBA DE JEAN-PAUL SARTRE SUR FIDEL CASTRO,** série de seize articles publiés dans *France-Soir* du 28 juin au 15 juillet 1960.

Désireux de donner la plus large diffusion à ce qu'il avait vu à Cuba, Sartre proposa à *France-Soir* de publier *Ouragan sur le sucre. France-Soir* accepta et fit une grande publicité à ce reportage, tout en affirmant dans chaque numéro que le journal ne souscrivait pas à certaines opinions de Sartre.

Simone de Beauvoir (*La Force des choses*, p. 523) donne les précisions suivantes : « Il avait entrepris sur Cuba un énorme ouvrage, qui dépassait de loin les limites du reportage qu'il avait proposé à *France-Soir*. Lanzmann l'aida à y découper des articles. » Cette manière de procéder explique certaines faiblesses apparaissant à la relecture d'un reportage qui fut, à l'époque, particulièrement efficace dans la mesure où il apportait au grand public des informations historiques et économiques qu'on ne trouve pas d'habitude dans la « grande presse ».

Nous reproduisons exceptionnellement les sous-titres principaux des articles afin de donner une meilleure idée de leur contenu. Ces titres sont de Claude Lanzmann.

*Des torrents de lumière électrique ruisselaient sur La Havane, illuminant boulevards, restaurants, boîtes de nuit. « C'est l'or étranger qui éclaire », me disais-je. Car toutes ces richesses n'étaient pas cubaines et les compagnies U.S. sont les vrais propriétaires de l'île.*

— *France-Soir*, 28 juin 1960.

L'article est daté « La Havane... juin », sans doute pour mieux le situer au présent.

*Ils étaient quatre-vingts qui venaient du Mexique, entassés sur un vieux rafiot. La police, l'armée les attendaient sur le rivage et les massacrèrent, les rescapés se réfugièrent dans la montagne et ce jour-là (2 décembre 1956) la révolution commença.*

— *France-Soir*, 29 juin 1960.

*« C'est la fortune ! Les U.S.A. décident de nous acheter notre sucre au-dessus du cours mondial. » Les Cubains, en 1902, poussaient des cris de joie. Mais 25 ans plus tard, ils comprirent qu'ils s'étaient vendus.*

— *France-Soir*, 30 juin 1960.

*Sur 100 Cubains, 45 illettrés quand Castro prit le pouvoir : la moitié des instituteurs étaient en congé illimité, sans traitement.*

— *France-Soir*, 1er juillet 1960.

« *Ça ne peut plus durer* », *gémissaient les esclaves de la canne à sucre. Un jeune fils de hobereau entendit un jour monter ces plaintes et il décida de sauver les misérables : c'était Castro.*

— *France-Soir*, 2 juillet 1960.

*Cachés dans la montagne, les insurgés jaillissaient soudain comme des diables. Leur tactique : harceler l'armée régulière avec la complicité des paysans qu'ils avaient réussi peu à peu à convaincre.*

— *France-Soir*, 3-4 juillet 1960.

« *Sept fois, ils sont venus me chercher pour m'exécuter. Au matin ils me relâchaient... La police, folle de peur, multipliait les tortures et les assassinats* », *raconte Franqui, un des chefs du réseau.*

— *France-Soir*, 5 juillet 1960.

« *Remettez Dieu dans la constitution !* » *s'écrie, furieux, Fidel Castro, en apprenant, après sa victoire, que les nouveaux ministres voulaient effacer l'auguste mot des textes officiels.*

— *France-Soir*, 6 juillet 1960.

*Les potentats du sucre ne reviendront plus dans leurs palais vides. Les terres ont été redistribuées : 27 hectares par famille de 5 personnes mais la culture des champs de canne impose l'exploitation collective.*

— *France-Soir*, 7 juillet 1960.

*Les Cubains sont pressés d'avoir des champs de tomates et des aciéries. Ils veulent une démocratie du travail mais retardent le choix de leurs institutions.*

— *France-Soir*, 8 juillet 1960.

*Pas de vieux au pouvoir : 29 ans est l'âge moyen des ministres. Dans l'île privée de ses techniciens, les médecins, transformés en hommes-orchestre, pratiquent aussi bien les finances que l'agronomie.*

— *France-Soir*, 9 juillet 1960.

« *Venez de bonne heure : à minuit* », *me dit le directeur de la Banque d'État. Les autres visiteurs sont reçus à 2 heures du matin ; tra-*

*vaillant sans répit les dirigeants du nouveau régime rognent au maximum sur leur sommeil.*

— *France-Soir*, 10-11 juillet 1960.

Une photo représente Simone de Beauvoir et Sartre en conversation avec Che Guevara, alors président de la Banque nationale cubaine.

*La barbe et les cheveux longs restent les insignes des 3 000 pionniers de la révolte. Ce qui protège aujourd'hui la révolution de Cuba, c'est qu'elle est contrôlée par la rébellion.*

— *France-Soir*, 12 juillet 1960.

Une photo présente en gros plan Sartre en compagnie de Fidel Castro.

*Ce colosse couché dans la poussière traçant les plans d'un village : Castro. Il surveille tout, inspecte tout et si quelqu'un manque à son devoir : « Dites à vos responsables que, s'ils ne s'occupent pas de leurs problèmes, ils auront des problèmes avec moi. »*

— *France-Soir*, 13 juillet 1960.

*« Fidel, donne-moi un million pour faire les travaux. Si j'ai menti, fais-moi fusiller », implore le vieux prêtre en affirmant, à Castro, qu'il y a du pétrole dans le sous-sol de sa paroisse.*

— *France-Soir*, 14 juillet 1960.

Autre photo représentant Sartre et Fidel Castro en tournée dans la campagne cubaine.

Sartre relate ici une conversation avec Castro à laquelle il accorda la plus grande importance parce qu'elle venait confirmer une de ses idées fondamentales :

*Je lui dis :*

*— Tous ceux qui demandent, quoi qu'ils demandent, ont le droit de l'obtenir...*

*[...] Fidel ne répondit pas. J'insistai :*

*— C'est votre avis?*

*Il tira sur son cigare et dit avec force :*

*— Oui!*

*— Parce que les demandes, d'une manière ou d'une autre, traduisent un besoin?*

*Il répondit, sans se retourner :*

*— Le besoin d'un homme, c'est son droit fondamental sur tous les autres.*

*— Et si l'on vous demandait la lune, dis-je, sûr de la réponse.*

*Il tira sur son cigare, constata qu'il s'était éteint, le posa et se retourna vers moi.*

*— Si l'on me demandait la lune, c'est qu'on en aurait besoin, me répondit-il.*

*J'ai peu d'amis; c'est que j'attache à l'amitié beaucoup d'importance. Après cette réponse, je sentis qu'il était devenu l'un d'eux, mais je ne voulus pas gaspiller son temps en le lui annonçant. Je lui dis simplement :*

*— Vous appelez la révolution cubaine un humanisme. Pourquoi pas? Mais je ne connais, pour ma part, qu'un humanisme et qui ne se fonde ni sur le travail ni sur la culture, mais avant tout sur le besoin.*

*— Il n'y en a pas d'autre, me dit-il.*

*Et, tourné vers Simone de Beauvoir :*

*— De temps en temps, c'est vrai, ils m'intimident; grâce à nous, ils osent découvrir leurs besoins, ils ont le courage de comprendre leurs souffrances et d'exiger qu'on y mette fin, bref ce sont des hommes. Et qu'est-ce que nous leur donnons?*

*Sa pensée tourna brusquement, mais je la suivais sans peine. Il dit d'une voix abrupte :*

*— Il faut que nous exigions de chacun tout le possible mais jamais je ne sacrifierai cette génération aux suivantes. Ce serait abstrait.*

*De belles jeunes femmes suivaient les chars de mi-carême et quêtaient pour acheter des armes. Survenant en plein Carnaval, l'explosion-sabotage du cargo* La Coubre, *chargé de munitions (200 morts), avait soudain fait peser l'angoisse sur la foule en liesse et transformé les jours de fête en journées de deuil.*

— *France-Soir*, 15 juillet 1960.

Photo représentant Fidel Castro, Sartre et Simone de Beauvoir.

Voici la conclusion du reportage :

*Ces hommes, en plein travail, sans se départir un instant de leur vigilance, luttent pour sauvegarder, sous la menace étrangère, leurs deux conquêtes les plus précieuses : la liberté, inconnue jusqu'ici à Cuba, qu'ils ont fait naître et qui légitime leurs réformes; la nouvelle arche révolutionnaire, la confiance et l'amitié qui les unissent entre eux. Je ne vois pas qu'aucun peuple puisse se proposer, aujourd'hui, un but plus urgent ni plus digne de ses efforts. Il faut que les Cubains gagnent ou que nous perdions tout, même l'espoir.*

Ce reportage peut se diviser en trois grandes parties : dans la première, Sartre rappelle son séjour à Cuba en 1949, montre quelle était la situation avant Castro et fait l'historique de la révolution castriste; dans la deuxième, il s'attache à décrire la réalité économique et sociale de Cuba en 1960; dans la troisième, enfin, il met l'accent sur la réalité humaine et relate les contacts personnels qu'il a pu avoir non seulement avec Fidel Castro et Che Guevara mais aussi avec les paysans cubains.

Conscient des limites de son reportage, Sartre s'est toujours refusé à le faire publier en France sous forme de volume.

Il a cependant autorisé des traductions en espagnol, portugais et anglais. Nous avons pu relever les ouvrages suivants :

— HURACÁN SOBRE EL AZÚCAR. Buenos Aires : Editorial Uno, 1960; Lima, Editorial Prometeo, 1961; La Habana : Ministerio de Relaciones Exteriores, Departamento de Asuntos Culturales, s.d.

— SARTRE ON CUBA. New York : Ballantine Books, 1961.

Cette traduction anonyme a sans doute été faite à partir de l'espagnol. Le dernier chapitre du volume est constitué par « Ideology and revolution » (cf. 60/339).

Le reportage a été également publié dans le quotidien brésilien *Ultima Hora* ainsi que dans SARTRE VISITA A CUBA. Il a fait l'objet d'une réfutation écrite par un ancien journaliste, ardent supporter de Batista :

Cabus, Jose Domingo. *Sartre, Castro y el azúcar*. Mexico : Editores Mexicanos Unidos, 1965.

Cabus examine minutieusement les déclarations de Sartre, conteste la plupart des chiffres qu'il donne et soutient que tout allait pour le mieux sous le règne de Batista.

60/343

SARTRE VISITA A CUBA

— La Habana : Ediciones R., 1960.

Volume relié, dédié : « A la Revolución Cubana. » Achevé d'imprimer : 31 octobre 1960. Nouvelle édition brochée en 1961. Rappelons que le titre a d'abord été celui d'un numéro spécial de *Lunes de Revolución*.

L'ouvrage comprend :



Cette dernière partie contient une série de photos de Sartre et de Simone de Beauvoir prises au cours de leur séjour à Cuba.

60/343A

« Cuba, la révolution exemplaire », interview de Sartre et de Simone de Beauvoir par Jean Ziegler.

— *Dire*, revue mensuelle éditée à Genève, nº 4, août 1960, p. 13.

Bonne interview qui reprend les thèmes déjà développés dans les autres textes sur Cuba. Jean Ziegler est un professeur de sociologie et un journaliste très connu en Suisse.

Sur Cuba, cf. également 61/361 et 68/485 et 486.

60/344

*Albert Camus.*

*a*) *France-Observateur*, 7 janvier 1960.
*b*) Repris sans variantes dans SITUATIONS, IV.

Camus est mort dans un accident d'auto en compagnie de Michel Gallimard le 4 janvier 1960.

Dans ce texte qui a été très souvent cité et traduit, relevons le passage suivant : *Nous étions brouillés, lui et moi : une brouille, ce n'est rien — dût-on ne jamais se revoir — tout juste une autre manière de vivre ensemble et sans se perdre de vue dans le petit monde étroit qui nous est donné.*

Sur Camus, cf. notices 43/39 et 52/223.

60/345

« Les Grands Contemporains à la Recherche d'un Absolu — nº 1 — Jean-Paul Sartre et les jeunes », interview par Patrice Cournot.

— *Le Semeur*, nº 7-8, février 1960, p. [2-5].

*Le Semeur* était un journal de jeunes publié par Patrice Cournot, neveu du critique-cinéaste Michel Cournot (grâce à qui nous avons pu retrouver ce journal qui ne figure dans aucune bibliothèque).

L'interview est datée du 14 janvier 1960.

Sartre fait de son mieux pour répondre aux questions que lui pose un interlocuteur âgé de dix-sept ans. Il esquive plusieurs questions sur Saint-Exupéry et parle en termes très vivants de sa brouille avec Camus *(Il ne m'a jamais fait de « vacheries », Camus, enfin que je sache, et je ne lui en ai jamais fait)*, de l'enseignement, de l'adolescence *(Dans la vie de l'homme, il y a deux périodes importantes : la toute première enfance (les deux premières années)* [...] *et les quatre ou six ans de l'adolescence)*, du jazz *(J'ai vu Parker ici, peu avant sa mort, savez-vous ce qu'il voulait faire? Le Conservatoire de Paris!)* et de la guerre d'Algérie *(Pour le jeune d'extrême gauche partant en Algérie, il n'y a pas trente-six solutions : il déserte ou il devient objecteur de conscience)*.

60/346

« Sartre 1960 — Entretien avec Jean-Paul Sartre », interview par Jacques-Alain Miller.

*a*) *Les Cahiers libres de la Jeunesse*, nº 1, 15 février 1960, p. 2-4.

*b*) Extraits sous le titre « Sartre répond aux jeunes », dans *L'Express*, 3 mars 1960, p. 29-30.

Dans cette interview accordée à un jeune, Sartre fait le point sur son œuvre : il parle successivement de son théâtre (LES MOUCHES, MORTS SANS SÉPULTURE, LES MAINS SALES, LE DIABLE ET LE BON DIEU, NEKRASSOV et surtout LES SÉQUESTRÉS D'ALTONA), de sa conception de la littérature, de ses idées sur la justice, la raison, la dialectique, le communisme, etc.

Relevons le passage suivant :

*Je ne suis pas sûr que la notion de justice soit indispensable à la société. Je suppose qu'elle vient elle-même d'une vieille couche théologique. Si vous n'avez pas de Dieu, elle n'a plus de sens, sauf comme protection contre une certaine catégorie d'individus. La notion de justice est vraiment inutile.* [...].

A la question : « Au nom de quoi lutterez-vous, pour quels objectifs précis? » Sartre répond : *Au nom de deux principes qui vont ensemble : primo, personne ne peut être libre si tout le monde ne l'est pas; secundo, je lutterai pour l'amélioration du niveau de vie et des conditions de travail. La liberté, non pas métaphysique, mais pratique, est conditionnée par les protéines. La vie sera humaine à partir du jour où tout le monde pourra manger à sa faim et tout homme pourra exercer un métier dans les conditions qui lui conviennent. Je lutterai non seulement pour un niveau de vie amélioré, mais aussi pour des conditions de vie démocratiques pour chacun, pour la libération de tous les exploités, de tous les opprimés.*

Après avoir exprimé l'idée que l'efficacité de l'écrivain *ne peut être jamais que d'empêcher le pire*, Sartre conclut : *Si dans une société d'exploitation et d'oppression* [...], *tout le monde apparaît consentant, il faut qu'il y ait des écrivains pour témoigner de la vie de ceux qui ne sont pas consentants : c'est alors que le pire est évité.*

60/347

*Jean-Paul Sartre vous présente* Soledad.

— Texte du programme de *Soledad*, trois actes de Colette Audry, théâtre de Poche (Comédie Caumartin), avril 1960.

APPENDICE

Ce texte nous a été aimablement communiqué par Colette Audry qui nous a précisé que le manuscrit original de Sartre, malheureusement perdu, avait été abrégé faute de place.

60/348

*L'Artiste est un suspect...*, texte pour *Vingt-deux dessins sur le thème du désir* d'André Masson.

*a*) Un fragment de ce texte est paru dans *L'Arc*, nº 10, printemps 1960, p. 19-22.
*b*) Masson, André et Sartre, J.-P. *Vingt-deux dessins sur le thème du désir*. Fernand Mourlot, 1961. P. 15-43. Édition de luxe, format 35 × 45, limitée à 195 ex. numérotés.
*c*) Repris sous le titre « Masson » dans SITUATIONS, IV.

Ces vingt-deux dessins datent de 1947 : quatre d'entre eux sont reproduits dans un article d'André Masson, « Balance faussée », paru dans *Les Temps modernes*, nº 29, février 1948, p. 1381-1394. Le texte de Sartre a été écrit à la même époque et a donc pu être publié avant 1960.

Chez Masson, « *nature* » *et* « *culture* » *sont indiscernables*, et *le projet de peindre ne se distingue pas du projet d'être homme*. Sa peinture, *mythologique par essence*, est caractérisée par l'*unité d'éclatement, l'intrusion de l'élément existentiel.*

Masson est un ami de longue date de Sartre; c'est lui qui, en 1946, a brossé les décors de MORTS SANS SÉPULTURE.

60/349

*Un texte inédit de Sartre*, extraits d'une conférence sur le théâtre.

*a*) *Premières* (World Premières/Premières mondiales), XI$^{e}$ année, n$^{o}$ 9, juin 1960, p. 1-2, 8.
Cote B. N. : Gr. fol. Jo. 8190.

*b*) Fragment de *a*) repris sous le titre « Notes sur le théâtre » dans : *Paris-Théâtre*, n$^{o}$ 166, [décembre 1960], p. 2-5.

*c*) Le texte *a*) est beaucoup plus connu dans la traduction anglaise de Rima Rell Dreck, « Beyond bourgeois theatre », parue dans : *Tulane Drama Review*, vol. 5, n$^{o}$ 3, March 1961, p. 3-11; Corrigan, Robert W., ed., *Theatre in the Twentieth Century*. New York : Grove Press, 1963. Édition de poche, 1965.

Extraits d'une conférence donnée à Paris dans le grand amphithéâtre de la Sorbonne, le 29 mars 1960. Cette conférence nous est décrite ainsi par un spectateur anglais : « Il parla, simplement, clairement, rapidement, et pourtant avec une sorte de calme obstination, comme un expert en maçonnerie en train d'élever un mur en face de nous. Il poursuivit, sans une pause, pendant deux heures un quart, si bien qu'à la fin, son auditoire, quoique complètement fasciné, était aussi effondré et fourbu qu'on peut l'être au cours des étapes finales d'un long voyage en train. On sentait qu'il aurait pu continuer toute la nuit et qu'il ne s'arrêtait que par une concession à une humanité plus fragile. Ce fut une performance magnifique — le genre de conférence qui laboure les esprits comme un tracteur laboure un champ. J'étais assis à côté d'un professeur américain qui me dit avec enthousiasme, lorsque nous traversâmes la cour : « Saint Thomas a dû parler ainsi » (John Weightman, dans *Encounter*, June 1961, p. 42 [notre traduction]).

Le texte publié dans *Premières* provient d'une sténographie non revue par Sartre et il est possible que des coupures pratiquées peu judicieusement aient supprimé certaines des articulations logiques de la conférence.

Sartre tente ici, toutes proportions gardées, de faire pour le théâtre ce qu'il avait fait dans *Qu'est-ce que la littérature?* en 1947. Il montre la nature sociale du théâtre, critique le théâtre bourgeois (représenté entre autres par Beckett et Ionesco), fait des réserves sur le théâtre épique de Brecht et prône en définitive une forme de théâtre dramatique. La conférence se termine par un appel à l'unité :

*Il semble que toutes les forces que le jeune théâtre peut opposer aux pièces bourgeoises que nous avons actuellement, doivent être unies, et qu'il n'y a pas de vrai antagonisme, en somme, entre la forme dramatique et la forme épique, sinon que l'une tire vers la quasi-objectivité de l'objet, c'est-à-dire de l'homme, — et l'erreur est qu'elle croit qu'elle peut donner une société-objet au spectateur —, tandis que l'autre, si on la corrigeait, par un but d'objectivité, irait trop vers la sympathie et par là risquerait de tomber du côté bourgeois.*

60/350

« Jeunesse et guerre d'Algérie », entretien avec K. S. Karol. — *Vérité-Liberté*, nº 3, juillet-août 1960.

Cette interview a peut-être été publiée d'abord dans un périodique étranger.

Sartre appartenait au comité de direction de *Vérité-Liberté* qui succéda à *Témoignages et Documents* dès mai 1960.

L'interview a été réalisée avant la publication du Manifeste des 121. Sartre y est interrogé sur le problème des jeunes qui préfèrent l'action directe et l'insoumission aux formes traditionnelles d'action politique. Selon lui, la gauche a dévalorisé l'action verbale et la jeunesse ne trouve aucune institution valable qui permette l'action. Le seul moyen qui lui reste est de tenter de *franchir un seuil d'influence* en suscitant dans l'opinion un choc qui rappellera *la vérité que les adultes ont complètement oubliée : le caractère de violence de la gauche.* C'est le manque de détermination de la gauche dans son opposition à la guerre d'Algérie qui pousse les jeunes aux moyens extrêmes : *La gauche est fatiguée. Ses cadres ont vieilli. Croyez-moi, la vieillesse est une cause que le marxisme n'a pas envisagée mais qui existe, car il est facile de vieillir dans notre société. La jeunesse est la seule qui a répondu à la mystification comme il le fallait, c'est-à-dire par la violence.* [...] *Pour moi, les seuls vrais hommes de gauche en France aujourd'hui se trouvent parmi ceux qui ont vingt ans.*

L'importance de cette interview tient au fait que Sartre y exprime pour la première fois l'idée qui sera à la base du Manifeste des 121 : *La gauche française doit être solidaire avec le F.L.N. Leur sort est d'ailleurs lié. La victoire du F.L.N. sera la victoire de la gauche.*

Cette interview figure parmi les textes incriminés pour « provocation de militaires à la désobéissance et atteinte à la sûreté de l'État » qui entraînèrent la saisie du numéro et la garde à vue des principaux rédacteurs de *Vérité-Liberté*.

60/351

« M. Jean-Paul Sartre dresse un parallèle entre Cuba et l'Algérie », dépêche de l'A.F.P. rendant compte d'une conférence de Sartre à l'Institut supérieur des Études brésiliennes le 31 août 1960 à Rio de Janeiro.

— *Le Monde*, 1er septembre 1960.

Sartre établit un parallèle entre l'évolution de la situation à Cuba et celle de l'Algérie. Il conclut en disant que c'est un devoir pour l'opinion publique mondiale de prendre une part active à la lutte pour la décolonisation : *C'est la raison pour laquelle, moi, Français, je vous parle d'une tare nationale que nous n'avons pas le droit de taire. Nous autres, vieux Européens, si nous voulons demeurer les amis des jeunes nationalismes, nous devons retrouver notre tradition d'internationalisme, alors que les pays sous-développés ne peuvent grandir qu'en affirmant leur propre nationalisme.*

60/352

Lettre au tribunal militaire lors du « procès Jeanson ».

*a*) *Le Monde*, 22 septembre 1960.

Reproduite également par la plus grande partie de la presse française.

*b*) Reproduite dans : Marcel Péju. *Le Procès du réseau Jeanson.* Maspero, coll. « Cahiers libres », nº 17-18, 1961. P. 116-119.

*c*) Reproduite dans *Le Droit à l'insoumission (Le Dossier des 121)*. Maspero, coll. « Cahiers libres », nº 14, 1961. P. 85-88.

*d*) Reproduite dans : Simone de Beauvoir, *La Force des choses*, p. 571-574.

Cette lettre, datée du 16 septembre 1960 et adressée à Me Roland Dumas, avocat des accusés, eut un retentissement considérable. Simone de Beauvoir a précisé dans *La Force des choses* (p. 571) qu'elle fut en fait rédigée par Claude Lanzmann et Marcel Péju à qui Sartre, alors au Brésil, avait exposé par téléphone ce qu'il entendait dire au tribunal. La lettre fut lue devant le tribunal militaire à l'audience du mardi 20 septembre 1960. Elle avait été précédée d'un télégramme dans lequel Sartre s'excusait de ne pouvoir témoigner en personne.

Ce texte est trop connu pour que nous le citions ici.

Rappelons toutefois que la violence de ses termes s'explique en partie par le fait que Sartre était résolu à se faire inculper pour avoir signé le Manifeste des 121 (cf. 60/note 3 et aussi 59/329).

## 60/353

Conférence de presse tenue par Sartre et Simone de Beauvoir le 1er décembre 1960 à Paris.

*a*) Compte rendu sous le titre « La gauche doit répondre "non" au référendum », dans *Libération*, 2 décembre 1960.

*b*) Compte rendu sous le titre « Voici le but à atteindre... », dans *L'Express*, 8 décembre 1960.

Conférence de presse tenue par Sartre et Simone de Beauvoir à leur retour d'Amérique du Sud. Une partie de la presse avait annoncé que Sartre serait inculpé dès son retour en France pour avoir signé le Manifeste des 121. Sartre, qui recherchait cette inculpation, affirme ici avoir participé à la rédaction du manifeste et à la récolte des signatures. Il demande donc à assumer les mêmes responsabilités que les trente signataires ayant fait l'objet d'une inculpation effective. En ce qui concerne l'insoumission, il précise : *Nous ne déclarons pas qu'il faut être insoumis. Nous déclarons que nous soutiendrons les insoumis.* [...] *Nous savons parfaitement que le soutien aux insoumis n'est pas l'unique moyen pour aboutir à la paix.*

Il annonce ensuite qu'il fera campagne en tant qu'écrivain pour le « non » au référendum sur l'autodétermination : *Si la question posée par le gouvernement était : « Êtes-vous pour l'autodétermination par la paix inconditionnellement négociée avec le F.L.N. ? » je voterais « oui », bien que je sois totalement opposé à ce régime. Mais la gauche doit répondre « non » à toute question qui aboutirait à une solution octroyée du problème algérien.*

## 60/354

Fragments de lettres et de textes divers.

— Simone de Beauvoir, *La Force de l'âge* (Gallimard, 1960).

Nous relevons ci-dessous les principaux fragments donnés par Simone de Beauvoir :

| Pages | |
|---|---|
| 49 | (Fragment d'un poème.) |
| 111 | (Lettre écrite en octobre 1931 et décrivant l'arbre qui tiendra une grande place dans LA NAUSÉE.) |
| 204 | (Fragment d'une chanson.) |
| 278-279 | (Lettre sur l'Italie adressée à Olga Kosakiewicz au cours de l'été 1936.) |
| 304-307 | (Lettre sur « Melancholia » et sur la visite de Sartre à Jean Paulhan et Brice Parain chez Gallimard.) |
| 313-314 | (Courte « strophe » sur Bost.) |
| 377 | (Lettre sur « Lucifer », été 1938.) |
| 440 | (Lettre à Jean Paulhan sur sa vie à l'armée.) |
| 443 | (Lettre à Brice Parain, non envoyée.) |

Pour *La Force des choses*, cf. 63/391.

60/NOTE 1.

Des extraits de la déposition faite par Sartre le 17 juin 1960 au procès de l'écrivain et journaliste Georges Arnaud ont été publiés dans le volume : Georges Arnaud. *Mon Procès*. Illustré par Siné. Éd. de Minuit, [1961]. P. 79-82.

Prenant la défense de Georges Arnaud inculpé pour avoir rendu compte d'une conférence de presse clandestine de Francis Jeanson, alors recherché par la police (cf. l'article « Les étranges confidences du "professeur Jeanson" », *Paris-Presse*, 20 avril 1960), Sartre dénonce la guerre d'Algérie ainsi que la répression qui l'accompagne en France : *Nous n'avons plus d'autres tribunes que les tribunaux*. Il insiste aussi sur le trouble de la jeunesse devant la guerre.

60/NOTE 2.

Au cours d'une conférence de presse tenue à Rio de Janeiro, Sartre a notamment déclaré : *Des deux impérialismes, américain et soviétique, c'est le premier qui est le plus dangereux* (cf. *Le Monde*, 7 août 1960).

60/NOTE 3.

*Le Manifeste des 121*. Sartre ne figura pas au nombre des initiateurs de la « Déclaration sur le droit à l'insoumission dans la guerre d'Algérie ». Il fut en revanche l'un des premiers à la signer. Elle fut diffusée sous forme de tract dès le milieu de l'été 1960. Le numéro d'août des *Temps modernes* qui la reproduisait fut aussitôt saisi. Un second numéro (*Les Temps modernes*, n° 173-174, numéro spécial après saisie, août-septembre 1960) comporte deux pages blanches — censurées — sous le titre de la déclaration (p. 194-195) ; elles sont suivies de la liste des 121 noms des premiers signataires, parmi lesquels ne figurait aucun communiste. On trouvera le texte du manifeste et tous les détails sur l'action politique qu'il cristallisa dans *Le Droit à l'insoumission (Dossier des 121)*, Maspero, 1961. Rappelons qu'un manifeste plus modéré compta Merleau-Ponty parmi ses signataires.

# 1961

61/355

*Préface* à *Les Damnés de la terre* de Frantz Fanon.

*a*) Fanon, Frantz. *Les Damnés de la terre.* Maspero, coll. « Cahiers libres », n° 27-28, 1961. P. 9-26.

Extraits parus dans : *Jeune Afrique*, 6-12 septembre 1961.

*b*) Le volume est repris en 1968 dans la « Petite Collection Maspero » sans la préface de Sartre mais avec un supplément séparé intitulé « Frantz Fanon, fils de la violence » et reproduisant intégralement cette préface. (C'est la veuve de Fanon qui en a exigé le retrait parce qu'elle désapprouvait l'attitude de Sartre au moment du conflit israélo-arabe — cf. interview de Josie Fanon dans *El Moudjahid*, 10 juin 1967.)

*c*) Repris dans SITUATIONS, V.

« Fanon avait demandé à Sartre une préface pour *Les Damnés de la terre*, dont il lui avait fait remettre par Lanzmann un manuscrit. Sartre avait réalisé à Cuba la vérité de ce que disait Fanon : dans la violence, l'opprimé puise son humanité. Il fut d'accord avec son livre : un manifeste du tiers monde, extrême, entier, incendiaire, mais aussi complexe et subtil; il accepta volontiers de le préfacer » (*La Force des choses*, p. 619). Simone de Beauvoir, dans les pages qui suivent cette citation, fait un portrait attachant et assez fascinant de Fanon, médecin martiniquais et membre du gouvernement provisoire algérien, qu'elle et Sartre rencontrèrent à Rome en juillet 1961 et dont la forte personnalité les frappa beaucoup. Atteint de leucémie, il devait mourir dans un hôpital de Washington à la fin de l'année. Sartre eut à Rome de longs entretiens avec ce théoricien aujourd'hui célèbre de la révolution des pays colonisés. Sa préface, datée de septembre 1961, est un des textes les plus violents qu'il ait écrits. On y trouve la formulation la plus radicale et littérairement la plus efficace d'une position qu'il avait prise dès 1959 (cf. 59/329), celle de la solidarité politique et pratique avec les combattants algériens. Cette position est ici généralisée à l'ensemble des luttes des pays sous-développés et on peut dire que, par leur grand retentissement, la préface de Sartre et le texte de Fanon ont contribué pour une part importante à créer en France le « tiers-mondisme » de la jeunesse intellectuelle révolutionnaire.

61/356

*Le peintre sans privilèges.*

*a*) Préface au catalogue de l'exposition Lapoujade : Peintures sur le thème des *Émeutes*, *Triptyque sur la torture*, *Hiroshima*. Galerie Pierre Domec, 33, rue Saint-Placide, Paris-VI^e^, 10 mars au 15 avril 1961. Non paginé.

*b*) Fragments dans : *France-Observateur*, 9 mars 1961.

*c*) Repris intégralement dans *Médiations*, n° 2, 2e trimestre 1961, p. 29-44.

*d*) Repris dans SITUATIONS, IV.

Ce texte, plus important peut-être que l'œuvre qu'il commente, est aussi l'un de ceux qui se prêtent probablement le plus à une critique des conceptions esthétiques de Sartre. On y trouve, appliquées à la réflexion sur l'art pictural, certaines analyses de CRITIQUE DE LA RAISON DIALECTIQUE, en particulier celle des foules. L'intérêt principal de ce texte tient à ce qu'il est le seul où Sartre s'interroge longuement sur le problème du sujet en peinture.

*Paradoxalement, si la figure humaine est imitée, l'exigence de justice vient de l'extérieur ; si l'imitation n'a plus lieu, cette exigence vient de l'Art lui-même.*

[...] *Lapoujade est cette étrange contradiction : il est, avec quelques autres du même âge, celui qui a réduit la peinture à l'austérité somptueuse de son essence ; pourtant, au milieu des présences humaines qui s'incarnent en sa toile, il est le premier à ne pas se privilégier ; peintre, il arrache par sa peinture le masque de l'artiste ; il ne reste que des hommes et celui-ci, sans prérogatives, un parmi nous, le peintre se niant par la splendeur de son œuvre.* [...] *La vérité la plus surprenante mais la plus simple, c'est que le choix de l'abstrait devait, au nom même de l'art, réinstaller l'homme sur les toiles de Lapoujade.*

Les autres peintres dont Sartre parle ici sont Goya, le Titien (sa bête noire en peinture), Picasso (à propos de *Guernica : le plus chanceux des artistes a profité de la chance la plus inouïe*), Guardi (vanté aux dépens de Canaletto) et Van Gogh.

## 61/357

« Entrevista concedida ao Instituto Brasileiro de Filosofia Secçao do Ciará » [interview en portugais].

— *Revista Filosofica do Nordeste*, [Fortaleze], nº 2, 1961, p. 20-21.

Texte non consulté.

Sartre ayant donné plusieurs interviews et conférences au cours de son séjour au Brésil d'août à novembre 1960, il y a dans la presse brésilienne de l'époque un certain nombre de textes que nous n'avons pu répertorier.

Sur le voyage au Brésil, voir le long récit de Simone de Beauvoir dans *La Force des choses*, p. 535-595.

## 61/358

« L'analyse du référendum », interview.

*a*) *L'Express*, 4 janvier 1961.

*b*) Reprise avec quelques variantes mineures dans SITUATIONS, V.

Sartre explique pourquoi il faut voter « non » au référendum gaulliste sur l'autodétermination de l'Algérie : la question posée lie l'autodétermination à la mise en place d'institutions provisoires en Algérie qui ont pour but d'amener au pouvoir une hypothétique troisième force entre les « ultras » et le F.L.N. A ceux qui, dans certains milieux de gauche, répugnent à mêler leurs votes à ceux de l'extrême droite et préconisent le vote blanc, Sartre répond : *La meilleure manière de refuser le jeu truqué auquel on veut nous faire participer, ce n'est pas de dire « je ne joue pas » — parce que si nous ne jouons pas, les autres joueront pour nous — mais de dire « non », « non » à cet homme, « non » au machiavélisme, « non » au plan qu'on nous propose.* [...] *Voter « oui », c'est refuser de se réveiller, c'est conserver le rêve. Voter « non », c'est un réveil. Cela veut dire : On en a assez d'être mystifiés depuis deux ans par ce bonhomme.*

61/359

« Entretien avec Jean-Paul Sartre », interview par Deville, Arrieux, Labre.

— *La Voie communiste*, nouvelle série, nº 20, février 1961.

*La Voie communiste* est un journal de tendance trotskyste, qui semble avoir été le premier à publier intégralement le texte du Manifeste des 121 dans son numéro 16 (septembre 1960), d'ailleurs aussitôt saisi.

L'interview accordée par Sartre à un groupe de militants porte exclusivement sur des questions politiques. Il commence par une analyse du référendum gaulliste sur l'autodétermination de l'Algérie et poursuit en examinant les possibilités de négociations avec le F.L.N. Il condamne les manœuvres du gouvernement français visant à faire endosser l'échec des négociations par le F.L.N. Les objectifs de celui-ci sont authentiquement socialistes et révolutionnaires.

Sartre aborde ensuite de manière plus générale le problème du colonialisme. Il prend l'exemple des Philippines pour montrer qu'un État capitaliste ne peut aider selon les normes capitalistes un pays totalement indépendant. Il poursuit en montrant le mécanisme de l'exploitation coloniale et insiste sur le fait que la classe ouvrière des pays européens a participé à cette exploitation. L'assimilation des musulmans prônée par les libéraux est impossible pour des raisons économiques : *Le statut colonial engendre la révolution et ne peut engendrer autre chose.* La campagne pour la paix en Algérie doit se faire sur la base d'une solidarité dans les actes entre la révolution algérienne et le prolétariat français. A propos du Manifeste des 121, Sartre précise : *Une des raisons qui ont motivé ma signature, c'est précisément qu'il faut aujourd'hui un ensemble de prises de positions radicales qui, suivies ou non, obligent à des solidarités.* Il explique l'absence d'un soutien radical et effectif de la gauche française à la révolution algérienne par la lente disparition de l'internationalisme après la réussite de la révolution russe. En ce qui concerne la France, il prévoit une grande crise économique qui remettra en question l'avenir du gaullisme. Pour terminer, Sartre parle de la révolution cubaine et des craintes américaines devant la contagion de l'exemple cubain.

61/360

« An interview with Jean-Paul Sartre », par Oreste F. Pucciani.

— *Tulane Drama Review*, vol. 5, nº 3, March 1961, p. 12-18.

Recueillie au début de 1960 par Oreste F. Pucciani, professeur à l'Université de Californie à Los Angeles et, soulignons-le, l'un des meilleurs connaisseurs de la pensée de Sartre aux U.S.A., cette interview porte surtout sur la notion d'engagement et sur LES SÉQUESTRÉS D'ALTONA. Sartre estime que l'engagement est plus difficile en Amérique à cause du manque de cadres précis et répète en conclusion que la fonction de la littérature est d'*éviter le pire*.

61/361

« L'assaut contre Castro », interview.

— *L'Express*, 20 avril 1961.

Longue interview réalisée au lendemain de la tentative de débarquement de la « baie des Cochons », à un moment où l'échec de celle-ci n'était pas encore assuré.

Sartre commence par analyser la politique américaine à l'égard de Cuba. *Si les États-Unis ne peuvent supporter l'existence, à quelques dizaines de kilomètres de la Floride, d'un petit État souverain de six millions d'habitants qui fait ses propres réformes, c'est que cet État remet en question le sens nouveau de la « doctrine Monroe ». Autrefois, la doctrine Monroe, c'était : l'Amérique aux Américains. Aujourd'hui, c'est : l'Amérique du Sud aux Américains du Nord.* En réalité, ce n'est pas, comme leur propagande le prétend, parce que Cuba constitue une menace communiste à leurs portes que les États-Unis lui sont hostiles, mais parce qu'ils craignent la contagion de l'exemple cubain dans les pays d'Amérique du Sud qu'ils dominent économiquement. Sartre poursuit en reprenant longuement l'analyse de l'exploitation américaine à Cuba qu'il avait faite dans son reportage pour *France-Soir* (cf. 60/342) et il conclut : *Alors, quelle différence avec un colonialisme? Une seule : le puritanisme hypocrite des Américains.* [...] *Le drame, c'est qu'on a fait en Amérique, contre Castro, la propagande la plus folle, et que les gens n'ont jamais compris ce qu'il était.* Suit une réfutation des principaux arguments de la propagande américaine contre Cuba. Sartre montre que les réfugiés anticastristes sont pour la plupart *des bourgeois conservateurs qui souhaitaient un régime bourgeois.* Il poursuit : *Je ne veux pas entrer dans les détails de chaque incident, mais les violences qu'on a reprochées à Cuba ont toujours été des contre-violences. Les Américains se sont dit : « Puisque nous ne pouvons dévoiler le fond de l'affaire — qui est que la révo-*

*lution cubaine nous spolie — nous allons monter un autre scénario : nous allons pousser ces gens dans les bras de l'U.R.S.S. et de la Chine. » Ils n'ont même pas réussi, parce que Cuba tient à sa souveraineté. Cuba est l'alliée de l'U.R.S.S. et de la Chine, mais elle n'est pas communiste. Les Américains auraient bien voulu qu'elle le fût.* En ce qui concerne la personnalité même de Castro, Sartre déclare : *Je n'ai pas à défendre Castro. Castro, pour moi, est un homme admirable, l'un des rares hommes pour qui j'éprouve un sentiment de respect. Ce qu'il faut faire, c'est montrer la bêtise des gens qui l'attaquent.* Il explique notamment pourquoi les discours de Castro sont si longs : c'est qu'ils sont didactiques.

Sartre parle ensuite du débarquement et montre qu'il a peu de chances de réussir parce que les masses sont profondément acquises au régime, puis il enchaîne : *En tout cas, la responsabilité des Américains dans l'opération en cours est entière. L'invasion n'aurait pu avoir lieu sans eux et ne pourra se poursuivre sans leur aide. Je ne veux pas dire que Kennedy soit personnellement responsable de tout cela. Je n'en sais rien. Mais je n'ai pas grande confiance dans l'administration Kennedy. Les changements par rapport à la précédente me paraissent surtout verbaux.* Sartre craint que les Américains ne bravent les avertissements soviétiques. *Mais l'écrasement de Castro aura en même temps pour effet de radicaliser les peuples sud-américains et de renforcer leur refus de l'impérialisme. [...] Il faut comprendre ce que représenterait une défaite de Cuba, d'abord pour nous, mais surtout pour l'ensemble des pays sous-développés, pour ce qu'on appelle le tiers monde. [...] Il ne s'agit donc pas, dans l'affaire cubaine, d'une simple injustice. C'en est une, bien sûr, et particulièrement révoltante : il est ignoble, pour une grande puissance, de s'acharner à abattre un petit pays qui lutte pour reconstruire sa société après plus d'un demi-siècle de dépendance. Mais le problème n'est pas là. S'il faut se ranger totalement aux côtés de Castro, c'est parce que c'est la politique de la gauche qu'on cherche à écraser avec lui.* Sartre conclut enfin : *La guerre de Cuba ressemble à la guerre d'Algérie. Elle est plus sournoise, parce que ce sont des mercenaires que l'on présente comme des « Cubains » qui vont la mener, mais c'est la même chose. Et puis, à un moment donné, si on veut gagner cette guerre, comme les mercenaires ne seront pas assez nombreux, il faudra que l'Amérique intervienne, avec toute sa puissance.*

Cette interview faite « à chaud » contient évidemment quelques affirmations que l'histoire a démenties, mais de nombreux points de l'analyse de Sartre ont été confirmés par la suite.

61/362

« Comment faire face au terrorisme », entretien avec Gilles Martinet.

— *France-Observateur*, 18 mai 1961.

A la suite des entretiens de Melun (première négociation officielle visant à mettre fin à la guerre d'Algérie), une série d'attentats furent perpétrés par l'O.A.S. L'un de ces attentats avait notamment frappé les bureaux de *France-Observateur*. Les signataires du Manifeste des 121 firent également l'objet de menaces. Cette interview fut réalisée sur ces entrefaites.

Sartre montre que le terrorisme O.A.S. est le fait d'un petit nombre d'individus et qu'il s'agit d'un *terrorisme de riches* qui vise à interrompre les négociations en faisant planer la menace d'une guerre civile en cas de succès de celles-ci. Mais le raisonnement de l'O.A.S. est faux, car la réaction populaire à ces attentats est de vouloir la paix le plus rapidement possible. En ce sens, *le terrorisme aide la population française à sortir de sa léthargie*. Pour lutter contre les attentats, il faut que la gauche oblige le gouvernement, chaque fois que c'est possible, à procéder à l'arrestation des responsables, même indirects, que l'on connaît. *Plus il y aura de terrorisme, plus la gauche s'organisera et plus le gouvernement peut être conduit à faire des pas en avant* [*i. e.* dans la négociation].

61/363

« Sartre talks to Tynan », interview par Kenneth Tynan.

*a*) *The Observer*, [Londres], 18 June 1961; 25 June 1961.
*b*) Repris en volume : Tynan, Kenneth. *Tynan Right and Left*. New York, Atheneum, 1967. P. 302-312.
*c*) Version française incomplète dans *Afrique Action*, 10 juillet 1961.

Traduit également en allemand : *Die Zeit*, nº 28 et nº 29, [juillet] 1961.

Cette importante interview aborde les sujets suivants : Jean Genet (*Les Paravents* et *Les Nègres*); théâtre et cinéma; LES SÉQUESTRÉS D'ALTONA; politique et littérature; Brecht, Beckett; le film sur Freud et la psychanalyse; LA PUTAIN RESPECTUEUSE à Moscou, etc.

Sartre mentionne de plus un projet qu'il décrit ainsi : *Si j'écris une autre pièce, ce sera sur les relations entre mari et femme. En soi-même, cela serait ennuyeux, c'est pourquoi je prendrai le mythe grec d'Alceste. Si vous vous le rappelez, la Mort vient chercher le roi Admète. Cela ne lui plaît pas du tout : « J'ai à faire, dit-il, j'ai mon royaume à gouverner, j'ai une guerre à gagner ! » Et sa femme Alceste, qui se considère comme complètement inutile, offre de mourir à sa place. La Mort accepte le marché ; mais, prenant pitié d'elle, la rend à la vie. Voici l'intrigue. Mais ma version impliquerait toute l'histoire de l'émancipation féminine ; la femme choisit la tragédie à un moment où son mari refuse de faire face à la mort. Et quand elle revient, c'est elle qui a le pouvoir, car le pauvre Admète sera toujours l'homme dont on dira : « Il a laissé sa femme mourir pour lui. »*

C'est sans doute à la suite d'un malentendu sur le nom d'Alceste que *Le Figaro* du 20 novembre 1962 a annoncé que la prochaine pièce de Sartre tournerait autour d'un « néo-misanthrope », « un personnage dont le caractère ne serait pas sans rappeler l'Alceste de Molière ».

Citons également les passages suivants :

*Je ne pense pas que le théâtre puisse dériver directement d'événements politiques. Je n'aurais jamais écrit* ALTONA *s'il avait été simplement question d'un conflit entre la gauche et la droite. Pour moi,* ALTONA *est lié à toute l'évolution de l'Europe depuis 1945, autant aux camps de concentration soviétiques qu'à la guerre d'Algérie. Le théâtre doit transposer tous ces problèmes sous une forme mythique. Le rôle d'un dramaturge n'est pas, selon moi, de présenter des idées politiques. Les réunions publiques, les journaux, l'agitation, la propagande s'en chargent.* [...]

*Bien que* [En attendant] Godot *ne soit certainement pas une pièce de droite, elle représente une sorte de pessimisme universel qui attire les gens de droite.* [...]

*Si notre société peut se désengager de la guerre froide ; si elle peut trouver le moyen de se défaire de ses colonies en paix ; et s'il y a une évolution de l'Ouest sous l'influence de l'Est, je ne vois pas de raison pour laquelle le communisme soviétique devrait être exporté à l'Ouest. Ce que j'espère, c'est qu'il arrivera quelque chose de semblable à la Contre-Réforme qui a suivi le protestantisme — un mouvement dans l'autre direction. De même que le catholicisme a élaboré sa propre sorte de protestantisme, j'attends le jour où l'Ouest deviendra socialiste, sans jamais passer par le communisme* [...] [notre traduction].

## 61/364

« Une génération spontanée d'alexandrins », propos rapportés dans un article intitulé « Cinq écrivains racontent leur expérience de la drogue », apparemment de Nicole Bonnet.

— *Arts*, 14-21 juin 1961.

Cette enquête contient les récits faits par Sartre, Cocteau, Aldous Huxley, Christiane Rochefort et Romain Gary de leur expérience de la drogue. Le titre donné au récit de Sartre se réfère à une anecdote qu'il raconte à propos de Bost qui avait écrit, sous l'effet de l'orthédrine, un scénario entièrement en alexandrins. Sartre avoue qu'il recourt à la corydrane quand il doit écrire un texte qu'il n'aurait pas écrit spontanément. Il évoque les « parahallucinations » éprouvées lors de son expérience avec la mescaline (relatée dans L'IMAGINAIRE) : troubles de la perception mais sans perte du sens de la réalité. Selon lui, la drogue a pour principal effet de lever les inhibitions. *L'écrivain [...] est victime de multiples timidités, vis-à-vis de son sujet, vis-à-vis de son style, vis-à-vis de lui-même. Ces timidités barrent la route à « l'authentique ». [...] De toute façon, il n'y a pas de règles générales. La drogue agit différemment suivant les tempéraments. Les conclusions que tire de ses expériences tel artiste restent la plupart du temps valables pour lui seul.*

61/365

*Merleau-Ponty vivant.*

*a*) *Les Temps modernes*, nº 184-185, [octobre 1961], p. 304-376. Ce numéro spécial sur Merleau-Ponty a été personnellement dirigé par Sartre.

*b*) Repris sans variantes dans SITUATIONS, IV.

*Note :* Il existe une traduction allemande en volume séparé, *Freunschaft und Ereignis : Begegnung mit Merleau-Ponty* (Ullstein-Bücher, 1962).

Dès la mort de Merleau-Ponty, le 4 mai 1961, Sartre décida de lui rendre hommage en lui consacrant un numéro spécial des *Temps modernes*. Il analyse longuement ici, en donnant de nombreux détails autobiographiques, l'ensemble de ses relations avec Merleau-Ponty et fait, par la même occasion, un historique précieux des *Temps modernes*.

Rappelons succinctement quelles ont été les relations entre les deux hommes. De trois ans plus jeune que Sartre, Merleau-Ponty est entré à l'École normale supérieure en 1927. Leur première rencontre nous est relatée ainsi dans *Sens et non-sens* (Nagel, p. 73) : « Je l'ai connu [...] un jour que l'École normale se déchaînait contre un de mes camarades et moi parce que nous avions sifflé les chansons traditionnelles, trop grossières à notre gré. Il se glissa entre nos persécuteurs et nous, et, dans la situation héroïque et ridicule où nous nous étions mis, nous ménagea une sortie sans concessions et sans dommages. »

Les deux normaliens se perdirent ensuite plus ou moins de vue jusqu'en 1941 ; Merleau-Ponty, cependant, fit en 1936 un compte rendu favorable mais nuancé de L'IMAGINATION. Lorsqu'il rejoignit en 1941 le groupe « Socialisme et Liberté » que Sartre venait de fonder, ce fut le début d'une collaboration qui devait durer jusqu'en 1952-1953 et qui eut comme principal terrain *Les Temps modernes*. Dans les années qui suivirent la Libération, Merleau-Ponty fut plus proche des communistes que Sartre et se tint à l'écart du R.D.R. ; il écrivit plusieurs articles élogieux sur Sartre (cf. en particulier « Un auteur scandaleux » et « La querelle de l'existentialisme » reproduits dans *Sens et non-sens*) et rédigea un bon nombre d'éditoriaux pour la revue qu'ils dirigeaient ensemble. L'éditorial « Les Jours de notre vie », qui dénonçait l'existence des camps de concentration soviétiques, parut en janvier 1950 sous la double signature de Sartre et de Merleau-Ponty mais fut uniquement composé par ce dernier.

La rupture entre les deux hommes se fit insensiblement à partir du moment où Sartre esquissa son rapprochement avec les communistes et où Merleau-Ponty, inversement, accepta la chaire de philosophie au Collège de France. Merleau-Ponty dédia à Sartre un dernier article, « Le langage indirect et les voix du silence » (publié dans *Les Temps modernes* de juin et juillet 1952), puis il abandonna complètement la revue. En avril 1955, il fit paraître *Les Aventures de la dialectique* (Gallimard), ouvrage où il s'attaquait vivement aux positions exprimées dans *Les Communistes et la Paix* et où il accusait Sartre d'être un ultra-bolchevik. Sartre ne répliqua pas lui-même, mais Simone de Beauvoir prit sa défense dans un article intitulé « Merleau-Ponty et le pseudo-sartrisme » (*Les Temps modernes*, nº 114-115, juin-juillet 1955 ; repris par la suite dans *Privilèges*). *Les Aventures de la dialectique* fut également critiqué du côté communiste, par Roger Garaudy notamment, dans la brochure *Les Mésaventures de l'antimarxisme : les malheurs de M. Merleau-Ponty* (Éditions sociales, 1956).

Merleau-Ponty et Sartre se rencontrèrent à nouveau en mars 1956 à Venise, à l'occasion d'une réunion de la Société européenne de Culture (cf. 56/288) puis au cours de l'été 1958 en Italie ; leurs rapports se normalisèrent mais ne retrouvèrent pas le degré d'amitié qu'ils avaient connu avant la rupture. En 1960, Merleau-Ponty prit l'occasion d'une préface (celle de *Signes*) et du texte que Sartre avait écrit sur Nizan pour revenir sur l'ensemble de leurs relations.

Sur le plan philosophique, les différences entre Sartre et Merleau-Ponty mériteraient une étude approfondie ;

elles ont cependant fort bien été résumées par Jean Hyppolite dans un article qui accompagne *Merleau-Ponty vivant :* « La philosophie de Sartre reste une philosophie du cogito, au sein d'une *praxis,* celle de Merleau-Ponty refuse le dualisme de l'en-soi et du pour-soi, de l'inertie totale et du projet actif, [...] nous nous sommes déjà situés dans l'histoire, nous prolongeons une existence naturelle et anonyme dont le sens est ambigu et inséparable de son expression.

[...] Pour Sartre la dialectique est projet de totalisation, les totalités sont imaginaires. [...] Pour Merleau-Ponty, ces totalités existent. »

Le structuralisme reprendra par la suite — et souvent contre Sartre — un bon nombre des positions de Merleau-Ponty.

*Note :* L'étude d'Albert Rabil, Jr., *Merleau-Ponty : Existentialist of the Social World* (New York : Columbia Press, 1967) comporte la meilleure bibliographie actuellement disponible sur Merleau-Ponty et fait le point sur ses rapports avec Sartre.

## 61/366

« Una nuova generazione è apparse rinasce con essa la fiducia nelle libertà », interview par Ugo d'Ascia.

*a*) *Avanti*, [Rome], 16 décembre 1961.
*b*) Extraits, sous le titre « Pas de lutte efficace sans l'union avec les communistes », dans *L'Humanité*, 21 décembre 1961.
*c*) Cité dans *Le Monde*, 22 décembre 1961.

Sartre déclare notamment : *Je ne suis pas communiste mais je me sens lié avec les communistes de façon organique.*

### 61/NOTE 1.

Le texte intitulé « La Vie et l'œuvre de Flaubert » publié par *Les Amis de Flaubert* (nº 19, 1961, p. 5-16) est un extrait de CRITIQUE DE LA RAISON DIALECTIQUE, *Question de méthode.*

### 61/NOTE 2.

Sartre a écrit un court *message* pour une conférence de presse organisée à Paris le 19 mai 1961 par le P.S.U. afin de protester contre l'interdiction d'un meeting anti-O.A.S. Il y déclarait notamment : *Ce gouvernement avait un moyen de prouver que les collusions, du moins, n'existaient pas au sommet :*

*nous laisser parler. En interdisant ce meeting, il semble démontrer le contraire : il bâillonne des bouches que les plastiqueurs ont prétendu fermer à jamais.* [...] *Nous devrions protester contre l'interdiction de ce meeting si nous accordions un minimum de confiance à cette hiérarchie pourrie, faible et tyrannique qui prétend administrer la France. Nous n'en sommes plus là : il suffit d'en prendre acte et de faire connaître au Pays la vérité : on ne se contente pas, aujourd'hui, de mal le défendre, on veut lui ôter les moyens de se défendre lui-même.* (Ce texte a été diffusé en polycopié par le P.S.U., Fédération de Paris.)

61/NOTE 3.

Le 1er novembre 1961, Sartre participa à une démonstration silencieuse place Maubert pour protester contre la répression de la manifestation des Algériens de Paris, le 17 octobre, et fit à cette occasion une brève déclaration qui est reproduite dans *Témoignages et Documents* (nº 32, novembre 1961).

# 1962

62/367

THÉÂTRE, édition illustrée rassemblant toutes les pièces de Sartre représentées de 1943 à 1959.

— *Théâtre : Les Mouches. Huis clos. Morts sans sépulture. La Putain respectueuse. Les Mains sales. Le Diable et le Bon Dieu. Kean. Nekrassov. Les Séquestrés d'Altona.* Avec trente-deux aquarelles par H.-G. Adam, A. Masson, R. Chapelain-Midy, L. Coutaud, F. Labisse. Gallimard, [1962]. 881 pages.

Volume sur vélin, relié d'après la maquette de Paul Bonet et tiré le 27 mars 1962 à 10 250 exemplaires.

Texte identique à celui de THÉÂTRE, I, et des éditions courantes Gallimard; ont été supprimés cependant les renseignements concernant la distribution des pièces ainsi que la date et le lieu des premières. Le texte de KEAN est reproduit seul, sans la pièce d'Alexandre Dumas.

62/368

BARIONA, OU LE FILS DU TONNERRE, pièce écrite en décembre 1940.

*a*) Première édition : *Bariona.* Atelier Anjou-copies, [1962]. [II] + 112 pages. Reproduite à partir d'un stencil dactylographié et limitée à 500 exemplaires numérotés hors commerce.

Au début du volume, figure une lettre de Sartre datée du 31 octobre 1962 et autorisant la publication.

*b*) Seconde édition : *Bariona.* Élisabeth Marescot Éditrice,

[1967]. [III] + 115 pages. Imprimé par Anjou-copies à partir d'un stencil dactylographié.

On trouvera page [II] un extrait de la lettre de Sartre et page [III] une « Note de l'éditeur », datée décembre 1967, remerciant Sartre d'avoir autorisé, « à titre rigoureusement gracieux », « une livraison seconde et limitée de son œuvre », et précisant que cette édition correspondait aux besoins des chercheurs.

En principe hors commerce, cette édition a été mise en vente en 1968 dans plusieurs librairies parisiennes au prix fort de 30 ou 35 francs.

Sartre a bien voulu nous autoriser à reproduire en appendice le texte intégral de BARIONA, OU LE FILS DU TONNERRE, dont ce sera ici la première édition régulière.

### APPENDICE

Au stalag XIID à Trèves où il était prisonnier depuis le mois d'août 1940, Sartre entretenait d'excellents rapports avec plusieurs prêtres et en particulier avec l'abbé Page qui, nous dit-on, avait gagné sa sympathie par son charme et par « la rigueur avec laquelle il accordait ses conduites à ses convictions ». Simone de Beauvoir décrit ainsi les relations entre les deux hommes (cf. *La Force de l'âge*, p. 524) :

« [L'abbé Page] avait un sens aigu de la liberté; à ses yeux, le fascisme, en réduisant l'homme en esclavage, défiait la volonté de Dieu : "Dieu respecte tellement la liberté qu'il a voulu que ses créatures soient libres plutôt qu'impeccables", disait-il. Cette conviction le rapprochait de Sartre, ainsi qu'un profond humanisme. Au cours d'interminables discussions pour lesquelles Sartre se passionnait, il affirmait contre les Jésuites du camp l'intégrale humanité du Christ : Jésus était né, comme tous les nourrissons, dans l'ordure et la souffrance, la Vierge n'avait pas accouché miraculeusement. Sartre l'appuyait : le mythe de l'Incarnation n'avait sa beauté que s'il chargeait le Christ de toutes les misères de la condition humaine. »

C'est à la suite de ces discussions et pour stimuler la résistance de ses compagnons de captivité contre les Allemands que Sartre accepta d'écrire un « mystère » sur la naissance du Christ. Sartre déclare à ce sujet dans une interview récente (cf. 68/487) :

*A me voir écrire un mystère, certains ont pu croire que je traversais une crise spirituelle. Non! un même refus du nazisme me liait aux prêtres prisonniers dans le camp. La Nativité m'avait paru le sujet capable de réaliser l'union la plus large des chrétiens et des incroyants. Et il était convenu que je dirais ce que je voudrais.*

*Pour moi, l'important dans cette expérience était que, prisonnier, j'allais pouvoir m'adresser aux autres prisonniers et évoquer nos problèmes communs. Le texte était plein d'allusions à la situation du moment et parfaitement claires pour chacun de nous. L'envoyé de Rome à Jérusalem, dans notre esprit, c'était l'Allemand. Nos gardiens y virent l'Anglais dans ses colonies!*

BARIONA fut composé en quelques jours et fut représenté à Noël 1940 devant tous les prisonniers du stalag réunis. Sartre s'était à ce point passionné pour l'entreprise qu'il avait assuré lui-même la mise en scène et qu'il avait assumé le rôle du roi mage nègre Balthazar (le fait est important à noter pour une interprétation éventuelle de la pièce). Les décors avaient été peints par un ami de Sartre, Courbeau, qui avait également joué un rôle (Simone de Beauvoir, dans *La Force de l'âge*, p. 522-523, lui attribue le rôle de Pilate, qui n'existe pas dans la pièce, mais qui est sans doute celui du fonctionnaire romain Lélius). D'après un compte rendu que reprend Rémy Roure dans un article du *Figaro littéraire* (« Jean-Paul Sartre a sauvé une âme », 26 mars 1960), BARIONA obtint un très grand succès auprès des prisonniers et aurait même provoqué la conversion de l'un d'eux, bouleversé surtout par le jeu « sincère, ardent, brûlant de foi » de Balthazar-Sartre.

Dans un texte publié en anglais dans *Theatre Arts* (cf. 46/107), Sartre affirme que cette première expérience théâtrale fut particulièrement heureuse :

*Sans doute la pièce n'était-elle ni bonne ni bien jouée : un travail d'amateur, diraient les critiques, et qui n'était que le produit des circonstances. Néanmoins, c'est en cette occasion que, tandis que je m'adressais à mes camarades par-delà les feux de la rampe pour leur parler de leur situation de prisonniers, les voyant soudain si remarquablement silencieux et attentifs, je me rendis compte de ce que le théâtre devait être — un grand phénomène collectif religieux* [notre traduction].

Sartre perdit plus tard le manuscrit de BARIONA, mais plusieurs copies en furent conservées par d'anciens camarades de captivité catholiques qui le pressèrent à plusieurs reprises d'en autoriser la représentation et la publication. Sartre accepta que la pièce fût représentée mais à condition qu'elle fût précédée d'un avertissement où il pourrait faire quelques réserves et expliquer dans quelles circonstances elle avait été composée; le projet en resta là. Par contre, Sartre accepta finalement, par une lettre du 31 octobre 1962 adressée à Yves Frontier, que BARIONA ait un tirage confidentiel de cinq cents exemplaires destinés principalement à ses anciens compagnons de captivité : le texte fut polycopié en décembre 1962. Pendant plusieurs années, le seul exemplaire accessible fut celui déposé à la Bibliothèque nationale, et d'ailleurs par la suite mutilé.

Sartre n'a jamais eu une très haute opinion de sa pièce; dans l'interview que nous avons déjà citée (cf. 68/487), il n'hésite pas à dire : *Pourquoi je n'ai pas repris plus tard*

Bariona? *parce que la pièce était mauvaise. Elle sacrifiait trop à de longs discours démonstratifs.* L'œuvre, qui fait penser au premier abord à une de ces superproductions italiennes réalisées avec des moyens très réduits, se ressent certainement de la rapidité avec laquelle elle a été écrite et il serait sans doute exagéré de lui attribuer la qualité des pièces ultérieures de Sartre. Elle comporte néanmoins plusieurs passages d'une grande beauté et un développement thématique qui lui donnent, croyons-nous, une place non négligeable dans le théâtre de Sartre.

La seule étude critique de BARIONA ayant quelque ampleur est celle de Thure Stenström (« Jean-Paul Sartre's First Play », in *Orbis litterarum*, XXII, 1967, p. 173-190).

62/369

[Participation à un débat sur la dialectique.]

— Texte intégral dans : *Marxisme et existentialisme : Controverse sur la dialectique* par Jean-Paul Sartre, Roger Garaudy, Jean Hyppolite, Jean-Pierre Vigier, Jean Orcel. Plon, coll. « Tribune libre », 1962. P. 1-26 et 81-83.

Cet ouvrage est constitué par la sténographie intégrale de la séance inaugurale, le 7 décembre 1961, de la « Semaine de la pensée marxiste » organisée à la Mutualité par le Centre d'Études et de Recherches marxistes dirigé par Roger Garaudy. Le thème de la controverse était : « La dialectique est-elle seulement une loi de l'histoire ou est-elle aussi une loi de la nature? » Le débat, de caractère spéculatif et abstrait, fut suivi avec une attention passionnée par un public de plus de six mille personnes, en majorité des jeunes gens.

Les positions que développe Sartre sont celles de CRITIQUE DE LA RAISON DIALECTIQUE. Elles peuvent être résumées ainsi : l'existence d'une dialectique de la nature est postulée par les marxistes au moyen d'un raisonnement analogique qui projette de manière anthropomorphique le processus dialectique du devenir de l'histoire humaine sur le mouvement de la matière. Pour Sartre, dans l'état actuel des connaissances scientifiques, l'hypothèse, nullement démontrée, d'une dialectique de la nature est hasardeuse et participe d'une conception théologique, à moins qu'elle ne se réduise explicitement à une méthode heuristique à laquelle il appartient aux savants de donner, par leurs découvertes, une validité théorique. Sartre dit partager la crainte exprimée au cours du débat par Jean

Hyppolite qui se demande si le sens profond de l'affirmation d'une dialectique de la nature n'est pas d'historiser la nature pour naturaliser l'histoire.

62/370

« An interview with Jean-Paul Sartre », article-interview par Ryo Tanaka.

*a*) Texte paru d'abord en japonais dans *Sekai Magazine*, [mars] 1962.

*b*) *Orient/West* (Today's Japan), vol. 7, nº 5, May 1962, p. 63-69.

Ryo Tanaka relate un entretien qu'il a eu à Paris avec Sartre en compagnie des écrivains japonais Kenzaburo Ohye et Ken Kaiko. Les problèmes abordés sont d'ordre politique : Sartre montre les contradictions du capitalisme et du néo-capitalisme, soutient que l'attitude de l'U.R.S.S. est plus positive que celle des U.S.A. et compare l'individualisme de la bourgeoisie avec celui des jeunes Soviétiques. Il conclut à ce propos : *Je ne crois pas qu'une société de fourmis s'établira à l'Est* [notre traduction]. L'entretien se poursuit par des considérations sur la Chine et le Japon et se termine par quelques remarques sur la littérature : *Je ne vois aucune littérature aujourd'hui qui soit comparablement aussi choquante que la littérature américaine d'hier.* [...]

Remarquons que Sartre revient à plusieurs reprises sur l'idée de polycentrisme politique telle que l'a exprimée le leader communiste italien Togliatti.

On trouvera dans *Orient/West* (vol. 7. nº 9, September 1962, p. 33-41) un intéressant portrait de Sartre par Kenzaburo Ohye, résultant de la même entrevue.

62/371

« Entretien avec Jean-Paul Sartre », interview par Jean-Paul Naury [pseudonyme de Michel-Antoine Burnier].

*a*) *Tribune étudiante* (Organe des Étudiants P.S.U.), nº 5-6, janvier-février 1962, p. 6-7.

*b*) Fragments dans : *L'Express*, 15 mars 1962.

Intéressant entretien consacré en majeure partie à la politique : rapports du capitalisme avec le fascisme, le gaullisme et la guerre d'Algérie, attitude du parti communiste, problèmes du tiers monde *(Au tiers monde, on n'a rien à offrir qu'un peu d'argent, et, s'il proteste, des coups de fusil)*, situation de l'Europe *(Le niveau mental, intellectuel des Européens est en dégradation constante, à la fois à cause de la dépolitisation et de l'organisation. L'apolitisme fait qu'on est obligé d'accepter des choses qu'une société humaniste ne pourrait digérer)*. La fin de l'entretien donne des renseignements sur le livre sur Cuba, l'étude sur Flaubert, le film *Freud*, etc. Sartre déclare, en particulier, qu'il a pensé écrire une nouvelle œuvre de fiction.

62/372

« Répondre à la violence par la violence? » débat entre Jean-Paul Sartre, Laurent Schwartz, Serge Mallet, Gilles Martinet, etc.

— *France-Observateur*, 1er février 1962.

Ce débat s'est tenu à la suite de la fondation par Sartre, Laurent Schwartz et Jean-Pierre Vigier de la « Ligue pour le Rassemblement antifasciste ».

Parlant en son nom personnel, car la position de la ligue à l'égard du terrorisme O.A.S. n'a pas encore été définie, Sartre déclare : *Pour moi le problème essentiel est de rejeter cette théorie selon laquelle la gauche se devrait de ne pas répondre par la violence à la violence. On peut dénoncer les gens qui donnent de l'argent à l'O.A.S. ou qui, publiquement, se déclarent O.A.S. Mais à mon avis — et je ne veux en dire davantage — cela ne me paraît pas suffisant.* (Rappelons que l'appartement de Sartre avait été plastiqué pour la seconde fois le 7 janvier 1962.) Contrairement aux autres participants au débat qui tiennent à lier les attentats individuels à la violence de masse, Sartre est en faveur de plastiquages faits par des groupes de choc pour répondre aux attentats O.A.S. L'analyse politique de Sartre est la suivante : la guerre risque de se prolonger par la faute de l'O.A.S. avec laquelle le gouvernement est compromis. *Il faut donc préciser que combattre l'O.A.S., c'est en même temps combattre le gouvernement.*

62/373

Intervention aux assises de la Ligue d'Action pour le Rassemblement antifasciste, le 11 février 1962.

— *Bulletin intérieur du F.A.C.* (F.A.C.U.I.R.A. = Front d'Action et de Coordination des Universitaires et Intellectuels pour un Rassemblement antifasciste), nº 1, février-mars 1962.

Sartre insiste sur la nécessité d'une organisation unitaire pour *écraser le fascisme* et affirme que le gouvernement se sert de l'O.A.S. contre le peuple. *On viendra à bout du danger de fascisme quand le pouvoir personnel aura été renversé.* Faisant allusion aux négociations qui se préparent entre le F.L.N. et le gouvernement français, Sartre dit que *si un protocole d'accord était signé, la révolution algérienne courrait pendant des années encore des dangers considérables* et que le devoir des forces antifascistes sera de garantir par leur action le respect des accords.

62/374

« *Quick* interviewt Sartre. »

— *Quick*, [Munich], 31 März 1962.

Longue interview portant sur des sujets politiques (l'Algérie, l'O.A.S., la situation intérieure de la France, la succession de de Gaulle) ainsi que sur des sujets plus généraux : la bombe atomique, les femmes et la politique, l'Allemagne, les philosophes allemands, les Français, la jeunesse.

62/375

*Les Somnambules.*

*a*) *Les Temps modernes*, nº 191, avril 1962, p. 1397-1401.
*b*) Repris dans SITUATIONS, V.

Daté du 19 février 1962, c'est-à-dire du lendemain de la conclusion du cessez-le-feu en Algérie, ce texte amer et désenchanté (... *en 1945, les Parisiens criaient de joie parce qu'on les délivrait de leurs souffrances ; aujourd'hui ils ont ce soulagement taciturne parce qu'on les débarrasse de leurs crimes*) appelle néanmoins la gauche à la vigilance contre tout sabotage des accords de la part de l'armée et à la lutte contre le danger fasciste en France.

62/376

« Bilan et perspectives de la lutte antifasciste », interview par Simon Blumenthal et Gérard Spitzer.

— *La Voie communiste*, nouvelle série, nº 29, juin-juillet 1962.

Importante interview parce qu'elle révèle la désillusion de Sartre après son action pour la paix en Algérie.

Sartre parle principalement de l'action du F.A.C. (cf. 62/373), organisation dans laquelle il avait mis beaucoup d'espoirs en raison de son caractère unitaire. Pourtant de graves divergences avec les communistes sont apparues au sein du F.A.C. concernant les mots d'ordre et la portée de la lutte entreprise. *La collaboration avec le P. C. est une chose à la fois nécessaire et impossible.* [...] *Le P. C. veut enfermer les intellectuels sympathisants dans un ghetto.* Sartre incrimine la dépolitisation de la classe ouvrière : *On se défoule sur le plan social, mais la lutte politique, on n'en parle plus.* Même la grève générale n'est plus adaptée aux conditions actuelles, pour lesquelles il faut trouver de nouveaux moyens de lutte.

En définitive le bilan du F.A.C. est nul parce que les gens se sentent démobilisés par le retour de la paix en Algérie. Pourtant le danger fasciste en France est de plus en plus grand : *Il n'est pas vrai que la paix en Algérie signifie la fin du fascisme en France.* Pour finir, Sartre justifie une fois de plus l'action des insoumis, *une action extrêmement positive, et pas on ne sait quelle folie romantique.*

## 62/377

Réponse de Sartre à une lettre de Marcel Péju dans « Correspondance ».

— *Les Temps modernes*, nº 194, juillet 1962, p. 182-189.

Marcel Péju était secrétaire général des *Temps modernes* depuis 1953. Lorsque la revue fut réorganisée en 1960, il figura au comité de direction nouvellement créé. En juin 1962, il en fut exclu. Pour le cas où l'histoire se préoccuperait des péripéties de « l'affaire Péju », voici les textes qui y correspondent : Dans le numéro de juin 1962, *Les Temps modernes* (nº 194) annoncent, sans donner de raisons, que le comité de direction a demandé à Péju sa démission. Péju contre-attaque dans une lettre parue dans *Le Monde* du 17 juin 1962 à laquelle le comité de direction des *Temps modernes* répond le 19 juin 1962, toujours dans *Le Monde*. Péju avait sommé entre-temps *Les Temps modernes* de publier dans leur numéro de juillet une mise au point datée du 16 juin. *Les Temps modernes* s'exécutent et publient à la suite du texte de Péju une réponse de Sartre datée de « Paris, le 30 juin ».

Admirablement écrite — sans doute pour donner une leçon à un ex-rédacteur dont le style avait valu quelques désagréments à la revue (cf. notice 54/255) — la réponse de Sartre expose en termes mesurés mais sévères son point de vue dans une affaire qui ne présente plus guère d'intérêt aujourd'hui. Rappelons tout de même que Péju reprochait en substance à Sartre de l'avoir exclu parce qu'il entretenait « des rapports trop fraternels avec le F.L.N. » et que Sartre répond : *Nous serions donc, à l'en croire, un peu frères des combattants algériens, mais juste un peu, de crainte de le devenir trop. Des frères de lait, peut-être, ou qui sait, des faux frères? Dans le curieux monument de fatuité triste qu'il nous somme de publier, rien ne me paraît plus sot que ce « trop fraternels ». Et rien de plus écœurant.*

Outre qu'il montre une fois de plus les redoutables qualités de polémiste qui sont celles de Sartre, ce texte offre d'intéressants éclaircissements sur l'histoire interne des *Temps modernes* et complète l'historique de la revue qu'il a écrit à l'occasion de la mort de Merleau-Ponty (cf. 61/365). Il se termine par ces mots : *Après ablation de Péju, la revue se retrouve comme elle a toujours été : libre.*

62/378

« La poésie pour la jeunesse russe c'est le contrepoids de la technique », interview par Paul Morelle.

— *Libération*, 11 juillet 1962.

Interview sans grand intérêt réalisée au retour d'un voyage en U.R.S.S. où Sartre était invité par l'Union des écrivains soviétiques. Elle porte sur les problèmes de culture en U.R.S.S., en particulier sur les problèmes tels qu'ils se posent en architecture et dans les arts plastiques en général, en littérature et dans le domaine du cinéma. Sartre voit la création artistique en U.R.S.S. encore dominée par le principe d'utilité mais décèle une nette évolution, principalement en poésie. Parlant de celle-ci, il déclare : *Ce qu'elle cherche à exprimer* [...], *à l'aide d'une forme imagée qui procède par approches, approximations, équivalences, plus que par affirmations, ce sont les rapports humains dans la société soviétique actuelle, mais toujours sur le plan de la construction de l'U.R.S.S.*

62/379

*La démilitarisation de la culture.*

*a*) Larges extraits dans *France-Observateur*, 17 juillet 1962.

*b*) Texte complet, en italien, sous le titre « Coesistenza pacifica e cultura » dans : IL FILOSOFO E LA POLITICA. Rome : Editori Riuniti, 1964. P. 277-287 de l'édition de poche [1965].

*c*) Repris sous une forme incomplète dans SITUATIONS, VII. En plus de la coupure signalée p. 330, il manque une page au début, ainsi qu'un long passage avant le premier paragraphe de la p. 324.

*d*) Mauvaise traduction allemande, « Die Abrüstung der Kultur » : *Sinn und Form*, 14. Jahr, Heft 5-6, 1962, p. 805-815.

Discours prononcé à Moscou au Congrès mondial pour le Désarmement général et la Paix (9 au 14 juillet 1962). Examinant le problème de la culture tel qu'il s'est posé dans le contexte de la guerre froide, Sartre prend principalement l'exemple de Kafka pour montrer comment la culture a été mobilisée à des fins partisanes. *La culture n'a pas à être défendue* [...] *il ne faut pas* protéger *la culture, le seul service qu'elle attend, c'est à nous, intellectuels, de le lui rendre : il faut la démilitariser.* Sartre cherche à convaincre les marxistes soviétiques qu'ils ont tout à gagner à intégrer la culture occidentale plutôt qu'à la rejeter en bloc. Se référant à la thèse khrouchtchevienne de la coexistence basée sur la compétition pacifique, il déclare : *J'applique ce qu'il* [Khrouchtchev] *nous a dit à la culture et je conclus qu'elle doit être compétitive, que son unité synthétique implique justement en chaque cas une compétition qui doit, à mon avis, se terminer au profit du marxisme.*

62/379 A

*Discussion sur la critique à propos de* L'Enfance d'Ivan.

*a*) Paru d'abord sous le titre « Lettere di Sartre a L'Unità » dans : *L'Unità*, 9 ottobre 1962.

*b*) Repris dans le volume IL FILOSOFO E LA POLITICA.

*c*) Version française, traduite de l'italien, dans *Les Lettres françaises*, 26 décembre 1963-1er janvier 1964.

*d*) Texte *c*) repris dans SITUATIONS, VII.

Une note précise : « Il s'agit d'une traduction, l'original ayant été égaré en Italie. »

Sartre et Simone de Beauvoir avaient vu le film d'Andrei Tarkovski au cours de leur séjour en U.R.S.S. en juin-juillet 1962 (cf. *La Force des choses*, p. 657). Présenté la même année au festival de Venise, *L'Enfance d'Ivan* obtint le Lion d'Or ex æquo avec *Cronaca familiare* de Valerio Zurlini, mais reçut un accueil assez mitigé de la part de la presse communiste italienne. Sartre, alors en Italie, décida de prendre la défense du film et écrivit à cet effet une lettre à Mario Alicata qui fut publiée par *L'Unità*.

Sartre affirme que *L'Enfance d'Ivan* est *un des plus beaux films qu'il* [lui] *ait été donné de voir au cours de ces dernières années* et le compare avec *Les Quatre Cents Coups* de Truffaut : *Un enfant mis en pièces par ses parents : voici la tragi-comédie bourgeoise. Des milliers d'enfants détruits, vivants, par la guerre, voilà une des tragédies soviétiques.*

62/380

*La guerra fredda e l'unità della cultura.*

*a*) *Rinascita*, [Rome], nº 23, 13 ottobre 1962.
*b*) Repris dans IL FILOSOFO E LA POLITICA. p. 257-267; p. 297-308 de l'édition de poche (cf. 64/398).

Ce texte, inédit en français, reprend, à l'intention de lecteurs occidentaux et sous une forme à la fois plus élaborée et plus concise, les idées exprimées par Sartre à Moscou, au Congrès mondial pour le Désarmement et la Paix (cf. 62/379). Sartre utilise encore une fois l'exemple de Kafka pour montrer que la guerre froide a entraîné non seulement la militarisation de la science mais aussi la rupture de la communication culturelle entre l'Est et l'Ouest. Il se dit convaincu que les contacts pris à Moscou entre les intellectuels soviétiques et ceux de l'Occident et du tiers monde contribueront à rétablir cette communication et que le développement historique a rendu aujourd'hui une véritable universalité de la culture possible et nécessaire.

62/381

« Deux heures avec Jean-Paul Sartre », article-interview de D. Guendline et S. Razgonov.

— *La Culture et la Vie* (mensuel publié en français à Moscou), nº 9, [septembre] 1962, p. 35-36.

Extraits d'un entretien donné en juillet 1962 à la Maison centrale des Littérateurs, avec photo de Sartre et de

Simone de Beauvoir en visite chez Konstantin Fedine. Sartre parle des villes qu'il vient de visiter (Kiev, Leningrad), des progrès qu'il a remarqués depuis son voyage de 1954, des impressions qu'il a ressenties à une lecture de poèmes faite en public par A. Voznesenski, des pièces et des films qu'il a vus (en particulier *L'Enfance d'Ivan* d'Andrei Tarkovski). L'entretien se termine sur la littérature en France et sur la situation créée par la guerre d'Algérie. Sartre déclare également : *Je me classe parmi les écrivains réalistes car je ne pense pas qu'on puisse avoir une littérature sans réalisme.*

Cet entretien a été repris dans d'autres éditions en langues étrangères du même périodique, en particulier dans *Culture and Life* (même numéro, même date).

62/382

« Encounter with Jean-Paul Sartre », article-interview de László Róbert.

— *The New Hungarian Quarterly*, [Budapest], vol. III, nº 8, October-December 1962, p. 246-248.

László Róbert relate avec naturel et en donnant un grand nombre de citations les deux entretiens qu'il a eus avec Sartre pendant le Congrès mondial pour le Désarmement général et la Paix qui s'est tenu à Moscou en juillet 1962 (cf. 62/379).

Au cours d'un bref premier échange, Sartre se félicite que Kafka ait été publié en Hongrie et relève la contradiction majeure à laquelle doivent faire face les participants du Congrès : il leur faut, d'une part, œuvrer pour une culture universelle et pour la paix, et, d'autre part, poursuivre le combat idéologique.

Le second entretien a lieu au petit déjeuner, en présence d'un jeune poète cubain. Après avoir déploré la mauvaise qualité du café que dispensent les restaurants soviétiques, les trois hommes parlent de la vie littéraire à Cuba, en Hongrie et en U.R.S.S. Sartre émet quelques réserves sur la situation à Cuba : *J'ai l'impression que l'on entrave actuellement à Cuba le développement des diverses tendances littéraires.* [...] *Je sais bien que Fidel ne peut pas prêter attention à tout* [...] [notre traduction]. Il ne partage pas entièrement le point de vue sur l'autocensure de l'écrivain que lui propose son interlocuteur cubain et recommande à celui-ci d'étudier la vie intellectuelle hongroise et *non pas seulement dans le but d'éviter les erreurs faites en Hongrie.*

La deuxième partie de l'entretien est plus officielle : Sartre parle des buts poursuivis par le congrès de Moscou et des problèmes de la paix.

62/NOTE 1.

Des extraits de l'œuvre de Sartre sont reproduits dans l'ouvrage scolaire suivant : Sartre. *Choix de textes*. Présentés par J. Sébille. Bruxelles, Éditions Labor, collection « Problèmes », n° 2. 1962; Paris, Nathan.

62/NOTE 2.

Sartre avait travaillé à un scénario sur la vie de Freud pour John Huston dès 1958. Le manuscrit comportait près de 800 pages. Lorsque la version finale du film fut prête à sortir en 1962, Sartre estima que son script avait été par trop mutilé et obtint que son nom fût retiré du générique (cf. *Appendice Cinéma*).

62/NOTE 3.

Le 3 juin 1962, Sartre a donné à Moscou à l'agence Tass une interview sur les dangers fascistes en Europe de l'Ouest.

# 1963

63/383

**LES MOTS**

*a*) Version intégrale en deux parties : *Les Temps modernes*, nº 209, octobre 1963, p. 577-649; nº 210, novembre 1963, p. 769-834.

Le texte ne comporte pas de variantes notables par rapport à l'édition Gallimard et il est déjà dédié « A Madame Z. ».

*b*) Extraits sous le titre « L'Enfance de Sartre », dans *L'Express*, 28 novembre 1963.

*c*) Publication en volume : Gallimard, [1964]. 213 pages. Dédié : « A Madame Z. » 15 exemplaires sur Japon impérial; 45 sur vélin de Hollande et 125 sur vélin pur fil.

Paru en janvier 1964 et publié à la même date dans la collection « Soleil ».

C'est vers 1953 que Sartre semble avoir conçu le projet d'écrire une autobiographie (cf. interview 53/245). Le gros de l'ouvrage a été écrit en 1954, repris plusieurs fois, puis retouché et nuancé au début de l'année 1963, ce qui explique quelques contradictions d'ordre chronologique, le point de référence étant tantôt 1954, tantôt 1963. Dans une interview donnée à Jacqueline Piatier (cf. 64/405), Sartre explique pourquoi le projet a pris naissance alors :

*A la suite d'événements politiques, mes rapports avec le parti communiste m'ont vivement préoccupé. Jeté dans l'atmosphère de l'action, j'ai soudain vu clair dans l'espèce de névrose qui dominait toute mon œuvre antérieure. Je n'avais pas pu la reconnaître auparavant : j'étais dedans. Simone de Beauvoir avait deviné ces raisons avant moi. Le propre de toute névrose c'est de se donner pour naturelle. J'envisageais tranquillement que j'étais fait pour écrire.*

*Par besoin de justifier mon existence, j'avais fait de la littérature un absolu. Il m'a fallu trente ans pour me défaire de cet état d'esprit.*

*Quand mes relations avec le parti communiste m'ont donné le recul nécessaire, j'ai décidé d'écrire mon autobiographie. Je voulais montrer comment un homme peut passer de la littérature considérée comme sacrée à une action qui reste néanmoins celle d'un intellectuel.*

Une seconde interview nous donne davantage de précisions sur les intentions premières de Sartre et indique une autre préoccupation majeure et un autre événement déterminant (cf. 55/267) :

*C'est l'histoire — la mienne — d'un homme de cinquante ans, fils de petits bourgeois et qui avait neuf ans à la veille de 1914 et se trouvait déjà marqué par ce premier avant-guerre. Entre les deux guerres il a poussé ses études assez loin, mais n'a vécu pourtant qu'en se trompant totalement sur le sens de la vie. Il fut le jouet d'une mystification jusqu'au matin de découvrir que l'on pouvait devenir le jouet des circonstances : un matin de 1939 où vous tombent sur les épaules un uniforme, un numéro matricule et l'obligation de remplir un « engagement » que d'autres auront signé pour lui. Dès lors il décidera de s'engager tout seul.* [...]

*Je voudrais éviter le romanesque, l'anecdotique même dans la mesure où il n'aurait pas d'importance. Ce seront plutôt des mémoires où me définir par rapport à la situation historique en utilisant comme système d'investigation aussi bien une certaine psychanalyse que la méthode marxiste. Il m'importe beaucoup d'expliquer ce pour quoi j'écris. C'était la préoccupation de Kafka lorsqu'il disait : « J'ai un mandat, mais personne ne me l'a donné. » Je voudrais expliquer dans cet ouvrage où pouvoir mettre presque tout de moi-même comment il se fait que j'ai voulu continuer d'écrire selon une certaine forme esthétique donnée, mais participant désormais à l'événement social : comment j'ai... éclaté.*

Dans une troisième interview, donnée à Olivier Todd (cf. 57/294), Sartre déclare que ce qui le pousse à écrire une autobiographie, c'est surtout le désir d'élaborer une méthode :

*J'ai écrit un certain nombre d'ouvrages — sur Baudelaire et Genet, ainsi que d'autres essais inédits — où j'essayais de déterminer la signification d'une vie et le projet qui la remplit. J'ai été critiqué sous le prétexte que cette reconstruction de l'extérieur perdait un élément de sympathie. Eh bien, personne ne peut blâmer un écrivain d'avoir une certaine sympathie pour lui-même et pour ses projets : en appliquant ma méthode à moi-même, je profiterai d'un minimum de sympathie* [notre traduction].

Il ajoute qu'une seconde raison est de montrer, chez lui, le passage de la subjectivité à une certaine objectivité :

*Il y a deux façons de considérer ce que l'on écrit. On peut soutenir que l'on exprime ce que personne d'autre ne pense ni ne ressent. C'est là de l'aristocratie littéraire. Ou bien, on peut soutenir, au contraire, que l'on écrit ce que tout le monde pense, simplement parce que l'on est comme tout le monde. C'est là ma façon — bien plus démocratique en tout cas — d'aborder le problème.* [...]

*En écrivant cette biographie, je ne m'intéresse pas seulement à la signification particulière d'une vie. Je veux retracer l'évolution assez curieuse d'une génération. Je suis né en 1905 dans un milieu de petits bourgeois intellectuels. J'ai grandi dans un âge dont les maîtres à penser étaient, après tout, Gide et Proust, un âge, en vérité, de subjectivisme et d'esthétisme* [...] [notre traduction].

Reprenons enfin, pour conclure, une déclaration qui montre l'évolution de Sartre entre 1954 et 1963 et qui explique pourquoi la publication de son œuvre s'est trouvée retardée (cf. 64/405) :

*Dans* Les Mots, *j'explique l'origine de ma folie, de ma névrose. Cette analyse peut aider les jeunes qui rêvent d'écrire. Cette aspiration est tout de même assez étrange et ne va pas sans une fêlure.* [...] *En 1954 j'étais très près de regretter* [d'avoir choisi la littérature]. *J'étais néophyte dans un autre monde. J'avais rêvé ma vie pendant près de cinquante ans.* [...] *Mais, voyez-vous, il y a deux tons dans* Les Mots : *l'écho de cette condamnation et une atténuation de cette sévérité. Si je n'ai pas publié cette autobiographie plus tôt et dans sa forme la plus radicale, c'est que je la jugeais excessive. Il n'y a pas de raison de traîner un malheureux dans la boue parce qu'il écrit. D'ailleurs, entre-temps, je m'étais rendu compte que l'action aussi a ses difficultés et qu'on peut y être conduit par la névrose.*

LES MOTS a été très bien accueilli par la critique qui y a vu diversement un retour de l'auteur à la littérature, une nouvelle manifestation de sa mauvaise foi, un mauvais coup porté à l'enfance, l'expression du pessimisme le plus noir, etc., et qui, avec tout cela, s'est accordée pour proclamer l'excellence d'une œuvre qui compte déjà parmi les classiques de l'autobiographie. Le succès des MOTS a sans doute été un élément déterminant dans l'attribution du prix Nobel de littérature à Sartre en octobre 1964; une bonne compréhension de l'œuvre permet de voir aussi pourquoi il l'a refusé.

Signalons ici que, malgré certains bruits, il n'existe pour le moment aucune suite entièrement rédigée et publiable aux MOTS. Il n'est cependant pas impossible que, dans un avenir assez proche, Sartre consacre un volume à son adolescence. Mais il envisage maintenant l'autobiographie de son âge adulte comme une sorte de « testament politique ».

## 64/384

*Ot avtora* [De la part de l'auteur], préface à la traduction russe des MOTS.

*a*) *Novyi Mir*, [Moscou], nº 10, oktiabr 1964, p. 60.
*b*) Extrait dans : *Le Monde*, 28 octobre 1964.

Cette lettre de Sartre aux lecteurs soviétiques précède la traduction russe des MOTS faite par Lena Zonina et I. Iakhnina, parue dans *Novyi Mir* d'octobre et de novembre 1964. Cette lettre n'a pas été reprise dans l'édition en volume (*Slova*, Moscou : Izd. Progress, 1966) où elle est remplacée par une longue introduction de M. Bazhan.

Sartre reprend ici plusieurs thèmes que nous avons déjà signalés dans la notice sur LES MOTS et contraste, en particulier, son enfance bourgeoise avec celle de ses lecteurs soviétiques qui ont vécu la révolution d'Octobre. Il promet une suite aux MOTS qui racontera toute sa vie et qui montrera à quel point la révolution de 1917 a été un événement important pour sa génération, bien qu'elle l'ait vécue *de loin, avec retardement et un peu à la provinciale.* Après avoir insisté sur l'importance de l'enfance, Sartre conclut [notre traduction] :

*Les critiques m'ont reproché d'être trop sévère pour l'enfant que j'ai été. On trouve plaisant que les souvenirs soient pénétrés d'indulgence envers soi-même, que l'écrivain, en s'attendrissant, attendrisse le lecteur. Je ne suis ni sévère ni tendre, je ne rends pas responsable l'enfant, mais l'époque qui l'a formé. Et surtout, je déteste le mythe éculé de l'enfance mis au point par les adultes. Je voudrais qu'on lise ce livre pour ce qu'il est en réalité : la tentative de destruction d'un mythe.*

63/385

*Doigts et non-doigts*, texte sur Wols.

*a*) Wols [pseudonyme de Alfred Otto Wolfgang Schülze, né à Berlin le 27 mai 1913, mort le 1er septembre 1951]. *Wols en personne.* Aquarelles et dessins. Textes de Jean-Paul Sartre, Henri-Pierre Roché, Werner Haftmann. Delpire, édit., [1963]. P. 10-21.

Il existe une traduction en anglais de ce volume : Wols. *Watercolors, Drawings, Writings.* New York : Abrams, 1965.

*b*) Repris sous le même titre dans SITUATIONS, IV.

Excellent texte écrit spécialement pour le volume *a*). Sartre est revenu assez longuement sur Wols dans une interview donnée en 1964 : *L'effort du peintre contemporain c'est de faire participer en participant, de se jeter lui-même dans la toile pour que nous y soyons jetés avec lui. Tout l'art de Wols est venu de là. Il a cherché la manière de compromettre l'espèce humaine dans ses tableaux. Il l'a fait par l'horrible, ce qui convenait au monde où il vivait, surtout entre 1937 et 1945, et à sa propre vie. Ce monde horrible c'est nous en même temps que ce n'est pas nous. Il nous peint comme des autres pour nous faire voir du dehors et du dedans.* [...] (*Clarté*, nº 55, mars-avril 1964, p. 46).

Sur Wols, cf. également *La Force des choses* (p. 256) ainsi que VISAGES (cf. 48/157) et NOURRITURES (cf. 49/181).

63/386

*Préface* à *La Pensée politique de Patrice Lumumba.*

*a)* Volume de textes recueillis et présentés par Jean Van Lierde. Éditions Présence africaine, 1963. P. I-XLVI.

*b*) Publiée d'abord sous le titre « La Pensée politique de Patrice Lumumba » dans *Présence africaine*, nº 47, 3e trimestre, juillet-septembre 1963, p. 18-58.

*c*) Reprise sous le même titre dans SITUATIONS, V.

A certains égards supérieur à la préface aux *Damnés de la terre* de Fanon, ce texte moins brillant et moins connu est peut-être le meilleur que Sartre ait consacré aux problèmes de la révolution du tiers monde et de ses contradictions.

63/387

*Le cinéma nous donne sa première tragédie :* Les Abysses.

— Pour soutenir le film de Nico Papatakis, Sartre écrivit un texte qui fut reproduit dans plusieurs communiqués publicitaires, en particulier dans *Le Monde* du 19 avril 1963.

APPENDICE

63/388

*Nel sangue di Grimau l'unità della Spagna.*

*a*) *Rinascita*, [Rome], 27 avrile 1963.

*b*) Texte français, sous le titre *Grimau*, dans : *Libération*, 27-28 avril 1963.

Sartre met en parallèle l'émigration des travailleurs espagnols et l'exécution de Grimau qui prouvent toutes deux *l'imbécile férocité du régime. Il n'y a qu'une solution pour Franco : le sang ; il faut qu'il coule. De plus en plus : la terreur ne se maintient qu'en s'accroissant. La condamnation de Grimau est un défi lancé par le gouvernement au pays : si les républicains font mine de s'unir, je tue. La victime était bien choisie : qui donc, à l'Ouest, va se mouiller pour un communiste? Je me rappelle encore, lors d'une récente manifestation en France, le mot d'un gradé aux flics qui l'entouraient : « Il n'y a plus que les communistes, vous pouvez y aller... » Ils y allèrent et firent huit morts. Ce que je respecte profondément, en tout communiste, c'est qu'il a pris tous les risques en entrant au parti, c'est qu'il s'est fait délibérément* l'homme à abattre *de toutes les sociétés bourgeoises.* Mais, de même que les morts du métro « Charonne » ont provoqué l'unité syndicale en France, l'assassinat de Grimau accélérera l'unification de la Résistance espagnole.

63/389

« Coesistenza pacifica e confronto delle idee », interview.

*a*) *Rinascita*, [Rome], nº 35, 7 settembre 1963.
*b*) Repris dans IL FILOSOFO E LA POLITICA. P. 269-275; p. 309-316 de l'édition de poche (cf. 64/398).

Interview reprenant, sans rien y ajouter de marquant, les thèmes du discours à Moscou sur la « démilitarisation de la culture » (cf. 62/379 et 380). Pour Sartre, la lutte idéologique implique nécessairement une unité de la culture qui est rompue artificiellement par la guerre froide. Il développe ici l'idée selon laquelle la compétition dans le domaine idéologique se poursuivra au profit du marxisme.

63/390

Cf. 62/379 A.

63/391

[Fragments de lettres et de textes divers.]

— Simone de Beauvoir. *La Force des choses.* Gallimard, [1963].

Principaux fragments :

| Pages | |
|---|---|
| 15 | (Note datée 14 septembre 1939 : *Me voilà guéri du socialisme si j'avais besoin de m'en guérir.*) |
| 130 | (Note sur ses rapports avec les communistes.) |
| 163-165 | (Notes sur le R.D.R.) |
| 178 | (Lettre sur Sacha Guitry, mai 1948.) |
| 218 | (Note expliquant l'abandon de la « Morale ».) |
| 244-245 | (Lettre sur la situation politique, août 1950.) |
| 261-262 | (Notes sur LE DIABLE ET LE BON DIEU.) |
| 280-281 | (Notes sur sa découverte de la lutte des classes.) |

Pour *La Force de l'âge*, cf. 60/354.

63/392

*Une lettre de J.-P. Sartre* [adressée à Maria Craipeau].

— *France-Observateur*, 12 décembre 1963, p. 2.
Lettre datée « Jeudi, 5 décembre 1963 » et suivie par une réponse de Maria Craipeau.

Dans un article intitulé « Une vie en marge » et publidans *France-Observateur*, Maria Craipeau avait fait une critique assez sévère de Simone de Beauvoir à propos de *La Force des choses*. Sartre prit fort mal cette critique et envoya aussitôt à Maria Craipeau une lettre acerbe où non seulement il contestait le bien-fondé de ses affirmations mais où il l'attaquait aussi sur un plan personnel. L'affaire fit quelque bruit et fut utilisée contre Sartre.

63/393

*Un bilancio, un preludio.*

*a*) *L'Europa Letteraria*, vol. IV, n^os^ 22-24, 1963, p. 162-168.
*b*) Texte français sous le titre « Un bilan, un prélude », dans *Esprit*, n^o^ 329, juillet 1964, p. 80-85.

Intervention au colloque sur le roman organisé à Leningrad, du 5 au 8 août 1963, par l'Union des Écrivains soviétiques et patronné par la C.O.M.E.S. (Communauté européenne des écrivains). Le numéro d'*Esprit* comporte aussi les interventions de Bernard Pingaud, Nathalie Sarraute et Alain Robbe-Grillet, précédées d'une introduction de Pingaud, « L'année dernière à Leningrad ».

Le niveau assez bas donné par les interventions soviétiques (également reproduites dans *Esprit*) à cette confrontation entre les conceptions littéraires d'écrivains de l'Est et de l'Ouest ne permet guère à Sartre d'exprimer plus que des idées relativement banales qui témoignent avant tout de sa volonté de conciliation.

63/NOTE 1.

*Le Monde* du 22 janvier 1963 et *L'Express* du 24 janvier 1963, en particulier, rendent compte d'une conférence de presse tenue au domicile de l'ancien ministre François Tanguy-Prigent le 21 janvier 1963 et à laquelle participèrent, entre autres, Sartre, Francis Jeanson et Noël Favrelière (tous deux condamnés par contumace). Le but de cette conférence de presse était d'annoncer la création d'un comité pour la réhabilitation totale des métropolitains poursuivis et condamnés pour aide au F.L.N. Les participants déclarèrent qu'ils allaient publiquement héberger les insoumis encore poursuivis, afin de forcer le gouvernement à prendre position.

Dans son intervention, dont nous avons pu nous procurer le texte complet, Sartre insista sur l'urgence qu'il y avait à faire campagne en faveur de ceux qui restaient emprisonnés ou écartés de la vie active pour avoir milité contre la guerre d'Algérie. Il montra l'inconséquence du gouvernement qui avait signé les accords d'Évian, organisé la coopération et continuait pourtant à tenir pour un crime l'action de Français ayant agi pour l'indépendance de l'Algérie. *Si l'on veut vraiment la coopération, alors il faut, en son nom, libérer et réintégrer cette poignée d'hommes et de femmes.*

63/NOTE 2.

*Le Monde* (20 février 1963), rendant compte du procès des « Conjurés du Petit-Clamart », cite une lettre de Sartre au tribunal, dont la teneur est la suivante : *Je ne connais pas les faits, je ne connais pas les accusés qui me font citer ni personne qui les connaisse. Au terme de la loi nouvelle, il m'est donc interdit de témoigner.*

Sartre avait en effet été cité comme témoin par les avocats de la défense qui voulaient lui poser cette question : « En 1957, vous disiez qu'on ne peut assimiler l'acte de Ben Sadok à un acte de terrorisme. Ne pouvez-vous pas le dire pour l'acte de Bastien-Thiry? » Le Tribunal jugea en définitive que l'audition des personnalités politiques, dont Sartre, citées par la défense n'était pas nécessaire.

# 1964

64/394

SITUATIONS, IV

— Gallimard, [1964]. 461 pages.

En sous-titre : « Portraits. » La bande publicitaire se lit : « Littérature et peinture. »

Ce volume comprend quinze textes publiés de 1948 à 1963 et répartis en trois sections :

| | | |
|---|---|---|
| I. — | Portrait d'un inconnu [sur N. Sarraute] | cf. 48/159 |
| — | L'Artiste et sa conscience [sur la musique] | 50/195 |
| — | Des rats et des hommes [sur André Gorz] | 58/303 |
| II. — | Gide vivant | 51/214 |
| — | Réponse à Albert Camus | 52/223 |
| — | Albert Camus | 60/344 |
| — | Paul Nizan | 60/333 |
| — | Merleau-Ponty | 61/365 |
| III. — | Le séquestré de Venise [sur le Tintoret] | 57/300 |
| — | Les peintures de Giacometti | 54/257 |
| — | Le peintre sans privilèges [sur Lapoujade] | 61/356 |
| — | Masson | 60/348 |
| — | Doigts et non-doigts [sur Wols] | 63/385 |
| — | Un parterre de capucines | 52/222 |
| — | Venise, de ma fenêtre | 53/235 |

Ces deux derniers textes proviennent de l'ouvrage abandonné « La Reine Albemarle et le dernier touriste. »

SITUATIONS, IV a été généralement désigné comme l'un des meilleurs volumes parus en France en 1964.

64/395

SITUATIONS, V : *colonialisme et néo-colonialisme.*

— Gallimard, [1964]. 255 pages.

Ce volume contient treize textes écrits de 1954 à 1963 et disposés, à une seule exception près, dans l'ordre chronologique de leur parution. Il n'y a pas de variantes majeures.

— « D'une Chine à l'autre » [Cartier-Bresson] cf. 54/250
— Le colonialisme est un système 56/285
— « Portrait du colonisé », précédé du « Portrait du colonisateur » [Albert Memmi] 57/298
— « Vous êtes formidables » 57/293
— « Nous sommes tous des assassins » 58/305
— Une victoire [Henri Alleg] 58/302
— « Le Prétendant » 58/306
— La Constitution du mépris 58/309
— Les grenouilles qui demandent un roi 58/310
— L'analyse du référendum 61/358
— Les somnambules 62/375
— « Les Damnés de la terre » [Frantz Fanon] 61/355
— La pensée politique de Patrice Lumumba 63/386

64/396

SITUATIONS, VI

— Gallimard, [1964]. 385 pages.

En sous-titre : « Problèmes du marxisme, I. »

Comprend cinq textes publiés de 1950 à 1954 et reproduits sans variantes majeures :

— Portrait de l'aventurier [Roger Stéphane] cf. 50/196
— Faux savants ou faux lièvres [Louis Dalmas] 50/193
— Sommes-nous en démocratie ? 52/219
— « La fin de l'espoir » [Juan Hermanos] 50/194
— Les Communistes et la Paix 52/220 et 54/254

64/397

QU'EST-CE QUE LA LITTÉRATURE ?

— Gallimard, coll. « Idées », [1964]. 375 p.

Cf. 47/125.

64/398

IL FILOSOFO E LA POLITICA

*a*) Roma : Editori Riuniti, 1964. Préface de Mario Alicata.
*b*) Édition de poche : Editori Riuniti, « Enciclopedia tascabile », nº 94, [1965].

Ce choix de textes politiques a été publié en Italie avant la publication en France des volumes SITUATIONS, IV, V et VI. Il comprend la version italienne des textes suivants, dont deux sont inédits en français :

| | |
|---|---|
| Les Communistes et la Paix | cf. 52/220 et 54/254 |
| Le Fantôme de Staline | 57/291 |
| Vous êtes formidables | 57/293 |
| Nous sommes tous des assassins | 58/305 |
| Le Prétendant | 58/306 |
| La Constitution du mépris | 58/309 |
| Les grenouilles qui demandent un roi | 58/310 |
| L'analyse du référendum | 61/358 |
| Merleau-Ponty vivant | 61/365 |
| Les somnambules | 62/375 |
| La démilitarisation de la culture [texte intégral] | 62/379 |
| Discussion sur la critique à propos de « L'Enfance d'Ivan » | 62/379 A |
| La guerra fredda e l'unità de la cultura [inédit en français] | 62/380 |
| « Coesistenza pacifica e confronto delle idee » [interview inédite en français] | 63/389 |
| La pensée politique de Patrice Lumumba | 63/386 |

Le volume comporte un index des noms cités.

64/399

« Incontro con Jean-Paul Sartre », interview.

— Interview réalisée en mars ou avril 1964 à l'occasion de la publication de IL FILOSOFO E LA POLITICA et parue dans un périodique italien non identifié.

64/400

*Foreword* [Lettre-préface] à *Reason and Violence.*

— In : Laing, Ronald D. *and* Cooper, David G. *Reason and Violence : A Decade of Sartre's Philosophy 1950-1960.* London : Tavistock Publications, 1964. P. 7.

Cette lettre-préface est datée du 9 novembre 1963.

R. D. Laing et D. G. Cooper sont parmi les meilleurs praticiens et théoriciens actuels de la psychanalyse existentielle. Tous deux ont été fortement influencés par la pensée de Sartre et entreprennent dans *Reason and Violence* une étude basée sur SAINT GENET et CRITIQUE DE LA RAISON DIALECTIQUE. Cooper est l'auteur de *Psychiatrie et antipsychiatrie* dont des extraits ont paru dans *Les Temps modernes* de décembre 1967 (ouvrage à paraître aux éditions du Seuil) tandis que R. D. Laing est l'auteur de *The Divided Self* (Penguin Books) et de plusieurs autres études sur la schizophrénie.

64/401

« La culture en question », interview.

— *21 × 27 (L'Étudiant de France)*, nº 5, février 1964.

Cette interview assez brève, donnée à des représentants de l'U.N.E.F., porte sur les problèmes de culture dans le cadre de l'Université. Sartre donne cette définition : *La culture est le miroir critique de l'homme total* [...] *la culture est un miroir, et miroir et culture n'ont de sens que si l'homme y trouve la possibilité de s'y reconnaître et de s'y contester.* Puis il critique le cours magistral dans lequel il voit le germe de tout dogmatisme. Il affirme que la culture dispensée par l'Université est une culture de classe et vante en conclusion le système d'enseignement soviétique.

64/402

« Entretien avec Jean-Paul Sartre », interview par les responsables du groupe de philosophie de la Sorbonne.

*a*) *Philo-Observateur*, nº 4, mars 1964.
*b*) Un texte modifié, composé à partir de la même inter-

view, a paru dans : *21 × 27 (L'Étudiant de France)*, nº 6, mars 1964.

Cette interview, qui offre peu d'intérêt, porte essentiellement sur la relation enseignants-enseignés. Sartre critique le système actuel, en particulier celui du cours magistral, qui ne peut être transformé que par une réforme totale. Pour les études philosophiques, il préconise surtout la formation de l'esprit critique.

Les amateurs de variantes trouveront une méticuleuse comparaison entre les textes *a*) et *b*) dans la bibliographie Dreyfus-Trotignon.

64/403

« Sartre parle... », interview par Yves Buin.

— *Clarté* [Mensuel de l'Union des Étudiants communistes], nº 55, mars-avril 1964, p. 41-47.

Cet entretien est l'un des meilleurs réalisés par Sartre sur les rapports de la politique et de l'art grâce, en partie, à l'intelligence des questions posées par Yves Buin. Les deux hommes tentent de définir ce qu'est le réalisme aussi bien en littérature qu'en peinture et en musique et essaient, à travers une série d'exemples, de voir quelles sont les conditions d'un art révolutionnaire. Tout en dénonçant les insuffisances des théories traditionnelles du réalisme, Sartre déclare adhérer profondément à la méthodologie marxiste et énonce comme suit la tâche de la critique :

*Les œuvres modernes réclament la constitution d'une critique moderne qui puisse les envisager dans leur totalité, c'est-à-dire dans leur conditionnement historique et donc leur irréductibilité, dans leur signification intentionnelle et dans la hiérarchie de leurs sens profonds, à la fois comme des* produits *d'un homme, d'une époque et comme un dépassement objectif des conditions de leur production qui se retourne sur elles pour les modifier.*

Avant de parler longuement de Flaubert, Sartre revient sur la notion d'engagement et utilise à ce propos une formule que l'on trouve déjà dans les mémoires de Simone de Beauvoir : *Il me semble que l'art est toujours la représentation du monde tel qu'il serait s'il était repris par la liberté humaine.*

Parmi les nombreux sujets mentionnés, citons : Kafka, Vian, Ingmar Bergman, Lucien Goldmann, Genet *(Est-ce provocateur de se demander pourquoi sa pièce* Les Nègres *n'est pas jouée en U.R.S.S.?)*, le peintre Mathieu, Le Clézio (à propos de la nouvelle « Le jour où Beaumont fit connaissance avec la douleur »), Maïakovski *(La Punaise)*, Wols,

Claude Simon *(Il écrit sur le temps, sur la mémoire. Au fond, que montre-t-il de plus que Proust?)*, Brecht, le Nouveau Roman et l'idée d'avant-garde.

64/404

[Interview à un représentant de l'A.P.S. — agence de presse algérienne].

— Extraits cités dans *Le Monde*, 15 avril 1964.

Sartre se félicite des accords de coopération entre la France et l'Algérie et déclare : *Je considère qu'il est très utile que la France soit, par la médiation même de l'Algérie, liée au « tiers monde ». C'est une chose plus utile pour nous, peut-être, que pour vous.* [...] Il ajoute que l'aide à un pays qu'on a *exploité pendant cent ans* est un devoir absolu et que *le « cartiérisme » n'est qu'une espèce de « poujadisme ».*

64/405

« Jean-Paul Sartre s'explique sur *Les Mots* », interview par Jacqueline Piatier.

— *Le Monde*, 18 avril 1964.

Très importante interview qu'il faudrait reproduire ici en entier : Sartre revient non seulement sur LES MOTS, mais montre également combien il a changé *à l'intérieur d'une permanence* et comment il conçoit la littérature en 1964. Parlant de la *névrose* littéraire qui l'a mobilisé pendant quarante ans, il constate : *On n'est pas plus sauvé par la politique que par la littérature.* Bien qu'il ne voie de salut nulle part, Sartre ne se sent pas désespéré : *J'ai* [...] *toujours été optimiste. Je ne l'ai même été que trop.* Avant de remarquer qu'il a toujours été heureux, il déclare :

*L'univers reste noir. Nous sommes des animaux sinistrés... Mais j'ai découvert brusquement que l'aliénation, l'exploitation de l'homme par l'homme, la sous-alimentation, reléguaient au second plan le mal métaphysique, qui est un luxe. La faim, elle, est un mal tout court.*

C'est dans cette perspective qu'il se demande : *Croyez-vous que je puisse lire Robbe-Grillet dans un pays sous-développé?* et qu'il affirme : *En face d'un enfant qui meurt,* La Nausée *ne fait pas le poids.* Cette phrase, qui évoque le fameux « Tout Shakespeare ne vaut pas une paire de bottes » de Tolstoï, a naturellement fait scandale (cf. les réactions d'Yves Berger et de Claude Simon dans *L'Express* du 28 mai 1964, ainsi que le débat « Que peut la littérature ? » en décembre 1964). Sartre nous a dit au cours d'un entretien que sa phrase avait été mal interprétée, qu'il ne s'agissait nullement pour lui de mettre sur le même plan une œuvre de fiction comme *La Nausée* et un enfant qui meurt de faim, mais qu'il importait de poser la question : Que signifie la littérature dans un monde qui a faim ? (cf. aussi 66/449).

Parmi les autres sujets abordés : Beckett, Gide, *Almagestes* d'Alain Badiou, Mallarmé, Flaubert, etc.

## 64/406

« Jean-Paul Sartre et Zola », lettre à Jacqueline Piatier. — *Le Monde*, 25 avril 1964, p. 12.

Courte mise au point sur l'interview du 18 avril :

*Je ne crois pas avoir dit que l'hermétisme de Mallarmé était une* bêtise. [...] *Je juge que l'hermétisme, comme* théorie, *est une erreur, voilà tout.* [...] *Je n'ai pas dit que l'attitude de Zola et de Gide était la pire de toutes.*

Sartre fera une autre mise au point dans l'interview donnée à *L'Arc* en 1966 (cf. 66/449).

## 64/407

« Entretien à Prague sur la notion de décadence. »

*a*) *Plamen*, [Prague], nº 2, 1964, p. 16-26.

*b*) Texte français dans *La Nouvelle Critique*, nº 156-157, juin-juillet 1964, p. 71-84.

Cet entretien a eu lieu en novembre 1963 à la rédaction de la revue *Plamen*, lors d'un séjour de Sartre à Prague où il était invité par l'Union des Écrivains tchécoslovaques. Les autres participants étaient les écrivains E. Fischer, E. Goldstucker, J. Hajek, A. Hoffmeister, M. Kundera et P. Pujman.

Sartre, qui jouit manifestement de la considération générale, parle en premier et commence par dénier tout intérêt à la notion de décadence : celle-ci ne peut que bloquer la discussion entre les intellectuels de l'Ouest qui, comme lui, se rattachent ouvertement au marxisme, et les intellectuels de l'Est. Il déclare : *Je pense que c'est la lecture de Freud, de Kafka et de Joyce (je cite ces trois noms parce qu'ils ont été très souvent cités à Leningrad), en plus d'autres choses, qui m'a mené au marxisme.* Si l'on traite à l'Est ces auteurs de « décadents », c'est toute la culture personnelle des intellectuels de l'Ouest qui est mise hors la loi. Cette notion rend donc le dialogue difficile et il faut la rejeter *a priori.* De plus, dire que ces auteurs sont décadents parce qu'ils appartiennent à une société décadente est très contestable car si le capitalisme est *aussi inhumain et aussi vil qu'auparavant,* il est loin d'avoir fait faillite. *Nous les hommes de gauche occidentaux, nous ne pouvons accepter que quelques auteurs de base qui nous ont formés, et auxquels nous ne renonçons pas, Proust, Kafka ou Joyce, soient considérés comme des décadents, parce que cela signifie du même coup la condamnation de notre passé et la négation de tout apport de notre part à la discussion.*

L'entretien est courtois mais donne le sentiment d'un dialogue de sourds : ce n'est qu'en recourant à des formules très générales que les interlocuteurs trouvent un terrain d'entente.

64/408

[Déclaration à la mort de Maurice Thorez.]

— *L'Humanité,* 16 juillet 1964.
— *France nouvelle,* 15-21 juillet 1964.

A la mort de Maurice Thorez, survenue le 12 juillet 1964, Sartre, qui se trouvait en Italie, envoya au Parti communiste français la déclaration suivante :

*Il n'y a pas besoin d'avoir toujours été d'accord avec la politique du Parti communiste pour reconnaître en Maurice Thorez une des plus grandes figures du Mouvement ouvrier international. Même ses adversaires ont toujours respecté les qualités de l'homme, son intelligence, son énergie, son courage et sa persévérance. C'est grâce à lui, surtout, que le P.C.F. est devenu le premier parti de France. Il a lutté inlassablement pour l'union des travailleurs, en France et dans le monde entier, pour le socialisme, contre le fascisme et contre la guerre. Malgré d'inévitables divergences qu'il faut travailler à aplanir, ces objectifs sont et doivent rester ceux de toute la Gauche française.*

64/409

*Palmiro Togliatti.*

*a)* Publié d'abord sous le titre « Il mio amico Togliatti » : *L'Unità,* 30 agosto 1964.

*b*) Texte français dans *Les Temps modernes*, n° 221, octobre 1964, p. 577-587.

Pour mesurer toute la distance qui existe à l'époque entre l'adhésion pleine de réserves donnée par Sartre à la politique du P.C.F. et la sympathie profonde qui le lie au P.C.I., il suffit de comparer le ton, sans parler de la longueur, des hommages rendus par l'écrivain aux deux dirigeants communistes disparus à quelques semaines d'intervalle (cf. notice précédente).

Sartre se trouvait à Rome au moment de la mort de Togliatti; il assista à son enterrement et écrivit pour *L'Unità* ce texte où se manifestent une émotion sincère et même une certaine fierté de pouvoir se dire l'ami d'un homme d'une telle valeur. Car il avait conçu pour Togliatti, en même temps qu'une vive estime, une très réelle amitié. Sartre raconte sa première rencontre avec le leader italien dans un restaurant romain en été 1959 et, à travers le portrait de l'homme, il trace celui de son parti et donne les raisons de sa sympathie pour le P.C.I., *le plus intelligent des partis*. Il dit en conclusion : *Aussi bien, celui que je regrette n'est pas seulement l'homme qui a forgé de ses mains un parti d'hommes durs et libres : ce parti saura lui survivre et suivre son chemin. C'est avant tout le vieil homme calme et puissant que j'ai vu pour la dernière fois en mai dernier. Un homme que j'aimais. Mon ami Togliatti.*

## TEXTES RELATIFS AU REFUS DU PRIX NOBEL (octobre 1964).

Sartre avait prévenu l'Académie suédoise qu'il refuserait le prix Nobel de littérature si celui-ci lui était attribué. L'Académie ne tint pas compte de ce premier refus et lui décerna tout de même le prix. Comme nous en informe un article de *L'Aurore* (23 octobre 1964), « c'est devant un petit salé aux lentilles, dans un paisible restaurant du 14e arrondissement [L'Oriental] que Jean-Paul Sartre, accompagné de Simone de Beauvoir, [apprit] ce nouveau coup du sort ». Sartre rédigea immédiatement une déclaration qui, traduite par Carl Gustav Bjurström, fut lue à Stockholm le 22 octobre 1964 par un représentant de son éditeur suédois. Cette déclaration, retraduite du suédois mais revue par Sartre lui-même, fut ensuite diffusée dans sa totalité par l'agence France-Presse et reprise par de nombreux journaux, en particulier *Le Monde*.

64/410

*L'écrivain doit refuser de se laisser transformer en institution.*

*a*) *Le Monde*, 24 octobre 1964.
*b*) *Les Lettres françaises*, 29 octobre-4 novembre 1964.
Etc.

Voici ce texte *in extenso :*

Je regrette vivement que l'affaire ait pris une apparence de scandale : un prix est décerné et je le refuse. Cela tient seulement au fait que je n'ai pas été informé assez tôt de ce qui se préparait. Lorsque j'ai vu dans *Le Figaro littéraire* du 15 octobre, sous la plume du correspondant suédois du journal, que le choix de l'Académie suédoise allait vers moi, mais qu'il n'avait pas encore été fixé, je me suis imaginé qu'en écrivant une lettre à l'Académie, que j'ai expédiée le lendemain, je pouvais mettre les choses au point et qu'on n'en parlerait plus.

J'ignorais alors que le prix Nobel est décerné sans qu'on demande l'avis à l'intéressé, et je pensais qu'il était temps de l'empêcher. Mais je comprends que lorsque l'Académie suédoise a fait un choix elle ne puisse plus se dédire.

Les raisons pour lesquelles je renonce aux prix ne concernent ni l'Académie suédoise, ni le prix Nobel en lui-même, comme je l'ai expliqué dans ma lettre à l'Académie. J'y ai invoqué deux sortes de raisons : des raisons personnelles et des raisons objectives.

Les raisons personnelles sont les suivantes : mon refus n'est pas un acte improvisé, j'ai toujours décliné les distinctions officielles. Lorsque, après la guerre, en 1945, on m'a proposé la Légion d'honneur, j'ai refusé, bien que j'aie eu des amis au gouvernement. De même, je n'ai jamais désiré entrer au Collège de France, comme me l'ont suggéré quelques-uns de mes amis.

Cette attitude est fondée sur ma conception du travail de l'écrivain. Un écrivain qui prend des positions politiques, sociales ou littéraires ne doit agir qu'avec les moyens qui sont les siens, c'est-à-dire la parole écrite. Toutes les distinctions qu'il peut recevoir exposent ses lecteurs à une pression que je n'estime pas souhaitable. Ce n'est pas la même chose si je signe Jean-Paul Sartre ou si je signe Jean-Paul Sartre, prix Nobel.

L'écrivain qui accepte une distinction de ce genre engage également l'association ou l'institution qui l'a honoré : mes sympathies pour le maquis vénézuélien n'engagent que moi, tandis que si le prix Nobel Jean-Paul Sartre prend parti pour la résistance au Venezuela, il entraîne avec lui tout le prix Nobel en tant qu'institution.

L'écrivain doit donc refuser de se laisser transformer en institution, même si cela a lieu sous les formes les plus honorables, comme c'est le cas.

Cette attitude est évidemment entièrement mienne et ne comporte aucune critique contre ceux qui ont déjà été couronnés. J'ai beaucoup d'estime et d'admiration pour plusieurs des lauréats que j'ai l'honneur de connaître.

Mes raisons objectives sont les suivantes :

Le seul combat actuellement possible sur le front de la culture est celui pour la coexistence pacifique des deux cultures, celle de l'Est et celle de l'Ouest. Je ne veux pas dire qu'il faut qu'on s'embrasse, je sais bien que la confrontation entre ces deux cultures doit nécessairement prendre la forme d'un conflit, mais elle doit avoir lieu entre les hommes et entre les cultures, sans intervention des institutions.

Je ressens personnellement profondément la contradiction entre les deux cultures : je suis fait de ces contradictions. Mes sympathies vont indéniablement au socialisme et à ce qu'on appelle le bloc de l'Est, mais je suis né et j'ai été élevé dans une famille bourgeoise et une culture bourgeoise. Cela me permet de collaborer avec tous ceux qui veulent approcher les deux cultures. J'espère cependant, bien entendu, que « le meilleur gagne ». C'est-à-dire le socialisme.

C'est pourquoi je ne peux accepter aucune distinction distribuée par les hautes instances culturelles, pas plus à l'Est qu'à l'Ouest, même si je comprends fort bien leur existence. Bien que toutes mes sympathies soient du côté socialiste, je serais donc incapable, tout aussi bien, d'accepter, par exemple, le prix Lénine, si quelqu'un voulait me le donner, ce qui n'est pas le cas.

Je sais bien que le prix Nobel en lui-même n'est pas un prix littéraire du bloc de l'Ouest, mais il est ce qu'on en fait, et il peut arriver des événements dont ne décident pas les membres de l'Académie suédoise.

C'est pourquoi, dans la situation actuelle, le prix Nobel se présente objectivement comme une distinction réservée aux écrivains de l'Ouest ou aux rebelles de l'Est. On n'a pas couronné, par exemple, Neruda, qui est un des plus grands poètes sud-américains. On n'a jamais parlé sérieusement de Louis Aragon, qui le mérite pourtant bien. Il est regrettable qu'on ait donné le prix à Pasternak avant de le donner à Cholokhov, et que la seule œuvre soviétique couronnée soit une œuvre éditée à l'étranger et interdite dans son pays. On aurait pu établir un équilibre par un geste semblable dans l'autre sens. Pendant la guerre d'Algérie, alors que nous avions signé la « déclaration des 121 », j'aurais accepté le prix avec reconnaissance, parce qu'il n'aurait pas honoré que moi, mais aussi la liberté pour laquelle nous luttions. Mais cela n'a pas eu lieu et ce n'est qu'après la fin des combats que l'on me décerne le prix.

Dans la motivation de l'Académie suédoise, on parle de liberté : c'est un mot qui invite à de nombreuses interprétations. A l'Ouest, on n'entend qu'une liberté générale : quant à moi, j'entends une liberté plus concrète qui consiste dans le droit d'avoir plus d'une paire de chaussures et de manger à sa faim. Il me paraît moins dangereux de décliner le prix que de l'accepter. Si je l'accepte, je me prête à ce que j'appellerai, « une récupération objective ». J'ai lu dans l'article du *Figaro littéraire* qu'on « ne me tiendrait pas rigueur d'un passé politique controversé ». Je sais que cet article n'exprime pas l'opinion de l'Académie, mais il montre clairement dans quel sens on interpréterait mon acceptation dans certains milieux de droite. Je considère, ce « passé politique controversé » comme toujours valable, même si je suis tout prêt à reconnaître certaines erreurs passées au milieu de mes camarades.

Je ne veux pas dire par là que le prix Nobel soit un prix « bourgeois », mais voilà l'interprétation bourgeoise que donneraient inévitablement des milieux que je connais bien.

Finalement, j'en reviens à la question de l'argent : c'est quelque chose de très lourd que l'Académie pose sur les épaules du lauréat en accompagnant l'hommage d'une somme énorme, et ce problème m'a tourmenté. Ou bien on accepte le prix et avec la somme reçue on peut appuyer des organisations ou des mouvements qu'on estime importants : pour ma part, j'ai pensé au comité Apartheid à Londres.

Ou bien on décline le prix à cause des principes généraux, et on prive ce mouvement d'un appui dont il aurait eu besoin. Mais je crois que c'est un faux problème. Je renonce évidemment aux 250 000 couronnes parce que je ne veux pas être institutionnalisé ni à l'Est ni à l'Ouest. Mais on ne peut pas demander non plus que l'on renonce pour 250 000 couronnes à des principes qui ne sont pas uniquement les vôtres, mais que partagent tous vos camarades.

C'est ce qui m'a rendu si pénibles à la fois l'attribution du prix et le refus que je suis obligé de donner.

Je veux terminer cette déclaration par un message de sympathie au public suédois.

*(Traduit du suédois.)*

64/411

« Sartre nous explique son refus », interview par N. L. Kemski. — *Paris-Presse-L'Intransigeant*, 24 octobre 1964.

Constamment poursuivi par les journalistes, Sartre finit par se faire coincer par l'un d'eux à deux heures du matin et lui accorda une courte interview où il déclare :

*Je veux être lu par des gens qui ont envie de lire mes livres. Pas par des collectionneurs de célébrités. [...] Je refuse les distinctions parce qu'elles engagent. Et je tiens à rester libre. Un écrivain doit vivre dans sa vérité.*

Il y a également une courte déclaration de Sartre dans un article au titre éloquent : « J'ai retrouvé Sartre (prix Nobel malgré lui) après une poursuite à 100 à l'heure dans Paris » (Jean-Claude Larrivoire in *France-Soir,* 23 octobre 1964).

Les innombrables réactions au refus de Sartre mériteraient toute une étude. Contentons-nous de relever les trois suivantes :

— Maheu, René : « Sur un refus », *Le Figaro,* 26 octobre 1964. L'ancien condisciple de Sartre, aujourd'hui directeur de l'UNESCO., établit une intéressante comparaison entre le prix Nobel 1964 et Socrate.

— Marcel, Gabriel : « Prise de position », *Nouvelles littéraires,* 29 octobre 1964. G. Marcel dénonce en Sartre un « dénigreur invétéré, blasphémateur systématique [qui a] répandu autour de lui les enseignements les plus pernicieux, les conseils les plus toxiques qui aient jamais été prodigués à la jeunesse par un corrupteur patenté ». Et il conclut :

« En la personne de Sartre, c'est un fossoyeur de l'Occident que le jury a porté sur le pavois. »

— Breton, André [et le groupe surréaliste] : « Le rappel de Stockholm », *La Brèche,* décembre 1964 :

« Sous couvert d'une aimable manifestation d'indépendance, il s'agit bel et bien d'un acte politique parfaitement situé, d'une opération de propagande en faveur du *bloc de l'Est.* Huit ans après Budapest, Sartre « rempile »! [...] Il ne suffit pas de refuser un prix, encore faut-il que les justifications éventuelles de ce geste n'en constituent pas la négation. Sartre, par sa déclaration, a gravement *empoisonné* la notion même de refus. »

Soulignons cependant que, si le refus de Sartre a été incompris et diversement commenté par une partie de l'opinion, il a été en revanche admis et apprécié par beaucoup d'intellectuels.

Dans une interview publiée dans *Le Nouvel Observateur* (nº 1, 19 novembre 1964), Sartre revient longuement sur les raisons de son refus et les réactions qui ont suivi : *Pourquoi ai-je refusé ce prix? Parce que j'estime qu'il a depuis un certain temps une couleur politique. Si j'avais accepté le Nobel — et même si j'avais fait un discours insolent à Stockholm, ce qui eût été absurde — j'aurais été récupéré. Si j'avais été membre d'un parti, du parti communiste, par exemple, la situation aurait été différente. Indirectement, c'est à mon parti que le prix aurait été décerné ; c'est à lui, en tout cas, qu'il aurait pu servir. Mais lorsqu'il s'agit d'un homme isolé, même s'il a des opinions « extrémistes », on le récupère nécessairement, d'une certaine façon, en le couronnant. C'est une manière de dire : « Finalement, il est des nôtres. » Je ne pouvais pas accepter ça.*

*La plupart des journaux m'ont prêté des raisons personnelles : j'étais vexé que Camus l'ait eu avant moi... j'avais peur que Simone de Beauvoir ne soit jalouse... au mieux, j'étais une belle âme qui refusait tous les honneurs par orgueil. J'ai une réponse bien simple : si nous avions eu un gouvernement de front populaire — comme je le souhaite — et qu'il m'eût fait l'honneur de me décerner un prix, je l'aurais accepté avec plaisir.* [...]

*Ce qui m'a le plus gêné, dans cette histoire, ce sont les lettres des pauvres.* [...] *Ils m'ont écrit des lettres navrantes. Ils disent tous : « Donnez-moi l'argent que vous refusez. »*

*Au fond, ce qui scandalise, c'est que cet argent n'ait pas été dépensé.* [...]

*Le paradoxe, c'est que, refusant le prix, je n'ai rien fait. C'était en l'acceptant que j'aurais fait quelque chose, que je me serais laissé récupérer par le système.*

## 64/412

« L'Alibi », interview.

— *Le Nouvel Observateur*, nº 1, 19 novembre 1964, p. 1-6.

*France-Observateur* étant en perte de vitesse et *L'Express* sur le point d'adopter la formule commerciale qu'on lui connaît aujourd'hui, la création d'un nouvel hebdomadaire de gauche fut décidée à l'automne 1964 par une partie de l'équipe de *France-Observateur* et des rédacteurs dissidents de *L'Express*. Sartre accepta de manifester son soutien au *Nouvel Observateur* en lui donnant dès le premier numéro une longue interview destinée à lancer l'hebdomadaire. Il n'a cessé, depuis, de lui apporter son concours.

Cette interview, qui a eu un assez grand retentissement, porte essentiellement sur le thème de la dépolitisation. Sartre montre que, contrairement à ce qui est fréquemment avancé, la jeunesse n'est que très relativement dépolitisée; si on la compare à la jeunesse d'avant guerre, elle manifeste un niveau de conscience politique considérablement plus élevé. De manière générale, les gens sont d'ailleurs beaucoup plus conscients des implications politiques de tous les problèmes qu'ils ne l'étaient auparavant, mais cela est vrai surtout de la jeunesse. *Les jeunes gens que je rencontre ont peut-être la tête moins chaude qu'autrefois mais, ce qui me frappe le plus, c'est qu'ils en sont souvent, politiquement, au même point que moi. Leur point de départ est mon point d'arrivée. Ils ne viennent pas me demander des leçons mais discuter sur un pied d'égalité avec moi.* Sartre montre ensuite que le besoin de s'informer largement est déjà le signe d'un approfondissement de la conscience politique et que les gens n'ignorent plus l'interdépendance des événements historiques à l'échelle planétaire. Parlant de la politique, il dit : *Pour moi, cela veut dire non pas une* attitude *que l'individu peut prendre ou abandonner selon les circonstances, mais une* dimension *de la personne.* Puis il revient au problème de la dépolitisation de la jeunesse pour affirmer : *Dire de la jeunesse qu'elle est dépolitisée, c'est souhaiter qu'elle le soit et travailler à ce qu'elle le devienne un peu plus. Le fait que les jeunes gens s'intéressent moins directement au combat politique sert d'*alibi *pour les en détourner davantage encore.* Il analyse ensuite les pressions économiques et idéologiques que subit la jeunesse à travers le phénomène « yé-yé ». Répondant à une question sur « la mort des idéologies », il cite et commente cette phrase que lui a dite un jour Che Guevara : « Ce n'est pas ma faute si la réalité est marxiste. » Il déplore la carence des marxistes de l'Est à appliquer la méthode marxiste à l'analyse de leurs propres sociétés mais il réfute l'argumentation selon laquelle les problèmes seraient les mêmes dans toutes les sociétés industrielles, qu'elles soient socialistes ou capitalistes. *S'il devait y avoir des conflits en U.R.S.S., ils prendraient l'aspect d'un réformisme et non d'une révolution. Il n'y aurait pas de classe à renverser, mais des aménagements pourraient être réclamés, ce qui est fort différent.* Sartre parle ensuite du contenu nouveau que doit prendre la lutte révolutionnaire (revendication d'un pouvoir ouvrier sur la gestion) et montre quel peut être le rôle d'une presse de gauche : *Sans tomber dans le manichéisme, il faut renchérir sur l'intransigeance. A la limite, toute position de gauche, dans la mesure où elle est contraire à ce qu'on tente d'inculquer à l'ensemble de la société, se trouve être « scandaleuse ». Cela ne veut pas dire qu'il faille rechercher le scandale, ce qui serait absurde et inefficace, mais qu'il ne faut pas le craindre : si la position prise est juste, il doit arriver de surcroît, comme un signe, comme la sanction naturelle d'une attitude de gauche.* Pour terminer, il parle des réactions à son refus du prix Nobel.

64/413

Message de Sartre à la soirée d'hommage à Nazim Hikmet organisée par *Les Lettres françaises* à la salle Pleyel le 6 décembre 1964.

— *Les Lettres françaises*, 10-16 décembre 1964.

Sartre dit de Nazim Hikmet qu'il fut *l'exemple de ce que doit être un homme : ami fidèle, militant courageux, ennemi sans faiblesse des ennemis de l'homme, il ne voulait pourtant s'aveugler sur rien, servir partout à la fois ; il savait que l'homme est à faire, que nulle part il n'est fait et qu'il fallait, en même temps et sans cesse, agir sur soi, tout en combattant l'adversaire. Bref qu'il fallait, comme le dit Pascal du chrétien, comme on peut le dire aujourd'hui du militant et, en cette occasion, de l'intellectuel militant, « ne jamais dormir ». Il n'a jamais dormi ; l'admirable c'est que la mort ait été son premier et son dernier sommeil. Mais les œuvres d'un homme qui a veillé sans défaillance prennent la relève et veillent pour vous après lui.*

# 1965

65/414

LES TROYENNES, adaptation de la pièce d'Euripide.

*a*) Euripide. *Les Troyennes*. Adaptation française de Jean-Paul Sartre. Collection du Théâtre national populaire, [1965]. 79 pages.

Achevé d'imprimer : 8 mars 1965. 50 exemplaires sur pur fil Lafuma. Le volume était vendu uniquement au T.N.P.; l'acheteur pouvait également obtenir un fascicule de photos illustrant la pièce.

Une note précise : « Cette édition ne comporte pas les modifications apportées au texte lors des dernières répétitions. »

*b*) Édition courante : Gallimard, [1966]. 131 pages.
Achevé d'imprimer : 24 janvier 1966.
80 exemplaires sur vélin de Hollande et 220 sur vélin pur fil.

Le volume reprend le texte de l'édition précédente avec quelques changements de ponctuation ainsi qu'en introduction (p. 2-8), les propos de Sartre parus dans *Bref* (cf. cidessous, 65/415).

La pièce a été présentée pour la première fois le 10 mars 1965 au théâtre du Palais de Chaillot par le Théâtre national populaire.

Mise en scène de Michel Cacoyannis. Dispositif scénique et costumes de Jean Tsarouchis. Musique de Jean Prodromides. Rôles principaux : Jean Martinelli (Poséidon), Françoise Le Bail (Pallas Athéna), Éléonore Hirt (Hécube), Jean-Pierre Bernard (Talthybios), Judith Magre (Cassandre), Nathalie Nerval (Andromaque), Yves Vincent (Ménélas), Françoise Brion (Hélène).

La pièce a été écrite en juillet-août 1964 à Rome; il existe un manuscrit de 84 pages.

65/415

« *Les Troyennes* : Jean-Paul Sartre s'explique », propos recueillis par Bernard Pingaud.

*a*) *Bref* [Journal du T.N.P.], n° 83, février 1965, [sur six pages].

*b*) Repris comme *Introduction* de l'édition Gallimard (cf. 65/414).

Sartre dit ici pourquoi et comment il a adapté LES TROYENNES. Pour lui, le théâtre d'Euripide est un théâtre de transition; il marque la fin du cycle tragique et le passage à la comédie de Ménandre et devient, comme le théâtre de Ionesco et de Beckett, une *conversation à demi-mots sur des poncifs* [Sartre aborde là une réflexion sur la fonction du lieu commun et du cliché qu'il reprendra dans ses textes sur Kierkegaard et sur Georges Michel]. *Les Troyennes* sont moins une tragédie qu'un oratorio dont le thème dominant est la *condamnation de la guerre en général, et des expéditions coloniales en particulier.*

Sartre dramatise ce thème de la guerre en ajoutant le monologue final de Poséidon et modernise la pièce en substituant à l'opposition antique entre les Barbares et les Grecs celle entre Troie (ici symbole du tiers monde) et l'Europe.

65/416

[Interview sur LES TROYENNES par Gisèle Halimi.]

— *Nin*, [Belgrade], 28 [mars] 1965.

Texte non consulté.

65/417

SITUATIONS, VII

— Gallimard, [1965]. 345 pages.

En sous-titre : « Problèmes du marxisme, 2. »

Le volume comprend huit textes publiés de 1953 à 1962 :

— Réponse à Claude Lefort cf. 53/238
— Opération « Kanapa » 54/253
— Le réformisme et les fétiches [Pierre Hervé] 56/283
— Réponse à Pierre Naville 56/284
— Le Fantôme de Staline 57/291
— Quand la police frappe les trois coups... [sur R. Brasillach] 57/301
— La démilitarisation de la culture 62/379
— Discussion sur la critique à propos de « L'Enfance d'Ivan » 62/379 A

65/418

LA TRANSCENDANCE DE L'EGO : *Esquisse d'une description phénoménologique.* Introduction, notes et appendice par Sylvie Le Bon.

— Librairie philosophique Vrin, 1965. 134 pages (cf. 36/9).

65/419

*Que peut la littérature ?*, intervention à un débat.

— S. de Beauvoir, Yves Berger, Jean-Pierre Faye, Jean Ricardou, Jean-Paul Sartre, Jorge Semprun. *Que peut la littérature ?* Présentation par Yves Buin. [Union générale d'éditions], coll. « L'Inédit » 10/18, [1965]. 128 pages. Texte de Sartre : p. 107-127.

Ce volume reproduit un débat organisé le 9 décembre 1964 à la Mutualité par l'équipe du journal *Clarté*, organe de l'Union des Étudiants communistes. Ce débat attira 6 000 personnes et provoqua un bon nombre de réactions. *Le Figaro littéraire*, en particulier, publia dans son numéro du 17 décembre 1964 les réponses de quatorze écrivains à la question posée par Sartre et Simone de Beauvoir.

Des extraits des diverses interventions parurent en préoriginale dans *Clarté* (n° 59, janvier 1965, p. 17-22).

Le débat fut surtout une confrontation entre les tenants du « telquelisme » (J.-P. Faye et surtout Jean Ricardou) et ceux de la littérature engagée (Sartre, S. de Beauvoir,

J. Semprun). Ricardou reprocha à Sartre de prôner « l'art pour l'homme » (alors que « l'art, c'est l'homme même ») et d'avoir dit au cours d'une interview (cf. 64/405) : *En face d'un enfant qui meurt,* La Nausée *ne fait pas le poids.*

Dans son intervention — qui, avec ses redites et sa trop grande abstraction, n'est sans doute pas l'une des meilleures qu'il ait faites — Sartre se défend contre les attaques qui lui ont été portées en mettant l'accent sur le lecteur et non sur le langage et redéfinit les rapports du lecteur à l'œuvre.

Signalons également dans son intervention une phrase dite ironiquement mais peut-être prophétique : *J'espère que le Nouveau Roman se terminera en France par une révolution* (p. 108).

65/420

Interview sans titre par Antonin J. Liehm [en tchèque].

— *In* Liehm, A. J., *Rozhovor*. Praha, 1965. P. 71-86.

Interview de Sartre et de Simone de Beauvoir faite en 1963 et portant sur la littérature. A. J. Liehm est le traducteur attitré de Sartre en Tchécoslovaquie.

65/421

« Sartre non va in U.S.A. », interview par Maria A. Macciocchi.

— *L'Unità*, 19 marzo 1965.

Sartre explique pourquoi il renonce à se rendre aux États-Unis et propose que l'Italie prenne l'initiative d'une action de tous les intellectuels européens contre la guerre au Vietnam.

65/422

« Pourquoi je refuse d'aller aux États-Unis / Il n'y a plus de dialogue possible », interview.

— *Le Nouvel Observateur*, 1er avril 1965.

En 1964, Sartre avait accepté de venir faire une série de cinq conférences sur Flaubert et sur la philosophie à Cornell University. Peu de temps avant la date prévue (avril 1965), il fit connaître au groupe de professeurs qui l'avait invité qu'il ne pourrait se rendre aux États-Unis.

Il explique ici que son refus est lié à l'intensification de la guerre au Vietnam et, en particulier, aux bombardements du Nord : *Pour un intellectuel européen solidaire du tiers monde, il est aujourd'hui impossible de solliciter du département d'État un visa pour se rendre aux États-Unis. S'il y va, et quoi qu'il dise là-bas, les gens du tiers monde le condamneront, parce qu'on ne va pas chez l'ennemi. La réaction de mes amis cubains est à cet égard significative. Il y a quelques mois, ils me disaient : « Allez aux États-Unis, bien sûr, et parlez de Cuba. » Depuis les bombardements du Vietnam du Nord, ils me disent tous : « Qu'est-ce que vous iriez faire là-bas ? »*

Sartre justifie également son refus par l'impuissance de la gauche américaine : *Je pense* [...] *qu'un homme de gauche américain qui a une vision claire de sa situation, qui se voit isolé dans un pays entièrement conditionné par les mythes de l'impérialisme et de l'anticommunisme, je pense que cet homme-là, auquel je rends hommage, est un damné de la terre. Il désapprouve totalement la politique qu'on fait en son nom et son action est totalement inefficace, en tout cas dans l'immédiat.* [...]

Sartre exprime cependant l'espoir que les États-Unis évolueront et que se formera *une nouvelle pensée américaine.*

Le refus de Sartre a suscité de nombreuses réactions parmi les universitaires et les libéraux américains; son évaluation de la situation intérieure des États-Unis a été jugée souvent comme partiale et par trop pessimiste.

65/423

*Sartre répond* [à une lettre de D. I. Grossvogel].

— *Le Nouvel Observateur*, 8 avril 1965.

Ce texte suit une lettre où un universitaire américain, David Grossvogel, professeur à Cornell University, déplore que Sartre ne vienne pas aux États-Unis et conteste les raisons que celui-ci a données pour justifier son refus.

Dans sa réponse, Sartre dit en particulier : *Il est commode mais absurde d'expliquer ce refus par la haine : je n'en éprouve aucune et pour personne; et surtout pas pour deux cents millions d'hommes : cela m'épuiserait.* [...]

65/423 A

*Sia l'Europa a imporre agli U.S.A. il negoziato*, message.

— *L'Unità*, 18 aprile 1965.

Message adressé aux jeunes scocialistes, communistes et socialistes unitaires italiens qui participaient à Bologne à une marche pour la paix et la liberté au Vietnam. Sartre y déclare notamment : *Il faut que le Vietcong — quelle que soit la forme de négociations — soit considéré comme interlocuteur valable, comme il a été nécessaire, en Algérie, au gouvernement français de traiter avec le G.P.R.A.*

65/424

« Culture de poche et culture de masse », propos recueillis par Bernard Pingaud.

— *Les Temps modernes*, nº 228, mai 1965, p. 1994-2001.

Les propos de Sartre apportent une conclusion au dossier consacré aux livres de poche ouvert dans *Les Temps modernes* d'avril et de mai 1965. Ils se réfèrent en particulier à un très bon texte de Serge Sautreau et André Velter paru dans le numéro d'avril et intitulé « Le Poché ».

Pour Sartre, le livre de poche représente un « fait culturel » parmi d'autres : *Il ne faut donc pas se demander, comme on le fait trop souvent, si les millions de lecteurs nouveaux qu'il touche ont le droit ou la possibilité d'accéder à* la *culture. Il faut au contraire essayer de définir une culture à partir de cette technique de vente et de diffusion nouvelle, comme on le faisait jusqu'à présent à partir de l'édition ordinaire.* Sartre poursuit en comparant les mérites et les défauts du système d'édition d'État en vigueur dans les pays socialistes avec ceux de la diffusion en livres de poche : *Si l'édition d'État entrave la production de culture nouvelle, elle met à la disposition d'un public nouveau tous les grands ouvrages du passé. Elle transmet l' « héritage » à tous, et non pas seulement à quelques-uns. Le Poche, lui, a montré, après une période de rodage et de tâtonnement, qu'il pouvait élargir sérieusement la diffusion des œuvres difficiles et susciter de nouveaux contacts entre le public et les créateurs. Mais il n'obtient ce résultat qu'en restant cantonné au public traditionnel.*

65/425

« Playboy interview : Jean-Paul Sartre », interview par Madeleine Gobeil.

*a*) *Playboy*, [Chicago], vol. 12, nº 5, May 1965, p. 69-76. En sous-titre : « A candid conversation with the charismatic fountainhead of existentialism and rejector of the Nobel prize. »

*b*) Repris en volume : *Playboy Interviews*. Chicago : Playboy Press, 1967. P. 162-179.

Importante interview faite en 1964, avant que Sartre ne soit lauréat du prix Nobel. Presque tous les sujets y étant abordés, traduisons ici quelques extraits : *Je suis doublement traître — traître dans le conflit des générations et traître dans la lutte des classes. La génération de 1945 pense que je l'ai trahie parce qu'elle a appris à me connaître par* Huis clos *et* La Nausée, *œuvres écrites à une époque où je n'avais pas encore réalisé les implications marxistes de mes idées.* [...]

*A seize ans, voyez-vous, je voulais être romancier. Mais je dus étudier la philosophie pour entrer à l'École normale supérieure. Mon ambition était de devenir professeur de littérature.* [...]

*Bien que* [Genet] *ait cessé d'avoir des « mythes » et soit dans ce sens parfaitement libre, le résultat en a été plutôt triste. Il est maintenant complètement seul.* [...]

*Dieu n'a rien eu à dire* [...] *sur la guerre d'Algérie. Il y a eu des prêtres qui se sont très bien conduits et d'autres qui se sont conduits d'une façon ignoble.* [...]

*Mon devoir comme intellectuel est de penser, de penser sans aucune restriction, même au risque de faire des erreurs. Je ne dois pas me fixer de limites en moi-même, et je ne dois pas permettre qu'on fixe des limites* pour *moi* [...] (Sartre se définit ici par rapport au parti communiste.)

*Il n'y a pas de grands écrivains en France aujourd'hui. Les tenants du « Nouveau Roman » ont du talent, et du point de vue de l'expérimentation formelle, leurs livres sont intéressants. Mais ils ne nous apportent absolument rien d'autre que la justification de notre ordre social français, technocratique et politiquement stérile.* [...]

*J'ai toujours essayé de m'entourer de femmes qui sont au moins agréables à regarder. La laideur féminine m'indispose. Je l'admets et j'en ai honte.* [...] *Je préfère leur compagnie à celle des hommes. En règle générale, je trouve ceux-ci ennuyeux. Ils ont des sensibilités spécialisées et ils parlent boutique. Mais il y a des qualités chez la femme qui proviennent de sa situation, du fait qu'elle est à la fois esclave et complice.* [...] *De la même façon, ce que j'apprécie particulièrement chez mes amis juifs, c'est une gentillesse et une subtilité qui sont certainement une conséquence de l'antisémitisme.* [...]

*Je déteste posséder.* [...] *Quand j'aime un objet, je veux toujours le donner à quelqu'un. Ce n'est pas de la générosité, c'est seulement parce que je veux que les* autres *soient esclaves des objets, et non pas moi.* [...]

*Je ne crois pas qu'il soit nécessaire, comme l'a fait Gide, de briser systématiquement avec son passé : mais je veux toujours être ouvert au changement. Je ne me sens lié par rien de ce que j'ai écrit. En revanche, je n'en renie pas un mot non plus.* [...]

Sartre donne d'autres renseignements autobiographiques, parle du problème de l'aliénation et de ses relations avec les communistes et critique la politique du général de Gaulle.

*Playboy* a publié depuis 1965 plusieurs textes de Sartre.

## 65/426

« Up all night. »

— *The Nation*, 31 May 1965, p. 574.

Court article donnant des extraits d'un long télégramme envoyé par Sartre le 5 mai 1965 aux organisateurs d'un *teach-in* sur le Vietnam à Boston University.

Sartre exprime sa sympathie pour les intellectuels américains luttant contre la guerre au Vietnam et souhaite qu'ils obtiennent de meilleurs résultats que les intellectuels français qui se sont opposés à la guerre d'Algérie : *Je vous souhaite plus de chance que nous n'en avons eu et j'espère ardemment que vous réussirez... Mais même si vous ne réussissez pas, vos démonstrations n'auront pas été vaines. Elles ont lieu à un moment où des hommes irresponsables sont en train de présenter au monde une image odieuse de votre pays et elles nous aident à voir que cette image est fausse et que la génération montante est décidée à s'en dissocier complètement* [notre traduction].

Ce télégramme marque donc un certain revirement de la part de Sartre et constitue, comme le remarque le commentateur américain, la déclaration la plus cordiale qu'il ait faite récemment concernant les États-Unis.

## 65/427

« Refusons le chantage », interview.

— *Le Nouvel Observateur*, 17 juin 1965.

65/428

« Achever la gauche, ou la guérir? » interview.

— *Le Nouvel Observateur*, 24 juin 1965.

Dans la première interview, Sartre prend position contre la Fédération proposée par Gaston Defferre et qui devait se faire par une alliance entre la S.F.I.O. et le M.R.P. *Toute politique qui prend comme préalable l'exclusion du parti communiste, qui veut lui voler ses électeurs et même ses militants ou le réduire au rôle de force d'appoint, revient nécessairement à choisir ses soutiens à droite et à ressusciter sous d'autres noms la troisième force.*

Entre la parution de la première et de la seconde interview, la Fédération de Defferre meurt avant d'avoir vu le jour. Sartre reprend et développe l'analyse commencée une semaine auparavant. Il montre que la gauche est *moribonde* et qu'elle n'a *aucune chance de prendre le pouvoir dans un avenir proche.* Mais cette constatation ne l'amène pas à croire qu'il n'y a rien à faire : il indique au contraire quelle politique pourrait rapprocher la gauche du pouvoir, tout en prévoyant que l'évolution nécessaire sera longue et risque de prendre trente ans. Pour l'immédiat, il souhaite une candidature unique de la gauche, communistes compris, aux prochaines élections présidentielles. Répondant à l'accusation de défaitisme, il déclare : *Les vrais défaitistes sont ceux qui nous proposent — comme Defferre — d'achever la gauche sous prétexte de la guérir. Est-ce être pessimiste que constater un état de choses alarmant? Je vous l'ai dit, je l'ai écrit, je ne suis pas le seul à le penser : la gauche est malade. Mais je crois qu'elle ne peut pas mourir. La gauche n'est pas une « idée généreuse » d'intellectuels. Une société d'exploitation peut s'acharner à vaincre la pensée et les mouvements de gauche, et même, par périodes, les réduire à l'impuissance : elle ne les tuera jamais car c'est elle-même qui les suscite.*

65/429

« Sartre talks of Beauvoir », interview par Madeleine Gobeil.

*a*) *Vogue* [édition américaine], nº 146, July 1965, p. 72-73. Traduction de Bernard Frechtman.

*b*) Repris en français sous le titre « Entretien avec J.-P. Sartre » dans : Julienne-Caffié, Serge. *Simone de Beauvoir.* Gallimard, coll. « La Bibliothèque idéale », [1966]. P. 38-43.

C'est la première fois, semble-t-il, que Sartre parle aussi longuement, dans une interview, de Simone de Beauvoir et de ses rapports avec elle. L'une des indications qu'il donne est particulièrement précieuse dans un contexte bio-bibliographique : *Quand on nous pose une question à nous deux, en même temps, on donne généralement la même réponse.* [...] *Nous avons un matériel de souvenirs communs tel, que finalement nous réagissons devant une situation de la même façon, je veux dire avec les mêmes mots conditionnés par les mêmes expériences.* [...] *Une fois qu'elle me donne en quelque sorte « l'imprimatur » je lui fais une totale confiance.*

Rappelons que Simone de Beauvoir avait elle-même fait un lucide portrait de Sartre dans un magazine américain (cf. « Jean-Paul Sartre : Strictly Personal », traduction de Malcolm Cowley, *Harper's Bazaar*, January 1946, p. 113, 148, 160). Ce texte étant peu connu du public français, nous en retraduisons ci-dessous, avec l'autorisation de Simone de Beauvoir, de larges extraits :

« Il [Sartre] déteste la campagne. Il abhorre — le mot n'est pas trop fort — la vie grouillante des insectes et la pullulation des plantes. Au plus tolère-t-il une mer calme, le sable régulier du désert ou le froid minéral des pics alpins; mais il ne se sent chez lui que dans les villes, au cœur d'un univers artificiel rempli d'objets faits par les hommes. Il n'aime ni les légumes crus, ni le lait qui vient d'être trait, ni les huîtres, rien que des mets cuits; et il demande toujours des fruits en conserve plutôt que le produit naturel. [...]

« Sartre a toujours ressenti une vive antipathie pour les personnes imbues de leur propre importance. Il n'aime pas les docteurs, les ingénieurs ou les ministres. En règle générale, il évite la compagnie des hommes qui ont réussi, leur préférant celle des femmes et des jeunes, parce qu'ils lui paraissent avoir plus de spontanéité et de vérité. [...]

« Férocement décidé, dès le début, à être un homme libre, Sartre s'est tenu à l'écart de tout ce qui pouvait lui être à charge ou l'enchaîner à un endroit. Il ne s'est jamais marié; il n'a jamais acquis aucun bien; il ne possède pas même un lit, une table, un tableau, un souvenir ou un livre. Néanmoins, il a toujours dépensé son argent aussi vite qu'il le gagnait, et même quelquefois un peu plus vite. Il a passé sa vie adulte dans une série de chambres d'hôtel dans lesquelles il n'y a jamais rien à lui, pas même un exemplaire de sa dernière œuvre, et qui surprennent les visiteurs par leur nudité. Dans les premiers temps, la liberté ainsi acquise avait un caractère négatif. Parce qu'il croyait que rien d'autre ne comptait que son œuvre, Sartre essayait de ne pas s'engager dans la vie; il ne s'intéressait pas à la politique et s'abstenait même de voter.

« Une évolution dans une autre direction commença

peu de temps avant la guerre et continua plus rapidement dans le camp de prisonniers allemand où il passa neuf mois. [...]

« Petit et carré (certains de ses amis américains l'appellent « Monsieur Cinq-par-Cinq ») et habituellement de santé robuste, il est très peu gêné par son corps. Quand celui-ci se manifeste par la fatigue ou la maladie, il refuse de reconnaître que Sartre et son corps ont quelque chose en commun. Il est incapable de s'arrêter et de prendre la vie comme elle vient : il lui faut être actif tout le temps; il se sert de son corps, mais il n'en dépend pas. Il mange et boit copieusement, il fume à l'excès, mais il ne lui est pas difficile de supporter des privations. S'il lui arrive par hasard de tomber malade, il est homme à cacher ou à nier ses symptômes, si bien que le médecin a des difficultés à faire son diagnostic. De la même façon, Sartre refuse d'admettre qu'il a une identité quelconque avec son propre passé. Il se laisse rarement aller à ses souvenirs : il reconnaît ses fautes avec une candeur déconcertante; il peut se décrire et se critiquer lui-même avec une stricte impartialité. La vérité est qu'il a déjà cessé de se reconnaître dans le Sartre ancien dont il parle. Ce qu'il est vraiment, pense-t-il, existe dans le futur; et par conséquent, il ne ressent jamais aucune vanité à propos de ce qu'il a fait dans le passé.

« En revanche, il montre un orgueil immense quand il parle de ce qu'il compte faire. C'est l'orgueil métaphysique et impersonnel d'une liberté qui essaie d'être absolue, qui refuse d'être enchaînée par les circonstances; et cela l'a parfois aidé à accomplir ce qui était presque impossible. Quelquefois, cependant, cela l'a conduit à se heurter à des faits qui ne pouvaient pas être niés, mais Sartre est indifférent à ces échecs. Il se lance dans de nouvelles entreprises sans espoir de succès ou de récompense, car il n'estime pas que le monde lui doive quoi que ce soit. Il n'attend rien des autres, mais tout de lui-même.

« Il ne ressent pas d'envie, pas de regrets; il ne se lamente pas sur les limitations que la vie impose à chaque individu; il trouve que c'est assez d'être ce qu'il est. Il déteste les conversations sur les idées, parce qu'aucune idée ne lui vient jamais de l'extérieur. Il lit très peu, et quand il lui arrive d'être d'humeur à lire, n'importe quel livre le fascine. Ce qu'il exige seulement de ces pages imprimées, c'est qu'elles servent de tremplin à ses pensées et à ses rêveries, tout comme ces diseuses de bonne aventure qui se servent de feuilles de thé comme point de départ pour leurs visions du futur. Une caractéristique qui impressionne tous ses amis est son immense générosité. Il donne sans compter, il donne son argent, son temps, sa personne; il est toujours prêt à s'intéresser aux autres, mais il ne désire rien en retour; il n'a besoin de personne.

« [...] Il pense que la nausée ou révulsion en face de tout ce qui est contingent et sans goût, et, d'autre part, la joie à surmonter le « donné » et à exister comme liberté, sont les deux phases d'une même expérience. Il n'est même pas troublé par la perspective finale de la mort; il y pense rarement, et alors avec beaucoup de tranquillité. Sa mort, lui semble-t-il, est un événement futur qui fera encore partie de sa vie; c'est la limite finale et nécessaire par laquelle sa vie peut être définie. Actif, mais jamais tendu; entreprenant, mais jamais agité; souvent passionné dans ses efforts, mais sans ressentir l'angoisse et l'amertume des espoirs déçus, Sartre est à présent un individu en parfaite harmonie avec lui-même, un homme heureux. De plus, il n'a aucun remords à être heureux, car il est convaincu que d'autres peuvent découvrir, plus ou moins facilement, dans la conscience de leur propre liberté, une joie aussi solide que la sienne. »

65/430

« L'écrivain et sa langue », texte recueilli et transcrit par Pierre Verstraeten.

— *Revue d'Esthétique*, t. XVIII, fasc. III-IV, juillet-décembre 1965, p. 306-334.

Pierre Verstraeten est un jeune philosophe belge que Sartre considère comme l'un de ses rares « disciples » ayant assimilé sa pensée de manière créatrice. Les questions pertinentes de cet interlocuteur stimulent la réflexion de Sartre et le dialogue s'établit ainsi à un niveau inhabituel pour un entretien. Il en résulte un texte philosophique très dense et qui apporte un complément aux pages de *Qu'est-ce que la littérature?* concernant la distinction fameuse opérée par Sartre entre prose et poésie. Par le fait qu'il s'oriente vers les problèmes spécifiques du langage, cet entretien constitue une importante contribution à la discussion soulevée par les recherches structuralistes.

Analysant son rapport au langage considéré comme un « ensemble pratico-inerte », Sartre est amené à redéfinir l'emploi qu'il fait des termes « sens », « signification », « signifiant » et « signifié », auxquels il donne un contenu différent de celui des linguistes. Il récuse la distinction faite à la suite de Roland Barthes par le groupe *Tel Quel* entre « écrivain » et « écrivant », car il estime que le véritable écrivain est celui qui dépasse les deux pratiques de l'écriture désignées par ces termes. Son attitude à l'égard du langage, contrairement à celle des « positivistes littéraires », est profondément optimiste : *Au fond, je pense que rien n'est inexprimable à la condition d'inventer l'expression.*

Pour analyser les différences entre le langage littéraire et le langage philosophique, Sartre fait un commentaire philosophique de cette très belle phrase des *Confessions* où Rousseau exprime sa désaffection à l'égard de Mme de Warens : « J'étais où j'étais, j'allais où j'allais, jamais plus loin. »

Il donne aussi des précisions sur la manière dont il a adapté la terminologie allemande dans L'ÊTRE ET LE NÉANT. Il s'adresse par ailleurs le reproche d'avoir usé parfois dans cet ouvrage d'un langage trop littéraire qui a suscité des malentendus et il donne pour exemple la formule, *l'homme est une passion inutile.* CRITIQUE DE LA RAISON DIALECTIQUE, dont l'écriture est purement conceptuelle, échappe selon lui à ce reproche mais il reconnaît qu'il aurait pu *l'écrire mieux.* Il conteste en revanche une objection formulée contre cet ouvrage par Claude Lévi-Strauss qui affirme que toute écriture est analytique et que Sartre ne saurait par conséquent prétendre fonder la dialectique au moyen d'une écriture analytique. Après avoir improvisé en une phrase de quelque vingt lignes une éblouissante définition de la pensée dialectique, Sartre répond à cet argument en rappelant que *la dialectique n'est pas le contraire de l'analyse ; la dialectique est le contrôle de l'analyse au nom d'une totalité.*

Relevons encore, venant après l'affirmation que *la bêtise est un fait d'oppression,* cette déclaration significative de la part d'un des auteurs les plus incontestablement intelligents de notre siècle : *L'intelligence ne m'a jamais préoccupé comme problème philosophique.*

65/431

*Avant-garde ? de quoi et de qui ?*

— *Le Nouvel Observateur,* 20-26 octobre 1965, p. 29.

Extraits d'une allocution prononcée à Rome le 6 octobre 1965 à un congrès de la C.O.M.E.S. ayant pour thème : « l'Avant-Garde européenne d'hier et d'aujourd'hui » (cf. compte rendu dans *Le Monde,* 16 octobre 1965).

Sartre estime qu'il y a une fausse avant-garde, celle pour qui le problème est *simplement d'exploiter toutes les possibilités d'un langage donné, l'étude expérimentale des limites du langage, ou bien d'introduire un nouvel ordre dans la lecture.* Cette avant-garde, qui se compose de Joyce, Céline, Soljenitsyne, André Breton, Robbe-Grillet, etc., est *traditionaliste malgré elle* et *dialogue avec les morts.*

Pour lui, *une avant-garde réelle suppose que l'écrivain ne se borne pas à user du langage, mais qu'il le crée en écrivant. Créer le langage, et non jouer avec lui, le créer et, par là, le donner à son pays.* Un écrivain d'avant-garde *ne se définit plus par des variations différentielles, mais par de véritables contradictions. Il doit se créer un public. Il trouve devant lui des hommes prêts à prendre conscience par les mots écrits de leur propre* Weltanschauung. Et Sartre conclut que les conditions d'une véritable avant-garde ne se trouvent réunies que *hors d'Europe*.

65/432

[Interview politique donnée à Paris à Mikis Theodorakis.]

*a*) Parue le 9 novembre 1965 dans plusieurs quotidiens d'Athènes.

*b*) Extrait sous le titre « Jean-Paul Sartre dénonce l'américanisation de la culture » dans : *Le Monde*, 10 novembre 1965 [cet article est supprimé dans la troisième édition].

S'adressant à la gauche grecque qui a organisé les manifestations d'août 1965 à Athènes, Sartre déclare : *Contre une souveraineté de façade qui tolère et facilite toutes les ingérences américaines, vous avez montré aux Européens que, sur notre continent comme en Amérique latine, le rétablissement d'une démocratie réelle n'est pas séparable de la reconquête de la souveraineté nationale.* Après avoir dénoncé l'américanisation de la vie quotidienne en Occident et déclaré que *se laisser imposer une culture étrangère, c'est accepter de vivre la vie d'un autre,* Sartre affirme qu'en France *la dictature contre laquelle nous luttons, loin d'être imposée par les États-Unis, prétend au contraire nous libérer de leur emprise. Mais les investissements américains leur permettent de contrôler notre économie et nous souffrons, comme chez vous, de l'américanisation de la culture et de sa dépersonnalisation.* [...] *Pour cette raison, notre lutte est la même : pour vous comme pour nous, ces objectifs sont inséparablement liés : démocratie, souveraineté nationale, culture autochtone.*

65/433

« Les circonstances imposent de voter pour François Mitterrand », communiqué.

— *Le Monde*, 4 décembre 1965, p. 2.

*Les Temps modernes* (nº 234, novembre 1965, p. 769-775) avaient publié un éditorial intitulé « Un compromis inutile » dans lequel étaient exprimées de graves réserves à l'égard de la candidature de François Mitterrand aux élections présidentielles. A la veille de celles-ci, Sartre se résigna pourtant à publier un communiqué où il appelait à voter Mitterrand et déclarait : *Voter Mitterrand, ce n'est pas voter pour lui, mais* contre *le pouvoir personnel et* contre *la fuite à droite des socialistes.*

65/434

« Le choc en retour », interview.

— *Le Nouvel Observateur*, 8-14 décembre 1965.

Interview réalisée au lendemain du premier tour des élections présidentielles qui avait mis de Gaulle en ballottage. Sartre analyse les résultats du scrutin, et remarque que c'est Lecanuet qui a *mordu sur l'électorat gaulliste* et qui a, en fait, provoqué le ballottage. Il attire surtout l'attention sur le fait que l'unité de la gauche reste encore fictive et que, s'il faut voter Mitterrand au second tour, il importe avant tout d'exploiter le succès de la gauche en travaillant à l'unir sur un programme précis. *Nous n'en sommes qu'au point de départ. Il y a un énorme travail à faire qui est à peine ébauché et dont la gauche, pour commencer, doit se donner les moyens.*

Pour l'interview à *Al Ahram* [Le Caire], 25 décembre 1965, cf. 65/457.

65/NOTE 1.

La bibliographie Dreyfus-Trotignon indique un « jugement critique [de Sartre] sur « Les Œuvres romanesques croisées » d'Aragon et Elsa Triolet », paru dans *Le Nouvel Observateur* du 4 mars 1965. Il s'agit, à la page 30, de cette phrase courte mais impérissable, incluse dans une publicité : *Il semble, quand on lit* Bonsoir Thérèse, *qu'on sente de l'intérieur un corps de femme las, rebelle et voluptueux.*

65/NOTE 2.

En décembre 1965, avec plusieurs personnalités françaises et étrangères groupées au sein du Comité pour la défense d'Ahmed Ben Bella, Sartre adressa une plainte à la commission des droits de l'homme de l'O.N.U. afin « d'attirer l'attention des États membres sur les atteintes que subissent actuellement en Algérie les droits de la personne humaine et les garanties individuelles » (*Le Monde*, 17 décembre 1965, p. 9, col. 9).

# 1966

66/435

*L'universel singulier.*

*a*) In *Kierkegaard vivant.* Colloque organisé par l'UNESCO à Paris du 21 au 23 avril 1964. Gallimard, coll. « Idées », 1966. P. 20-63.

Le volume comprend également une allocution de René Maheu et des textes de Jean Beaufret, Gabriel Marcel, Lucien Goldmann, Martin Heidegger, Jean Wahl, Karl Jaspers, etc.

*b*) Extrait sous le titre « Ce philosophe est un anti-philosophe », in *La Quinzaine littéraire*, nº 7, 15 juin 1966, p. 4-5.

La conférence de Sartre a eu lieu le 21 avril 1964. De courts extraits en ont été cités dans un article de Jean d'Ormesson, « Un colloque à l'UNESCO sur Kierkegaard vivant », publié dans *Le Monde*, 25 avril 1964.

Sartre a relativement peu parlé de Kierkegaard avant de lui consacrer cette très importante conférence. A travers la personne et l'œuvre du philosophe danois, il s'attache surtout à définir les rapports de l'homme et de l'histoire : *Le premier, peut-être, Kierkegaard a montré que l'universel entre singulier dans l'histoire, dans la mesure où le singulier s'y institue comme universel* (p. 53).

Pour le texte publié en *Préface* à Mallarmé, Stéphane, *Poésies*, Gallimard, coll. « Poésie », [1966], cf. 53/234.

66/436

[Communication au colloque « Morale et société » organisé par l'Institut Gramsci à Rome du 22 au 25 mai 1964.]

*a*) Extraits traduits en italien dans : *Rinascita*, nº 37, 19 settembre 1964.

*b*) Extraits sous le titre « Determinazione e libertà » dans le volume collectif : *Morale e Società.* Atti del Convegno di Roma organizzato dall'Istituto Gramsci. Roma : Editori Riuniti — Istituto Gramsci, [1966]. P. 31-41.

*c*) (Notes sur les rapports entre la morale et l'histoire) dans : Jeanson, Francis. *Sartre.* Desclée de Brouwer, coll. « Les Écrivains devant Dieu », [1966]. P. 137-138.

Il s'agit ici de brefs extraits des notes rédigées pour l'intervention au colloque. Les coupures ne sont pas indiquées.

*d*) Texte *b*) retraduit de l'italien sous le titre « Détermination et liberté » dans *Essais* [Bordeaux], numéro spécial « Sartre notre contemporain », nº 2-3, [printemps 1968], p. 109-120.

Cette traduction, que nous reproduisons en *Appendice*, n'a pas été revue par Sartre.

APPENDICE

En vue de sa participation au colloque international organisé en mai 1964 par l'Institut Gramsci sur le thème « Morale et société », Sartre rédigea environ deux cents pages de notes que nous avons pu rapidement consulter sur manuscrit et qui présentent le plus grand intérêt. Il y poursuit, à partir cette fois des positions philosophiques de CRITIQUE DE LA RAISON DIALECTIQUE, la réflexion entreprise pour le traité de morale abandonné en 1949 (cf. 49/187).

Les extraits publiés de l'intervention au colloque consistent principalement en une critique des conceptions positivistes ou néo-positivistes des normes éthiques, considérées en tant que purs faits sociaux renvoyant à des structures inertes. Ces pages précisent donc en partie les objections que Sartre fait au structuralisme et plus particulièrement, ici, à *certains marxistes, tentés par le structuralisme,* [qui] *s'efforcent de mettre en sommeil le moteur de l'histoire, c'est-à-dire la lutte des classes.*

En 1964-1965, Sartre a continué d'écrire sur la morale. Il s'est interrompu non pas parce que, comme dans les années d'après guerre, il se heurtait à des difficultés de pensée, mais parce qu'il voulait d'abord achever son étude sur Flaubert. Le premier tome de celle-ci publié, il se peut que Sartre reprenne le manuscrit de la « Morale » et l'achève assez rapidement. Au début de 1969, il nous a dit en effet que son éthique dialectique est à l'heure actuelle entièrement constituée dans son esprit et qu'il ne prévoit plus maintenant que des problèmes de rédaction.

66/437

« Entretien avec Jean-Paul Sartre », par Léonce Peillard.

*a*) *Biblio* et *Livres de France*, 17e année, no 1, janvier 1966, p. 14-18.

*b*) Larges extraits sous le titre « Jean-Paul Sartre parle », dans *Le Figaro littéraire*, 6 janvier 1966.

Cette publication s'est faite sans l'accord de l'interviewé (cf. lettre de protestation de Sartre dans *Le Figaro littéraire* du 13 janvier 1966).

*c*) Repris dans le volume : LES COMMUNISTES ONT PEUR DE LA RÉVOLUTION (cf. 69/502).

Ce numéro de *Biblio* et de son supplément *Livres de France* est consacré à Sartre. Celui-ci, ayant refusé de répondre à l'habituel questionnaire Marcel Proust, fait de son mieux pour satisfaire aux questions d'un interlocuteur qui, en dépit de toute sa bonne volonté, se trouve visiblement dépassé par la pensée sartrienne. Malgré le ton superficiel qui lui est imposé, Sartre, avec sa bienveillance coutumière, parvient tant bien que mal à sauver l'entretien de la banalité.

Après quelques réflexions de caractère biographique et politique, l'interview se poursuit par des considérations sur le théâtre bourgeois et LES SÉQUESTRÉS D'ALTONA puis se termine par un passionnant échange de vues sur l'emballage des chocolats soviétiques.

Le même numéro de *Biblio* contient un inédit de Sartre, une bibliographie, un article de Francis Jeanson ainsi qu'une excellente présentation de l'évolution de la pensée de Sartre par André Gorz.

66/438

*Père et fils*, extrait du « Flaubert ».

— *Biblio* et *Livres de France*, 17e année, no 1, janvier 1966, p. 19-23.

Ce fragment n'a pas été repris dans les articles publiés dans *Les Temps modernes* (cf. ci-dessous).

66/439

*La conscience de classe chez Flaubert.*

— *Les Temps modernes*, n° 240, mai 1966, p. 1921-1951; n° 241, juin 1966, p. 2113-2153.

66/440

*Flaubert : du poète à l'Artiste.*

— *Les Temps modernes*, n° 243, août 1966, p. 197-253; n° 244, septembre 1966, p. 423-481; n° 245, octobre 1966, p. 598-674.

Flaubert est sans aucun doute l'écrivain qui a le plus préoccupé Sartre. Son intérêt pour lui remonte à l'enfance, comme nous le savons aujourd'hui par ces passages des MOTS (p. 42-43) où il parle de « Charbovary » et où il écrit notamment : *Vingt fois je relus les dernières pages de* Madame Bovary; *à la fin, j'en savais des paragraphes entiers par cœur.*

Par la suite, LA NAUSÉE a parfois un certain ton flaubertien, avec son décor havrais et un personnage comme l'Autodidacte qui fait penser à Bouvard et Pécuchet. Dans la visite du musée de Bouville et d'autres passages de satire contre la bourgeoisie, l'ironie par antiphrases et jusqu'à la cadence de beaucoup de lignes évoquent irrésistiblement Flaubert. C'est d'ailleurs chez celui-ci, encore, que Sartre a peut-être trouvé le nom de son personnage : *roquentin* est un mot qui se rencontre ici et là dans *L'Éducation sentimentale* et dans *Bouvard et Pécuchet* et qui nous paraît avoir une résonance typiquement flaubertienne.

Ce n'est que plus tard que Sartre semble avoir eu l'intention d'écrire une étude sur Flaubert. Après avoir longuement utilisé l'exemple de celui-ci dans L'ÊTRE ET LE NÉANT (p. 644-648) pour attaquer la psychologie traditionnelle et faire la théorie de la psychanalyse existentielle, il déclare à ce propos (p. 663) :

*Cette psychanalyse n'a pas encore trouvé son Freud; tout au plus peut-on en trouver le pressentiment dans certaines biographies particulièrement réussies. Nous espérons pouvoir tenter d'en donner ailleurs deux exemples, à propos de Flaubert et de Dostoïevski.*

Ce projet n'aura pas de suite immédiate. Dans une

deuxième phase, en effet, à partir de 1945 (cf. les textes rassemblés dans SITUATIONS, II, p. 12-13, 167, 172-173, 198-199, 255), Sartre voit en Flaubert le type même de l'écrivain bourgeois, négateur et non engagé. Il lui reproche de s'être répandu en *injures ignobles contre les ouvriers* (p. 167) et il affirme dans une phrase qui fit scandale : *Je tiens Flaubert et Goncourt pour responsables de la répression qui suivit la Commune parce qu'ils n'ont pas écrit une ligne pour l'empêcher* (p. 13). Des arguments semblables à ceux développés dans SITUATIONS, II, sont repris dans le BAUDELAIRE (p. 160-164).

Flaubert semble alors disparaître des préoccupations directes de Sartre jusque vers 1954-1955, période à laquelle il revient lui-même sur son enfance et entreprend d'écrire son autobiographie, période aussi où il approfondit sa compréhension de la psychanalyse et du marxisme. Notons à cette époque l'article de J.-B. Pontalis, « La maladie de Flaubert », paru dans *Les Temps modernes* de mars et avril 1954. L'occasion d'écrire une première étude sur Flaubert va être donnée à Sartre vers 1956 par le philosophe communiste Roger Garaudy; Simone de Beauvoir précise à ce sujet dans *La Force des choses* (p. 369) :

« Garaudy lui avait proposé de confronter sur un point précis l'efficacité des méthodes marxiste et existentialiste; ils avaient choisi d'expliquer, chacun à sa manière, Flaubert et son œuvre. Sartre écrivit une longue étude fouillée, mais de forme trop négligée pour qu'il envisageât de la publier. »

A partir d'avril 1957, *Les Temps modernes* annoncent à paraître un article intitulé « Gustave Flaubert »; dans le numéro de juillet-août 1957, ce titre deviendra « L'idiot de la famille » et restera annoncé jusqu'en avril 1958, sans être finalement publié; le même numéro signale un article « Existentialisme et marxisme » qui donnera lieu à *Questions de méthode.* Dans ce dernier essai, l'exemple de Flaubert est à nouveau longuement utilisé pour montrer les faiblesses de l'interprétation marxiste traditionnelle ainsi que celles de la psychanalyse (cf. p. 45-48, 71-72, 89-94, 100 du volume CRITIQUE DE LA RAISON DIALECTIQUE). Sartre accorde une importance toute particulière à la famille et à l'enfance et tente de déterminer les conditions de ce qu'il n'hésite pas à appeler maintenant *l'engagement littéraire de Gustave Flaubert* (p. 72).

C'est en partie pour pouvoir traiter de Flaubert que Sartre a écrit CRITIQUE DE LA RAISON DIALECTIQUE; inversement, c'est pour pouvoir poursuivre sa réflexion sur la dialectique qu'il a eu recours à l'auteur de *Madame Bovary.* Ce point ressort très clairement dans une interview (cf. 60/334) où il répond à une question de Madeleine Chapsal :

— Vous aviez besoin d'écrire sur la Dialectique pour pouvoir parler de Flaubert?

*J.-P. S. — Oui. La preuve c'est que, dans l'article polonais* [Existentialisme et marxisme], *je n'ai pas pu m'empêcher de parler de lui et, inversement, que j'ai transporté dans la* Critique de la raison dialectique *de longs passages que j'avais mis dans mon livre sur lui.*

Depuis 1960, Sartre a rédigé plusieurs manuscrits sur Flaubert et a annoncé plus d'une fois son intention de faire paraître un ouvrage qui étudierait en deux temps l'homme à partir de l'œuvre et l'œuvre à partir de l'homme, en s'arrêtant à *Madame Bovary*. La meilleure courte mise au point actuellement disponible se trouve dans l'enregistrement :

*Sartre attiré et repoussé par Flaubert.* Disques culturels français, collection « Français de notre temps » sous le patronage de l'Alliance française, nº 17. Référence : 17 F T 63. Présentation [assez acide] de Marc Blancpain. Réalisé, semble-t-il, en 1963 ou 1964. Sartre y déclare en particulier que Flaubert est *le plus radical désengagé qui se trouve dans la littérature française*, mais que son *désengagement furieux* n'est que *l'envers d'un engagement total qui a commencé dès l'enfance.* Le but de son étude est, d'une part, de montrer *la singularisation de l'œuvre par l'homme* et *l'universalisation de l'homme par l'œuvre*, d'autre part, d'adapter *dans un ordre dont fondamentalement le point de départ est la doctrine marxiste, tous les moyens de connaissance dont nous disposons aujourd'hui, toutes les méthodes qui sont à notre disposition pour étudier un homme.* Analysant ensuite le fameux « Madame Bovary c'est moi », Sartre commence à expliquer les origines de cette *féminisation de l'expérience* chez Flaubert.

Dans une interview donnée à Jacqueline Piatier (cf. 64/405), il répond ainsi à la question « Pourquoi Flaubert? » : *Parce qu'il est à l'opposé de ce que je suis. On a besoin de se frotter à ce qui vous conteste.*

Sartre n'a pas été entièrement satisfait des deux études parues dans *Les Temps modernes* en 1966. Depuis cette date, il a complètement refondu son manuscrit, et, sauf difficultés de dernière heure, le premier volume de l'ouvrage, qui en comprendra en principe trois, devrait paraître dans le courant de l'année 1970 chez Gallimard. Réservons donc à une date ultérieure une étude plus substantielle.

66/441

« Entretien sur l'anthropologie. »

— *Cahiers de Philosophie* [Revue du groupe d'études de philosophie de la Sorbonne], nº 2-3, février 1966, p. 3-12.

Entretien important en ce qui concerne les objections sartriennes au structuralisme (cf. aussi 65/430 et 436; 66/449). Sartre y reprend la problématique philosophique instituée par CRITIQUE DE LA RAISON DIALECTIQUE pour affirmer que *le champ philosophique est borné par l'homme.* Selon lui, la notion de structure est inintelligible et non dialectique si, au lieu d'envisager la structure comme médiation, comme moment du pratico-inerte, on l'étudie comme pure contingence, extériorité constituante, sans la relier à la *praxis* historique qui la constitue. Le modèle linguistique est *le modèle de structure le plus clair* mais c'est un schème abstrait, qui s'établit sur une synthèse inerte et qui ne devient intelligible que s'il renvoie à la *praxis* totalisante de l'homme parlant. Pour Sartre, il y a deux moments de la recherche, celui de l'intellection, qui porte sur les structures statiques (totalité détotalisée) et celui de la compréhension dialectique, qui *replace l'objet étudié dans l'activité humaine* et intègre *à titre de fait de totalisation pratique le moment analytique de l'étude structurelle.* [...] *Tout phénomène étudié n'a son intelligibilité que dans la totalisation des autres phénomènes du monde historique.*

L'entretien se termine sur une réponse à la question d'un lacanien portant sur la psychanalyse. Sartre se sert une fois de plus de l'exemple de Flaubert et précise son accord avec la formule de Lacan : « L'inconscient est le discours de l'autre » dans les termes suivants : *Pour moi, Lacan a clarifié l'inconscient en tant que discours qui sépare à travers le langage ou, si l'on préfère, en tant que contre-finalité de la parole : des ensembles verbaux se structurent comme ensemble pratico-inerte à travers l'acte de parler. Ces ensembles expriment ou constituent des intentions qui me déterminent sans être miennes. Dans ces conditions — et dans la mesure même où je suis d'accord avec Lacan — il faut concevoir* l'intentionnalité *comme fondamentale. Il n'est pas de processus mental qui ne soit intentionnel ; il n'en est pas non plus qui ne soit englué, dévié, trahi par le langage ; mais réciproquement nous sommes complices de ces trahisons qui* constituent *notre profondeur.*

## 66/442

Préface à *La Promenade du dimanche* de Georges Michel.

*a*) Texte écrit à l'origine pour le programme de *La Promenade du dimanche*, théâtre du Studio des Champs-Élysées, 1966. Première de la pièce : 26 février 1966.

*b*) Extrait intitulé « Le théâtre de Georges Michel a pour thème principal la lutte de la répétition contre l'histoire : LE LIEU COMMUN » : *Bref* (journal du T.N.P.), nº 99, octobre 1966, p. 25.

*c*) Repris sous le titre « Jean-Paul Sartre présente *La Promenade du dimanche* » dans le volume : Georges Michel, *La Promenade du dimanche*. Gallimard, coll. « Le Manteau d'Arlequin », [1967]. P. 7-10.

Georges Michel (né en 1926) est l'un des rares écrivains d'origine populaire que compte actuellement la littérature française. Sartre prit lui-même l'initiative de le contacter vers 1962 et fit publier sa première pièce, *Les Jouets*, dans *Les Temps modernes*.

Cette préface explique non seulement ce qui fait de *La Promenade du dimanche* une œuvre à la fois neuve et déjà classique, elle continue la réflexion de Sartre sur le rôle du lieu commun et du mythe au théâtre.

Rappelons que Georges Michel est l'auteur d'un excellent roman, *Les Timides Aventures d'un laveur de carreaux* et que sa pièce *L'Agression*, présentée au T.N.P. en 1967, a été, elle aussi, soutenue par Sartre (cf. 67/456).

66/443

*Les Mouches*, court texte écrit à la mémoire de Dullin.

*a*) *Cahier Charles Dullin*, II, 1966, p. 4-5. Tiré à 500 exemplaires et achevé d'imprimer le 31 mars 1966.

*b*) Repris sous le titre *Dullin et « Les Mouches »* dans *Le Nouvel Observateur*, 8-14 décembre 1969, à l'occasion de l'exposition organisée en décembre 1969 par la bibliothèque de l'Arsenal pour le vingtième anniversaire de la mort de Dullin.

Sartre revient ici, sans apporter d'éléments bien nouveaux, sur la création des MOUCHES et sur ses relations avec Dullin :

*C'est lui qui, avec Pierre Bost, sauva par une recommandation chaleureuse mon premier manuscrit en passe d'être refusé par les lecteurs de Gallimard. [...] Après les répétitions de* Les Mouches, *je ne vis plus jamais le théâtre avec les mêmes yeux.*

66/444

« I poteri dell'intellettuale », interview télévisée par Carlo Bo.

— *L'Approdo Letterario* [revue de la radio-télévision italienne], anno XII, nº 34, aprile-giugno 1966, p. 97-110.

Il s'agit en réalité d'un montage pour l'émission de télévision « Incontri » qui comporte des interventions de Sartre, Juliette Gréco, Robbe-Grillet, Jean-Marie Domenach, etc., et reprend un passage des MOTS et des SÉQUESTRÉS D'ALTONA.

Les déclarations de Sartre (sur la littérature, le Nouveau Roman, la psychanalyse, etc.) n'apportent rien de nouveau. Quant à J.-M. Domenach, il voit en Sartre « une sorte de Victor Hugo de notre époque ».

66/445

*A Message from Jean-Paul Sartre to American Peace-workers.* — *PACS News* [Édité par le *P*aris *A*merican *C*ommittee to *S*topwar], [nº 1], Summer 1966.

Formé en 1966 par un groupe d'Américains vivant à Paris et décidés à combattre pour la paix au Vietnam, le Paris American Committee to Stopwar a été dissous en novembre 1968 sur l'ordre du gouvernement français.

Dans ce message (dont une partie est reproduite en facsimilé), Sartre exprime sa solidarité *avec tous les Américains qui, aux États-Unis, luttent contre la guerre d'agression menée par leur gouvernement au Vietnam* et souhaite que leur *résistance se durcisse à chaque nouvel échelon gravi par l'escalade.*

Ce texte nous a été communiqué par Mme Maria Jolas.

66/446

« Samoie glavnoie dlia menia — eto dieistvie » [Ce qui est le plus important pour moi, c'est d'agir], article-interview en russe par L. A.

— *Inostranaia Literatura*, [Moscou], nº 9, [septembre] 1966, p. 243-245.

Interview donnée par Sartre et Simone de Beauvoir à l'équipe de *Inostranaia Literatura* au cours d'un séjour à Moscou. Sartre souligne l'importance du marxisme et de la révolution d'Octobre, mais parle surtout de son futur « Flaubert » et de l'adaptation soviétique de *La Putain respectueuse* où, affirme-t-il, il n'a guère reconnu ses propres personnages (cf. à ce sujet notice 46/90). Il déplore que l'existentialisme ait pu être exploité par des gens de tous les bords et attaque au passage les tenants du théâtre de l'absurde : *Ils s'attaquent non pas au bourgeois mais à l'homme.* [...] *Douter de l'homme, c'est retrouver en partie l'idéologie bourgeoise* [notre traduction]. Dans l'ensemble de l'interview, le commentateur soviétique met d'ailleurs l'accent sur le côté positif de Sartre.

L'intervention de Simone de Beauvoir se limite à quelques mots.

66/447

[Le rôle de l'intellectuel], texte japonais d'une conférence faite au Japon.

— *Asahi Janaru*, vol. 2, nº 42, October 1966, p. 12-25.

Durant son séjour au Japon en septembre-octobre 1966, Sartre a donné sur ce sujet trois conférences, conçues comme trois parties. L'essentiel des arguments utilisés se retrouve dans l'entretien « L'intellectuel face à la révolution » paru dans *Le Point*, janvier 1968 (cf. 68/483).

Il existe d'autres textes se rapportant à la visite de Sartre et de Simone de Beauvoir au Japon. Signalons, d'autre part, que l'œuvre de Sartre connaît dans ce pays une très large diffusion.

66/448

*Saint Georges et le dragon.*

— *L'Arc*, nº 30, [octobre] 1966, p. 35-50.

Fragment de l'ouvrage abandonné sur le Tintoret (cf. à ce sujet 57/300). Le texte de Sartre est précédé d'une introduction de Bernard Pingaud et est accompagné par une reproduction d'un détail du tableau du Tintoret, « Saint Georges terrassant le dragon ». Le commentaire de Sartre, d'ordre purement iconographique, offre cependant à la toile célèbre un éclairage extrêmement révélateur car il tente de corroborer dans le tableau lui-même l'analyse socio-existentielle du *Séquestré de Venise.*

66/449

« Jean-Paul Sartre répond », entretien avec Bernard Pingaud.

*a*) *L'Arc*, numéro spécial « Sartre aujourd'hui », nº 30, [octobre] 1966, p. 87-96.

*b*) Larges extraits dans *La Quinzaine littéraire*, nº 14, 15-31 octobre 1966.

Depuis quelques années, Sartre est constamment sollicité d'exprimer son opinion sur les sujets les plus variés dans des interviews. La générosité — certains disent la légèreté — avec laquelle il cède à ces sollicitations l'a desservi en quelques occasions. Ce fut le cas tout particulièrement avec la présente interview qui a connu un retentissement que Sartre n'avait sans doute ni prévu, ni souhaité. Plus que d'une réponse réfléchie aux critiques formulées à l'égard de sa philosophie par des chercheurs, des penseurs ou des écrivains se réclamant, à des titres divers, du structuralisme, il s'agit ici d'une véritable contre-attaque. Sartre y expose, de manière parfois abrupte et péremptoire, ses objections fondamentales à la philosophie latente qu'il décèle dans les travaux de Foucault, des linguistes structuralistes, de Lévi-Strauss, Lacan, Althusser et des écrivains du groupe *Tel Quel*. Ces travaux, aux yeux de Sartre, ont pour point commun un même *refus de l'histoire* et participent d'un *néo-positivisme* contre lequel, au nom du marxisme, il s'insurge.

Si l'on peut regretter que Sartre ne se soit pas engagé dans une discussion plus approfondie et moins polémique, qui aurait davantage tenu compte des différences notables existant entre des auteurs ici un peu rapidement amalgamés, il paraît plus que probable qu'une pareille discussion n'amènerait pas de modifications importantes dans les conclusions présentées au cours de cet entretien. En effet, les oppositions entre la philosophie sartrienne et le structuralisme, pour avoir été artificiellement gonflées par les journalistes et insuffisamment étudiées par les chercheurs, n'en sont pas moins essentielles et paraissent, jusqu'à présent, insurmontables, malgré l'intéressante tentative de conciliation des deux points de vue faite par Jean Pouillon (cf. « Présentation : Un essai de définition », *Les Temps modernes*, nº 246, novembre 1966, p. 769-790).

Parmi les réactions immédiates et négatives à cette interview, il faut signaler :

— François Châtelet : « Sartre répond comme un dépossédé », *Le Nouvel Observateur*, 2-8 novembre 1966 (cet article a provoqué, dans le même numéro, une réponse de Francis Jeanson qui prend assez maladroitement la défense de Sartre; elle est intitulée : « On secoue trop le cocotier... »);

— Jean-François Revel : « Sartre en ballottage », *L'Express*, 7-13 novembre 1966;

— Gilles Lapouge : « Sartre contre Lacan », *Le Figaro littéraire*, 29 décembre 1966 (cet article comporte une interview de Lacan);

— Philippe Sollers : « Un fantasme de Sartre », *Tel Quel*, nº 28, hiver 1967, p. 84-87.

Rappelons enfin que Michel Foucault a répondu à Sartre, sur un ton d'estime et de modération, mais en lui reprochant de n'avoir pas lu *Les Mots et les Choses*, dans une interview diffusée par l'O.R.T.F. et reprise, contre son gré, dans *La Quinzaine littéraire* (nº 46, 1er-15 mars 1968 et nº 47, 15-31 mars 1968).

Les arguments de Sartre contre Foucault ont été repris et développés par Sylvie Le Bon dans une étude intitulée : « Un positiviste désespéré : Michel Foucault » (*Les Temps modernes*, nº 248, janvier 1967, p. 1299-1319).

En ce qui concerne les objections de Sartre au structuralisme, cf. aussi 65/430, 66/436 et 441.

Pour « Le Crime », interview au *Nouvel Observateur*, 30 novembre 1966, cf. 66/464.

66/450

*Un cancer en Afrique...*, texte sur l'apartheid.

*a*) *Christianisme social*, vol. 74, nº 11-12, 1966, p. 423-430. Il s'agit du texte de l'intervention de Sartre à la journée organisée par le Comité de liaison contre l'Apartheid, le 9 novembre 1966 à Paris.

*b*) Publié sous le titre « Ceux qui sont aux prises avec l'apartheid doivent savoir qu'ils ne sont pas seuls », dans *Droit et liberté*, nº 257, décembre 1966, p. 8-9.

*c*) Extraits cités dans un court article de Jean Geoffroy, « Sartre et l'apartheid », paru dans *Le Nouvel Observateur*, 16-22 novembre 1966, p. 6.

66/NOTE 1.

Au cours de son séjour en Grèce durant le mois d'août 1966, Sartre a fait une déclaration à des représentants de la presse athénienne. *Le Monde* du 14-15 août 1966, qui mentionne cette interview d'après une dépêche de l'A.F.P., rapporte que Sartre s'y est notamment prononcé pour la légalisation du parti communiste grec, sans laquelle il ne saurait être question de démocratie.

66/NOTE 2.

*Le Monde* du 18 octobre 1966 reproduit une dépêche A.F.P. annonçant le départ de Sartre et de Simone de Beauvoir de Tokyo. Cette dépêche cite aussi une lettre de Sartre à la Centrale syndicale Sohio approuvant l'ordre de grève générale lancé par celle-ci pour le 21 octobre 1966 afin de protester contre la politique américaine au Vietnam. Il y déclare que la grève envisagée est *un modèle qui devrait être suivi par toutes les nations occidentales*.

66/NOTE 3.

Des extraits de l'intervention de Sartre au meeting « Six heures du monde pour le Viêt-Nam » organisé par le Comité Viêt-Nam national le 23 novembre 1966 à la Mutualité sont donnés dans *Le Monde* du 25 novembre 1966 qui publie également de Sartre une « Protestation contre l'exécution de Bahman Quashqui ».

66/NOTE 4.

*La Feuille d'avis de Lausanne* du 1er décembre 1966 publie une déclaration de Sartre, à laquelle s'associe Simone de Beauvoir, en faveur de Freddy-Nils Andersson, directeur des éditions La Cité, Lausanne, qui avait publié en Suisse, pendant la guerre d'Algérie, *La Question* d'Henri Alleg précédé de *Une Victoire* de Sartre. Ressortissant suédois, mais établi en Suisse depuis de nombreuses années, l'éditeur avait été l'objet d'une mesure d'expulsion prise par le gouvernement helvétique pour des motifs politiques. Sartre dit regretter cette mesure et déclare qu'Andersson est *un homme désintéressé et sincère dont la présence ne peut qu'honorer le pays où il réside.* La déclaration de Sartre, on s'en doute, n'eut pas d'effet sur le gouvernement suisse et Andersson fut expulsé.

66/NOTE 5.

L'utile ouvrage de Colette Audry, *Sartre* (Seghers, 1966), comprend, p. 115-184, des extraits des œuvres philosophiques de Sartre ainsi que, face à la page 129, un fac-similé d'une page manuscrite de l'étude sur Flaubert.

66/NOTE 6.

L'étude de Michel-Antoine Burnier, *Les Existentialistes et la politique* (Gallimard, coll. « Idées », 1966), donne d'assez nombreux extraits des entretiens qu'il a eus avec Sartre en mars 1961 (p. 80-81), en février 1963 (p. 131, 143, 144, 152) et en 1965 (p. 95-96, 168).

66/NOTE 7.

Au début de l'année 1966, l'hebdomadaire allemand *Europa* (17 Jahrg., no. 3, 17 Januar 1966, p. 51-52) a publié sous la signature de Sartre, mais sans indication d'origine, un article intitulé *Macht der Kommunismus Bankrott?* [Le communisme est-il en train de faire faillite?]. Cet article, qui entend examiner la situation du communisme dix ans après l'affaire de Hongrie, nous paraît curieux à plusieurs égards. D'une part, il reprend presque mot pour mot, dans une première partie, les termes de l'interview donnée à *L'Express* en novembre 1956 (cf. 56/289); d'autre part, il attribue à Sartre des propos qu'il tiendrait peut-être aujourd'hui mais qui paraissent trop pessimistes et trop antisoviétiques pour l'époque. Il est probable qu'il s'agit ici d'un montage dans lequel Sartre n'a eu aucune responsabilité.

# 1967

## 67/451

QUESTIONS DE MÉTHODE

— Gallimard, coll. Idées, [1967]. 251 pages.

Ce volume, comme CRITIQUE DE LA RAISON DIALECTIQUE, est dédié « au Castor ». Il reproduit sans variantes les pages 15 à 111 du volume CRITIQUE DE LA RAISON DIALECTIQUE.

Cf. notice 57/296.

## 67/452

UN SOLEIL, UN VIÊT-NAM

— Sartre, Jean-Paul *et* Matta. *Un Soleil, un Viêt-Nam.* Paris, 1967. In-f° 30 × 22 de 24 pages non numérotées. Justification : « Un Soleil, un Vietnam a été édité par le Comité Vietnam national pour soutenir ses activités, à l'occasion de la soirée " Cent artistes pour le Vietnam ", 28 juin 1967, palais de Chaillot, Paris. Le Manuscrit original de Jean-Paul Sartre et les lithographies de Matta ont été tirés à 2 000 exemplaires sur vélin d'Arches dans l'atelier de Michel Cassé. »

Cet in-folio comprend un manuscrit de onze pages, intitulé « L'Unité » et daté du 10 juin 1967, reproduit en lithographie ainsi que six lithographies de Matta.

Faisant rapidement l'historique du Vietnam depuis 1945, Sartre montre que la distinction entre le Sud et le

Nord est arbitraire et résulte d'une situation de force. Il conclut : *L'Unité demeure pourtant dans la peine et la douleur. La guerre héroïque que mènent, au sud et au nord, dans des circonstances différentes, le F.N.L. et les paysans des villages bombardés autour de Hanoï, c'est la lutte* d'un seul peuple *contre son agresseur.*

67/453

*A qui rêve la demoiselle* [extrait].

— Dans Leroux, Jean-Paul *et* Chrestien, Michel, *Le Livre blanc de l'humour noir.* Éd. La Pensée moderne, 1967. P. 363.

Poème écrit pour Juliette Gréco.

67/454

*Mythe et réalité du théâtre*, texte d'une conférence.

*a*) *Le Point*, [Bruxelles], nº 7, janvier 1967, p. 20-25.
*b*) *A la Page*, nº 40, octobre 1967, p. 1476-1488.

Texte d'une conférence donnée à Bonn le 4 décembre 1966 et recueillie par J.-P. Berckmans et J.-C. Garot. Dans son introduction, Sartre traite des rapports entre le théâtre et le cinéma et définit le *théâtre critique :*

*Le cinéma, en apparaissant, contrairement à ce qu'on prétend, n'a pas précipité le théâtre dans une crise, n'a pas nui à l'art théâtral. Il a nui à certains directeurs de théâtre en leur prenant des spectateurs ; il a nui à un certain théâtre, justement celui qui faisait fonction de cinéma, c'est-à-dire le théâtre réaliste bourgeois — dont le but était la représentation directe de la réalité.* [...] *Dès ce moment le théâtre a réfléchi sur ses propres limites et, comme en tout art, il a fait de ses limites mêmes les conditions de sa possibilité.*

*Nous avons eu, après la-mort-de-Dieu, comme dit Nietzsche, et celle de l'inspiration, qui était Dieu-parlant-à-l'oreille, le roman-critique des Flaubert, la poésie critique des Mallarmé, c'est-à-dire un art qui comporte la position réflexive de l'artiste par rapport à lui. L'apparition du cinéma et de divers facteurs sociaux a créé, à partir de 1950, ce qu'on pourrait appeler le* théâtre critique.

Sartre montre ensuite comment les représentants du « théâtre critique » *veulent faire, des insuffisances mêmes du théâtre, les instruments d'une communication* et il compare, en les opposant, Genet *(Les Nègres)*, Artaud et Brecht; le happening,

*U S* de Peter Brook et les pièces-documents comme *Le Procès Oppenheimer ;* le théâtre du silence (à la mode entre les deux guerres), le théâtre de l'inconscient (Artaud) et les pièces de Ionesco.

En conclusion, Sartre voit trois *refus essentiels* dans le théâtre contemporain : le refus de la psychologie, le refus de l'intrigue, le refus de tout réalisme, et il explique ainsi ces termes :

*Par le refus de la psychologie, ils* [les auteurs] *refusent le règne de la bourgeoisie, parce que le théâtre psychologique est au fond un théâtre idéologique qui signifie que ce ne sont pas les conditions historiques et sociales qui font l'homme, qu'il y a un déterminisme psychologique et une nature humaine qui est partout la même.* [...] *Ils refusent les commodités de l'intrigue. Il n'y a plus d'intrigue au sens : petite histoire anecdotique bien construite avec développement, un milieu et une fin ; il n'y en a plus parce qu'ils estiment que c'est divertir, détourner l'attention du spectateur de l'essentiel.* [...] *Ils ne veulent pas renoncer à toute construction, mais ils veulent construire rigoureusement le sujet.* [...] *Leur but n'est pas de raconter une historiette, mais de construire un objet temporel dans lequel le temps, par ses contradictions, par ses structurations, mettra en relief d'une façon saisissante ce qui est proprement le sujet. Enfin, ils refusent le réalisme simplement parce qu'au fond c'est toute une philosophie dont ils ne veulent pas. C'est d'abord une philosophie qui leur paraît bourgeoise, et ensuite c'est l'idée que la réalité est réaliste.* [...]

*Ces trois refus du monde manifestent que le théâtre nouveau n'a rien d'absurde, mais que, par la critique, il revient au grand thème fondamental de la théâtralité qui est au fond, l'homme comme événement, l'homme comme Histoire dans l'événement.*

## 67/455

« Une structure du langage », interview par Jean-Claude Garot.

— *Le Point*, nº 8, février 1967, p. 27 et 29.

Cette brève interview figure dans une enquête de Jean-Pierre Berckmans sur le théâtre contemporain intitulée « La route de l'hystérie » et qui présente également des interviews de Julian Beck, Jerzy Grotowsky et Marc'O. Sartre exprime hâtivement ses réserves à l'égard des tentatives de Peter Brook, du Living Theater, du « happening » et de Grotowsky.

67/456

« *L'Agression* de Georges Michel », interview par Nicole Zand.

— *Bref* (Périodique du Théâtre national populaire), nº 103, février-mars 1967, p. 4-6, 8.

Interview réalisée avant la création de la pièce de Georges Michel, *L'Agression*, au T.N.P. en mars 1967. Sartre commente la pièce et montre qu'elle exprime le phénomène de la « paupérisation relative » dans notre société qui, au nom des valeurs de consommation, suscite des besoins que les jeunes n'ont pas les moyens d'assouvir. Il loue Georges Michel de réussir dans son théâtre à dépasser le réalisme par une *déformation vers le mythe* et il oppose ce théâtre à une œuvre comme *Le Rhinocéros* de Ionesco, qui n'est que symbolique. *Je considère que Georges Michel est un homme de théâtre complet parce qu'il ne peut pas distinguer la parole de la mise en scène. [...] De ce point de vue, je trouve donc que c'est un théâtre parfaitement original. C'est le théâtre d'un homme seul qui n'a pas subi d'influences. C'est essentiellement un théâtre de protestation, mais sans jamais devenir un théâtre à thèse parce que cela n'aboutit à rien.*

## TEXTES RELATIFS AU PROBLÈME ISRAÉLO-ARABE, 1965-1967

Sartre avait soutenu la position de l'Égypte lors de l'affaire de Suez en 1956. Vers 1965, estimant que la politique de Nasser avait évolué dans un sens favorable à la révolution, il décida d'ouvrir un dialogue entre la gauche égyptienne et la gauche israélienne : à cet effet, il annonça qu'il se rendrait lui-même en Égypte et en Israël et que *Les Temps modernes* consacreraient un numéro spécial au conflit israélo-arabe.

Le voyage de Sartre et de Simone de Beauvoir, prévu d'abord pour décembre 1966, eut finalement lieu en février-mars 1967 et le numéro des *Temps modernes* fut mis sous presse fin mai 1967, quelques jours avant l'attaque d'Israël.

65/457

Interview donnée à *Al Ahram* [en arabe].

*a*) *Al Ahram*, [Le Caire], 25 [décembre] 1965. Texte non consulté.

*b*) Extraits traduits en anglais à partir de l'arabe par Amnon Kapeliuk sous le titre « An interview with Sartre » : *New Outlook*, [Tel Aviv], vol. 9, nº 2 (77), February 1966, p. 58-62.

Selon le traducteur, les passages omis concernent l'existentialisme et les problèmes de la gauche française.

L'interview a été également reproduite dans le quotidien israélien *Al Hamishmar.*

*c*) Très court extrait intitulé « Sartre entre les Arabes et les Juifs » dans *Le Nouvel Observateur*, 12-18 janvier 1966, p. 4.

Sartre déclare sa sympathie pour la révolution égyptienne, parle de son futur voyage en Égypte et en Israël et annonce son intention de publier un numéro spécial des *Temps modernes* qui mettra les deux thèses en présence mais restera *rigoureusement neutre.*

66/458

Interview donnée à *Al Hamishmar* et recueillie par Simha Flapan.

*a*) *Al Hamishmar* [journal du MAPAM israélien], [début] 1966.

*b*) Repris intégralement sous le titre « Jean-Paul Sartre et les problèmes de notre temps » dans *Cahiers Bernard Lazare*, nº 4, avril 1966, p. 4-9.

*c*) Extrait intitulé « Sartre on Israël and other matters », dans *New Outlook*, vol. 9, nº 4 (79), May 1966, p. 8-11.

Sartre précise d'abord les raisons qui l'ont poussé à prendre l'initiative d'un dialogue israélo-arabe : *Je me trouve déchiré entre des amitiés et des fidélités contradictoires. La situation de mes amis juifs pendant l'Occupation m'a découvert le problème juif en Europe en même temps que notre résistance commune au nazisme créait entre nous un lien profond. J'ai écrit après la Libération ce que j'avais senti dans ces années de luttes : c'est que tant qu'un Juif sera menacé dans le monde, pas un Chrétien ne pourra se croire en sécurité. Il en résulte que mes amis et moi nous avons suivi passionnément, après la guerre, la lutte des Israéliens contre les Anglais. Mais, pareillement, la lutte contre le colonialisme nous a amenés pendant la guerre d'Algérie à nous déclarer solidaires des combattants du F.L.N. et à nouer des amitiés nombreuses dans les pays arabes.* [...] *Nous nous trouvons donc, aujourd'hui que le monde arabe et Israël s'opposent, comme divisés en nous-mêmes et nous vivons cette opposition comme si c'était notre tragédie personnelle.* [...]

Sartre parle ensuite des problèmes du tiers monde, du Vietnam, de RÉFLEXIONS SUR LA QUESTION JUIVE, du marxisme et des chances du socialisme en Europe et en France.

66/459

Interview donnée à *Al Ba'ath.*

— *Al Ba'ath* [hebdomadaire syrien], [février] 1966. Nous connaissons ce texte par le court extrait donné dans *New Outlook*, vol. 10, nº 4 (88), May 1967, p. 32.

Les Syriens étaient opposés à tout compromis avec Israël; Sartre essaie de les convaincre de la nécessité d'un dialogue.

66/460

Lettre ouverte au journal *Al Ahram.*

*a*) *Al Ahram*, 25 [février] 1967.

*b*) Traduit dans *New Outlook*, vol. 10, nº 4 (88), May 1967, p. 28-29.

Courte lettre publiée au début du séjour en Égypte qui devait durer jusqu'au 13 mars 1967. Sartre était l'invité du journal *Al Ahram.* Il affirme sa sympathie pour la révolution égyptienne et déclare qu'il est venu étudier la voie que les Égyptiens ont choisie pour aller au socialisme. Aucune mention n'est faite d'Israël.

Selon le numéro de *New Outlook* cité ci-dessus, il y aurait d'autres déclarations de Sartre dans *Al Anwar* [Beyrouth] du 6 mars 1967 et *Al Ahram* du 9 mars.

Au moment de son départ d'Égypte, Sartre tint une conférence de presse où il fit l'éloge du président Nasser, *dirigeant prudent, judicieux et clairvoyant* (cf. *Le Monde*, 15 mars 1967).

67/461

« Jean-Paul Sartre et Simone de Beauvoir en Israël. »

*a*) *Cahiers Bernard Lazare*, nº 10, mai 1967, p. 4-20. Sous ce titre, les *Cahiers Bernard Lazare* décrivent la visite faite en

Israël à partir du 14 mars 1967 et donnent les deux textes suivants :

— Compte rendu intégral d'une conférence de presse donnée à Tel Aviv le 29 mars 1967 par Sartre et Simone de Beauvoir (p. 6-17).

Sartre parle d'abord de l'antisémitisme puis donne ses impressions sur Israël et, en particulier, sur les kibboutzim qu'il a visités. Avant de répondre aux questions des journalistes, il conclut :

*Si le nouvel homme israélien, le nouveau Juif israélien peut se développer dans la paix et saisir toutes ces contradictions, les faire siennes et les dépasser dans son action, il sera, il l'est déjà, mais il sera un des hommes les plus riches que l'on peut trouver dans l'Histoire.*

Dans ses réponses aux questions des journalistes, Sartre affirme une fois de plus sa neutralité et déclare qu'il reconnaît *totalement* les deux préalables que sont la souveraineté d'Israël et le droit des réfugiés palestiniens à revenir en Israël.

— Extrait d'un entretien avec les rédacteurs de *New Outlook* (p. 18-20).

Sartre déplore ici les conditions faites à la minorité arabe vivant en Israël.

*b*) Les textes répertoriés ci-dessus sont traduits dans : *New Outlook*, vol. 10, nº 4 (88), May 1967.

On trouvera dans le même numéro un éditorial, « After Sartre's visit », signé H. D. ainsi que deux articles relevant les commentaires de la presse arabe et ceux de la presse israélienne.

67/462

*Pour la vérité*, préface au numéro spécial des *Temps modernes* : « Le conflit israélo-arabe. »

*a*) *Les Temps modernes*, nº 253 *bis* [juin 1967], p. 5-11.

*b*) Conclusion de la préface reprise sous le titre « Nos exigences contradictoires », dans *Le Nouvel Observateur*, 14-20 juin 1967.

Sartre explique dans ce texte pourquoi la rédaction des *Temps modernes* s'est bornée à réunir un dossier où les points de vue israélien et arabe coexistent dans une pure « contiguïté »; il résume les écartèlements de la gauche sur le conflit et promet un article dans lequel il donnera *non point un* avis — *ce qui serait prétentieux et futile — mais quelques réflexions inspirées par* [son] *voyage* (cet article n'a jusqu'à présent pas encore paru). Comme Sartre le précise lui-même, *Pour la vérité* a été écrit le 27 mai 1967, c'est-à-dire avant le déclenchement de la « guerre des six jours » : *La neutralité que nous avons promise — ou, si l'on veut, notre absence — nous entendons la garder, en dépit des circonstances,* sauf sur un point *qui n'était pas au programme. Nous ne pousserons pas la discrétion jusqu'à entériner une guerre d'extermination. Ce soir encore, les armes se taisent mais si demain, au petit jour, elles venaient à parler, nous nous croyons obligés de dire que nous condamnons d'avance l'agression d'où qu'elle vienne et tout autant la provocation qui rend la guerre inévitable.*

À la fin du mois de mai, Sartre a d'autre part signé avec un certain nombre d'intellectuels un appel qui se lit comme suit (Cf. *Le Monde*, 1er juin 1967 :

« Les intellectuels français soussignés, qui croient avoir montré qu'ils étaient des amis des peuples arabes et des adversaires de l'impérialisme américain, et sans faire leurs toutes les positions des dirigeants israéliens, constatent que l'État d'Israël fait actuellement preuve d'une évidente volonté de paix et de sang-froid.

« Il est incompréhensible, quel que soit le jeu des grandes puissances, qu'une partie de l'opinion admette comme allant de soi l'identification d'Israël avec un camp impérialiste et agressif, et celle des pays arabes avec un camp socialiste et pacifique; que l'on oublie du même coup qu'Israël est le seul pays dont l'existence même est mise en cause; que des proclamations menaçantes viennent chaque jour des dirigeants arabes.

« Dans ces conditions, nous appelons l'opinion démocratique en France à réaffirmer avec vigueur :

1. Que la sécurité et la souveraineté d'Israël, y compris évidemment la libre navigation dans les eaux internationales, sont une condition nécessaire et le point de départ de la paix;
2. Que cette paix est accessible, et doit être assurée et affermie par des négociations directes entre États souverains, dans l'intérêt réciproque des peuples concernés ».

Cet appel a été considéré comme une prise de position de la part de Sartre : il a provoqué une grande satisfaction en Israël mais a suscité de vives réactions dans les pays arabes. Par sa date même, il ne constitue pas, soulignons-le, une approbation de la « guerre des six jours ».

67/463

[Interview sur Israël par Jigal Arci.]

*a*) Parue d'abord sous le titre « Arabové a Židé » dans : *Literarni Novini*, [Prague], 15 dubna [avril] 1967.

*b*) Traduite en allemand sous le titre « Araber und Juden », dans *Volksstimme* (organe du P.C. autrichien) et dans *Neues Forum* (Vienne), Heft 162-163, Juni-Juli 1967, p. 439-441.

*c*) Extraits en français, sous le titre « Impressions israéliennes de Jean-Paul Sartre », dans *Cahiers Bernard Lazare*, nº 11, juin-juillet 1967, p. 27-29.

Interview faite avant le déclenchement des hostilités. Sartre résume à nouveau le problème israélo-arabe et conclut : *L'avenir des Israéliens et des Arabes dépend du développement de la gauche. La gauche européenne se doit d'apporter sa confiance aux forces de gauche des deux parties pour renforcer de leurs forces et de leurs poids les chances d'ouverture.*

En ce qui concerne la position de Sartre à la suite de la « guerre des six jours », cf. 69/504.

## TEXTES RELATIFS AU « TRIBUNAL RUSSELL »

Au cours de l'été 1966, Lord Bertrand Russell prit l'initiative de réunir un « Tribunal international contre les crimes de guerre au Vietnam ». Sartre accepta dès l'origine d'en faire partie et il participa à la réunion constitutive qui se tint à Londres les 14 et 15 novembre 1966. Il y fut élu président exécutif du tribunal.

### 66/464

« Le Crime », interview.

— *Le Nouvel Observateur*, 30 novembre-6 décembre 1966. Traduit sous le titre « Imperialist Morality » et sans indication d'origine dans *New Left Review*, [Londres], nº 41, January-February 1967, p. 3-10.

Après la réunion de Londres, Sartre explique *les limites et le sens de ce que* [le] « *tribunal* » *se propose de faire.* [...] *Il ne s'agit pas pour nous de juger si la politique américaine est néfaste — ce qui ne fait aucun doute pour la plupart d'entre nous — mais de voir si elle tombe sous le coup de la législation sur les « crimes de guerre »*. Il répond ensuite aux principales objections qui peuvent être faites contre l'existence même du tribunal. Celui-ci ne prétend pas juger les Américains au nom de la morale car : *La politique impérialiste est une réalité historique nécessaire et elle échappe, de ce fait, à toute condamnation juridique ou morale.* [...] *En fait, si le développement de l'Histoire n'est pas commandé par le droit et par la morale — qui en sont au contraire les produits —, ces deux superstructures exercent sur ce développement une « action en retour ». C'est ce qui permet de juger une société en fonction des critères qu'elle a elle-même établis.* [...] *Notre « tribunal » ne se propose aujourd'hui que d'appliquer à l'impérialisme capitaliste ses propres lois.*

Refusant le qualificatif d' « idéaliste » qui a été donné au tribunal, Sartre précise : *Il ne s'agit* [...] *pas du tout de manifester la réprobation indignée d'un groupe d'honnêtes citoyens, mais de donner une dimension juridique à des actes de politique internationale, afin de combattre la tendance de la majorité des gens à ne porter que des jugements pratiques et moraux sur le comportement d'un groupe social ou d'un gouvernement.* [...] *Vouloir constituer un vrai tribunal et prononcer des peines, ce serait agir en idéalistes. Mais nous avons le droit de nous réunir, en tant que citoyens, pour redonner sa force à la notion de crime de guerre en montrant que toute politique peut et doit être jugée objectivement en fonction de critères juridiques qui existent.* Expliquant pourquoi le tribunal n'aura à connaître que des seuls crimes de guerre américains, Sartre déclare : *Je refuse de mettre sur le même plan l'action d'un groupe de paysans pauvres, traqués, obligés de faire régner dans leurs rangs une discipline de fer, et celle d'une armée immense soutenue par un pays sur-industrialisé de 200 millions d'habitants.* Pensant à l'efficacité possible du tribunal, il dit : *On nous a reproché de faire du légalisme petit-bourgeois. C'est vrai et j'accepte cette objection. Mais qui voulons-nous convaincre?* [...] *Ce sont les masses petites-bourgeoises qu'il faut aujourd'hui réveiller et secouer, parce que leur alliance — même sur le plan intérieur — avec la classe ouvrière est souhaitable. Et c'est par le légalisme qu'on peut leur ouvrir les yeux.* L'interview se poursuit par une analyse de la politique gaulliste sur la question du Vietnam et par l'énumération des actions que la gauche doit mener. Sartre termine en exprimant l'espoir que le tribunal soutiendra la lutte des jeunes Américains qui s'opposent à la guerre menée par leur gouvernement.

• Au cours d'une conférence de presse qui s'est tenue à Paris le 2 février 1967, Sartre et Laurent Schwartz ont présenté le rapport de la première commission d'enquête envoyée par le tribunal Russell au Vietnam (cf. *Le Monde*, 4 février 1967).

67/465

*Lettre au Président de la République.*

— *Le Monde*, 25 avril 1967.

Dans cette lettre, datée du 13 avril 1967, Sartre, au nom

du tribunal Russell qui s'apprêtait à se réunir à Paris, demande au général de Gaulle si le refus opposé à la demande de visa de Vladimir Dedijer signifie que le gouvernement a l'intention d'interdire au tribunal de siéger en France. *Le Monde* publie à la suite de cette lettre la réponse du Général.

67/466

« Sartre à de Gaulle », interview.
— *Le Nouvel Observateur*, 26 avril-3 mai 1967.

L'interview fait suite à la lettre par laquelle de Gaulle annonce la décision officielle du gouvernement d'interdire la réunion du tribunal Russell sur le territoire français. De Gaulle l'ayant appelé « mon cher Maître », Sartre commente : *C'est pour bien marquer, je crois, que c'est à l'écrivain qu'il entend s'adresser, non au président d'un tribunal qu'il ne veut pas reconnaître. Je ne suis « maître » que pour les garçons de café qui savent que j'écris : en fait, c'est bien au représentant du tribunal que de Gaulle répond.* Puis il analyse les raisons du changement d'attitude du gouvernement, qui avait d'abord assuré officieusement au tribunal qu'il pourrait siéger en France. Ces raisons, Sartre les voit dans une pression américaine et dans la volonté de de Gaulle de ne pas associer les masses à sa politique. Il expose encore une fois les buts du tribunal, annonce que, s'il le faut, celui-ci siégera sur un bateau ancré hors des eaux territoriales et conclut : *Paradoxalement, ces difficultés qu'on nous fait fondent la légitimité de notre tribunal et, de plus, elles prouvent une chose : c'est qu'on a peur de nous. Certes pas de Bertrand Russell qui a quatre-vingt-quatorze ans, ni de moi-même qui en ai soixante-deux, ni de nos amis. Si nous étions simplement une douzaine de benêts intellectuels qui prétendent ridiculement s'ériger en juges, on nous laisserait faire tranquillement.*

*Pourquoi a-t-on peur de nous? Parce que nous posons un problème qu'aucun gouvernement occidental ne veut voir poser : celui du crime de guerre, qu'encore une fois tous veulent se réserver de pouvoir commettre.*

67/467

*Discours inaugural* du « Tribunal international contre les crimes de guerre au Vietnam » prononcé le 2 mai 1967 à Stockholm.

*a*) Extraits sous le titre « C'est aussi pour le peuple américain que nous luttons... », dans *Le Nouvel Observateur*, 10-16 mai 1967.

*b*) Texte complet dans : *Tribunal Russell : Le jugement de Stockholm.* Gallimard, coll. « Idées actuelles » n° 147, [1967]. P. 25-31. Ce volume, dont la rédaction a été assurée par Arlette El Kaïm, contient tous les documents relatifs à la première session du « tribunal Russell ». On y trouvera aussi (p. 184-185) la cinglante réponse de Sartre aux déclarations du secrétaire d'État américain Dean Rusk (qui avait dit devant des journalistes, au sujet du tribunal, qu'il n'avait pas l'intention de « faire joujou avec un vieil Anglais de quatre-vingt-quatorze ans »).

Dans ce discours, Sartre expose l'origine, les buts et les limites du tribunal et entend *s'expliquer sans détours sur la question de ce qu'on a nommé sa « légitimité ».* [...] *Le tribunal Russell est né de cette double constatation contradictoire : la sentence de Nuremberg a rendu nécessaire l'existence d'une institution destinée à enquêter sur les crimes de guerre et, s'il y a lieu, à en juger ; ni les gouvernements ni les peuples ne sont aujourd'hui en mesure de la créer.* [...] *Nous sommes impuissants : c'est la garantie de notre indépendance.*

67/468

« Douze hommes sans colère », interview recueillie par Serge Lafaurie.

— *Le Nouvel Observateur*, 24-30 mai 1967.

Interview réalisée après la première session du tribunal à l'issue de laquelle il a été conclu à l'unanimité que les Américains sont coupables d'agression au Vietnam et qu'ils ont recours à des bombardements « terroristes » pour briser la résistance de la population. Sartre précise que *cette unanimité n'était pas du tout prévue* et le prouve en racontant en détail le déroulement des débats. Parlant en son nom, il dit : *Ce qui a été important, pour moi, c'est le passage de cette idée vague, déjà insupportable : « On tue des enfants, des femmes et des vieillards au Vietnam », à cette idée précise et odieuse : « On le fait exprès.* » Il réfute ensuite certaines affirmations de la presse concernant de prétendues dissensions au sein du tribunal et annonce les questions qui seront examinées au cours de la seconde session (cf. 67/478 à 480).

• Les conclusions de la première session du tribunal Russell ont été présentées par Sartre au cours d'une conférence de presse à la Mutualité le 19 mai 1967 (cf. *Le Monde*, 21-22 mai 1967).

• En sa qualité de président du tribunal Russell, Sartre a envoyé un télégramme à Donald Duncan, témoin pour la défense du capitaine Levy, de l'armée U. S., traduit en cour martiale pour avoir dénoncé les crimes de guerre américains au Vietnam. Ce télégramme proposait à la défense l'envoi de preuves par le tribunal et annonçait une lettre à suivre (cf. *Le Monde*, 28-29 mai 1967).

• Il existe un texte sur le tribunal Russell, signé de Sartre, dans un périodique bulgare de juin 1967.

• Sartre a donné le 27 octobre 1967 une conférence à Bruxelles sous les auspices de la Tribune libre universitaire (cf. compte rendu par Ph. Schittecatte dans *La Gauche* (Bruxelles), 4 novembre 1967 : « Sartre expose les principes du tribunal sur les crimes de guerre au Vietnam »).

Pour la seconde session du tribunal Russell, cf. 67/478 à 67/481.

67/469

Texte de présentation de l'exposition de Roger Pic, « Photographies du Vietnam en guerre ».

*a*) Catalogue de l'exposition 22 juin-27 juillet 1967, Galerie du Passeur, 90, rue du Bac, Paris.

*b*) Fragment dans *Le Nouvel Observateur*, 28 juin-4 juillet 1967.

*c*) Repris en *Préface* au volume : Pic, Roger. *Au Cœur du Vietnam*. Maspero, 1968. P. 2-3.

> *D'ores et déjà, ce qui fascine dans ce miroir implacable, c'est l'affirmation constante de l'avenir, comme un arc-en-ciel jeté par-dessus l'horreur présente.* [...]
>
> *Ces images sont impérieuses et nous devons choisir. Ce Vietnam indomptable, c'est notre ultime liberté...*

Ce texte a inspiré au compositeur Henri Tomasi le livret d'un poème symphonique intitulé « Chant du Vietnam » et dont la création est annoncée pour décembre 1969 aux Concerts Pasdeloup.

67/470

« Jean-Paul Sartre », interview en serbe par Komnen Becirovic.

— *Nin / Politika*, [Belgrade], 2 [juillet] 1967.

Sujets abordés : conflit israélo-arabe, Vietnam, tribunal Russell, aliénation, marxisme, Lukács, Hegel, Dostoïevski, Socrate, LES MAINS SALES, etc.

67/471

Intervention au meeting pour Régis Debray à la Mutualité le 30 mai 1967.

*a*) Extraits dans *Le Monde*, 1er juin 1967.

*b*) Texte intégral, recueilli par Jean-Claude Garot : « Théoricien en Bolivie! » *Le Point*, [Bruxelles], nº 10, juillet 1967, p. 23.

*c*) Texte identique à *b*) mais sans les quelques lignes du début : « Le crime monstrueux de Régis Debray », dans la brochure *Liberté pour Régis Debray* éditée par le Comité pour le Soutien et la Défense de Régis Debray, 59, rue Raymond-Losserand, Paris-XIVe.

*d*) Texte *c*) repris dans *Le Procès de Régis Debray*. Maspero, 1968. P. 7-10.

Sartre affirme que Debray est en prison uniquement pour avoir écrit son livre *Révolution dans la révolution*, dont il résume les thèses, et que son prétendu crime n'est rien d'autre qu'un délit d'opinion. *Nous devons faire pression sur notre gouvernement, qui a déjà un peu agi, mais bien mollement, sur le gouvernement bolivien, pour qu'il exige la libération inconditionnelle de Régis Debray.*

67/472

« Vogliono assassinare Debray. Dobbiamo impedirlo », interview par Adolfo Chiesi.

— *Paese Sera*, [Rome], 2 settembre 1967. Texte repris dans le numéro du 3 septembre 1967.

— Cité dans *Le Monde*, 5 septembre 1967.

Interview sur le procès de Régis Debray. Sartre déclare que l'opinion publique mondiale doit empêcher le gouvernement bolivien de commettre le crime qu'il prépare : assassiner Debray une fois que les remous de l'affaire se seront apaisés. Il parle de ses rapports avec Debray et compare son arrestation à celle de Georges Arnaud au moment de l'affaire Jeanson : Debray est d'abord un journaliste et s'il a été arrêté c'est parce qu'il a vu *avec beaucoup d'intelligence et de lucidité la situation de l'Amérique latine* et à cause de ses relations avec Cuba. Son procès est en réalité un procès d'opinion.

## 67/473

« Sartre e la De Beauvoir in memoria di Ilja Ehrenburg. »
— *L'Unità*, 3 settembre 1967.

Courte déclaration de Sartre et de Simone de Beauvoir sur la mort d'Ilya Ehrenbourg, survenue le 31 août 1967. En voici la traduction *in extenso :*

*Au moment où la Révolution soviétique s'apprête à célébrer son cinquantième anniversaire, il est profondément triste d'apprendre qu'est disparu un homme qui, jour par jour, fut le témoin passionné et lucide de ces cinquante années qui ont changé le monde.*

*Nous étions ses amis depuis 1947 et, avec le temps, nos liens étaient devenus si étroits que sa mort nous à touchés comme un deuil personnel. Nous aimions son intelligence, son courage, son humour, le charme de son vieux visage fatigué, et nous admirions en lui, plus encore que le romancier et l'essayiste, ce que l'on peut appeler, dans la pleine signification du mot, un homme de culture. Mais nous avons compris au cours de nos voyages en U.R.S.S. qu'il représentait beaucoup plus encore pour le public soviétique et surtout pour les jeunes. En réalité, son mérite le plus grand fut peut-être d'avoir su conserver jusqu'à la fin de ses jours l'amitié et la confiance de la jeunesse.*

## 67/474

« Entretien avec Jean-Paul Sartre », par Françoise Gilles.
— *Combat*, 8 septembre 1967.

Il s'agit du texte, retranscrit tel quel, d'une interview sans grand intérêt accordée par Sartre, à l'occasion de la sortie prochaine du film *Le Mur*, à R.T.L. et diffusée par ce poste le 7 septembre 1967. Les sujets abordés sont les suivants : le fascisme en Grèce; la nécessité de la lutte armée en Amérique latine; le rôle du tribunal Russell; la situation actuelle aux États-Unis; la nécessité d'un programme commun pour la gauche; les rapports du gouvernement de l'U.R.S.S. avec les intellectuels soviétiques; ses propres prises de position politiques (dont il ne dit regretter aucune); sa volonté de ne pas prendre position sur la révolution culturelle chinoise en l'absence d'informations vérifiées; la désaffection du public à l'égard du roman; les vices de base de la démocratie parlementaire.

67/475

Extrait d'une lettre à Régis Debray.
— *Le Monde*, 11 octobre 1967.

Écrivant à Régis Debray, dont le procès est sur le point de reprendre à Camiri, Sartre certifie qu'en tant que directeur des *Temps modernes*, il l'a envoyé en 1963 « suivre de près les événements » en Amérique latine.

Rappelons que *Les Temps modernes* ont publié en janvier 1965 l'article de Régis Debray, « Le castrisme : la Longue Marche de l'Amérique latine ».

*Le Monde* du 21 novembre 1967 (p. 8, col. 6) publie ce bref commentaire de Sartre sur la condamnation de Régis Debray : *On s'attendait à cette condamnation inique issue d'un procès grotesque. Nous ne devons pas abandonner la lutte pour sa libération, mais ce qu'il convient de répéter, c'est que si dans les années qui viennent on nous annonce sa mort, à quelque cause qu'on l'attribue, nous saurons et nous dirons que c'est un assassinat.*

67/476

[Conférence de presse sur le film *Le Mur* au festival de Venise le 5 septembre 1967.]
— *Jeune Cinéma*, nº 25, octobre 1967, p. 24-28.

Sartre dit que s'il a d'abord éprouvé de la réticence devant le projet de faire un long métrage de sa nouvelle, il s'est ensuite laissé convaincre par Serge Roullet qu'il pouvait s'agir là d'une tentative intéressante; il se déclare entièrement satisfait du résultat. En réponse à une question sur la nature de sa participation au film, Sartre précise que le dialogue peut être considéré comme étant de lui puisqu'il a été tout entier emprunté à la nouvelle *(à part deux ou trois modifications que j'ai approuvées)*, qu'il a discuté le scénario avec Serge Roullet et qu'il se sent par conséquent *entièrement engagé* par le film de celui-ci : *C'est lui qui l'a fait, mais il l'a fait avec mon accord complet et avec la possibilité, qu'il m'a toujours donnée, de lui faire part de mes critiques ou de mes objections ou de lui proposer quelque chose.* Le thème du film, différent de celui de la nouvelle, lui paraît être devenu en définitive : *le temps par rapport à la mort.*

Sartre donne ensuite quelques renseignements sur les circonstances dans lesquelles il avait écrit la nouvelle et explique la signification qu'il entendait lui donner (cf. notice 37/10).

Une question sur l'analogie qui pourrait exister entre les mouvements de jeunes au moment de la guerre d'Espagne et les actuels admirateurs des gardes rouges chinois amène Sartre à déclarer : *D'un certain point de vue, je trouve qu'il y a beaucoup d'idéalisme chez un jeune homme qui est en admiration devant les gardes rouges — et le mot idéalisme, je l'emploie dans le bon et dans le mauvais sens à la fois.*

Les propos de Sartre sont suivis d'une interview de Serge Roullet qui donne d'utiles renseignements sur son adaptation (cf. aussi notice suivante).

(Pour le film, cf. *Appendice Cinéma.*)

Les dialogues et le découpage intégral du film sont publiés dans *L'Avant-Scène Cinéma*, nº 75, novembre 1967, p. 3-34.

Il existe également un disque comprenant les dialogues et la musique du film et édité par Adès, coll. « L'Avant-Scène », 33 tours.

## 67/477

« Jean-Paul Sartre parle du "Mur". »

— *Le Nouvel Observateur*, 1er-7 novembre 1967.

Il s'agit d'extraits du radio-duplex organisé le 23 octobre 1967 par Radio-Télé Luxembourg à l'occasion de la première simultanée du film « Le Mur » à Paris et à New York et au cours duquel Sartre, au cinéma « Le Racine », répondit aux questions des étudiants français et américains qui avaient assisté à la même heure à la projection. Sartre déclara notamment : *Le défaut de la nouvelle du « Mur » c'est le défaut général de l'écriture : elle vous propose un sujet de réflexion, elle vous prend si l'auteur a un peu de talent, mais elle vous laisse libre. Autrement dit, elle fait faire au lecteur l'économie d'une expérience. Le film vous fait faire l'expérience. Dans le film de Roullet, vous voyez des gens qui font très peu de choses, qui simplement sentent leur mort et vous la sentez avec eux. Vous ne pouvez rien penser sur la mort par exécution, pendant que vous voyez le film. Vous ne devez que sentir le malaise et même l'angoisse.*

67/478

*Déclaration à la séance d'ouverture de la seconde session du tribunal Russell le 20 novembre 1967 à Roskilde (Danemark).*

*a*) Dans le volume *Tribunal Russell 2 : Le jugement final*. Directeur de publication : Jean-Paul Sartre. Rédactrice : Arlette El Kaïm. Gallimard, coll. « Idées actuelles », nº 164, [1968]. P. 11-14.

Les pavés publicitaires de Gallimard pour les deux volumes *Tribunal Russell* comportent un court texte de présentation original de Sartre (cf. en particulier *Le Nouvel Observateur*, 26 juin-2 juillet 1968, p. 36).

*b*) Texte italien dans *Il Ponte*, nº 11, 30 novembre 1967, p. 1396-1397.

Courte déclaration où Sartre énumère les chefs d'accusation que le tribunal va avoir à examiner au cours de sa seconde session.

67/479

« Le Génocide », interview par Serge Lafaurie.

— *Le Nouvel Observateur*, 6-12 décembre 1967.

Sartre commente ici le verdict du tribunal Russell qui, à la fin de sa seconde session, a déclaré les Américains coupables du crime de « génocide » au Vietnam. Il reprend, en la résumant, l'agumentation utilisée pour justifier ce verdict à Roskilde (cf. notice suivante).

67/480

*Le Génocide.*

*a*) *Les Temps modernes*, nº 259, décembre 1967, p. 953-971.

*b*) Repris dans le volume : *Tribunal Russell 2 : Le jugement final*. Gallimard, coll. « Idées actuelles », [1968]. P. 349-368.

*c*) Traduction en anglais dans le volume : *On Genocide.* By Jean-Paul Sartre. And a summary of the evidence and the judgments of the International War Crimes Tribunal by Arlette El Kaïm-Sartre. Boston : Beacon Press, 1968. P. 55-85.

A l'issue de sa seconde session, qui se tint à Roskilde, près de Copenhague, du 20 novembre au 1er décembre 1967, le tribunal Russell répondit « oui » à l'unanimité à la question : « Le gouvernement des États-Unis est-il coupable du crime de génocide à l'égard du peuple vietnamien? » Sartre fut chargé, en tant que président exécutif du tribunal, de rédiger l'exposé des motifs de ce verdict. Son texte fut adopté par tous les membres du tribunal.

Écrit dans des conditions particulièrement contraignantes (Sartre le rédigea en prenant sur les quelques heures de sommeil que la longueur des dernières séances laissait aux membres du tribunal), ce texte est cependant l'un des plus marquants qu'il ait écrits. Se servant d'une argumentation rigoureuse, Sartre explique pourquoi la guerre menée par les Américains au Vietnam doit être considérée comme un génocide, qu'il définit ainsi : *Le génocide présent, dernier résultat du développement inégal des sociétés, c'est la guerre* totale *menée jusqu'au bout* d'un seul côté *et* sans la moindre réciprocité. Il conclut : *Ainsi les Vietnamiens se battent pour tous les hommes et les forces américaines contre tous. Non point au figuré et dans l'abstrait. Et pas seulement parce que le génocide serait* au Vietnam *un crime universellement condamné par le droit des gens. Mais parce que, peu à peu, le chantage génocidal s'étend à tout le genre humain, en s'appuyant sur le chantage à la guerre atomique, c'est-à-dire à l'absolu de la guerre totale, et parce que ce crime, accompli tous les jours sous tous les yeux, fait de tous ceux qui ne le dénoncent pas les complices de ceux qui le commettent et, pour mieux nous asservir, commence par nous dégrader. En ce sens, le génocide impérialiste ne peut que se radicaliser : car le groupe qu'on veut atteindre et terroriser*, à travers la nation vietnamienne, *c'est le groupe humain en entier.*

• Le 2 décembre 1967, à son retour du Danemark, Sartre a fait une déclaration qui a été diffusée par *France-Inter* et dans laquelle il a parlé du Vietnam, de la mort de Guevara et du procès de Régis Debray.

67/481

*De Nuremberg à Stockholm.*

— *Tricontinental* (Organe théorique de l'Organisation de Solidarité des Peuples d'Afrique, d'Asie et d'Amérique latine, édité en quatre langues à La Havane, Paris et Milan), nº 3, novembre-décembre 1967, p. 7-19. Ce texte est repris dans le numéro 1, janvier-février 1968, p. 7-19.

Cet article, écrit avant la seconde session du tribunal Russell, définit et résume l'action de celui-ci en insistant sur sa légitimité. Conclusion : *Nous avons jugé — nous, hommes de la masse —* pour la masse *et, sans aucun doute,* avant *son accord. Mais notre jugement n'a pas encore sa vérité : il nous faut à présent le présenter aux peuples, avec ses motifs et ses attendus. S'ils le ratifient, il deviendra* le leur *et prendra d'eux toute son objectivité. Nous saurons alors que notre légitimation est entière et que les masses, en donnant leur accord, dévoilent une exigence plus profonde : c'est qu'un véritable tribunal soit créé contre les criminels de guerre. Un tribunal qui émane d'elles et qui donne à leurs exigences éthiques une dimension juridique. Un tribunal révolutionnaire.*

67/482

*L'universel singulier*, texte sur Carlo Levi.

— *Galleria*, [Caltanissetta, Sicile], anno XVII, nº 3-6, maggio-dicembre 1967, p. 256-258.

Le texte en français est suivi par une traduction italienne d'Aldo Marcovecchio, « L'universale singolare », p. 259-260.

Sartre est un ami de longue date de Carlo Levi avec lequel il a participé à de nombreuses réunions politico-culturelles. Il lui rend ici hommage tout en définissant à travers sa personne ce qu'il entend par l' « universel singulier » :

*Que cet homme si particulier vous conte, avec cette voix, ces intonations, cette physionomie, ce détachement malicieux qui ne sont qu'à lui une aventure éphémère qu'il a vu naître et mourir en un moment, c'est une singularité sélectionnée par une autre singularité ; et dans le même temps, Rome est là, tout entière, opaque et présente :* vécue *dans son indécomposable totalité.*

*Mais « nature » et « culture » sont indiscernables et le projet d'écrire ne se distingue pas de celui d'être homme. Être soi-même, pour Levi, c'est se faire l'universel singulier ; écrire, c'est communiquer cet incommunicable : l'universalité singulière. Par là il faut entendre qu'il s'est placé, narrateur, en ce même nœud de contradictions qu'il manifeste par sa vie et que Merleau-Ponty décrivait en ces termes : « Nos corps sont pris dans le tissu du monde mais le monde est fait de l'étoffe de mon corps. »* [...]

67/NOTE 1.

Sartre a participé le 10 avril 1967 à un meeting en faveur de Hugo Blanco organisé à la Mutualité par le Comité français de solidarité avec les victimes de la répression au Pérou (cf. compte rendu du meeting dans le bulletin *Solidarité Pérou*, n° 6, mai 1967).

67/NOTE 2.

Dans son ouvrage *The Scandalous Ghost : Sartre's Existentialism as Related to Vitalism, Humanism, Mysticism, Marxism* (Detroit : Wayne State University Press, 1967), Jacques L. Salvan rapporte en préface (p. 10-15) les termes d'un entretien qu'il a eu avec Sartre en 1951 et qu'il a publié une première fois dans un journal étudiant de l'époque. Sartre dit notamment (notre traduction) :

— *Je n'ai rien contre Bergson. Je lui reproche seulement d'être* chosiste. *Comment son interpénétration des « états de conscience » ou son « moi profond » peuvent-ils créer la liberté? Que veut-il dire avec sa « durée »?*

— *Je n'ai rien contre le mysticisme sauf qu'il recherche hors de la conscience* une unité qui n'existe pas.

— *Je considère que* la forme n'a d'importance qu'en relation avec la démonstration.

67/NOTE 3.

Un volume comprenant les principales pièces de Sartre (LES MOUCHES, MORTS SANS SÉPULTURE, LA PUTAIN RESPECTUEUSE, LE DIABLE ET LE BON DIEU, NEKRASSOV et LES SÉQUESTRÉS D'ALTONA) a paru en 1967 aux éditions « Isskustvo » de Moscou dans une traduction de S. I. Velikovskii et avec un tirage de 15 000 exemplaires. A noter que le titre LA PUTAIN RESPECTUEUSE est traduit cette fois littéralement et que NEKRASSOV est présenté comme « Ce n'est que la vérité ».

67/NOTE 4.

Le volume *Dramata* (Praha, Orbis, 1967) donne la traduction en tchèque par A. J. Liehm de MORTS SANS SÉPULTURE, LES MAINS SALES, et LES TROYENNES; il comprend une préface de Sartre sur LES MAINS SALES (p. 75-77), une postface de Milan Kundera sur le théâtre sartrien (p. 284-295) et reprend les propos de Sartre sur LES TROYENNES recueillis dans *Bref* (cf. 65/415).

# 1968

68/483

« L'intellectuel face à la révolution », propos recueillis par Jean-Claude Garot.

*a*) *Le Point*, [Bruxelles], nº 13, janvier 1968, p. 18-23.
*b*) Extraits sous le titre « Jean-Paul Sartre, que pensez-vous de la Chine, de la Russie, de Cuba ? » dans *La Gazette de Lausanne*, 20-21 janvier 1968.

Longue interview offrant l'intérêt de présenter, sur un plan théorique, les positions politiques de Sartre à quelque temps des événements de mai en France et de l'intervention soviétique en Tchécoslovaquie.

Sartre commence par donner une définition générale de l'intellectuel en tant qu' *universel singulier*, dont la tâche, en vertu de l'exigence même qui en fait un intellectuel : celle de rationalité et d'universalité, est de prendre toujours la position la plus radicale, donc de rejoindre les positions des plus défavorisés, qui, par principe, incarnent l'universalité à conquérir. Le radicalisme risque cependant de verser dans le gauchisme *(c'est-à-dire la revendication immédiate et instantanée de l'universel)*. Les deux freins à la tentation gauchiste sont l'exigence de vérité, qui impose *l'évaluation constante du champ des possibles*, et la contradiction propre à l'intellectuel entre la discipline et la critique qu'il doit maintenir à l'égard du parti représentant l'exigence d'universalité.

Passant ensuite aux options politiques concrètes, Sartre dit qu'il lui est impossible, en tant qu'intellectuel, de se déclarer pour ou contre les Chinois, *et cela pour une seule raison, c'est que tout ce que j'ai lu jusqu'ici sur la question ne m'apportait aucune connaissance universelle satisfaisante.* (Il mentionne à ce propos un article de Pierre Verstraeten, de même que les analyses des *Cahiers marxistes-léninistes, admirables, mais qui ne reposent rigoureusement sur rien.*) A l'égard de l'U.R.S.S., il affirme la nécessité d'une critique qui ne doit pas aller jusqu'à la rupture du lien de *fidélité dialectique.* Il se réfère ici aux positions exprimées par Gorz dans *Le Socialisme difficile.* En ce qui concerne Cuba, Sartre montre que la stratégie castriste vaut entièrement pour l'Amérique latine mais qu'elle n'est pas applicable à l'Europe; elle offre en revanche *l'exemple d'une radicalisation.*

La tâche principale de l'intellectuel dans les pays occidentaux développés est un travail d'analyse critique; son rôle n'est pas de faire des *propositions sur le plan des objectifs programmatiques précis : l'intellectuel doit affirmer les principes.* A ce titre, Sartre déclare encore une fois indispensables des travaux comme ceux de Gorz. Le premier objectif, en France, doit être *la réalisation de l'union de la gauche sur un programme commun.*

En conclusion, Sartre affirme qu'une situation révolutionnaire peut être créée par une victoire électorale de la gauche, car l'impérialisme américain ne tolère même plus des réformes pacifiques, comme le prouve l'exemple de la Grèce.

## 68/484

Correspondance [réponse à une lettre de Francis Jeanson]. — *Les Temps modernes*, nº 260, janvier 1968, p. 1335-1336.

Le nom de Francis Jeanson disparaît du comité directeur des *Temps modernes* après octobre 1967. Dans une lettre adressée à Sartre, Jeanson explique les raisons pour lesquelles il a depuis quelque temps négligé ses fonctions au sein de la revue : ses activités d'animateur culturel en Bourgogne l'absorbent complètement. Sartre, en quelques lignes, prend acte de la démission de Jeanson.

## 68/485

[Interview à l'occasion du Congrès culturel de La Havane, janvier 1968.]

*a*) *Granma*, [La Havane], [janvier] 1968. Texte non consulté dans l'original.

*b*) Extraits traduits de l'espagnol, notamment dans *La Voix ouvrière*, [Genève], 12 janvier 1968.

Sartre avait accepté l'invitation du gouvernement cubain de participer au Congrès culturel qui se tint en janvier 1968 à La Havane. Peu de temps avant de partir pour Cuba, il fut atteint d'une douloureuse affection des artères qui le força à renoncer à ce voyage.

Un journaliste de *Granma* l'interviewa longuement par téléphone et Sartre déclara son accord total avec les objectifs du Congrès culturel, exprima le vœu que la présidence de celui-ci soit confiée à un représentant du tiers monde et ajouta notamment ceci : *Je pense qu'à l'heure qu'il est, pour un Européen, c'est au Vietnam, c'est à Cuba, et c'est en Amérique latine que se joue son propre sort.* Une grande partie de l'interview porte sur la guerre du Vietnam et le rôle du tribunal Russell (ce sont ces passages que reproduit *La Voix ouvrière*).

Relevons le fait que la maladie de Sartre fut jugée comme un prétexte par beaucoup d'intellectuels réunis à La Havane. Le bruit courut avec insistance que Sartre n'était pas venu au Congrès culturel parce qu'il aurait eu des réticences à l'égard du nouveau cours de la révolution cubaine et qu'il aurait craint un affrontement avec les intellectuels des pays arabes après sa prise de position peu avant la « guerre des six jours » (cf. 67/462).

68/486

*Message* [au Congrès culturel de La Havane].

— *Granma* (Résumé hebdomadaire), 21 janvier 1968.

Adressé au ministre responsable de la culture, ce message explique pourquoi Sartre est dans l'impossibilité d'assister au Congrès culturel et exprime son soutien sans réserves à celui-ci. Sartre déclare notamment : *J'aurais voulu m'interroger devant les congressistes et me demander avec eux si notre culture — détestable et nocive quand elle était imposée — ne pouvait, au moment où le libre échange culturel s'instaure entre nations souveraines et égales, être envisagée, à sa place, sans surestimation ni sous-évaluation, comme un instrument modeste mais peut-être efficace, que les nations libérées devraient utiliser et dépasser vers leur propre achèvement culturel et révolutionnaire.*

Pour le texte *Détermination et liberté* paru dans *Essais* [Bordeaux], nº 2-3 [printemps 1968], voir 66/436 et APPENDICE.

68/487

« Le théâtre de A jusqu'à Z : Jean-Paul Sartre », interview par Paul-Louis Mignon.

— *L'Avant-Scène Théâtre*, nº 402-403 (spécial Sartre), 1er-15 mai 1968, p. 33-34.

Courte interview donnant plusieurs renseignements originaux : Sartre mentionne un « Horatius Coclès » qu'il a écrit à l'âge de treize ans et un « Épiméthée » qu'il a composé plus tard; il revient également sur BARIONA, LES MOUCHES, HUIS CLOS et d'autres pièces.

Le même numéro de *L'Avant-Scène Théâtre* inclut le texte intégral de LA PUTAIN RESPECTUEUSE et de LE DIABLE ET LE BON DIEU et fournit une abondante documentation : analyse du théâtre complet, chronologie, bibliographie, témoignages (en particulier celui de Robert Chandeau qui fut élève de Sartre en 1935-1936), extraits de critiques, photos, reproductions d'affiches, etc. L'ensemble est bien conçu, mais comporte de nombreuses erreurs de dates et de détails.

## INTERVIEWS EN RELATION AVEC LES ÉVÉNEMENTS DE MAI-JUIN 1968

68/488

[Interview par Françoise Gilles sur la révolte étudiante, diffusée par Radio-Luxembourg le dimanche 12 mai 1968.]

— Le texte de cette interview a circulé à Paris pendant les journées de mai sous forme de tract édité par l'U.N.E.F.

— Courte citation dans *Le Journal du Dimanche*, 19 mai 1968.

— Extrait enregistré dans le disque : « Les Journées de mai 1968 par les journalistes de R.T.L. », Philips, B 77757 L. (Nous remercions R.T.L. de nous avoir communiqué l'enregistrement complet de cette interview.)

Le mouvement de mai a été décrit parfois comme une révolution « sartrienne » et on a pu affirmer qu'il avait constitué « l'acte de décès du structuralisme » (cf. Epistémon, *Ces idées qui ont ébranlé la France*, Fayard, 1968, p. 76). « Comment une émeute peut-elle produire, en un bref printemps, cette floraison soudaine? Point n'est besoin de recourir à Marx et à Marcuse. Les effets en ont été prophétisés en France, il y a huit ans, par un philosophe que le structuralisme s'était hâté un peu vite d'enterrer. [...] Sartre a pris position tout de suite, et sur le fond, en faveur des étudiants. [...] La situation de mai 1968, il en saisit de l'intérieur le mouvement même, car il a déjà décrit ce processus, en 1960, dans la *Critique de la raison dialectique.* » Le même auteur a déclaré dans une interview : « Sartre a décrit d'abord dans son livre les formes passives, anonymes, où sont aliénés les individus — c'est ce qu'il nomme le « pratico-inerte » — puis il a montré comment un groupe introduit la négation dans l'histoire et se façonne lui-même (au lieu d'être façonné), s'invente en rupture avec cette société passive et anonyme, qu'un sociologue américain appelait au même moment « la foule solitaire ». Les étudiants, qui ont fait éclater la révolution du printemps 68, étaient formés, sinon à cette seconde philosophie sartrienne, du moins à une pensée dialectique de l'histoire. Mai 1968, c'est le surgissement d'une négation « sauvage » dans l'histoire. L'incursion de la liberté « sartrienne », non pas la liberté de l'individu isolé, mais la liberté créatrice des groupes » (*Le Monde*, 30 novembre 1968).

S'il est évidemment absurde de mettre sur le même plan le structuralisme — qui entend rester une méthodologie des sciences humaines — et une explosion de la lutte des classes, il n'en reste pas moins vrai que les événements de mai-juin 1968 ont donné une actualité nouvelle à la conception sartrienne de l'histoire et que les descriptions de CRITIQUE DE LA RAISON DIALECTIQUE fournissent les meilleurs instruments pour comprendre ces événements. Il faut remarquer toutefois qu'aucun des nombreux ouvrages consacrés en France aux journées de mai n'a, à notre connaissance, appliqué la méthode et la terminologie de Sartre à l'étude de cette crise historique. On remarquera aussi que les étudiants contestataires interrogés sur les auteurs qui les ont influencés citent plus souvent Marx, Trotsky et Rosa Luxemburg, ou encore Fidel Castro et Che Guevara, que Sartre (de même d'ailleurs que Marcuse...). Notons à ce propos la déclaration de Daniel Cohn-Bendit : « On a voulu nous « balancer » Marcuse, comme maître à penser : plaisanterie. Personne chez nous n'a lu Marcuse. Certains lisent Marx, bien sûr, peut-être Bakounine et, parmi les auteurs contemporains, Althusser, Mao, Guevara, Lefebvre. Les militants politiques du Mouvement du 22 mars ont à peu près tous lu Sartre. Mais on ne peut considérer aucun auteur comme inspirateur du mouvement » (in *La Révolte étudiante : Les animateurs parlent*, Seuil, 1968, p. 70).

Dès le lendemain des premières journées d'affrontements sérieux entre les étudiants et les policiers au Quartier latin, Sartre a publié, avec Simone de Beauvoir, Colette Audry,

Michel Leiris et Daniel Guérin, une déclaration appelant « tous les travailleurs et intellectuels à soutenir moralement et matériellement le mouvement de lutte engagé par les étudiants et les professeurs » (cf. *Le Monde*, 8 mai 1968, p. 11). La veille du 10 mai, paraissait un manifeste signé, entre autres, par Sartre, Maurice Blanchot, André Gorz, Pierre Klossowski, Jacques Lacan, Henri Lefebvre, Georges Michel, Maurice Nadeau, et dont le texte se lit comme suit :

« La solidarité que nous affirmons ici avec le mouvement des étudiants dans le monde — ce mouvement qui vient brusquement, en des heures éclatantes, d'ébranler la société dite de bien-être parfaitement incarnée dans le monde français — est d'abord une réponse aux mensonges par lesquels toutes les institutions et les formations politiques (à peu d'exceptions près), tous les organes de presse et de communication (presque sans exception) cherchent depuis des mois à altérer ce mouvement, à en pervertir le sens ou même à tenter de le rendre dérisoire.

« Il est scandaleux de ne pas reconnaître dans ce mouvement ce qui s'y cherche et ce qui y est en jeu : la volonté d'échapper, par tous moyens, à un ordre aliéné, mais si fortement structuré et intégré que la simple contestation risque toujours d'être mise à son service. Et il est scandaleux de ne pas comprendre que la violence que l'on reproche à certaines formes de ce mouvement est la réplique à la violence immense à l'abri de laquelle se préservent la plupart des sociétés contemporaines et dont la sauvagerie policière n'est que la divulgation.

« C'est ce scandale que nous tenons à dénoncer sans plus tarder, et nous tenons à affirmer en même temps que, face au système établi, il est d'une importance capitale, peut-être décisive, que le mouvement des étudiants, sans faire de promesses et au contraire en repoussant toute affirmation prématurée, oppose et maintienne une puissance de refus capable, croyons-nous, d'ouvrir un avenir » (*Le Monde*, 10 mai 1968).

Enfin, le dimanche 12 mai, Radio-Luxembourg diffusait une interview au cours de laquelle Sartre, à la suite de la « nuit des barricades de la rue Gay-Lussac », déclara notamment : *Ces jeunes gens ne veulent pas d'un avenir qui sera celui de leurs pères, c'est-à-dire le nôtre, un avenir qui a prouvé que nous étions des hommes lâches, épuisés, fatigués, avachis par une obéissance totale et complètement victimes d'un système clos, qui se referme sur le travailleur dès le moment où il a l'âge de travailler.* [...] *La violence est la seule chose qui reste, quel que soit le régime, aux étudiants qui ne sont pas encore rentrés dans le système que leur ont fait leurs pères et qui ne veulent pas y entrer. Autrement dit, ils ne veulent pas de concessions, ils ne veulent pas qu'on* aménage *les choses, qu'on leur donne satisfaction sur une petite revendication pour, en fait, les coincer et leur faire prendre la filière.* [...] *Le seul rapport qu'ils puissent avoir avec cette Université, c'est de la* casser *et pour la casser, il n'y a qu'une solution, c'est de descendre dans la rue.* [...] *Dans nos pays occidentaux avachis, la seule force de contestation de gauche est constituée par les étudiants et bientôt, je l'espère, par la jeunesse entière. Cette force de contestation est violente car, au fond, la gauche est violente et elle ne peut être autrement puisqu'on lui fait violence.* [...] *Il y a ce trait commun aux jeunes : nous leur avons fait partout une société qui est une faillite. Le vrai problème, pour eux, est de trouver les moyens d'ajuster leur combat à celui des classes travailleuses car, bien que les motivations soient différentes, il s'agit du même combat.* [...] *Actuellement, c'est aux étudiants qu'il appartient de déterminer, comme d'ailleurs ils en ont parfaitement conscience, quelle sera la forme de leur lutte. Ce n'est pas à nous de leur donner des conseils car, même si on a protesté toute sa vie, on est toujours un peu compromis dans cette société-là.*

68/489

« L'imagination au pouvoir. Entretien de Jean-Paul Sartre avec Daniel Cohn-Bendit », [texte transcrit par Serge Lafaurie].

*a*) *Le Nouvel Observateur*, supplément spécial, 20 mai 1968. Ce supplément a été mis en vente uniquement à Paris.

*b*) Extraits dans *Le Monde*, 22 mai 1968.

*c*) Repris dans : J. Sauvageot, A. Geismar, D. Cohn-Bendit, J.-P. Duteuil. *La Révolte étudiante : Les animateurs parlent.* Éd. du Seuil, [1968]. P. 86-97.

La conclusion de Sartre est omise dans ce volume. Elle se lit comme suit : *Ce qu'il y a d'intéressant dans votre action, c'est qu'elle met l'imagination au pouvoir. Vous avez une imagination limitée, comme tout le monde, mais vous avez beaucoup plus d'idées que vos aînés. Nous, nous avons été faits de telle sorte que nous avons une idée précise de ce qui est possible et de ce qui ne l'est pas. Un professeur dira :* « *Supprimer les examens? Jamais. On peut les aménager, mais pas les supprimer!* « *Pourquoi? Parce qu'il a passé des examens pendant la moitié de sa vie.*

*La classe ouvrière a souvent imaginé de nouveaux moyens de lutte, mais toujours en fonction de la situation précise dans laquelle elle se trouvait. En 1936, elle a inventé l'occupation d'usines parce que c'était la seule arme qu'elle avait pour consolider et pour exploiter sa victoire électorale. Vous, vous avez une imagination beaucoup plus riche, et les formules qu'on lit sur les murs de la Sorbonne le prouvent. Quelque chose est sorti de vous, qui étonne, qui bouscule, qui renie tout ce qui a fait de notre société ce qu'elle est aujourd'hui. C'est ce que j'appellerai l'extension du champ des possibles.*

L'attitude constante de Sartre pendant les journées de mai a été de mettre le poids de sa notoriété au service des étudiants et d'éviter de donner des conseils dont il estimait qu'ils pouvaient fort bien se passer. Cet entretien avec celui que Jean Genet a appelé le « génial emmerdeur de la bourgeoisie » est si caractéristique à cet égard qu'on a pu écrire : « Sartre devient, devant Cohn-Bendit, un modeste intervieweur pour le compte du « Nouvel Observateur » (Philippe Labro, *Ce n'est qu'un début*, Éditions et Publications premières, coll. « Édition spéciale », nº 2, 1968, p. 30). L'entretien a beaucoup contribué à montrer à une partie de l'opinion publique que Cohn-Bendit, loin d'être l'agitateur brouillon et haut en couleur présenté par la grande presse de tous les bords, était un militant conscient, capable de sang-froid et de lucidité dans l'analyse des événements.

Signalons qu'une rumeur circula à Paris, selon laquelle l'entretien aurait été forgé de toutes pièces, Sartre et Cohn-Bendit ayant refusé l'un et l'autre de se rencontrer. Inutile de dire qu'il s'agissait là d'une rumeur sans aucun fondement.

68/490

[Déclarations devant les étudiants dans le grand amphithéâtre de la Sorbonne occupée, le 20 mai 1968.]

*a*) Citations dans le compte rendu de Michel Legris, intitulé « M. Jean-Paul Sartre à la Sorbonne : pour l'association du socialisme et de la liberté », dans *Le Monde*, 22 mai 1968.

*b*) Le texte complet des déclarations de Sartre a été, semble-t-il, diffusé à Paris sous forme de tract.

*c*) Une traduction intégrale de ce texte a paru dans le journal yougoslave *Politika* en juin 1968 [date exacte à déterminer].

L'annonce au Quartier latin de la présence de Sartre, venu marquer son total accord avec l'occupation de la Sorbonne, attira une foule considérable. Devant une salle archicomble où une grande partie des étudiants et des curieux n'avait pu prendre place, Sartre répondit aux questions multiples d'un auditoire d'abord houleux mais qui sut rapidement trouver sa propre discipline. Il déclara notamment : *Cohn-Bendit maintient le mouvement sur le vrai plan de la contestation où il doit rester. Il est évident que le mouvement de grève actuel a eu son origine dans l'insurrection des étudiants. La C.G.T. a une position de suivisme. Il lui a fallu accompagner le mouvement pour le coiffer. Elle a voulu éviter surtout cette démocratie sauvage que vous avez créée, et qui dérange toutes les institutions. Car la C.G.T. est une institution. Ce qui est en train de se former, c'est une nouvelle conception d'une société basée sur la pleine démocratie, une liaison du socialisme et de la liberté.*

Le 15 juin, Sartre a également participé avec des militants étudiants à un débat qui s'est tenu à la Cité universitaire (cf. *Le Monde*, 19 juin 1968).

68/491

« Les Bastilles de Raymond Aron », propos recueillis par Serge Lafaurie.

— *Le Nouvel Observateur*, 19-25 juin 1968.

Parlant du revirement de l'opinion publique contre les étudiants à la suite des manifestations violentes du début juin, Sartre insiste sur le fait que la violence étudiante est une *contre-violence* qui répond aux provocations policières. *Ce qu'il faut expliquer aux gens, c'est que la violence « incontrôlée » a un sens, qu'elle n'est pas l'expression d'une volonté de désordre mais de l'aspiration à un ordre différent.* Il fait ensuite une critique générale de la conception traditionnelle de l'enseignement, se réfère à sa propre expérience d'étudiant puis de professeur à Laon et au lycée Pasteur et attaque à plusieurs reprises Raymond Aron personnellement *(Je mets ma main à couper que Raymond Aron ne s'est jamais contesté et c'est pour cela qu'il est, à mes yeux, indigne d'être professeur).* Relevons cette définition : *Un homme n'est rien s'il n'est pas contestant. Mais il doit aussi être fidèle à quelque chose. Un intellectuel, pour moi, c'est cela : quelqu'un qui est fidèle à un ensemble politique et social mais qui ne cesse de le contester. Il arrive, bien sûr, qu'il y ait une contradiction entre sa fidélité et sa contestation, mais c'est une bonne chose, c'est une contradiction fructueuse. S'il y a fidélité sans contestation, ça ne va pas : on n'est plus un homme libre.*

68/492

« L'idée neuve de mai 1968 », propos recueillis par Serge Lafaurie.

— *Le Nouvel Observateur*, 26 juin-2 juillet 1968.

Suite de l'entretien précédent, réalisée après le premier tour des élections. Sartre tire ici la leçon de l'échec du mouvement de mai *(D'une certaine façon, en effet, le mouve-*

*ment a échoué. Mais il n'a échoué que pour ceux qui ont cru que la révolution était à portée de la main, que les ouvriers allaient suivre les étudiants jusqu'au bout, que l'action déclenchée à Nanterre et à la Sorbonne déboucherait sur une apocalypse sociale et économique qui provoquerait non seulement la chute du régime mais la désintégration du système capitaliste. C'était un rêve...).* Il fait état du débat auquel il a participé avec des étudiants à la Cité universitaire et affirme que l'opposition entre les thèses de ceux qui veulent imposer une « université critique » et celles qui prétendent qu'il est impossible de réaliser une telle université au sein de la société capitaliste doit pouvoir être dépassée par la mise en œuvre du « réformisme révolutionnaire » dont Gorz a fait la théorie.

Répondant aux arguments des communistes contre le mouvement des étudiants, Sartre affirme : *Ce que réclament les jeunes révolutionnaires, bourgeois ou non, ce n'est pas l'anarchie mais, très exactement, la démocratie, une démocratie socialiste véritable qui n'a encore été réussie nulle part.* [...] *Ce que je reproche à tous ceux qui ont insulté les étudiants, c'est de n'avoir pas vu qu'ils exprimaient une revendication neuve, celle de souveraineté.*

68/493

« Die Revolution kommt wieder nach Deutschland », interview par Gustav Stern, Georg Wolff et Dieter Wild.

*a*) *Der Spiegel*, [Hambourg], 15 Juli 1968, p. 58-64.

Une légère erreur de traduction a entraîné une inversion de l'ordre des événements dans un passage où Sartre rappelle le Front populaire de 1936. *L'Humanité* (18 juillet 1968) en a profité pour accuser Sartre de « falsification des faits les mieux connus » (cf. *Le Monde*, 21-22 juillet 1968 : « Jean-Paul Sartre et le Front populaire »).

*b*) Extraits cités, sous le titre « J.-P. Sartre : le parti communiste a trahi la révolution de mai », dans *Le Monde*, 16 juillet 1968.

*c*) Version française intégrale dans le volume : LES COMMUNISTES ONT PEUR DE LA RÉVOLUTION, éditions John Didier [1969]. P. 7-32. (Pour ce volume, cf. 69/502.)

Réalisée après le second tour des élections qui virent le renforcement de la majorité gaulliste, cette interview marque un net durcissement du jugement porté par Sartre sur l'attitude du parti communiste pendant les événements de mai. Il rend les appareils de la gauche « politique » responsables de l'échec de la gauche « sociale » qui s'est soulevée en mai : *Elle est allée aussi loin qu'elle le pouvait et n'a finalement été vaincue que parce que ses « représentants » l'ont trompée.* Sartre attaque principalement le P. C. : *Je pense que le parti communiste a eu, dans cette crise, une attitude qui n'était nullement révolutionnaire et qui, d'ailleurs, n'était même pas réformiste.* Selon lui, les communistes se sont résignés à des élections perdues d'avance pour la gauche *parce qu'ils ne voulaient à aucun prix prendre le pouvoir.* Cette attitude s'explique à la fois par leurs craintes d'avoir à endosser la responsabilité d'une crise économique en cas de chute du pouvoir gaulliste et par les consignes staliniennes, appliquées depuis 1945, qui leur interdisaient de mettre en cause par une révolution le partage du monde décidé à Yalta.

Sartre montre aussi que les événements en France ont infirmé le *pessimisme révolutionnaire* de Marcuse, qu'ils ont produit une *politisation irréversible de la jeunesse,* noué des liens entre étudiants et ouvriers au sein des Comités d'action et enfin que les avantages acquis par les ouvriers ont *rompu l'équilibre de l'économie française.* Parlant des perspectives politiques pour l'avenir, il déclare : *Je suis convaincu que tous les dirigeants actuels de la gauche ne représenteront plus rien dans dix ans et je ne vois pas quel danger il y aurait à ce qu'un mouvement révolutionnaire se constitue hors du P. C. et à sa gauche. Je crois même que c'est inévitable et que c'est la seule chose qui peut « débloquer » la politique du P. C. en permettant aux véritables révolutionnaires qui y restent de faire entendre leur voix et d'imposer une nouvelle orientation du Parti.*

On remarquera que les positions radicales prises par Sartre au cours et à la suite des événements de mai correspondent dans l'ensemble à celles de la tendance dite « gauchiste » du mouvement révolutionnaire et que, depuis 1956, il n'a, semble-t-il, jamais été plus éloigné du parti communiste qu'il ne l'est actuellement.

68/494

[Interview sur la révolte étudiante, donnée à Bologne en août 1968.]

— *L'Espresso,* [Milan], [date exacte à déterminer]. Texte non consulté.

68/495

« Sartre sulla Mostra di Venezia », table ronde avec Alfredo Angeli, Roberto Faenza, Ugo Gregoretti et Franco Solinas.

— *Paese Sera*, [Rome], 21 agosto 1968.

Avant l'ouverture du festival cinématographique de Venise de 1968, un fort mouvement de contestation s'éleva contre celui-ci en Italie. Le journal *Paese Sera* et l'A.N.A.C. (Association nationale des cinéastes italiens) réunit une table ronde avec Sartre et quatre jeunes réalisateurs afin d'exposer le point de vue de la minorité agissante qui s'en prenait au festival et à son directeur, Luigi Chiarini.

Au cours de la discussion, Sartre se déclare en plein accord avec le document publié par l'A.N.A.C. Celui-ci demandait une réforme totale du festival de Venise et des structures de l'industrie cinématographique. Sartre se range donc sur les positions les plus radicales adoptées par les contestataires et se prononce pour la suppression des festivals compétitifs et mondains, au profit de rencontres permettant aux professionnels du cinéma et aux critiques d'élaborer une politique commune, en fonction des exigences d'une culture ouverte aux masses. Il déclare notamment : *En fait, par principe, j'ai toujours été contre tous les festivals et tous les prix, qu'il s'agisse de prix littéraires ou qu'il s'agisse de prix cinématographiques tels que ceux de Venise ou de Cannes, car à travers ces prix ce sont les consommateurs qu'on manipule.* De même, les festivals compétitifs des pays de l'Est sont pour Sartre un *symptôme d'un réformisme qui n'est plus révolutionnaire.* En effet, la compétition est par elle-même un non-sens car elle ressortit du commerce, donc du quantitatif, et non du qualitatif, c'est-à-dire de la culture. Sartre rejette l'argument selon lequel les festivals permettraient à des films non commerciaux de se faire connaître et il cite l'exemple du film *Le Mur*, projeté à Venise, et qui a pourtant connu en France de grandes difficultés de distribution.

En ce qui concerne la critique, Sartre dit en particulier : *Je pense par exemple que la fonction des critiques devrait être uniquement d'explication, d'information, mais qu'ils ne devraient pas émettre de jugements de mérite car c'est à la masse du public qu'il revient de les exprimer.* Les jurés ne sont que des super-critiques et représentent donc le contraire de ce que pourrait être la culture. [...] *C'est pourquoi je ne vois aucune raison de continuer à maintenir en vie les festivals. Ce sont d'ailleurs les films non primés qui sont en général les plus intéressants.* Et Sartre prend pour exemple *Belle de jour* de Buñuel, primé l'année précédente à Venise, *un très mauvais film d'un excellent cinéaste qui n'a pas eu de succès pour les deux ou trois films très beaux qu'il a réalisés* [notre traduction].

Après avoir déclaré qu'il approuve l'idée que le cinéma devrait être considéré par l'État comme un service public, Sartre dit ne pas comprendre l'attitude des cinéastes qui, comme Truffaut, ont boycotté le festival de Cannes mais soutiennent en revanche celui de Venise.

68/496

« Jean-Paul Sartre sui fatti di Praga », interview par Oretta Bongarzoni [sur l'intervention soviétique en Tchécoslovaquie].

*a*) *Paese Sera*, [Rome], 25 agosto 1968.
*b*) Cité dans *Le Monde*, 27 août 1968.
*c*) Larges extraits sous le titre « Crisis and Hope », dans *The Nation*, [New York], 30 September 1968.

Sartre avait placé de grands espoirs dans ce qu'on a appelé « le printemps de Prague ». En avril 1968, il avait donné une longue interview à la télévision tchèque. Il apprit à Rome la nouvelle de l'invasion soviétique et condamna celle-ci aussitôt dans une interview au journal communiste *Paese Sera*. *Je fais partie du tribunal international fondé par Bertrand Russell. Je ne sais quelle décision nous prendrons, mais je considère qu'il s'agit d'une véritable agression, de ce qu'on appelle en droit international, un crime de guerre.* [...] *C'est parce que je respecte profondément l'histoire de l'Union soviétique, et parce que je ne suis nullement anticommuniste, que je me sens le devoir de condamner sans réserve l'invasion en Tchécoslovaquie.*

Après avoir approuvé les positions prises sur l'affaire tchécoslovaque par les partis communistes italien et français, puis évoqué les contradictions existant en U.R.S.S. entre une économie socialiste et une direction bureaucratique, Sartre poursuit par des considérations sur le rôle des intellectuels et des étudiants ainsi que sur l'attitude du P.C.F. qui a trahi le mouvement de mai en France mais qui, en revanche, a condamné l'intervention soviétique en Tchécoslovaquie. *Je dirais que nous avons affaire à deux attitudes contradictoires. En France, dix millions de gens voulaient la révolution mais le parti communiste les a rejetés. Ainsi l'on peut dire que dans une certaine mesure il y a une proche analogie entre les oppositions des Tchécoslovaques et des Soviétiques et celles des étudiants et du P.C.F.*

Sartre déclare en conclusion : *Aujourd'hui, le modèle soviétique n'est plus valable, étouffé qu'il est par la bureaucratie. Le modèle qui était en train d'être développé dans le nouveau cours tchécoslovaque peut, par ailleurs, attirer beaucoup d'hommes. En ce sens, Prague, outre qu'il s'agit du plus haut témoignage en faveur de la civilisation socialiste, est un espoir* [notre traduction].

68/497

« Sur les sphères d'influence », lettre collective signée par Bertrand Russell, Laurent Schwartz, Jean-Paul Sartre, Vladimir Dedijer.

— *Le Monde*, 17 octobre 1968.

Cette lettre, écrite à la suite de rumeurs persistantes concernant des menaces soviétiques et bulgares contre la Yougoslavie, dénonce les accords secrets conclus, selon les signataires, entre les dirigeants américains et soviétiques en vue du maintien de leurs « sphères d'influence » respectives.

« La diplomatie secrète des dirigeants de l'Union soviétique et des États-Unis menace la liberté et la souveraineté des hommes, où qu'ils se situent. Il est indispensable que cette identité d'intérêts entre le capitalisme américain et la bureaucratie soviétique soit clairement comprise et combattue, pour la sauvegarde de la vérité. »

• A la fin du mois d'octobre 1968, Sartre a d'autre part signé, avec notamment Bertrand Russell et Herbert Marcuse, un appel réclamant le retrait immédiat des troupes soviétiques de Tchécoslovaquie et protestant contre les menaces qui pèsent sur les intellectuels et les militants ouvriers tchécoslovaques inscrits sur des listes noires (cf. en particulier *La Voix ouvrière*, [Genève], 27 décembre 1968). Cet appel annonce la convocation d'une Conférence internationale sur la Tchécoslovaquie. Signalons que cette conférence, organisée par la Fondation Russell et non par le « Tribunal international contre les crimes de guerre », s'est tenue à Stockholm les 1er et 2 février 1969 et que Sartre n'y a pas participé.

68/498

*Il n'y a pas de bon gaullisme...*

— *Le Nouvel Observateur*, 4-10 novembre 1968.

Ce texte a été envoyé par Sartre et lu au cours d'un meeting organisé le 11 octobre 1968 à la Mutualité par le Comité de lutte contre la répression. Sartre y dénonce violemment toutes les formes de répression qui ont suivi le mouvement de mai. *Le régime est par nature l'expression de la classe dominante que nous combattons.* [...] *La répression sanglante et armée, le maintien du désordre existant par le ramassis en uniforme qu'on appelle les forces de l'ordre, n'est qu'un cas particulier de l'action répressive qui s'exerce en permanence contre les travailleurs dans la société où nous vivons.*

68/499

« J'ai pensé à un pays où on ne pourrait vraiment rien faire d'autre », propos recueillis par Bernard Pingaud.

— *Théâtre de la Ville / Journal*, n° 2, novembre 1968, p. 27.

Interview donnée à l'occasion de la création en français de L'ENGRENAGE (cf. 48/156) par le théâtre de la Ville, en février 1969. L'adaptation théâtrale, due à Jean Mercure, de ce scénario datant de 1946 a été assez bien accueillie par le public du théâtre de la Ville, bien qu'elle ait été éreintée par la critique. La plupart des chroniqueurs ont déclaré que l'idée même de porter aujourd'hui sur scène ce scénario était une complète erreur, avis que Sartre, après coup, n'a pas été loin de partager.

Dans cette interview, Sartre explique quel sens son texte avait pour lui en 1946, les modifications qu'il a pensé lui apporter en fonction du succès de la révolution castriste et comment l'intervention soviétique en Tchécoslovaquie l'a finalement détourné de changer le dénouement de son intrigue.

En conclusion, il déclare : *Le théâtre populaire devrait être avant tout un théâtre d'action : riche en événements et pauvre en paroles, le sens se dégageant en quelque sorte silencieusement de l'ensemble de la pièce, au lieu d'être exposé à l'intérieur. J'ajoute qu'à l'heure actuelle, je ne conçois pas un théâtre populaire qui n'ait une dimension politique.* [...]

68/500

[Interview donnée à Prague à un représentant de l'A.F.P.]

— Citée dans *Le Monde*, 3 décembre 1968.

Sartre s'est rendu à Prague du 28 novembre au 1er décembre 1968, invité par l'Union des écrivains tchécoslovaques, pour assister à la première des MOUCHES. Un autre théâtre de Prague présentait LES MAINS SALES pour la première fois en Tchécoslovaquie, mais Sartre n'a pas assisté à cette représentation.

Au cours de cette interview, Sartre a notamment déclaré : *J'ai vu ici un grand courage, un espoir fondé et raisonnable qui se manifestent par des attitudes mesurées et conscientes. Ceux qui croient que les Tchécoslovaques sont abattus, risquent de se tromper.* [...] *Malgré l'interruption du mois d'août, la voie ouverte en janvier, et préparée depuis plusieurs années, est strictement marxiste et diffère d'autres mouvements libéraux ou d'individualisme bourgeois. Elle présente un des modèles pour une formule plus évoluée du socialisme, révélant son essence démocratique.*

• Le jour de son arrivée à Prague, Sartre a fait une déclaration reproduite par un journal du matin et, au cours de son séjour, il a donné une interview à Karel Bartosek, collaborateur de *Politika*, et a parlé aussi à la télévision tchécoslovaque. Cf. encore 69/506.

68/500 A

[Courte déclaration faite à un journal de Prague.]

— *Svobodne Slovo*, [29 ou 30 novembre 1968].

Selon *Le Monde* du 1er-2 décembre 1968, p. 2, Sartre a notamment déclaré : *Je ne connais pas un seul intellectuel français progressiste qui n'ait pas condamné l'arrivée des troupes étrangères en Tchécoslovaquie. De plus en plus de gens se rendent compte que, malgré toutes les épreuves, vous avez prouvé la possibilité d'une autre voie vers le socialisme.*

68/501

[Interview sur le conflit israélo-arabe.]

— Parue vers la fin de 1968 dans une revue trimestrielle italienne que nous n'avons pas pu encore identifier.

68/NOTE I.

Sartre a signé un appel personnel pour le Comité de Défense du Peuple grec, daté du 12 janvier 1968. Cet appel a été publié, entre autres, dans le *Programme* de la première mondiale du film de Nico Papatakis, « Les Pâtres du désordre », le 20 février 1968 à Bobino.

68/NOTE 2.

Pendant un séjour en Yougoslavie en avril 1968, Sartre a eu un entretien avec des étudiants de ce pays. Le texte en est paru dans *Politika*

(9 avril 1968). Sartre a aussi donné une longue interview qui a été diffusée par la chaîne nationale de la télévision yougoslave.

68/NOTE 3.

Au cours d'un meeting en faveur du « Pouvoir noir » organisé le 30 avril 1968 à la Mutualité avec James Forman, Aimé Césaire et Daniel Guérin, Sartre a notamment déclaré : *C'est le même agresseur qui oppresse trente millions de Vietnamiens et vingt millions de Noirs aux États-Unis.* [...] *C'est une fraction du « tiers monde » que les Américains ont introduite chez eux. Je me demande si cet autre Vietnam réclamé par Che Guevara n'est pas en train de naître aux États-Unis mêmes* [...] (cf. *Le Monde*, 2 mai 1968).

68/NOTE 4.

Du 19 février au 1er mars 1968 se déroula devant la Cour de sûreté de l'État le procès de dix-huit Guadeloupéens accusés d'avoir porté atteinte à l'intégrité du territoire français par leurs activités nationalistes. Sartre, Aimé Césaire, Michel Leiris, Daniel Guérin, etc., furent cités comme témoins de la défense. Dans la déposition qu'il fit le 27 février 1968, Sartre appela au dialogue avec les Guadeloupéens et souligna que leurs problèmes devaient être considérés dans la perspective plus générale des problèmes du tiers monde.

On trouvera le compte rendu intégral des débats dans le volume *Le Procès des Guadeloupéens* (CO. GA. SO. D. [Comité guadeloupéen d'aide et de soutien aux détenus guadeloupéens], 1969), où la déposition de Sartre occupe les pages 351 à 356. Voir également *Le Monde* du 28 février 1968.

En 1963 déjà, Sartre avait pris position en faveur de dix-huit jeunes Martiniquais accusés de complot contre la sûreté de l'État (affaire de l'O.J.A.M.). Dans une lettre adressée à Daniel Mayer, il avait dit notamment : *Les contradictions et le prétendu surpeuplement des Antilles françaises ne se résoudront que dans le cadre d'une position antillaise nationale.*

68/NOTE 5.

Le disque *Sartre* édité par « L'Encyclopédie sonore », collection « Phares » (33 tours/30 cm, nº 320 E 869), comprend les sélections suivantes :

1. LA NAUSÉE, fragment dit par Georges Wilson;
2. LES MOUCHES, acte II, scène VIII (Nathalie Nerval et Sami Frey);
3. HUIS CLOS, scène V (Michel Vitold, N. Nerval, Simone Vannier);
4. L'EXISTENTIALISME EST UN HUMANISME, fragment (G. Wilson);
5. LES MAINS SALES, 5e tableau (Michel Duchaussoy et M. Vitold);
6. LE DIABLE ET LE BON DIEU, acte III, 8e tableau, scène II (G. Wilson);
7. LES SÉQUESTRÉS D'ALTONA, acte V, scène I (Fernand Ledoux et M. Duchaussoy);
8. LES MOTS, dernières pages (G. Wilson).

68/NOTE 6.

Un certain nombre d'extraits de l'œuvre philosophique de Sartre sont donnés dans le volume : *Sartre*. Textes choisis par Marc Beigbeder et Gérard Deledalle. Editions Bordas, coll. « Sélection philosophique Bordas », [1968].

L'introduction de Marc Beigbeder et la bibliographie comportent plusieurs erreurs gênantes pour un ouvrage scolaire.

# 1969

## 69/502

LES COMMUNISTES ONT PEUR DE LA RÉVOLUTION

— Éditions John Didier, coll. « Controverses », nº 5, [1969]. 63 pages. Achevé d'imprimer : 8 janvier 1969.

Ce petit volume, sous-titré « Le "J'accuse" de Jean-Paul Sartre », comprend le texte français de l'interview donnée à *Der Spiegel* en juillet 1968 (cf. 68/493) ainsi que celui de l'interview publiée en 1966 dans *Biblio* et *Livres de France* (cf. 66/437). Cette dernière, l'une des plus faibles qu'on ait pu obtenir de Sartre, a été reprise sans son autorisation par un éditeur peu scrupuleux qui aurait été mieux inspiré, par exemple, de lui substituer l'interview donnée en août 1968 à *Paese Sera*. Sartre, bien que fort mécontent du procédé, a eu la gentillesse de ne pas protester. La brochure reproduit également, sans la mettre à jour, la bibliographie publiée en 1966 dans *Livres de France*.

## 69/503

« *Le Mur* » *au lycée.*

— *Le Monde*, 18 janvier 1969. Article publié dans la rubrique « Libres opinions ».

Sartre s'élève contre la mesure de mutation qui frappe M. Canu, maître auxiliaire au lycée de Vernon, coupable, aux yeux de l'administration et de certains parents d'élèves, d'avoir proposé à des étudiants de seize à dix-huit ans une dissertation sur LE MUR et d'avoir donné à faire des exposés hebdomadaires d'après *Le Monde.*

Sartre considère que les motifs de cette mutation sont politiques, y voit une manœuvre d'intimidation *(Un peu de terreur, ça ne fait jamais de mal, n'est-ce pas?)* et s'adresse finalement à M. Edgar Faure pour lui demander s'il entend que l'on revienne à *un régime autoritaire, qui menace d'être pire que tout ce qui l'a précédé.*

69/504

« Un Juif d'Israël a le droit de rester dans sa patrie. En vertu du même principe, un Palestinien a le droit d'y rentrer », interview par Claudine Chonez.

— *Le Fait public*, nº 3, février 1969, p. 12-17.
Extraits dans *Le Monde*, 1er février 1969.

Sartre avait évité de s'exprimer publiquement sur le problème israélo-arabe depuis la « guerre des six jours », en juin 1967. Dans cette interview donnée pour soutenir un magazine fondé par les journalistes licenciés de l'O.R.T.F. il préconise une paix négociée directement entre les Arabes et les Israéliens sur les bases suivantes : restitution par Israël des territoires occupés, reconnaissance de la souveraineté d'Israël et règlement du problème des réfugiés palestiniens. Comme l'indique le titre de l'interview, c'est sur ce dernier point que Sartre insiste surtout : *Les Arabes chassés vivent dans des conditions intenables, ils ont des enfants qui sont nés dans de très mauvaises conditions, et des petits-enfants qui sont hantés, à juste titre, par l'idée du retour en Palestine.* Pour lui, Israël a droit à la souveraineté, mais devrait envisager le problème des Palestiniens et ne pas laisser planer le doute sur le sort des régions occupées. Cette prise de position ne constitue pas un revirement de la part de Sartre, mais marque néanmoins un certain rapprochement avec les thèses modérées arabes.

Sartre critique au passage la politique d'embargo du gouvernement français ([C]'*est vraiment un caprice insupportable, qui ne correspond à rien*) et il poursuit : *Cette décision du général de Gaulle n'aura aucune conséquence, absolument aucune. Tout ce que fait le général de Gaulle depuis plusieurs années n'a jamais de conséquences, il faut bien le reconnaître. Ça n'a jamais de conséquences, ou ça en a de néfastes. D'une manière générale, il ne s'agit pas de jouer la grande puissance quand on n'est pas une grande puissance.* [...]

Cf. 65/457 à 67/463.

69/505

« La jeunesse piégée », propos recueillis par Serge Lafaurie. — *Le Nouvel Observateur*, 17-23 mars 1969.

Ces propos, où Sartre justifie son opposition à la « loi d'orientation » d'Edgar Faure et où il tente d'expliquer ce que signifie, en France, la révolution culturelle, ont eu un large retentissement : ils ont suscité, en particulier, une réponse d'Edgar Faure dans *Le Nouvel Observateur* du 31 mars-6 avril 1969 ainsi qu'un nombreux courrier dans les numéros qui ont suivi.

Sartre estime que *la seule réforme valable — qui serait une révolution — consisterait à inventer une Université dont le but ne serait plus de sélectionner une élite mais d'apporter la culture à tous, même à ceux qui ne seront pas des « cadres »* et donne la réponse suivante à la question « Si vous étiez aujourd'hui professeur de philosophie, que feriez-vous? » :

*Je demanderais à mes étudiants de quoi ils veulent que nous parlions ensemble, et même s'ils veulent que je vienne. S'ils ne voulaient pas de cours, je ne leur en ferais pas. Mais je les soutiendrais totalement dans leur lutte. Je chercherais, surtout, à faire ce qu'ils n'ont plus souvent le cœur de faire, dans l'isolement où on les a plongés : expliquer au-dehors qu'ils ne sont pas des petits-bourgeois nihilistes mais simplement des jeunes gens piégés qui refusent un enseignement conçu pour en faire des hommes asservis. J'expliquerais aussi le sens profond de la manœuvre Faure : remplacer la dictature de petits roitelets du savoir, professeurs qui s'accrochent à un pouvoir périmé, par une apparente liaison des disciplines et par un travail collectif, illusions soigneusement entretenues pour cacher la « modernisation » de l'Université en fonction des monopoles capitalistes, dont les exigences, présentées dans l'anonymat, au niveau de la région ou de la nation, n'apparaîtront plus comme des intérêts privés mais comme la dictature de la rationalité.*

Souhaitons que cet entretien, trop riche pour être résumé en quelques lignes, soit repris dans le volume de « *Situations, VIII* » actuellement en préparation et destiné à traiter de la crise de la jeunesse et des problèmes de l'Université.

69/506

« Aujourd'hui plus que jamais — l'engagement », article-interview de Sartre et de Simone de Beauvoir par Dagmar Steinova.

— *La Vie tchécoslovaque*, mars 1969, p. 14-15.

Interview donnée lors du bref séjour de Sartre et de Simone de Beauvoir à Prague, à la fin de novembre 1968.

Après avoir insisté sur le caractère nettement marxiste des positions prises par les intellectuels tchécoslovaques et sur la nécessité d'une analyse marxiste de la situation en Tchécoslovaquie, Sartre donne la définition suivante de l'engagement :

*L'engagement pour l'intellectuel, c'est raconter ce qu'il sent, le raconter du seul point de vue humain possible, ça veut dire qu'il doit réclamer pour lui-même et pour tout le monde cette liberté concrète qui n'est pas tout simplement la liberté que les bourgeois nous donnent, mais qui n'est pas, non plus, la suppression de cette liberté. Ça veut dire donner à la liberté un contenu concret, la transformer en une liberté en même temps matérielle et formelle. Il n'est donc pas possible, aujourd'hui plus que jamais, de ne pas s'engager. La seule chose qu'un écrivain et romancier puisse faire en tant que romancier et écrivain, c'est de montrer de ce point de vue la lutte pour la libération de l'homme, la situation dans laquelle il vit, les dangers qu'il court et les possibilités de changement.*

Sartre aborde ensuite la question de l'alliance des intellectuels et de la classe ouvrière et remarque que cette alliance, *qui a failli se faire, mais ne s'est pas faite au mois de mai en France*, est en train de se réaliser en Tchécoslovaquie et qu'elle laisse beaucoup d'espoir pour l'avenir d'un *vrai socialisme* dans ce pays.

## 69/507

*L'Homme au magnétophone*, texte sur la psychanalyse.

— *Les Temps modernes*, nº 274, avril 1969, p. 1813-1819. Ce texte est suivi par deux « réponses », celle de J.-B. Pontalis et celle de Bernard Pingaud, ainsi que par le témoignage de A. dont il constitue le commentaire.

L'équipe des *Temps modernes* s'étant trouvée profondément divisée sur l'opportunité de publier dans la revue la transcription d'un « dialogue psychanalytique » que lui proposait un certain A., il fut décidé que Sartre exposerait les raisons pour lesquelles le témoignage l'avait fasciné et que Pontalis et Pingaud diraient les raisons de leur opposition. Malgré la brièveté relative des textes, deux questions importantes sont posées : d'une part, est-il possible, ainsi que le voudraient Sartre et certains praticiens comme R. D. Laing et David Cooper, de substituer en psychanalyse une thérapeutique de la réciprocité à une thérapeutique de la « violence »? D'autre part, ne serait-il pas nécessaire de mieux définir, comme le souhaite J.-B. Pontalis, le rapport ambigu que Sartre entretient depuis fort longtemps avec la psychanalyse? Sartre affirme lui-même qu'il n'est pas *un « faux ami » de la psychanalyse mais un compagnon de route critique*. En réclamant ici la réintroduction de la notion de sujet, il reste fidèle à lui-même et ne fait que parler dans une direction évidente chez lui depuis les années trente.

69/508

*Défendez-vous*, texte d'une allocution.

— *Complexe*, [Anvers], nº 4, [juillet 1969], p. 69-71.

Le 28 décembre 1968, Sartre, entouré des acteurs du DIABLE ET LE BON DIEU, s'adressa au public du T.N.P. depuis la scène du Palais de Chaillot pour protester contre l'interdiction de la pièce d'Armand Gatti, *Passion en violet, jaune et rouge*. C'est cette allocution qui est reproduite intégralement ici. Sartre aborde le problème général de la censure au théâtre et déclare notamment à propos de la mesure prise contre la pièce de Gatti :

*Il s'agit bien d'un coup d'autorité qu'aucune stipulation ne fonde. C'est ce qu'on appelle très exactement* le fait du prince. *Le droit est sciemment violé et l'interdiction ne se fonde* que sur la force. *Si l'on ne proteste pas contre cette mesure absurde, tout est permis à l'État et l'on finira, comme a fait le gouvernement de Vichy, par interdire* Tartuffe. *Mais surtout, ce coup de force risque de détruire stupidement le merveilleux théâtre qui n'est à personne qu'à vous.*

69/509

*Présentation* [d'un dossier sur la Grèce].

— *Les Temps modernes*, nº 276 *bis*, [août] 1969, p. 5-6.

Présentant brièvement un important dossier intitulé « Aujourd'hui la Grèce... », Sartre écrit notamment : *Une même menace pèse sur tous les peuples, indivisiblement ; celui qui se dresse contre elle, où que ce soit, se bat pour nous tous* [...].

69/510

« La Luna : una vittoria o una trappola ? », interview par Augusto Marcelli.

— *Paese Sera*, [Rome], 30 agosto 1969.

Interrogé sur ce qu'il pense du débarquement des Américains sur la Lune, Sartre déclare notamment :

*Je suis indigné quand je vois que l'on continue d'écrire que l'arrivée sur la Lune représente le moment le plus important de l'Histoire. C'est insensé. Il s'agit seulement d'une parfaite réussite technique* [...]

*Ce que je veux dire surtout c'est que nous ne pouvons être fiers de la conquête de la Lune que si nous avons honte en même temps des crimes qui sont commis autour de nous. Au Vietnam et ailleurs. C'est tout un ensemble inséparable. Il serait trop facile de dire, comme on le fait malheureusement : « L'homme est merveilleux parce qu'il va sur la Lune », sans s'identifier à l'homme qui détruit le Vietnam.* [...]

*Je ne suis pas du tout opposé à cet exploit mais je le suis aux conséquences propagandistes que les* mass media *continuent de diffuser en présentant le fait comme une étape, un tournant de l'Histoire. Tout cela est faux. Il s'agit d'un exploit magnifique, exactement comme celui de Lindbergh, qui en définitive contribue au développement de l'industrie aéronautique* [...] [notre traduction].

Sartre termine en disant qu'il se sent totalement solidaire des efforts de la jeunesse pour transformer fondamentalement les rapports entre les hommes et que, malgré leurs échecs, ces tentatives sont pour lui plus importantes que la conquête de la Lune. Il déclare encore que la nécessaire unité des intellectuels et des ouvriers serait facilitée si les étudiants simplifiaient leur langage.

## 69/511

« Classe e partito. Il rischio della spontaneità, la logica dell'istituzione », entretien.

— *Il Manifesto*, [Bari], nº 4, settembre 1969, p. 46-54.
Le texte français de cet entretien paraîtra dans *Les Temps modernes*.

Cet entretien substantiel, portant sur la théorie du rapport de la classe et du parti, a eu lieu le 27 août 1969, à Rome, à l'initiative des animateurs d'*Il Manifesto*, revue de l'opposition de gauche au sein du P.C.I. Il est précédé d'une longue note introductive de Rossana Rossanda qui examine la théorie du parti dans les principaux écrits marxistes.

Répondant à une question sur *Les Communistes et la paix*, Sartre admet encore une fois l'insuffisance théorique de ce texte mais tient à le situer historiquement :

*En 1952, quand j'ai écrit* Les Communistes et la paix, *le choix politique essentiel était celui de la défense du parti communiste français et surtout de l'U.R.S.S., accusée d'impérialisme de guerre. Il était essentiel de repousser ces accusations si l'on ne voulait pas se retrouver du côté des Américains. Plus tard, il est apparu que l'Union soviétique, en agissant à Budapest comme Staline, par intelligence politique ou pour d'autres raisons, n'avait pas agi en 1948 avec la Yougoslavie, et en récidivant après cela avec l'intervention en Tchécoslovaquie, se comportait comme une puissance impérialiste. Je ne veux pas porter par là un jugement moral. J'affirme seulement que la politique extérieure de l'Union soviétique paraît inspirée essentiellement et prioritairement par son antagonisme avec les États-Unis et non par le principe du respect de l'égalité dans les rapports avec les autres états socialistes. De cette constatation a découlé ma position de 1956. Certes, il est impossible à ce stade de ne pas relever la contradiction avec la position de 1952 ; et j'en ai tenté une explication dans la* Critique de la raison dialectique. *Naturellement, il s'agissait encore d'une solution formelle, qui aurait dû être suivie d'une analyse historique de l'U.R.S.S. du temps de Staline — analyse déjà ébauchée et qui fait partie d'un second volume de la* Critique *qui ne paraîtra probablement jamais.*

La plus grande partie de l'entretien est ensuite consacrée à une longue analyse du *dilemme spontanéité/parti*, que Sartre tient pour un *faux problème.* Il reprend à cette occasion l'essentiel de ses descriptions de la *sérialité* dans CRITIQUE DE LA RAISON DIALECTIQUE et les applique en particulier au phénomène de l'institutionnalisation des partis communistes. Il insiste notamment sur la totale impréparation de ces partis à une éventuelle prise du pouvoir et qualifie de *presque nul* leur apport culturel. En revanche, il souligne l'importance des recherches d'Althusser :

*Il ne s'agit pas de simples exégèses* [i.e. des textes de Marx]. *Il existe chez lui une théorie du concept, du savoir théorique autonome, de l'étude des contradictions à partir de la contradiction dominante : la « surdétermination ». Ce sont des recherches originales, qui ne peuvent être contestées sans une élaboration nouvelle. Personnellement, pour m'opposer à Althusser, j'ai été contraint de réviser l'idée de « notion » et d'en tirer une série de conséquences. De manière analogue, cela est valable pour le concept de « structure » introduit par Lévi-Strauss et dont certains marxistes ont cherché à se servir avec plus ou moins de bonheur* [notre traduction].

69/NOTE I.

Avec Laurent Schwartz, Pierre Vidal-Naquet et Henri Bartoli, Sartre a appelé pour le 29 janvier 1969, à Paris, à une manifestation de soutien au peuple tchécoslovaque à l'occasion de la mort et des obsèques de Jan Palach (cf. *Le Monde*, 29 janvier 1969). Il a également donné à cette occasion une courte interview à Jacques Séguy qui a été diffusée sur les ondes de Radio-Luxembourg le 28 janvier 1969 et dans laquelle il a déclaré avoir constaté en Tchécoslovaquie une *alliance réelle et solide entre les étudiants et les ouvriers.* Parlant du suicide de Jan Palach, il a affirmé d'autre part qu'à ses yeux comme aux yeux des marxistes, un suicide spectaculaire peut jouer le rôle *d'élément affectif et de détonateur pour l'union des masses.* Il a déclaré enfin que la gauche, pour les mêmes raisons qui l'ont fait lutter contre la guerre d'Indochine, la guerre d'Algérie et l'agression américaine au Vietnam, doit protester contre l'occupation de la Tchécoslovaquie et exiger le retrait des troupes soviétiques.

69/NOTE 2.

Le 10 février 1969, Sartre a participé, avec notamment Michel Foucault, à un meeting qui s'est tenu à la Mutualité sous l'égide du S.N.E.-Sup et de l'U.N.E.F. pour protester contre l'expulsion de trente-quatre étudiants de l'Université de Paris. Dans son intervention, Sartre, s'adressant aux étudiants, a pris position contre la loi d'orientation de la réforme universitaire : *Le but de cette loi est clair. Il est de vous mettre dans une situation fausse. Si vous votez, vous cautionnez la loi. Sinon, vous vous détachez de l'ensemble des étudiants. Ce que l'on vous demande, c'est de cautionner le vieux désordre établi* (cf. *Le Monde*, 12 février 1969).

69/NOTE 3.

Au nom du « Comité d'initiative pour la grève du vote du 27 avril », Sartre a tenu le 17 mars 1969 à Paris une conférence de presse pour demander à la population de rejeter la participation proposée par le général de Gaulle. Il a notamment déclaré : *Voter ne peut contribuer qu'à confirmer le régime. Ce que masque le référendum, c'est la mort du parlementarisme. Aujourd'hui, la démocratie n'est plus qu'un mythe, car toutes les décisions se prennent hors des Assemblées élues.* [...] *Il n'est pas possible de concevoir une autre forme de lutte de masse que l'emploi de la violence* (cf. *Le Monde*, 19 mars 1969).

69/NOTE 4.

*Les Temps modernes* (n° 273, mars 1969, p. 1727-1728) ont publié un appel intitulé « Pour ouvrir des perspectives révolutionnaires et anti-impérialistes en Grèce » et signé par Jean-Marie Domenach, William Klein, Jean-Paul Sartre et Laurent Schwartz. Cf. également *Le Monde*, 8 avril 1969, p. 5.

69/NOTE 5.

Sous le titre contestable « Un texte de Jean-Paul Sartre », *Le Monde* du 10 mai 1969, p. 3, a publié l'appel suivant, signé par Colette Audry, Simone de Beauvoir, Marguerite Duras, Michel Leiris, Maurice Nadeau, Jean-Paul Sartre, etc. :

« [...] La candidature d'Alain Krivine est l'occasion pour les forces nouvelles qui se sont révélées en mai-juin 1968 de se faire entendre en utilisant cette fois les moyens fournis par la légalité bourgeoise. Une grande majorité ignore encore le sort de la portée du mouvement de mai. C'est pourquoi, en dehors de tout accord éventuel avec le programme et les thèses de la ligue des communistes qui a présenté Alain Krivine, les soussignés ont décidé de lui apporter leur appui. [...] »

Sartre, cependant, n'a pas soutenu activement Alain Krivine et aurait souhaité que celui-ci retire sa candidature avant la date même des élections.

69/NOTE 6.

Le volume *Trois générations* d'Antonin J. Liehm (cf. 65/420), destiné à paraître en janvier 1970 aux éditions Gallimard, comprendra une préface de Sartre.

69/NOTE 7.

Le second roman d'André Puig, à paraître au début de 1970 aux éditions Gallimard, sera préfacé par Sartre. Auteur de *La Colonie animale* (Julliard), André Puig est le secrétaire de Sartre depuis 1963.

# APPENDICE I

# CINÉMA

L'intérêt de Sartre pour le cinéma, on le sait, remonte à son enfance. Plus tard, jeune professeur, il lui a consacré le seul discours de distribution des prix qu'il semble avoir jamais prononcé (cf. *Bibliographie*, 31/7). Les mémoires de Simone de Beauvoir sont remplis de notations qui indiquent avec quelle intensité ils ont ensemble exploré un art encore neuf et elle a pu écrire : « Il y avait un mode d'expression que Sartre plaçait presque aussi haut que la littérature : le cinéma » (*La Force de l'âge*, p. 53). Pourtant les rapports de Sartre avec le cinéma — qui mériteraient une étude approfondie — sont à la fois ambigus et malheureux.

Ils sont ambigus, d'une part, parce que Sartre n'a jamais poussé aussi loin que dans d'autres domaines sa réflexion sur une forme d'art dont la spécificité semble en partie lui échapper et qu'il évalue en fonction de la littérature et du théâtre, lui assignant ainsi de toute évidence une place secondaire et une valeur esthétique moindre. Les quelques critiques de films qu'il a écrites, de même que certains propos rapportés dans des interviews, prouvent, sinon une méconnaissance, du moins une conception quelque peu datée de l'art cinématographique. Il est certainement faux d'affirmer, comme l'ont fait des cinéphiles ou des critiques, que « Sartre ne comprend rien au cinéma ». Mais il faut bien remarquer que, s'il a été avant la guerre une sorte de précurseur — en particulier par l'importance qu'il a très vite reconnue aux grands films « sociaux » américains —, depuis plusieurs années sa curiosité pour les films nouveaux paraît s'être beaucoup émoussée.

Malheureux, ses rapports avec le cinéma le sont d'autre part parce que presque toutes les adaptations de ses œuvres ou de ses scénarios originaux ont été, selon une expression sans doute excessive mais qui est de Sartre lui-même, de *lamentables insuccès*.

C'est donc une succession quasiment ininterrompue de déboires que constitue pour Sartre la liste de films que nous détaillons ci-dessous, dans l'ordre chronologique. Nous donnons les génériques complets des dix films qui, à notre connaissance, ont été réalisés à partir soit d'œuvres de Sartre, soit de ses scénarios originaux ou de ses adaptations, même quand, comme c'est le cas deux fois, son nom n'y figure pas, et ceci pour des raisons que nos notices de commentaires s'efforcent de mettre au clair.

## 1947 - LES JEUX SONT FAITS

Film français de Jean Delannoy. *Scénario* de Jean-Paul Sartre. *Adaptation* de Jean Delannoy. *Dialogues* de Jean-Paul Sartre et Jacques-Laurent Bost. *Musique* de Georges Auric. *Photographie* de Christian Matras. *Interprétation :* Micheline Presle (Ève), Marcel Pagliero (Pierre), Charles Dullin, Marguerite Moreno, Fernand Fabre, Jacques Erwin, Mouloudji, Robert Dalban, Howard Vernon, etc. *Production :* Les Films Gibe-Pathé.

Dans une interview parue dans *Combat* du 15 avril 1947, Jean Delannoy donne des détails sur LES JEUX SONT FAITS et indique qu'il est lui-même à l'origine de la carrière de scénariste de Sartre en 1943 : « Découragé par la médiocrité des scénarios que nous recevions chaque jour chez Pathé, j'ai été voir Sartre et lui ai demandé s'il ne voulait pas travailler pour nous. » Au cours des années 1943-1947, Sartre fournit à la maison Pathé plusieurs scénarios — nous en ignorons le nombre exact — parmi lesquels, à part LES JEUX SONT FAITS, figurent « Typhus », « Les Faux Nez », « L'Engrenage » et un script dont nous ne connaissons guère que le titre : « La Fin du monde ». Nino Frank, qui travailla avec Sartre sur « Typhus » durant l'hiver 1943-1944, mentionne encore un scénario dont il ne donne pas le titre et que devait réaliser Louis Daquin : « Il s'agissait d'un canevas assez mélodramatique sur la collaboration et la Résistance, dont l'action se situait à Rouen et qu'on envisageait de tourner en Grande-Bretagne ou, dès le débarquement, dans un port du Nord » (*Petit Cinéma Sentimental*, La Nouvelle Édition, 1950, p. 170-171). Il dit aussi que Sartre avait eu le projet de réaliser lui-même des films par la suite.

Pour ce qui concerne le scénario, publié en volume, des JEUX SONT FAITS, voir *Bibliographie*, 47/118 et 119. L'adaptation de Jean Delannoy suit de près le texte de Sartre et sa mise en scène est honnête, à défaut d'être géniale ou simplement inventive. Le film a été présenté au festival de Cannes en 1947. Accueilli en général assez favorablement par la critique, il a connu un certain succès de public. S'il a beaucoup vieilli aujourd'hui, au même titre d'ailleurs que la plus grande partie du cinéma français de l'époque, dont il a tous les défauts, le film retient cependant par la qualité de ses interprètes. Parmi ceux-ci, Micheline Presle, très bien servie par les superbes éclairages de Christian Matras, impose sa présence lumineuse. Les scènes réalistes, en revanche, surtout celles qui mettent en scène des militants, prêtent bien malgré elles à sourire. Vu au second degré comme un document esthétique sur une période déjà lointaine, LES JEUX SONT FAITS prend une sorte de charme nostalgique et mérite de ne pas tomber dans l'oubli.

### 1951 - LES MAINS SALES

Film français de Fernand Rivers. *Adaptation* de Jacques-Laurent Bost et Fernand Rivers. *Dialogues* de Jean-Paul Sartre. *Musique* de Paul Misraki. *Photographie* de Jean Berthelot. *Interprétation :* Pierre Brasseur (Hoederer), Daniel Gélin (Hugo), Claude Nollier (Olga), Jacques Castelot (le Prince), Monique Artur (Jessica), Marcel André, Georges Chamarat, etc. *Production :* Fernand Rivers — Les Films Rivers. (Première parisienne le 29 août 1951.)

Davantage encore que la pièce, le film provoqua de violentes réactions du P. C. qui craignait, non sans raisons, qu'il alimente la campagne anticommuniste. Dans plusieurs salles, à Paris comme en province, les projections eurent lieu sous la protection de la police. En effet, l'adaptation cinématographique, dans l'ensemble très fidèle à la pièce, accentuait ses résonances anticommunistes : les militants du parti prolétarien, et en particulier les gardes du corps de Hoederer, ressemblaient plus à des gangsters de films américains qu'à des ouvriers.

La critique fut en général sévère pour la réalisation très conventionnelle de Fernand Rivers. Le film, qui fut un assez grand succès commercial, n'a pas d'autre valeur que celle de ses principaux acteurs, Pierre Brasseur et surtout Daniel Gélin, qui donnent des personnages de Hoederer et de Hugo une interprétation tout à fait remarquable.

Étant donné le tournant politique qu'il avait pris depuis

1950, Sartre avait tenu à se désolidariser publiquement de l'utilisation qui pourrait être faite du film contre les communistes et, interrogé sur celui-ci avant sa sortie, il avait déclaré : *Je m'en lave les mains. J'ai vendu les droits, vingt jours après la première de ma pièce.* [...] *Je ne suis responsable ni de la date de sortie, ni du film lui-même, et je le dirai en temps et lieu. J'ajoute que ce film est interprété par d'excellents acteurs et que cette mise au point ne les concerne pas. Il n'a jamais été question que le film sorte pour les élections. Il n'est pas terminé. Je ne pense pas qu'il ait une grande valeur « percutante ». S'il en avait, le fait que je préciserai qu'il s'agit d'une chose purement commerciale qui ne me concerne pas, l'affaiblira grandement* (*Paris-Presse-L'Intransigeant*, 7 juin 1951 ; cf. *Bibliographie* 51/209). Nous n'avons pas retrouvé d'autre déclaration que celle-ci et Sartre semble n'avoir jamais exprimé son opinion sur le film lui-même.

## 1952 - LA P... RESPECTUEUSE

Film français de Marcel Pagliero et Charles Brabant. *Adaptation* de Jacques-Laurent Bost et Alexandre Astruc. *Dialogues* de Jean-Paul Sartre et Jacques-Laurent Bost. *Musique* de Georges Auric. *Photographie* d'Eugène Shuftan. *Interprétation :* Barbara Laage (Lizzie MacKay), Ivan Desny (Fred Clarke), Walter Bryant (Sidney [le Nègre]), Marcel Herrand (le sénateur Clarke), Marie-Olivier, Yolande Laffon, Jacques Hilling, André Valmy, etc. *Production :* Films Agiman et Artès Films, distribué par Les Films Marceau. (Première parisienne le 8 octobre 1952.)

La forme euphémique du titre ne suffit pas à garantir le film contre le scandale. Celui-ci fut cette fois de nature exclusivement politique : au festival de Venise, où le film fut présenté en 1952, l'application de la clause du règlement visant l'injure à une nation amie fut demandée par des milieux pro-américains et le film provoqua des controverses passionnées (cf. l'article d'André Bazin dans *Les Cahiers du Cinéma*, n° 16, octobre 1952).

La version cinématographique, bien qu'elle suive la pièce d'assez près, est très différente de celle-ci (cf. *Bibliographie*, 46/90). Contrairement à la pièce, conçue et montée à l'origine comme une « comédie-bouffe », le film, qui n'est d'ailleurs pas sans qualités, appartient à la catégorie dite du « drame réaliste ». Certains plans de raccord furent tournés aux États-Unis et la mise en scène de Marcel Pagliero se réfère explicitement aux conventions du « thriller » américain. La très belle photographie d'Eugène Shuftan (qui fut l'opérateur de Fritz Lang aux États-Unis), les décors minutieusement américanisés et l'interprétation de Barbara Laage cherchent à créer l'atmosphère du film noir américain, mais cette tentative de réalisme rend d'autant plus évident ce que le film a de péniblement français, à commencer par le jeu consternant de certains des acteurs principaux.

D'autre part, la fin a été modifiée dans un sens optimiste : la putain Lizzie devient un personnage intégralement positif. Alors que dans la pièce elle n'échappe pas en définitive à la mystification des gens de bien et accepte l'humiliante proposition de Fred qui fera d'elle l'agrément de ses week-ends, le film, tout au contraire, se termine sur une image où se marque son entière solidarité avec le Noir pourchassé, qu'elle s'apprête à défendre revolver à la main.

## 1953 - LES ORGUEILLEUX

Film franco-mexicain d'Yves Allégret. *Scénario* de Jean Aurenche et Yves Allégret [d'après un scénario original de Jean-Paul Sartre, « Typhus »]. *Adaptation et dialogues* de Jean Aurenche et Jean Clouzot. *Musique* de Paul Misraki. *Photographie* d'Alex Philips. *Interprétation :* Michèle Morgan, Gérard Philipe, Victor Manuel Mendoza, Michèle Cordoue, Carlos Lopez Moctezuma, etc. *Production :* C.I.C.C. — Productions Iéna (France) — Reforma Films (Mexique), distribué par Columbia. (Première parisienne le 5 novembre 1953.)

Le nom de Sartre, qui figure dans le générique fourni par la firme productrice dans sa documentation, n'apparaît plus au générique du film. C'est Sartre lui-même qui le fit retirer, car il estimait que son scénario ne se reconnaissait plus dans l'adaptation de Jean Aurenche et Yves Allégret.

Il faudrait comparer le texte original avec le film pour déterminer ce qui subsiste de « Typhus » dans LES ORGUEILLEUX. On sait cependant que l'action de « Typhus » se situait en Extrême-Orient, bien que l'idée du scénario ait été inspirée à Sartre par le récit d'une épidémie qui avait sévi au Maroc peu avant qu'il y passât des vacances avec Simone de Beauvoir en 1938 (cf. *La Force de l'âge*, p. 343). On trouvera dans le volume de Nino Frank cité plus haut à propos des JEUX SONT FAITS un récit des diverses mésaventures que connut le scénario avant d'être repris par Yves Allégret.

LES ORGUEILLEUX, qui est loin d'être une réussite, n'est pourtant pas un film indifférent et il se distingue en tout cas de la production courante du cinéma français de cette époque. Il évoque le Camus de *La Peste* bien davantage que Sartre. Jacques Doniol-Valcroze, qui y voit un film « phénoménologique », en parle favorablement dans une critique des *Cahiers du Cinéma* (nº 31, janvier 1954) et résume l'intrigue de la façon suivante : « Une jeune femme s'arrête dans une petite ville mexicaine avec son mari malade. Atteint de méningite cérébro-spinale, celui-ci meurt aussitôt et l'épidémie se propage, condamnant la ville à la quarantaine et rendant la jeune femme prisonnière de cette variante de huis clos physique et moral qu'est le cordon sanitaire et le guet de la mort. Elle va découvrir qu'elle a peu de peine de la mort de son mari, ensuite son intérêt croissant pour un déchet d'humanité local, ex-médecin français sombré dans l'alcool après la mort de sa femme plus ou moins par sa faute. Rédemption par l'amour? Entraînement des circonstances? Peu importe. L'homme et la femme resteront ensemble pour tenter de briser l'étouffante solitude du désespoir et affronter l'opiniâtre hostilité du monde. Cette fin, qui aurait pu être ailleurs coup de théâtre ou péroraison morale, n'est ici que simple incident qui ne tranche en rien sur le reste. Le film s'arrête là. Un point c'est tout. Dix minutes plus tôt, dix minutes plus tard, cela n'aurait rien changé; de toute façon les jeux étaient faits sans qu'on sache exactement comment. »

## 1954 - HUIS CLOS

Film français de Jacqueline Audry. *Dialogues* de Jean-Paul Sartre. *Adaptation et dialogues additionnels* de Pierre Laroche. *Musique* de Joseph Kosma. *Photographie* de Robert Julliard. *Interprétation :* Arletty (Inès), Gaby Sylvia (Estelle), Frank Villard (Garcin), Yves Deniaud (le Garçon), Nicole Courcel, Jean Debucourt, Jacques Chabassol, Arlette Thomas, Isabelle Pia, Jacques Duby, etc. *Production :* Les Films Marceau. (Première parisienne : fin décembre 1954.)

Un article d'avant-première, qui comporte une interview de Jacqueline Audry ainsi que des extraits du scénario et des dialogues du film, donne la précision suivante : « S'il n'a pas aidé au travail de réalisation, Sartre l'a contrôlé et s'est montré satisfait du scénario. Lorsque Jacqueline Audry était venue lui parler de *Huis clos*, il voulait récrire son œuvre, la transformer complètement, mais elle a tenu bon » (Catherine Valogne, « *Huis clos* revu par Jacqueline Audry », *Les Lettres françaises*, 16 septembre 1954).

Le film suit la pièce de très près. Une séquence d'exposition, montrant l'arrivée dans le hall d'un palace kafkéen d'une fournée de « damnés », a été ajoutée et les adaptateurs ont eu l'idée, au premier abord ingénieuse, de remplacer par une sorte d'écran la fenêtre de la chambre d'hôtel où sont enfermés les trois personnages qui, tour à tour, peuvent ainsi voir les scènes de leur vie passée et observer leurs proches tant que ceux-ci ne les ont pas oubliés. A la fin, la fenêtre se révèle murée. Cette idée, qui prétend répondre à une exigence cinématographique d'action et de variété dans le décor, est en réalité la principale raison de l'échec du film : en aérant le huis clos de cette manière, les adaptateurs ont fait disparaître, sans aucun profit pour le cinéma, la sensation d'étouffante promiscuité dans la réclusion éternelle qui donne sans doute l'essentiel de sa force à la pièce. La critique a par ailleurs relevé à juste titre la faiblesse de la direction d'acteurs et l'erreur de distribution commise avec le rôle d'Inès, qui convient très mal à Arletty.

## 1957 - LES SORCIÈRES DE SALEM

Film français de Raymond Rouleau. *Scénario et dialogues* de Jean-Paul Sartre d'après la pièce d'Arthur Miller *(The Crucible)*. *Musique* de Georges Auric. *Photographie* de Claude Renoir. *Interprétation :* Yves Montand (John Proctor), Simone Signoret (Elisabeth Proctor), Mylène Demongeot (Abigaïl Williams), Raymond Rouleau (le gouverneur Danforth), Jean Debucourt (le Révérend Parris), Pierre Larquey, etc. *Production :* Films Borderie — C.I.C.C. — S. N. Pathé Cinéma (France) et Defa (Allemagne). (Première parisienne le 26 avril 1957.)

Pour ce qui concerne l'origine de ce scénario, voir *Bibliographie*, 56/287.

Les modifications apportées par Sartre à la pièce d'Arthur Miller, écrite pour dénoncer le maccarthysme, restent, dans l'ensemble, fidèles à l'esprit de celle-ci, tout en accentuant ses implications sociales et ses aspects politiques d'actualité. Sartre introduit ainsi dans le film un élément de lutte de classes qui explique les motifs sociaux de la « chasse aux sorcières ». L'actualité politique du film tient principalement à l'importance plus grande donnée au personnage du député-gouverneur Danforth, développé par Sartre aux dépens du Révérend Parris. Il a aussi supprimé le rôle du pasteur sympathique et étoffé celui d'Abigaïl Williams qui acquiert de la sorte plus de densité et d'ambiguïté qu'elle n'en avait dans la pièce.

Il est évident que le film porte la marque de Sartre et la critique a souvent reproché à celui-ci d'avoir gauchi le texte de Miller dans le sens de sa propre philosophie pour en faire une pure démonstration politique. D'autre part, le film, qui dure près de deux heures et demie, a été jugé trop long, les dialogues de Sartre trop littéraires et la mise en scène de Raymond Rouleau trop statique. L'accueil a toutefois été en général assez favorable et le film a connu un certain succès.

1957 - KEAN, GENIO E SREGOLATEZZA

Film italien en eastmancolor de Vittorio Gassman. D'après la comédie d'Alexandre Dumas adaptée par Jean-Paul Sartre. *Scénario* de Suso Cecchi d'Amico, Francesco Rosi et Vittorio Gassman. *Musique* de Roman Vlad. *Photographie* de Gianni di Venanzo. *Interprétation :* Vittorio Gassman (Kean), Eleonora Rossi-Drago (comtesse Koefeld), Anna-Maria Ferrero (Anna Damby), etc. *Production :* Franco Cristaldi, Lux Films — Vides, distribué en Italie par Lux Films.

Nous n'avons pu voir ce film qui semble n'avoir jamais été distribué en France. Il a été présenté en 1957 au festival de Locarno.

Vittorio Gassman avait créé la pièce de Dumas-Sartre en Italie, où son interprétation du rôle de Kean avait été très remarquée. A en juger d'après les articles parus au moment de sa sortie, le film suit de très près l'adaptation de Sartre (celui-ci ne l'a jamais vu). Il a reçu en Italie un accueil favorable de la part de la critique.

1962 - FREUD, THE SECRET PASSION *(Freud, Désirs inavoués)*.

Film américain de John Huston. *Scénario* de Charles Kaufmann et Wolfgang Reinhardt. *Musique* de Jerry Goldsmith. *Photographie* de Douglas Slocombe. *Interprétation :* Montgomery Clift (Freud), Susannah York (Cecily Koertner), Larry Parks (Dr. Joseph Breuer), Susan Kohner (Martha Freud), Fernand Ledoux (Charcot), etc. *Production :* Wolfgand Reinhardt, Universal.

Ayant réalisé précédemment un moyen métrage sur les « choqués » de guerre traités au moyen de l'hypnose, John

Huston s'était passionné pour ce problème et il décida, en 1958, de tourner un film sur la période de la vie de Freud où celui-ci découvrait les mécanismes de l'inconscient en partie grâce à l'hypnose. Huston demanda un scénario à Sartre qui lui remit, en 1959, un manuscrit de près de huit cents pages. Ce scénario, qui nécessitait fatalement des coupures, fournit la base d'un travail accompli par de nouveaux scénaristes. Au cours d'un entretien avec Kenneth Tynan, en 1961 (cf. *Bibliographie*, 61/363), Sartre a donné les précisions suivantes : *A part la construction, le scénario final ressemble peu à ce que j'avais écrit. C'est en partie ma faute, en partie celle de Freud. Mon scénario aurait été impossible à tourner ; le film aurait duré sept ou huit heures.* [...] *Ce que nous avons tenté de faire — et c'était ce qui intéressait particulièrement Huston — c'était de montrer Freud non pas au moment où ses théories l'avaient rendu célèbre mais à l'époque où, vers l'âge de trente ans, il se trompait complètement et où ses idées l'avaient conduit dans une impasse désespérée. Vous savez qu'à un moment il a cru sérieusement que la cause de l'hystérie était les pères violant leurs filles. Nous commençons avec cette période et suivons sa carrière jusqu'à la découverte du complexe d'Œdipe. Ceci, pour moi, est la période la plus passionnante de la vie d'un grand découvreur — quand il semble embrouillé et perdu, mais a le génie de se reprendre et de tout remettre en ordre. Bien sûr, il est difficile d'expliquer un tel développement à un public qui ignore Freud. Pour arriver aux idées justes, on doit commencer par expliquer les idées fausses et c'est un long processus : d'où le scénario de sept heures* [notre traduction]. Dans une autre interview (cf. *Bibliographie*, 62/371), Sartre a ajouté : *J'ai retiré ma signature non pas à cause des coupures — je savais bien qu'il faudrait couper — mais à cause de la façon dont on a coupé. C'est un travail honnête, très honnête. Mais ce n'est pas la peine qu'un intellectuel prenne la responsabilité d'idées contestables.*

De son côté, John Huston a déclaré à Robert Benayoun, qui lui demandait quelle était la part de Sartre dans le traitement final : « L'idée de base, celle de Freud aventurier, explorateur de son propre inconscient, vient de moi. Je voulais me concentrer sur cet épisode à la manière d'une intrigue policière. Freud tire au clair son propre cas. Sartre a eu l'idée de réunir plusieurs malades dans le seul personnage d'Anna O. Vous savez qu'en fait Freud n'a jamais rencontré cette Anna O. dont il ne connaissait le cas que par Breuer. Sartre a écrit un scénario gros comme ma cuisse, et que nous ne pouvions pas utiliser. Mais Charles Kaufmann, Wolfgang Reinhardt et moi-même avons conservé quelques-unes de ses meilleures idées. Sartre admirait Freud, mais le diminuait un peu. [...] » (*Positif*, nº 70, juin 1965).

Il faut signaler encore que la version définitive du film a été mutilée par la firme distributrice qui a retranché près d'une demi-heure de la copie originale. En dépit d'un montage que Huston renie donc en partie, le film est une très belle réussite : non seulement il vulgarise les grands thèmes de la psychanalyse avec intelligence et justesse, quoique sans rigueur, mais il restitue aux principales découvertes de Freud toute leur force de révélation. La sensibilité des images et de la mise en scène, l'interprétation proprement envoûtante de Montgomery Clift, qui donne aux relations de Freud avec son entourage et ses malades une intense charge affective, contribuent à vaincre chez le spectateur profane les résistances que rencontrent souvent, aujourd'hui encore, les théories freudiennes. Ce climat émotionnel, cette atmosphère de passion frémissante et contenue qui fait du *Freud* de Huston sans doute avant tout un film d'amour, au meilleur sens de ce terme, explique peut-être aussi pourquoi Sartre a en définitive préféré retirer sa signature.

## 1963 - LES SÉQUESTRÉS D'ALTONA

Film italo-français de Vittorio De Sica. Adaptation librement inspirée de la pièce de Jean-Paul Sartre. *Scénario et dialogues* d'Aby Mann. *Musique :* Symphonie nº 11 de Chostakovitch. *Dessins* de Renato Guttuso. Extraits de *Grand-peur et Misère du IIIe Reich* et de *La Résistible ascension d'Arturo Ui* de Bertolt Brecht (scène de *Arturo Ui* interprétée par le Berliner Ensemble). *Interprétation :* Sophia Loren (Johanna), Maximilien Schell (Frantz), Fredric March (le Père), Françoise Prévost (Leni), Robert Wagner (Werner), etc. *Production :* Carlo Ponti, Titanus Films (Rome) et Société générale de Cinématographie (Paris), distribué par 20th Century Fox. (La version originale est en anglais.)

Une première adaptation des SÉQUESTRÉS D'ALTONA avait été préparée, en accord avec Sartre, par Jules Dassin. Elle prenait de grandes libertés avec la pièce, mais en conservait l'esprit général, sous la forme d'une chronique d'une grande famille allemande pendant les années de l'hitlérisme. Le producteur Carlo Ponti n'accepta pas cette adaptation et fit appel à Vittorio De Sica, qui chargea son scénariste habituel, Cesare Zavattini, d'écrire un scénario. Carlo Ponti ne fut pas davantage satisfait de celui-ci et ce fut en définitive le scénariste progressiste américain Aby Mann qui retravailla le scénario et les dialogues. Il eut le souci de demander à Sartre ce qu'il souhaitait voir sauver de sa pièce dans le démembrement qu'on lui faisait subir pour des raisons à la fois politiques et commerciales (il fallait en particulier « recalibrer » chacun des rôles en fonction des célébrités inégales des comédiens) ; Sartre répondit qu'il tenait aux rapports du père et du fils et à ce que leur culpabilité soit clairement établie. Mais Aby Mann, soumis aux exigences des producteurs, ne parvint même pas à satisfaire ce vœu, pourtant modeste. En conséquence, Sartre demanda que le générique mentionne que l'adaptation était « librement inspirée » de sa pièce et se désintéressa de l'entreprise au point qu'il ne voulut jamais voir le film achevé.

Le défaut majeur de celui-ci réside moins dans sa trahison de la pièce que dans son échec à fondre en un tout cohérent les éléments théâtraux empruntés tels quels et les transformations apportées selon les besoins spécifiques du cinéma. Il en résulte un film bâtard où des scènes de théâtre filmé, interprétées de manière très contestable, se juxtaposent dans le plus grand embarras à des scènes de réalisme cinématographique, mises en scène sans invention. Alors que la pièce s'élevait à une réflexion d'ordre philosophique sur la responsabilité de l'individu comme agent de l'histoire, le film ne propose qu'une critique, parfois efficace d'ailleurs, de l'Allemagne post-nazie.

## 1967 - LE MUR

Film français de Serge Roullet. D'après la nouvelle de Jean-Paul Sartre. *Adaptation* de Serge Roullet. *Dialogues* de Jean-Paul Sartre. *Musique* de Edgardo Canton. *Photographie* de Denis Clerval. *Interprétation :* Michel de Castillo (Pablo Ibbieta), Denis Mahaffey (Tom Steinbock), Matthieu Klossowski (Juan Mirbal), Bernard Anglade (le médecin), René Darmon (Ramon Gris), Anna Pacheco (Concha), etc. *Production :* Procinex — Les Films Niepce, distribué par Rank. (Première parisienne le 23 octobre 1967.)

LE MUR est le seul film réalisé à partir d'une de ses œuvres dont Sartre se soit déclaré satisfait. Il l'a soutenu publiquement en donnant une conférence de presse lors de sa présentation au festival de Venise en septembre 1967 et a répondu aux questions du public lors de la première simultanée à Paris et à New York (cf. *Bibliographie*, 67/476 et 477; cf. aussi la lettre de Sartre à Serge Roullet reproduite au verso de la couverture mobile de l'édition blanche Gallimard de LE MUR).

La critique a en général loué la fidélité avec laquelle Serge Roullet a adapté la nouvelle. On pourrait remarquer cependant que cette fidélité littérale aboutit en définitive à une trahison assez considérable : la mise en scène austère, élégante et glacée de Serge Roullet se rapproche en fait davantage de l'écriture classique de Camus dans *L'Étranger* que de celle de Sartre dans la nouvelle *Le Mur*. Celle-ci emprunte au roman policier américain sa spontanéité apparemment fruste et sans apprêts et semblerait donc appeler au cinéma le style du film noir américain. La pudeur et la discrétion toute « bressonnienne » de Serge Roullet gomme les aspects les plus crus de la nouvelle (en particulier dans la description de la peur physique) et, s'ajoutant au thème « absurdiste », contribue à faire du MUR un film plus camusien que sartrien. Ce qui n'empêche d'ailleurs pas ce film d'être une réussite estimable.

• Vers 1943, Sartre travailla pendant quelque temps avec Henri-Georges Clouzot à un scénario qui devait être une « adaptation épique » de *Huis clos*, inspirée aussi en partie par l'*Enfer* de Dante.

• Sartre tient son propre rôle et dit un texte de lui dans une séquence du film de Nicole Védrès, *La Vie commence demain* (1950). Pour le texte, voir *Appendice II : Textes retrouvés*.

• Alexandre Astruc devait tourner en 1955 un scénario original de Sartre sur la vie de Kean. Le projet échoua avant que Sartre se fût vraiment mis au travail.

• Louis Daquin devait porter *Nekrassov* à l'écran en 1956 (cf. écho dans *Paris-Presse*, 18 janvier 1956).

• En 1956, il fut question que Sartre fasse une adaptation de *Germinal* de Zola pour, semble-t-il, Julien Duvivier. Ce projet n'eut pas de suite.

• Il existe un film argentin de Pedro Escudero et Tad Danielewski, *No exit*, qui a été réalisé en 1962 d'après *Huis clos* et dont Sartre ignore tout.

• En 1962, Sartre a donné son concours à un film de la télévision italienne intitulé *L'Uomo Sartre* et réalisé par Leonardo Autera et Gregorio Lo Cascio.

• L'adaptation de *Huis clos* tournée pour la télévision par Michel Mitrani, avec Michel Auclair, Judith Magre et Evelyne Rey, a été diffusée par l'O.R.T.F. en octobre 1965.

• Michel Mitrani a également réalisé en 1966 une excellente adaptation télévisée de *La Chambre* avec Michel Auclair et Geneviève Page.

• Sartre apparaît deux fois, et très brièvement, dans le film de Jacques Baratier sur Saint-Germain des Prés, *Le Désordre à vingt ans* (1967).

APPENDICE II

# TEXTES RETROUVÉS

## *L'Ange du Morbide*[1]

(conte)

C'était un plateau vosgien aux flancs hirsutes. Les monts environnants s'élevaient ou descendaient comme des montagnes russes, tous assombris par leur chevelure de sapin, tantôt tignasse secouée par les vents, tantôt peignée avec soin, tondue sur les côtés et découvrant aux yeux reposés l'oasis d'un pré vert ou d'une rouge maison. Ces toits lointains, bâtis de briques, devaient à la forêt qui les entourait, l'embellie d'un contraste : on en faisait le but des promenades, pour le plaisir de rencontrer des hommes après la traversée d'une solitude; ils représentaient la vie humaine, pauvres représentants qui impliquaient pourtant une foule d'idées mondaines et luxueuses, attachées mystérieusement là, à la faveur de la distance sans doute. Sur le plateau, un village Altweier avait poussé, soigneusement divisé, comme tous ceux du Haut-Rhin, en deux parties : le hameau catholique et le hameau protestant. Chacune avait son église et les maisons se groupaient, soumises, autour des deux clochers. Le parti catholique s'était emparé de la cime : plus modeste, ou tard venu, le parti protestant s'était installé un peu plus bas, noué par un méandre de la route. Le cordonnier, un esprit fort, s'était logé plus bas encore pour montrer qu'il faisait groupe à part. Des hôtels hermaphrodites servaient de truchements, de traits d'union. C'est dans l'un d'eux (qui s'était appelé Hôtel de Sedan, de 1870 à 1918, et qui prit, après l'armistice, le nom d'Hôtel de la Marne, sans d'ailleurs changer de propriétaire), que Louis Gaillard allait villégiaturer, durant les trois mois de vacances que l'Université accorde à ses professeurs. Il arriva, chargé d'une

1. Cf. 23/1.

valise, revêtu de l'indispensable gabardine et de l'air maussade, qui est son corrélatif habituel. Il avait chaud et soif, s'était querellé, sans avoir le dernier mot, avec le conducteur de l'autocar; et le dégoût, la nausée des fins de voyage, qui révolte nos pauvres petits corps sédentaires, pesait sur lui. C'était un médiocre, affolé par de mauvaises fréquentations : de même qu'il est nuisible à un jeune pauvre de vivre dans le sillage des enfants riches, ainsi peut nuire le commerce des plus intelligents que soi. Corrompu sottement par l'amitié d'arrivistes ou de pince-sans-rire, qui ne croyaient guère aux théories qu'ils énonçaient, il avait tourné tout l'élan de sa jeunesse vers le morbide, par snobisme, et aussi parce que son esprit n'était plus qu'une pauvre chose faussée, un rouage de montre détérioré, qui tourne à l'envers. Il cherchait les idées fortes avec la patiente application des pauvres d'esprit, comme un enfant qui tire la langue sur son premier thème. Il prenait le plus souvent celles des autres, avec une parfaite innocence, les rapetissant d'ailleurs à sa taille.

Il avait passé ses divers examens, employant ses loisirs de faux perverti, de dévoyé intellectuel, qui reste chaste dans les pires orgies de son esprit, à faire des vers dans le goût de celui-ci :

*O tu, la catachrèse et syringe aux marrons.*

ou des romans pessimistes et blasés qu'il farcissait d'aperçus sur les amours louches. Mais il avait suivi la voie commune, n'ayant connu la femme qu'à vingt-deux ans, au hasard d'une débauche qui n'eut guère de lendemain. Ses camarades, les esprits forts, tombés dans leur propre piège, étaient devenus ses disciples : ils prenaient pour un génie, le monstre hétéroclite qu'ils avaient fait en greffant leurs maximes de « surhommes » manqués sur sa médiocrité. Il commençait même à se faire un nom dans les revues d'avant-garde, lorsqu'il fut nommé professeur de sixième A, à Mulhouse. Lui-même s'admirait beaucoup. Il eut le malheur de lire de ses vers à ses élèves, de bonnes brutes alsaciennes, il se fit chahuter, reçut plusieurs encriers sur la tête, s'aigrit, s'attrista et vint dorloter, aux grandes vacances, sa mélancolie dans le calme et frais silence des hauteurs vosgiennes.

Il fit tout de suite la conquête de son hôtesse, éprise des « Messieurs te la fille », et trop habituée aux rouliers. Elle était volubile et enlaidie d'un goitre. « Autrefois, disait-elle, on afait pien plus de clients! Mais le salaud te pasteur est d'accord avec le docteur pour nous rouler! Il transforme tous les hôtels en « sénatoriums » pour les poitrinaires tu peau sexe. Ils m'ont même forcée de louer mon annexe. Les clients ne fiennent plus, pensez : frôler tout le temps des contaminés. Mon commerce est fini. » Dans l'hôtel, en effet, il n'y avait plus que trois vieilles filles, désespérément sédentaires, et un prêtre aveugle. Louis ne s'en plaignait pas : il croyait se plaire à cette triste compagnie. L'attirail des repas, qu'il prenait à côté du vieillard aux yeux morts, avait une certaine dureté d'eau-forte qui plaisait à sa morbidesse. Il eût seulement voulu les trois vieilles filles moins propres et plus macabres. Elles l'agaçaient ces trois petites vieilles toutes roses qui riaient comme des enfants; il regrettait qu'elles ne fussent anguleuses, jaunes et figées dans une intransigeante bigoterie.

Il avait banni tout souci des autres dans son *modus vivendi*. Aussi, le sentimentalisme inhérent à ses vingt-cinq ans avait-il trouvé une autre voie : il s'aimait lui-même avec toute la tendresse, toute la bonté, toutes les prévenances infinies qui remplacent la valeur intellectuelle chez les médiocres. Il se promenait du matin au soir dans les grands bois sombres, il y berçait sa mélancolie, il y faisait des exercices physiques, montant et descendant les côtes tout en se livrant à des songeries éthérées. Ce voisinage de poitrinaires surtout l'excitait. Il espérait alors une idylle avec une de ces pauvres créatures, et, dans sa rêverie, bizarre mélange de morbidesse et de naïveté, il se voyait enlaçant la taille d'une phtisique efflanquée. Il désira tant cet amour étrange qu'il l'obtint. Une après-midi qu'il rôdait autour des sanatoriums, vastes bâtisses forestières, il vit à quelques pas de lui une jeune femme assise sur l'herbe. Elle était en deuil. Sa figure douce et chevaline était fripée comme une collerette froissée. Elle toussa plusieurs fois, lorsqu'il passa.

Il n'y fit pas tout d'abord attention, mais, peu après, cette figure et cette toux le poursuivirent. Elles l'attachaient et l'agaçaient à la fois. Peu à peu il s'exalta, parce que c'était une femme et parce qu'il la devinait phtisique. Après s'être, durant une heure, battu les flancs, il finit par la désirer, se la figurant blottie contre lui, minuscule, réduite à un peu de chaleur, avec, il ne savait pourquoi, des os d'arthritiques qui craqueraient. Car il était de ces êtres mesquins qui s'attachent aux petites particularités, aux minimes infériorités des femmes qu'ils aiment. Il ne s'en faisait pas au fond une représentation bien nette, il était plutôt fasciné par une sorte d'étiquette qu'il collait sur elle : « Poitrinaire ». Il y rêva toute la soirée et s'entretint de la tuberculose avec le prêtre aveugle, dans l'espoir d'ailleurs déçu d'obtenir de lui des renseignements sur la femme entrevue. Il la retrouva le lendemain et le surlendemain, et s'enhardit un jour jusqu'à lui parler. Toujours essoufflée après quelques minutes de promenade, elle était assise dans la mousse d'un sentier, le regard vague. Après s'être creusé la cervelle pour donner à son abord un tour plus cavalier « Quelle chaleur ! », dit-il gauchement, en souffrant comme d'une blessure du manque d'originalité de sa phrase. Elle leva sur lui des yeux étonnés et répondit doucement : « Oh je ne m'en plains pas, j'aime tant le soleil. » Il eut une petite moue devant ce sentimentalisme. « Comment pouvez-vous préférer la cacophonie de ce criard au silence des ciels de brume ? » Puis fit joyeusement toute une théorie sur la valeur comparée des cieux de juillet et de novembre. Elle l'écoutait, peu convaincue, mais charmée, dans sa solitude, de trouver un bavard. Il s'assit à ses côtés sur la mousse et poursuivit son débit pédantesque en filet d'eau tiède. Il apprit, dans un des rares instants ou, reprenant haleine, il lui laissait la possibilité de lui répondre, qu'elle s'appelait Jeanne Hongre et qu'elle venait « se reposer d'une grande fatigue ». Elle n'habitait point au sanatorium, mais dans une villa voisine. Il l'y accompagna, la laissa sur le seuil et partit, parcouru de petits frissons de joie. Les jours suivants, au hasard de leurs rencontres, l'idylle s'ébaucha. Louis sentait sa timidité s'évanouir devant ce pauvre petit être affaissé, il risquait des gestes hardis, parlait haut, éprouvait une sorte de joie sadique à se dire, lorsqu'il prenait la main de Jeanne : « J'aime une poitrinaire, c'est une poitrinaire que j'aime, celle que j'aime est une poitrinaire. » Il exultait surtout de se sentir sain et mâle. Il avait déjà écrit une douzaine de lettres à ses camarades les esprits forts pour les informer de son aventure. Jeanne se laissait aller sans bien comprendre, trop malade pour conserver de la pudeur ou une arrière-pensée. Elle n'aimait guère ce phraseur, mais il la réchauffait au feu de sa parole, il la ranimait de sa saine médiocrité qui perçait, parfois, sans qu'il s'en doutât, sa morbidesse convenue. Elle s'efforçait surtout de ne pas tousser devant lui : c'était sa seule coquetterie. Cependant, leur amour restait tout platonique. Chaque fois qu'il tentait un geste un peu pressant, elle lui disait, sans répugnance, mais avec lassitude : « Vous me fatiguez, mon ami. »

Un matin qu'il nouait sa cravate, il résolut d'en finir. Il aimait à prendre de ces résolutions, qu'il ne tenait généralement pas. Cette fois, pourtant, il fut plus énergique. Quand il l'eut aperçue, il affecta la bouderie d'un enfant puni, et comme elle lui en demandait mollement la raison : « C'est que vous me ravalez au rang d'un personnage de comédie », répliqua-t-il avec emportement. Il exposa ensuite ses idées sur l'amour, tandis que, sournoisement, il s'essayait à des gestes, avant-coureurs de l'attaque. Brusquement, il la renversa gémissante, comme on pousse une vieille porte vermoulue qui grince. Elle suffoquait, voulait parler et soudain toussa. Il la lâcha alors, s'en voulant de sa brutalité. Elle toussait à côté de lui, elle toussait une toux grasse qui commençait par un raclement insupportable du gosier pour finir en un clapotis glaireux, comme le bruit que ferait une vague de vaseline claquante ou une méduse s'écrasant sur du marbre. Sa face, habituellement d'une honnête matité s'était foncée. Elle prenait un air misérable et méchant, la peau tendue sur ses pommettes, la lèvre inférieure désagréablement tordue et toute plissée. Elle cracha le sang sur son mouchoir, puis sa toux devint sèche et douloureuse, tout son corps était parcouru d'un frisson à chaque quinte. A la fin elle s'abandonnait à son mal, trop fatiguée pour réagir, et la violence de l'accès projetait son buste en avant avec la régularité d'un balancier d'horloge. Elle ferma enfin les yeux, épuisée, et se laissa aller comme morte sur l'herbe, peut-être avec un peu d'affectation. Louis la regarda avec l'horreur qu'a l'enfant pour le jouet qu'il éventra. Ses falotes et tout idéales représentations de la phtisie ne l'avaient point préparé à ce spectacle; sa médiocrité n'était pas faite pour le supporter, sa morbidesse factice lui était une bien faible cuirasse contre l'horreur qu'il avait de cette amante cauchemaresque. Il oubliait la douceur réelle de cette femme, son vrai caractère, il lui semblait qu'un autre être, effrayant et mystérieux s'était glissé en elle, quelque chose comme l'ange du morbide, de ce morbide qu'il avait tant recherché. Puis il songea avec épouvante qu'il pouvait bien être contaminé, il regretta un bref instant tous les baisers reçus et donnés, saisi d'une peur égale à celle qu'on a après avoir aimé une prostituée; et lâchement, tandis qu'elle reposait sur l'herbe sans ouvrir encore les yeux, il s'enfuit dans le sentier.

Le soir il quittait l'hôtel, et le prêtre aveugle dont il avait maintenant horreur, et les trois vieilles filles qui lui semblaient à présent trop vieilles, cherchant surtout à échapper au spectre horrible de la Maladie. Il se fit ausculter peu après par un spécialiste qui lui démontra qu'il n'était point atteint; rompit avec tous ses anciens amis et se maria avec une Alsacienne rose, blonde, bête et saine. Il n'écrivit jamais plus et fut décoré, à cinquante-cinq ans, de la Légion d'honneur, brevet incontesté de « Bourgeoisie »...

# *Jésus la Chouette*[1]

## PROFESSEUR DE PROVINCE

### I

En 1917, par suite de circonstances que je n'ai point à relater ici, mes parents décidèrent de m'envoyer au Lycée de La Rochelle. J'avais alors quinze ans et j'allais entrer en seconde. Mes parents n'habitaient point La Rochelle même, mais Aigrefeuille, une localité voisine. Il leur fallait se résoudre à se séparer complètement de moi et à me mettre pensionnaire au Lycée. Mon extrême fragilité d'enfant longtemps mis au régime, d'autre part mon innocence absolue, ma parfaite incompétence au point de vue pratique, suites d'une éducation assez tolérante mais minutieuse et remplie de conscience, effrayaient beaucoup ma mère. « Il va se trouver, disait-elle, en présence d'enfants vicieux, grossiers et beaucoup plus âgés que lui, il devra manger une nourriture malsaine, personne ne le surveillera, ne l'empêchera de boire son vin sans eau ou de prendre des plats qui lui sont défendus : l'internat sera sa perte, compromettra sa santé physique et morale. » Aussi, cherchait-elle un joint lorsqu'elle apprit par un inspecteur général ami de ma famille que M. Lautreck, « un pédagogue de premier ordre » et précisément mon futur professeur de seconde, acceptait de prendre des pensionnaires parmi les élèves du Lycée. Il y eut entre elle et lui une brève correspondance, elle alla même le voir à La Rochelle et revint enchantée, déclarant qu'à vrai dire M. Lautreck n'était pas du tout le calme et doux vieillard qu'elle se figurait, puisqu'il avait à peine

1. Cf. 23/2.

cinquante-cinq ans, mais que, malgré une extrême nervosité et une certaine emphase précieuse, il lui semblait un homme de grande valeur intellectuelle et de parfaite moralité. Je partis donc le 2 octobre 1917 pour La Rochelle.

Pour ma part, j'eusse préféré l'internat : les romans scolaires qu'on me permettait de lire m'avaient accoutumé à considérer la vie de pensionnaire comme une suite ininterrompue de joies diverses, surtout comme une vie libre et fantasque qui me changerait de mon existence méthodique et asservie. Mais la raison profonde de ma préférence était une timidité excessive, ou plutôt une orientation bizarre de ma délicatesse, orientation qui se manifeste chez presque tous les enfants à l'âge dit « ingrat » : à une audace excessive qui faisait l'admiration de ma mère, je joignais une étrange poltronnerie lorsqu'il s'agissait de pénétrer dans la vie privée des gens; entrer dans un magasin me faisait horreur, surtout lorsque j'y voyais la vendeuse en conversation avec un quidam. Il me semblait alors que j'allais me fourvoyer dans une intimité défendue. Lorsque je passais outre, je croyais sentir, durant tout le temps que je séjournais dans la boutique, les regards indignés ou méprisants des interlocuteurs peser sur moi. Pour éviter cette honte qui vermillonnait mon visage et brûlait mes joues, j'allais faire les cent pas dans quelque coin écarté et j'attendais que le magasin se fût vidé pour y entrer à mon tour. Il m'est ainsi arrivé de rester une heure devant le coiffeur avant d'oser franchir le seuil de sa porte. Cette timidité m'empêchait par exemple de retourner deux fois dans une journée chez un même commerçant, dans la crainte de l'importuner. Bref, de telles démarches m'étaient si manifestement insupportables que ma mère elle-même, tout en les considérant comme fort naturelles, avait scrupule à me les envoyer accomplir.

Aussi, la pensée de vivre dans l'intimité d'inconnus me causait-elle une honte et provoquait chez moi, lorsque j'y songeais, de véritables malaises nerveux. Une seule considération me rendait supportable et même désirable cette perspective : ma mère, en rentrant de son entrevue avec M. Lautreck, m'avait dit : « Ton professeur de l'an prochain, M. Lautreck, a une grande et belle fille de vingt-cinq ans qui m'a promis de s'occuper de toi, tu tâcheras d'être toujours poli avec elle. » Et j'avais bâti là-dessus tout un petit roman. Mes connaissances en matières sexuelles étaient assez étendues et fort peu précises. C'étaient des connaissances de raccroc, dérobées dans un livre à la page marquée d'un signet, déduites par un patient travail d'une bribe de conversation surprise, surtout insufflées en moi par de nombreux camarades plus savants et charmés de ce prosélytisme pervers. J'en faisais d'ailleurs abstraction pour rêver d'amours purs et chastes avec des intellectuelles. J'avais pris, par une attirance secrète ou à cause de ma très réelle innocence, pour dames de mes pensées les quatre ou cinq rebutantes filles de joie qui, honnies de toute la population d'Aigrefeuille, rasaient les murs l'hiver, à six heures du soir, pleureuses, comme atteintes de la phobie des grands espaces. J'en faisais tour à tour des princesses russes séduites par ma beauté ou de jeunes Françaises attirées par la renommée de mon intelligence. Elles faisaient alors ma connaissance (imaginais-je) et nous accomplissions dans Aigrefeuille des promenades monotones et sentimentales. A leur image vint alors se substituer celle de Marguerite Lautreck, fille de mon professeur. La différence d'âge qui existait entre elle et moi ne m'apparaissait nullement. Je l'avais dotée arbitrairement d'un corsage bleu, d'une jupe noire et de cheveux à la Jeanne d'Arc, et elle prenait dans mon esprit une tournure d'adolescente mutine, avec autant plus de facilité que je n'avais jamais vu les Lautreck. Je l'imaginais nettement, seule avec moi, au clair de lune, dans un paysage assez conventionnel. Puis des images se succédaient avec la rapidité d'un kaléidoscope : je me voyais levant le bras au ciel et désignant la lune. Mes lèvres prononçaient alors des paroles lyriques et définitives que j'avais la paresse d'imaginer, sentant bien qu'elles seraient au-dessous de mon désir. Marguerite me regardait d'abord d'un air étonné, puis, conquise par mon éloquence elle me tombait dans les bras. Après quoi les visions devenaient floues. D'ailleurs les précédentes me suffisaient pleinement et je pouvais me les ressasser pendant une heure avec de légères modifications (par exemple en introduisant un rival, à mes instants d'héroïsme) sans en être jamais fatigué. C'est ainsi que je passais mes derniers jours à Aigrefeuille, tantôt rouge de honte à la pensée de ma situation fausse chez les Lautreck, tantôt langoureusement joyeux à l'image de mon Oaristysnaï avec leur fille. Enfin, la veille de la rentrée je fus expédié à La Rochelle par le train de quatre heures. J'avais tenu à voyager seul par amour-propre. J'arrivai à cinq heures et demie à La Rochelle, le 1er octobre, un dimanche.

Par une attention délicate, ma mère m'avait exonéré de toute valise et de tous les menus paquets qui sont les compagnons nécessaires du moindre déplacement, dans les familles bourgeoises. Je n'avais pas été tout d'abord très sensible à cette attention de ma mère car je mettais mon amour-propre à porter en voyage de lourdes valises qui me donnaient, à mon avis, une dignité considérable aux yeux de mes voisins de compartiment. Mais je ne tardai pas à en saisir l'avantage, les Lautreck n'étaient pas à la gare; j'allais pouvoir m'acheminer en flâneur vers la villa « Remember » qu'ils habitaient, et mon vagabondage ne serait ni alourdi ni gâté par le poids d'une valise rivée à mon bras.

On pourrait classer les villes d'une façon plus incommode mais moins arbitraire que les classifications administratives; suivant l'heure où leur type et leur beauté sont plus accusés. Une ville est comme une femme : il lui faut un éclairage spécial et une ambiance déterminée pour atteindre son maximum d'élégance. Et, ainsi que les belles, les villes peuvent être de jour ou de nuit, de matin ou de soir. La Rochelle est une ville de cinq à six heures, une ville de crépuscule automnal. Le vieux port, au soleil couché, est estompé par la grisaille livide des derniers rayons, tel une vieille estampe de Vernet enluminée par un flou coloriste moderne. L'éclairage est répandu par plaques qui débordent un peu les unes sur les autres comme dans un Monet. Les pâles couleurs du ciel empiètent sur les vieilles tours gardiennes de l'Anse, et bleutent leurs formes dures dont la rigidité se détend un peu. Dans le port, sommeille une eau épaisse, plaquée de blanc comme ces noirs paludes de benzine laissés sur le pavé par une auto. Les bateaux à voiles rentrent silencieux, comme surnaturellement. On pianote éperdument dans les guinguettes environnantes et la synthèse de toutes ces musiques de café apporte une mélodie monovoque, vague, identique, qui remplace le chant absent de la mer.

Je ne fus que médiocrement ému par ce spectacle : Aux yeux des tout jeunes garçons, la gamme infinie et continue des paysages n'apparaît point. Ils n'ont point encore le tact nécessaire pour sentir les modifications innombrables que peuvent ajouter un arbre, une borne, un simple jeu d'ombre et de lumière, surtout les changements, les nuances qui résultent de la personnalité indéfinissable et réelle d'un paysage. Pour eux cette gamme se morcelle en huit ou dix panoramas, cadres où ils font rentrer instinctivement tous les paysages qu'ils voient. Pour moi, les teintes plaquées par la dernière pommade du soleil sur ces vieilles tours, ou sur cette eau gluante, ou sur ces barques n'étaient que les résultats très ordinaires d'un crépuscule. J'étais seulement et animalement sensible au charme vague de la pénombre. Je portais donc mon attention sur la route à suivre et sur les classiques personnages dominicaux. Je m'engageais bientôt sur le Mail et cessais d'avoir aucune pensée précise pour me sentir durement oppressé par l'appréhension d'un avenir immédiat. Dans cette douleur toute physique qui gênait ma respiration et précipitait mes battements de cœur, il n'entrait même plus, comme dans mes craintes d'Aigrefeuille, la représentation de mes humiliations futures : j'étais seulement halluciné par une silhouette blanche et sans cesse grandissante à l'horizon, que je me figurais être la villa « Remember ». Je passai devant, anxieux : ce n'était pas elle mais, du coup, beaucoup de mon émotion tomba, comme si, tel ces vieilles gens qui ont trop pleuré pour avoir encore des larmes, j'avais été trop ému pour pouvoir conserver longtemps mon trouble. La villa des Laubré[1] était un peu plus loin. J'arrivais au portail et fus frappé par l'apparence inattendue de ma nouvelle demeure. Une grande habitude des milieux universitaires où j'avais longtemps vécu m'avait accoutumé à un certain cachet, clair, sec, mais non pas inélégant, apanage des latinistes et des hellénistes fervents et qu'ils apposent sur leur entourage immédiat : meubles, maison, amis même.

Aussi, je me figurais la villa « Remember » comme une blanche bâtisse dans le goût grec, blanche comme devaient l'être les terrasses d'Ithaque et de Mycène. Mais, exception à une règle quasi universelle, elle avait à la fois la lourdeur d'une casbah juive et l'inconsistance de pacotille d'un chalet suisse. Les plants exotiques et serrés, lourds cactus, youcas disgracieux donnaient au jardinet d'entrée l'aspect d'une serre chaude surpeuplée; deux placides lionceaux moussus, chef-d'œuvre de mauvais goût, encadraient de leur symétrie les trois marches de pierre grise accédant à l'entrée. Les briques rouges de la façade, la porte bleue, les volets et les balcons en bois brun, et les rosaces de stuc vert qui venaient s'ajouter au reste, tout était enfin massif, disgracieux et criard comme un faux bijou. Cette demeure assombrie par le dôme des marronniers du Mail, enfouie dans l'exubérante verdure de son propre jardin avait l'humidité malsaine et la tristesse pénible d'un mauvais romantisme. Au reste, cette impression désagréable fut très passagère, car mon jeune âge m'interdisait les longues mélancolies, et la tristesse de la villa « Remember » n'était qu'une tache sombre dans un ensemble joyeusement coloré.

Je sonnai à la porte bleue, le cœur battant. Pourtant, je commençais à prendre goût à cette sorte d'aventure bour-

1. A partir d'ici, le nom Lautreck devient, pour quelque raison, Laubré (note des éd.).

geoise, où il y avait place pour un peu d'inconnu. Une bonne vint m'ouvrir. Elle était fort jeune, rousse et vigoureuse, mais prenait, avec une grimace de lassitude, des poses traînardes d'abandon et tout en elle respirait la négligence.

« C'est-il Monsieur, le Monsieur qu'on attend? » me demanda-t-elle en nasillant.

Je n'osais trop lui répondre « oui », mais déjà une porte s'ouvrait dans le sombre vestibule et une voix mâle criait : « Le voilà! Entrez, mon jeune ami, entrez! »

J'entrai avec empressement, en heurtant la bonne au passage dans mon désarroi et je me trouvai dans le salon.

Il y avait là un homme et une femme que je distinguai vaguement, car ils étaient à contre-jour. Une voix de femme, sèche et précise, me demanda :

« Vous êtes notre nouveau pensionnaire? »

Mais déjà l'homme s'était saisi de mon bras avec une exubérance nerveuse et disait :

« Je suis vraiment enchanté de faire votre connaissance. Madame votre mère m'a chargé de votre garde, mon jeune ami; je lui ai juré de faire de vous un homme. Mais promettez-moi à votre tour de toujours marcher dans la voie de l'honneur. J'espère que vous n'aurez jamais qu'à suivre mon exemple! »

L'emphase de ce début, au fond sans rapport avec la médiocrité des circonstances, me déplut profondément. Mais, loin d'y voir tout d'abord une vaine rhétorique, une fanfaronnade de poltron, je crus qu'elle décelait chez mon professeur une austérité de mœurs et de goût de fort mauvais augure. Je n'ai jamais rien tant prisé que la gaieté et j'appréhendais tout de suite que l'ennui de la vertu ne fût tombé dans la villa « Remember ».

Mais déjà, M^me^ Laubré se levait avec majesté :

« Voulez-vous prendre quelque chose avant le repas? », me demanda-t-elle; et comme j'allais accepter, elle ajouta vivement : « Si vous n'avez pas trop faim, vous me feriez plaisir d'attendre jusqu'au dîner, parce que nous sommes en difficulté avec la bonne et la moindre complication du service me la ferait partir. »

Et, comme je protestais de mon peu d'appétit, M. Laubré, tourné vers la porte prononça, avec un geste menaçant : « Vile engeance! »

« Il est si difficile de se procurer une bonne », soupira sa femme; puis, tournée vers moi, elle ajouta, avec intérêt : « Est-ce que Madame votre mère a aussi des ennuis avec ses servantes? »

Je répondis que nous n'avions jamais eu qu'une vieille cuisinière très attachée à la maison; elle murmura d'un air déçu :

« Vous avez bien de la chance : une bonne dévouée à ses maîtres, ce serait mon rêve. Je dois dire que je n'en ai jamais trouvé. »

Puis elle débita la kyrielle de ses ennuis domestiques : les bonnes étaient toutes menteuses, voleuses, insolentes et coureuses, elles ne restaient jamais en place plus d'un mois, mangeaient beaucoup et coûtaient cher.

« Tu ennuies mon jeune ami, avec ces balivernes », interrompit doucement son mari. Sa voix était naturellement mielleuse et sans qu'il eût la moindre intention de flatter. Il détachait d'abord les mots en en articulant nettement chaque syllabe et en faisant des pauses entre chacun d'eux. Il les reliait d'autre part en prolongeant le dernier son par un tremblement de la voyelle qui préparait le son suivant. Il avait l'air de soulever chaque terme pour le mettre en relief; on eût dit d'un professeur de diction enseignant à ses élèves dans les toutes premières leçons, à bien prononcer. C'était désagréable au possible.

Il fit quelques pas en boitant légèrement et avec une affectation qui me rappela la majesté rythmique des rois d'opéra, puis vint se placer près de moi en cambrant les reins.

Il était grand et assez bien pris. Il portait haut la tête et ne manquait pas de cheveux. Pour mieux dire, son crâne même en était assez dépourvu, mais cette demi-calvitie était légèrement compensée par des boucles abondantes qui frisaient légèrement sur sa nuque. Il portait une barbe en pyramide tronquée. Son poil naturellement brun-roux se teintait désagréablement dans la barbe de mille nuances adventices : blanc, gris sale, noir même ou blond. Avec son grand nez recourbé, coupant comme un bec d'aigle, sa bouche saignante, son teint jaune-orange et ses yeux myopes cachés derrière un lorgnon cerclé d'or, il faisait assez bien l'impression d'un tragédien du XVII^e^ siècle, d'un de ces Hérodes de grand chemin, qui couraient sur les routes en carriole et qui joignaient à leur noble allure de tyran barbu, une nature débonnaire et pacifique. Il portait un costume beige de laine anglaise, qui me parut être fort usagé et n'avoir jamais été très élégant. Les boutonnières éraillées du veston semblaient des bordures d'yeux encroûtées de vieille femme. Le pantalon, duquel tout pli avait disparu, se collait aux jambes maigres et nerveuses et tombait sur des souliers à boutons du plus ancien modèle. Pourtant une certaine élégance naturelle corrigeait un peu le fâcheux état de ses effets. Mme Laubré me parut plus élégamment habillée quoique de noir vêtue. Elle avait cette étrangeté, que je n'ai jamais retrouvée chez personne autre, de porter sur un corps obèse, mafflu, empâté, éléphantesque de femme malade, une tête sèche, osseuse et chevaline, comme si le malin djinn des légendes d'Orient s'était plu à transporter le chef d'une longue et maigre Anglaise sur le tronc d'une grosse Allemande. L'effet était surprenant. Ainsi disproportionnée, avec ses cheveux drus comme des crins et d'un gris brunâtre, elle me représentait fort bien quelque Alecto ou quelque Tisiphone et ç'a toujours été sous ses traits que j'imaginais les Érinnyes durant les explications d'Eschyle.

« Allons, reprit M. Laubré en me prenant par le bras, mon jeune ami, il nous faut faire le tour du propriétaire. Cela vous est dû, ajouta-t-il devant mes protestations polies, il ferait beau voir que vous ne fussiez pas mis au fait de votre nouvelle demeure. D'ailleurs, vous savez, dit-il en riant, nous pratiquons l'hospitalité écossaise. » Et il m'entraîna à travers diverses pièces assez pauvrement meublées, où je retrouvais cette bizarrerie hétéroclite qui m'avait surpris dans le jardin. La salle à manger, dont il me dit être fier, me sembla être le cabinet de débarras d'un antiquaire : tous les styles y étaient représentés par quelque franche horreur. Il y avait tout, depuis l'armoire normande à bon marché jusqu'à la cathèdre médiévale, en passant par cinq ou six chaises cannelées de la plus moderne facture. En haut, au premier étage, je visitai ma chambre, et fus étonné d'y retrouver ce parfum d'herbes sauvages et de piété qu'on respire dans les très vieilles chambres de province. Autant les chambres du bas témoignaient d'un mauvais goût criard et agité, autant ma chambre était simple et calme. M. Laubré m'expliqua que cette pièce avait appartenu, l'année précédente, à sa vieille mère. Celle-ci l'avait aménagée avec soin et selon ses goûts de vieille bourgeoise habituée aux petites villes endormies dont les rues étroites convergent toutes vers l'église.

« Moi, me dit-il, je n'aime pas cette chambre. Elle est d'une sécheresse attristante : parlez-moi de notre salle à manger! Mais je crois que vous y serez bien : elle donne sur une rue calme et le lit en est bon. »

Nous passâmes ensuite sans entrer devant d'autres chambres, dont il me nommait les habitants. J'appris ainsi que M. et Mme Laubré avaient un fils qui allait être dans la même classe que moi. Je me crus alors obligé de lui demander des nouvelles de ses enfants.

« Ils vont bien, répondit-il en riant, mauvaise herbe pousse dru. Mon jeune gamin va devenir votre condisciple. Vous verrez, il aime la gaieté! Trop, peut-être... Quant à ma fille, c'est une grande jeune fille de vingt-cinq ans : elle va bientôt trouver mari », ajouta-t-il en soupirant. Je crus d'abord que ce soupir marquait sa tristesse de devoir bientôt se séparer de sa fille. Il n'en était rien, car il ajouta, mélancolique et rêveur : « Il est bien difficile de trouver de bons maris aujourd'hui. » Mais, il ajouta vivement : « Ce n'est pas que les demandes ne soient nombreuses, mais j'ai un certain idéal, et les jeunes gens d'aujourd'hui en sont bien loin. Ne suivez pas leur exemple, mon jeune ami, les sentiers de la vertu sont bien rudes, mais quelle satisfaction quand on arrive à la cime. Quand on approche, comme moi, de l'âge où le diable se fait ermite, quelle récompense de pouvoir regarder un passé sans taches... Cela vous console de bien des choses », ajouta-t-il d'une voix blanche et grosse de sous-entendus. « Je vous demande la permission de me laver les mains », lui dis-je.

« Faites, mon jeune ami, faites. »

Et il me poussa vers ma chambre. J'entendis son pas lourd et inégal descendre l'escalier.

## II

En sortant de ma chambre, j'entendis dans le salon une voix féminine de timbre nouveau pour moi. Ma gêne, qui avait disparu, me reprit tout d'un coup : je devinais en effet que j'allais me trouver en présence de Marguerite Laubré. C'était bien elle, et je sentis, les présentations faites, que tous mes beaux rêves de tendre intimité s'écroulaient, comme s'écroulaient toujours mes espoirs d'amour. Je vis bien qu'à ses yeux je n'étais qu'un petit garçon sans importance. Elle avait la beauté désagréable des maigres au long visage et l'ossature trop marquée de sa figure nuisait au charme réel de deux beaux yeux et de lèvres charnues.

Elle m'interrogea avec une condescendance bienveillante et charmeuse : pour un peu, elle eût pris avec moi le babil zézayant qu'affectent les invités pour parler aux tout jeunes enfants de leur hôtesse. Je le sentais et j'en étais fort énervé. Mais, trop timide pour oser m'en fâcher, même à l'intérieur de moi-même, je n'en laissai rien paraître. La timidité ne se traduit pas seulement par un trouble extérieur, elle a aussi pour manifestation l'impossibilité absolue où l'on est de juger défavorablement les gens qui vous intimident. C'est pourquoi, sans doute, les timides sont généralement doux.

M. Laubré tira sa montre, comme il eût dégainé un sabre : « Il est sept heures ! Adolphe n'est pas encore là ? demanda-t-il. — Mais non, répondit la mère, où peut-il être ? — Le garnement aura peut-être fait partie avec ses jeunes camarades ? — C'est égal, reprit M^me^ Laubré, quel tourment me donne cet enfant ! »

Puis, éclatant en gémissements, elle déplora tour à tour l'éducation moderne, sa propre faiblesse maternelle. Le caractère indépendant de son fils Adolphe et le mauvais exemple que lui donnait la jeunesse rochelaise. « Je n'ai jamais eu que des ennuis avec lui ! Je lui avais bien dit de rentrer tôt ! Cet enfant me tuera. » Et ses regards levés au plafond attestaient le ciel de ses mécomptes maternels.

« C'en est trop, Elisa, dit M. Laubré, il est temps de sévir ! »

Mais, à ce moment, la porte s'ouvrit et donna passage à un jeune garçon de mon âge, malingre, hirsute et roux, vieilli par des culottes prématurément longues et par l'éclat bizarre de ses petits yeux cernés. Le courroux des Laubré parut tout à fait apaisé par son arrivée. C'est à peine si sa mère lui demanda d'où il venait. Il répondit évasivement qu'il venait de bien s'amuser et, comme on insistait, prit un air buté en fixant le sol.

« Mais enfin, nous diras-tu ?... » fit son père avec emphase. M^me^ Laubré interrompit : « Laisse-le donc, tu vois bien qu'il ne veut rien dire. C'est peine perdue, tu n'en tireras rien ! » Je lus dans le regard désespéré de M. Laubré qu'on foulait aux pieds toutes ses belles théories, tous ses beaux principes sur l'éducation et la vertu. Il secoua la tête avec accablement et se tut.

Cependant, Adolphe me regardait avec curiosité : il inclinait la tête sur son épaule et faisait, en me dévisageant, une grimace méprisante et appliquée. Enfin, il me tendit deux doigts humides qu'il avait au préalable logés dans son nez, et me dit, à mi-voix, en nasillant :

« Si tu es bon copain, on rigolera bien. Je connais un matelot qui est un mec marrant; tu verras, il nous fera visiter son ship. Mais je n'aime pas les cafards. »

Puis, M^me^ Laubré se leva et l'on passa à table.

Après la soupe, comme on servait un ragoût de porc, M. Laubré nous expliqua, minutieusement et avec les mêmes précautions oratoires que s'il nous avait conté un trait d'esprit, l'étymologie de Truie, qui vient du latin trojana.

« L'adjoint ne m'a pas saluée, cette après-midi, interrompit brusquement Marguerite. — M. Colrat? — Parfaitement! Je l'ai croisé sous le Palais, et il a détourné les yeux... — C'est trop fort, cria Mme Laubré d'une voix coupante. » M. Laubré, devenu très pâle, leva les yeux au ciel, et dit : « Quelle ville, quel temps, quelles mœurs! » La colère de Mme Laubré était plus vulgaire : « Voilà un petit vieux qui mériterait bien d'être giflé pour qu'on lui apprenne ce que c'est que la politesse, s'écria-t-elle. — Ah, dit Marguerite avec résignation, si c'était le seul! Mais malheureusement, le nombre des gens qui ne nous saluent plus va en croissant. — Ton père est trop faible, dit Mme Laubré avec sévérité, il ne devrait pas nous laisser insulter. » La conversation se poursuivit un moment sur ce ton. J'avais d'abord cru comprendre que les Laubré étaient honnis de toute la ville, mais j'appris par la suite de la conversation qu'ils se plaignaient simplement, dans leur soif de considération, du manque d'égards de quelques gros bonnets malpolis. « Nous valons bien tous ces gens-là », disait Marguerite sur un mode aigu. Mme Laubré débitait avec volubilité des anecdotes sur leurs épouses : « On sait, disait-elle, que Mme Colrat aurait été trop heureuse que nous la saluions l'année dernière, quand tout le monde la boycottait après son histoire avec le commandant Hurepoix. » On sentait en elle la rancœur de la femme qui doit faire sa cour à la proviseuse, à la mairesse, à l'inspectrice d'académie, qui doit traîner l'hiver ses jupes crottées dans tous les salons figés ou hostiles, et faire des platitudes là où elle aurait aimé régner. Sa fille semblait tenir d'elle ce désir fou d'être considérée. On pouvait d'ailleurs prévoir que le temps, amincissant ses lèvres, jaunissant et découvrant ses dents, ridant ses joues, ferait d'elle une mégère en tous points semblable à sa mère.

# *La théorie de l'État dans la pensée moderne française*

*La version française ayant jusqu'à présent échappé à nos recherches, nous retraduisons ci-dessous de l'anglais l'article « The Theory of the State in Modern French Thought » paru dans* The New Ambassador *[Paris], nº 1, January 1927, p. 29-41. On ne s'étonnera pas des nombreuses lourdeurs et des quelques obscurités que comporte ce texte retraduit. L'article, surtout dans sa première partie, a dû être écrit dans un jargon peu clair et certainement peu élégant. La traduction anglaise est très littérale, ce qui accentue la lourdeur de certains passages, mais permet, par contre, d'avoir une idée assez précise du texte original. Notre traduction suit de très près la version anglaise et en respecte même les irrégularités majeures ; le résultat, pour imparfait qu'il soit, permettra cependant au lecteur français de prendre connaissance d'un texte qui, dans sa deuxième partie principalement, annonce bien des traits de Sartre tel que nous le connaissons aujourd'hui.*

*La traduction est de Maya Rybalka.*

## I

## *Le point de départ*

Dans cette courte étude, il ne serait guère possible de parler de la Souveraineté de l'État sans indiquer l'attitude des philosophes et des juristes envers les Droits naturels de l'Individu. Duguit a en fait suffisamment bien montré que, prises ensemble, ces deux notions sont exactement réciproques et que l'une est l'image de l'autre.

La Souveraineté de l'État, paradant sous le masque du Droit divin, existait en réalité sous l'ancien régime. Ce n'est que depuis Grotius que le Droit naturel, bien que connu des anciens, a eu une existence rationnelle et a pu se développer logiquement jusqu'à ce qu'il soit présent en fait pour les hommes de 1789. Ce sont les révolutionnaires d'Amérique et de France qui ont donné au Droit naturel une existence réelle et à la Souveraineté de l'État une sanction idéale. Les deux notions allèrent de pair, et Esmein ainsi que l'école classique française défendent encore l'inséparabilité des deux concepts.

En même temps, un fort courant de réalisme, venu d'Allemagne, envahit la France avant 1914. Il y eut un choc entre le Réalisme et l'Idéalisme, et c'est de cela que je veux parler. C'est après la Guerre que les problèmes du Droit naturel et de la Souveraineté de l'État devinrent particulièrement aigus.

Pour commencer, il restait la difficulté fondamentale, que Davy a admirablement formulée. « Tous les hommes du monde civilisé ont ou tendent à avoir le sentiment de leur liberté et le désir de clamer cette liberté à la face des autorités gouvernementales de leur nation. D'un autre côté, toutes les nations constituées en États affirment leur souveraineté par rapport aux nations voisines et par rapport à ceux qui sont sous leur juridiction. Et de là viennent de perpétuels conflits entre les droits individuels et les droits collectifs, entre l'État et les corporations qui le composent : de là, entre les États, des conflits de souveraineté nationale [1]. »

Mais après tout, il n'y a guère plus en cela qu'une question de limites. Cela ne gênait pas la théorie classique, dont l'idéalisme, suffisamment opportuniste, transcendait les frontières qui séparent le domaine de l'individu de celui de l'État, au bénéfice quelquefois de l'un, quelquefois de l'autre, selon les tempéraments et les circonstances. Des expériences pendant la Guerre et depuis la Guerre ont donné une plus grande importance au problème.

Prenons d'abord la Guerre; Davy a écrit ailleurs que la Guerre « semble avoir posé la question comme ceci : la Loi est-elle une force ou, au contraire, est-elle une idée? La révolte de chaque forme d'idéalisme contre la servitude du réalisme est en un mot le sens de la Grande Guerre [2]. »

Poser la question ainsi c'est y répondre immédiatement en faveur du réalisme. Cette idée pèche aussi d'une autre façon, car si une théorie justifiait vraiment la Guerre, ce serait bien plutôt la théorie idéaliste de l'autolimitation de l'État. Mais, comme tous ses contemporains, Davy a ressenti le grand courant d'après guerre venant de Ihering et de Savigny. Il flirte avec le réalisme. Et c'est exactement la même

1. *Éléments de sociologie.*
2. *L'Idéalisme et les conceptions réalistes du droit.*

chose pour presque tous ses contemporains. Le Réalisme est né de la Raison, l'Idéalisme d'un légitime développement des sentiments que nous devons à la Guerre, et c'est dans leurs efforts pour dissoudre cette hétéronomie dans leurs théories du Droit que les philosophes et les juristes français ont rencontré d'insurmontables difficultés.

Mais l'après-guerre a posé deux questions pratiques concernant les deux concepts parallèles de Droit individuel et de Souveraineté de l'État. La première est : « Est-il possible de conserver sans danger le vieux Droit naturel? » Des difficultés surgissent dans la législation concernant les travailleurs.

L'assertion du Droit naturel a comme conséquence l'assertion de la liberté individuelle du travail — d'où la Loi Chapelier du 14-17 juin 1891, tandis que la Loi Waldeck-Rousseau du 21 mars 1884 reconnaissait et réglementait les associations de métiers. Mais cela laisse intacte la liberté du travail, nécessaire conséquence du Droit naturel de l'Individu. Cela y ajoute simplement la liberté d'association.

Or, ces deux libertés, qui semblent complémentaires, sont en réalité incompatibles. Scelle écrit : « Vers quelque côté que nous nous tournions, nous voyons que le syndicat n'incarne pas le métier. Qui plus est, la législation syndicale est encore insuffisante pour produire la paix sociale. C'est ce défaut qui se trouve à la base de l'attitude combative adoptée par le syndicalisme, lorsqu'il tente de surmonter les pouvoirs juridiques qui lui sont refusés par la loi, c'est-à-dire de devenir représentatif et souverain d'une profession organisée et unifiée; de passer du domaine de la loi privée à celui de la loi publique, d'une forme associative à une forme administrative, d'assumer de force la défense des intérêts professionnels et, au moyen de syndicats ouvriers obligatoires, de dissoudre le conflit fondamental et irréductible entre la liberté individuelle du travail et la représentation professionnelle d'intérêts constitués [1]. »

Mario Gianturco dit dans le même sens : « C'est en réalité un dilemme qui se présente ainsi : soit absorption des non-organisés, soit impotence des organisés. Le principe de la solidarité professionnelle a une bien plus grande importance que celle de la liberté du travail. » Les absurdités et les incongruités des lois françaises concernant les ouvriers seraient là par conséquent pour marquer un point critique en faveur du Droit naturel de l'individu. Le point de vue

1. *Droit ouvrier.*

individualiste de la Révolution serait de laisser faire [*abandon*] ou de réformer; plus profondément que cela, l'intérêt de l'individu et ses droits imprescriptibles seraient en opposition.

Mais, par une analogie troublante, un problème exactement équivalent surgit quant à la souveraineté de l'État. Il semblerait vraiment que la Société des Nations, étant une association d'États, devrait être réduite à l'impuissance par ce même principe de souveraineté. Tout d'abord, les obligations imposées par les articles 10, 12, 13, 15, 16 et 17 du Traité de Versailles furent réduites au strict minimum pour éviter de donner du poids à ce principe. En dépit de cette modération, nous connaissons les difficultés que ces articles ont rencontrées, et en particulier l'attitude du Sénat américain envers l'article 10. Et, d'ailleurs, les travaux de l'Assemblée à Genève sont constamment minés par ce même principe. Il n'y a qu'à remettre en mémoire l'attitude de trop nombreux États quand l'établissement de la Cour de La Haye et la Réduction des Armements furent discutés en 1920.

En d'autres mots, pour résumer ce qui vient d'être dit, de grands dangers ont surgi depuis 1789 pour menacer les nations aussi bien que les individus. On a utilisé l'association comme défense : mais l'association ne doit plus être considérée comme un contrat par lequel les contractants ne cherchent qu'à sauvegarder leur liberté respective. Si, en vérité, les termes ou même les tendances de maintes choses conservent cet ancien aspect d'association, il semblerait qu'une nécessité urgente oblige les associés non seulement à renoncer temporairement à leurs droits, mais à abandonner la notion elle-même. Le travail du philosophe doit être de reconstruire les concepts de Droit naturel et de Souveraineté de l'État sur une base de faits.

Mais, d'un autre côté, on ne peut nier que la Guerre a eu lieu. Actuellement, si nous considérons une dispute entre un certain nombre d'individus, nous remarquons que chacun conçoit avant quoi que ce soit d'autre une idée de son propre Droit réel. En ce sens, chaque pays belligérant, l'Allemagne autant que la France, a vu à cause de la Guerre la renaissance de la notion de Droit réel, absolument idéal et supérieur aux faits.

Il nous faut par conséquent examiner ce que valent les réconciliations proposées par les philosophes et les juristes français, et si en fait la réconciliation est vraiment possible ou même désirable.

Nous allons examiner les doctrines de Hauriou, de Davy

et de Duguit. La forme même de cette étude ne nous permet pas d'aller au-delà. Mais, pour mentionner d'autres noms aussi connus, nous dirions qu'Emmanuel Lévy devrait être classé avec le mouvement représenté par Davy, et — non sans quelques réserves — Michaud avec Duguit; quant à Gény, il vient à mi-chemin entre Hauriou et Duguit.

## II

Il y a un ouvrage philosophique intitulé *Vers le Positivisme absolu par la voie de l'Idéalisme*. Je crois qu'après examen de la doctrine de Hauriou l'on peut intervertir les termes : « Vers l'Idéalisme absolu par la voie du Réalisme. » C'est là le titre général que nous pouvons donner à son œuvre.

Il est temps de définir ces mots. L'idéalisme de la Loi serait cette attitude intellectuelle qui considère le fait et l'idée ensemble, et l'idée comme supportant le fait. Le réalisme de la Loi ne considérerait que le fait; d'où la notion allemande de Force, puisque la Force est un fait.

Mais il est possible de partir du fait — puisque nous avons subi l'influence du réalisme d'avant guerre — et puis de chercher l'idée. Le résultat serait, dirons-nous, un idéalisme expérimental ou empirique. C'est la position que Hauriou a essayé de prendre.

Il part du fait : la donnée primaire sera le fait seul, c'est-à-dire l'intérêt qui fonde l'institution objective. A ce titre, il n'y a ni souveraineté ni droit individuel, puisque Hauriou considère ceux-ci comme des idées. Il n'y a rien de plus qu'un corps attendant une âme, et dont l'individualité objective tend à se consommer en une individualité subjective. Il y a un fait, mais ce fait *tend* vers la Loi. Il y a, par exemple, un État né d'intérêts complexes, et cet État *tend* à devenir une personne souveraine. Il faut admettre que c'est justement la transition d'un terme de l'antinomie à l'autre qui est si délicate. Hauriou déclare que « si nous identifions la centralisation politique et judiciaire avec le corps et la personnalité morale avec l'esprit, notre attitude n'est pas alors d'expliquer le corps par l'esprit mais plutôt l'esprit par le corps, de faire de l'esprit, comme dans la formule aristotélicienne et thomiste, "L'Acte du corps organique", d'expliquer comment le corps, qui détient en son pouvoir l'âme incorporée, cherche lui-même à agir de façon à la rendre réelle. Nous ne rendons pas la loi publique subjectiviste en ce sens que nous n'expliquons pas l'organisation de l'État par les décrets de la volonté subjective d'une personne morale préexistante. Nous rendons la loi publique objectiviste en ce sens que nous admettons que l'État soit organisé par lui-même comme un ordre de choses au moyen de ses activités élémentaires; mais nous ajoutons que, par un besoin de liberté, le corps de l'État tend vers la personnification [1]. »

Mais cela n'est qu'une métaphore. Les détails de cette transition du fait vers la loi doivent être définitivement montrés. Selon Hauriou, du moment où une conscience pense le fait, l'individualité objective est un centre d'intérêt. L'individualité subjective est le sujet s'identifiant avec son intérêt. L'État considéré comme une institution objective est né des circonstances. Mais les différents individus groupés dans cet État *pensent* que l'État, et par conséquent le fait, l'État, est transformé en l'*idée*, la Souveraineté. Hauriou pousse son analyse encore plus loin : un certain nombre d'individus s'assemblent pour fonder une institution dans un but social. Ce but, peut-on dire, n'est alors que la représentation que le groupe se fait. Mais le groupe est unifié par l'idée d'un but commun à poursuivre. C'est cette idée qui lui donne sa « personnalité morale ». Dans le système de Hauriou, Davy dit : « Les personnes intéressées *pensent* l'intérêt en jeu dans leur entreprise collective et celui-ci devient finalement la chose recherchée. »

A ce niveau il manquera encore le libre arbitre à un sujet avant qu'il puisse constituer une *personne morale*. Il est remarquable que Hauriou place cela à un second niveau. Parmi tous ces auteurs, qui tirent leur connaissance des événements, il y a une certaine prudence envers la volonté inconditionnelle. Le résultat, la fin sociale, est laissé au premier niveau. Hauriou, par exemple, considère cette volonté ou ce pouvoir de réalisation comme un organe exécutif et par conséquent dépendant. Et il l'introduit dans son système avec tant de réserve qu'il commence par déclarer qu'elle a tendance à se retourner contre les sujets de la loi qui l'emploient — et c'est ainsi que nous avons une monarchie absolue. Les sujets de la loi ripostent en l'absorbant et en l'assimilant — et c'est ainsi que nous avons une souveraineté nationale.

Qu'est-ce donc que l'État pour Hauriou?

Une institution née de la nécessité — qui constitue un gouvernement. Certains prennent part à ce gouvernement,

1. *Principes de droit public.*

d'autres le représentent, et ainsi l'État devient une idée commune. Jusqu'ici il est souverain.

Mais nous devons noter que Hauriou ne peut pas s'arrêter là. Penser un fait n'est pas après tout le transformer en loi. Puisque mes pensées s'attachent à cette table, celle-ci est un fait, mais je ne peux pas la doter d'une existence légale. C'est pourquoi Hauriou doit faire un autre pas en avant et déclarer que « le sujet moral, l'État, est l'idée sociale se pensant en volonté commune ». Mais ceci, c'est clairement abandonner ses prémisses. Une telle phrase et des passages semblables montrent que l'idée sociale n'est pas comme auparavant née du fait, qu'elle n'est plus le fait comme pensée, mais qu'elle est indépendante. Ici Hauriou est clairement idéaliste et doit reconnaître l'échec qu'il a subi. Il voulait partir de ce qui est pour faire la synthèse de ce qui devrait être, et, échouant, il a dû postuler ce qui devrait être, non comme résultant de ce qui est par un processus naturel mais comme existant en soi. Et à ce niveau de la théorie il y a confusion : le fait et la loi coexistent, avec certaines relations intelligibles. Ceci est le mieux prouvé par le fait que dans son ouvrage le plus récent il réalise la nécessité de revenir en arrière pour fonder le fait sur le droit. Il écrit : « Nous allons bientôt montrer que la fondation de toutes les institutions sociales suppose l'intervention d'une idée objective réalisée par le fondateur dans un travail ou dans une entreprise. La fondation de l'État présuppose, par conséquent, l'idée de l'État, et les volontés subjectives ne font que se lier autour de cette idée, qui les transcende, tout comme toutes les idées objectives transcendent la conscience individuelle. C'est grâce à cet élément d'idée objective que le fondateur qui a la charge du pouvoir préétatique peut faire naître le pouvoir étatique. »

Cela est sa pensée la plus récente, et en vérité il ne peut guère aller plus loin; d'abord il a posé la priorité de l'institution objective existant en fait par rapport à l'individualité subjective, qui est le sujet du droit. Puis il a présenté l'Idéalisme se joignant au réalisme comme à son complément naturel. Duguit et les réalistes ont semblé — par manque de clairvoyance — s'être purement et simplement arrêtés sur la bonne voie.

Mais Hauriou a considéré que le fait d'être représenté dans une conscience n'était pas suffisant pour donner à l'État la nature de sujet du droit. Il a par conséquent proposé l'idée d'une réalité indépendante, reconnaissant que cela seul pouvait conférer le droit. A cette étape seconde de sa pensée, l'idéalisme et le réalisme coexistent, et chacun a une double fonction.

Et enfin, pour mettre de l'ordre dans ce chaos, et voyant plus clairement le postulat qui est le sien, il revient en arrière et donne la priorité, par rapport à l'institution objective, à un libre arbitre au service d'une pure idée. Et là il se reconnaît comme vaincu ; il a dû abandonner complètement le réalisme, puisqu'il proclame que l'Idée et la Liberté sont à la base de la Souveraineté. La notion de Droit réel revient à sa place d'honneur, mais le problème pratique auquel nous sommes confrontés reste non résolu.

*

Davy adopte une attitude familière aux sociologues de l'école de Durkheim ; il s'applique à démontrer qu'une explication scientifique des faits sociaux, tant qu'elle est sociologique, ne les prive pas de leur valeur idéale. Durkheim pensait, assez naïvement, laisser à la religion son contenu entier tout en affirmant qu'elle venait d'une réalité extérieure à l'individu, à savoir la réalité sociale.

Davy a traité le problème de la souveraineté du même point de vue.

Quelques explications préliminaires sont nécessaires. Le postulat fondamental, non pas, il est vrai, de la sociologie, mais de la sociologie française, est qu'il y a des représentations collectives. Durkheim écrit : « Il y a des manières d'agir, de penser, de sentir, qui possèdent cette remarquable propriété qu'elles existent hors de la conscience individuelle. Qui plus est, ces types de conduite et de pensée possèdent un pouvoir impératif et coercitif en vertu duquel ils s'imposent à l'individu. Ils ne peuvent avoir d'autre substratum que la société, que ce soit la société politique comme un tout ou un des groupes partiels qu'elle comprend — sectes religieuses, factions politiques et littéraires, corporations professionnelles, etc. [1]. » *Sui generis*, ces faits sont des représentations collectives. La nature de celles-ci est conçue comme exactement identique à celle des représentations individuelles. Il s'ensuit qu'il y aura des jugements de valeur collectifs tout comme il y a des jugements de valeur individuels. Bouglé écrit : « Je fais reposer mon jugement sur un certain nombre d'habitudes, sur un certain nombre de règles, sur certains types d'idéal pour lesquels je ne suis pas personnellement

1. *Règles de la méthode sociologique.*

responsable. Je les postule dans la société dans laquelle je vis; ce sont des faits. Les valeurs m'apparaissent comme des réalités données, comme des choses. Les jugements de valeur incarnent les sortes de réalités qui apparaissent dans la société dans laquelle je vis. Mais, si elles apparaissent de cette façon, n'est-ce pas parce qu'elles sont en un sens dues à cette société dont elles sauvegardent la vie?... La société crée les idéaux... Les valeurs sont objectives parce qu'impératives, et impératives parce que collectives [1]. »

Tout évidente est l'application de cette formule au problème envisagé. Davy écrit : « En étudiant ces faits... et du point de vue réaliste, nous critiquons l'existence de droits. Chacun de ces droits dénote une valeur, reconnue et consacrée comme un idéal, digne de respect et qui ne doit pas être enfreinte sous peine de sanctions. De sorte que la Loi n'est pas fondée sur "l'essence idéale de l'Homme comme une fin en soi". C'est la valeur attribuée par la collectivité à certains faits, à certaines personnalités, et la Souveraineté de l'État n'est rien qu'une valeur attribuée à cette institution. »

Mais Davy ne se limite pas à ces conditions générales : il va jusqu'à montrer l'évolution de la Société de ce point de vue [2]. Au début, la Souveraineté, cette valeur impérative et coercitive, est distribuée dans toute la tribu. Chaque homme baigne dans la souveraineté; il n'y a pas d'État. Il y a une entité impérative coercitive manquant de pouvoir individualisé. Mais peu à peu cette force diffuse, cet effet de représentations, se concentre en quelques individus. C'est la même force qu'auparavant, sauf que quelqu'un l'a absorbée entièrement. C'est ainsi que nous passons des tribus aux empires. L'établissement de républiques ne marque qu'un changement de plus; cette force, concentrée jusque-là en un seul homme, appartient désormais à la nation. L'histoire politique est alors l'étude des différentes vicissitudes que cette force a subies, tout en restant identique à elle-même mais en ayant des effets plus ou moins importants et appartenant tantôt à l'individu, tantôt à toute la communauté.

La Souveraineté de l'État existe, ainsi, à la fois comme un fait et comme une valeur. Pour le moment, l'État est vraiment une personne morale employant une volonté unique et toute-puissante. De plus, l'individu possède une personnalité qui lui confère des droits sur lui, et ces droits ont une valeur idéale. Mais cette souveraineté et ce droit naturel ne viennent

1. *Leçons sociologiques sur l'évolution des valeurs.*
2. *Des clans aux empires.*

pas à l'individu ou à l'État de leur propre nature essentielle, mais d'une valeur qui leur est attribuée par un pouvoir collectif dont les décrets lient les individus. De cette façon le Réalisme et l'Idéalisme sont réconciliés. De cette façon, également, percevons-nous la solution d'un problème pratique de l'après-guerre : l'État et l'individu, entités de leur propre droit, ne pouvaient pas s'adapter, l'un à une Société des Nations, l'autre à une union obligatoire. Mais c'est ici une question de valeurs que la conscience collective peut apprendre à transférer. Nous n'avons qu'à paver la route d'un transfert qui soulagera chaque individu isolé et chaque État particulier de cette personne morale et la transmettra au groupe.

Cette théorie montre un progrès réel par rapport à celles que nous avons déjà discutées. Elle n'est pas cependant entièrement satisfaisante. Tout d'abord, elle se dit réaliste quant à la méthode sans considérer qu'au fond elle implique un postulat métaphysique; bien que proposant et conditionnant en fait le postulat scientifique des « représentations collectives », les sociologues admettent implicitement la notion de synthèse créatrice. Si, selon eux, la Société est une entité distincte, jouissant de sa propre vie et plus grande que les individus qui la composent, c'est parce qu'ils adhèrent au principe que « le tout est plus grand que la somme de ses parties », c'est seulement parce que je peux comparer cette somme et ce tout; en d'autres termes, la somme des parties peut m'être donnée comme distincte du tout, ce qui par hypothèse est impossible. Dans le monde, il y a des touts et des parties, et rien d'autre; je ne peux pas savoir par conséquent si quelque chose d'entièrement nouveau peut apparaître de l'addition des parties. Il est vrai que le tout est plus grand que la partie, mais ce truisme ne peut suffire à fonder le postulat de la synthèse créatrice.

Dans la sociologie française, on a donc recours (à la base ou finalement, comme on voudra) à une notion métaphysique très douteuse. Il s'ensuit que chaque fois que les sociologues français ont marqué un point, la transition de l'observation des faits à une théorie est sujette à controverse. La brillante étude de Durkheim, *Les Formes élémentaires de la vie religieuse*, en offre un exemple. Son étude la plus exhaustive sur les religions australiennes nous conduit à la notion de « Mana ». À ce point de ses recherches, Durkheim cherche à expliquer le Mana par l'idée d'un groupe se représentant lui-même symboliquement. Mais cette explication même est basée sur l'argument le plus fragile du livre; il semble surimposé et non déduit des faits. Nous comprenons qu'il y avait originalement deux pôles : les faits et la théorie générale de la Société, et que Durkheim cherchait un terrain commun où les harmoniser. De la même façon, les recherches de Davy dans *La Foi jurée* ne corroborent pas ses conclusions, qui restent indépendantes et en suspens au-dessus des faits. Acceptons cette théorie pour un moment; elle est explicative mais non essentielle. Je veux dire que pour moi elle explique véritablement l'origine de cette croyance innée en la Loi que je trouve chez les individus. Mais, au-delà de cette explication, elle va trop loin si elle prétend que nous pouvons garder la même attitude qu'auparavant envers la loi. Quels qu'aient pu être ses efforts pour maintenir l'idéalisme, Davy chasse la notion de valeur des faits qu'il a étudiés. Les faits seuls demeurent; c'est-à-dire qu'en dépit du postulat métaphysique qui gâte son réalisme, il n'a pu réussir à trouver la moindre place dans sa théorie pour l'idéalisme. Cette tentative de conciliation demeure par conséquent vaine.

## III

## *Duguit et la Théorie réaliste de la Valeur*

Il semblerait, alors, que la cohérence, et par conséquent la plus grande probabilité de vérité, soit avec ceux qui se décident à renoncer à l'un ou l'autre des deux pôles opposés que nous avons décrits et à se déclarer franchement réalistes ou franchement idéalistes. De nos jours, l'idéalisme classique représenté par Esmein, c'est-à-dire la seule forme rationnelle d'idéalisme qui soit actuellement possible, n'attire que peu de disciples. Car, entre autres choses, il ne peut s'adapter aux faits nouveaux des années d'après guerre. C'est, pouvons-nous dire, une survivance. Et ainsi nous devons nous tourner vers Duguit et le réalisme : « Je maintiens, écrit Duguit, que la notion de l'État comme pouvoir public qui peut souverainement imposer sa volonté parce que sa nature est supérieure à celle de ses sujets est imaginaire, qu'elle ne repose sur aucune base de réalité, et que cette supposée souveraineté de l'État ne doit être expliquée ni par le droit divin, qui implique une croyance au surnaturel, ni par la volonté du peuple, hypothèse gratuite, non prouvée, indémontrable. L'État est simplement le produit d'une différenciation naturelle. »

L'État n'est pas une personne et n'a pas d'activité souveraine : c'est une *fonction sociale*. Cette fonction sociale poursuit un but qui est d'intérêt commun et a par conséquent certains pouvoirs qui sont nécessaires pour atteindre ce but. Mais ces pouvoirs tendent à appartenir de plus en plus au but poursuivi. L'erreur de l'idéalisme a été de perdre de vue ce but et de postuler les pouvoirs de l'État comme existant par eux-mêmes. Mais notre évolution législative va précisément dans la direction opposée et tend à déterminer les pouvoirs accordés à la lumière des buts poursuivis. L'État est par conséquent graduellement reconnu comme n'étant qu'« un groupe d'individus acquérant une force qu'ils emploient à créer et à protéger les services publics ». Qu'advient-il alors de la souveraineté interne, c'est-à-dire du pouvoir de faire les lois? Elle devient simplement le pouvoir de faire des édits qui sont obligatoires parce qu'ils se conforment à l'intérêt social. Et d'où provient cette nécessité? De la solidarité commune considérée comme fait aboriginal.

De telle sorte qu'au fond il y a un fait : la solidarité, qui conditionne les différenciations ou divisions du travail social. D'elle proviennent ces diverses fonctions, dont certaines sont remplies par des individus, telles que les fonctions de l'homme capitaliste ou professionnel, d'autres par des groupes d'individus comme l'État. La notion de sujet du droit (ou de la loi) est alors remplacée par celle de fonction. Mais ces fonctions ne sont pas établies arbitrairement. Le facteur déterminant n'est pas ici la force mais la nécessité, et la nécessité préside à leur naissance. La Société est un organisme dont les différents organes remplissent leurs fonctions comme les différents organes du corps humain, mais « avec la conscience en plus ».

L'importance de cette théorie est claire; je n'ai pas de droit et mon voisin n'en a pas plus que moi, pas plus que les aiguilles d'une montre n'ont le droit de tourner. J'ai simplement — simultanément ou successivement — un certain nombre de fonctions à remplir. Si quelqu'un me gêne, il ne viole pas quelque vertu mystérieuse en moi — la dignité humaine, si l'on veut. Il y a seulement disruption dans l'organisme social. Mes fonctions sont entravées, et ce n'est que pour que je puisse les remplir sans entraves qu'un ensemble de règles a été fait pour me protéger. Ma liberté n'est pas un droit mais un devoir.

Ici les idéalistes peuvent répondre que supprimer le droit pour préserver le devoir est, en dépit de tout, leur accorder plus qu'ils ne demandent. Mais Duguit a soin de répondre :

« Pourquoi une certaine ligne de conduite devrait-elle être imposée à un homme ? Parce que, s'il n'agissait pas de cette façon, la vie sociale serait attaquée dans son principe même, la société se désintégrerait, et l'individu lui-même disparaîtrait... Ce n'est pas plus un devoir au sens éthique du mot que ce n'est une obligation pour les cellules du corps vivant de se conformer à la vie du corps [1]. »

Quelle conclusion devons-nous tirer de ce concept ? Considérons un instant les hypothèses précédentes : pour elles, l'individu a quelque chose de plus qu'une individualité organique, et, d'ailleurs, celle-ci ne suffit pas à constituer l'individu. Ce qui est essentiel est un certain caractère de liberté établi mais intangible, faisant de l'homme une sorte de force spirituelle qu'il est impossible de détruire. On accorde du respect à un moi transcendantal, supposé être au-dessus et au-delà du moi organique. Pour le reste, l'État est analogue à l'individu, de telle sorte que nous devons aussi accorder à l'État une force spirituelle et un moi transcendantal.

C'est exactement ce moi transcendantal que Duguit supprime, de telle sorte que rien d'autre ne reste que l'organisme. Si Pierre diffère de Paul, ce n'est pas en droit, mais parce que chacun d'eux est le résultat d'une série causale déterminée. Et à vrai dire Duguit ne considère pas plus que Hauriou ou Esmein que l'individualité numérique est suffisante pour établir la personnalité. La vraie source de la personnalité est la *fonction*. Je ne suis une personne que dans la mesure où je joue un rôle unique dans la société. Mais il est très possible que la nécessité force un nombre d'hommes à remplir la même fonction. Et, dans ce cas, ils tireront de leur fonction une individualité collective. L'idéal du réalisme sera, par conséquent, de supprimer la fiction de l'autonomie de l'individu et de ne faire de celui-ci que le tenant d'une fonction, de remplacer l'État comme autonome par l'État comme personne. L'individu devient alors un rouage, et ceci permet à l'union de devenir obligatoire sans le priver d'aucun droit, et l'État devient une fonction, d'une part vis-à-vis des gouvernés, d'autre part vis-à-vis des autres États. Le jour viendra-t-il jamais où la nécessité sociale forcera la création d'une fonction supérieure, un super-État ? Les différents États perdraient leur personnalité déterminée et spirituelle, pour ne garder que leur individualité nationale, c'est-à-dire celle qu'ils ont en vertu des différences naturelles de leurs ressortissants. Il

1. *Souveraineté et Liberté.*

n'est plus question de priver l'État de sa souveraineté. Il n'y a plus de Souveraineté de l'État.

Quel est alors l'idéal de Duguit? C'est que l'Europe devienne un immense organisme fait de fonctions entrecroisées qui possèdent une individualité en vertu du but assigné à chacune. Au sommet il devrait y avoir un super-État qui ne soit lui-même que la Fonction des fonctions. Il unirait des États privés de leur personnalité agressive, c'est-à-dire de leur souveraineté. A l'intérieur de ces États, devraient fonctionner des groupes ou des syndicats, rouages à l'intérieur de rouages, et ce n'est qu'en tant que membres de ces syndicats que l'on trouvera — au lieu des personnalités irréductibles auxquelles nous sommes habitués — des organismes numériquement différenciés, c'est-à-dire des hommes dont la liberté n'est que le devoir de remplir leurs fonctions.

On peut m'accuser d'exagérer les idées de Duguit, et il est certain qu'il n'a nulle part énoncé clairement son idéal; mais il est facilement reconnaissable comme tendance de tous ses ouvrages. Manifestement, il propose une solution claire et simple du problème pratique de l'État, et donne une nouvelle formule d'accord international qui peut s'exprimer ainsi : la poursuite entre États de buts communs nécessite de leur part une activité harmonieuse qui sera seulement réalisée quand nous cesserons de croire à leur personnalité transcendantale, et quand nous ne les penserons que comme représentants des différences naturelles entre les nations (territoire, race, langage).

Il semble que ceci doive être la conclusion inévitable de l'évolution politique de l'Europe.

Pour conclure, il semble qu'en France on ait plus ou moins décidé de traiter de questions comme celle de la souveraineté de l'État par la méthode réaliste. Mais les sentiments nationaux éveillés par la Grande Guerre ont amené certains auteurs à poursuivre par cette méthode une fin idéaliste, qui donnera l'idée (ou plutôt le sentiment) du Droit réel. Ce faisant, ils négligent des problèmes urgents. Mais les complications et la fragilité de leurs systèmes leur aliènent le soutien d'une nouvelle génération éprise de simplicité et de solidité. Il semble, alors, que l'avenir est à ceux qui, pour ces questions, se décident à ne rien attendre d'autre des méthodes réalistes que des fins réalistes, et qui réalisent que celui qui part des faits doit finir par des faits.

## *Légende de la vérité*[1]

La vérité ne naquit pas d'abord. Les nomades belliqueux n'en avaient pas besoin, mais plutôt de belles croyances. Qui peut dire ce qu'il y a de vrai dans une bataille?

Aux besognes lentes du laboureur, il ne fallut, plus tard, qu'une vraisemblance des ensembles, une foi sûre dans la constance de ces grandes masses sans frontières, les saisons. J'imagine qu'il faisait bon accueil aux dieux errants et qu'il écoutait leurs merveilles sans émoi ni soupçon, laissant le vrai et le faux dans leurs limbes, tandis qu'au-dehors le vert des épis prenait insensiblement plus de ressemblance avec le jaune. La familiarité avec la croissance continue des céréales donnait une force souple à son esprit. Il n'exigeait pas des objets qui tombaient sous sa vue qu'ils s'enfermassent dans les limites d'une nature sans caprices et recevait tout uniment leurs soudains changements, s'en remettant à ses plus obscurs pouvoirs pour leur donner une unité trop diverse encore pour notre raison. Les cris de la foule ne le poursuivaient pas jusqu'en ses pensées, il était assuré, parmi elles, d'une solitude absolue. C'étaient des forces noueuses, profondément enracinées, rebelles au discours, et qui ne paraissaient convenir qu'à lui seul. Son regard allait de l'une à l'autre comme un voyageur, de retour au foyer, considère tour à tour les visages de ses proches, les uns tout souriants, les autres baignés de larmes. Ces visages se tendaient vers lui dans la pénombre, comme des plantes vers le soleil, et, parfois, il prenait peur à sentir en lui tant de choses vivantes.

La vérité procède du Commerce : elle accompagna au marché les premiers objets manufacturés : elle avait attendu

1. Cf. 31/6.

leur naissance pour sortir, tout armée, du front des hommes.

Conçus pour répondre à des besoins rustiques, ils en gardaient toute la primitive simplicité : les pots, tout ronds avec une anse grossière, n'étaient rien de plus que l'ébauche du geste de boire. Les racloirs, les herses, les meules apparaissaient seulement comme l'envers des actions concertées les plus usuelles. Il fallait en dégager une seule pensée, pensée en repos, immobile, muette, sans âge, plus dépendante de l'objet que des esprits, la première pensée impersonnelle de ces temps reculés, et qui restait, en l'absence même des hommes, à planer au-dessus des œuvres de leurs doigts.

Si le scepticisme, en effet, vint des champs, apportant les arguments du Chauve, du Cornu, du Boisseau, c'est que nulle vue définitive ne pouvait convenir à la poussée des moissons. Mais sur les premiers instruments, morts dès leur naissance, des paroles immuables devaient être prononcées. Ce qu'on pouvait dire d'eux valait jusqu'à leur destruction et, même alors, nulle insensible altération ne venait troubler le jugement : les vases, s'ils tombaient, se brisaient en miettes. Leur pensée éponyme, soudain libérée, bondissait dans les airs puis revenait se poser sur d'autres vases.

Les Artisans, enfin, en façonnant le silex ou l'argile n'avaient pas ignoré le souci naissant de la forme. Mais leur effort abrupt, essoufflé en chemin, s'était arrêté bien en deçà de la beauté, en ce domaine confus où les angles, les arêtes, les plans sont les éléments indistincts de l'Art et du Vrai.

Tels quels, les premiers ouvrages humains devaient trancher absolument sur les productions naturelles, et la stupeur où, une fois parfaits, ils précipitèrent leurs artisans ne peut se comparer qu'à celle de certains savants devant les essences mathématiques. Elle les mit à deux doigts de trouver le fameux mythe des pensées vraies.

L'Économique fit le reste. Au marché, les hôtes naïfs des dieux firent l'expérience de la tromperie. On mentit avant de dire vrai, parce qu'il s'agissait seulement de voiler quelques natures neuves et singulières dont on ne savait pas au juste le degré de réalité. Une riposte spontanée mit au jour aussitôt les premières vérités. Elles ne portaient pas encore ce nom de Vérité, promis à tant de gloire : c'étaient simplement des précautions particulières contre les trompeurs. Chacun, tournant et retournant le vase du marchand, prit soin de garder en sa maxime l'idée particulière de ce vase et d'y rapporter toutes ses découvertes. On convint qu'un vase ne devait pas être en même temps intact et fêlé. Qui donc eût osé fixer de semblables limites aux fruits spontanés de la terre ? Mais ici l'on ne faisait qu'exhumer de l'argile l'intention même du potier. On prit cent autres précautions de cette espèce, qui ne furent jamais déduites d'un principe général : l'occasion, des réflexions déterminées, la nature même des denrées produisaient singulièrement ces règlements de la police du marché. Ces jeunes vérités n'étaient donc d'abord qu'autant de principes régulateurs du troc, concernant les relations des hommes entre eux et s'appliquant aux produits de l'industrie. Elles naquirent d'une réflexion de l'homme sur son œuvre, non sur les existences naturelles.

Un marché aux paroles s'établit facilement dont le siège n'était point différent de celui de l'encan. On y échangeait des parades, des calculs, des artifices, des ruses circonspectes de marchands. Les produits du discours y connurent la rationalisation bien avant les autres : un modèle unique s'imposa. Ce fut comme si, en l'arrêtant, on avait pris en considération les besoins, les possibilités d'achat des plus pauvres. On mit en circulation des entités simples, claires et inusables.

La puissance du marché libéra les hommes de leurs grandes forces intérieures. En leur plus secret conseil ils introduisirent un tour, un établi à l'image de leurs instruments de bois. Ils saisissaient au fond d'eux-mêmes d'inimitables natures et les mettaient sur le métier. Ils n'y allaient pas de mainmorte, courbant, redressant, faisant sauter les nœuds, et pleuvoir les copeaux. Puis ils portaient à la foire aux vérités des rognures bien rabotées, bien équarries, pourtant plus proches que les nôtres de leur première profondeur. Il arrivait bien qu'on fût trompé, qu'on achetât des juments cagnardes, de mauvaises paroles : on s'en rendait compte à l'usage, faute de pouvoir les repasser. Soudain, comme des bêtes maquillées qui révèlent leurs tares, ces pensées fardées apparaissaient inexplicables et nues. Alors, dans sa terreur d'être seul à les posséder en sa mémoire, l'homme frustré les jetait rageusement au rebut. A la suite de semblables accidents, on prit la coutume d'en user avec les paroles comme ces changeurs qui mordent les pièces de monnaie ou qui les font tinter sur le marbre : chacun, de toute sa hauteur, les faisait tomber au fond de soi, épiant le son qu'elles rendaient. Ainsi naquit l'évidence, précaution contre ces précautions.

Mais nul ne croyait pratiquer l'échange en ces matières, ni qu'il y eût une économique du vrai. C'est que chacun, quand il faisait ses comptes au logis, retrouvant en sa mémoire ses propres marchandises sous ses récents achats, pensait avoir acquis du neuf sans rien avoir cédé.

Ainsi la pensée opérait lentement son passage de l'état de capital immobilier à celui de bien meuble.

Mais l'homme trouvait en lui-même un bouleversement mystérieux qu'il essayait d'expliquer avec des ressources pour la plupart encore mythologiques. Il produisit ainsi, en deux temps, la légende des Vérités. J'éprouve quelque embarras à retracer un mythe qui prit tant de formes et si diverses. Pour bien partir on le doit considérer comme la transposition du désarroi intérieur des contemporains, et c'est ce désarroi qu'il faut d'abord préciser.

L'homme avait longtemps produit ses pensées comme sa vie, elles adhéraient à son corps comme les animaux égyptiens façonnés par le soleil dans le limon du Nil, nés à demi et qui fondent dans la boue leurs pattes inachevées. Elles n'avaient d'autre lien avec les choses que la grande sympathie universelle, ni d'autre action sur elles que magique. Elles ne leur ressemblaient pas comme un portrait à son modèle, mais comme une sœur à son frère, par un air de famille; n'exprimant pas plus les plantes que les plantes n'expriment la mer; mais vivant, comme les plantes, les vents et la mer, avec des saisons, des équinoxes, des flux, des reflux, des croissances hâtives puis retardées, des reculs, des avances, des épanouissements hésitants, quelque chose de défait et de dénoué, une tournure, enfin, absolument naturelle.

Or voici qu'un irrésistible mouvement les poussait tout à coup à l'autre bout du monde, parmi les produits de l'industrie. On en retirait soigneusement la vie, on tranchait tous leurs liens avec la nature, on imposait des règles techniques à leur production, on en faisait enfin de précieux succès de l'artifice, mais inanimés, on leur conférait, en même temps, le titre redoutable de « représentations », nouvel honneur, nouveau devoir, et une foule anonyme se pressait sans relâche en l'esprit de chacun pour contrôler l'exercice de la fonction représentative. L'homme n'était plus seul avec lui-même. Lorsqu'il avait traité ses pensées par les méthodes industrielles qu'on lui dictait, il ne les reconnaissait plus pour siennes. Elles se tenaient sous sa vue, nettes, indépendantes, tranchées, si différentes de sa vie et de son cœur qu'il ne pouvait croire qu'elles venaient de lui, et qu'il s'imaginait les avoir introduites du dehors. Ainsi mutilé du meilleur de soi-même, il ne lui restait plus en propre que les mouvements organiques, les passions, agitations aveugles du corps. Au-dessus de cette chair en travail, torturée par la honte d'elle-même, planait Homunculus, l'esprit, dont on disait déjà qu'il était « impersonnel ». On voit poindre ici l'humilité chrétienne. Bref le respect, la honte, le besoin de savoir enfantèrent d'abord quatre Dieux, sans grande convenance entre eux, homonymes cependant, comme les innombrables Phœbus de Grèce.

Le commun, plus porté, en général, à attribuer la valeur à la matière qu'au travail, donna une substance précieuse et subtile à nos idées. Ils la nommèrent Vérité, et pensaient que si l'usure ou la flamme y effaçaient toute trace de nos labeurs, elle regagnait son lieu naturel sans rien perdre de son très grand prix.

C'est à la Forme au contraire que les délicats, plutôt frappés par la diversité des recettes techniques, rendirent leur culte. Elle fondait du soleil sur sa proie comme un faucon, et reprenait aussitôt le chemin du ciel, laissant à jamais parmi nous l'empreinte merveilleuse de ses serres. Cette déesse prit elle aussi le nom de Vérité.

La Magie dit son mot : le rapport de l'idée à son objet fut conçu à l'image du lien vivant et irréversible qui unissait aux hommes les statuettes de cire dont on perçait le sein. On donna la fabrication de l'idée comme un rite magique. Il semblait que l'homme imitât les choses en son cœur, pour les y attirer toutes vives. On nomma vérité cet envoûtement. Ce charme allait insensiblement à considérer l'objet lui-même. Or l'objet des pensées vraies n'était alors que l'ensemble des œuvres de l'art, poteries, couteaux, parures, tout ce qui ne saurait être sans une abstraite justice dans ses proportions. On imagina, comme on peut voir encore chez Platon, aux dernières pages du Philèbe, une puissance divine de la Mesure, force vive qui tirait les êtres du Néant, et cette force, projection dans le mythe de l'industrie humaine, reçut par une assimilation naturelle le nom de Vérité, si bien qu'on put dire dès lors « ce n'est pas parce qu'il est qu'il est vrai : il est parce qu'il est vrai ».

Forme, matière, rapport, mesure : aucune de ces quatre divinités n'était assez forte pour se soumettre les trois autres. Elles s'accommodaient tant bien que mal de vivre ensemble, attendant de dehors leur unification définitive.

Quelque prévôt des marchands conclut l'affaire : jusque-là le commerce et le vrai exigeaient que les hommes tombassent d'accord sur certains principes, d'abord aussi nombreux, aussi particuliers que les contrats : ce prévôt s'avisa de les réduire. C'était sans doute un homme brillant et abstrait comme ceux qui substituèrent le mètre aux mesures de nos anciennes provinces. D'un bout à l'autre de la halle où les marchands s'étaient groupés selon les affinités de leur négoce et dans la plus complète ignorance des coutumes qui régissaient les commerces voisins, un héraut apporta la confusion et l'émoi en publiant que tous les principes particuliers devaient être abandonnés au profit de cette maxime générale.

« Une chose ne peut pas être elle-même et autre chose qu'elle-même en même temps et sous le même rapport. »

Lorsque les marchands se furent familiarisés avec cette nouvelle loi, tous les chemins qui eussent pu ramener la réflexion vers le passé, vers une explication historique, se trouvèrent barrés. Mais en même temps les quatre dieux rivaux, liés fortement les uns aux autres, perdirent leurs contours et se fondirent en un seul. Cette nouvelle idole ne résolvait pourtant pas en son sein leurs incompatibilités. (Il demeura admis qu'une pensée pour être vraie devait concerner un objet existant, tandis qu'un objet pour exister devait être vrai, c'est-à-dire fournir la matière d'une pensée vraie. On accepta que la Vérité d'une pensée pût se découvrir par la simple inspection de cette pensée et à la fois que cette vérité résidât dans le rapport de l'idée à l'objet.) Ce qui lui donnait son unité c'était bien plutôt une forte volonté de la part de ses fidèles, en même temps qu'une grande insouciance de ses contradictions. Ainsi naissent les grands dieux, dévorant les dieux locaux tout armés et tout vifs, de pied en cap. Un souffle subtil parcourut le monde et les âmes, Vérité dans les Esprits, Vérité dans les Choses, Vérité dans l'étroite Union des esprits et des choses, force universelle et sans défaillance qui se coula bientôt à la place de ce dieu sans figure que les sauvages d'abord, les sociologues depuis ont nommé Mana.

L'essentiel dans ces imaginations et qui eut tant de suite en tant d'autres domaines, ce fut la dernière parure de l'idole, l'éternité. Elle allait de soi, puisque la timidité de l'homme l'empêchait de voir clair : ce qu'il inventait il pensait seulement le découvrir. Il fallait donc qu'elles existassent avant lui, ces filles si belles, en quelque lieu secret, dans l'unique souci de leur agencement. Le mot de « contemplation » qui fit fortune enleva les dernières redoutes. Il ne s'agit plus que de contempler un monde impassible de rapports imbriqués, de passements, de nœuds faits et défaits, de vestibules et de conduits, de figures s'évanouissant en d'autres figures, de formes qu'un gauchissement léger transformait en d'autres formes, comme ces dessins géométriques qui sont hexagones ou triangles au gré des mouvements de l'œil. Le sacrifice, comme plus tard au temps des arguties chrétiennes, fut complété par ce raisonnement-ci :

« Je suis libre de penser ce que je veux. Mais je ne puis

penser que le vrai, car ce qui n'est pas vrai n'est pas. Le vrai, sans doute, existe déjà, tout fabriqué, tout paré, s'imposant à ma vue, et je sens en moi, comme une inquiétude, le reproche de ma liberté frustrée : sans doute, mais c'est mal pris et, derechef, je suis libre de penser ce que je veux, car je ne veux penser que le vrai et ma liberté n'est que le pouvoir de me dégager des faux-semblants et de moi-même. Ce qui s'agite en moi présentement n'est que faiblesse, égoïsme de nouveau-né. La droite raison remet les choses en place, mon corps parmi les autres corps, et découvre le squelette de rapports impersonnels qui soutient ma pauvre chair de néant. Trop heureux si je puis élever les vérités qui constituent mon essence jusqu'au sein de la Vérité-mère et les rejoindre au souffle pur qui circule à travers ces formes sans défaut. »

Voilà donc les hommes dépouillés, seuls avec leur corps et méprisant leur corps, l'esprit écrasé sur des essences fabriquées. La nature et ses secrets, les vents, les météores qui traversent soudain le ciel, comme un doigt trace un signe sur le sable, les arbres tendant vers le soleil leurs bras irréguliers, les vallées et les campagnes composant avec la lumière et la couleur du temps des ensembles pénétrés d'un sens obscur et insistant, tout s'est évanoui. De même une torche allumée dans la nuit rétrécit soudain l'univers au seul visage du porte-flambeau. Nul n'a relevé les yeux, nul n'a songé à plonger la Vérité comme un glaive dans le cœur des choses : entre l'avènement de cette Vérité et le règne de la Science, il manque un chaînon.

Je dis donc que la Vérité, fille mythique du Commerce, engendre à son tour la très réelle Démocratie, constitution originelle, seule constitution, dont les autres gouvernements ne sont que des formes passagères.

C'est en vain que certains philosophes ont repoussé aux âges d'or leur précieuse Inégalité, elle n'y trouve pas de place. Si l'on en veut recueillir un maigre levain, qu'on le cherche chez ces peuplades arriérées où les femmes ne sont pas admises à parler entre elles le langage des hommes, autre syntaxe, autres principes, autre pensée. L'homme se fait juste assez comprendre pour commander. Pour le reste ses ordres tombent d'une sphère étrangère par-delà le vrai et le faux et peuplent ces âmes inférieures de grands blocs durs et solitaires, comme des aérolithes. Des ordres tombés du ciel, le sentiment commun que les desseins du maître sont impénétrables, l'impossibilité de réaliser avec lui un accord par principe, et, fût-il même conclu, d'en faire partir des chemins parallèles, tout ce qui contraint enfin à n'user que de la force nue ou d'une puissance intime et comme magique, voilà ce qui peut produire l'inégalité parmi les hommes.

Mais devant leur nouvelle Idole, devant la froide Vérité, les plus humbles se sentaient les égaux des Grands. L'esclave pouvait comprendre les ordres du maître ou, sinon, c'est que le maître avait obéi au gré de son estomac. Tout commandement, pour impérieux qu'il fût, supposait un accord préalable. Il importait peu que les chefs fussent de riches vieillards, des généraux vainqueurs, un roi fils de roi. De jeunes gens riches, pris en main par des sophistes, faisaient bien l'accaparement des marchandises verbales. Par là, à la foire, sur la place publique, ils imposaient leurs avis. Mais on peut voir d'après ce qui précède que ce capital amassé n'était qu'un objet d'échange, précisément parce que tout l'effort des hommes avait été pour détacher leurs pensées d'eux-mêmes; et que ce maître éphémère derrière son arsenal de pensées politiques ne s'imposait pas en vertu de sa nature unique mais au contraire par accord consenti, recherché, avec la foule, et par la très grande quantité de contrats particuliers qu'il avait en poche.

Voilà pour nos yeux : pour les yeux de ce temps la Vérité est là, égalisant toute chose. Plus de promptitude à la voir, sans doute, chez les intrigants. Mais chaque citoyen se dit à part lui que si un sophiste lui montrait l'idée vraie, il saurait comme eux la tenir sans défaillance en sa mémoire. D'ailleurs, lorsque Alcibiade a lancé une idée sur l'Agora, elle n'est plus à lui, et il ne peut conserver sa renommée qu'en renouvelant incessamment sa provision.

Et Socrate, s'arrêtant à discourir avec un esclave sur les figures de la Mathématique, c'était comme s'il avait dit : « Cet esclave aussi bien que moi peut être prytane. »

L'essence de cette constitution démocratique, plus vieille que l'histoire, est en ceci que tout homme peut toujours remplacer un autre homme en place, parce qu'un dialogue socratique par accord et raisons est toujours possible entre eux. C'est le souffle démocratique qui inspirait, sous la plus absolue des monarchies, celui qui écrivait :

« Le bon sens est la chose du monde la plus répandue. »

Les ascendances divines des Pharaons, le culte romain des Empereurs, le droit divin ne sont que des amusettes, des ruses ou des enjolivements : je veux voir mon sujet nu et je les laisse de côté. Désormais la cité que je considère c'est la Cité démocratique, peuplée d'Égaux.

De hauts remparts protègent les hommes contre toute atteinte naturelle, les forêts sont lointaines et muettes. Seul, le ciel demeure posé sur ces murs et quelques-uns, déjà, y tracent des triangles. Les maisons sont alignées selon les prescriptions de la Mesure, enfermant toutes derrière leurs volets une pensée vraie. Chaque citoyen se sent entouré, comme d'une carapace, de cet Univers artificiel. Il se tourne vers d'autres visages, intelligents et inexpressifs, et conclut prestement d'innombrables pactes logiques. La Vérité est un tyran cruel et adoré : en son nom on peut persuader le suicide au plus heureux des hommes. Circulez dans ces rues droites et régulières : tout y est commerce, arguties, inventions au compas. Seul l'oiseau, tirant son ombre légère sur le grouillement des discoureurs, vole assez haut pour retrouver dans ce concert de clameurs la force vague des grandes voix naturelles.

On apprit à se méfier de l'homme seul. Les ancêtres se rappelaient encore, avec effroi, l'arbitraire imprévisible et redoutable des tyrans. Ces hommes immenses et secrets, nés dans l'enfance de la République, comme les espèces géantes dans l'enfance du monde, et qu'on avait enfin égorgés parce qu'ils étaient par eux-mêmes puissants, produisaient soudain de surprenants cataclysmes, si disproportionnés même avec leur propre stature qu'une fois le désastre achevé, il n'était pas possible de le leur rapporter. Il fut inscrit aux portes de la cité que l'union seule fait la force et que celui qui fait sans aide l'ouvrage de plusieurs a recours aux maléfices.

De là vint un péril fécond : on avait chassé les thaumaturges; mais ils firent souche dans les bois et c'est ainsi qu'apparut une redoutable lignée d'hommes profonds, comme sortis de terre, qui voyageaient seuls, courbés sur un bâton. Les eaux grecques ont reflété, révélé à elles-mêmes leurs hautes figures sombres et basanées, et ceux qui se connurent ainsi par le miroir de l'onde, captifs de leurs visages, firent un étrange ménage avec leurs pensées. Tantôt ils s'y jouaient avec cynisme, sans souci de cette vérité qui pesait au loin sur les villes; tantôt, s'ils se remémoraient leurs propres faces, ardentes et sillonnées, ils prenaient peur à considérer les changements obscurs, les formes sans géométrie qu'ils portaient en eux et s'enfuyaient éperdus : nulle mesure, charlatans ou dupes d'eux-mêmes. La nature les aimait, leur prodiguait ses secrets. La peur leur donnait d'admirables spectacles. Ils se réveillaient de leurs terreurs tout-puissants, enivrés, emplis de mauvaise foi.

Par besoin, par malice, par vocation prophétique, ces merveilleuses canailles allaient de ville en ville, tenant en laisse, comme des ours, leurs connaissances terribles, et arrachaient l'aumône par intimidation, en les laissant un peu tirer sur la corde.

Ils parlaient de ces puissances inhumaines qui entourent l'homme et que les citadins ne voulaient pas voir, ils racontaient leurs terreurs nocturnes, leurs joies sous le soleil, et de vagues résonances s'éveillaient dans l'esprit troublé des Égaux, comme s'il fut resté derrière leurs notions proverbiales quelque chose de monstrueux dont ils n'eussent pu faire commerce et qui les eût condamnés à la solitude.

Il va sans dire qu'on mit à mort ces charlatans, chaque fois qu'on les put prendre par derrière. Mais lorsque leur race fut éteinte, une inquiétude éparse persista : derrière ces collines pelées et familières, ces carrières de silex, quel spectacle terrible attendait les hommes, quel danger inouï menaçait la République? Un sénat hardi envoya une expédition contre la nature.

Les premiers qui, se sentant soutenus par tout un peuple d'Égaux promenèrent sur les choses un regard démocratique furent choqués de la grande inégalité des effets. Un germe qu'on pouvait tenir sous l'ongle donnait naissance au plus grand des arbres, une vibration un peu forte de la voix humaine déterminait parfois des éboulis. Mais cependant, stériles et renfrognés, les minéraux demeuraient immobiles, guindés dans leurs formes sèches. Ce qui constituait une autre et bien plus dangereuse tentation c'est que certaines natures parlaient à l'esprit et que d'autres ne disaient rien. L'aristocratie naturelle parut intolérable à ces bons citoyens. Ils organisèrent donc le monde extérieur de façon qu'il demeurât la plus belle conquête de l'homme. L'esprit tout occupé par leurs belles maisons carrées, leurs places rondes, les grandes assemblées d'où s'élevaient tant de paroles sages comme, au-dessus de chaque homme, une petite fumée particulière, ils divisèrent les forces variables et spontanées; de chaque objet ils retirèrent soigneusement toute capacité personnelle : si cette pierre, en roulant, agissait, si elle était cause d'un changement parmi ses pareilles, il eût été subversif d'imaginer qu'elle en fût responsable. Toute son efficacité lui venait d'une délégation. De même le plus obscur des votants savait bien lorsque le dictateur déclarait la guerre, que ce redoutable pouvoir de vie et de mort lui était conféré d'en bas :

« Sans moi, pensait-il, moi qui l'ai élu, pourrait-il m'envoyer au combat? Mais moi-même, aurai-je pu provoquer le grand bouleversement? Il y fallait le concours de mes camarades. »

La force passait des uns aux autres et, finalement, au bras qui déchirait le traité. Une longue chaîne, des réunions, des actions réglées, concertées avaient leur aboutissement dans ce geste décisif, et la force n'était en propre à aucun d'eux : Eût-on soupçonné quelqu'un d'en avoir à lui seul, on l'eût exécuté aussitôt. Chacun n'était que le délégué d'un autre ou de tous les autres; considéré à part il n'était qu'un minéral, une pierre morte.

Il était donc légitime et comme pieux envers la Cité de supposer une pareille délégation dans la nature : c'était fonder un naturalisme de la démocratie. De cette façon et grâce à une ingéniosité tout humaine, la grande variété des phénomènes fit place à une convenable diversité de délégations. De petits citoyens nommés atomes, plus immobiles encore qu'un honnête commerçant de la ville, s'ils étaient laissés seuls, se communiquaient l'un à l'autre un pouvoir emprunté, réalisaient le soleil, le ciel bleu, la queue des paons, par solidarité. Un électeur se sentait à l'aise au sein de la nature, se réjouissait de la moralité du spectacle, pouvait expliquer sur de beaux exemples les bienfaits de l'entraide à ses fils.

Du même coup s'évanouissaient d'inquiétants mystères. Si, depuis la mort des Voyageurs, quelque soulagement venait déjà de l'idée qu'il n'était plus personne pour parler en termes ombreux de ces secrets, combien plus rassurant, plus léger, plus démocratique se leva le jour où l'on apprit que la nature n'avait plus de secrets : rien qui dût se garder au plus profond du cœur, comme une vieille haine, faute de mots pour l'exprimer; tout simple, la république jusqu'aux infiniment petits, un mouvement mesuré venant toujours du dehors et ressortant des êtres en même quantité qu'il était entré, la face de l'univers constante, animée seulement par une délicieuse multiplicité de sourires. Les fantômes rentrèrent dans les arbres creux.

Lorsque le vainqueur eut fait jeter à ses pieds les dépouilles de l'ennemi, il dit :

« Ne craignez point. Par-delà les monts, je n'ai rencontré qu'une grande machine un peu rouillée, conçue sans économie mais encore bonne. Mon rôle est fini. A d'autres la tâche de démonter ses mécanismes. »

On vit alors pulluler des sociétés reconnues d'utilité publique pour leur caractère strictement collectif et qu'on appela les Sociétés Savantes. Leurs premiers membres furent sans doute de fanatiques démocrates qui abandonnèrent leurs commerces ou leurs charges pour coloniser la Nature à distance. Pour être savant, il fallait d'abord être honnête homme et bon citoyen, posséder au plus haut degré l'esprit de tradition. Ils dépendaient chacun d'un de leurs confrères et celui-ci à son tour d'un autre savant. Les objets de leur étude subirent le contrecoup de cette fraternité : la nature devint un peu plus fraternelle, la solidarité atomique se resserra et chaque savant, accroché au passé, à ses multiples confrères présents, comme le plus crochu des atomes, put se pénétrer de l'idée qu'il n'était rien, rien sans ses devanciers, rien sans ses neveux et qu'il n'avait d'autre mission que de polir, pour autant qu'il le pouvait, l'œuvre de la collectivité.

Ils ne bougeaient de chez eux, mais se faisaient apporter par les militaires, au hasard des conquêtes, de grands morceaux de nature échevelés et vagues, qu'on déposait dans les cours carrées, à l'ombre mathématique des maisons.

Sur ces fragments transplantés, séchés par les longs jours torrides du transport, balafrés par les cahots, écrasés par l'appareil fatal de la civilisation, ils essayaient, d'abord au hasard puis méthodiquement, les plus récentes merveilles de l'art du coutelier, du forgeron, de l'horloger. Ils les coulaient dans des moules, les chauffaient, congelaient, mélangeaient, divisaient; ils employaient à les réduire des forces déjà soumises, comme on use de moutons dans les geôles pour venir à bout des coupables qui ne veulent pas avouer. Ils appelaient lois les rapports constatés entre une de leurs machines et quelque production naturelle. Les coupables avouaient ce qu'on voulait. Qu'eussiez-vous fait à leur place?

On peut lire chez certains philosophes, race dont nous allons nous occuper, que l'esprit est tout armé, soigneusement compartimenté, producteur huilé, glissant, silencieux, de l'intelligible et de la forme, mais qu'il lui faut une chiquenaude pour le tirer du sommeil où le plonge sa totale transparence. Sans l'étranger, sans celui qui vient du dehors opaque et inintelligible, il s'évanouirait en diaphane lucidité. Mais que l'informe tente follement de traverser son absence, il s'en empare, l'étourdit, le fragmente, lamine, désincarne, le réduit à brûler dans sa clarté.

Je n'y crois point, mais je pense que les philosophes, nés au milieu des machines, ont fait comme les anciens hommes qui élevaient jusqu'au sein des Dieux les objets familiers de leur entourage : ce qu'ils disent de l'esprit est issu d'une réflexion sur les machines et s'applique fort bien à elles. Elles sont nées bien avant la science, avant même la vérité, d'une idée d'homme jetée dans une matière docile. La matière, pauvre et nue, sans détails, se fit oublier, mais l'idée, tout épanouie, s'engraissait à ses dépens. Ainsi furent produits le premier temple, le premier pot, le premier objet qui ne se disposa point selon la mort. Elles se perfectionnèrent par des façons de raisonnements qui leur étaient propres, avec des majeures, des mineures enfoncées dans le fer ou l'argile. Elles ne durent leurs progrès qu'à elles-mêmes, filtrant les apports du monde extérieur, ployant les plus dociles aux exigences de leur forme. Elles marquèrent le premier triomphe de l'idée pratique, de la pensée qui ne veut pas connaître, mais s'imposer.

La ruse démocratique des Sociétés Savantes fut précisément de les employer à connaître. Comme le prestidigitateur qui détourne l'attention des assistants sur ses manches, véritablement vides et innocentes, quand le bocal est dans son gilet, ils faisaient lire leur cœur à tout venant, disant :

« Voyez, nous laissons venir à nous les faits sans distinction. Nous sommes sans parti pris, ayant adopté l'attitude contemplative. »

Voire. Mais, en l'admettant même, ils avaient beau jeu : entre leur âme passivement ouverte, inoffensive, et l'événement, ils interposaient l'idée préconçue, le parti pris déformant, l'obstination inhumaine et mécanique. Les machines sont aux aguets dans les coins. Il ne faut qu'un fétu pour mettre en branle leurs engrenages. Elles happent une mouche, la digèrent, rendent une machine. Dressées soigneusement à n'accomplir qu'un seul geste, tout leur est prétexte à l'accomplir. Le mercure du baromètre, pesé, purifié, contenu, sait descendre et monter, rien de plus. Encore faut-il, dira-t-on, un soupçon d'homogénéité entre les machines et certains aspects de la nature. Sans doute : c'est affaire au savant de prêter l'oreille au moindre murmure et d'imaginer l'appareil qui le décèlera. Mais ce murmure de la terre et cette stricte pensée des hommes, accolés un instant par la contrainte, ne vont pas dans le même sens. Ce léger frisson, si l'encre rouge le fixe sur le diagramme, ce n'est déjà plus le même. Et d'ailleurs, si le baromètre, transporté ici et là, demeurait muet, les précautions sont bien prises, ces mutismes s'appellent constance.

Un tribun du peuple dut s'inquiéter de ces violences :

« Êtes-vous sûrs, leur dit-il, que tout soit fait légalement?

— Certainement. Nous savons bien que la nature ingrate

ne nous a jamais donné la moindre marque d'approbation. Mais elle sait fort bien dire non quand elle veut : son silence est acquiescement. » L'homme politique se tut : il reconnaissait au passage un de ses arguments :

« Vous dites que les Africains souffrent de la colonisation? Mais, voyons, ils le diraient, ils se révolteraient. Or vous pouvez les voir, à toutes heures, graves et tranquilles. Ils sont trop ingrats pour se féliciter publiquement de notre protection. Mais ils ne disent rien, ce qui revient au même. »

Mais la nature ne dit ni oui ni non. Elle ne sait pas penser par contraires ni opposition : elle se tait. Les pensées disent non; les machines disent non, hargneuses idées serrant entre leurs griffes un morceau de fonte ou d'acier.

A l'origine le savant était libre dans le domaine vierge qu'il avait choisi, sous deux conditions : il devait rendre un compte exact des résultats qu'il obtenait en traitant la nature par une machine; sa pensée devait offrir dès la première vue un aspect raisonnablement civique. Mais les Sociétés savantes sont traditionalistes et, à la génération suivante, une troisième condition vint s'ajouter aux deux autres : il fallut que les théories nouvelles s'accordassent à celles des confrères défunts. D'années en année la trame se resserra : des raisons enveloppées résistaient sourdement aux tentatives trop personnelles. Un critique venait, qui les mettait au jour : la première contradiction jetait l'échafaudage neuf par terre. Ce fut Descartes mort qui convainquit Newton d'erreur, et non pas le soleil, insoucieux d'émettre au regard des hommes, de très petites particules ou des ondes très rapides.

En plus d'un cas, sans doute, le nouveau venu renversa les affirmations de ses prédécesseurs. Ce fut, dit-on, parce qu'il avait trouvé un fait nouveau et irréductible. Mais ceci nous renvoie aux machines parce que ce fait, comme je l'ai dit, est fabriqué par elles. Or, entre une affirmation théorique et les machines, le savant peut toujours choisir : mais, précisément, il choisit toujours ces dernières, parce qu'elles sont ce qu'il y a de plus traditionnel dans la science. Sous leur devise officielle « Sauver les phénomènes » je devine la formule secrète « Sauvez les Instruments ». Leur force est là, car ce n'est pas à tel ou tel énoncé dont on pourrait encore retrouver l'auteur qu'ils ont donné leur foi, mais aux plus obscurs, aux plus anciens soubassements, aux procédés, aux mesures, aux concepts si engagés qu'ils sont devenus invisibles, à l'essentiel enfin : ce qui ne fut inventé par personne. Ils ne rejettent, au bout du compte, que l'œuvre des hommes qui ne s'oublient pas assez, des mauvais citoyens.

Ainsi gardaient-ils enchaînées leurs forces jalouses et furieuses d'approbation, l'orgueil, la colère, l'aveugle et violente partialité, l'injustice, tout ce qui fait de l'adhésion une obscène et joyeuse bacchanale, tout ce qui conditionne une pensée forte — hélas même l'amour. La foule, la foule seule opinait en leur tête avec un sourd murmure; et nul ne considéra jamais les pensées qu'ils produisaient que du point de vue d'autrui.

La cité prit soin de ces orphelines, les éleva de ses doigts purs. Il n'est personne qui ne les ait pu voir à heure fixe, passer en rangs par les rues dans l'ingrate splendeur de leur beauté. Alors chacun s'arrêtait avec respect, promenant ses regards sur les uniformes sombres, sans pouvoir les fixer sur aucun visage. Mais personne ne se pencha jamais sur elles avec tendresse, pensant : « C'est mon enfant. »

Je m'arrête ici : une grande et lourde paix règne sur le monde, celle que savent établir les peuples conquérants. Tout est calme. Les indigènes des mers lointaines envoient l'ambre et la pourpre en tribut; le sec et l'humide, le chaud et le froid paient indistinctement l'impôt du vrai. Les militaires et les savants n'ont d'autre ressource pour se divertir que de raffiner aux frontières, les uns provoquant des émeutes pour pouvoir les réprimer, les autres chassant les atomes dissidents avec un filet vert. La cité s'ennuie au centre de ses conquêtes, l'œil fixé sur cette terre immense et multicolore qu'elle sut deux fois réduire.

Le lecteur sourit : « Vous nous parlez d'une époque très reculée et de jeux d'enfants. Le temps est passé de la foi du charbonnier. Je vous dirai qu'au sujet même des vérités scientifiques, chacun conserve aujourd'hui son quant-à-soi. Vous devriez plutôt chanter le progrès et le passage de cette barbarie à nos lumières. »

Je le ferai. Je dirai la naissance du probable, plus vrai que le vrai, avec son cortège de philosophes. Je chanterai ce fils tard venu d'Ennui et de Vérité.

Mais c'est une légende pour grandes personnes.

## *L'art cinématographique*[1]

... Feuilletez les souvenirs de quelque écrivain contemporain ou mort depuis peu : vous trouverez sûrement un long récit attendri de son premier contact avec le théâtre. « ... Pendant vingt-quatre heures je vécus agité de crainte et d'espérance, dévoré de fièvre, dans l'attente de cette félicité inouïe et qu'un coup soudain pouvait détruire... Je crus que, le jour de la représentation, le soleil ne se coucherait jamais. Le dîner dont je n'avalai pas une bouchée me parut interminable et je fus dans des transes mortelles d'arriver en retard... Enfin nous arrivâmes, l'ouvreuse nous introduisit dans une loge toute rouge... La solennité des trois coups frappés sur la scène et suivis d'un profond silence m'émut. Le lever du rideau fut vraiment pour moi le passage d'un monde à l'autre. »

Or ceux d'entre vous qui, dans une quarantaine d'années, écriront leurs mémoires, auront bien de la peine à découvrir dans leur jeunesse de pareilles attentes et de si grands émois. C'est qu'ils ont fréquenté les salles de spectacle dès leur petite enfance : beaucoup n'avaient pas cinq ans qu'ils connaissaient déjà le cinéma, car c'est par le cinéma, non par le théâtre, qu'on débute aujourd'hui. Peut-être souvient-il encore à quelques-uns du premier film qu'ils virent, mais ces origines se perdent, pour la plupart, dans la brume des souvenirs.

Ainsi cette initiation solennelle aux rites du théâtre, cette pompe, ces trois coups qui marquaient moins le lever du rideau que le passage de l'enfance à l'adolescence, tout cela n'est plus. On ne s'habille point pour aller au cinéma;

1. Cf. 31/7.

on ne s'interroge pas longtemps d'avance; on y entre à toute heure, l'après-midi, le soir; les Parisiens, depuis quelques mois, y ont même accès le matin. Vous ignorez la longue attente dans un théâtre à demi plein qui se remplit progressivement et ce « passage d'un monde à un autre » dont Anatole France parlait. Mais vous pénétrez brusquement dans une salle obscure, encore incertains dans les ténèbres, l'œil fixé sur la lampe électrique qui zigzague dans la main de l'ouvreuse. L'orchestre joue, qui, comme on peut croire, ne s'arrête pas pour vous. Le film est commencé depuis longtemps, les héros sont là, les mains ou les jambes en l'air, surpris en pleine action. On vous désigne votre place, vous vous y glissez en heurtant des genoux, vous vous jetez dans votre fauteuil sans avoir le loisir d'ôter votre manteau. Vous assistez à la fin du film, puis au bout d'un quart d'heure d'attente, à son commencement. Vous êtes sans émoi, vous savez qu'on punira le traître, que les amoureux se marieront. Puis au moment précis où les héros reprennent la posture où vous les avez trouvés, vous vous levez, vous heurtez d'autres genoux, vous partez sans vous retourner, laissant les autres mains ou jambes en l'air, peut-être pour l'éternité.

Voilà un art bien familier, bien étroitement mêlé à notre vie quotidienne. On entre en coup de vent, on parle, on rit, on mange dans les salles de projection : nul respect pour cet art populaire; il ne se pare point de cette majesté qui entrait pour moitié dans le plaisir que l'art théâtral procurait à nos aînés; il est bon enfant et bien plus proche de nous.

Avons-nous perdu au change? Faut-il regretter les solennités disparues?

Si l'on pouvait prouver que le cinéma est réellement un art, nous n'aurions au contraire qu'à nous louer de la transformation des mœurs. Il me paraît que votre irrespect total de l'art cinématographique, vos façons cavalières d'en user avec lui vous sont bien plus profitables qu'un mélange d'admiration figée, de trouble des sens et d'horreur sacrée. Nos grands auteurs classiques, on vous a trop dit, hélas! qu'ils étaient des artistes : vous vous méfiez de leurs belles phrases, prétexte à mille questions insidieuses. Et, sans doute, peu à peu, malgré vous, vous retirez de leur commerce un bénéfice que vous apprécierez plus tard. Mais il est bon que, dans certaines salles sombres, ignorées des professeurs et des parents, vous puissiez trouver un art discret, dont on ne vous ait point rebattu les oreilles, dont personne n'ait songé à vous dire qu'il était un art, vis-à-vis duquel, en un mot, on vous ait laissés en état d'innocence. Car cet art pénétrera en vous plus avant que les autres et c'est lui qui vous tournera doucement à aimer la beauté sous toutes ses formes.

Reste à prouver que le cinéma est bien un art : le même Anatole France que nous avons vu si doucement ému la première fois qu'il fut au théâtre, fut sans doute autrement affecté lorsqu'il fit connaissance avec le cinéma. Il a dit en effet : « Le cinéma matérialise le pire idéal populaire... Il ne s'agit pas de la fin du monde, mais de la fin de la civilisation. »

Voilà de bien grands mots : nous allons voir s'ils sont justifiés. On me dira que cette recherche est inopportune : si d'aventure je vous persuadais qu'il y a de beaux films, comme il y a de belles épîtres de Boileau, de belles oraisons funèbres de Bossuet, vous n'iriez plus jamais au cinéma. Mais je suis tranquille, je ne m'adresse à vous que par fiction, car il est sans exemple que vous ayez écouté jusqu'au bout un discours d'usage. Peut-être aussi semblera-t-il ironique de discuter sur la beauté de l'art muet dans le moment que nous sommes envahis par les films parlants. Mais il ne faut pas trop tenir compte de ceux-ci. Pirandello disait, non sans mélancolie, que le cinéma ressemble au paon de la fable. Il étalait en silence son merveilleux plumage et chacun l'admirait. Le renard jaloux le persuada de chanter. Il ouvrit la bouche, poussa de la voix et fit le cri que vous savez. Mais ce qu'Ésope ne dit pas, ni Pirandello, c'est que sans doute, après cette expérience, le paon retourna sans se faire prier à son mutisme. Je pense que le cinéma est en train d'acheter le droit de se taire.

Je reviens donc à la question : je prétends que le cinéma est un art nouveau qui a ses lois propres, ses moyens particuliers, qu'on ne peut le réduire au théâtre, qu'il doit servir à votre culture au même titre que le grec ou la philosophie.

En un mot, qu'apporte-t-il de neuf?

Vous savez que chaque instant dépend étroitement de ceux qui l'ont précédé, qu'un état quelconque de l'univers s'explique absolument par ses états antérieurs, qu'il n'est rien de perdu, rien de vain, que le présent s'achemine rigoureusement vers l'avenir. Vous le savez parce qu'on vous l'a enseigné. Mais si vous regardez en vous-même, autour de vous, vous ne le sentez point : vous voyez naître des mouvements qui semblent spontanés, comme l'agitation soudaine de la cime d'un arbre; vous en voyez mourir d'autres, comme des vagues sur le sable et leur force vive semble mourir avec eux. Il vous paraît qu'un lien fort lâche unit le passé au présent, que tout vieillit au hasard, en désordre, à tâtons.

Or cette irréversibilité du temps que nous enseigne la science et dont le sentiment serait insupportable s'il accompagnait toutes nos actions, les arts du mouvement ont pour fin de nous la représenter hors de nous, peinte dans les choses, redoutable encore mais belle. Il y a dans la mélodie quelque chose de fatal. Les notes qui la composent se pressent les unes contre les autres et se commandent étroitement. De même notre tragédie se présente comme une marche forcée vers la catastrophe. Nul n'y peut revenir en arrière : chaque vers, chaque mot entraîne un peu plus loin dans cette course à l'abîme. Point d'hésitation ni de retard : nulle phrase vaine qui permette un instant de repos, tous les personnages, quoi qu'ils disent, quoi qu'ils fassent, avancent vers leur fin. Ainsi ces voyageurs égarés qui mirent le pied dans la vase d'un marais ont beau se débattre : chaque mouvement les enfonce un peu plus, jusqu'à les faire disparaître entièrement.

Mais la musique est fort abstraite. Paul Valéry a raison de n'y voir que « des formes, des mouvements qui s'échangent ». La tragédie, pour l'être moins, demeure fort intellectuelle : avec ses cinq actes, ses vers si marqués, elle reste un produit de la raison, comme le nombre et tout le discontinu.

Au cinéma le progrès de l'action demeure fatal, mais il est continu. Point d'arrêt, le film est d'un seul tenant. Il ne s'agit plus du temps abstrait et coupé de la tragédie, mais on dirait que la durée de tous les jours, cette durée banale de notre vie a soudain rejeté ses voiles, apparaît dans son inhumaine nécessité. En même temps c'est, de tous les arts, le plus proche du monde réel : de vrais hommes vivent dans de vrais paysages. La *Montagne sacrée* est une vraie montagne, la mer de *Finis Terrae* une vraie mer. Tout paraît naturel, sauf cette marche vers la fin qu'on ne peut arrêter.

Quand il n'y aurait dans le cinéma que cette représentation de la fatalité, il faudrait lui réserver sa place dans le système des Beaux-Arts. Mais ce n'est pas tout.

Vous vous rappelez cette règle impérative qui domine encore le théâtre. Les romantiques l'ont assouplie, mais ils n'ont pas pu s'en défaire : c'est qu'elle est comme constitutive de l'art dramatique. Je veux parler de la troisième unité, l'unité d'action. Certainement, si vous la prenez dans son acceptation la plus générale, elle est commune à tous les arts : il faut traiter son sujet, ne point se laisser détourner par des sollicitations extérieures, résister au plaisir de rehausser un développement par des touches inutiles, ne jamais perdre de vue le dessin initial.

Mais cette règle possède un sens plus restreint qui vaut seulement pour le théâtre : en ce sens, il faut que l'action soit une, sèche, dépouillée de tout ce qui n'ajouterait que de pittoresque à l'intrigue, bref une succession rigoureuse de moments si étroitements liés que chacun d'eux explique à lui seul le moment qui le suit, mieux encore : une déduction logique à partir de quelques principes qu'on aura posés dès le début.

Mais il est une autre unité qu'on peut déjà trouver en musique : le compositeur y construit plusieurs thèmes. Il les expose d'abord séparément en ménageant entre eux des passages insensibles, puis il les reprend, développe, élargit, il les entrelace subtilement; enfin, dans un mouvement final, il fond étroitement tous ces motifs, représentant les uns par de simples rappels, poussant les autres jusqu'à leur achèvement le plus parfait.

Cette unité qu'on pourrait appeler « thématique » ne saurait du tout convenir au théâtre : c'est en vain qu'un romantique allemand a tenté de l'introduire. La multiplicité des thèmes obligerait, en effet, comme le *Donogoo* de Jules Romains, à user de tableaux rapides et coupés. Ce procédé, l'expérience l'a montré, engendre la fatigue. Quelque brèves, en outre, que puissent être les scènes qui se succéderaient ainsi, elles ne le seraient point encore assez : l'effet des contrastes, des symétries serait souvent perdu, on ne pourrait sauter de l'une à l'autre, indiquer une ressemblance, puis revenir à la première, insister sur quelque trait, ainsi de suite, pour mettre en lumière les plus subtiles corrélations.

Or telle est précisément la manière du cinéma : l'univers du film est thématique : c'est qu'un découpage habile peut toujours rapprocher, entrelacer les scènes les plus diverses : nous étions aux champs, nous voici à la ville; nous croyions y demeurer : l'instant d'après on nous ramène aux champs. Vous savez tout le parti qu'on peut tirer de cette extrême mobilité : rappelez-vous le *Napoléon* d'Abel Gance et cette tempête à la Convention, qu'accompagne et souligne une tempête sur la Méditerranée. Une vague s'enfle et se dresse, mais elle n'est pas retombée que nous sommes déjà loin, sur la terre ferme, parmi les députés hurlants. Robespierre se lève, il va parler : mais nous l'avons quitté, nous sommes en pleine mer, ballottés par l'esquif de Bonaparte. Un poing brandi. Une vague qui roule. Un visage menaçant. Une trombe d'eau. Les deux thèmes s'accusent, s'élargissent, se fondent enfin.

D'un motif à un autre, tantôt le passage sera sûr, lent, insensible : c'est ce qu'on appelle, en termes techniques, « le fondu enchaîné », tantôt, et suivant les besoins, rapide et brutal. Il peut arriver, aussi, grâce à la « surimpression » qu'on développe plusieurs thèmes simultanément. Mais, pour réaliser cette polyphonie cinématographique, il est un autre procédé, beaucoup plus élégant : soit deux motifs à unir : il n'est que d'en faire sortir une certaine situation qui, sans se réduire tout à fait à l'un ni à l'autre, symbolise avec les deux à la fois. Voyez *La Rue sans joie*, ce film classique. Pabst y montre la misère de la population viennoise au lendemain de la guerre et la débauche crapuleuse de quelques profiteurs. Ces deux thèmes coexistent longtemps, sans se mêler. Enfin les deux séries de courses se rencontrent; au petit jour, un des profiteurs traverse en auto la « rue sans joie » pour finir la nuit dans un bouge voisin : en cette même rue, une foule misérable fait queue devant la boucherie. La voiture frôle ces pauvres gens et disparaît : les deux thèmes un instant réunis reprennent leur indépendance. Il semble qu'il n'y ait rien en cela que de naturel et de nécessaire : une simple rencontre. C'est que vous n'avez pas vu le film : les phares de l'automobile balayaient lentement cette foule morne et grelottante, faisant sortir de l'ombre, une à une, des figures haineuses. Cette lumière éblouissante, ces yeux clignotants, ces corps tassés, usés, cette auto puissante et somptueuse, ces ténèbres trouées, tout cela, sans doute est fatal; mais tout est signé, sous un certain aspect : l'événement, avant de s'évanouir, jette sur le film entier une vive et brève clarté.

Ces situations, produites par un enchaînement nécessaire, ambiguës pourtant, chargées de sens, ne pensez pas qu'elles soient rares au cinéma; il est, au contraire, comme milieu naturel; vous y trouverez en foule des objets « porteurs de signes », humbles ustensiles où s'est inscrit en abrégé un thème ramassé, enroulé sur soi.

Admirez donc cet enchaînement inflexible, mais souple, ces entrelacs où s'insèrent des événements pleins de sens, déterminés à la fois par la nature et par l'esprit, cet éparpillement d'actions qui fait place, tout à coup, à des unions fulgurantes et bientôt rompues, ces rappels brefs et fuyants, ces correspondances profondes et secrètes de chaque objet avec tous les autres : tel est l'univers du cinéma. Certes, les films sont rares qui se soutiennent à ce niveau sans une défaillance : mais vous n'en verrez pas qui sont tout à fait sans beauté.

Or cet univers neuf, je dis que vous vous y retrouvez fort bien : vous avez acquis une habileté certaine à vous orienter dans le dédale de ces intrigues, de ces symboles et de ces rythmes. J'ai vu des hommes cultivés qui s'y perdaient, faute de fréquenter les salles de projection. Mais vous qui les hantez, bien que, peut-être, vous ne puissiez encore mettre en forme vos impressions ni vos pensées, vous y êtes tout à l'aise : rien ne vous échappe, rien ne vous déçoit.

Vos parents peuvent se rassurer : le cinéma n'est pas une mauvaise école. C'est un art d'apparence aisé, extrêmement difficile dans le fond et fort profitable s'il est bien pris : c'est qu'il reflète par nature la civilisation de notre temps. Qui vous enseignera la beauté du monde où vous vivez, la poésie de la vitesse, des machines, l'inhumaine et splendide fatalité de l'industrie ? Qui, sinon votre art, le cinéma...

# *Nourritures*[1]

J'ai découvert à Naples la parenté immonde de l'amour et de la Nourriture. Ce n'est pas venu tout de suite, Naples ne se livre pas d'abord : c'est une ville qui a honte d'elle-même; elle essaie de faire croire aux étrangers qu'elle est peuplée de casinos, de villas, de palais. Je suis arrivé par mer, un matin de septembre et elle m'a accueilli de loin par des éclairs farineux; je me suis promené tout le jour dans des rues droites et larges, la Via Umberto, la Via Garibaldi et je n'ai pas su voir, sous les pommades, les plaies suspectes qu'elles portent à leurs flancs.

Vers le soir je m'étais échoué à la terrasse du café Gambrinus, devant une granite que je regardais mélancoliquement fondre dans sa coupe d'émail. J'étais plutôt découragé, je n'avais attrapé au passage que de tout petits faits multicolores, des confettis. Je me demandai : « Est-ce que je *suis* à Naples? Naples est-ce que ça existe? » J'ai connu des villes comme ça — Milan, par exemple — de fausses villes, qui s'effritent dès qu'on y entre. Naples ce n'était peut-être qu'un nom donné à des milliers de chatoiements au ras du sol, à des milliers de lueurs dans des milliers de vitres, à des milliers de passants solitaires et de bourdonnements dans les airs. J'ai tourné la tête, j'ai vu, sur ma gauche, la Via Roma qui s'ouvrait, sombre comme une aisselle. Je me suis levé et je me suis engagé entre ses hautes murailles. Encore une déception : cette ombre chaude vaguement obscène, ce n'était qu'un rideau de brouillard qu'on traversait en quinze pas. De l'autre côté, j'ai trouvé un long couloir antiseptique qui m'a baigné dans sa lumière de lait, en m'offrant la

1. Cf. 38/20.

splendeur de ses épiceries avec le jambon cru, la mortadelle et toutes les variétés de sang séché, ses réclames lumineuses et les belles guirlandes de citron que les marchands de limonade suspendent à leurs auvents. Un courant m'emporta, me fit remonter ce boulevard éblouissant; je coudoyais des hommes vêtus de toile blanche, aux dents brossées, aux yeux brillants et las. Je les regardais et je regardais, sur ma gauche, leurs nourritures, qui flamboyaient dans les vitrines; je me disais : « Voilà ce qu'ils mangent! » Ça leur allait si bien : c'étaient des nourritures propres — plus que propres : pudiques. Ce jambon cru, c'était de la mousseline; la langue écarlate, on aurait dit un velours somptueux : ces gens, qui cachaient leurs corps sous des vêtements clairs, se nourrissaient d'étoffes et de papiers peints. De verroterie aussi : je m'arrêtai devant la pâtisserie Caflish, elle avait l'air d'une joaillerie. En général les gâteaux sont humains, ils ressemblent à des visages. Les gâteaux espagnols sont ascétiques avec des airs fanfarons; ils s'effondrent en poussière sous la dent; les gâteaux grecs sont gras comme de petites lampes à huile, quand on les presse, l'huile s'égoutte; les gâteaux allemands ont la grosse suavité d'une crème à raser, ils sont faits pour que des hommes obèses et tendres les mangent avec abandon, sans chercher leur goût, simplement pour se remplir la bouche de douceur. Mais ces gâteaux d'Italie avaient une perfection cruelle : tout petits, tout nets — à peine plus gros que des petits fours, ils rutilaient. Leurs couleurs dures et criardes ôtaient toute envie de les manger, on songeait plutôt à les poser sur des consoles, comme des porcelaines peintes. Je me dis : « Ça va! Eh bien il ne me reste plus qu'à aller au cinéma. »

C'est à ce moment que je découvris, à vingt mètres de la pâtisserie Caflish, une des innombrables plaies de cette ville vérolée, une fistule, une ruelle. Je m'approchai et la première chose que je vis, au milieu d'une rigole, ce fut encore un aliment — ou plutôt une mangeaille : une tranche de pastèque (je me rappelais encore les pastèques de Rome entrouvertes, qui avaient l'air de glaces framboise et pistache piquetées de grains de café) maculée de boue, qui bourdonnait de mouches comme une charogne et saignait sous les derniers rayons du soleil. Un enfant en guenilles s'approcha de cette viande pourrie, la prit entre ses doigts et se mit à la manger avec beaucoup de naturel. Alors il me sembla que j'apercevais ce que les marchands de la Via Roma masquaient derrière leurs orfèvreries alimentaires : la *vérité* de la nourriture.

Je pris à gauche, puis à droite, puis encore à droite : toutes les ruelles étaient semblables. Personne ne prenait garde à moi, à peine rencontrais-je, de temps à autre, un regard vide. Les hommes ne parlaient pas, les femmes échangeaient quelques mots à de longs intervalles. Elles se tenaient par groupes de cinq ou six, serrées les unes contre les autres et leurs haillons faisaient des taches éclatantes sur les parois cendreuses. J'avais été frappé, dès le matin, par le teint blême des gens de Naples; à présent je ne m'en étonnais plus : ils cuisaient dans l'ombre, à l'étouffée. La chair des femmes, surtout, avait l'air bouillie sous la crasse; la ruelle avait digéré leurs joues : elles tenaient encore mais on aurait pu en détacher des lambeaux en tirant avec les doigts. Je vis avec soulagement les grosses lèvres moustachues d'une fille : celles-là du moins avaient l'air crues. Tous ces gens semblaient tournés vers eux-mêmes, ils ne rêvaient même pas : entourés eux aussi de leurs nourritures, déchets vivants, écailles, trognons, viandes obscènes, fruits ouverts et souillés, ils jouissaient avec une indolence sensuelle de leur vie organique. Des enfants rampaient entre les meubles étalant à côté des entrailles de poissons leurs derrières nus; ou bien ils se hissaient sur les marches qui accédaient aux chambres, à plat ventre, battant des bras comme s'ils nageaient, raclant contre la pierre leurs petits sexes tremblants. Je me sentis digéré à mon tour : ça commença par une envie de vomir, mais très douce et sucrée et puis elle descendait dans tout mon corps comme un drôle de chatouillement. Je regardais ces viandes, toutes ces viandes, celles qui saignaient, celles qui étaient blêmes, le bras nu d'une vieille aveugle, le chiffon rougeâtre qui restait collé à un os blanc et il me semblait qu'il y avait *quelque chose* à en faire. Mais quoi? Manger? Caresser? Vomir? Au coin d'une ruelle, une rampe d'ampoules s'alluma, éclairant une Vierge dans sa niche, une négresse, qui portait Jésus dans ses bras. « Est-ce la nuit? » Je levai la tête : au-dessus des maisons, au-dessus des linges qui pendaient comme des peaux mortes, très loin, très haut, je vis le ciel encore bleu.

Au fond d'un trou il y avait une forme dans un lit. C'était une jeune femme, une malade. Elle souffrait, elle tournait la tête vers la rue, sa gorge faisait une tache tendre au-dessus des draps. Je m'arrêtai, je la regardai longtemps, j'aurais voulu promener mes mains sur son cou maigre... Je me secouai et m'éloignai à grands pas. Mais trop tard : j'étais pris. Je ne voyais plus que de la chair, des fleurs de chair misérables, qui flottaient dans une obscurité bleue, de la chair à palper, à sucer, à manger, de la chair mouillée, trempée de sueur, d'urine, de lait. Tout d'un coup un homme s'agenouilla près d'une petite fille et la considéra en riant; elle riait aussi, elle disait : « Papa, mon papa »; puis, relevant un peu la robe de l'enfant, l'homme mordit comme du pain ses fesses grises. Je souris : jamais aucun geste ne m'a paru si naturel, si *nécessaire*. A la même heure mes frères vêtus de blanc, dans la Via Roma, achetaient pour leur dîner des bibelots vernis... « Ça y est, pensai-je, ça y est! » Je me sentais plongé dans une énorme existence carnivore : une existence sale et rose qui se caillait sur moi : « Ça y est : je *suis* à Naples. »

## *Portraits officiels*[1]

« Je vis un gros homme au teint de cire, emporté dans une calèche au galop de quatre chevaux : on me dit que c'était Napoléon. » Cette phrase, dont je ne sais plus l'auteur, fait assez bien comprendre le cheminement de la connaissance naïve. Ce qui paraît d'abord à nos yeux, c'est l'homme, avec sa graisse bilieuse. Il paraît au milieu d'autres hommes, dignitaires et maréchaux; et, lorsque enfin on nous livre son nom véritable, il a déjà disparu, emporté par ses quatre chevaux. « On *me dit* que c'était Napoléon; il *paraît* que c'était lui. Il demeurera toujours *probable* que j'ai vu l'Empereur. Mais l'homme, cette chair jaune et triste, je suis *certain* de l'avoir vu. Et pour Bonaparte lui-même, sa dignité suprême de Premier Consul ou d'Empereur n'était, pareillement, que probable. Il n'était point Napoléon, mais seulement quelqu'un qui se croyait Napoléon, à grands frais d'imagination. Et c'est un dur métier pour un haut personnage, que d'affirmer sans cesse à ses propres yeux son importance et son droit, quand les glaces lui renvoient la fadeur trop humaine de son reflet, quand il ne découvre en lui-même que des humeurs tristes et brouillées. De là vient la nécessité des portraits officiels : ils déchargent le prince du soin de penser son droit divin. Napoléon n'existe ni exista nulle part ailleurs que sur des portraits. C'est que le peintre commandé va, au rebours de l'impression naïve, du savoir à l'objet. Le badaud voit un gros homme et pense : « Il paraît que c'est Napoléon. » Mais s'il regarde le portrait,

1. Cf. 39/27.

c'est le Premier Consul ou l'Empereur qui paraissent d'abord. Il suffit de voir comme on accumule autour de François Ier et de Louis XIV les signes de leur puissance. Nos yeux rencontrent en premier lieu la royauté. Si nous prenons le temps d'écarter les tentures et les symboles, nous découvrirons, dûment prévenus et respectueux déjà, la petite tête nue au fond de sa coquille, le visage. Pas si nue : un visage de roi est toujours habillé. C'est que le portrait officiel vise à justifier. Il s'agit de suggérer par l'image que le gouvernant a le droit de gouverner. Il ne saurait donc être question de rendre la physionomie émouvante et humiliée d'un homme que sa charge accable : ce qu'on peint n'est jamais le *fait*, c'est le Droit pur. Le portrait officiel ne veut connaître ni la faiblesse ni la force : il n'a souci que des Mérites. Parce qu'il ne veut point montrer la force — qui offense toujours un peu quand elle ne terrifie pas — il dissimule les corps autant qu'il peut. Observez la somptuosité des étoffes qui cachent les membres de Charles le Chauve et de François Ier. Ont-ils des corps? Au bout de ces étoffes paraissent des mains, belles et quelconques, symboles aussi comme la main dorée du sceptre. Mais, parce qu'il ne veut pas non plus faire montre de la faiblesse, le peintre amenuise discrètement la chair des visages, jusqu'à la réduire à une simple *idée* de chair. Les joues de François Ier sont-ce des joues? Non, mais le pur concept des joues : les joues trahissent les rois et il faut s'en méfier. Après cela, comme il le faut bien, l'artiste se préoccupera de la ressemblance. Mais encore faut-il que celle-ci ne nous porte pas trop loin. Ce nez de François Ier, il était long et tombant. Aussi paraît-il sur le portrait : mais désincarné. En réalité il entraînait vers la terre tous les traits du visage. Sur l'image il est soigneusement coupé de la physionomie, il ne signifie rien pour l'ensemble; il ne dérange pas plus l'air de tête que s'il était aquilin. C'est que les expressions véritables, la ruse, l'inquiétude traquée, la bassesse n'ont pas de place sur ces portraits. Avant même d'avoir rencontré son modèle, le peintre connaît déjà l'air qu'il faut fixer sur la toile : force calme, sérénité, sévérité, justice. Ne faut-il point rassurer, persuader, intimider? La foule des bien-pensants désire qu'on la défende contre l'impression naïve qui va d'elle-même à l'irrespect; les bien-pensants ne sont jamais irrévérencieux de leur plein gré. Aussi la fonction du portrait officiel est-elle de réaliser l'union du prince et de ses sujets. On a compris que le portrait officiel, qui défend l'homme contre lui-même, est un objet religieux. Il n'avait pas tort ce tyran qui suspendait son effigie à un mât, sur la grande place de la ville et qui commandait qu'on la saluât. Au bout d'un mât, comme un totem : voilà la place des tableaux de cérémonie. Au bout d'un mât et qu'on les salue, fort bien. Après cela, il n'est peut-être pas très nécessaire de les regarder.

## *Visages*[1]

Dans une Société de statues on s'ennuierait ferme, mais on y vivrait selon la justice et la raison : les statues sont des corps sans visages; des corps aveugles et sourds, sans peur et sans colère, uniquement soucieux d'obéir aux lois du juste, c'est-à-dire de l'équilibre et du mouvement. Elles ont la royauté des colonnes doriques; la tête c'est le chapiteau. Dans les sociétés d'hommes, les visages règnent. Le corps est serf, on l'emmaillote, on le déguise, son rôle est de porter, comme un mulet, une relique cireuse. Un corps ainsi bâté, qui entre avec son précieux fardeau dans une salle close où des hommes sont assemblés, c'est toute une procession. Il avance, portant sur ses épaules, au bout de son col, l'objet tabou; il le tourne et le retourne, il le fait voir; les autres hommes lui jettent un regard furtif et baissent les yeux. Une femme le suit, son visage est un autel érotique, on l'a surchargé de victimes mortes, de fruits, de fleurs, d'oiseaux massacrés; sur ses joues, sur ses lèvres on a tracé des signes rouges. Société de visages, société de sorciers. Pour comprendre la guerre et l'injustice et nos ardeurs sombres et le sadisme et les grandes terreurs, il faut en revenir à ces idoles rondes qu'on promène à travers les rues sur des corps asservis ou, quelquefois, par les temps de colère, au bout des piques.

Voilà ce que nient les psychologues : ils ne sont à leur aise qu'au milieu de l'inerte, ils ont fait de l'homme une mécanique et du visage un passe-boules articulé. D'ailleurs ils prouvent ce qu'ils avancent, puisqu'ils ont inventé le sourire électrique. Il suffit de choisir un chômeur de bonne

1. Cf. 39/28.

volonté ou, mieux encore, un fou hospitalisé gratuitement dans un asile; on excite avec délicatesse son nerf facial au moyen d'un courant de faible voltage; la commissure des lèvres se relève un peu; le patient sourit. Tout cela est indiscutable, il y a des procès-verbaux d'expérience, des calculs et des photographies : la preuve est donc faite que les jeux de physionomie sont une somme de petites secousses mécaniques. Reste à expliquer pourquoi la figure humaine nous émeut; mais cela va de soi : vous avez, disent les psychologues, appris peu à peu à récolter les indices et à les interpréter. Vous connaissez le visage d'autrui par comparaison avec le vôtre. Vous avez souvent observé que, dans la colère, par exemple, vous contractez les muscles sourciliers et que le sang venait à vos joues. Quand vous retrouvez chez autrui ces sourcils froncés et ces joues en feu, vous concluez qu'il est irrité; voilà tout.

Le malheur c'est que je ne vois pas mon visage — ou, du moins, pas d'abord. Je le porte en avant de moi comme une confidence que j'ignore et ce sont, au contraire, les autres visages qui m'apprennent le mien. Et puis la figure humaine est indécomposable : voyez ce furieux qui se calme; ses lèvres s'amollissent, un sourire s'alourdit comme une goutte d'eau au bas de cette face sombre. Parlerez-vous de perturbations locales? Songerez-vous à en faire la somme? Seules les lèvres ont remué, mais tout le visage a souri. Et puis encore la colère et la joie ne sont pas d'invisibles événements de l'âme que je supposerais seulement d'après des signes; elles habitent le visage comme ce vert-roux habite au milieu du feuillage. Pour apercevoir le vert d'un feuillage ou la tristesse d'une bouche amère, il n'est pas besoin d'apprentissage. Certes un visage est *aussi* une chose : je peux le prendre entre mes doigts, supporter le poids lourd et chaud d'une tête que j'aime, je peux froisser des joues comme une étoffe, déchirer des lèvres comme des pétales, briser un crâne comme une potiche. Mais il n'est pas seulement ni même *d'abord* une chose. On nomme magiques ces objets inertes, os, crâne, statuette, patte de lapin, tout encroûtés dans leur routine silencieuse et qui pourtant ont les vertus d'un esprit. Tels sont les visages : des fétiches naturels. Je vais essayer de les décrire comme des êtres absolument neufs, en feignant que je ne sache rien sur eux, pas même qu'ils appartiennent à des âmes. Je prie qu'on ne prenne pas pour des métaphores les considérations qui suivent. Je dis ce que je vois, simplement.

Le visage, limite extrême du corps humain, doit se comprendre à partir du corps. Avec le corps il a ceci de commun que tous ses mouvements sont des gestes. Par là il faut entendre que le visage fabrique son propre temps au milieu du temps universel. Le temps universel est fait d'instants mis bout à bout; c'est celui du métronome, du sablier, du clou, de la bille. La bille, nous savons bien qu'elle flotte dans un perpétuel présent, son avenir est en dehors d'elle, dilué dans le monde entier, son mouvement présent s'évase en mille autres déplacements possibles. Que le tapis se plisse, que la planche s'incline, sa vitesse diminuera ou s'accroîtra pour autant. Je ne sais même pas si elle s'arrêtera jamais, sa fin lui viendra du dehors ou peut-être ne viendra-t-elle pas. Tout cela, je le vois sur la bille : je ne vois pas qu'*elle* roule, je vois qu'elle *est roulée*. Roulée par quoi? Par rien : les mouvements des choses inertes sont de curieux mélanges de néant et d'éternité. Sur ce fond stagnant, le temps des corps vivants se détache parce qu'il est orienté. Et cette orientation, derechef, je ne la suppose pas, je la vois : un rat qui détale, court vers son trou, le trou est la fin de son geste : son but et son terme ultime. Un rat qui court, un bras qui se lève, je sais d'abord où ils vont, ou, du moins, je sais qu'ils vont quelque part. Quelque part des vides se creusent, qui les attendent; autour d'eux l'espace se peuple d'attentes, de lieux naturels et chacun de ces lieux est un arrêt, un repos, une fin de voyage. Ainsi des visages. Je suis seul dans une pièce close, noyé dans le présent. Mon avenir est invisible, je l'imagine vaguement par-delà les fauteuils, la table, les murs, toutes ces indolences sinistres qui me le masquent. Quelqu'un entre, m'apportant son visage : tout change. Au milieu de ces stalactites qui pendent dans le présent, le visage, vif et fureteur, est toujours en avance sur mon regard, il se hâte vers mille achèvements particuliers, vers le glissement à la dérobée d'un coup d'œil, vers la fin d'un sourire. Si je veux le déchiffrer, il faut que je le précède, que je le vise là où il n'est pas encore, comme un chasseur fait d'un gibier très rapide, il faut que je m'établisse moi aussi dans le futur, au beau milieu de ses projets, pour le voir venir à moi du fond du présent. Un peu d'avenir est entré dans la pièce, une brume d'avenir entoure le visage : *son* avenir. Une toute petite brume, juste de quoi remplir le creux de mes mains. Mais je ne puis voir les figures des hommes qu'à travers leur avenir. Et cela, l'avenir *visible*, c'est de la magie déjà.

Mais le visage n'est pas simplement la partie supérieure du corps. Un corps est une forme close, il absorbe l'univers comme un buvard absorbe l'encre. La chaleur, l'humidité, la lumière s'infiltrent par les interstices de cette matière rose et poreuse, le monde entier traverse le corps et l'imprègne. Observez à présent ce visage aux yeux clos. Corporel encore et pourtant déjà différent d'un ventre ou d'une cuisse; il a quelque chose de plus, la voracité; il est percé de trous goulus qui happent tout ce qui passe à portée. Les bruits viennent clapoter dans les oreilles et les oreilles les engloutissent; les odeurs emplissent les narines comme des tampons d'ouate. Un visage sans les yeux, c'est une bête à lui tout seul, une de ces bêtes incrustées dans la coque des bateaux et qui remuent l'eau de leurs pattes pour attirer vers elles les détritus flottants. Mais voici les yeux qui s'ouvrent et le regard paraît : les choses bondissent en arrière; à l'abri derrière le regard, oreilles, narines, toutes les bouches immondes de la tête continuent sournoisement à mâchonner les odeurs et les sons, mais personne n'y prend garde. Le regard c'est la noblesse des visages parce qu'il tient le monde à distance et perçoit les choses où elles sont.

Voici une boule d'ivoire, sur la table, et puis, là-bas, un fauteuil. Entre ces deux inerties, mille chemins sont également possibles, ce qui revient à dire qu'il n'y a pas du tout de chemin, mais seulement un éparpillement infini d'autres inerties; s'il me plaît de les rejoindre par une route que je trace dans les airs du bout de mon doigt, cette route, au fur et à mesure que je la trace, s'égrène en poussière : un chemin n'existe qu'en mouvement. Lorsque je considère, à présent, ces deux autres boules, les yeux de mon ami, je remarque d'abord qu'il y a pareillement entre elles et le fauteuil un millier de chemins possibles : cela signifie que mon ami ne regarde pas; par rapport au fauteuil ses yeux sont encore des choses. Mais voici que les deux boules tournent dans leurs orbites, voici que les yeux deviennent regard. Un chemin se fraye tout à coup dans la pièce, un chemin *sans mouvement*, le plus court, le plus raide. Le fauteuil, pardessus un entassement de masses inertes, sans quitter sa place est immédiatement présent à ces yeux. Cette présence instantanée aux yeux-regard, alors qu'il demeure à vingt pas des yeux-choses, je la perçois *sur* le fauteuil, comme une altération profonde de sa nature. Tout à l'heure, poufs, canapés, sofas, divans se disposaient en rond autour de moi. Maintenant le salon s'est décentré; au gré de ces yeux étrangers les meubles et les bibelots s'animent tour à tour d'une vitesse centrifuge et immobile, ils se vident en arrière et par côté, ils s'allègent de qualités que je ne leur soupçonnais même pas, que je ne verrai jamais, dont je sais à présent qu'elles étaient là, en eux, denses et tassées, qu'elles les lestaient, qu'elles attendaient le regard d'un autre pour naître. Je commence à comprendre que la *tête* de mon ami, tiède et rose contre le dossier de la bergère, n'est pas le tout de son *visage :* c'en est seulement le noyau. Son visage c'est le glissement figé du mobilier; son visage est partout, il existe aussi loin que son regard peut porter. Et ses yeux, à leur tour, si je les contemple, je vois bien qu'ils ne sont pas fichés là-bas dans sa tête, avec la sérénité des billes d'agate : ils sont créés à chaque instant par ce qu'ils regardent, ils ont leur sens et leur achèvement hors d'eux-mêmes, derrière moi, au-dessus de ma tête ou à mes pieds. De là vient le charme magique des vieux portraits : ces têtes que Nadar a photographiées aux environs de 1860, il y a beau temps qu'elles sont mortes. Mais leur regard reste, et le monde du Second Empire, éternellement présent au bout de leur regard.

Je peux conclure, car je ne visais que l'essentiel : on découvre, parmi les choses, de certains êtres qu'on nomme les visages. Mais ils n'ont pas l'existence des choses. Les choses n'ont pas d'avenir et l'avenir entoure le visage comme un manchon. Les choses sont jetées au milieu du monde, le monde les enserre et les écrase, mais pour elle il n'est point monde : il n'est que l'absurde poussée des masses les plus proches. Le regard au contraire, parce qu'il perçoit à distance, fait apparaître soudain l'Univers et, par là même, s'évade de l'univers. Les choses sont tassées dans le présent, elles grelottent à leur place, sans bouger; le visage se jette en avant de lui-même, dans l'étendue et dans le temps. Si l'on appelle transcendance cette propriété qu'a l'esprit de se dépasser et de dépasser toute chose; de s'échapper à soi pour s'aller perdre là-bas, hors de soi, n'importe où, mais ailleurs, alors le sens d'un visage c'est d'être la transcendance *visible*. Le reste est secondaire : l'abondance de la chair peut empâter cette transcendance; il se peut aussi que les appareils des sens ruminants l'emportent sur le regard et que nous soyons attirés d'abord par les deux plateaux cartilagineux ou par les trous humides et velus des narines; et puis le modelé peut intervenir et façonner la tête selon les qualités de l'aigu, du rond, du tombant, du boursouflé. Mais il n'est pas un trait du visage qui ne reçoive d'abord sa signification de cette sorcellerie primitive que nous avons nommée transcendance.

# *Bariona, ou le Fils du tonnerre*[1]

*Si j'ai pris mon sujet dans la mythologie du Christianisme, cela ne signifie pas que la direction de ma pensée ait changé, fût-ce un moment, pendant la captivité. Il s'agissait simplement, d'accord avec les prêtres prisonniers, de trouver un sujet qui pût réaliser, ce soir de Noël, l'union la plus large des chrétiens et des incroyants.*

J.-P. SARTRE.

*31 octobre 1962.*

## PROLOGUE

*Morceau d'accordéon.*

LE MONTREUR D'IMAGES : Mes bons messieurs, je vais vous raconter les aventures extraordinaires et inouïes de Bariona, le Fils du tonnerre. Cette histoire se passe au temps que les Romains étaient maîtres en Judée et j'espère qu'elle vous intéressera. Vous pourrez regarder, pendant que je raconte, les images qui sont derrière moi; elles vous aideront à vous représenter les choses comme elles étaient. Et si vous

1. Cf. 62/368. Le texte, ayant sans doute été transcrit plusieurs fois, ne présente aucune garantie de rigueur et d'exactitude.

êtes contents, soyez généreux. En avant la musique, on va commencer.

*Accordéon.*

Mes bons messieurs, voici le prologue. Je suis aveugle, par accident, mais avant de perdre la vue, j'ai regardé plus de mille fois les images que vous allez contempler et je les connais par cœur car mon père était montreur d'images comme moi et il m'a légué celles-ci en héritage. Celle que vous voyez derrière moi et que je vous désigne du bâton, je sais qu'elle représente Marie de Nazareth. Un ange vient lui annoncer qu'elle aura un fils et que ce fils sera Jésus, Notre-Seigneur.

L'ange est immense avec des ailes comme deux arcs-en-ciel. Vous pouvez le voir; moi, je ne le vois plus, mais je le regarde encore dans ma tête. Il a coulé comme une inondation dans l'humble maison de Marie et il la remplit à présent de son corps fluide et sacré et de son grand vêtement flottant. Si vous regardez attentivement le tableau, vous remarquerez qu'on voit les meubles de la pièce à travers le corps de l'ange. On a voulu marquer ainsi sa transparence angélique. Il se tient devant Marie et Marie le regarde à peine. Elle réfléchit. Il n'a pas eu besoin de déchaîner sa voix pareille à l'ouragan. Il n'a pas parlé; elle le pressentait déjà dans sa chair. A présent l'ange se tient devant Marie et Marie est innombrable et sombre comme une forêt la nuit et la bonne nouvelle s'est perdue en elle comme un voyageur s'égare dans les bois. Et Marie est pleine d'oiseaux et du long bruissement des feuillages. Et mille pensées sans parole s'éveillent en elle, de lourdes pensées de mères qui sentent la douleur. Et voyez, l'ange a l'air interdit devant ces pensées trop humaines : il regrette d'être ange parce que les anges ne peuvent pas naître ni souffrir. Et ce matin d'Annonciation, devant les yeux surpris d'un ange, c'est la fête des hommes car c'est au tour de l'homme d'être sacré. Regardez bien l'image, mes bons messieurs, et en avant la musique; le prologue est terminé; l'histoire va commencer neuf mois plus tard, le 24 décembre, dans les hautes montagnes de Judée.

*Musique — Nouvelle image.*

LE RÉCITANT : A présent, voici des rochers et voici un âne. Le tableau représente un défilé très sauvage. L'homme qui chemine sur l'âne est un fonctionnaire romain. Il est gros et gras, mais de fort méchante humeur. Neuf mois ont passé depuis l'Annonciation et le Romain se hâte à travers les gorges car le soir va tomber et il veut atteindre Béthaur avant la nuit. Béthaur est un village de huit cents habitants, situé à vingt-cinq lieues de Bethléem et à sept lieues d'Hébron. Celui qui sait lire pourra, rentré chez lui, le retrouver sur une carte. A présent vous allez voir quelles sont les intentions de ce fonctionnaire, car il vient d'arriver à Béthaur et d'entrer chez Lévy le Publicain.

*Le rideau se lève.*

## PREMIER TABLEAU

*Chez Lévy, le Publicain.*

### *SCÈNE I*

LÉLIUS, LE PUBLICAIN

LÉLIUS, *s'inclinant vers la porte :* Mes hommages, madame. Mon cher, votre femme est charmante. Hem! Allons, il faut penser aux choses sérieuses. Asseyez-vous. Mais si, mais si, asseyez-vous et causons. Je viens ici pour ce dénombrement...

LE PUBLICAIN : Attention, monsieur le Superrésident, attention.

*Il ôte sa pantoufle et frappe le sol.*

LÉLIUS : Qu'est-ce que c'était? Une tarentule?

LE PUBLICAIN : Une tarentule. Mais à cette époque de l'année le froid les engourdit passablement. Celle-là se traînait et dormait à moitié.

LÉLIUS : Charmant. Et vous avez aussi des scorpions, bien entendu. Des scorpions pareillement endormis, qui vous tueraient net, en bâillant de sommeil, un homme de cent quatre-vingts livres. Le froid de vos montagnes peut transir un citoyen romain, mais il ne réussit pas à faire crever vos sales bêtes. On devrait avertir, à Rome, les jeunes gens qui préparent l'école coloniale, que la vie d'un administrateur des colonies est un damné tourment.

LE PUBLICAIN : Oh, monsieur le Superrésident...

LÉLIUS : J'ai dit : un damné tourment, mon cher. Voilà deux jours que j'erre à dos de mulet, sur ces montagnes et n'ai pas vu créature humaine; pas même un végétal, pas même un chiendent. Des blocs de pierres rousses, sous ce ciel impitoyable d'un bleu glacé, et puis ce froid, toujours ce froid qui pèse sur moi comme un minéral et puis de loin en loin, un village en bouse de vache comme celui-ci. Brrr... Quel froid... Même ici, chez vous... Naturellement vous autres Juifs, vous ne savez pas vous chauffer; vous êtes surpris chaque année par l'hiver, comme si c'était le premier hiver du monde. Vous êtes de vrais sauvages.

LE PUBLICAIN : Puis-je vous offrir un peu d'eau-de-vie pour vous réchauffer?

LÉLIUS : De l'eau-de-vie? Hem... Je vous dirais que l'administration coloniale est très stricte : nous ne devons rien accepter de nos subordonnés, quand nous sommes en tournée d'inspection. Allons, il faudra que je couche ici. Je partirai pour Hébron après-demain. Bien entendu, il n'y a pas d'auberge?

LE PUBLICAIN : Le village est très pauvre, monsieur le Superrésident; il n'y vient jamais personne. Mais si j'osais...

LÉLIUS : Vous m'offririez un lit chez vous? Mon pauvre ami, vous êtes bien gentil, mais c'est toujours la même chose : interdiction de coucher chez nos subordonnés quand nous sommes en tournée. Que voulez-vous, nos règlements ont été rédigés par des fonctionnaires qui n'ont jamais quitté l'Italie et qui ne se doutent même pas de ce qu'est la vie coloniale. Où faut-il que je couche? A la belle étoile? Dans une étable? Cela n'est pas conforme non plus à la dignité d'un fonctionnaire romain.

LE PUBLICAIN : Puis-je me permettre d'insister?

LÉLIUS : C'est cela, mon ami. Insistez, insistez. Je finirai peut-être par céder à vos instances. Ce que vous voulez dire, si je vous comprends bien, c'est que votre demeure est la seule au village qui puisse aspirer à l'honneur de recevoir le représentant de Rome? Ouais... Oh, et puis, en somme, je ne suis pas tout à fait en tournée d'inspection... Mon cher, je coucherai chez vous ce soir.

LE PUBLICAIN : Comment puis-je vous remercier de l'honneur que vous me faites? Je suis profondément ému...

LÉLIUS : Je pense bien, mon ami, je pense bien. Mais n'allez pas crier cela sur les toits : vous vous nuiriez autant qu'à moi.

LE PUBLICAIN : Je n'en soufflerai mot à personne.

LÉLIUS : Parfait. *(Il étend ses jambes.)* Ouf, je suis épuisé. J'ai visité quinze villages. Dites-moi, vous me parliez d'une certaine eau-de-vie tout à l'heure...

LE PUBLICAIN : La voilà.

LÉLIUS : Il faut que j'en boive, parbleu. Puisque vous m'offrez le gîte, il est convenable que vous me donniez aussi le boire et le manger. Excellente eau-de-vie. Elle mériterait d'être romaine.

LE PUBLICAIN : Merci, monsieur le Superrésident.

LÉLIUS : Ouf... Mon cher, ce dénombrement est une histoire impossible et je ne sais quel courtisan alexandrin a pu en donner l'idée au divin César. Il s'agit simplement de recenser tous les hommes sur la terre. Remarquez, il y a là une idée grandiose. Et puis, allez vous y reconnaître en Palestine : la plupart de vos coreligionnaires ne savent même pas la date de leur naissance. Ils sont nés l'année de la grande crue, l'année de la grande moisson, l'année du grand orage... De vrais sauvages. Je ne vous froisse pas, bien entendu? Vous êtes un homme cultivé quoique israélite.

LE PUBLICAIN : J'ai eu le très grand avantage de faire mes études à Rome.

LÉLIUS : A la bonne heure. Cela se voit à vos manières. Voyez, vous êtes des Orientaux, saisissez-vous la nuance? Vous ne serez jamais des rationalistes, vous êtes un peuple de sorciers. De ce point de vue, vos prophètes vous ont fait beaucoup de mal, ils vous ont habitué à la solution paresseuse : le Messie. Celui qui viendra tout arranger, qui rejettera d'une chiquenaude la domination romaine et qui assiéra la vôtre sur le monde. Et vous en consommez des Messies... Chaque semaine, il en surgit un nouveau et vous vous dégoûtez de lui en huit jours, comme nous faisons à Rome, pour les chanteurs de music-hall ou pour les gladiateurs. Le dernier qu'on a amené devant moi était albinos et aux trois quarts idiot, mais il y voyait la nuit comme tous ceux de son espèce : les gens d'Hébron n'en revenaient pas. Voulez-vous que je vous dise : le peuple juif n'est pas pubère.

LE PUBLICAIN : En effet, monsieur le Superrésident, il serait à souhaiter que beaucoup de nos étudiants puissent aller à Rome.

LÉLIUS : Oui. Cela fournirait des cadres. Notez que le gouvernement de Rome, pourvu qu'il fût consulté auparavant, ne verrait pas d'un mauvais œil le choix d'un Messie convenable, quelqu'un qui descendrait d'une vieille famille juive, par exemple, qui aurait fait ses études chez nous et qui présenterait des garanties de respectabilité. Il se pourrait même que nous financions l'entreprise — ceci, entre nous, n'est-ce pas? — car nous commençons à nous lasser des Hérode et puis nous voudrions, dans son intérêt même, que le peuple juif se mette une bonne fois un peu de plomb dans la tête. Un vrai Messie, un homme qui ferait preuve d'une compréhension réaliste de la situation de la Judée nous aiderait.

Hum... Brr... brr... qu'il fait froid chez vous. Dites-moi, vous avez convoqué le chef du village?

LE PUBLICAIN : Oui, monsieur le Superrésident. Il sera ici dans un instant.

LÉLIUS : Il faut qu'il prenne en main cette histoire de recensement; il devrait pouvoir m'apporter les listes dès demain soir.

LE PUBLICAIN : A vos ordres.

LÉLIUS : Combien êtes-vous?

LE PUBLICAIN : Environ huit cents.

LÉLIUS : Le village est riche?

LE PUBLICAIN : Hélas...

LÉLIUS : Ah! Ah!

LE PUBLICAIN : On se demande comment les gens peuvent vivre. Il y a quelques maigres pâturages; encore faut-il faire dix à quinze kilomètres pour les trouver. C'est tout. Le village se dépeuple lentement. Chaque année, cinq ou six de nos jeunes gens descendent sur Bethléem. Déjà la proportion des vieillards l'emporte sur celle des jeunes. D'autant que la natalité est faible.

LÉLIUS : Que voulez-vous? On ne peut blâmer ceux qui vont à la ville. Nos colons ont installé d'admirables usines à Bethléem. C'est peut-être par là que nous viendront les lumières. Une civilisation technique, vous voyez ce que je veux dire. Hein? Dites-moi, je ne suis pas venu seulement pour recenser. Qu'est-ce que vous récoltez, ici, comme impôts?

LE PUBLICAIN : Eh bien, il y a deux cents indigents qui ne rapportent rien et les autres paient leurs dix drachmes. Comptez, bon an mal an, cinq mille cinq cents drachmes. Une misère.

LÉLIUS : Oui. Hem... Eh bien, désormais, il faudra tâcher de leur en soutirer huit mille. Le procurateur porte la capitation à quinze drachmes.

LE PUBLICAIN : Quinze drachmes... C'est... C'est impossible.

LÉLIUS : Ah, voilà un mot que vous n'avez pas dû entendre souvent, quand vous étiez à Rome. Allons, ils ont sûrement plus d'argent qu'ils ne veulent le dire. Et puis... hem, vous savez que le gouvernement ne veut pas mettre le nez dans les affaires des publicains, mais de toute façon, je crois que vous n'y perdez pas. N'est-ce pas?

LE PUBLICAIN : Je ne dis pas... Je ne dis pas... C'est bien seize drachmes que vous avez dit... ?

LÉLIUS : Quinze.

LE PUBLICAIN : Oui, mais la seizième est pour mes frais.

LÉLIUS : Hem... Ah... *(Il rit.)* Ce chef... Quel homme est-ce? ... Il s'appelle Bariona, n'est-ce pas?

LE PUBLICAIN : Oui, Bariona.

LÉLIUS : C'est délicat. Très délicat. On a fait une grosse faute à Bethléem. Son beau-frère habitait la ville, il y a eu je ne sais quelle histoire embrouillée de vol et puis, finalement, le tribunal juif l'a condamné à mort.

LE PUBLICAIN : Je sais. Il a été crucifié. La nouvelle nous en est parvenue voici un mois environ.

LÉLIUS : Oui. Hem... Et comment le chef a-t-il pris la chose ?

LE PUBLICAIN : Il n'a rien dit.

LÉLIUS : Oui. Mauvais. Très mauvais ça... Ah, c'est une lourde erreur. Oui. Alors, quel genre de type, ce Bariona ?

LE PUBLICAIN : Peu traitable.

LÉLIUS : La race des petits chefs féodaux. Je m'en doutais. Ces montagnards sont rudes comme leurs rochers. Est-ce qu'il reçoit de l'argent de nous ?

LE PUBLICAIN : Il ne veut rien accepter de Rome.

LÉLIUS : Dommage. Ah, cela ne sent pas bon. Il ne nous aime pas, j'imagine ?

LE PUBLICAIN : On ne sait pas. Il ne dit rien.

LÉLIUS : Marié ? Des enfants ?

LE PUBLICAIN : Il en voudrait, dit-on, mais il n'en a pas. C'est son plus grand souci.

LÉLIUS : Ça ne va pas; ça ne va pas du tout. Il doit bien y avoir un point faible... Les femmes ? Les décorations ? Non ? Enfin, on verra bien.

LE PUBLICAIN : Le voilà...

LÉLIUS : Ça va être dur.

*Entre Bariona.*

LE PUBLICAIN : Bonjour, monseigneur.

BARIONA : Dehors, chien : tu pourris l'air que tu respires, je ne veux pas rester dans la même chambre que toi. *(Le Publicain sort.)* Mes respects, monsieur le Superrésident.

## *SCÈNE II*

### LÉLIUS, BARIONA

LÉLIUS : Je vous salue, grand chef, et je vous apporte le salut du procurateur.

BARIONA : Je suis d'autant plus sensible à cet hommage que j'en suis tout à fait indigne. Je suis un homme déshonoré, à présent, le chef d'une famille tarée.

LÉLIUS : Vous voulez parler de cette déplorable affaire? Le procurateur m'a tout spécialement chargé de vous dire combien il regrettait les rigueurs du tribunal juif.

BARIONA : Je vous prie de dire au procurateur que je le remercie de sa gracieuse sollicitude. Elle me rafraîchit et me surprend comme une ondée bienfaisante au cœur torride de l'été. Connaissant la toute-puissance du procurateur et voyant qu'il laissait les Juifs rendre un tel arrêt, j'avais pensé qu'il les approuvait.

LÉLIUS : Eh bien, vous vous trompiez. Vous vous trompiez du tout au tout. Nous avons tenté de fléchir le tribunal juif, mais que pouvions-nous faire? Il a été inébranlable et nous avons déploré son zèle intempestif. Faites comme nous, chef : durcissez votre cœur et sacrifiez votre ressentiment aux intérêts de la Palestine. Dites-vous qu'elle n'a pas d'intérêt plus urgent, même s'il doit en résulter quelques désagréments, pour certains, que de conserver ses coutumes et son administration locale.

BARIONA : Je ne suis qu'un chef de village et vous m'excuserez si je n'entends rien à cette politique. Mon raisonnement est certainement plus fruste : je me dis que j'ai servi Rome avec loyauté et que Rome peut tout. Il faut donc que j'aie cessé de lui plaire pour qu'elle laisse mes ennemis de la ville me faire cette injure. Un moment, j'ai cru prévenir ses vœux en me démettant de tous mes pouvoirs. Mais les habitants de ce village, qui m'ont gardé, eux, leur confiance, m'ont prié de rester à leur tête.

LÉLIUS : Et vous avez accepté ? A la bonne heure. Vous avez compris qu'un chef doit faire passer les affaires publiques avant ses rancunes personnelles.

BARIONA : Je n'ai pas de rancune contre Rome.

LÉLIUS : Parfait. Parfait. Parfait. Hem... Les intérêts de votre patrie, chef, sont de laisser guider doucement ses pas vers l'indépendance, par la main ferme et bienveillante de Rome.

Voulez-vous que je vous donne, sur l'heure, l'occasion de prouver au procurateur que votre amitié pour Rome est toujours aussi vive ?

BARIONA : Je vous écoute.

LÉLIUS : Rome est engagée contre son gré, dans une guerre longue et difficile. Plus encore que comme une aide effective, elle apprécierait une contribution extraordinaire de la Judée à ses dépenses de guerre comme un témoignage de solidarité.

BARIONA : Vous voulez élever les impôts ?

LÉLIUS : Rome s'y trouve contrainte.

BARIONA : La capitation ?

LÉLIUS : Oui.

BARIONA : Nous ne pouvons pas payer davantage.

LÉLIUS : On ne vous demande qu'un tout petit effort. Le procurateur a porté la capitation à seize drachmes.

BARIONA : Seize drachmes : venez voir. Ces vieux tas de terre rouges, gercés, fendillés, crevassés comme nos mains, ce sont nos maisons. Elles tombent en poussière; elles ont cent ans. Regardez cette femme qui passe, courbée sous le poids d'un fagot, ce type qui porte une hache : ce sont des vieux. Tous des vieux. Le village agonise. Avez-vous entendu un cri d'enfant depuis que vous êtes ici ? Des gosses, il en reste peut-être une vingtaine. Bientôt ils partiront à leur tour.

Qu'est-ce qui pourrait les retenir : pour acheter la misérable charrue qui sert à tout le village, nous nous sommes endettés jusqu'au cou; les impôts nous accablent, il faut que nos bergers fassent dix lieues pour mener nos moutons à de maigres pâturages. Le village saigne. Depuis que vos colons romains ont créé les scieries mécaniques à Bethléem, notre plus jeune sang coule en hémorragie et cascade, de rocher en rocher, comme une source chaude jusqu'aux basses terres qu'il arrose. Nos jeunes gens sont là-bas, dans la ville. Dans la ville, où on les asservit, où on les paie un salaire de famine, dans la ville qui les tuera tous comme elle a tué Simon, mon beau-frère. Ce village agonise, monsieur le Superrésident, il sent déjà. Et vous venez pressurer cette charogne, vous venez encore nous demander de l'or pour vos villes, pour la plaine. Laissez-nous donc mourir tranquilles. Dans cent ans, il ne restera plus trace de notre hameau, ni sur cette terre, ni dans la mémoire des hommes.

LÉLIUS : Eh bien, grand chef, pour ma part, je suis très sensible à ce que vous avez bien voulu me dire et je comprends vos raisons; mais que puis-je faire? L'homme est de cœur avec vous, mais le fonctionnaire romain a reçu des ordres et il faut qu'il les exécute.

BARIONA : Oui. Et si nous refusons de payer cet impôt... ?

LÉLIUS : Ce serait une grave imprudence. Le procurateur ne saurait admettre la mauvaise volonté. Je crois pouvoir vous dire qu'il sera très sévère. On prendra vos moutons.

BARIONA : Des soldats viendront dans notre village comme à Hébron l'an dernier? Ils violeront nos femmes et emmèneront nos bêtes?

LÉLIUS : Il vous appartient de l'éviter.

BARIONA : C'est bien. Je vais réunir le Conseil des Anciens pour lui faire part de vos vœux. Comptez sur une prompte exécution. Je souhaite que le procurateur se rappelle longtemps notre docilité.

LÉLIUS : Vous pouvez en être sûr. Le procurateur tiendra compte de vos difficultés présentes que je lui retracerai fidèlement. Soyez sûr que si nous pouvons vous aider, nous ne resterons pas inactifs. Je vous salue, grand chef.

BARIONA : Mes respects, monsieur le Superrésident.

*Il sort.*

LÉLIUS, *seul :* Cette obéissance subite ne me dit rien qui vaille; ce moricaud aux yeux de feu est en train de méditer un sale coup. Lévy! Lévy! *(Entre le Publicain.)* Donnez encore un peu de votre eau-de-vie, mon ami, car il faut que je me prépare aux plus grands embarras.

RIDEAU

LE RÉCITANT : Et il a raison, ce fonctionnaire romain. Il a raison de se méfier, car Bariona, en sortant de chez le Publicain, a fait sonner la trompette pour appeler les Anciens au Conseil.

## DEUXIÈME TABLEAU

*Devant les murs de la ville.*

### *SCÈNE I*

LE CHŒUR DES ANCIENS

*Sons de trompe dans la coulisse, les Anciens entrent peu à peu.*

CHŒUR DES ANCIENS

Voici : la trompe a sonné
Nous avons revêtu nos habits de fête
Et nous avons franchi les portes de bronze
Et nous siégeons devant le mur de terre rouge
Comme autrefois

Notre village agonise et sur nos maisons
De terre sèche
Tournoie le vol noir du corbeau
A quoi bon tenir un conseil
Lorsque notre cœur est en cendres

Et que nous roulons dans notre tête
Des pensées d'impuissance?

PREMIER ANCIEN : Que nous veut-on? Pourquoi nous réunir? Autrefois, du temps de ma jeunesse, les décisions du Conseil étaient efficaces et je n'ai jamais reculé même devant le propos le plus hardi. Mais à quoi bon aujourd'hui?

LE CHŒUR

A quoi bon nous faire sortir des trous
Où nous nous terrons pour mourir
Comme des bêtes malades
Du haut de ces murs, autrefois
Nos pères ont repoussé l'ennemi,
Mais ils sont lézardés à présent; ils tombent en ruine
Nous n'aimons pas nous regarder en face
Car nos visages ridés nous rappellent un temps disparu.

DEUXIÈME ANCIEN : On dit qu'un Romain est arrivé dans le village et qu'il est descendu chez Lévy, le Publicain.

TROISIÈME ANCIEN : Que nous veut-il? Peut-on pressurer un âne mort? Nous n'avons plus d'argent et nous serions de mauvais esclaves. Qu'on nous laisse crever en paix!

LE CHŒUR

Voici Bariona, notre Chef
Il est jeune encore, mais
Son cœur est plus ridé que les nôtres,
Il vient et son front
Paraît l'entraîner vers la terre,
Il marche lentement,
Et son âme est pleine de suie

*Bariona entre lentement, ils se lèvent.*

*SCÈNE II*

BARIONA : O mes compagnons!

LE CHŒUR : Bariona! Bariona!

BARIONA : Un Romain est venu de la ville, portant les ordres du procurateur. Il paraît que Rome fait la guerre. Nous paierons désormais une capitation de seize drachmes.

LE CHŒUR : Hélas!

PREMIER ANCIEN : Bariona, nous ne pouvons pas, nous ne *pouvons pas* payer cet impôt. Nos bras sont trop faibles, nos bêtes crèvent, le mauvais sort est sur notre village. Il ne faut pas obéir à Rome.

DEUXIÈME ANCIEN : Bien. Alors les soldats viendront ici te prendre tes moutons comme à Hébron, l'autre hiver; ils te traîneront par la barbe sur les routes et le tribunal de Bethléem te fera rosser sur la plante des pieds.

PREMIER ANCIEN : Alors toi, tu es pour qu'on paie? Tu es vendu aux Romains.

DEUXIÈME ANCIEN : Je ne suis pas vendu, mais je suis moins bête que toi et je sais voir les choses : quand l'ennemi est le plus fort, je sais qu'il faut courber la tête.

PREMIER ANCIEN : M'écoutez-vous, camarades? Sommes-nous tombés si bas? Jusqu'ici nous avons cédé à la force, mais c'est assez à présent : ce que nous ne pouvons pas faire, nous ne le ferons pas. Nous irons quérir ce Romain chez Lévy et nous le pendrons aux créneaux des remparts.

DEUXIÈME ANCIEN : Tu veux te révolter, toi qui n'as même plus la force d'un enfant. Ton épée tomberait de ton bras sénile au premier choc et tu nous ferais tous massacrer.

PREMIER ANCIEN : Ai-je dit que je ferai la guerre moi-même? Il y en a tout de même encore parmi nous, qui n'ont pas trente-cinq ans.

DEUXIÈME ANCIEN : Et tu prêches la révolte à ceux-là? Tu veux qu'ils se battent pour que tu puisses garder tes sous?

TROISIÈME ANCIEN : Silence! Écoutez Bariona.

LE CHŒUR : Bariona, Bariona, Bariona! Écoutez Bariona!

BARIONA : Nous paierons cet impôt.

LE CHŒUR. Hélas!

BARIONA : Nous paierons cet impôt. *(Un temps.)* Mais personne, après nous, ne paiera plus d'impôts dans ce village!

PREMIER ANCIEN : Comment cela pourra-t-il se faire?

BARIONA : Parce qu'il n'y aura plus personne pour payer l'impôt. O mes compagnons, voyez pourtant notre état : vos fils vous ont abandonnés pour descendre à la ville et vous avez voulu rester, parce que vous êtes fiers. Et Marc, Simon, Balarm, Jérévah, quoique étant jeunes encore, demeurent avec nous, car ils sont fiers aussi. Et moi, qui suis votre chef, j'ai fait comme eux, ainsi que me l'ordonnaient mes ancêtres. Et pourtant voici : le village est comme un théâtre vide lorsque le rideau est tombé et que les spectateurs sont partis. Les grandes ombres de la montagne se sont étendues sur lui. Je vous ai réunis et nous sommes tous là, assis au soleil couchant. Pourtant, chacun de nous est seul, dans le noir, et le silence est autour de nous, comme un mur. Silence très étonnant : le moindre cri d'enfant suffirait à le rompre, mais nous aurions beau unir nos efforts et crier tous ensemble, nos vieilles voix viendraient se casser contre lui. Nous sommes enchaînés sur notre roc comme de vieux aigles pouilleux. Ceux d'entre nous qui ont encore la jeunesse du corps ont vieilli par en dessous et leur cœur est dur comme une pierre car ils n'ont plus rien à espérer, depuis leur enfance. Ils n'ont plus rien à espérer sauf la mort. Or, la chose était déjà telle du temps de nos pères : le village agonise depuis que les Romains sont entrés en Palestine et celui d'entre nous qui engendre est coupable car il prolonge cette agonie. Écoutez : au mois dernier, lorsqu'on m'a appris la mort de mon beau-frère, je suis monté sur le mont Saron; j'ai vu de haut notre village écrasé sous le soleil et j'ai médité dans mon cœur. J'ai pensé : je ne suis jamais descendu de mon aire et pourtant je connais le monde, car, où que soit un homme, le monde tout entier se presse autour de lui. Mon bras est encore vigoureux, mais je suis sage comme un vieillard. Voici qu'il est temps d'interroger ma sagesse. Les aigles planaient au-dessus de ma tête dans le ciel froid, je regardais notre village et ma sagesse m'a dit : le monde n'est qu'une chute interminable et molle. Le monde n'est qu'une motte de terre qui n'en finit pas de tomber. Des gens et des choses apparaissent soudain en un point de la chute et à peine apparus, ils sont pris par cette chute universelle; ils se mettent à tomber, ils se désagrègent et se défont. O compagnons, ma sagesse m'a dit : la vie est une défaite, personne n'est victorieux et tout le monde est vaincu; tout s'est très mal passé toujours et la plus grande folie de la terre, c'est l'espoir.

LE CHŒUR : La plus grande folie de la terre, c'est l'espoir!

BARIONA : Or, mes compagnons, nous ne devons pas nous résigner à la chute, car la résignation est indigne d'un homme. C'est pourquoi je vous dis : il faut résoudre nos âmes au désespoir. Quand je suis descendu du mont Saron mon cœur s'était fermé comme un poing sur ma peine, il la serrait fort et dur, comme l'aveugle serre son bâton dans sa main. Mes compagnons, refermez vos cœurs sur votre peine, serrez fort, serrez dur car la dignité de l'homme est dans son désespoir. Voici ma décision : nous ne nous révolterons point — un vieux chien galeux qui se révolte on le renvoie d'un coup de pied à sa niche. Nous paierons l'impôt pour que nos femmes ne souffrent point. Mais le village va s'ensevelir de ses propres mains. Nous ne ferons plus d'enfants. J'ai dit.

PREMIER ANCIEN : Quoi! Plus d'enfants!

BARIONA : Plus d'enfants. Nous n'aurons plus commerce avec nos femmes. Nous ne voulons plus perpétuer la vie, ni prolonger les souffrances de notre race. Nous n'engendrerons plus, nous consommerons notre vie dans la méditation du mal, de l'injustice et de la souffrance. Et puis, dans un quart de siècle, les derniers d'entre nous seront morts. Peut-être partirai-je le dernier. En ce cas, lorsque je sentirai venir mon heure, je revêtirai mes habits de fête et je m'étendrai sur la grande place, la face tournée vers le ciel. Les corbeaux nettoieront ma charogne et le vent dispersera mes os. Alors le village retournera à la terre. Le vent fera battre les portes des maisons vides, nos murailles de terre s'écrouleront comme la neige de printemps aux flancs des montagnes, il ne restera plus rien de nous sur la terre, ni dans la mémoire des hommes.

LE CHŒUR

Est-il possible que nous passions le reste de nos jours
Sans voir le sourire d'un enfant?
Le silence d'airain s'épaissit autour de nous.
Hélas, pour qui donc travaillerai-je?
Pourrons-nous vivre sans enfants?

BARIONA : Quoi? Vous vous lamentez? Oseriez-vous donc encore créer de jeunes vies avec votre sang pourri? Voulez-vous rafraîchir avec des hommes nouveaux l'interminable agonie du monde? Quel destin souhaitez-vous pour vos enfants futurs? Qu'ils demeurent ici, solitaires et déplumés, l'œil fixe comme des vautours en cage? Ou bien qu'ils descendent là-bas dans les villes, pour se faire esclaves des Romains, travailler à des tarifs de famine et pour finir, peut-être, mourir sur la croix. Vous obéirez. Et je souhaite que notre exemple soit publié partout en Judée et qu'il soit à l'origine d'une religion nouvelle, la religion du néant et que les Romains demeurent les maîtres dans nos villes désertes et que notre sang retombe sur leurs têtes. Répétez, après moi, le serment que je vais faire : devant le Dieu de la Vengeance et de la Colère, devant Jéhovah, je jure de ne point engendrer. Et si je manque à mon serment, que mon enfant naisse aveugle, qu'il souffre de la lèpre, qu'il soit un objet de dérision pour les autres, et pour moi de honte et de douleur. Répétez, Juifs, répétez :

LE CHŒUR : Devant le Dieu de la Vengeance et de la Colère...

LA FEMME DE BARIONA : Arrêtez!

### *SCÈNE III*

CHŒUR DES ANCIENS, BARIONA, SARAH

BARIONA : Que veux-tu, Sarah?

SARAH : Arrêtez!

BARIONA : Qu'y a-t-il? Parle!

SARAH : Je... venais t'annoncer... Oh Bariona, tu m'as maudite : tu as maudit mon ventre et le fruit de mon ventre.

BARIONA : Tu ne veux pas dire...?

SARAH : Si. Je suis enceinte, Bariona. Je venais te l'apprendre, je suis enceinte de toi.

BARIONA : Hélas!

LE CHŒUR : Hélas!

SARAH : Tu es entré en moi et tu m'as fécondée et je me suis ouverte à toi et nous avons prié ensemble Jéhovah pour qu'il nous donne un fils. Et aujourd'hui que je le porte en moi et que notre union est enfin bénite, tu me repousses et tu voues notre enfant à la mort. Bariona, tu m'as menti. Tu m'as meurtrie et tu m'as fait saigner et j'ai souffert sur ta couche et j'ai tout accepté parce que je croyais que tu voulais un fils. Mais je vois à présent que tu me mentais et que tu cherchais simplement ton plaisir. Et toutes les joies que mon corps t'a données, toutes les caresses que je t'ai faites et reçues, tous nos baisers, toutes nos étreintes, je les maudis à mon tour.

BARIONA : Sarah! Ce n'est pas vrai, je ne t'ai pas menti. Je voulais un fils. Mais aujourd'hui, j'ai perdu tout espoir et toute foi. Cet enfant que j'ai tant souhaité et que tu portes en toi, c'est *pour lui* que je ne veux pas qu'il naisse. Va chez le sorcier, il te donnera des herbes et tu redeviendras stérile.

SARAH : Bariona, je t'en prie.

BARIONA : Sarah, je suis seigneur du village et maître de la vie et de la mort. J'ai décidé que ma famille s'éteindrait avec moi. Va. Et n'aie point de regrets; il aurait souffert, il t'aurait maudite.

SARAH : Quand je serais certaine qu'il me trahira, qu'il mourra sur la croix comme les voleurs et en me maudissant, je l'enfanterais encore.

BARIONA : Mais pourquoi? Pourquoi?

SARAH : Je ne sais pas. J'accepte pour lui toutes les souffrances qu'il va souffrir et pourtant je sais que je les ressentirai toutes dans ma chair. Il n'est pas une épine de son chemin qui se plantera dans son pied sans se planter dans mon cœur. Je saignerai à flots ses douleurs.

BARIONA : Crois-tu que tu les allégeras par tes pleurs? Personne ne pourra souffrir pour lui ses souffrances; pour souffrir, pour mourir, on est toujours seul. Quand même tu serais au pied de sa croix, il serait seul à suer son agonie. C'est pour ta joie que tu veux l'enfanter, non pour la sienne. Tu ne l'aimes pas assez.

SARAH : Je l'aime déjà, quel qu'il puisse être. Toi, je t'ai choisi entre tous, je suis venue à toi parce que tu étais le plus beau et le plus fort. Mais celui que j'attends, je ne l'ai pas choisi et je l'attends. Je l'aime à l'avance même s'il est laid, même s'il est aveugle, même si votre malédiction doit le couvrir de lèpre, je l'aime à l'avance, cet enfant sans nom et sans visage, mon enfant.

BARIONA : Si tu l'aimes, aie pitié de lui. Laisse-le dormir du sommeil calme de ceux qui ne sont pas encore nés. Veux-tu donc lui donner comme patrie la Judée esclave? Pour demeure, ce roc glacé et venteux? Pour toit, cette boue lézardée? Pour compagnons, ces vieillards amers? Et pour famille, notre famille déshonorée?

SARAH : Je veux lui donner aussi le soleil et l'air frais et les ombres violettes de la montagne et le rire des filles. Je t'en prie, laisse un enfant naître, laisse encore une fois une chance se courir dans le monde.

BARIONA : Tais-toi. C'est un piège. On croit toujours qu'il y a une chance à courir. Chaque fois qu'on met un enfant au monde, on croit qu'il a sa chance et ce n'est pas vrai. Les jeux sont faits d'avance. La misère, le désespoir, la mort l'attendent au carrefour.

SARAH : Bariona, je suis devant toi comme une esclave devant son Seigneur et je te dois l'obéissance. Pourtant, je sais que tu te trompes et que tu fais mal. Je ne connais pas l'art de la parole et je ne trouverai ni les mots, ni les raisons qui pourraient te confondre. Mais j'ai peur devant toi : te voici éblouissant d'orgueil et de mauvaise volonté comme un ange révolté, comme l'Ange du désespoir, mais mon cœur n'est pas avec toi.

*Lélius s'avance.*

### *SCÈNE IV*

LES MÊMES — LÉLIUS

LÉLIUS : Madame, messieurs!

LE CHŒUR : Le Romain...

*Ils se lèvent tous.*

LÉLIUS : Je passais, messieurs, et j'ai surpris votre débat. Hem ! Permettez-moi, chef, d'appuyer les arguments de votre épouse et de vous exposer le point de vue romain. Madame, si vous voulez m'en croire, fait preuve d'un sens exquis des réalités civiques et cela devrait vous faire honte, chef. Elle a compris qu'en cette affaire, vous n'étiez pas seul en cause et qu'il fallait considérer d'abord l'intérêt de la Société. Rome, tutrice bienveillante de la Judée, est engagée dans une guerre qui promet d'être fort longue et le jour viendra, sans doute, où elle fera appel au concours des indigènes qu'elle protège, arabes, noirs, israélites. Qu'arriverait-il alors si elle ne trouvait plus que des vieillards pour répondre à son appel ? Voudriez-vous que le bon droit succombe faute de bras pour le défendre ? Il serait scandaleux que les guerres victorieuses de Rome dussent s'arrêter faute de soldats. Mais, dussions-nous vivre en paix durant des siècles, n'oubliez pas qu'alors c'est l'industrie qui réclamerait vos enfants. En cinquante ans les salaires ont beaucoup augmenté, ce qui prouve que la main-d'œuvre est insuffisante. J'ajoute que cette obligation de maintenir les salaires si haut est une lourde charge pour le patronat romain. Si les Juifs font de nombreux enfants, l'offre du travail dépassant enfin les demandes, les salaires pourront baisser considérablement et nous dégagerons ainsi des capitaux qui pourraient être plus utiles ailleurs. Faites-nous des ouvriers et des soldats, chef, cela est votre devoir. C'est là ce que Madame sentait confusément et je suis fort heureux d'avoir pu lui prêter mon modeste concours pour expliquer son sentiment.

SARAH : Bariona, je ne m'y reconnais plus. Ce n'est pas du tout ce que je voulais dire.

BARIONA : Je sais. Vois pourtant quels sont tes alliés et courbe la tête. Femme, cet enfant que tu veux faire naître c'est comme une nouvelle édition du monde. Par lui les nuages et l'eau et le soleil et les maisons et la peine des hommes existeront une fois de plus. Tu vas recréer le monde, il va se former comme une croûte épaisse et noire autour d'une petite conscience scandalisée qui demeurera là, prisonnière, au milieu de la croûte, comme une larme. Comprends-tu quelle énorme incongruité, quelle monstrueuse faute de tact ce serait de tirer le monde raté à de nouveaux exemplaires ? Faire un enfant c'est approuver la création du fond de son cœur, c'est dire au Dieu qui nous tourmente :

« Seigneur, tout est bien et je vous rends grâce d'avoir fait l'univers. » Veux-tu vraiment chanter cet hymne? Peux-tu prendre sur toi de dire : si ce monde était à refaire, je le referais tout juste comme il est? Laisse, ma douce Sarah, laisse. L'existence est une lèpre affreuse qui nous ronge tous et nos parents ont été coupables. Garde tes mains pures, Sarah, et puisses-tu dire au jour de ta mort : je ne laisse personne après moi pour perpétuer la souffrance humaine. Allons, vous autres, jurez...

LÉLIUS : Je saurai bien empêcher cela.

BARIONA : Et comment vous y prendrez-vous, monsieur le Superrésident? Nous jetterez-vous en prison? Ce serait le plus sûr moyen de séparer l'homme de la femme et de les faire mourir stériles, chacun de son côté.

LÉLIUS, *terrible :* Je vais... *(Calmé :)* Hem! Je vais en référer au procurateur.

BARIONA : Devant le Dieu de la Vengeance et de la Colère, je jure de ne pas engendrer.

LE CHŒUR : Devant le Dieu de la Vengeance et de la Colère, je jure de ne pas engendrer.

BARIONA : Et si je manquais à mon serment, que mon enfant naisse aveugle.

LE CHŒUR : Et si je manquais à mon serment, que mon enfant naisse aveugle.

BARIONA : Qu'il soit un objet de dérision pour les autres, et pour moi de honte et de douleur.

LE CHŒUR : Qu'il soit un objet de dérision pour les autres, et pour moi de honte et de douleur.

BARIONA : Voilà. Nous sommes liés. Allez et soyez fidèles à votre serment.

SARAH : Et si pourtant c'était la volonté de Dieu que nous engendrions?

BARIONA : Alors qu'il fasse un signe à son serviteur. Mais qu'il se hâte, qu'il m'envoie ses anges avant l'aube. Car mon cœur est las de l'attendre et l'on ne se déprend pas aisément du désespoir quand on y a goûté une fois.

RIDEAU

LE RÉCITANT : Et voilà. Voilà Bariona qui met le Seigneur en demeure de se manifester. Ah, je n'aime pas ça, je n'aime pas ça du tout... Vous savez ce qu'on dit chez moi? Ne réveillez pas le chat qui dort. Quand Dieu reste tranquille, ça va comme ça peut, mais on reste entre hommes, on s'arrange, on s'explique, la vie demeure quotidienne. Mais si Dieu se met à bouger, patatras! C'est comme un tremblement de terre et les hommes tombent à la renverse ou sur le nez et après, c'est le diable pour s'y retrouver; il faut tout recommencer. Et justement, dans l'histoire que je vous raconte, Dieu s'est piqué au jeu, ça n'a pas dû plaire à cet homme que Bariona le traite comme ça. Il s'est dit : « De quoi...? » et pendant la nuit, il a envoyé son ange sur la terre, à quelques lieues de Béthaur. Je vais vous montrer l'ange; regardez bien et en avant la musique... Vous voyez, tous ces bonshommes qui s'écroulent, ce sont des bergers qui paissaient leurs troupeaux dans la montagne. Et naturellement, on a peint avec soin les ailes de l'ange et l'artiste a fait ce qu'il pouvait pour le rendre superbe. Mais je vais vous dire mon idée; ça ne s'est pas passé comme ça. J'y ai longtemps cru à cette image, tant que j'y voyais encore clair, parce qu'elle m'éblouissait. Mais depuis que je n'y vois plus, j'ai réfléchi et j'ai changé d'avis. Un ange, voyez-vous, ça ne doit pas montrer volontiers ses ailes. Vous avez certainement rencontré des anges dans votre vie. Et peut-être y en a-t-il parmi vous. Eh bien, avez-vous jamais vu leurs ailes? Un ange, c'est un homme comme vous et moi, mais le Seigneur a étendu sa main sur lui et il a dit : voici j'ai besoin de toi; pour cette fois, tu feras l'ange... Et le bonhomme s'en va parmi les autres, tout ébloui, comme Lazare le ressuscité parmi les vivants, et il a sur la figure un petit air louche, un petit air ni chair ni poisson, parce qu'il n'en revient pas d'être ange. Tout le monde se méfie de lui car l'ange, c'est celui par qui le scandale arrive. Et je vais vous dire ma pensée : quand on rencontre un ange, un vrai, on commence par croire que c'est le Diable. Pour en revenir à notre histoire, moi, je verrais plutôt les choses comme ceci :

c'est sur un plateau, tout en haut de la montagne, les bergers sont là, autour d'un feu et l'un d'eux joue de l'harmonica.

*Le rideau se lève.*

## TROISIÈME TABLEAU

*Dans la montagne, au-dessus de Béthaur.*

### SCÈNE I

*Simon joue de l'harmonica.*

LE PASSANT : Bonne nuit, les gars!

SIMON : Hé! Qui est là!

LE PASSANT : C'est Pierre, le menuisier d'Hébron. Je reviens de chez vous.

SIMON : Salut, petit père, la nuit est douce, hein?

LE PASSANT : Beaucoup trop douce. Je n'aime pas ça! Je marchais dans le noir, sur la roche dure et stérile et je croyais traverser un jardin plein de fleurs énormes et chauffées par le soleil en fin d'après-midi, tu sais, quand elles vous lâchent au nez tout leur parfum. Je suis content de vous avoir trouvé, je me sentais plus seul au milieu de cette douceur-là qu'au sein d'un ouragan. Et puis j'ai rencontré sur les routes une odeur épaisse comme un brouillard.

SIMON : Quelle espèce d'odeur?

LE PASSANT : Plutôt bonne. Mais ça me tournait la tête, on aurait dit qu'elle était vivante, comme un banc de poissons, comme une compagnie de perdrix ou plutôt comme ces gros nuages de pollen qui courent sur la terre féconde des plaines au printemps et qui sont parfois si épais qu'ils cachent le soleil. Elle est tombée sur moi tout d'un coup et je la sentais frissonner autour de moi; j'en étais tout empoissé.

SIMON : Vous avez de la chance. Votre odeur n'est pas montée jusqu'à nous et je ne sens que le parfum naturel de mes compagnons qui évoque plutôt l'ail et le bouc.

LE PASSANT : Non ! Si vous aviez été à ma place, vous auriez eu peur comme moi. Ça craquait, ça chantonnait, ça bruissait tout partout, à ma droite, à ma gauche, devant moi, derrière moi; on aurait dit que des bourgeons poussaient à des arbres invisibles, on aurait dit que la nature avait choisi ces plateaux déserts et glacés pour se donner à elle seule, pendant une nuit d'hiver, la fête magnifique du printemps.

SIMON : Fou de chichourle !

LE PASSANT : Il y avait de la sorcellerie là-dessous; je n'aime pas que ça sente le printemps au milieu de l'hiver; il y a un temps pour chaque saison.

SIMON, *à part :* Il est devenu fada, le pauvre... *(Haut :)* Alors comme ça, vous venez de Béthaur ?

LE PASSANT : Oui. Il s'en passe de drôles, là-bas.

SIMON : Ah, ah ? Asseyez-vous et racontez-nous ça par le menu ! J'aime bien bavarder autour d'un grand feu, mais nous ne voyons jamais personne, nous autres bergers. Ceux-ci dorment et ces deux-là qui veillent avec moi n'ont pas de conversation. C'est Ruth, je parie, hé ? Son mari l'aura surprise avec Chalem ? J'ai toujours prédit que ça tournerait mal : ils ne se cachaient pas assez.

LE PASSANT : Vous n'y êtes pas du tout. C'est Bariona, votre chef. Il s'est adressé à Dieu et il lui a dit : fais-moi signe avant l'aube, sinon je défendrai à mes hommes d'avoir commerce avec leurs femmes.

SIMON : D'avoir commerce avec leurs femmes ? Fou de chichourle, il est devenu complètement potastre. Il ne crachait pourtant pas sur les caresses de la sienne, si ce qu'on dit est vrai. Il faut qu'elle lui ait taillé des cornes.

LE PASSANT : Non pas.

SIMON : Et bien alors ?

LE PASSANT : Il paraît que c'est de la politique.

SIMON : Ah! Si c'est de la politique... Mais dites donc, collègue, c'est une politique bien chagrine. Je ne serais pas né, moi, si mon père avait fait cette politique-là.

LE PASSANT : C'est bien ce que veut Bariona : empêcher les enfants de naître.

SIMON : Ouais. Eh bien, si je n'étais pas né, moi, je le regretterais. Ça ne va pas tous les jours comme on voudrait, je n'en discute pas. Mais voyez : il y a des moments qui ne sont pas bien mauvais, on gratte un peu la guitare, on boit un petit coup de vin, et puis, on voit tout autour de soi, sur les autres montagnes, des feux de bergers, tout pareils à celui-ci, qui clignent de l'œil. Eh, vous autres, entendez-vous? Bariona défend à ses hommes de coucher avec leurs femmes.

CAÏPHE : Non? Et avec qui coucheront-ils?

LE PASSANT : Avec personne.

PAUL : Les pauvres bougres. Ils vont devenir enragés!

LE PASSANT : Et vous autres, les bergers? Cela vous concerne aussi, car enfin, vous êtes de Béthaur.

SIMON : Bah! Nous ne serons pas bien en peine. L'hiver est la morte saison pour les amours, mais au printemps les fillettes d'Hébron viendront nous retrouver sur la montagne. Et puis, s'il fallait se reposer quelque temps, je ne serais pas trop privé : on m'a toujours trop aimé pour mon goût.

LE PASSANT : Allons, Dieu vous garde.

CAÏPHE : Vous boirez bien un petit coup?

LE PASSANT : Ma foi non! Je ne suis pas rassuré. Je ne sais trop ce qu'il y a ce soir dans la montagne, mais j'ai hâte d'être chez moi. Quand les éléments se font la fête, il ne fait pas bon être sur les chemins. Bonsoir!

CAÏPHE, PAUL, SIMON : Bonsoir.

CAÏPHE : Qu'est-ce qu'il raconte?

SIMON : Est-ce que je sais ? Il a senti une odeur, entendu un certain bruit... des fariboles.

*Un silence.*

PAUL : Il a pourtant la tête solide le père Pierre.

CAÏPHE : Bah... Il est possible qu'il ait vu vraiment quelque chose. Celui qui va par les routes fait souvent d'étranges rencontres.

SIMON : Quoi que ce soit qu'il ait vu, je souhaite que cela ne monte pas jusqu'ici.

PAUL : Dis-donc, toi, joue-nous quelque chose.

*Simon joue de l'harmonica.*

CAÏPHE : Et puis après ?

SIMON : Je n'ai plus envie de jouer.

*Un temps.*

CAÏPHE : Je ne sais pas ce qui tient les moutons en éveil : depuis la tombée de la nuit, je ne fais qu'entendre leurs clochettes.

PAUL : Et les chiens sont nerveux : ils aboient après la lune et il n'y a pas de lune.

*Un temps.*

CAÏPHE : Je n'en reviens pas : Bariona interdire les rapports des hommes avec les femmes. Il faut qu'il ait bien changé car autrefois, c'était un fameux coureur et il y en a plus d'une dans les fermes autour de Béthaur qui doit se rappeler.

PAUL : C'est une mauvaise affaire pour sa femme : c'est qu'il est bel homme, Bariona !

CAÏPHE : Et elle donc ! J'aimerais mieux l'avoir dans mon lit que le tonnerre.

*Un temps.*

SIMON : Hé là ! C'est pourtant vrai qu'il y a autour de nous une espèce d'odeur qui ne nous ressemble pas.

CAÏPHE : Oui, ça sent plutôt fort. C'est une drôle de nuit. Voyez comme les étoiles sont proches, on dirait que le ciel est posé contre la terre. Et pourtant il fait noir comme dans un four.

PAUL : Il y a des nuits comme celle-là. On croit qu'elles vont accoucher de quelque chose, tant elles pèsent lourd et puis, finalement, il n'en sort qu'un peu de vent à l'aube.

CAÏPHE : Toi, tu n'y vois que du vent. Mais des nuits comme celles-ci sont plus riches en intersignes que la mer en poissons. Il y a sept ans, je m'en souviendrai toujours, je veillais ici même et c'était une nuit à faire dresser les cheveux sur la tête; ça criait, ça gémissait de partout; l'herbe était couchée comme si le vent l'avait foulée de ses sabots et pourtant, il n'y avait point de vent. Eh bien, le lendemain matin, quand je suis rentré chez moi, la vieille m'a appris que le père était mort.

*Simon éternue.*

Qu'est-ce qu'il y a?

SIMON : C'est ce parfum qui me chatouille les narines. Il devient de plus en plus fort. On se croirait dans la boutique d'un coiffeur arabe. Alors, vous croyez qu'il arrivera quelque chose, cette nuit?

CAÏPHE : Oui.

SIMON : Ce sera quelque événement considérable à en juger par la force de cette odeur. La mort d'un roi pour le moins. Je ne me sens pas du tout tranquille, je n'ai pas besoin que les morts me fassent des signes et je trouve que les rois pourraient bien trépasser sans le faire annoncer au sommet des montagnes. Les morts de rois, c'est des histoires pour occuper les oisifs dans les villes. Mais nous n'avons pas besoin de ça ici.

CAÏPHE : Chut... Tais-toi.

SIMON : Qu'est-ce qu'il y a?

CAÏPHE : On dirait que nous ne sommes pas seuls. Je sens comme une présence, mais je ne saurais dire lequel de mes cinq sens m'en avertit. C'est tout rond et doux contre moi.

SIMON : Oh! là, là! Si on réveillait les autres? Il y a près de moi quelque chose de tendre et chaud qui se frotte, c'est comme le dimanche quand je prends le chat de chez nous sur mes genoux.

CAÏPHE : Mes narines débordent d'une odeur énorme et suave, le parfum m'engloutit comme la mer. C'est un parfum qui palpite, qui frôle et qui me voit, une suavité géante qui fuse à travers ma peau jusqu'à mon cœur. Je suis transi jusqu'aux moelles par une vie qui n'est pas la mienne et que je ne connais pas. Je suis perdu au fond d'une autre vie comme au fond d'un puits, j'étouffe, je suis noyé de parfum, je lève la tête et je ne vois plus les étoiles; les piliers immenses d'une tendresse étrangère s'élèvent autour de moi jusqu'aux Cieux et je suis plus petit qu'un vermisseau.

PAUL : C'est vrai, on ne voit plus les étoiles.

SIMON : Ça passe, l'odeur est moins forte.

CAÏPHE : Oui..., ça passe, c'est en train de passer. C'est fini. Comme la terre et les cieux sont vides à présent! Allons, reprends ton harmonica, nous allons reprendre notre garde. Ce n'est sans doute pas l'unique merveille que nous verrons de la nuit. Paul, mets une bûche dans le feu, il va s'éteindre.

*Entre l'Ange.*

## *SCÈNE II*

LES MÊMES, L'ANGE

L'ANGE : Est-ce que je peux me chauffer un moment?

PAUL : Qui êtes-vous?

L'ANGE : Je viens d'Hébron, j'ai froid.

CAÏPHE : Chauffez-vous si vous voulez. Et si vous avez soif, voilà du vin. *(Un temps.)* Vous êtes monté par le chemin des chèvres?

L'ANGE : Je ne sais pas. Oui, je crois.

CAÏPHE : Avez-vous senti cette odeur qui rôde sur les routes?

L'ANGE : Quelle odeur?

CAÏPHE : Une odeur... Non, si vous ne l'avez pas sentie, il n'y a rien à en dire. Vous avez faim?

L'ANGE : Non.

CAÏPHE : Vous êtes pâle comme la mort.

L'ANGE : Je suis pâle parce que j'ai reçu un coup.

CAÏPHE : Un coup?

L'ANGE : Oui. C'est venu comme un coup de poing. A présent, il faut que je voie Simon, Paul, Caïphe. C'est vous, n'est-ce pas?

TOUS TROIS : Oui.

L'ANGE : Voilà Simon, n'est-ce pas? Et voilà Paul? Et vous, vous êtes Caïphe?

CAÏPHE : D'où nous connaissez-vous? Vous êtes d'Hébron?

PAUL : Ma parole, il a l'air de dormir debout. *(Haut :)* Et vous avez affaire à nous ?

L'ANGE : Oui. Je vous ai cherché au milieu de vos troupeaux, et vos chiens ont hurlé à ma vue.

SIMON, *à part :* Je comprends ça!

L'ANGE : J'ai un message pour vous.

SIMON : Un message?

L'ANGE : Oui. Excusez-moi, la route est longue et je ne sais plus ce que j'avais à vous dire. J'ai froid. *(Avec éclat :)* Seigneur, ma bouche est amère et mes épaules fléchissent sous votre énorme poids. Je vous porte, Seigneur, et c'est comme si je portais la terre entière. *(Aux autres :)* Je vous ai fait peur, n'est-ce pas? J'ai marché vers vous dans la nuit, les chiens hurlaient à la mort sur mon passage et j'ai froid. J'ai toujours froid.

SIMON : C'est un pauvre fada.

CAÏPHE : Tais-toi. Et toi, délivre-nous ton message.

L'ANGE : Le message? Ah oui, le message. Voici : réveillez vos compagnons et mettez-vous en marche. Vous irez à Béthaur et vous crierez la bonne nouvelle.

CAÏPHE : Quelle nouvelle?

L'ANGE : Attendez : c'est à Bethléem, dans une étable. Attendez et faites silence. Il y a au ciel un grand vide et une grande attente, car rien encore ne s'est produit. Et il y a ce froid dans mon corps pareil au froid du ciel. En ce moment, dans une étable il y a une femme couchée sur de la paille. Faites silence car le ciel s'est vidé tout entier comme un grand trou, il est désert et les anges ont froid. Ah! qu'ils ont froid!

SIMON : Ça n'a pas du tout l'air d'une bonne nouvelle.

CAÏPHE : Tais-toi!

*Un long silence.*

L'ANGE : Voilà. Il est né! Son esprit infini et sacré est prisonnier dans un corps d'enfant tout souillé et s'étonne de souffrir et d'ignorer. Voilà : notre maître n'est plus rien qu'un enfant. Un enfant qui ne sait pas parler. J'ai froid, Seigneur, que j'ai froid. Mais c'est assez pleuré sur la peine des anges et sur l'immense désert des cieux. Partout sur terre courent des odeurs légères et c'est au tour des hommes de se réjouir. N'ayez pas peur de moi, Simon, Caïphe et Paul; réveillez vos compagnons.

*Ils secouent les dormeurs.*

PREMIER BERGER : Hompz! Qu'est-ce que c'est!

DEUXIÈME BERGER : Laissez-moi dormir. Je rêvais que je tenais dans mes bras une gentille pucelle.

TROISIÈME BERGER : Et moi, je rêvais que je mangeais...

TOUS

Pourquoi nous tirer du sommeil?
Et qui est celui-là, au long visage blême
Qui semble, comme nous, s'éveiller?

L'ANGE : Allez à Béthaur et criez partout : le Messie est né. Il est né dans une étable, à Bethléem.

TOUS : Le Messie...

L'ANGE : Dites-leur : descendez en foule dans la ville de David pour adorer le Christ, votre Sauveur. Et vous le reconnaîtrez à ceci que vous trouverez un petit enfant emmailloté et couché dans une crèche. Toi, Caïphe, va trouver Bariona qui souffre et dont le cœur est plein de fiel et dis-lui : « Paix sur la terre aux hommes de bonne volonté. »

TOUS : Paix sur la terre aux hommes de bonne volonté.

SIMON : Venez, vous autres, hâtons-nous et nous tirerons de leur lit les habitants de Béthaur et nous jouirons de leur mine stupéfaite. Car rien n'est plus agréable que d'annoncer une bonne nouvelle.

PAUL : Et qui gardera nos moutons?

L'ANGE : Je les garderai.

TOUS : Allons! Allons! Vite. Paul, prends ta gourde et toi, Simon, ton accordéon. Le Messie est parmi nous. Hosannah! Hosannah!

*Ils sortent en se bousculant.*

L'ANGE : J'ai froid...

RIDEAU

## QUATRIÈME TABLEAU

*Une place de Béthaur, au petit matin.*

LES BERGERS

Nous avons quitté le sommet de la montagne
Et nous sommes descendus parmi les hommes
Car notre cœur était plein d'allégresse.
Là-bas dans la ville aux toits plats et aux maisons blanches
Que nous ne connaissons pas et pouvons à peine imaginer
Au milieu d'une grande foule d'hommes qui dormaient

Étendus sur le dos
Trouant de son petit corps blanc les ténèbres maléfiques de la nuit des villes
De la nuit des carrefours
Et remontant des profondeurs du néant
Comme un poisson au ventre argenté remonte des abîmes de la mer
Le Messie nous est né!
Le Messie, le Roi de Judée, celui que nous promettaient les Prophètes
Le Seigneur des Juifs est né, ramenant la joie sur notre terre.
Désormais, l'herbe va croître au sommet des montagnes
Et les moutons vont paître seuls
Et nous n'aurons plus rien à faire,
Et nous nous étendrons sur le dos tout le jour,
Nous caresserons les filles les plus belles
Et nous chanterons des hymnes à la louange du Seigneur.
C'est pourquoi nous avons bu et chanté sur la route
Et nous sommes ivres d'une ivresse légère
Pareille à celle de la danseuse aux pieds de chèvre
Qui a longtemps tourné au son du flûteau.

*Ils dansent. Simon joue de l'harmonica.*

CAÏPHE : Holà! Jérévah, ceins tes reins et viens apprendre la bonne nouvelle.

TOUS : Debout! Debout! Jérévah!

JÉRÉVAH : Qu'y a-t-il? Êtes-vous fada? Est-ce qu'on ne peut plus dormir tranquille? J'avais déposé mes soucis avec mes vêtements au pied de ma couche et je rêvais que j'étais jeune.

TOUS : Descends, Jérévah, descends! Nous t'apportons la bonne nouvelle.

JÉRÉVAH : Qui êtes-vous, vous autres? Ah! ce sont les bergers du mont Saron. Que venez-vous faire au village et qui garde vos moutons?

CAÏPHE : Dieu les garde. Il aura soin qu'aucun ne s'égare car cette nuit est bénie entre toutes, elle est féconde comme un ventre de femme, elle est jeune comme la première nuit du monde, car tout recommence du commencement et tous les hommes de la terre sont admis à courir leur chance à nouveau.

JÉRÉVAH : Est-ce que les Romains ont quitté la Judée?

PAUL : Descends! Descends! Tu sauras tout. Nous, cependant, réveillons les autres.

SIMON : Chalem! Chalem!

CHALEM : Oui! Je sors de mon lit et j'y vois à peine. Y a-t-il le feu?

SIMON : Descends, Chalem, et viens te joindre à nous.

CHALEM : Êtes-vous fous de réveiller un homme à cette heure-ci? Ne savez-vous pas avec quelle impatience nous attendons chaque jour le sommeil, nous autres de Béthaur, le sommeil qui ressemble à la mort?

SIMON : Désormais, Chalem, tu ne voudras plus dormir, tu courras comme un cabri, même la nuit, aux flancs des montagnes, et tu cueilleras des fleurs pour t'en faire une couronne.

CHALEM : Qu'est-ce que tu chantes? Il n'y a pas de fleurs aux flancs des montagnes.

SIMON : Il y en aura. Et il va pousser des citronniers et des orangers à la cime des monts et nous n'aurons qu'à étendre la main pour cueillir des oranges d'or grosses comme la tête d'un enfant. Nous t'apportons la bonne nouvelle.

CHALEM : On a trouvé un engrais nouveau? On a revalorisé les produits de la campagne?

SIMON : Descends! Descends! Et nous te dirons tout!

*Les gens sortent peu à peu de leurs maisons et se groupent sur la place.*

LE PUBLICAIN *paraît sur son escalier :* Qu'y a-t-il? Êtes-vous ivres? Il y a quarante ans que je n'ai entendu de cris de joie dans la rue. Et vous choisissez pour crier le jour où j'ai un Romain dans ma maison! C'est scandaleux.

PAUL : Les Romains seront chassés de la Judée à grands coups de pied au cul et nous pendrons les publicains par les pieds au-dessus de brasiers ardents.

LE PUBLICAIN : C'est la Révolution! C'est la Révolution!

LÉLIUS, *en pyjama avec son casque :* Hem! Qu'est-ce qu'il y a?

LE PUBLICAIN : C'est la Révolution! C'est la Révolution!

LÉLIUS : Juifs! Savez-vous que le gouvernement...

CAÏPHE : Villageois et bergers, chantons et dansons car l'âge d'or est revenu!

TOUS, *chantant :* L'Éternel règne! Que la terre tressaille de joie, que toutes les îles se réjouissent!

La nuée et l'obscurité sont autour de lui, la justice et le jugement sont la base de son trône. Le feu marche autour de lui et embrase de tous côtés ses ennemis.

Des éclairs brillent partout. Le monde et la terre tremblent en le voyant.

Les montagnes fondent comme de la cire à cause de la présence de l'Éternel, à cause de la présence du Seigneur de toute la terre.

Les Cieux annoncent sa Justice et tous les peuples voient sa gloire.

Sion l'a entendu et s'est réjouie et les filles de Juda ont tressailli d'allégresse.

Que la mer clame sa joie et la terre et tous ceux qui l'habitent.

Que les fleuves frappent des mains et que les montagnes chantent.

Car l'Éternel vient pour juger la terre : il jugera le monde avec justice et les peuples avec équité!

BARIONA *entre :* Chiens! N'êtes-vous donc heureux que lorsqu'on vous dupe avec des paroles de miel? N'avez-vous pas assez de cœur au ventre pour regarder la vérité en face? Vos chants m'arrachent les oreilles et vos danses de femme saoule me font vomir de dégoût.

LA FOULE : Mais Bariona, Bariona! Le Christ est né!

BARIONA : Le Christ! Pauvres fous! Pauvres aveugles!

CAÏPHE : Bariona, l'Ange m'a dit : va trouver Bariona qui souffre et dont le cœur est plein de fiel et dis-lui : Paix sur la terre aux hommes de bonne volonté.

BARIONA : Ha! La bonne volonté! La bonne volonté du pauvre qui meurt de faim sans se plaindre sous l'escalier du riche! La bonne volonté de l'esclave qu'on flagelle et qui dit : Merci! La bonne volonté des soldats qu'on pousse au massacre et qui se battent sans savoir pourquoi! Que n'est-il ici, votre ange, et que ne fait-il pas ses commissions lui-même. Je lui répondrais : il n'y a pas de paix pour moi sur la terre; et si je veux être un homme de mauvaise volonté!

*La foule gronde.*

La mauvaise volonté! Contre les dieux, contre les hommes, contre le monde, j'ai cuirassé mon cœur d'une triple cuirasse. Je ne demanderai pas de grâce et je ne dirai pas merci. Je ne plierai le genou devant personne, je mettrai ma dignité dans ma haine, je tiendrai un compte exact de toutes mes souffrances et de celles des autres hommes. Je veux être le témoin et la balance de la peine de tous; je la recueille et la garde en moi comme un blasphème. Semblable à une colonne d'injustice, je veux me dresser contre le ciel; je mourrai seul et irréconcilié, et je veux que mon âme monte vers les étoiles telle une grande clameur de cuivre, une clameur irritée.

CAÏPHE : Prends garde, Bariona! Dieu t'a fait signe et tu refuses de l'entendre.

BARIONA : L'Éternel m'aurait-il montré sa face entre les nuages que je refuserais encore de l'entendre car je suis libre; et contre un homme libre, Dieu lui-même ne peut rien. Il peut me réduire en poudre ou m'enflammer comme un brandon, il peut faire que je me torde dans les souffrances comme le sarment dans le feu, mais il ne peut rien contre ce pilier d'airain, contre cette colonne inflexible : la liberté de l'homme. Mais d'abord, imbéciles, où prenez-vous qu'il m'ait fait signe? Vous voilà bien crédules. A peine ceux-ci ont-ils raconté leur histoire que vous vous ruez dans la crédulité, comme s'il s'agissait de déposer votre épargne dans les caisses d'une banque de la ville. Voyons, toi, Simon, le plus jeune des bergers, approche, tu as l'air plus naïf que les autres et tu me rendras plus fidèlement les faits tels qu'ils se sont passés. Qui vous a annoncé la bonne nouvelle?

SIMON : Eh! Seigneur, c'était un ange.

BARIONA : D'où sais-tu qu'il était ange?

SIMON : C'est à cause de la grande peur que j'ai eue. Quand il s'est approché du feu, j'ai pensé tomber sur le derrière.

BARIONA : Oui. Et comment était-il cet ange ? Il avait de grandes ailes éployées ?

SIMON : Ma foi non. Il avait un air d'avoir deux airs et il flageolait sur ses jambes. Et il avait froid. Ah ! Le pauvre, comme il avait froid !

BARIONA : Bel envoyé du ciel, assurément. Et quelle preuve vous a-t-il donnée de ce qu'il avançait ?

SIMON : Eh bien... Il a... Il a... Il n'a pas donné de preuves du tout.

BARIONA : Quoi ? Pas le moindre petit miracle ? Il n'a pas changé le feu en eau ? Ni même fait fleurir le bout de vos talons ?

SIMON : Nous n'avons pas pensé à le lui demander et je le regrette car j'ai de mauvais rhumatismes qui me tourmentent la cuisse et j'aurais dû, tant qu'il y était, le prier de m'en délivrer. Il parlait à contrecœur. Il nous a dit : allez à Bethléem, cherchez l'étable et vous y trouverez un enfant emmailloté.

BARIONA : Parbleu ! La belle affaire. Il y a présentement une grande foule à Bethléem, à cause du dénombrement. Les auberges refusent du monde, nombreux sont les gens qui couchent à la belle étoile et dans les étables. Je veux parier que vous trouverez plus de vingt nourrissons dans les crèches. Vous n'aurez que l'embarras du choix.

LA FOULE : C'est pourtant vrai.

BARIONA : Et puis ? Qu'a-t-il fait ensuite, votre ange ?

SIMON : Il s'en est allé.

BARIONA : En allé ? Il a disparu, veux-tu dire, il s'est évanoui, en fumée, comme ses pareils ont accoutumé ?

SIMON : Non, non. Il est parti sur ses deux pieds, en boitant un peu, d'une façon très naturelle.

BARIONA : Et voilà votre ange, ô têtes folles ! Alors il suffit que des bergers ivres de vin rencontrent dans la montagne un simple d'esprit qui leur radote je ne sais quoi sur la venue du Christ, et vous voilà bavant de joie et jetant vos chapeaux en l'air ?

PREMIER ANCIEN : Hélas, Bariona, il y a si longtemps que nous l'attendons !

BARIONA : Qui attendez-vous ? Un roi, un puissant de la terre qui paraîtra dans toute sa gloire et traversera le ciel comme une comète, précédé de l'éclat des trompettes. Et que vous donne-t-on ? Un enfant de gueux, tout souillé, vagissant dans une étable, avec des brins de paille piqués dans ses langes. Ah ! le beau roi ! Allez, descendez, descendez à Bethléem, assurément, cela vaut le voyage.

LA FOULE : Il a raison ! Il a raison !

BARIONA : Rentrez chez vous, bonnes gens, et montrez à l'avenir plus de discernement. Le Messie n'est pas venu et voulez-vous que je vous dise, il ne viendra jamais. Ce monde est une chute interminable, vous le savez bien. Le Messie, ce serait quelqu'un qui arrêterait cette chute, qui renverserait soudain le cours des choses et ferait rebondir le monde en l'air comme une balle. Alors on verrait les fleuves remonter de la mer jusqu'à leurs sources, les fleurs pousseraient sur le roc et les hommes auraient des ailes et nous naîtrions vieillards pour rajeunir ensuite jusqu'à la petite enfance. C'est l'univers d'un fou que vous imaginez là. Je n'ai qu'une certitude, c'est que tout tombera toujours ; les fleuves dans la mer, les peuples anciens sous la domination des peuples jeunes, les entreprises humaines dans la décrépitude, et nous autres dans l'infâme vieillesse. Rentrez chez vous.

LÉLIUS, *au Publicain :* Je ne crois pas que jamais fonctionnaire romain se soit trouvé devant un cas plus embarrassant. Si je ne les détrompe pas, ils vont descendre en masse à Bethléem et faire là-bas un charivari qui m'attirera des histoires. Et si je les détrompe, ils vont persévérer avec d'autant plus de force dans leur abominable erreur d'hier et ils ne feront plus d'enfants. Que faire ? Hem ! Le mieux est de ne rien dire et de laisser les événements suivre leur cours naturel. Rentrons et feignons de n'avoir rien entendu.

JÉRÉVAH : Allons, rentrons chez nous ! Nous avons encore le temps de dormir un petit somme. Je rêverai que je suis heureux et riche. Et personne ne pourra me voler mes rêves.

*Le jour se lève peu à peu. La foule se dispose à quitter la place. Musique.*

CAÏPHE : Attendez donc, vous autres, attendez. Quelle est cette musique ? Et qui donc vient vers nous, en si bel équipage ?

JÉRÉVAH : Ce sont des rois d'Orient, tout chamarrés d'or. Je n'ai jamais rien vu de si beau.

LE PUBLICAIN *à Lélius :* J'ai vu des rois semblables à l'exposition coloniale de Rome, il y a tantôt vingt ans.

PREMIER ANCIEN : Rangez-vous afin de leur faire place. Car leur cortège vient par ici.

*Entrent les Rois mages.*

MELCHIOR : Bonnes gens, qui commande ici ?

BARIONA : C'est moi.

MELCHIOR : Sommes-nous encore loin de Bethléem ?

BARIONA : C'est à vingt lieues.

MELCHIOR : Je suis heureux d'avoir enfin rencontré quelqu'un pour me renseigner. Tous les villages des environs sont déserts, car leurs habitants sont partis adorer le Christ.

TOUS : Le Christ ! Alors, c'est vrai ? Le Christ est né ?

SARAH, *qui s'est mêlée à la foule :* Ah dites-nous, dites-nous qu'il est né et réchauffez notre cœur. Il est né l'enfant divin. Il y a eu une femme qui a eu cette chance ! Ah, femme doublement bénie !

BARIONA : Toi aussi, Sarah ? Toi aussi ?

BALTHAZAR : Le Christ est né ! Nous avons vu son étoile se lever à l'Orient et nous l'avons suivie.

TOUS : Le Christ est né !

PREMIER ANCIEN : Tu nous trompais, Bariona, tu nous trompais!

JÉRÉVAH : Mauvais berger, tu nous as menti, tu voulais nous faire crever, hein, sur ce roc stérile, et pendant ce temps-là, ceux des basses terres auraient joui à leur content de Notre-Seigneur.

BARIONA : Pauvres idiots! Vous croyez ceux-là parce qu'ils sont chamarrés d'or.

CHALEM : Et ta femme? Regarde-la, regarde-la! Et dis si elle n'y croit point. Car tu l'as trompée comme nous.

LÉLIUS, *au Publicain :* Hé, hé! Cela tourne mal pour notre vautour arabe. J'ai bien fait de ne pas m'en mêler.

LA FOULE : Suivons les Rois mages! Descendons avec eux sur Bethléem!

BARIONA : Vous n'irez pas! Tant que je serai votre chef, vous n'irez pas.

BALTHAZAR : Quoi donc? Vous empêchez vos hommes d'aller adorer le Messie?

BARIONA : Je ne crois pas plus au Messie qu'à toutes vos fariboles. Vous autres les riches, les rois, je vois clair dans votre jeu. Vous dupez les pauvres avec des sornettes pour qu'ils se tiennent tranquilles. Mais je vous dis que vous ne me duperez pas. Habitants de Béthaur, je ne veux plus être votre chef, car vous avez douté de moi. Mais je vous le répète une dernière fois : contemplez votre malheur en face, car la dignité de l'homme est dans son désespoir.

BALTHAZAR : Es-tu sûr qu'elle n'est pas plutôt dans son espérance? Je ne te connais point, mais je vois à ton visage que tu as souffert et je vois aussi que tu t'es complu à ta douleur. Tes traits sont nobles mais tes yeux sont à demi clos et tes oreilles semblent bouchées, il y a dans ton visage la pesanteur qu'on rencontre sur ceux de l'aveugle et du sourd; tu ressembles à l'une de ces idoles tragiques et sanglantes qu'adorent les peuples païens. Une idole farouche, aux cils baissés, aveugle et sourde aux paroles humaines, et qui n'entend que les conseils de son orgueil. Pourtant, regarde-nous : nous avons souffert, nous aussi, et nous sommes savants parmi les hommes. Mais lorsque cette étoile nouvelle s'est levée, nous avons quitté sans hésiter nos royaumes et nous l'avons suivie et nous allons adorer notre Messie.

BARIONA : Eh bien : allez et adorez-le. Qui vous empêche et qu'y a-t-il de vous à moi?

BALTHAZAR : Quel est ton nom?

BARIONA : Bariona. Et puis après?

BALTHAZAR : Tu souffres, Bariona.

*Bariona hausse les épaules.*

Tu souffres et pourtant ton devoir est d'espérer. Ton devoir d'homme. C'est pour toi que le Christ est descendu sur la terre. Pour toi plus que pour tout autre, car tu souffres plus que tout autre. L'Ange n'espère point car il jouit de sa joie et Dieu lui a, d'avance, tout donné et le caillou n'espère pas non plus, car il vit stupidement dans un présent perpétuel. Mais lorsque Dieu a façonné la nature de l'homme, il a fondé ensemble l'espoir et le souci. Car l'homme, vois-tu, est toujours beaucoup plus que ce qu'il est. Tu vois cet homme-ci, tout alourdi par sa chair, enraciné sur la place par ses deux grands pieds et tu dis, étendant la main pour le toucher : il est là. Et cela n'est pas vrai : où que soit un homme, Bariona, il est toujours ailleurs. Ailleurs, par-delà les cimes violettes que tu vois d'ici, à Jérusalem; à Rome, par-delà cette journée glacée, demain. Et tous ceux-ci qui t'entourent, il y a beau temps qu'ils ne sont plus ici : ils sont à Bethléem dans une étable, autour du petit corps chaud d'un enfant. Et tout cet avenir dont l'homme est pétri, toutes les cimes, tous les horizons violets, toutes ces villes merveilleuses qu'il hante sans jamais y avoir mis les pieds, c'est Espoir. C'est l'Espoir. Regarde les prisonniers qui sont devant toi, qui vivent dans la boue et le froid. Sais-tu ce que tu verrais si tu pouvais suivre leur âme? Les collines et les doux méandres d'un fleuve et des vignes et le soleil du Sud, leurs vignes et leur soleil. C'est là-bas qu'ils sont. Et les vignes dorées de septembre, pour un prisonnier transi et couvert de vermine, c'est l'Espoir. L'Espoir et le meilleur d'eux-mêmes. Et toi, tu veux les priver de leurs vignes et de leurs champs et de l'éclat des lointaines collines, tu veux ne leur laisser que la boue et les poux et les rutabagas, tu veux leur donner le présent effaré de la bête. Car c'est là ton désespoir : ruminer l'instant qui passe, regarder entre tes pieds d'un œil rancuneux et stupide, arracher ton âge de l'avenir et le renfermer en cercle autour du présent. Alors tu ne seras plus un homme, Bariona, tu ne seras plus qu'une pierre dure et noire sur la route. Sur la route passent les caravanes, mais la pierre reste seule et figée comme une borne dans son ressentiment.

BARIONA : Tu radotes, vieillard.

BALTHAZAR : Bariona, il est vrai que nous sommes très vieux et très savants et nous connaissons tout le mal de la terre. Pourtant quand nous avons vu cette étoile au ciel, nos cœurs ont battu de joie comme ceux des enfants et nous avons été pareils à des enfants et nous nous sommes mis en route, car nous voulions accomplir notre devoir d'homme qui est d'espérer. Celui qui perd l'espoir, Bariona, celui-là sera chassé de son village, il sera maudit et les pierres du chemin lui seront plus rudes et les ronces plus piquantes et le fardeau qu'il porte plus lourd et toutes les malchances s'abattront sur lui comme des abeilles irritées et chacun se moquera de lui et criera : Haro! Mais à celui qui espère, tout est sourires, et le monde est donné comme un cadeau. Allons vous autres, voyez si vous devez rester ici ou vous déterminer à nous suivre.

TOUS : Nous te suivrons.

BARIONA : Arrêtez! Ne partez pas! J'ai encore à vous parler.

*Ils sortent en se bousculant.*

Toi, Jérévah! Tu fus mon compagnon autrefois et tu me croyais toujours sur parole. N'as-tu plus confiance en moi?

JÉRÉVAH : Laisse-moi : tu nous as trompés.

*Il s'en va.*

BARIONA : Et toi, l'Ancien, tu étais toujours de mon avis dans les Conseils.

L'ANCIEN : Tu étais le chef, alors... Aujourd'hui, tu n'es plus rien. Laisse-moi passer.

BARIONA : Eh bien partez! Partez, pauvres fous. Viens, Sarah, nous resterons seuls ici...

SARAH : Bariona, je vais les suivre.

BARIONA : Sarah! *(Un temps.)* Mon village est mort, ma famille est déshonorée, mes hommes m'abandonnent. Je ne croyais pas pouvoir souffrir davantage et je me trompais. Sarah, c'est de toi que m'est venu le coup le plus dur. Tu ne m'aimais donc pas?

SARAH : Je t'aime, Bariona. Mais comprends-moi. Là-bas il y a une femme heureuse et comblée, une mère qui a enfanté pour toutes les mères et c'est comme une permission qu'elle m'a donnée : la permission de mettre mon enfant au monde. Je veux la voir, *la voir*, cette mère heureuse et sacrée. Elle a sauvé mon enfant, il naîtra, je le sais à présent. Où, peu importe. Sur le bord du chemin ou dans une étable comme le sien. Et je sais aussi que Dieu est avec moi. *(Timidement :)* Viens avec nous, Bariona.

BARIONA : Non, fais ce que tu veux.

SARAH : Alors, adieu!

BARIONA : Adieu. *(Un temps.)* Ils sont partis, Seigneur, toi et moi, nous sommes seuls. J'ai connu bien des souffrances, mais il a fallu que je vive, jusqu'à ce jour pour goûter la saveur amère de l'abandon. Hélas, que je suis seul! Mais tu n'entendras pas, Dieu des Juifs, une seule plainte de ma bouche. Je veux vivre longtemps, délaissé sur cette roche stérile, moi qui n'ai jamais demandé à naître et je veux être ton remords.

RIDEAU

## CINQUIÈME TABLEAU

*Devant la maison du sorcier.*

### *SCÈNE I*

BARIONA, *seul :* Un Dieu, se transformer en homme! Quel conte de nourrice! Je ne vois pas ce qui pourrait le tenter dans notre condition humaine. Les Dieux demeurent au ciel, tout occupés à jouir d'eux-mêmes. Et s'il leur arrivait de descendre parmi nous, ce serait sous quelque forme brillante et fugace, comme un nuage pourpre ou un éclair. Un Dieu se changerait en homme? Le tout-puissant, au sein de sa gloire, contemplerait ces poux qui grouillent sur la vieille croûte de la terre et qui la souillent de leurs excréments, et il dirait : je veux être une de ces vermines-là? Laissez-moi rire. Un Dieu s'astreindre à naître, à demeurer neuf mois comme une fraise de sang? Ils arriveront aux premières heures de la nuit car les femmes qui sont avec eux vont retarder leur marche... Eh bien qu'ils aillent donc rire et crier sous les étoiles et réveiller Bethléem endormie. Les baïonnettes romaines ne tarderont pas à leur piquer les fesses et à leur refroidir le sang.

*Entre Lélius.*

## *SCÈNE II*

LÉLIUS — BARIONA

LÉLIUS : Ah! Voici le chef Bariona. Je suis heureux de vous voir, chef. Si, si, très heureux. Des dissentiments politiques ont pu nous séparer mais, pour l'instant, il ne reste plus que nous deux dans ce village désert. Le vent s'est levé et fait battre les portes. Il y en a qui s'ouvrent toutes seules, sur de grands trous noirs. Cela donne le frisson. Nous avons tout intérêt à nous rapprocher.

BARIONA : Je n'ai pas peur des portes qui claquent et vous avez Lévy le Publicain pour vous tenir compagnie.

LÉLIUS : Eh non, justement vous allez rire : le vieux Lévy a suivi vos hommes en m'empruntant mon âne. J'en serai réduit à rentrer à pied. *(Bariona rit.)* Oui, hem! C'est très drôle, en effet. Et... que pensez-vous de tout ceci, chef?

BARIONA : Monsieur le Superrésident, j'allais vous poser la même question.

LÉLIUS : Oh! Moi... Ils vous ont plaqué, hein?

BARIONA : Il ne tenait qu'à moi de les suivre. Allez-vous poursuivre votre voyage, monsieur le Superrésident?

LÉLIUS : Bah! Ce n'est plus la peine puisqu'il paraît que tous les villages de la montagne se sont vidés de leurs habitants. La montagne entière est en visite à Bethléem. Je vais rentrer chez moi, à pied. Et vous? Vous allez rester seul ici?

BARIONA : Oui.

LÉLIUS : C'est une aventure incroyable.

BARIONA : Il n'y a d'incroyable que la sottise des hommes.

LÉLIUS : Oui; hem! Vous n'y croyez pas à ce Messie, vous? *(Bariona hausse les épaules.)* Oui, évidemment. J'ai tout de même envie d'aller faire un petit tour dans cette étable. On ne sait jamais : ces Mages avaient l'air si convaincus.

BARIONA : Alors vous aussi, vous vous laissez impressionner par les uniformes? Pourtant, vous devriez y être habitués, vous autres, les Romains.

LÉLIUS : Hem! Vous savez, nous avons, à Rome, un autel pour les dieux inconnus. C'est une mesure de prudence que j'ai toujours approuvée et qui me dicte ma conduite présente. Un Dieu de plus ne peut pas nous faire de mal, nous en avons déjà tant. Et il y a assez de bœufs et de chèvres dans notre Empire pour suffire à tous les sacrifices.

BARIONA : Si un Dieu s'était fait homme, *pour moi*, je l'aimerais à l'exclusion de tous les autres, il y aurait comme un lien de sang entre lui et moi et je n'aurais pas trop de ma vie pour lui prouver ma reconnaissance : Bariona n'est pas un ingrat. Mais quel Dieu serait assez fou pour cela? Pas le nôtre assurément. Il s'est toujours montré plutôt distant.

LÉLIUS : On dit à Rome que Jupiter de temps à autre prend la forme humaine quand il a repéré du haut de l'Olympe quelque gente pucelle. Mais je n'ai pas besoin de vous dire que je n'y crois pas.

BARIONA : Un Dieu-Homme, un Dieu fait de notre chair humiliée, un Dieu qui accepterait de connaître ce goût de sel qu'il y a au fond de nos bouches quand le monde entier nous abandonne, un Dieu qui accepterait par avance de souffrir ce que je souffre aujourd'hui... Allons, c'est une folie.

LÉLIUS : Oui, hem ! J'irai tout de même faire un tour là-bas, on ne sait jamais. Et puis nous allons avoir particulièrement besoin des dieux, nous autres deux, car enfin, vous avez perdu votre place et je risque la mienne.

BARIONA : Vous risquez la vôtre ?

LÉLIUS : Eh ! parbleu. Imaginez-vous cette avalanche de montagnards aux jambes courtes dévalant dans les rues de Bethléem. Ça me fait mal rien que d'y penser. Le procurateur ne me le pardonnera jamais.

BARIONA : Par le fait, ce sera comique. Et qu'allez-vous faire, si l'on vous met à pied ?

LÉLIUS : Je me retirerai à Mantoue, c'est ma ville natale. Je vous avoue que je le désirais fort ; cela m'arrive un peu plus tôt que je ne le pensais, voilà tout.

BARIONA : Et Mantoue est certainement une fort grande cité d'Italie, toute ceinturée d'usines ?

LÉLIUS : Pensez-vous ! C'est une toute petite ville, au contraire. Elle est toute blanche, dans la vallée, au bord d'une rivière.

BARIONA : Quoi ? Pas d'usines ? Pas la moindre petite scierie mécanique ? Mais vous allez vous ennuyer à mourir. Vous regretterez Bethléem.

LÉLIUS : Fichtre non. Voyez-vous, Mantoue est célèbre en Italie, parce que nous y élevons des abeilles. Beaucoup d'abeilles. Mon grand-père était si connu des siennes qu'elles ne le piquaient pas, quand il venait prendre leur miel. Elles volaient à sa rencontre et se posaient sur sa tête et dans les plis de sa toge ; il ne prenait ni gant ni masque. Et moi-même, je m'y connais assez, je l'avoue. Mais je ne sais si mes abeilles me reconnaîtront quand je reviendrai à Mantoue. Il y a six ans que je n'y suis allé. Nous faisons du bon miel, vous savez, du vert, du brun, du noir et du jaune. J'ai toujours rêvé d'écrire un traité d'apiculture. Pourquoi riez-vous ?

BARIONA : Parce que je pense aux discours de ce vieux fou : l'homme est un perpétuel ailleurs, l'homme c'est l'Espoir. Vous aussi, monsieur le Superrésident, vous avez votre Ailleurs, vous avez votre Espoir. Ah! la charmante petite fleur bleue et comme elle vous va. Eh bien allez, monsieur le Superrésident, allez faire du miel à Mantoue. Je vous salue.

LÉLIUS : Adieu.

*Le Sorcier sort de sa maison.*

## *SCÈNE III*

LE SORCIER, LÉLIUS, BARIONA

LE SORCIER : Messeigneurs, je vous salue.

BARIONA : Te voilà, vieille crapule? Tu n'es donc pas parti avec les autres?

LE SORCIER : Mes vieilles jambes sont trop faibles, monseigneur.

LÉLIUS : Qui est-ce?

BARIONA : C'est notre sorcier, un gaillard qui connaît son affaire. Il a prédit deux ans à l'avance la mort de son père.

LÉLIUS : Encore un prophète. Il n'y a que cela chez vous.

LE SORCIER : Je ne suis pas un prophète et je ne suis pas inspiré des dieux. Je lis dans le tarot et le marc de café et ma science est toute terrestre.

LÉLIUS : Eh bien, dis-nous donc quel est ce Messie qui vide tous les villages montagnards comme un aspirateur électrique.

BARIONA : Parbleu non! Je ne veux plus entendre parler de ce Messie. C'est l'affaire de mes compatriotes. Ils m'ont abandonné et je les abandonne à mon tour.

LÉLIUS : Laissez donc, mon cher, laissez donc faire. Il peut nous donner des renseignements intéressants.

BARIONA : A votre aise.

LÉLIUS : Va, raconte ton histoire. Et tu auras cette bourse si je suis content.

LE SORCIER : C'est que je suis un peu gêné quand il s'agit des choses divines; ça n'est pas ma partie. Je préférerais que vous m'interrogiez sur la fidélité de votre femme, par exemple, ce serait plus dans mes cordes.

LÉLIUS : Hem! Ma femme est fidèle, bonhomme. C'est là un article de foi. La femme d'un fonctionnaire romain ne doit pas être soupçonnée. D'ailleurs si vous la connaissiez, vous sauriez que les bridges, les ouvroirs et les présidences de comités féminins occupent toute son activité.

LE SORCIER : C'est parfait, monseigneur. En ce cas, je m'efforcerai de vous parler du Messie. Mais excusez-moi, il convient d'abord que j'entre en transes.

LÉLIUS : Ce sera long?

LE SORCIER : Non. C'est une toute petite formalité. Le temps de danser un peu et de me griser de tam-tam.

*Il danse en jouant du tam-tam.*

LÉLIUS : De vrais sauvages.

LE SORCIER : Je vois! Je vois! Un enfant dans une étable.

LÉLIUS : Et puis?

LE SORCIER : Et puis, il grandit.

BARIONA : Évidemment.

LE SORCIER, *vexé :* Cela n'est pas si évident. Il y a beaucoup de mortalité infantile parmi les Juifs. Il descend parmi les hommes et leur dit : je suis le Messie. Il s'adresse surtout aux enfants des pauvres.

LÉLIUS : Il leur prêche la révolte?

LE SORCIER : Il leur dit : « Rendez à César ce qui appartient à César. »

LÉLIUS : Voilà qui me plaît beaucoup.

BARIONA : Et moi cela ne me plaît pas du tout. C'est un vendu que votre Messie.

LE SORCIER : Il ne reçoit d'argent de personne. Il vit très modestement. Il fait quelques petits miracles. Il change l'eau en vin à Cana. J'en ferais autant : c'est une question de poudres. Il ressuscite un nommé Lazare.

LÉLIUS : Un compère. Et puis? Un peu d'hypnotisme, sans doute?

LE SORCIER : Je suppose. Il y a une histoire de petits pains.

BARIONA : Je vois le genre. Et puis?

LE SORCIER : C'est tout pour les miracles. Il semble les faire à contrecœur.

BARIONA : Parbleu. Il ne doit pas savoir s'y prendre. Et puis? Que dit-il?

LE SORCIER : Il dit : « Celui qui veut gagner sa vie la perdra. »

LÉLIUS : Très bien.

LE SORCIER : Il dit que le royaume de son Père n'est pas ici-bas.

LÉLIUS : Parfait. Cela fait prendre patience.

LE SORCIER : Il dit aussi qu'il est plus facile à un chameau de passer par le chas d'une aiguille qu'au riche d'entrer dans le royaume des cieux.

LÉLIUS : Cela, c'est moins bon. Mais je l'excuse : si on veut réussir auprès du bas-peuple, on doit se résoudre à égratigner un peu le capitalisme. L'essentiel, d'ailleurs, c'est qu'il laisse aux riches le royaume de la terre.

BARIONA : Et après? Que lui arrive-t-il?

LE SORCIER : Il souffre et il meurt.

BARIONA : Comme tout le monde.

LE SORCIER : Plus que tout le monde. Il est arrêté, traîné devant un tribunal, dépouillé nu, fouetté, moqué de tous et, pour finir, crucifié. Des gens s'attroupent autour de sa croix et lui disent : « Sauve-toi toi-même si tu es le Roi des Juifs. » Et il ne se sauve pas, il crie d'une voix forte : « Mon Père, mon Père ! Pourquoi m'as-tu abandonné ? » Et il meurt.

BARIONA : Et il meurt ? Qui ça ! Le beau Messie. Nous en avons eu tout de même de plus brillants, et qui sont tous tombés dans l'oubli !

LE SORCIER : Celui-ci ne sera pas si vite oublié ! Je vois au contraire un grand rassemblement de nations autour de ses disciples. Et sa parole est portée par-delà les mers jusqu'à Rome et plus loin jusqu'aux forêts ténébreuses de la Gaule et de la Germanie.

BARIONA : Qu'est-ce donc qui les réjouit tant ? Sa vie ratée ou sa mort ignominieuse ?

LE SORCIER : Je crois que c'est sa mort.

BARIONA : Sa mort ! Parbleu, s'il était possible d'empêcher cela... Mais non, qu'ils se débrouillent. Ils l'auront voulu. *(Un temps.)* Mes hommes ! Mes hommes joindre leurs gros doigts noueux et s'agenouiller devant un esclave mort sur la croix. Mort sans même un cri de révolte, en exhalant comme un soupir un doux reproche étonné. Mort comme un rat pris au piège. Et mes hommes, mes hommes à moi vont l'adorer. Allons, donnez-lui sa bourse et qu'il disparaisse. Car je suppose que tu n'as plus rien à nous dire ?

LE SORCIER : Plus rien, monseigneur. Merci, messeigneurs.

*Le Sorcier sort.*

LÉLIUS : D'où vous vient cette agitation subite ?

BARIONA : Vous ne voyez donc pas qu'il s'agit de l'assassinat du peuple juif ? Vous autres les Romains, vous auriez voulu nous châtier que vous ne vous y seriez pas pris autrement. Allons, parlez franchement : il est des vôtres, ce Messie, Rome le paie ?

LÉLIUS : Considérez qu'il a présentement douze heures d'existence. Il est tout de même un peu jeune pour s'être déjà vendu.

BARIONA : Je revois Jérévah, le solide, le brutal Jérévah, guerrier plus encore que pasteur, mon lieutenant, autrefois, dans nos luttes contre Hébron et je l'imagine tout parfumé, tout pommadé par cette religion-là. Il va bêler comme un mouton... Ah! il faut se hâter d'en rire... Sorcier! Sorcier!

LE SORCIER : Monseigneur?

BARIONA : Tu dis que la foule adoptera sa doctrine?

LE SORCIER : Oui, monseigneur.

BARIONA : O Jérusalem humiliée!

LÉLIUS : Mais enfin qu'est-ce qui vous prend?

BARIONA : Je ne connais qu'une crucifiée, c'est Sion, Sion que les vôtres, les Romains aux casques de cuivre, ont clouée de leurs mains sur la croix. Et nous autres, nous avons toujours cru qu'il viendrait un jour où elle arracherait du poteau ses pieds et ses mains martyrisés et qu'elle marcherait sur ses ennemis sanglante et superbe. Et c'était là notre croyance au Messie. Ah! s'il était venu cet homme au regard insoutenable, tout cuirassé du fer étincelant, s'il m'avait mis un glaive dans la main droite et s'il m'avait dit : « Ceins tes reins et suis-moi! » Comme je l'aurais suivi dans le fracas des mêlées, faisant sauter les têtes romaines comme on décapite dans le champ des coquelicots. Nous avons grandi dans cet espoir, nous serrions les dents et si, d'aventure, un Romain passait dans notre village, nous aimions le suivre du regard et chuchoter longtemps dans son dos car sa vue entretenait la haine dans nos cœurs. Je suis fier! Je suis fier, car je n'ai pas accepté l'esclavage et je n'ai jamais cessé d'attiser en moi le feu torride de la haine. Et, ces derniers jours, voyant que notre village exsangue n'avait plus assez de forces pour la révolte, j'ai préféré qu'il s'anéantisse pour ne pas le voir se plier au joug de Romains!

LÉLIUS : Charmant! Voilà le genre de discours à quoi on expose un fonctionnaire romain quand on l'envoie en tournée dans un village perdu. Mais je ne vois pas ce que ce Messie vient faire en tout cela.

BARIONA : C'est que vous ne voulez pas comprendre : nous attendions un soldat et on nous envoie un agneau mystique qui nous prêche la résignation et qui nous dit :

« Faites comme moi, mourez sur votre croix, sans vous plaindre, en douceur pour éviter de scandaliser vos voisins. Soyez doux. Doux comme des enfants. Léchez votre souffrance à petits coups comme un chien battu lèche son maître pour se faire pardonner. Soyez humbles. Pensez que vous avez mérité vos douleurs et, si elles sont trop fortes, rêvez qu'elles sont des épreuves et qu'elles vous purifient. Et si vous sentez monter en vous une colère d'homme, étouffez-la bien. Dites merci, toujours merci. Merci quand on vous donne une gifle. Merci quand on vous donne un coup de pied. Faites des enfants pour préparer de nouveaux derrières aux coups de pied de l'avenir. Des enfants de vieux qui naîtront résignés et dorloteront leurs vieilles petites douleurs ridées avec l'humilité qui convient. Des enfants qui seront nés tout exprès pour souffrir comme moi : je suis né pour la croix. Et si vous êtes bien humbles et bien contrits, si vous avez fait résonner votre sternum comme une peau d'âne en battant votre coulpe avec application, alors vous aurez une place, peut-être, au royaume des humbles, qui est aux Cieux... » Mon peuple, devenir ça : une nation de crucifiés consentants. Mais qu'es-tu donc devenu, Jéhovah, Dieu de la vengeance? Ah! Romains, si cela est vrai, vous ne nous aurez pas fait le quart du mal que nous allons nous faire. Nous allons tarir les sources vives de notre énergie, nous allons signer notre arrêt. La Résignation nous tuera et je la hais, Romain, plus encore que je vous hais.

LÉLIUS : Hé là, hé là donc : vous avez perdu votre bon sens, chef. Et dans votre égarement, vous prononcez des paroles regrettables.

BARIONA : Tais-toi! *(A lui-même :)* Si je pouvais empêcher cela... Conserver en eux la flamme pure de la révolte... O mes hommes! Vous m'avez abandonné et je ne suis plus votre chef. Mais du moins, je ferai cela pour vous. Je descendrai à Bethléem. Les femmes retardent leur marche et je connais des raccourcis qu'ils ignorent : j'y serai avant eux. Et il ne faut pas longtemps, j'imagine, pour tordre le cou frêle d'un enfant, fût-il le Roi des Juifs!

*Sortie de Bariona.*

LÉLIUS : Suivons-le. Je crains qu'il ne se porte aux pires extrémités. Voilà pourtant ce qu'est la vie d'un administrateur colonial.

RIDEAU

LE MONTREUR D'IMAGES : Mes bons messieurs, je me suis abstenu de paraître pendant les scènes que vous venez de voir pour laisser aux événements le soin de s'enchaîner d'eux-mêmes. Et vous voyez que l'intrigue s'est nouée fortement puisque voilà Bariona courant à travers la montagne pour tuer le Christ.

Mais à présent, nous avons un petit moment de répit, car tous nos personnages sont sur la route, les uns ayant pris des chemins muletiers et les autres les sentiers de chèvres. La montagne fourmille d'hommes en liesse et le vent porte les échos de leur joie jusqu'aux têtes des cimes.

Je vais profiter de ce répit pour vous montrer le Christ dans l'étable, car vous ne le verrez pas autrement : il ne paraît pas dans la pièce, ni Joseph, ni la Vierge Marie. Mais comme c'est aujourd'hui Noël, vous avez le droit d'exiger qu'on vous montre la crèche. La voici.

Voici la Vierge et voici Joseph et voici l'enfant Jésus. L'artiste a mis tout son amour dans ce dessin mais vous le trouverez peut-être un peu naïf. Voyez, les personnages ont de beaux atours mais ils sont tout raides : on dirait des marionnettes. Ils n'étaient sûrement pas comme cela. Si vous étiez comme moi, dont les yeux sont fermés... Mais écoutez : vous n'avez qu'à fermer les yeux pour m'entendre et je vous dirai comment je les vois au-dedans de moi.

La Vierge est pâle et elle regarde l'enfant. Ce qu'il faudrait peindre sur son visage c'est un émerveillement anxieux qui n'a paru qu'une fois sur une figure humaine. Car le Christ est son enfant, la chair de sa chair et le fruit de ses entrailles. Elle l'a porté neuf mois et elle lui donnera le sein et son lait deviendra le sang de Dieu. Et par moments, la tentation est si forte qu'elle oublie qu'il est Dieu. Elle le serre dans ses bras et elle dit : mon petit! Mais à d'autres moments, elle demeure tout interdite et elle pense : Dieu est là — et elle se sent prise d'une horreur religieuse pour ce Dieu muet, pour cet enfant terrifiant. Car toutes les mères sont ainsi arrêtées par moments devant ce fragment rebelle de leur chair qu'est leur enfant et elles se sentent en exil devant cette vie neuve qu'on a faite avec leur vie et qu'habitent des pensées étrangères. Mais aucun enfant n'a été plus cruellement et plus rapidement arraché à sa mère car il est Dieu et il dépasse de tous côtés ce qu'elle peut imaginer.

Et c'est une dure épreuve pour une mère d'avoir honte de soi et de sa condition humaine devant son fils.

Mais je pense qu'il y a aussi d'autres moments, rapides et glissants, où elle sent *à la fois* que le Christ est son fils, son petit à elle, et qu'il est Dieu. Elle le regarde et elle pense : « Ce Dieu est mon enfant. Cette chair divine est ma chair. Il est fait de moi, il a mes yeux et cette forme de sa bouche c'est la forme de la mienne. Il me ressemble. Il est Dieu et il me ressemble.

Et aucune femme n'a eu de la sorte son Dieu pour elle seule. Un Dieu tout petit qu'on peut prendre dans ses bras et couvrir de baisers, un Dieu tout chaud qui sourit et qui respire, un Dieu qu'on peut toucher et qui vit. Et c'est dans ces moments-là que je peindrais Marie, si j'étais peintre, et j'essaierais de rendre l'air de hardiesse tendre et de timidité avec lequel elle avance le doigt pour toucher la douce petite peau de cet enfant-Dieu dont elle sent sur les genoux le poids tiède et qui lui sourit.

Et voilà pour Jésus et pour la Vierge Marie.

Et Joseph? Joseph, je ne le peindrai pas. Je ne montrerai qu'une ombre au fond de la grange et deux yeux brillants. Car je ne sais que dire de Joseph et Joseph ne sait que dire de lui-même. Il adore et il est heureux d'adorer et il se sent un peu en exil.

Je crois qu'il souffre sans se l'avouer. Il souffre parce qu'il voit combien la femme qu'il aime ressemble à Dieu, combien déjà elle est du côté de Dieu. Car Dieu a éclaté comme une bombe dans l'intimité de cette famille. Joseph et Marie sont séparés pour toujours par cet incendie de clarté. Et toute la vie de Joseph, j'imagine, sera pour apprendre à accepter.

Mes bons messieurs, voilà pour la Sainte Famille. A présent nous allons apprendre l'histoire de Bariona car vous savez qu'il veut étrangler cet enfant. Il court, il se hâte et le voilà arrivé. Mais avant de vous le montrer, voici une petite chanson de Noël.

En avant la musique.

## SIXIÈME TABLEAU

*A Bethléem, devant une étable.*

### *SCÈNE I*

LÉLIUS, BARIONA, *avec des lanternes*

LÉLIUS : Ouf! J'ai les jambes brisées et je suis hors d'haleine. Vous avez couru comme un feu follet, en pleine nuit, à travers la montagne; je n'avais pour m'éclairer que cette pauvre lanterne.

BARIONA, *à lui-même :* Nous sommes arrivés avant eux.

LÉLIUS : J'ai pensé mille fois me casser le cou.

BARIONA : Plût à Dieu que vous fussiez au fond d'un précipice, tous les os rompus. Je vous y aurais poussé de mes mains si je n'avais eu l'esprit distrait par d'autres soucis. *(Un temps.)* Alors, c'est ici. On voit un rais de lumière qui filtre sous la porte. On n'entend pas un bruit. Il est là, de l'autre côté de cette cloison, le Roi des Juifs! Il est là. L'affaire sera promptement réglée.

LÉLIUS : Qu'allez-vous faire?

BARIONA : Quand ils viendront, ils trouveront un enfant mort.

LÉLIUS : Est-ce possible? Méditez-vous vraiment cette abominable entreprise? Ne vous suffit-il pas d'avoir voulu tuer votre propre enfant?

BARIONA : N'est-ce pas la mort du Messie qu'ils doivent adorer? Eh bien, moi, je l'avance de trente-trois ans, cette mort. Et je lui évite les affres ignominieuses de la croix. Un petit cadavre violet sur de la paille! Qu'ils s'agenouillent devant lui s'ils veulent. Un petit cadavre emmailloté. Et c'en sera fait pour toujours de ces beaux prêches sur la résignation et l'esprit de sacrifice.

LÉLIUS : Vous êtes bien déterminé?

BARIONA : Oui.

LÉLIUS : Je vous épargnerai donc mes discours. Mais souffrez du moins que je m'en aille. Je n'ai plus assez de force pour empêcher ce meurtre; vous me couperiez la gorge par-dessus le marché et il n'est pas conforme à la dignité d'un citoyen romain de coucher la nuit sur une route de Judée avec le col tranché. Mais je ne puis non plus sanctionner par ma présence une telle abomination. J'appliquerai le principe de mon chef, le procurateur : laissez les Juifs se débrouiller entre eux. Je vous salue.

*Il sort ; Bariona, resté seul, se rapproche de la porte. Il va pour entrer ; Marc apparaît.*

## *SCÈNE III* [1]

MARC, BARIONA

MARC, *avec une lanterne :* Holà, bonhomme. Que venez-vous faire ici ?

BARIONA : Est-ce à vous qu'appartient cette étable ?

MARC : Oui.

BARIONA : N'y hébergez-vous pas un homme appelé Joseph et une femme appelée Marie ?

MARC : Un homme et une femme sont venus avant-hier me demander l'hospitalité. Ils couchent là, en effet.

BARIONA : Je recherche mes cousins de Nazareth qui doivent venir ici pour le dénombrement. La femme est enceinte, n'est-ce pas ?

MARC : Oui. C'est une toute jeune femme de mine modeste avec des sourires et des révérences d'enfant. Mais il y a dans sa modestie une fierté que je n'ai vue à personne. Savez-vous qu'elle a accouché la nuit dernière ?

BARIONA : Vraiment ? J'en suis heureux, si c'est ma cousine. L'enfant est bien venu ?

MARC : C'est un fils. Un beau petit. Ma mère me dit que je lui ressemblais à cet âge. Comme ils ont l'air de l'aimer ! La mère, à peine délivrée, l'a lavé et pris sur ses genoux. Elle est là, toute pâle, appuyée contre une poutre, et le regarde sans mot dire. Et lui, l'homme, il n'est plus tout jeune, n'est-ce pas ? Il sait que cet enfant passera par toutes

1. Le sixième Tableau ne comportant pas de scène II, il s'agit ici d'une erreur de numérotation.

les souffrances qu'il a déjà connues. Et j'imagine qu'il doit penser : peut-être qu'il réussira ce que j'ai manqué.

BARIONA : Je ne sais pas. Je n'ai pas de fils.

MARC : Alors vous êtes comme moi. Et je vous plains. Vous n'aurez jamais le regard, ce regard lumineux et un peu comique, d'homme qui se tient en arrière, tout embarrassé de son grand corps et qui regrette de n'avoir pas souffert les souffrances de l'accouchement pour son fils.

BARIONA : Qui es-tu ? Et pourquoi me parles-tu de la sorte ?

MARC : Je suis un ange, Bariona. Je suis ton ange. Ne tue pas cet enfant.

BARIONA : Va-t'en.

MARC : Oui. Je m'en vais. Car nous autres, les anges, nous ne pouvons rien contre la liberté des hommes. Mais pense au regard de Joseph.

*Il sort.*

## SCÈNE IV

BARIONA, *seul :* Je n'ai que faire des anges ! Il est temps, car les autres seront là bientôt. Et telle sera la dernière prouesse de Bariona : étrangler un enfant. *(Il entrouvre la porte.)* La lampe fume, les ombres montent jusqu'au plafond, comme de grands piliers mouvants. La femme me tourne le dos et je ne vois pas l'enfant : il est sur ses genoux, j'imagine. Mais je vois l'homme. C'est vrai : comme il la regarde ! Avec quels yeux ! Que peut-il y avoir derrière ces deux yeux clairs, clairs comme deux absences dans ce visage doux et raviné ? Quel espoir ? Nous ce n'est pas de l'espoir. Et quels nuages d'horreur monteraient du fond de lui-même et viendraient obscurcir ces deux taches de ciel s'il me voyait étrangler son enfant. Bon, cet enfant, je ne l'ai pas vu, mais je sais déjà que je ne le toucherai pas. Pour trouver le courage d'éteindre cette jeune vie entre mes doigts, il n'aurait pas fallu l'apercevoir d'abord au fond des yeux de son père. Allons, je suis vaincu. *(Cris de la foule.)* Les voilà. Je ne veux pas qu'ils me reconnaissent. *(Il se cache le visage avec le pan de son manteau et se tient à l'écart.)*

### *SCÈNE V*

BARIONA, LA FOULE

LA FOULE : Hosannah! Hosannah!

CAÏPHE : Voici l'étable!

*Un grand silence.*

SARAH : L'enfant est là. Dans cette étable.

CAÏPHE : Entrons et agenouillons-nous devant lui pour l'adorer.

PAUL : Et nous annoncerons à sa mère que nous précédons de peu le cortège des Rois mages.

CHALEM : J'embrasserai ses menottes et m'en trouverai tout rajeuni comme si j'avais baigné mes vieux os dans une fontaine de Jouvence.

CAÏPHE : Eh! Vous autres, rassemblez vos présents et tenons-nous prêts à les donner à sa Sainte Mère pour l'honorer. Moi, je lui apporte du lait de brebis dans ma gourde.

PAUL : Et moi deux grands écheveaux de laine que j'ai tondue moi-même au dos de mes moutons.

PREMIER ANCIEN : Et moi cette vieille médaille d'argent que mon grand-père a gagnée à un concours de tir.

LE PUBLICAIN : Et moi, je lui donnerai l'âne qui m'a porté jusqu'ici.

PREMIER ANCIEN : Il ne t'aura pas coûté cher, ton cadeau, c'est l'âne du Romain.

LE PUBLICAIN : Raison de plus. A celui qui vient de nous délivrer de Rome, un âne volé aux Romains ne saurait déplaire.

PAUL : Et toi, Simon, que donnes-tu à Notre-Seigneur?

SIMON : Pour aujourd'hui, je ne lui donne rien car j'ai été pris de court. Mais j'ai composé une chanson pour lui énumérer tous les cadeaux que je lui ferai plus tard. Mon doux Jésus, pour votre feste...

LA FOULE : Haïah! Haïah!

PREMIER ANCIEN : Silence et entrons en ordre et mettez le chapeau à la main. Si le vent et la course ont dérangé vos vêtements, rajustez-les.

*Ils entrent les uns derrière les autres.*

BARIONA : Sarah est là, avec les autres. Elle est pâle... Pourvu que cette longue marche ne l'ait pas épuisée. Ses pieds saignent. Ah, comme elle a l'air joyeux! Il ne reste pas derrière ces yeux illuminés le plus petit souvenir de moi.

*La foule est entrée dans l'étable.*

Qu'est-ce qu'ils font? On n'entend plus un bruit mais ce silence n'est pas pareil à celui de nos montagnes, au silence glacé de la raréfaction qui règne dans les corridors de granit. C'est un silence plus dense que celui d'une forêt. Un silence qui se dresse vers le ciel et bruisse aux étoiles comme un gros vieux arbre dont le vent berce la chevelure. Se sont-ils mis à genoux? Ah si je pouvais être parmi eux, invisible : car en vérité le spectacle ne doit pas être ordinaire; tous ces hommes durs et sérieux, âpres à la peine et au gain, agenouillés devant un enfant qui vagit. Le fils de Chalem, qui le quitta à quinze ans pour avoir reçu trop de taloches, il rigolerait de voir son père adorer un marmot. Sera-ce le règne des enfants sur les parents? *(Un silence.)* Ils sont là, naïfs et heureux, dans l'étable tiède, après leur grande course dans le froid. Ils ont joint les mains et ils pensent : quelque chose a commencé. Et ils se trompent, c'est entendu, et ils sont tombés dans un piège et ils paieront ça cher plus tard; mais tout de même, ils auront eu cette minute-ci; ils ont de la chance de pouvoir croire à un commencement. Qu'y a-t-il de plus émouvant pour un cœur d'homme que le commencement d'un monde et la jeunesse aux traits ambigus et le commencement d'un amour, quand tout est encore possible, quand le soleil est présent dans l'air et sur les visages comme une fine poussière sans s'être encore montré, et qu'on pressent dans la fraîcheur aigre du matin les lourdes promesses du jour.

Dans cette étable un matin se lève... Dans cette étable, il fait matin. Et ici, dehors, il fait nuit. Nuit sur la route et dans mon cœur. Une nuit sans étoiles, profonde et tumultueuse comme la haute mer. Voilà, je suis ballotté par la nuit comme une barrique par les vagues et l'étable est derrière moi, lumineuse et close, comme l'Arche de Noé elle vogue sur la nuit, enfermant en elle le matin du monde. Son premier matin. Car il n'y avait jamais eu de matin. Il avait chu des mains de son créateur indigné et il tombait dans une fournaise ardente, dans le noir, et les grandes langues brûlantes de cette nuit sans espoir passaient sur lui, le couvrant de cloques et faisant foisonner le pullulement des cloportes et des punaises. Et moi, je demeure dans la grande nuit terrestre, dans la nuit tropicale de la haine et du malheur. Mais — ô puissance trompeuse de la foi — pour mes hommes, des milliers d'années après la création, se lève dans cette étable, à la clarté d'une chandelle, le premier matin du monde.

*La foule chante un Noël.*

Ils chantent comme des pèlerins qui se sont mis en marche dans la nuit fraîche avec la besace, les sandales, le bourdon, et qui voient paraître au loin les premières pâleurs grises. Ils chantent et cet enfant est là, entre eux, comme le pâle soleil de l'Orient; le soleil des premières heures qu'on peut encore regarder en face. Un enfant tout nu, couleur du soleil levant. Ah, le beau mensonge. Je donnerais ma main droite pour pouvoir y croire, fût-ce un instant. Est-ce ma faute à moi, Seigneur, si vous m'avez créé comme une bête nocturne et si vous avez marqué dans ma chair ce terrible secret : il n'y aura jamais de matin. Est-ce ma faute si je sais, moi, que votre Messie est un pauvre gueux qui crèvera sur la croix, si je sais que Jérusalem sera toujours captive?

*Deuxième Noël.*

Voici : ils chantent et je me tiens seul au seuil de leur joie, comme un hibou je cligne de l'œil, effaré par la lumière. Ils m'ont abandonné et ma femme est parmi eux et ils se réjouissent, ayant oublié jusqu'à mon existence. Je suis sur la route du côté du monde qui finit, et eux sont du côté du monde qui commence. Je me sens plus seul au bord de leur joie et de leur prière que dans mon village désert. Et je regrette d'être descendu parmi les hommes, car je ne trouve plus en moi assez de haine. Hélas, pourquoi l'orgueil de l'homme est-il semblable à la cire et pourquoi suffit-il, pour le ramollir, des premiers rayons de l'aurore? Je voudrais leur dire : c'est vers l'infâme Résignation que vous allez, vers la mort de votre courage, vous serez pareils à des femmes et à des esclaves, et si l'on vous frappe sur une joue, vous tendrez l'autre. Et je me tais, je reste immobile, je n'ai pas le cœur de leur ôter cette confiance bénie en la vertu du matin.

*Troisième Noël.*
*Entrent les Rois mages.*

### *SCÈNE VI*
### BARIONA, LES ROIS MAGES

BALTHAZAR : Te voilà, Bariona ? Je pensais bien te retrouver ici.

BARIONA : Je ne suis pas venu pour adorer votre Christ.

BALTHAZAR : Non, mais pour te punir toi-même et demeurer seul en marge de notre foule heureuse, comme les hommes qui sont accourus cette nuit à son berceau de paille; ils le trahiront, comme ils t'ont trahi. Ils l'accablent présentement de leurs cadeaux et de leur tendresse, mais il n'est pas un seul d'entre eux, pas un seul, entends-tu, qui ne l'abandonnerait s'il connaissait l'avenir. Car il les décevra, tous, Bariona. Ils attendent de lui qu'il chasse les Romains et les Romains ne seront pas chassés, qu'il fasse pousser des fleurs et des fruits sur le roc et le roc demeurera stérile, qu'il mette un terme à la souffrance humaine et dans deux mille ans l'on souffrira comme aujourd'hui.

BARIONA : C'est ce que je leur ai dit.

BALTHAZAR : Je sais. Et c'est pour cela que je te parle en ce moment car tu es plus près du Christ qu'eux tous et tes oreilles peuvent s'ouvrir pour recevoir la véritable bonne nouvelle.

BARIONA : Et quelle est cette bonne nouvelle ?

BALTHAZAR : Écoute : le Christ souffrira dans sa chair parce qu'il est homme. Mais il est Dieu aussi et, avec toute sa divinité, il est par-delà cette souffrance. Et nous autres, les hommes faits à l'image de Dieu, nous sommes par-delà toutes nos souffrances dans la mesure où nous ressemblons à Dieu. Vois-tu : jusqu'à cette nuit, l'homme avait les yeux bouchés par sa souffrance comme Tobie par la fiente des oiseaux. Il ne voyait qu'elle et il se prenait pour une bête blessée et ivre de douleur qui bondit à travers les bois pour fuir sa blessure et qui emporte partout son mal avec elle. Et toi, Bariona, tu étais un homme de l'ancienne loi. Tu as considéré ton mal avec amertume et tu as dit : je suis blessé à mort; et tu voulais te coucher sur le flanc et consommer le reste de ta vie dans la méditation de l'injustice qu'on t'avait faite. Or, le Christ est venu pour nous racheter; il est venu pour souffrir et pour nous montrer comme il faut en user avec la souffrance. Car il ne faut pas la ruminer, ni mettre son honneur à souffrir plus que les autres, ni non plus s'y résigner.

C'est une chose toute naturelle et tout ordinaire que la souffrance et il convient de l'accepter comme si elle vous était due et il est malséant d'en parler trop, fût-ce avec soi-même. Mets-toi en règle avec elle au plus vite; installe-la bien au chaud, au creux de ton cœur, comme un chien couché près du foyer. Ne pense rien sur elle, sinon qu'elle est là, comme cette pierre est là sur la route, comme la nuit est là, autour de nous.

Alors tu découvriras cette vérité que le Christ est venu t'apprendre et que tu savais déjà : c'est que tu n'es pas ta souffrance. Quoi que tu fasses et de quelque façon que tu l'envisages, tu la dépasses infiniment, car elle est tout juste ce que tu veux qu'elle soit. Que tu t'appesantisses sur elle comme une mère se couche sur le corps glacé de son enfant pour le réchauffer ou que tu t'en détournes au contraire avec indifférence c'est toi qui lui donnes son sens et qui la fais ce qu'elle est. Car en elle-même, ce n'est rien que de la matière humaine, et le Christ est venu t'apprendre que tu es responsable envers toi-même de ta souffrance. Elle est de la nature des pierres et des racines, de tout ce qui a une pesanteur et qui tend naturellement vers le bas, et c'est elle qui t'enracine sur cette terre, c'est à cause d'elle que tu pèses lourdement sur le chemin et presses le sol avec la plante de tes pieds. Mais toi qui es au-delà de ta propre souffrance, car tu la façonnes à ton gré, tu es léger, Bariona. Ah, si tu savais combien l'homme est léger. Et si tu acceptes ta part de douleur comme ton pain quotidien, alors tu es par-delà. Et tout ce qui est par-delà ton lot de souffrances et par-delà tes soucis, tout cela t'appartient, tout, tout ce qui est léger, c'est-à-dire le monde. Le monde et toi-même, Bariona, car tu es à toi-même un don perpétuellement gratuit.

Tu souffres et je n'ai aucune pitié de ta souffrance : pourquoi donc ne souffrirais-tu pas? Mais il y a autour de toi cette belle nuit d'encre et il y a ces chants dans l'étable et il y a ce beau froid sec et dur, impitoyable comme une vertu, et tout cela t'appartient. Elle t'attend, cette belle nuit gonflée de ténèbres et que des feux traversent comme des poissons fendant la mer. Elle t'attend au bord de la route, timidement et tendrement, car le Christ est venu pour te la donner. Jette-toi vers le ciel et alors tu seras libre, ô créature de surplus parmi toutes les créatures de surplus, libre et tout haletant, tout étonné d'exister en plein cœur de Dieu, dans le royaume de Dieu qui est au Ciel et aussi sur la terre.

BARIONA : Est-ce là ce que le Christ est venu nous apprendre?

BALTHAZAR : Il a aussi un message à te délivrer.

BARIONA : A moi?

BALTHAZAR : A toi. Il est venu te dire : laisse ton enfant naître, il souffrira, c'est vrai. Mais cela ne te regarde pas. N'aie pas pitié de ses souffrances, tu n'en as pas le droit. Lui seul aura affaire à elles et il en fera tout juste ce qu'il voudra, car il sera libre. Même s'il est boiteux, même s'il doit aller à la guerre et y perdre ses jambes ou ses bras, même si celle qu'il aime doit le trahir sept fois, il est libre, libre de se réjouir éternellement de son existence. Tu me disais tantôt que Dieu ne peut rien contre la liberté de l'homme et c'est vrai. Mais quoi donc? une liberté neuve va s'élancer vers le Ciel comme un grand pilier d'airain et tu aurais à cœur d'empêcher cela? Le Christ est né pour tous les enfants du monde, Bariona, et chaque fois qu'un enfant va naître, le Christ naîtra en lui et par lui, éternellement pour se faire bafouer avec lui par toutes les douleurs et pour échapper en lui et par lui à toutes les douleurs éternellement. Il vient dire aux aveugles, aux chômeurs, aux mutilés et aux prisonniers de guerre : vous ne devez pas vous abstenir de faire des enfants. Car même pour les aveugles et pour les chômeurs et pour les prisonniers de guerre et pour les mutilés, il y a de la joie.

BARIONA : C'est tout ce que tu avais à me dire?

BALTHAZAR : Oui.

BARIONA : Alors, c'est bien. Entre à ton tour dans cette étable et laisse-moi seul, car je veux méditer et m'entretenir avec moi-même.

BALTHAZAR : Au revoir, Bariona, ô premier disciple du Christ...

BARIONA : Laisse-moi. Ne dis rien de plus. Va-t'en.

### *SCÈNE VII*

BARIONA, *seul :* Libre... Ah! cœur crispé sur ton refus, il faudrait desserrer tes doigts et t'ouvrir, il faudrait accepter... Il faudrait entrer dans cette étable et m'agenouiller. Ce serait la première fois de ma vie. Entrer, rester à l'écart des autres qui m'ont trahi, à genoux dans un retrait sombre... et alors le vent glacé de minuit et l'empire infini de cette nuit sacrée m'appartiendraient. Je serais libre, libre. Libre contre Dieu et pour Dieu, contre moi-même et pour moi-même... *(Il fait quelques pas ; chœur dans l'étable.)* Ah! Comme il est dur...

## SEPTIÈME TABLEAU

### *SCÈNE I*

JÉRÉVAH : Ils ne pourront pas s'enfuir. Des troupes viennent par le Sud et par le Nord, enserrant Bethléem dans un étau.

PAUL : On pourrait suggérer à Joseph de remonter par nos montagnes. Ils seraient à l'abri là-haut.

CAÏPHE : Impossible. La route des montagnes prend sur la grand-route à sept bonnes lieues d'ici. Les troupes qui viennent de Jérusalem y seront avant nous.

PAUL : Alors... A moins d'un miracle...

CAÏPHE : Il n'y aura pas de miracle : le Messie est encore trop petit, il ne comprend pas encore. Il sourira à l'homme bardé de fer qui va se pencher sur son berceau pour lui percer le cœur.

CHALEM : Ils entreront dans toutes les maisons et saisissant les nouveau-nés par les pieds ils feront éclater leurs têtes contre les murs.

UN JUIF : Du sang, encore du sang, hélas!

LA FOULE : Hélas!

SARAH : Mon enfant, mon Dieu, mon petit! Toi que j'aimais déjà comme si j'étais ta mère et que j'adorais comme ta servante. Toi que j'aurais voulu accoucher dans les douleurs, ô Dieu qui t'es fait mon fils, ô fils de toutes les femmes. Tu étais à moi, à moi, tu m'appartenais plus déjà que cette fleur de chair qui s'épanouit dans ma chair. Tu étais mon enfant et le destin de cet enfant qui dort au fond de moi, et voici qu'ils se sont mis en marche pour te tuer. Car ce sont toujours les mâles qui déchirent, au gré de leur plaisir, et qui font souffrir nos petits. O Dieu le Père, Seigneur qui me vois, Marie est dans l'étable, encore heureuse et sacrée, et elle ne peut te prier de sauvegarder son fils, car elle ne se doute encore de rien. Et les mères de Bethléem sont heureuses, dans leurs maisons, bien au chaud, elles sourient à leurs petits enfants, ignorantes du danger qui monte vers elles. Mais moi, moi qui suis seule sur la route et qui n'ai pas encore d'enfant, regarde-moi puisque tu m'as choisie en cet instant pour suer l'agonie de toutes les mères. O Seigneur, je souffre et je me tords comme un ver coupé, mon angoisse est énorme et semblable à l'Océan; Seigneur je suis toutes les mères et je te dis : prends-moi, torture-moi, crève-moi les yeux, arrache-moi les ongles, mais sauve-le! Sauve le Roi de Judée, sauve ton fils et sauve aussi nos petits.

*Un silence.*

CAÏPHE : Allons! Tu avais raison, Bariona. Tout s'est très mal passé toujours et ça continue. A peine aperçoit-on une faible lumière que les puissants de la terre soufflent dessus pour l'éteindre.

CHALEM : Alors, ce n'était donc pas vrai que les orangers allaient pousser au sommet des montagnes et que nous n'aurions plus rien à faire et que j'allais rajeunir ?

BARIONA : Non, cela n'était pas vrai.

CAÏPHE : Et cela n'était pas vrai que la paix viendrait sur la terre pour les hommes de bonne volonté ?

BARIONA : Oh si ! Cela était vrai. Si vous saviez comme c'était vrai !

CHALEM : Je ne comprends pas ce que tu veux dire. Mais je sais que tu avais raison avant-hier quand tu nous prêchais de ne plus faire d'enfants. Notre peuple est maudit. Vois : les femmes des basses terres ont enfanté et on vient égorger leurs nouveau-nés dans leurs bras.

CAÏPHE : Nous aurions dû t'écouter et ne jamais descendre à la ville. Car ce qui se passe dans les villes n'est point fait pour nous.

JÉRÉVAH : Rentrons à Béthaur et toi, Bariona, guide rude mais prévoyant, pardonne-nous nos offenses et reprends ta place à notre tête.

TOUS : Oui, oui ! Bariona ! Bariona !

BARIONA : O hommes de peu de foi. Vous m'avez trahi pour le Messie et voilà qu'au premier souffle du vent vous trahissez le Messie et venez à moi.

TOUS : Pardonne-nous, Bariona.

BARIONA : Suis-je de nouveau votre chef ?

TOUS : Oui, oui.

BARIONA : Exécuterez-vous mes ordres aveuglément ?

TOUS : Nous le jurons.

BARIONA : Alors, écoutez ce que je vous ordonne : toi Simon, va prévenir Joseph et Marie. Dis-leur qu'ils sellent l'âne de Lélius et qu'ils suivent la route jusqu'au carrefour. Tu les guideras. Tu leur feras prendre la route des montagnes jusqu'à Hébron. Qu'ils redescendent ensuite vers le Nord : la route est libre.

PAUL : Mais, Bariona, les Romains seront avant eux au carrefour ?

BARIONA : Non, car nous allons, nous autres, nous porter à leur rencontre, et nous les ferons reculer. Nous les occuperons bien assez longtemps pour que Joseph puisse passer.

PAUL : Que dis-tu ?

BARIONA : Ne vouliez-vous pas votre Christ ? Eh bien, qui donc le sauvera, si ce n'est vous ?

CAÏPHE : Mais ils vont nous tuer tous. Nous n'avons que des bâtons et des coutelas.

BARIONA : Attachez vos coutelas au bout de vos bâtons et vous vous en servirez comme de piques.

CHALEM : Nous serons tous massacrés.

BARIONA : Eh bien oui ! Je pense que nous serons tous massacrés. Mais écoutez, je crois à présent à votre Christ. Il est vrai ; Dieu est venu sur terre. Et à présent il réclame de vous ce sacrifice. Le lui refuserez-vous ? Empêcherez-vous vos enfants de recevoir son enseignement ?

PAUL : Bariona, toi le sceptique, toi qui refusas longtemps de suivre les Rois mages, crois-tu vraiment que cet enfant... ?

BARIONA : Je vous le dis en vérité : cet enfant est le Christ.

PAUL : Alors, je te suis.

BARIONA : Et vous mes compagnons ? Vous regrettiez souvent les sanglantes bagarres de notre jeunesse contre les gens d'Hébron. Voici revenu le temps de combattre, le temps des moissons rouges et des groseilles de sang qui perlent aux lèvres des blessures. Refuserez-vous de combattre ? Préférez-vous mourir de misère et de vieillesse dans votre nid d'aigle, là-haut ?

TOUS : Non ! Non ! Nous te suivrons, nous sauverons le Christ. Hurrah !

BARIONA : O mes compagnons, je vous retrouve et je vous aime. Allons, laissez-moi seul quelques instants car je veux méditer un plan d'attaque. Courez par la ville et ramassez toutes les armes que vous pourrez trouver.

TOUS : Vive Bariona!

*Ils sortent.*

## *SCÈNE II*

BARIONA, *seul, puis* SARAH

SARAH : Bariona...

BARIONA : Ma douce Sarah!

SARAH : Pardonne-moi, Bariona!

BARIONA : Je n'ai rien à te pardonner. Le Christ t'appelait et tu as été vers lui par la route royale. Et moi, j'ai suivi des chemins plus détournés. Mais nous avons fini par nous retrouver.

SARAH : Est-ce que tu veux vraiment mourir...? Le Christ exige au contraire que l'on vive...

BARIONA : Je ne veux pas mourir. Je n'ai aucune envie de mourir. J'aimerais vivre et jouir de ce monde qui m'est découvert et t'aider à élever notre enfant. Mais je veux empêcher qu'on ne tue notre Messie et je crois bien que je n'ai pas le choix : je ne puis le défendre qu'en donnant ma vie.

SARAH : Je t'aime, Bariona.

BARIONA : Sarah! Je sais que tu m'aimes et je sais aussi que tu aimes ton enfant futur plus encore que moi. Mais je n'en conçois pas d'amertume, Sarah, nous allons nous quitter sans larmes. Il faut te réjouir au contraire, car le Christ est né et ton enfant va naître.

SARAH : Je ne pourrai pas vivre sans toi...

BARIONA : Sarah! Il faut au contraire que tu t'accroches à la vie avec avarice, avec âpreté, pour notre enfant. Élève-le sans rien lui cacher des misères du monde et arme-le contre elles. Et je te charge d'un message pour lui. Plus tard, quand il aura grandi, pas tout de suite, pas à la première peine d'amour, pas à la première déception, beaucoup plus tard, lorsqu'il sentira son immense solitude et son délaissement, lorsqu'il te parlera d'un certain goût de fiel qu'il aura au fond de sa bouche, dis-lui : ton père a souffert tout ce que tu souffres et il est mort dans la joie.

SARAH : Dans la joie...

BARIONA : Dans la joie! Je déborde de joie comme une coupe trop pleine. Je suis libre, je tiens mon destin entre mes mains. Je marche contre les soldats d'Hérode et Dieu marche à mon côté. Je suis léger, Sarah, léger, ah, si tu savais comme je suis léger! O Joie, Joie! Pleurs de joie! Adieu, ma douce Sarah. Lève la tête et souris-moi. Il faut être joyeuse : je t'aime et le Christ est né.

SARAH : Je serai joyeuse. Adieu, Bariona.

*La foule revient sur la scène.*

## *SCÈNE III*

LES MÊMES, LA FOULE

PAUL : Nous sommes prêts à te suivre, Bariona.

TOUS : Nous sommes prêts.

BARIONA : Mes compagnons, soldats du Christ, vous avez l'air farouches et résolus et je sais que vous vous battrez bien. Mais je veux de vous plus encore que cette résolution sombre. Je veux que vous mouriez dans la joie. Le Christ est né, ô mes hommes, et vous allez accomplir votre destin. Vous allez mourir en guerriers comme vous le rêviez dans votre jeunesse et vous allez mourir pour Dieu. Il serait indécent de garder ces mines renfrognées. Allons, buvez un petit coup de vin, je vous le permets, et marchons contre les mercenaires d'Hérode, marchons, saouls de chants, de vin et d'Espoir.

LA FOULE : Bariona, Bariona! Noël, Noël!

BARIONA, *aux prisonniers :* Et vous, les prisonniers, voici terminé ce jeu de Noël qui fut écrit pour vous. Vous n'êtes pas heureux et peut-être y en a-t-il plus d'un qui a senti dans sa bouche ce goût de fiel, ce goût âcre et salé dont je parle. Mais je crois que pour vous aussi, en ce jour de Noël, — et tous les autres jours — il y aura encore de la joie!

## Moby Dick *d'Herman Melville*[1]

Le salut de Giono à Melville : un salut de paysan à matelot. J'étais curieux, je l'avoue, de voir un terrien — un de ces terriens que Melville méprisait tant — nous parler de cet homme de la mer. Giono trouverait-il dans son arsenal d'images stables et peintes, qu'il emprunte aux formes patientes de la campagne, dans son magasin d'images animistes — l'animisme des contes villageois —, les procédés convenables pour parler de la mer toujours recommencée et de ces ciels géométriques qui filent au-dessus des têtes comme un cercle dont la circonférence serait partout et le centre nulle part ? J'avoue que j'ai été déçu. Giono s'est fait laboureur par décret, un peu comme Barrès s'était fait lorrain — et il reste laboureur. Il regarde le ciel comme un laboureur, pour savoir s'il fera beau demain. S'il parle de la mer, c'est en paysan : « Il laboure et relaboure péniblement les champs immenses des mers du Sud. » (Quel vrai marin pourrait penser qu'il « laboure » ce grand métal stérile ?) Hausse-t-il le ton, il demeure un poète campagnard, tout entouré de « vivants », figé, une fois pour toutes, dans sa mythologie agreste et anthropomorphique. Il dira que Melville « chevauche des orages de fer ». Et, plus encore qu'à un campagnard, c'est à un savant de village, à un notaire qu'il ressemble, lorsqu'il écrit « la monstrueuse chevelure des courants marins » — à un notaire qui rêve devant une carte, devant ces grands espaces teintés de bleu.

Heureusement qu'il y a *Moby Dick*, pour tout renseignement utile. *Moby Dick*, ne l'appelons pas : ce chef-d'œuvre. Disons plutôt — comme d'*Ulysse* — : ce formidable monu-

1. Cf. 41/32.

ment. Si vous entrez dans ce monde, ce qui vous frappera d'abord, c'est l'absence de toute couleur. Un monde raviné, hérissé, bosselé, avec des aspérités et des reliefs, d'énormes vagues figées ou mouvantes. Mais la mer n'y est ni verte ni bleue : grise, noire ou blanche. Blanche surtout, quand les barques dansent sur « le lait caillé de l'affreuse colère de la baleine ». Le ciel est blanc, les nuits sont blanches, les glaçons s'accrochent à la poupe du navire « comme les blanches défenses d'un éléphant gigantesque ». La blancheur, chez Melville, revient comme un leitmotiv d'horreur démoniaque. Achab, le capitaine maudit, dit de lui-même : « Je laisse un sillage blanc et trouble, des eaux pâles, des joues pâles partout où je vogue. » C'est que « la nature ne manque pas une occasion de se servir de la blancheur comme un élément de terreur ». Les couleurs ne sont que des qualités secondes, des trompe-l'œil. Melville souffre d'un daltonisme très particulier; il est condamné à dépouiller les choses de leur apparence colorée, condamné à voir blanc. Giono nous dit que ce marin « a, dans le regard, une précision qui s'attache là où il n'y a rien : dans le ciel, dans la mer, dans l'espace... ». Et il est vrai que les yeux de Melville sont étrangement précis. Mais ce n'est pas le néant qu'il observe, c'est l'être pur, la blancheur secrète de l'être; il « regarde à l'œil nu... la peau lépreuse de l'univers, le gigantesque suaire blanc qui enveloppe toutes les choses ». Je songe à ce mot d'Audiberti, contraire et pourtant identique, sur « la noirceur secrète du lait ». Noir ou blanc s'équivalent ici, dans une identification hégélienne. Ce qu'il y a, c'est que « toute la divine nature est simplement peinte ». En leur cœur, au niveau de leur pure existence, les êtres sont noirs ou blancs, indifféremment : noirs dans leur isolement compact et têtu, blancs lorsqu'ils sont frappés par le grand vide de la lumière. C'est au niveau de cette indistinction massive et polaire de la substance que se joue le drame profond de *Moby Dick*. Melville est condamné à vivre au niveau de l'être. « Tous les objets, écrit-il, tous les objets visibles ne sont que des mannequins de carton. Mais dans chaque événement... dans l'être vivant... derrière le fait incontestable, quelque chose d'inconnu et qui raisonne se montre, derrière le mannequin qui, lui, ne raisonne pas. » Personne n'a senti plus fort que Hegel et que Melville que l'absolu est là, autour de nous, redoutable et familier, que nous pouvons le voir, blanc et poli comme un os de mouton, pour peu que nous écartions les voiles multicolores dont nous l'avons recouvert. Nous hantons l'absolu : mais personne, à ma connaissance, personne sauf Melville n'a tenté cette extraordinaire entreprise : retenir en soi le goût indéfinissable d'une qualité pure — de la qualité la plus pure : la blancheur — et chercher dans ce goût même le sens absolu qui le dépasse. Si c'est là, comme je le crois, une des directions où s'essaye en tâtonnant la littérature contemporaine, alors Melville est le plus « moderne » des écrivains.

C'est pourquoi nous devons renoncer à voir dans ses affabulations et dans les *choses* qu'il décrit un univers de symboles. On prend une idée et on lui ajuste un symbole après coup : mais Melville n'a pas d'idée à exprimer d'abord. Il ne connaît que les choses et il trouve les idées au fond des choses. Je suis sûr qu'il a songé, au commencement, à raconter du mieux qu'il pouvait une chasse à la baleine. De là un premier aspect de son livre, lourdement documentaire. Il cherche à préciser jusqu'au plus petit détail; il accumule les connaissances et les statistiques, jusqu'à paraître enfin d'une érudition maniaque et nous nous croyons d'abord, à cause du souci naïvement didactique qu'il manifeste, à cause du cours paisible et lent de la narration, à cause d'un certain humour aussi, qui sent bien son époque, en présence de quelque roman excentrique de Jules Verne. « Vingt mille lieues sur les mers ou les Aventures d'un chasseur de baleines. » Et puis, peu à peu, une prolifération cancéreuse commence à gonfler et à déformer le style net, aisé de ce Jules Verne américain, tout comme *Crime et Châtiment* n'est au fond qu'un cancer rongeant *Les Mystères de Paris*. Le documentaire craque de toutes parts. C'est que Melville s'est soudain rendu compte qu'il y avait une idée de la chasse à la baleine, il a vu « à blanc » tout à coup ce lien étrange entre l'homme et l'animal qu'est la *chasse*. Un rapport de vertige et de mort. Et c'est ce rapport qui se démasque brusquement, au bout des cent premières pages. La haine. Le sujet romanesque de *Moby Dick* est tout juste à l'envers de celui d'*Une passion dans le désert :* non pas l'amour d'une bête pour un homme, mais la haine d'un homme pour une bête. Achab, le capitaine du *Pequod*, a perdu sa jambe entre « les mâchoires d'ivoire » d'une baleine blanche, qui a échappé à son harpon. Depuis, il se ronge de haine pour ce monstre, il le poursuit partout sur les mers. Ce personnage démoniaque, dont le rôle est de faire ressortir ce qu'on pourrait appeler le côté zoologique de la condition humaine, les racines animales de l'homme, sa nature de carnivore, de fléau des bêtes, demeure malgré tout au niveau d'un romantisme un peu périmé : Achab entraîne ses harponneurs dans une conjuration solennelle qui rappelle un peu la fonte des balles dans le Freischütz et la musique de Weber. Mais ce roman de la haine se gonfle et éclate à son tour, sous la poussée d'un autre cancer. Avec lui disparaît jusqu'à la forme romanesque du récit : car il y a une idée de la haine, comme il y a une idée de la blancheur ou de la chasse à la baleine. Et cette idée engage l'homme tout entier, toute la condition humaine. Pour attraper cette idée, désormais la technique du romancier semble insuffisante à Melville. Tous les moyens vont lui être bons : le sermon, la plaidoirie, le dialogue de théâtre, le monologue intérieur, l'érudition vraie ou fausse, l'épopée — l'épopée surtout. L'épopée, car le volume de ces somptueuses phrases marines, qui se dressent et retombent comme des montagnes liquides et s'éparpillent en images étranges et superbes, est avant tout épique; Melville en ses meilleurs moments a le souffle d'un Lautréamont. Et puis, finalement, il est devenu conscient d'écrire une épopée, il s'en amuse, il multiplie les invocations au dieu démocratique, les prosopopées, il se divertit à présenter les harponneurs comme des héros homériques. Mais lorsque enfin le lecteur a saisi l'idée, lorsqu'il se trouve enfin devant la condition humaine nue, lorsqu'il voit l'homme de Melville, cette transcendance déchue, dans son horrible délaissement, ce n'est plus une épopée qu'il croit avoir lue, mais une somme énorme, un livre gigantesque et monstrueux, doucement antédiluvien, et qui ne saurait se comparer, dans sa démesure, qu'au *Pantagruel* de Rabelais ou à l'*Ulysse* de Joyce. Et il y aurait, après cela, quelque manque de tact à relire le salut que Giono, prophète mineur et rural, adresse au grand prophète Melville.

## *La Mort dans l'âme*[1]

*10 juin.*

A six heures du matin, départ de Mommenheim en car. Les régiments de biffins que nous dépassons sur la route se sont tapés plus de quarante kilomètres cette nuit. Ils viennent de Wissembourg, paraît-il, et ils ont fait de grands détours. Ils nous regardent passer sans colère mais en manifestant la plus vive surprise. En réalité nous en avons bavé comme les autres, mais c'est un fait : on nous transporte en car.

« Qu'est-ce qu'ils doivent penser de nous? » se demande Pierné, qui est socialiste.

« Pas grand-chose. Ils pensent : voilà des types qu'on transporte en car. »

Arrivée à Haguenau vers huit heures. La ville est évacuée depuis un mois. Elle avait été bombardée le 12 mai sans dégâts sauf des égratignures à la façade toute neuve d'une maison gothique et un obus qui est tombé sur une masure. L'ordre d'évacuer est venu le même soir. La masure, nous l'avons vue en passant : un toit de tuiles effondré dans un jardin plein d'iris. Ça n'a pas l'air d'une blessure de guerre, on croirait plutôt à une mort de vieillesse, n'étaient les iris, si neufs, si flambant neufs et tellement « mine de rien » que c'en est inquiétant. Et puis il y a aussi ce plancher cabré, vertical qu'on aperçoit par un grand trou du mur.

1. Cf. 42/33.

*11 heures du matin.*

Dans la cave de la mairie. Nous venons d'y descendre en file indienne, chacun portant une paillasse sur son dos. Poussière, odeur vineuse du plâtre. De loin en loin un soupirail. Il va falloir vivre là-dedans.

« Qu'est-ce que ça dégage! dit Dupin.

— Oui. Paraît qu'ils veulent aussi y installer les bureaux.

— Oh pardon! Et pourquoi pas les roulantes, alors? et les camions. »

Nous jetons les paillasses par terre et nous nous asseyons dessus. Des tourbillons de poussière blanche volent au plafond. J'ai de l'asthme. Nous sommes là, en capote, les genoux aux dents, sans même songer à poser nos casques et nos bardas; nous pesons sur le sol comme du plomb, comme si nous devions passer la guerre ici. Nous avons besoin de racines : depuis quelque temps nous nous sentons si légers, nous avons peur que le vent ne nous emporte. Défense de fumer, naturellement.

Le lieutenant Monique paraît en haut de l'escalier, tout fumant d'une lumière dorée qui l'enlace et monte autour de lui comme une vapeur. Il se penche, rouge et chaud de soleil, les oreilles transparentes, il cherche à distinguer dans l'ombre nos corps pâles et nos visages bleus.

« Eh! l'A. D.!

— Voilà, mon lieutenant.

— Chaubé, vous rassemblerez vos hommes et vous remonterez tout de suite. »

Chaubé nous rassemble et nous remontons — six secrétaires, quatre du S.R.A. — nous rechargeons le camion dans la cour et nous repartons en laissant les copains dans la cave.

L'A.D. fait encore cavalier seul. Nos officiers, doux, sournois et méprisants, se sont installés à l'écart dans l'école catholique de filles. C'est une vieille bâtisse de grès rose; deux agaves dans des caisses vertes flanquent la porte. Une cour pavée de rose par-devant, un jardin par-derrière. Nous coucherons dans la classe enfantine. On se regarde, on est content parce qu'on a évité la cave.

Aux murs il y a des images bleues et dorées : la Vierge, l'enfant Jésus; sur des étagères, des Saintes et des Saints dans des jardinets de plâtre. Ça sent la tisane et la bonne sœur. Par la fenêtre ouverte, un grand tilleul plein d'oiseaux pousse ses branches jusque dans la pièce et la lumière fuse à travers son feuillage. Une douce lumière tremblante et verdie, une tisane de lumière. Sur la chaire, il y a deux piles de cahiers roses; je les feuillette. Cahiers de Compositions françaises; ils s'arrêtent tous au 10 mai 1940 : « Votre Maman repasse. Décrivez-la. »

Les oiseaux dans le tilleul, ce sont des colombes, elles roucoulent toute la journée.

*11 juin.*

Au-dehors un soleil de gloire et de mort, le même qui, en Flandre, fait fumer les charognes. Dans l'école une fraîche lumière d'eau bénite un peu croupie. Nous n'avons rien à faire. Nous n'avons plus jamais rien à faire, c'est mauvais signe. Luberon joue des valses sur l'harmonium; le sergent Chaubé, chef des secrétaires, employé de bureau dans le civil, se promène en faisant craquer pensivement, voluptueusement ses souliers, comme on fait craquer les cigares entre le pouce et l'index. A chaque craquement il sourit, en amateur. La guerre ne l'a pas dépaysé, il vit comme en temps de paix, au milieu des dossiers et des pots de colle; quand il partait en permission, il disait qu'il prenait son congé.

Cinq alertes aujourd'hui. Étranges alertes avec des hurlements de bête qu'on égorge, qui montent au ciel, vers les avions, comme des cris de terreur et que nulle oreille n'entend dans la ville morte. Les avions volent très bas, ils font des ronds : ils sont maîtres du ciel, naturellement; pas de D.C.A. ni de chasse française. L'ordre est de se planquer quand on les voit, afin que la ville, vue d'en haut, conserve son aspect de nécropole.

« C'est vachement silencieux », dit Dupin. Oui. Un silence végétal qui n'est pas l'absence de bruit : il y a ces colombes dans l'épais feuillage vert, comme des grillons au plus profond des herbes, ces moteurs qui ronflent et qui scintillent — on dirait le bruit du soleil — et puis cette ville, tout contre nous, au bout du jardin, de l'autre côté du mur, cette ville interdite. Dupin se lève :

« Merde! Je vais faire un tour dans le patelin.

— C'est défendu.

— Je m'en balance. »

Dupin est commerçant. Il aime les villes avec passion, ça l'excite d'en sentir une, même morte, de l'autre côté du mur : une ville, de toute façon, ça veut dire des vitrines et des carrefours. Il enfonce son calot sur sa tête et nous regarde par-dessus les grosses lunettes d'écaille à verres de vitre qu'il porte « parce que, dans le commerce, il faut avoir un physique qui en impose ». Pierné lui dit :

« Si tu trouves un journal...

— Un journal? dit Moulard. T'es pas sinoc? Il n'y a plus un chat dans le bled. »

Dupin sourit avec complaisance.

« T'en fais pas. S'il y a quelque chose à ramener, je le ramènerai, c'est moi qui te le dis. »

Il est parti. Quatre ou cinq types dorment par terre, roulés dans leurs capotes, le calot sur le nez, à cause des mouches. Chaubé reprend sa promenade à travers la pièce. Moulard écrit à sa femme et je lis par-dessus son épaule : « Ma petite poupée. » Moulard a vingt-cinq ans et il en paraît vingt. Il plaît aux femmes, il adore la sienne et la trompe innocemment; il a les yeux bleus, les cheveux frisés et les dents en avant. Il parle avec un peu de difficulté, les mots ont toujours l'air un peu trop gros pour sortir et il secoue la tête pour les faire tomber de sa bouche.

Pierné demande brusquement :

« Alors? Qu'est-ce que nous foutons ici? Y a-t-il quelqu'un qui le sait? »

Silence. Il insiste :

« Chaubé? »

Chaubé surprend parfois des conversations entre les officiers. Il secoue la tête :

« Je ne sais pas.

— Est-ce qu'on est là pour longtemps?

— Je ne sais pas.

— On disait que c'était le nouveau Q. G. du secteur. »

Foulon, le sergent motard, qui essayait de dormir, lève la tête et dit avec effort :

« Je ne crois pas. C'est trop loin des lignes. »

Pierné, maigre et nerveux, avec des lunettes de fer, a l'air irrité et malheureux. Il est professeur de mathématiques. Est-ce pour cela qu'il ne peut pas vivre sans repères? Cet hiver, il avait besoin de faire le point tous les jours, il dévorait les journaux quand il y en avait, ou bien il faisait quinze kilomètres dans la neige pour aller entendre les nouvelles dans le camion des radios. Il a besoin d'être à l'ancre; pendant toute cette guerre pourrie, il était à l'ancre, il savait quelle distance exacte le séparait de sa femme, combien de temps il allait demeurer en secteur, quel était son numéro sur la liste des permissionnaires. Voilà quelques jours qu'on a levé l'ancre et il dérive. Nous dérivons tous avec lui, d'ailleurs. Toute une flottille à la dérive dans la brume. Pierné poursuit en hésitant :

« On disait qu'ils voulaient fondre ensemble notre secteur et celui de Lauterbourg?...

— Peut se faire.

— Y en a, dit Foulon, qui disaient aussi que ça n'était qu'une étape et qu'on s'en irait prendre position sur la Marne.

— La Marne? » Fay a redressé sa petite tête jaune et rasée. « Il y a longtemps que les Allemands l'ont franchie, la Marne.

— Qu'est-ce que tu en sais? dit Chaubé.

— Au train dont ils allaient.

— On ne sait rien du tout. »

Nous nous taisons, le cœur lourd. C'est vrai. On ne sait rien. Où sont les Allemands? Devant Paris? Dans Paris? Est-ce qu'on se bat dans Paris? Depuis cinq jours nous sommes sans journaux et sans lettres. Une image m'obsède : je vois un café de la place Saint-Germain-des-Prés où j'allais quelquefois. Il est plein à craquer et les Allemands sont dedans. Je ne vois pas les Allemands — depuis le début de la guerre, je n'ai jamais pu *m'imaginer* les Allemands — mais je sais qu'ils sont là. Les autres consommateurs ont l'air en bois. Chaque fois que l'image revient c'est comme un coup de couteau.

Depuis avant-hier, j'ai des souvenirs par centaines. Des souvenirs de Paris, tout dorés, légers comme des vapeurs : je revois les quais de la Rapée, un bout de ciel au-dessus de Ménilmontant, une rue de La Villette, la place des Fêtes, les Gobelins, la rue des Blancs-Manteaux, tout ce que j'aime. Mais ces souvenirs ont été frappés en plein cœur, quelqu'un les a tués. Ils sentent la mort comme cette ville écrasée de chaleur, de l'autre côté du mur.

Nous nous taisons, engourdis par le silence; les tourterelles roucoulent, les moustiques s'éveillent. Un peu plus tard nous entendons des pas bruyants dans le couloir : c'est Dupin qui revient. Il entre en s'épongeant le front; il a un drôle d'air — et les mains vides.

« Eh bien?

— Eh bien, j'ai vu toute la ville, tu peux t'y promener comme tu veux, il n'y a personne.

— Alors? comment que c'est? »

Il hésite :

« Ça devait être mignon avant la guerre...

— Oui... et à présent?

— A présent... »

Il hésite. Il s'est assis et s'est mis à essuyer les verres de ses lunettes; il cligne des yeux et avance ses grosses lèvres avec un air de bonté torturée, de bonté à vif. Pourtant il n'est pas si bon que ça. Il dit :

« C'est marrant...

— Marrant?

— Oui, enfin, pas marrant, marrant. »

Je lui dis :

« Planque tes carreaux. Tu vas nous montrer ça.

— Y avait des journaux? demande Pierné.

— Je t'en fous. Il n'y a pas un chat. »

Je dis :

« Vous vous amenez? »

Chaubé fait semblant de ne pas entendre : il sait que nous ne voulons pas de lui.

Nous partons tous les quatre, Moulard, Pierné, Dupin et moi. On enfile une rue déserte, puis une autre, puis une autre. Des rues de faubourg : maison à un, à deux étages au plus, jardinets, grilles et portail noir avec des sonnettes dorées. Ça ne m'étonne pas trop qu'elles soient désertes : dans les faubourgs, c'est toujours comme ça. Seulement je voudrais pénétrer au cœur de la ville et j'ai l'impression qu'elle me fuit. J'avance, je force les autres à presser le pas, et elle recule, nous n'arrivons pas à sortir des faubourgs. La ville, c'est là-bas, toujours là-bas, au bout de ces rues crayeuses et torrides.

« Tu vois, dit Dupin. C'est plutôt cave.

— Oui. Ça la fout mal. »

Tout à coup, nous débouchons sur une place. Belles et hautes maisons aux façades peintes — bleu, blanc, vert et rose — à pignons, à clochetons; gros magasins. Les rideaux de fer ne sont même pas baissés, les vitrines étincellent. Simplement on a ôté le loquet de la porte, en s'en allant. Il n'y a plus à s'y tromper : nous sommes dans le centre commerçant de la ville. Nous regardons tout autour de nous, un peu désorientés et puis brusquement ça se met à être Dimanche. Un Dimanche après-midi, un Dimanche de province et d'été, plus vrai que nature. Nous ne sommes plus seuls, les gens sont tous là, derrière leurs persiennes tirées, dans la pénombre. Ils viennent de déjeuner, ils font la sieste avant la promenade du soir. Je dis à Moulard :

« On se croirait un Dimanche.

— Il y a de ça », dit-il vaguement.

Je me secoue, j'essaye de me dire : « Nous sommes mercredi et c'est le matin; elles sont vides et noires, toutes ces pièces abandonnées, derrière les rideaux. » Mais non, rien à faire, le Dimanche tient bon, il n'y a plus à Haguenau qu'une seule journée pour toute la semaine, qu'une seule heure pour tout le jour. Le Dimanche s'est glissé jusque dans les plus sourdes, les plus immédiates de mes attentes : c'est mon avenir qui est Dimanche : j'attends les bruits de vaisselle du Dimanche, les bruits paresseux et lointains qui sortent à regret du ventre des maisons, j'attends les routes poudreuses au bord de la ville, les drapeaux et les cris du stade, j'attends la sonnerie du cinéma et l'odeur des cigarettes blondes, j'attends le frottement cassant du linge propre contre ma peau et cette lassitude du Dimanche, qui vous prend aux reins et au défaut de l'épaule quand on a marché longtemps au milieu de la foule, j'attends de retrouver dans mon corps, comme un souvenir de ma vie morte, le désespoir placide des après-midi d'été.

« Cest vrai, dit Dupin, on s'attendrait à ce qu'il y ait des cloches qui sonnent. »

Oui. Vêpres. C'est un Dimanche tout à fait quelconque, il s'en faudrait de peu qu'il ne passe inaperçu. Seulement il a quelque chose d'un peu plus raide qu'à l'ordinaire, d'un peu plus chimique. Il est trop silencieux, on le dirait embaumé. Et puis, il a beau rutiler, quand on est dedans depuis un moment on s'aperçoit qu'il est déjà plein de croupissures secrètes. Quand ils reviendront, les habitants de Haguenau retrouveront un Dimanche pourri affalé sur leur ville morte. Dupin s'est approché d'un grand magasin de laine, il hoche la tête, il apprécie l'art avec lequel on a « fait » l'étalage. Mais les pelotons multicolores habilement disposés dans la vitrine sont en train de jaunir, ils sentent le vieux. Et les layettes, les chemises, dans la boutique voisine, sentent le vieux, elles aussi, elles se fanent; une poussière farineuse s'accumule sur les rayons. C'est une fête pour les mouches; je ne sais comment elles ont pu entrer mais elles bourdonnent par milliers, derrière les grandes vitres salies de longues traînées blanches qui ressemblent à des traces de pleurs. Dupin se retourne brusquement :

« Ça me donne le cafard. »

Il passe sur la glace une main légère, il la caresse avec une sorte d'amour plein de compétence comme un musicien fait de son instrument, il secoue la tête :

« Chez moi, ça doit être comme ça, à présent. »

Il nous a souvent parlé de son magasin. « Chez Bobby », ça s'appelle. Lingerie et chapeaux de femme. Le plus beau du quartier. Le soir il reste allumé de tous ses feux, il éclaire la rue à lui tout seul.

« Ta femme aura eu le temps de ranger les modèles et de baisser les rideaux de fer.

— C'est mon beau-frère qui est resté. Je n'ai pas confiance. »

Il demeure un moment encore devant la vitrine, le front bas, il a l'air malheureux.

Moulard, impatienté, le tire par le bras :

« Allons, viens. On va pas rester cent sept ans devant ces laissés-pour-compte. Tu nous casses les bonbons.

— C'est parce que tu n'es pas commerçant. Même que je ne suis pas dans le coup, ça me fend le cœur de voir gâcher de la marchandise. »

Nous l'emmenons à travers des rues bourgeoises, un jardin public en fleurs, les allées de la gare. On lit partout sur les fenêtres, sur les portes, sur les devantures le mot « Mort », c'est une petite obsession sinistre. De près on voit : « Le pillage des maisons évacuées est punissable de MORT. Jugement immédiatement exécutoire. » Mais tout ça, c'est en petites lettres, il n'y a que la Mort qui se voie. Mort : guerre morte, mort dans le ciel, ville morte et ces mille couleurs qui meurent dans les vitrines et ce bel été putride, plein de mouches et de malheur et nos cœurs que nous avons tués cet hiver, par crainte de souffrir. Dupin me regarde avec timidité :

« Dis donc...

— Quoi?

— S'ils entrent dans Paris, crois-tu qu'ils vont tout piller?

— Qu'est-ce que tu veux qu'ils aillent piller dans le XX^e^, dit Moulard, agacé. Ils iront dans les beaux quartiers. »

Dupin ne répond pas. Il se lèche les lèvres à petits coups et soupire. Un tournant, une rue toute neuve. Tout au bout de la rue, un soldat s'enfuit à notre vue, comme un lézard réveillé par l'approche des hommes. Il se coule entre deux pierres et disparaît. Un maraudeur que nous avons dérangé. Ou bien un griveton en balade, comme nous, qui nous aura pris pour des officiers.

« Allons bon, dit Moulard en levant la tête, ça y est! Il y avait longtemps. »

Ça y est en effet : une déchirure sonore qui parcourt le ciel du Nord au Midi, et puis le long beuglement de la ville déserte et puis l'avion, tout petit, qui brille au soleil.

« Un stuka, dit Moulard.

— Planquons-nous », dit prudemment Dupin.

Nous nous mettons sous l'auvent d'une boucherie. L'avion brille toujours; comme il semble lent! Étrange impression : ce petit scintillement métallique, seule chose vivante du ciel, d'une vie dense de métal qui convient à la chaleur de ce bleu impitoyable et aux lourdes flammes du soleil. Et sur terre, nous autres vivants, seuls vivants, que de grandes pierres creuses entourent de leurs ombres et de leur silence minéral. Je ne sais pourquoi ce brillant éclat d'acier qui trace son sillon au-dessus de moi m'a si vivement fait sentir mon délaissement au sein de la guerre. Mais un lien étroit, un lien de sang s'est noué entre lui, glorieux vivant du ciel, et nous autres, les vivants écrasés dans l'ombre de la terre, il semble qu'il nous cherche sur l'écorce de cet astre refroidi, entre les tombes, dans ce cimetière du Dimanche. Nous seuls, dans toute la ville. C'est pour nous seuls qu'il est là. Depuis qu'il ronfle au-dessus de moi, le silence autour de moi me paraît plus oppressant, planétaire, j'ai envie de me précipiter dans la rue et de lui faire signe avec un mouchoir, comme un naufragé à un bateau sauveur. De lui faire signe pour qu'il lâche sur la ville tout son chargement de bombes : ça serait une résurrection, ce Dimanche funèbre se déchirerait comme un brouillard, la ville retentirait de bruits énormes, de bruits de forge, comme naguère, quand elle était en travail, et de belles fleurs rouges grimperaient le long des murs vers le ciel.

L'avion passe : il ira se délester au-dessus de la forêt de Haguenau ou bien sur quelque route couverte de nos camions. Il ne nous a pas vus, sans doute, pas même regardés. L'alerte est passée, nous retombons dans notre solitude.

Voilà Luberon. Il débouche d'une ruelle et tient à la main un sac en papier.

« Salut. C'est des trucs à manger que tu tiens là? »

Luberon mange toujours. Il nous regarde en clignant des yeux, il n'est pas trop content de nous avoir rencontrés : il a dû attendre notre départ pour sortir en douce. Il nous considère d'un air perplexe. Il est albinos. Ses cils enfarinés clignotent sur de gros yeux pâles. Finalement il entrouvre son sac et le referme aussitôt. Mais nous avons le temps d'apercevoir des croûtes dorées.

« Des croissants! Merde! Où as-tu trouvé ça? »

Luberon sourit et dit d'un air naturel :

« Chez la boulangère.

— Il y a une boulangère? On croyait que tout le monde s'était tiré. »

Il montre du doigt un magasin dans la rue à gauche.

« Eh bien? dit Dupin, vexé de n'avoir pas découvert tout seul la boulangerie, elle est fermée.

— Non, non. Les rideaux sont tirés et le loquet est ôté. Mais si tu pousses la porte, tu entres; ça se met à sonner et puis une bonne femme s'amène; elle te sert dans le noir, par exemple, je me demande comment elle fait pour y voir. Ils n'ont pas le droit de vendre aux militaires mais ils s'arrangent. »

Dupin se met à courir et nous le regardons. Nous le voyons entrer dans la boulangerie et Luberon continue :

« Il paraît qu'il y en a une vingtaine de revenus. Dès qu'ils ont su qu'il y avait de la troupe ici, tu comprends. Ils rouvrent en douce, un épicier, un marchand de livres. Surtout à cause des officiers. Avant l'évacuation les officiers achetaient n'importe quoi à n'importe quel prix, les gens de Haguenau ont fait de bonnes affaires. »

Dupin revient, un gros sac sous le bras.

« Il y a des cafés ouverts?

— On le dit.

— On va voir.

On va de café en café et on pousse les portes. A la fin il y en a une qui cède, nous entrons dans une salle basse et voûtée, toute sombre. Il y a un homme au comptoir, qu'on distingue mal.

« On peut boire un coup?

— Entrez vite alors. Et poussez la porte : je n'ai pas le droit de servir les soldats. Passez dans l'arrière-salle. »

L'arrière-salle est claire et gaie, elle donne sur une cour. Elle était réservée aux banquets, aux noces et aux sociétés sportives. Dans une armoire vitrée, il y a trois lourdes coupes de cuivre. C'est le Cycle-Club et le Pédal's club de Haguenau qui les ont gagnées. Le patron vient vers nous, il a l'air italien, avec ses longs cheveux noirs rejetés en arrière et sa moustache noire. Il est en pantoufles et traîne les pieds. Œil velouté, sourire cruel.

« Qu'est-ce que je vous sers?

— Quatre schnaps. »

Pierné demande :

« Vous avez des journaux? »

Le type a accentué son sourire :

« Plus de journaux. »

Il prend un temps et ajoute :

« Il ne viendra plus jamais de journaux de Paris. »

Un froid. Il va chercher le schnaps. « Il a peut-être les nouvelles par radio », dit Pierné en s'agitant sur sa chaise. Je lui dis :

« Ferme-la. Si tu lui demandes quelque chose, il te racontera des boniments. Il n'a pas l'air d'avoir les Français à la bonne.

— Non. »

On boit le schnaps sans grand plaisir; le patron va et vient, sans faire de bruit, il nous couve des yeux d'un air d'ogre; comme il doit nous haïr. Pierné ne se tient plus : il meurt d'envie de lui demander des nouvelles. Mais s'il le fait, je lui colle ma main sur la figure. Si on l'interrogeait, le type serait trop content. Dupin l'appelle :

« Ça fait combien?

— Cent sous. »

Il s'est appuyé sur la table. Il nous dit :

« Le schnaps était bon, les enfants?

— Très bon.

— Tant mieux. Parce que vous n'en reboirez pas de sitôt. »

Un silence. Il attend que nous lui posions des questions mais nous ne voulons pas lui en poser. Il se dandine un peu en nous regardant et son sourire nous fascine. Il nous veut du mal et ce qui m'agace c'est que je ne peux pas me mettre en colère contre lui. Je ne peux pas, parce qu'il sourit. Il dit d'un air abrupt :

« Vous partez demain matin. »

Je détourne la tête pour ne plus voir son sourire. Dupin hausse les épaules et dit d'une voix un peu trop élevée :

« Ça se peut. Nous, on n'est pas au courant. »

Les yeux de Pierné ont brillé. J'ai envie de lui dire : « Laisse tomber. Mais laisse donc tomber. » Mais il a mordu à l'hameçon. Il essaie de prendre un air détaché mais sa voix tremble du désir de savoir.

« Et où va-t-on, puisque vous êtes si bien renseigné? »

Le type fait un geste vague de la main.

« A la frontière italienne? » demande Pierné.

Je lui lance un coup de pied sous la table. Le type fait semblant d'hésiter et puis il répond brusquement :

« Vous n'irez pas loin. »

Je sens qu'il a voulu charger sa voix d'un sous-entendu sinistre. Je me lève :

« Alors? On les met? »

Dans l'autre salle, la porte s'ouvre en grinçant. Des pas autoritaires. Le type va voir, sans se presser; je l'entends qui dit très haut, exprès :

« Oui, mon lieutenant. Bien, mon lieutenant. »

Il revient de notre côté et prend une bouteille de cassis dans l'armoire. D'un mouvement de tête, en silence, il nous indique une porte, au fond. En trente secondes, nous sommes dehors.

« On va toujours manger les croissants », dit Luberon.

## *Drieu la Rochelle ou la haine de soi* [1]

Quelques demi-castors de la littérature écrivent aujourd'hui dans la presse inspirée, vont en Allemagne boire en l'honneur de Gœthe du champagne volé aux caves d'Épernay, tentent de constituer la littérature « européenne », celle dont M. de Châteaubriant a dit dans *La Gerbe* que les discours d'Hitler étaient le plus beau joyau. On ne s'étonne point de trouver parmi eux l'ivrogne Fernandez et le pédéraste Fraigneau. Mais il en est d'autres d'aspect plus décent : qu'est-ce donc qui a pu les conduire dans cette galère? L'appât du gain? Mais certains sont riches et puis les Allemands paient mal. La vérité c'est qu'ils ont des motifs plus secrets, plus inquiétants que la saine cupidité des traîtres classiques. Voyez Drieu la Rochelle : c'est un lyrique, il ne cesse de parler de lui, il remplit les pages de *La Nouvelle Revue française* de ses petites colères, de ses crises de nerfs et, comme ce n'est pas encore assez, il réédite ses vieux écrits avec des préfaces nouvelles où il parle encore de lui. Nous n'avons qu'à recueillir ses confidences, nous comprendrons très vite les raisons de son choix.

C'est un long type triste au crâne énorme et bosselé, avec un visage fané de jeune homme qui n'a pas su vieillir. Il a, comme Montherlant, fait la guerre pour rire en 1914. Ses protecteurs bien placés l'envoyaient au front quand il le leur demandait et l'en retiraient dès qu'il craignait de s'y ennuyer. Pour finir, il revint parmi les femmes et s'ennuya davantage encore. Les feux d'artifice du front l'avaient empêché quelque temps de prêter attention à lui-même.

1. Cf. 43/40.

Rentré chez lui, il fallut bien qu'il fît cette découverte scandaleuse : il ne pensait rien, il ne sentait rien, il n'aimait rien. Il était lâche et mou, sans ressort physique ni moral, une « valise vide ». Son premier mouvement fut de s'enfuir. Il fit la fête, il prit de la drogue — tout cela modérément par pauvreté de sang. Et puis, au moment où sa stupeur haineuse devant lui-même menaçait de tourner au tragique, il trouva le truc pour se supporter : ce n'était pas sa faute s'il était un mauvais petit garçon dans un corps d'homme. C'est que notre époque était celle des grandes faillites. « Je me suis trouvé, écrit-il, devant un fait écrasant : celui de la décadence. » Voilà du bon travail. Il est toujours plus agréable d'être la victime innocente d'un cataclysme social que tout simplement un individu qui s'est raté lui-même. Ainsi entre 1914 et 1918 des millions de paysans et d'ouvriers français se faisaient tuer pour défendre leur sol, entre 1918 et 1939 des millions de paysans et d'ouvriers français tentaient de vivre, courageusement, patiemment. Mais M. Drieu la Rochelle, qui s'ennuyait, déclarait que la France avait fait faillite.

Le reste va de soi. Gilles, son triste héros, tente, à la fin du roman, de guérir avec le sang des autres son incurable ennui. Drieu a souhaité la révolution fasciste comme certaines gens souhaitent la guerre parce qu'ils n'osent pas rompre avec leur maîtresse. Il espérait qu'un ordre imposé du dehors, et à tous, viendrait discipliner ces faibles et indomptables passions qu'il n'avait pu vaincre, qu'une sanglante catastrophe viendrait remplir en lui le vide qu'il n'avait pu combler, que l'agitation du pouvoir, comme autrefois les bruits de la guerre, mieux que la morphine ou la coco le détournerait de penser à lui-même. Et depuis, en effet, il parle, il s'agite, il fait un mince petit bruit au milieu du silence. Il interroge, exhorte, sermonne, insulte les Français bâillonnés et ligotés. Le silence universel ne le gêne pas : il ne souhaite que parler. Il écrit qu'il est un écrivain naturellement prophétique, qu'il préfère l'occupation allemande à l'occupation juive d'avant guerre; il dénonce, moitié par haine des hommes, moitié par goût du commérage, des écrivains de zone libre au gouvernement de Vichy, il menace de prison ceux de zone occupée : il s'amuse comme il peut, tristement. Mais, pas plus que la drogue, ces minces distractions ne peuvent l'arracher à lui-même, il reste un écorché; lorsque dans l'ex-zone libre une revue l'égratigne, lorsque le défunt *Esprit* se permet d'appeler *La Nouvelle Revue française* la N.R.B., il hurle, il remplit sa revue de fureurs hystériques. Celui-là n'est pas un vendu : il n'en a pas le paisible cynisme. Il est venu au nazisme par affinité élective : au fond de son cœur comme au fond du nazisme, il y a la haine de soi — et la haine de l'homme qu'elle engendre.

## *A propos de l'existentialisme :*
## *Mise au point*[1]

La presse d'aujourd'hui — et *Action* même — publie volontiers des articles contre l'existentialisme. *Action* a bien voulu me demander de répondre. Je ne sais si le débat intéressera beaucoup de lecteurs : ils ne manquent pas de préoccupations plus urgentes. Mais si, parmi les personnes qui eussent pu trouver des principes de pensée et des règles de conduite dans cette philosophie et qui en ont été détournées par ces absurdes critiques il en était une seule que je puisse toucher et détromper, cela vaudrait encore la peine d'écrire pour elle. J'avertis en tout cas que je réponds en mon nom : j'aurais scrupule à engager d'autres existentialistes dans cette polémique.

Que nous reprochez-vous? D'abord de nous inspirer de Heidegger, philosophe allemand et nazi. Ensuite de prêcher sous le nom d'existentialisme un quiétisme de l'angoisse. N'essayons-nous pas de corrompre la jeunesse et de la détourner d'agir en l'incitant à cultiver un désespoir distingué? Ne soutenons-nous pas des doctrines nihilistes (la preuve pour un éditorialiste de *L'Aube* est que j'ai intitulé un livre : *L'Être et le Néant*. Le Néant, pensez donc!) en ces années où tout est à refaire ou à faire, où la guerre dure encore, où chacun a besoin de toute son énergie pour la gagner et pour gagner la paix? Enfin, votre troisième grief, c'est que l'existentialiste se complaît dans l'ordure et montre plus volontiers la méchanceté des hommes et leur bassesse que leurs beaux sentiments.

Je le dis tout de suite : vos attaques me paraissent inspirées par la mauvaise foi et l'ignorance. Il n'est même pas sûr

1. Cf. 44/59.

que vous ayez lu aucun des livres dont vous parlez. Vous avez besoin d'un bouc émissaire, car il faut bien que, de temps en temps, vous mordiez un peu : vous bénissez tant de choses. Vous avez choisi l'existentialisme parce qu'il s'agit d'une doctrine abstraite que peu de gens connaissent et parce que vous savez que personne n'ira vérifier vos dires. Mais je vais répondre point par point à vos accusations.

Heidegger était philosophe bien avant d'être nazi. Son adhésion à l'hitlérisme s'explique par la peur, l'arrivisme peut-être, sûrement le conformisme : ce n'est pas beau, j'en conviens. Seulement cela suffit pour infirmer votre beau raisonnement : « Heidegger, dites-vous, est membre du parti national-socialiste, donc sa philosophie doit être nazie. » Ce n'est pas cela : Heidegger n'a pas de caractère, voilà la vérité; oserez-vous en conclure que sa philosophie est une apologie de la lâcheté? Ne savez-vous pas qu'il arrive aux hommes de n'être pas à la hauteur de leurs œuvres? Et condamnerez-vous *Le Contrat social* parce que Rousseau a exposé ses enfants? Et puis qu'importe Heidegger? Si nous découvrons notre propre pensée à propos de celle d'un autre philosophe, si nous demandons à celui-ci des techniques et des méthodes susceptibles de nous faire accéder à de nouveaux problèmes, cela veut-il dire que nous épousons toutes ses théories? Marx a emprunté à Hegel sa dialectique. Direz-vous que *Le Capital* est un ouvrage prussien? Nous avons vu les résultats déplorables de l'autarcie économique : ne tombons pas dans l'autarcie intellectuelle.

Au temps de l'occupation, les journaux inspirés confondaient dans la même réprobation les existentialistes et les philosophes de l'absurde. Un petit cuistre venimeux nommé Albérès, qui écrivait dans le pétiniste *Écho des Étudiants*, nous aboyait aux chausses toutes les semaines. A cette époque-là, ce genre de confusionnisme allait de soi; plus les attaques étaient basses et sottes, plus nous nous en réjouissions.

Mais vous, pourquoi avez-vous repris les méthodes de la presse vichyssoise?

Pourquoi ce pêle-mêle, sinon parce que, à la faveur de la confusion que vous établissez, il vous est plus facile d'attaquer à la fois ces deux philosophies? Celle de l'absurde est cohérente et profonde. Albert Camus a montré qu'il était de taille à la défendre seul. Aussi je parlerai seulement de l'existentialisme : l'avez-vous seulement défini à vos lecteurs? Pourtant c'est assez simple.

En termes philosophiques, tout objet a une essence et une existence. Une essence, c'est-à-dire un ensemble constant de propriétés; une existence, c'est-à-dire une certaine présence effective dans le monde. Beaucoup de personnes croient que l'essence vient d'abord et l'existence ensuite : que les petits pois, par exemple, poussent et s'arrondissent conformément à l'idée de petits pois et que les cornichons sont cornichons parce qu'ils participent à l'essence de cornichon. Cette idée a son origine dans la pensée religieuse : par le fait, celui qui veut faire une maison, il faut qu'il sache au juste quel genre d'objet il va créer : l'essence précède l'existence; et pour tous ceux qui croient que Dieu créa les hommes, il faut bien qu'il l'ait fait en se référant à l'idée qu'il avait d'eux. Mais ceux mêmes qui n'ont pas la foi ont conservé cette opinion traditionnelle que l'objet n'existait jamais qu'en conformité avec son essence, et le XVIII<sup>e</sup> siècle tout entier a pensé qu'il y avait une essence commune à tous les hommes, que l'on nommait *nature humaine*. L'existentialiste tient, au contraire, que chez l'homme — et chez l'homme seul — l'existence précède l'essence.

Cela signifie tout simplement que l'homme *est* d'abord et qu'ensuite seulement il est ceci ou cela. En un mot, l'homme doit se créer sa propre essence; c'est en se jetant dans le monde, en y souffrant, en y luttant qu'il se définit peu à peu; et la définition demeure toujours ouverte; on ne peut point dire ce qu'est *cet* homme avant sa mort, ni l'humanité avant qu'elle ait disparu. Après cela, l'existentialisme est-il fasciste, conservateur, communiste ou démocrate? La question est absurde : à ce degré de généralité, l'existentialisme n'est rien du tout sinon une certaine manière d'envisager les questions humaines en refusant de donner à l'homme une nature fixée pour toujours. Il allait de pair, autrefois, chez Kierkegaard, avec la foi religieuse. Aujourd'hui, l'existentialisme français tend à s'accompagner d'une déclaration d'athéisme, mais cela n'est pas absolument nécessaire. Tout ce que je puis dire — et sans vouloir trop insister sur les ressemblances — c'est qu'il ne s'éloigne pas beaucoup de la conception de l'homme qu'on trouverait chez Marx. Marx n'accepterait-il pas, en effet, *cette devise de l'homme qui est la nôtre : faire et en faisant se faire et n'être rien que ce qu'il s'est fait.*

Si l'existentialisme définit l'homme par l'action, il va de soi que cette philosophie n'est pas un quiétisme. En fait, l'homme ne peut qu'agir; ses pensées sont des projets et des engagements, ses sentiments des entreprises; il n'est rien d'autre que sa vie et sa vie est l'unité de ses conduites. Mais l'angoisse, dira-t-on? Eh bien! ce mot un peu solennel recouvre une réalité fort simple et quotidienne. Si l'homme *n'est* pas mais *se fait* et si en se faisant il assume la responsabilité de l'espèce entière, s'il n'y a pas de valeur ni de morale qui soient données *a priori*, mais si, en chaque cas, nous devons décider seuls, sans point d'appui, sans guides et cependant *pour tous*, comment pourrions-nous ne pas nous sentir anxieux lorsqu'il nous faut agir ? Chacun de nos actes met en jeu le sens du monde et la place de l'homme dans l'univers; par chacun d'eux, quand bien même nous ne le voudrions pas, nous constituons une échelle de valeurs universelles et l'on voudrait que nous ne soyons pas saisis de crainte devant une responsabilité si entière ? Ponge, dans un très beau texte, a dit que l'homme est l'avenir de l'homme. Cet avenir n'est pas encore fait, il n'est pas décidé : c'est nous qui le ferons, chacun de nos gestes contribue à le dessiner : il faudrait beaucoup de pharisaïsme pour ne pas sentir dans l'angoisse la mission redoutable qui est donnée à chacun de nous. Mais vous, pour nous réfuter plus sûrement, vous avez fait exprès de confondre l'angoisse avec la neurasthénie; cette inquiétude virile dont parle l'existentialiste vous en avez fait je ne sais quelle terreur pathologique. Puisqu'il faut mettre les points sur les i, je dirai donc que *l'angoisse, loin d'être un obstacle à l'action, en est la condition même et qu'elle ne fait qu'un avec le sens de cette écrasante responsabilité de tous devant tous qui fait notre tourment et notre grandeur*. Quant au désespoir, il faut s'entendre : il est vrai que l'homme aurait tort *d'espérer*. Mais qu'est-ce à dire sinon que l'espoir est la pire entrave à l'action. Faut-il espérer que la guerre se terminera toute seule et sans nous, que les nazis nous tendront la main, que les privilégiés de la société capitaliste abandonneront leurs privilèges dans la joie d'une nouvelle « nuit du 4 Août » ? Si nous espérons tout cela, nous n'avons plus qu'à attendre en nous croisant les bras. L'homme ne peut vouloir que s'il a d'abord compris qu'il ne peut compter sur rien d'autre que sur lui-même, qu'il est seul, délaissé sur la terre au milieu de ses responsabilités infinies, sans aide ni secours, sans autre but que celui qu'il se donnera à lui-même, sans autre destin que celui qu'il se forgera sur cette terre. Cette certitude, cette connaissance intuitive de sa situation, voilà ce que nous nommons désespoir : ce n'est pas un bel égarement romantique, on le voit, mais la conscience sèche et lucide de la condition humaine. *De même que l'angoisse ne se distingue pas du sens des responsabilités, le désespoir ne fait qu'un avec la volonté;* avec le désespoir commence le véritable optimisme : celui de l'homme qui n'attend rien, qui sait qu'il n'a aucun droit et que rien ne lui est dû, qui se réjouit de compter sur soi seul et d'agir seul pour le bien de tous.

Reprochera-t-on à l'existentialisme d'affirmer la liberté humaine ? Mais vous avez tous besoin de cette liberté : vous vous la masquez par hypocrisie et vous y revenez sans cesse malgré vous ; quand vous avez expliqué un homme par ses causes, par sa situation sociale, par ses intérêts, tout à coup vous vous indignez contre lui et vous lui reprochez amèrement sa conduite ; et il est d'autres hommes que vous admirez au contraire et dont les actes vous servent de modèles. Eh bien ! c'est donc que vous n'assimilez pas les méchants au phylloxera et les bons aux animaux utiles. Si vous les blâmez, si vous les louez, c'est qu'ils auraient pu faire autrement qu'ils n'ont fait. La lutte des classes est un fait, j'y souscris entièrement : mais comment ne voyez-vous pas qu'elle se situe sur le plan de la liberté ? On nous traite de social-traître : avec l'opinion de cette liberté, vous empêchez l'homme de secouer ses chaînes. Quelle stupidité ! Lorsque nous disons qu'un chômeur est libre, nous ne voulons pas dire qu'il peut faire ce qui lui plaît et se transformer à l'instant en un bourgeois riche et paisible. *Il est libre parce qu'il peut toujours choisir d'accepter son sort avec résignation ou de se révolter contre lui*. Et sans doute ne parviendra-t-il pas à éviter la misère : mais, du sein de cette misère qui l'englue, il peut choisir de lutter contre toutes les formes de la misère, en son nom et en celui de tous les autres ; il peut choisir d'être l'homme qui refuse que la misère soit le lot des hommes. Est-ce qu'on est un social-traître parce qu'on rappelle quelquefois ces vérités premières ? Alors Marx est un social-traître, qui disait : « Nous voulons changer le monde », et qui exprimait par cette simple phrase que l'homme est maître de son destin. Alors, vous tous, vous êtes des social-traîtres, car c'est aussi ce que vous pensez lorsque vous sortez des lisières d'un matérialisme qui a rendu des services mais qui a vieilli. Et si vous ne le pensiez pas, alors c'est que l'homme serait une chose, tout juste un peu de phosphore, de carbone et de soufre, et il ne serait pas nécessaire de lever le petit doigt pour lui.

Vous me dites que je travaille dans l'ordure. C'est ce que disait aussi Alain Laubreaux. Ici je pourrais m'abstenir de répondre, car ce reproche me vise personnellement et non comme existentialiste. Mais vous avez une telle précipitation à généraliser qu'il faut pourtant que je me défende, de crainte que mon opprobre ne rejaillisse sur la philosophie que j'ai adoptée. Il n'y a qu'un mot à dire : je me méfie des gens qui réclament que la littérature les exalte en faisant étalage de grands sentiments, qui souhaitent que le théâtre leur *donne le spectacle* de l'héroïsme et de la pureté. Au fond, ils ont envie qu'on leur persuade qu'il est aisé de faire le bien. Eh bien! non : ce n'est pas aisé. La littérature vichyssoise et, hélas! une partie de la littérature d'aujourd'hui voudraient nous le faire croire : il est tellement agréable d'être satisfait de soi. Mais c'est un pur mensonge. Héroïsme, grandeur, générosité, abnégation, j'en demeure d'accord, il n'y a rien de mieux et, finalement, c'est le sens même de l'action humaine. Mais si vous prétendez qu'il suffit, pour être un héros, d'adhérer aux ajistes, aux jocistes ou à un parti politique qui vous plaît, de chanter des refrains innocents et d'aller, le dimanche, à la campagne, vous dévalorisez les vertus que vous prétendez défendre et vous vous moquez du monde.

En ai-je dit assez pour faire comprendre que *l'existentialisme n'est pas une délectation morose mais une philosophie humaniste de l'action, de l'effort, du combat, de la solidarité ?* Retrouvera-t-on sous la plume des journalistes, après cette mise au point, des allusions au « désespoir de nos distingués » et autres fariboles? C'est à voir. Je dirais volontiers à mes critiques : cela ne dépend plus que de vous. Après tout, vous aussi, vous êtes libres; et vous qui combattez pour la Révolution comme nous pensons le faire aussi, vous pouvez décider aussi bien que nous si elle se fera dans la bonne ou dans la mauvaise foi. Le cas de l'existentialisme, philosophie abstraite et défendue par quelques hommes sans pouvoir, est bien mince et bien indigne : mais dans ce cas comme dans mille autres, selon que vous continuerez à mentir à son sujet ou que, tout en l'attaquant, vous lui rendrez justice, vous déciderez de ce que sera l'homme. Puissiez-vous le comprendre et en ressentir un peu de salutaire angoisse.

## *La libération de Paris : Une semaine d'apocalypse* [1]

Aujourd'hui, si vous ne proclamez pas que Paris s'est libéré lui-même, vous passez pour un ennemi du peuple. Pourtant il semble évident que la ville n'aurait même pas pu songer à se soulever si les Alliés n'avaient été tout proches. Et, comme ceux-ci n'auraient même pas pu songer à débarquer si les Russes n'avaient retenu et battu la majeure partie des divisions allemandes, il faut bien conclure que la libération de Paris, épisode d'une guerre qui s'étendait à l'univers, a été l'œuvre commune de toutes les forces alliées. D'ailleurs, on ne chasse pas des gens qui s'en vont d'eux-mêmes, et les Allemands, lorsque l'insurrection éclata, avaient commencé d'évacuer la ville. Le but des Résistants a été précisément l'inverse de celui qu'on leur prête à présent : ils ont tenté de ralentir la retraite ennemie et de refermer Paris comme un piège sur les troupes qui l'occupaient. Et puis, surtout, ils ont voulu montrer aux futurs vainqueurs que la Résistance n'était pas un mythe, comme l'étranger semblait encore trop disposé à le croire; devant des gouvernements qui avaient songé un moment à faire administrer par leurs officiers les territoires libérés, ils ont voulu affirmer la souveraineté du peuple français et ils ont compris qu'ils ne disposaient, pour légitimer un pouvoir issu de lui, d'aucun autre moyen que de verser leur sang. Ainsi leur entreprise tire sa grandeur de ses limites. Le destin de Paris se jouait à cinquante kilomètres de lui; c'étaient les chars allemands et les chars américains qui allaient en décider. Mais les hommes de la Résistance ne voulaient pas s'en soucier, ils ne voulaient même pas connaître l'issue de la lutte qu'ils

1. Cf. 45/78.

avaient entreprise. En donnant le signal de l'insurrection, ils avaient déchaîné des forces puissantes et vagues qui pouvaient les écraser d'un instant à l'autre. Et c'est ce qui donnait à cette semaine d'août le visage d'une tragédie antique. Mais justement ces hommes entendaient refuser la fatalité. Il ne dépendait pas d'eux que les Allemands fissent ou non sauter le Sénat et, avec lui, tout un quartier. Il ne dépendait pas d'eux que les divisions en retraite ne se rabattissent sur Paris et ne fissent de notre ville un nouveau Varsovie. Mais ce qui dépendait d'eux c'était de témoigner par leurs actes — et quelle que fût l'issue de la lutte inégale qu'ils avaient entreprise — de la volonté française. Aussi chacun d'eux refusait-il de placer son espoir ailleurs qu'en lui-même. Les Parisiens qui ne combattaient pas se demandaient avec angoisse, d'heure en heure, si les troupes alliées n'allaient pas bientôt arriver. Les combattants ne s'interrogeaient jamais là-dessus et il semblait même qu'une convention tacite leur eût interdit d'en parler : ils faisaient ce qu'ils avaient à faire. Un après-midi de cette semaine-là, comme j'allais voir un ami qui dirigeait un journal de la Résistance dans les locaux qu'il venait d'occuper, on vint lui signaler des infiltrations allemandes autour de l'immeuble. « S'ils attaquaient cette nuit, me dit-il, nous serions faits comme des rats. Il n'y a que deux issues, toutes deux repérées. — Au moins, avez-vous des armes ? » Il haussa les épaules et me répondit : « Non. » Ainsi, au milieu de dangers obscurs qui les frôlaient, ces journalistes accomplissaient leur tâche, qui était d'imprimer un journal. Sur le reste — c'est-à-dire sur ce qui touchait à leur sécurité personnelle, aux chances qu'ils avaient de se tirer vivants de l'aventure — ils ne voulaient rien penser : puisqu'ils ne pouvaient pas en décider par leurs actes, ils estimaient que rien de tout cela ne les concernait.

Aussi l'autre aspect de l'insurrection parisienne, c'est cet air de fête qu'elle n'a pas quitté. Des quartiers entiers s'étaient endimanchés. Et, si je me demande ce qu'on fêtait ainsi, je vois que c'était l'homme et ses pouvoirs. Il est réconfortant que l'anniversaire de l'insurrection parisienne soit tombé si près des premières apparitions de la bombe atomique. Ce que celle-ci représente, c'est la négation de l'homme. Non pas seulement parce qu'elle risque de détruire l'humanité entière, mais surtout parce qu'elle rend vaines et inefficaces les qualités les plus humaines : le courage, la patience, l'intelligence, l'esprit d'initiative. Au contraire, la plupart des F.F.I. avaient, en août 1944, l'obscur sentiment de se battre non seulement pour la France contre les Allemands, mais aussi pour l'homme contre les pouvoirs aveugles de la machine. Nous avait-on assez dit que les révolutions du xx<sup>e</sup> siècle ne pourraient pas ressembler à celles du xix<sup>e</sup> et qu'il suffirait d'un seul avion, d'un seul canon pour réduire une foule révoltée. Nous avait-on assez parlé de la ceinture de canons dont les Allemands entouraient Paris! Nous a-t-on assez démontré que nous ne pouvions rien faire contre leurs mitrailleuses et leurs chars! Or, en ce mois d'août, les combattants qu'on rencontrait dans les rues étaient des jeunes gens en manches de chemise; ils avaient pour armes des revolvers, quelques fusils, quelques grenades, des bouteilles d'essence; ils s'enivraient, en face d'un ennemi bardé de fer, de sentir la liberté, la légèreté de leurs mouvements; leur discipline inventée à chaque minute triomphait de la discipline apprise; ils mesuraient, ils nous faisaient mesurer la puissance nue de l'homme. Et l'on ne pouvait s'empêcher de penser à ce que Malraux nomme, dans *L'Espoir*, l'exercice de l'Apocalypse. Oui, c'était le triomphe de l'Apocalypse, cette Apocalypse toujours vaincue par les forces de l'ordre et qui, pour une fois, dans les étroites limites de cette bataille de rues, était victorieuse. L'Apocalypse : c'est-à-dire une organisation spontanée des forces révolutionnaires. Tout Paris a senti, dans cette semaine d'août, que les chances de l'homme étaient encore intactes, qu'il pouvait encore l'emporter sur la machine, et même si l'issue du combat eût été l'écrasement des forces de la Résistance, comme en Pologne, ces quelques jours eussent suffi pour prouver la puissance de la liberté. Aussi importe-t-il peu que les F.F.I. n'aient pas à la lettre libéré Paris des Allemands : ils ont à chaque instant, derrière chaque barricade et sur chaque pavé, exercé la liberté pour eux et pour chaque Français.

Ainsi ce qu'on va, chaque année, commémorer officiellement et dans l'ordre, c'est l'explosion de la liberté, la rupture de l'ordre établi et l'invention d'un ordre efficace et spontané. Il est à craindre que la fête ne perde rapidement son sens. Pourtant il est un certain aspect de l'insurrection qui peut se prolonger dans nos cérémonies. Lorsque la foule de 1789 envahit la Bastille, elle ignorait la signification et les conséquences de son geste; c'est après coup, peu à peu, qu'elle en a pris conscience et qu'elle l'a élevé à la hauteur d'un symbole. Mais notre temps est conscient de faire l'histoire. Ce qui frappait, en août 1944, c'est que le caractère symbolique de l'insurrection était déjà fixé alors que son issue était encore incertaine. Choltitz, en hésitant à détruire Paris; les Alliés, en acceptant d'avancer la date de leur entrée dans la capitale; les Résistants, en choisissant d'y livrer leur grande bataille, ont décidé tous que l'événement serait « historique ». Tous avaient présentes à la mémoire les grandes colères de Paris. Tous le considéraient comme un des enjeux essentiels de la guerre. Et chaque F.F.I., en se battant, avait l'impression d'écrire l'histoire. Toute l'histoire de Paris était là, dans ce soleil, sur ces pavés déchaussés. Ainsi cette tragédie, cette affirmation hasardeuse de la liberté humaine était aussi quelque chose comme une « cérémonie ». Une cérémonie pompeuse et sanglante dont l'ordonnance était soigneusement réglée et qui se terminait fatalement par des morts, quelque chose comme un sacrifice humain. C'est ce triple aspect de tragédie refusée, d'apocalypse et de cérémonie qui donne à l'insurrection d'août 1944 son caractère profondément humain et ce pouvoir qu'elle a gardé de nous toucher au cœur. N'est-elle pas, aujourd'hui encore, une de nos meilleures raisons d'espoir? Il est vain et inutile d'imaginer et de crier que nous nous sommes libérés par nos seules forces. Voudrait-on retrouver Maurras par un chemin détourné et rabâcher avec lui l'absurde « la France, la France seule... »? Et de même, il est vain de frapper du pied, de se guinder dans de grandes attitudes et d'exiger chaque jour une place dans le concert des nations qu'on nous refuse chaque jour. Mais, en face des puissances démesurées que la guerre a fait paraître et qui risquent de nous écraser un jour, l'insurrection de 1944 ne nous révèle-t-elle pas notre vraie force? En cette bataille cérémonieuse et disproportionnée, Paris, contre les tanks allemands, a affirmé la puissance humaine. N'est-ce pas aujourd'hui encore notre tâche de défendre l'humain, sans grande illusion et sans trop d'espérance, devant les jeunes forces un peu inhumaines qui viennent de remporter la victoire?

## *Sculptures à* n *dimensions* [1]

Tant qu'il s'est agi de faire passer la forme humaine à l'éternel, on a fait confiance à la pierre, image empirique de l'éternité. Mais l'éternel a glissé derrière le monde, nous n'ignorons plus que nous sommes historiques; le marbre révèle soudain son défaut : inaltérable en apparence, un effondrement secret le ronge, ce pur durcissement de l'espace est fait de parties *séparables*. En cet éternel émiettement si l'on veut inscrire l'unité d'une physionomie elle se décompose. Pis encore : puisque l'artiste doit travailler partie par partie une substance indéfiniment divisible, il lui faut morceler par avance sa perception du modèle. Achille épuise sa vie à rattraper la tortue; le sculpteur craint d'épuiser la sienne avant d'avoir achevé le bout de ce nez. Le drame de la sculpture contemporaine, c'est qu'elle est en lutte contre sa nature.

Au conflit de l'espace et de l'idée, David Hare donne sa solution personnelle. Il sait que les animaux et les hommes sont des réalités ambiguës : indéfiniment divisibles en tant que cadavres, et, quand ils vivent, présences indécomposables. Quand ils vivent, c'est-à-dire quand ils courent, quand ils crient, quand ils se battent et, tout aussi bien quand *nous* les vivons. A l'amour, à la haine, l'ennemi, l'amant sont présents sans parties. Et puis l'univers de l'émotion se déploie dans un espace sans distance : ce visage qui s'écrase contre la vitre et qui m'effraie, il n'est pas à cinq mètres ni même à deux mètres de moi; il est *sur* moi. Même les objets si je m'en sers, acquièrent tout à coup une unité organique. Ces

1. Cf. 47/123.

petits morceaux de bois, de verre, de cuir, ce sont mes gestes qui les rassemblent et dressent autour de moi, qui les changent en portes, vitres, fauteuils; un escalier s'éparpille s'il n'est l'envers figé d'une ascension. Hare a choisi de sculpter des présences. Dans les fouilles récemment entreprises à Marseille quelqu'un me disait hier qu'on a trouvé « un sein charmant ». Un sein charmant : il a roulé comme un fruit mûr, c'est à peine s'il tenait à la branche. Qu'a-t-on besoin du corps de la Déesse. On peut le rêver à partir de ce sein. Mais si l'on découvre dans quelques siècles une statue de Hare en morceaux, ces fragments n'iront pas figurer dans les musées, entre les Invalides de Samothrace et de Milo. Tout ou rien : rompez les jambes d'Apollon, il reste au moins un cul-de-jatte; mais si la statue de Hare n'est pas entière, il n'y a plus qu'un caillou. C'est ce qu'il exprime en disant que sa sculpture n'est pas représentative. Cette formule appelle quelques éclaircissements. Car enfin son art n'est pas abstrait et ce n'est pas non plus une écriture. Sans doute a-t-il un moment frôlé le symbolisme. Sa première statue figurait une jeune fille dont le sexe était un trou de serrure entouré de piquants et peut-être aussi un piège à rôdeurs. Mais il a vu le danger : la scuplture symbolique recule la difficulté mais ne l'ôte pas; si vous ne représentez pas l'objet au moins représentez-vous son symbole : vous n'avez rien gagné. Hare s'est dégagé, aujourd'hui, de toutes les formules idéographiques : il ne cherche pas à signifier, il livre la chose. Sans doute, il n'est pas question qu'il provoque l'horreur par une imitation fidèle du gorille; mais il sculpte l'horreur et le gorille est en elle; il nous livre à la fois la passion et son objet, le travail et l'outil, la religion et l'objet sacré. Paulhan qui s'est amusé à traduire (ou à faire) des proverbes chinois, nous demande dans l'un d'eux : « Qui est plus abstrait du poisson ou de la nage? c'est le poisson, car bien d'autres animaux nagent. Qui est plus abstrait de l'oiseau ou du vol? C'est l'oiseau car il y a des poissons volants. C'est pourquoi il faut dire : la nage poissonne et le vol oiselle. » En ce sens on pourrait dire que le gorille de Hare est « une horreur qui gorille », c'est-à-dire que le gorille est une certaine condensation particulière de notre horreur. Il ne s'agit point, cependant, d'idéalisme. Simplement la passion est forme et l'objet matière. La passion n'analyse pas, n'observe pas : l'objet surgit soudain dans son univers, ramassé, tordu, indécomposable; on voit l'horrible d'un visage non la couleur des yeux. C'est pourquoi, bien que Hare ne veuille rien *représenter*, ses figures sont toujours comme un grouillement confus de représentations contradictoires, tournées, malaxées, comprimées par l'émotion. Si l'on voulait définir sa sculpture, il vaudrait mieux dire qu'elle n'est pas *observable*. Car l'observation décompose et recompose, va du tout aux parties et des parties au tout en des aller et retour infinis dont chacun est un enrichissement. Mais placez-vous devant l'éléphant mort : vos yeux se perdront d'abord dans le flottement figé d'un brouillard de pierre, des formes ambiguës — pattes, oreilles, trompe — les solliciteront un instant pour s'évanouir aussitôt dans la brume. Et puis, tout à coup, la *chose* va vous sauter au nez comme dans ces devinettes où il faut trouver le fusil, la casquette du chasseur. Elle est là, sans parties, impénétrable, mystérieuse, en pleine lumière, toute donnée, mais donnée d'ensemble et sans que vous en puissiez rien faire. Après cela, regardez-la tant que vous voudrez, vous n'en serez pas plus avancé. En vain chercheriez-vous à la détailler, il n'y a pas de détails. Hare fait des sculptures indivisibles. Art réflexif en ceci qu'il présente l'objet à travers l'émotion ou le travail de l'homme. Non pas les choses mais l'ombre de l'homme sur les choses : ces statues ne sont ni désertes ni naturelles; je me touche moi-même sur la pierre. Art instrumentaliste aussi et fort américain : le monde qu'il veut rendre c'est celui des outils, des dangers, du sacré, des relations humaines. Les savants disent aujourd'hui que l'expérimentateur fait partie du système expérimental. Hare pourrait dire, lui, que le sculpteur fait partie de tout ensemble sculptural. Mais cette sculpture réflexive n'est pas intellectuelle : c'est à travers mes mouvements les plus sourds et les plus profonds que je saisis l'objet, l'unité que je lui impose, c'est celle de la prosternation, du rapt ou de la fuite. Un feu animal couve en ces figures : chaque forme est comme un geste feutré, doux et vif, sensuel, sexuel; l'imagination de Hare est vitaliste.

Lorsqu'une sculpture est représentative, le départ entre l'imaginaire et le réel est difficile à faire. Au musée Grévin ce monsieur à qui vous demandez votre chemin c'est une cire. Même s'il s'agit d'un roi de plâtre, la ressemblance nous sollicite avec une force si douce, si persuasive, que nous ne savons s'il n'appartient pas à notre espace. Il pointe l'index vers un régicide invisible et nous ne pouvons nous empêcher de croire qu'il nous désigne. Là-dessus, on le déménage, on l'emporte au musée : quoi de plus ridicule qu'un roi sur un chariot, cahoté dans des rues populeuses et montrant au doigt les passants. Hare veut que le geste se referme sur la statue, que l'œuvre ait son espace propre, distinct d'une autre et manifestement imaginaire. Vous pouvez déplacer ses sculptures sans qu'elles lèvent les bras à *notre* ciel pour le prendre à témoin. Le mouvement n'est pas une translation qui laisse le mobile inaltéré, c'est une petite fièvre qui le ronge du dedans. Hare sculpte des figures qui ont la fièvre, il intègre la conduite à la forme, le geste est présent partout mais non représenté, il demeure sur toute la statue comme une rémanence, ressemblance encore, mais diffuse, insaisissable à la façon de cet air de « déjà vu » qui inquiète sur certains visages. Qualité de l'objet, altération de sa substance, le mouvement qui hante la pierre se donne en totalité. L'éternité de la matière c'est l'instant figé : la sculpture classique découpe dans le geste une position instantanée. Dans *Les Duellistes* ou *l'Homme au tambour*, Hare fait entrer passé, présent et avenir. Ses personnages sont présents pendant toute la durée de leur acte. Mais ce n'est pas encore assez : Hare introduit, comme Calder, le mouvement réel dans sa sculpture. L'Homme au tambour se balance légèrement, comme la mâchoire du gorille. Seulement Calder, qui est ingénieur, conserve au mouvement réel sa réalité. Hare l'irréalise : il l'emploie non à représenter un geste du modèle, mais à figurer des réalités immobiles, parfois même des abstractions. Ainsi le mouvement du tambourinaire, qu'on attendrait vertical par analogie avec celui des baguettes qui frappent la peau d'âne, devient horizontal : Hare l'emploie à suggérer les prosternations et le sacré, bref, à introduire la religion dans le syncrétisme de l'objet. Donc le mouvement est forme dans l'irréel, comme la forme dans l'irréel est mouvement. Comme il ne conserve pas d'autonomie représentative, la forme entière le gouverne et le pervertit. Il ne rompt pas l'unité de l'imaginaire, bien au contraire, il la resserre en pénétrant la pierre d'une subtile altération. C'est la caractéristique essentielle de cet art que l'emploi de l'immobile pour suggérer la mobilité et de la mobilité pour suggérer l'immobile; la sculpture de Hare est par excellence transsubstantiation.

Il n'est pas difficile après cela, de comprendre par quelle dialectique il a été conduit à ses dernières recherches qui visent à intégrer le paysage à la statue. Il considère, je suppose, la statuaire classique comme un art abstrait puisqu'elle isole son modèle de l'univers humain et de la durée vraie. Pour lui, le but dont il se rapproche chaque jour c'est le concret absolu : tout l'homme ou toute la bête vivante. Mais nous savons aujourd'hui que notre milieu fait partie de nousmême : il nous transforme et nous le transformons. S'il s'agit de présenter cette totalité concrète : l'homme en situation, il faut l'entourer de son paysage vrai. Hare n'a pas encore, que je sache, donné de réponse à ces questions nouvelles. Ce qu'on peut affirmer en tout cas c'est qu'il ne « situera » pas ses figures dans un fragment d'étendue géométrique : s'il veut révéler la présence de la forêt autour du promeneur, il ne modèlera pas des arbres séparés que nous pourrions *compter*. Depuis quelques années les psychologues parlent d'un espace « hodologique », sillonné de routes et de courants, contracté ou dilaté par nos gestes, teinté par nos passions et qui colle à nous comme un vêtement. C'est lui que Hare refermera comme une boîte sur ses personnages. Alors la boucle sera bouclée : chaque figure aura sécrété sa coquille, un espace vivant et personnel qui la protégera contre notre espace. Hare aura rejoint l'objet constant de son souci plastique : la vie — la vie animale et humaine telle qu'elle apparaît quand elle se réfracte dans un milieu humain; de chacune de ses figures il aura fait tout un *événement*, c'est-à-dire une forme vivante en mouvement dans un espace-temps où le temps fonctionne comme unification de l'espace. Figures éternelles non parce qu'elles promènent d'un siècle à l'autre une parcelle indivisible de durée mais parce qu'elles se sont refermées comme le poing sur toute leur durée propre. Figures purificatives : en inscrivant l'horreur, le sacré, le désir sur la pierre, elles nous en délivrent. La comédie aussi nous délivre de nos passions en nous les montrant du dehors : est-ce ce rapport intime au comique qui donne aux sculptures de Hare leur humour insaisissable et noir? Comprenons, en effet, que la statuaire classique s'apparente à la tragédie parce qu'elle est complice de nos passions et vise à les provoquer : une statue de Praxitèle ou de Donatello surgit *à l'intérieur* du monde humain; au contraire la sculpture de Hare — comme celle de Giacometti — nous montre l'homme de l'extérieur; elle tente de déshumaniser notre regard, à la manière de Kafka qui fait voir la transcendance à l'envers.

Par là nous entrons de plain-pied dans la magie, qu'Alain définissait « l'esprit traînant dans les choses ». En s'imprégnant comme un buvard des significations humaines, l'objet s'isole et cesse d'être naturel. L'occasion est bonne de pousser jusqu'au cœur de la magie. Si Hare en demeurait là, en effet, son art, pour n'être pas représentatif, ne s'en limiterait pas moins à nous donner le monde. Sans doute un monde plus riche que celui de la sculpture antique : déjà vu, déjà aimé, déjà digéré par l'homme, mais enfin, malgré tout, le monde tel qu'il *est*. Mais l'ambiguïté de l'art c'est qu'il a toujours à la fois, « donné à voir » ce qui est et, par-delà ce qui est, créé ce qui n'est pas : dans la sculpture la plus naturaliste, la création et l'imitation sont étroitement mêlées. Il vient un moment où la sculpture de Hare se présente pour elle-même, dans son *autonomie* de sculpture. Mais pour ceux qui la regardent sous cette lumière, elle ne s'offre jamais comme pure forme plastique; le monde humain et vivant reste toujours à l'arrière-plan; c'est à ce monde qu'elle emprunte des formes pénétrées de significations et qu'elle se divertit à contester les unes par les autres au sein d'un syncrétisme primitif. Hare est d'autant plus à l'aise sur ce terrain que l'espace sans parties des émotions est magique déjà et magiques aussi les présences sans distance qu'il révèle. Le syncrétisme dont il use est la clef de cette ambiguïté : *réaliste*, puisque c'est celui de la peur et de l'amour, il permet en outre toutes les transmutations puisqu'il revient à créer des édifices ambivalents et contradictoires. Mouvements et formes, densité et figures ne cessent de se détruire. Dans chaque objet, il y a un appel truqué à la représentation : ce sont des yeux, des seins. Mais à peine nous sommes-nous engagés dans la voie de la reconnaissance, que tout d'un coup, une autre forme surgit brusquement, vient hanter la première et brouiller notre jugement. Ces yeux, ce sont aussi des bras, des cuisses, ce sont des yeux-bras, des seins-cuisses. Et cette interprétation même est contestée par une forme plus vaste et indivisible qui enveloppe toutes les autres. Ainsi sont créées, dans le mouvement même qui veut nous rendre le monde, des qualités et des formes qui ne sont pas de ce monde. Hare me disait un jour qu'il voulait rendre, avec les moyens propres de la sculpture, des natures analogues à celle qu'Audiberti révèle dans sa phrase fameuse : « La noirceur secrète du lait. » Inventions ou découvertes? Destructions ou créations? Les œuvres de Hare oscillent perpétuellement entre ces différents termes. Comme aussi bien la phrase d'Audiberti. Car, enfin, il est vrai *qu'il y a* une noirceur secrète du lait; et il est vrai aussi qu'il y a destruction gratuite de l'*essence* de lait par le *mot* noirceur. On parlera ici d'influence surréaliste. Mais les surréalistes opèrent leurs destructions au niveau de la représentation conventionnelle. Ainsi la magie est présente d'abord, au niveau du sens commun. Chez Hare, elle est comme l'au-delà de la sculpture, c'est une façon de suggérer que l'homme est toujours en avant de lui-même et que le monde est, à la fois, tout donné et tout à faire. Gracieuses et comiques, mobiles et figées, réalistes et magiques, indivisibles et contradictoires, figurant à la fois l'esprit devenu chose et le perpétuel dépassement de la chose par l'esprit, les œuvres de Hare, dans leur ambivalence, ont l'aspect inquiétant et malicieux de ravissants porte-malheur.

## *Écrire pour son époque*[1]

Nous affirmons contre ces critiques et contre ces auteurs que le salut se fait sur cette terre, qu'il est de l'homme entier par l'homme entier et que l'art est une méditation de la vie, non de la mort. Il est vrai : pour l'histoire, c'est le talent seul qui compte. Mais je ne suis pas entré dans l'histoire et je ne sais comment j'y entrerai : peut-être seul, peut-être dans une foule anonyme, peut-être comme un de ces noms qu'on met en note dans les manuels de littérature. De toute façon je n'ai pas à me préoccuper des jugements que l'avenir portera sur mon œuvre, puisque je ne peux rien sur eux. L'art ne peut se réduire à un dialogue avec des morts et avec des hommes qui ne sont pas encore nés : ce serait à la fois trop difficile et trop facile; et je vois là un dernier reste de la croyance chrétienne à l'immortalité : de même que le séjour de l'homme ici-bas est présenté comme un moment d'épreuves entre les limbes et l'enfer ou le paradis, de même il y aurait, pour un livre, une période transitoire qui coïnciderait à peu près avec celle de son efficacité; après quoi, désincarné, gratuit comme une âme, il entrerait dans l'éternité. Mais du moins est-ce, chez les chrétiens, ce passage sur terre qui décide de tout et la béatitude finale n'est qu'une sanction. Au lieu que l'on croit communément que la course fournie par nos livres après que nous ne sommes plus revient sur notre vie pour la justifier. C'est vrai du point de vue de l'esprit objectif. Dans l'esprit objectif on classe suivant le talent. Mais la vue qu'auront sur nous nos petits-neveux n'est pas privilégiée puisque d'autres viendront après eux qui les jugeront à leur tour. Il va de soi que nous écrivons

1. Cf. 46/114.

tous par besoin d'absolu; et c'est bien un absolu, en effet, qu'un ouvrage de l'esprit. Mais on commet à ce propos une double erreur. D'abord il n'est pas vrai qu'un écrivain fasse passer ses souffrances ou ses fautes à l'absolu lorsqu'il en écrit; il n'est pas vrai qu'il les sauve. Ce mal marié qui écrit du mariage avec talent, on dit qu'il a fait un bon livre *avec* ses misères conjugales. Ce serait trop commode : l'abeille fait du miel *avec* la fleur parce qu'elle opère sur la substance végétale des transformations *réelles;* le sculpteur fait une statue *avec* du marbre. Mais c'est avec des mots, non pas avec ses ennuis, que l'écrivain fait ses livres. S'il veut empêcher que sa femme soit méchante, il a tort d'écrire sur elle : il ferait mieux de la battre. On ne *met* pas ses malheurs dans un livre, pas plus qu'on ne met le modèle sur la toile : on s'en inspire; et ils restent ce qu'ils sont. On gagne peut-être un soulagement passager à se placer au-dessus d'eux pour les décrire, mais, le livre achevé, on les retrouve. La mauvaise foi commence lorsque l'artiste veut prêter un sens à ses infortunes, une sorte de finalité immanente, et qu'il se persuade qu'elles sont là *pour* qu'il en parle. Lorsqu'il justifie par cette ruse ses propres souffrances, il prête à rire; mais il est odieux s'il cherche à justifier celles des autres. Le plus beau livre du monde ne sauvera pas les douleurs d'un enfant : on ne sauve pas le mal, on le combat. Le plus beau livre du monde se sauve lui-même; il sauve aussi l'artiste. Mais non pas l'homme. Pas plus que l'homme ne sauve l'artiste. Nous voulons que l'homme et l'artiste fassent leur salut ensemble, que l'œuvre soit en même temps un acte; qu'elle soit expressément conçue comme une arme dans la lutte que les hommes mènent contre le mal.

L'autre erreur n'est pas moins grave : il y a dans chaque cœur une telle faim d'absolu qu'on a confondu fréquemment l'éternité, qui serait un absolu intemporel, avec l'immortalité, qui n'est qu'un perpétuel sursis et une longue suite de vicissitudes. Je comprends qu'on désire l'absolu et je le désire aussi. Mais qu'a-t-on besoin d'aller le chercher si loin : il est là, autour de nous, sous nos pas, dans chacun de nos gestes. Nous faisons de l'absolu comme M. Jourdain faisait de la prose. Vous allumez votre pipe et c'est un absolu; vous détestez les huîtres et c'est un absolu; vous entrez au Parti communiste et c'est un absolu. Que le monde soit matière ou esprit, que Dieu existe ou qu'il n'existe pas, que le jugement des siècles à venir vous soit favorable ou hostile, rien n'empêchera jamais que vous ayez passionnément aimé ce tableau, cette cause, cette femme, ni que cet amour ait été vécu au jour le jour; vécu, voulu, entrepris; ni que vous vous soyez entièrement engagé en lui. Ils avaient raison nos grands-pères qui disaient, en buvant leur coup de vin : « Encore un que les Prussiens n'auront pas. » Ni les Prussiens, ni personne. On peut vous tuer, on peut vous priver de vin jusqu'à la fin de vos jours : mais ce dernier glissement du bordeaux sur votre langue, aucun Dieu, aucun homme ne peuvent vous l'ôter. Aucun relativisme. Ni non plus le « cours éternel de l'histoire ». Ni la dialectique du sensible. Ni les dissociations de la psychanalyse. C'est un événement pur, et nous aussi, au plus profond de la relativité historique et de notre insignifiance, nous sommes des absolus, inimitables, incomparables, et notre choix de nous-mêmes est un absolu. Tous ces choix vivants et passionnés que nous sommes et que nous faisons perpétuellement avec ou contre autrui, toutes ces entreprises en commun où nous nous jetons, de la naissance à la mort, tous ces liens d'amour ou de haine qui nous unissent les uns aux autres et qui n'existent que dans la mesure où nous les ressentons, ces immenses combinaisons de mouvements qui s'ajoutent ou s'annulent et qui sont tous vécus, toute cette vie discordante et harmonieuse concourt à produire un nouvel absolu que je nommerais *l'époque*. L'époque, c'est l'intersubjectivité, l'absolu vivant, l'envers dialectique de l'histoire... Elle accouche dans les douleurs des événements que les historiens étiquetteront par la suite. Elle vit à l'aveuglette, dans la rage, la peur, l'enthousiasme, les significations qu'ils dégageront par un travail rationnel. Au sein de l'époque, chaque parole, avant d'être un mot historique ou l'origine reconnue d'un processus social, est d'abord une insulte ou un appel ou un aveu; les phénomènes économiques eux-mêmes, avant d'être les causes théoriques des bouleversements sociaux, sont soufferts dans l'humiliation ou le désespoir, les idées sont des outils ou des fuites, les faits naissent de l'intersubjectivité et la bouleversent, comme les émotions d'une âme individuelle. C'est avec les époques mortes qu'on fait l'histoire, car chaque époque, à sa mort, entre dans la relativité, elle s'aligne le long des siècles avec d'autres morts, on l'éclaire avec une lumière nouvelle, on la conteste par un savoir neuf, on résout pour elle ses problèmes, on démontre que ses recherches les plus ardentes étaient vouées à l'échec, que les grandes entreprises dont elle était si fière ont eu des résultats opposés à ceux qu'elle escomptait; ses limites apparaissent tout à coup et ses ignorances. Mais c'est *parce qu'elle* est morte; ces limites et ces ignorances n'existaient pas « à l'époque » : on ne vit pas un manque;

ou plutôt elle était un perpétuel dépassement de ses limites vers un avenir qui était *son* avenir et qui est mort avec elle, elle était *cette* audace, *cette* imprudence, *cette* ignorance de son ignorance : vivre, c'est prévoir à courte échéance et se débrouiller avec les moyens du bord. Peut-être nos pères avec un peu plus de science eussent-ils compris que tel problème était insoluble, que telle question était mal posée. Mais la condition d'homme exige qu'on choisisse dans l'ignorance; c'est l'ignorance qui rend la moralité possible. Si nous connaissions tous les facteurs qui conditionnent les phénomènes, si nous jouions à coup sûr, le risque disparaîtrait; avec le risque, le courage et la peur, l'attente, la joie finale et l'effort; nous serions des Dieux languissants, mais certainement pas des hommes. Les âpres disputes babyloniennes sur les présages, les hérésies sanglantes et passionnées des Albigeois, des anabaptistes, nous semblent à présent des erreurs. A l'époque, l'homme s'est engagé tout entier en elles, et, en les manifestant au péril de sa vie, il a fait exister la vérité à travers elle, car la vérité ne se livre jamais directement, elle ne fait qu'apparaître au travers des erreurs. Dans la dispute des Universaux, dans celle de l'Immaculée Conception ou de la Transsubstantiation, c'était le sort de la Raison humaine qui se jouait. Et c'est encore le sort de la Raison qui s'est joué lors de ces grands procès que firent certains États d'Amérique aux professeurs qui enseignaient la théorie de l'évolution. Il se joue à chaque époque, totalement, à propos de doctrines que l'époque suivante rejettera comme fausses. Il se peut que l'évolutionnisme apparaisse un jour comme la plus grande folie de notre siècle : en témoignant pour lui contre les gens d'Église, les professeurs des États-Unis ont *vécu* la vérité, ils l'ont vécue passionnément et absolument, à leurs risques. Demain ils auront tort, aujourd'hui ils ont raison absolument : l'époque a toujours tort quand elle est morte, toujours raison quand elle vit. Qu'on la condamne après coup si l'on veut, elle a eu d'abord sa manière passionnée de s'aimer et de se déchirer, contre quoi les jugements futurs ne peuvent rien; elle a eu son goût qu'elle a goûté seule, et qui est aussi incomparable, aussi irrémédiable que le goût du vin dans notre bouche.

Un livre a sa vérité absolue dans l'époque. Il est *vécu* comme une émeute, comme une famine. Avec beaucoup moins d'intensité, bien sûr, et par moins de gens : mais de la même façon. C'est une émanation de l'intersubjectivité, un lien vivant de rage, de haine, ou d'amour entre ceux qui l'ont produit et ceux qui le reçoivent. S'il réussit à s'imposer, des milliers de gens le refusent et le nient : lire un livre, on le sait bien, c'est le récrire. *A l'époque* il est d'abord panique ou évasion ou affirmation courageuse; à l'époque il est bonne ou mauvaise *action.* Plus tard, quand l'époque se sera éteinte, il entrera dans le relatif, il deviendra message. Mais les jugements de la postérité n'infirmeront pas ceux qu'on portait sur lui de son vivant. On m'a souvent dit des dattes et des bananes : « Vous ne pouvez rien en dire : pour savoir ce que c'est, il faut les manger sur place, quand on vient de les cueillir. » Et j'ai toujours considéré les bananes comme des fruits morts dont le vrai goût vivant m'échappait. Les livres qui passent d'une époque à l'autre sont des fruits morts. Ils ont eu, en un autre temps, un autre goût, âpre et vif. Il fallait lire *L'Émile* ou *Les Lettres persanes* quand on venait de les cueillir.

Il faut donc écrire pour son époque, comme ont fait les grands écrivains. Mais cela ne signifie pas qu'il faille s'enfermer en elle. Écrire pour l'époque, ce n'est pas la refléter passivement, c'est vouloir la maintenir ou la changer, donc la dépasser vers l'avenir, et c'est cet effort pour la changer qui nous installe le plus profondément en elle, car elle ne se réduit jamais à l'ensemble mort des outils et des coutumes, elle est en mouvement, elle se dépasse elle-même, perpétuellement, en elle coïncident rigoureusement le présent concret et l'avenir vivant de tous les hommes qui la composent. Si, entre autres traits, la physique newtonienne et la théorie du bon sauvage concourent à dessiner la physionomie de la première moitié du XVIII^e^ siècle, il ne faut pas oublier que l'une était un effort continu pour arracher au brouillard des lambeaux de vérités, pour se rapprocher, par-delà l'état contemporain des connaissances, d'une science idéale où les phénomènes pourraient se déduire mathématiquement du principe de gravitation, et que l'autre impliquait une tentative pour restituer, par-delà les vices de la civilisation, l'état de nature. L'une et l'autre esquissaient un futur; et s'il est vrai que ce futur n'est jamais devenu un présent, qu'on a renoncé à l'âge d'or et à faire de la science un enchaînement rigoureux de raisons, du moins reste-t-il que ces espoirs vivants et profonds dessinaient un avenir au-delà des soucis quotidiens et qu'il faut, pour déchiffrer le sens de ce quotidien, revenir à lui *à partir* de cet avenir. On ne saurait être homme ni se faire écrivain sans tracer au-delà de soi-même une ligne d'horizon, mais le dépassement de soi est en chaque cas fini et singulier. On ne dépasse pas *en général* et pour le simple plaisir orgueilleux de dépasser; l'insatisfaction baudelairienne figure seulement le schème abstrait de la transcendance et, puiqu'elle est insatisfaction de tout, finit par n'être insatisfaction de rien. La transcendance réelle exige qu'on veuille changer certains aspects déterminés du monde et le dépassement se colore et se particularise par la situation concrète qu'il vise à modifier. Un homme se met tout entier dans son projet d'émanciper les nègres ou de restituer le langage hébraïque aux Israélites de Palestine, il s'y met tout entier et réalise du même coup la condition humaine dans son universalité; mais c'est toujours à l'occasion d'une entreprise singulière et datée. Et si l'on me dit, comme M. Schlumberger, qu'on dépasse aussi l'époque lorsqu'on vise à l'immortalité, je répondrai que c'est un faux dépassement : au lieu de vouloir changer une situation insoutenable, on tente de s'en évader et l'on cherche refuge dans un avenir qui nous est tout à fait étranger, puisque ce n'est pas l'avenir que nous *faisons*, mais le présent concret de nos petits-fils. Sur ce présent-là nous n'avons aucun moyen d'action, ils le vivront pour leur compte et comme ils voudront; en situation dans leur époque comme nous sommes dans la nôtre, s'ils utilisent nos écrits, ce sera pour des fins qui leur sont propres et que nous n'avions pas prévues, comme on ramasse des pierres sur la route pour les jeter au visage d'un agresseur. En vain tenterions-nous de nous décharger sur eux du soin de prolonger notre existence : ils n'en ont ni le devoir, ni le souci. Et comme nous n'avons pas de moyens d'action sur ces étrangers, c'est en mendiants que nous nous présenterons devant eux et que nous les supplierons de nous prêter l'apparence de la vie en nous employant à n'importe quelle besogne. Chrétiens, nous accepterons humblement, pourvu qu'ils parlent encore de nous, qu'ils nous affectent à témoigner que la foi est inefficace; athées, nous serons bien contents qu'ils s'occupent encore de nos angoisses et de nos fautes, fût-ce pour prouver que l'homme sans Dieu est misérable. Seriez-vous satisfait, monsieur Schlumberger, si nos petits-fils, après la Révolution, voyaient dans vos écrits l'exemple le plus manifeste du conditionnement de l'art par les structures économiques? Et si vous n'avez pas de destin littéraire, vous en aurez un autre qui ne vaudra guère mieux : si vous échappez au matérialisme dialectique, ce sera peut-être pour faire les frais de quelque psychanalyse; de toute façon nos petits-fils seront des orphelins abusifs : pourquoi nous occuperions-nous d'eux? Peut-être Céline demeurera seul de nous tous; il est hautement improbable, mais théoriquement possible que le XXI^e^ siècle retienne le nom de Drieu et laisse tomber celui de Malraux; de toute façon, il n'épousera pas nos querelles, il ne mentionnera pas ce que nous appelons aujourd'hui la trahison de certains écrivains; ou, s'il la mentionne, ce sera sans colère et sans mépris. Mais que nous importe? Ce que Malraux, ce que Drieu sont pour nous, voilà l'absolu. Il y a pour Drieu, dans certains cœurs, un absolu de mépris, il y a eu pour Malraux un absolu d'amitié que cent jugements posthumes ne pourront entamer. Il y a eu un Malraux vivant, un poids de sang chaud au cœur de l'époque, il y aura un Malraux mort, en proie à l'histoire. Pourquoi veut-on que le vivant s'occupe de fixer les traits du mort qu'il sera? Bien sûr, il vit en avant de soi-même; son regard et ses soucis vont au-delà de sa mort charnelle, ce qui mesure la *présence* d'un homme et son poids, ce n'est ni les cinquante ou soixante années de sa vie organique, ni non plus la vie empruntée qu'il mènera au cours des siècles dans des consciences étrangères : c'est le choix qu'il aura fait lui-même de la cause temporelle qui le dépasse. On a dit que le courrier de Marathon était mort une heure avant d'arriver à Athènes. Il était mort et il courait toujours; il courait mort, il annonça mort la victoire de la Grèce. C'est un beau mythe, il montre que les morts agissent encore un peu de temps comme s'ils vivaient. Un peu de temps, un an, dix ans, cinquante ans peut-être, une période *finie*, en tout cas; et puis on les enterre pour la seconde fois. C'est cette mesure-là que nous proposons à l'écrivain : tant que ses livres provoqueront la colère, la gêne, la honte, la haine, l'amour, même s'il n'est plus qu'une ombre, il vivra! Après, le déluge. Nous sommes pour une morale et pour un art du fini.

## *Le Processus historique* [1]

« L'existentialisme ignore le processus historique. »

(*Pravda*, 23-1-47.)

J'attendais depuis longtemps une attaque de ce genre. Dans ma revue *Les Temps modernes*, j'avais posé quelques questions aux intellectuels communistes et ils n'avaient pas su répondre. D'autre part, M. Ehrenbourg, à son retour d'Amérique, avait sévèrement critiqué mes livres et je l'avais obligé à reconnaître qu'il ne les avait pas lus, ce qu'il avait fait de bonne grâce et sans se troubler le moins du monde. Il était nécessaire, évidemment, qu'une encyclique vînt mettre les choses au point. Il va de soi que M. Zaslavski n'a pas lu davantage les ouvrages existentialistes. Mais il en parle de plus haut et de plus loin. Je suis très embarrassé pour lui répondre : on répond à quelqu'un, mais M. Zaslavski n'est pas quelqu'un. Provisoirement, c'est l'éditorialiste de la *Pravda* et c'est le « processus historique » (selon ses propres termes) qui s'exprime par sa bouche. Demain peut-être, le processus historique se détournera de lui, il sera un numéro en Sibérie et tout le monde l'aura oublié. Il n'aura jamais été une personne; je le regrette pour lui et pour moi. Il ne me reste donc qu'à m'adresser au « processus historique » et à lui exprimer mes regrets qu'il ait choisi un si mauvais interprète. Sans doute, ne pouvait-il en trouver d'autres. Le processus historique a toujours des raisons. Mais enfin il eût été souhaitable que M. Zaslavski, qui déclare superbement : « L'existentialisme est la négation de toute la philosophie », prouvât, au moins dans son article, qu'il était lui-

1. Cf. 47/126.

même philosophe. Hélas! dans ce fatras haineux et sot, il n'y a pas une parole de bon sens. Je me bornerai à relever les erreurs suivantes :

1° Si M. Zaslavski avait été un philosophe et s'il avait lu les livres dont il parle, il n'aurait pas traité de « fatalisme » une philosophie dont l'unique dogme est l'affirmation de la liberté humaine et qui ne cesse de répéter que le destin des hommes est entre leurs mains. Les marxistes ont assez souvent crié et protesté parce qu'on assimilait la dialectique historique à un fatalisme : il est dommage que M. Zaslavski, élu du « processus historique », soit tombé dans la même erreur à propos de l'existentialisme. Les mots sous sa plume changent à ce point de sens qu'il me traite de fataliste parce que je ne crois point à la fatalité de la révolution communiste.

2° M. Zaslavski reproche à l'existentialisme « l'absence totale de spiritualité ». Mais, s'il savait l'A B C du marxisme, il saurait qu'un matérialiste se couvre de ridicule en reprochant à ses adversaires de manquer de spiritualité. Il y a spiritualité, en effet, quand on fait appel à l'esprit, substance distincte de la matière. Mais le matérialisme ne reconnaît qu'un principe qui est la matière et il est hostile, par principe, à tout recours à l'esprit. Il ne me serait pas venu à l'idée de considérer MM. Thorez et Duclos comme des spiritualistes. Je m'y efforcerai désormais. Si, en outre, M. Zaslavski avait seulement ouvert *L'Être et le Néant*, ou tout autre ouvrage existentialiste, il y aurait vu, précisément, que la conscience de chacun de nous est irréductible à la matière. Mais peut-être le sait-il et déplore-t-il notre manque de spiritualité précisément parce que nous ne sommes pas matérialistes.

3° J'ai écrit, aussi souvent que je l'ai pu, que le seul espoir de l'humanité était dans une révolution socialiste. C'est pour cela, sans doute, que M. Zaslavski déclare que je suis patronné par les deux cents familles. J'ai déplu fortement à bon nombre d'Américains en écrivant une pièce sur la condition des noirs aux États-Unis : c'est sans doute pour cela qu'il fait de moi un agent de la propagande américaine. Il est vrai que j'ai vécu plus longtemps aux États-Unis que M. Ehrenbourg, et que je ne partage pas ses sottes préventions contre ce grand pays. Faut-il en conclure que je veuille faire du mien une « colonie de l'impérialisme américain »? Est-il absolument nécessaire d'insulter l'Amérique pour conserver les bonnes grâces du « processus historique » et de M. Zaslavski? Dans *Les Temps modernes*, un de mes collaborateurs a écrit que « l'héritage historique des États-Unis est, en fait, le monde entier ». M. Zaslavski en conclut que nous souhaitons une hégémonie des États-Unis sur le monde. S'il avait su ou voulu lire l'article entier, il aurait interprété la phrase autrement. Mon collaborateur voulait dire, en effet, que s'il devait y avoir une culture américaine, il fallait que les Américains reprennent et s'assimilent les traditions historiques de tous les continents. D'ailleurs, ce que M. Zaslavski a compris ne compte pas. Ce qui compte seulement, c'est ce que lui dicte le « processus historique ». Quant à la riche bourgeoisie américaine qui, paraît-il, « a salué en moi un ennemi du marxisme », je puis assurer l'éditorialiste de la *Pravda* qu'elle se soucie fort peu de moi et ignore jusqu'à mon nom. Les conférences que j'ai faites en Amérique ont eu lieu devant des intellectuels et des étudiants; elles portaient sur la littérature française pendant l'occupation.

4° M. Zaslavski m'accuse de « nier toute moralité ». Je me rappelle le mot de Lénine : « J'appelle moral tout homme qui contribue à la révolution communiste et immoral tout homme qui tente de l'empêcher. » Si M. Zaslavski entend les mots de moral et d'immoral en ce sens, alors il est vrai que je ne suis pas moral. Je n'appartiens pas au Parti communiste. Mais je crois précisément à l'existence d'une morale autonome. Je crois que nous avons des obligations précises, entre autres celle de dire, quelles que soient les exigences du « processus historique », la vérité. Ainsi, de même que M. Zaslavski me reprochait d'être fataliste parce que je crois à la liberté, et de manquer de spiritualité parce que je ne suis pas matérialiste, il me taxe d'immoralité, parce que je ne suis pas partisan du machiavélisme et du réalisme en politique. La condamnation *ex cathedra* de la Pravda vient au moment même où l'Église a mis mes livres à l'index : ce n'est pas un hasard; on m'excusera si je ne vois dans cette double condamnation simultanée qu'un précieux encouragement : quand on cherche à mettre les hommes en face de leur liberté, il est naturel qu'on trouve devant soi toutes les puissances qui ont intérêt à la leur dissimuler.

## *Nick's Bar, New York City*[1]

La musique de jazz, c'est comme les bananes, ça se consomme sur place. Dieu sait qu'il y a des disques en France et puis des imitateurs mélancoliques. Mais c'est juste un prétexte pour verser quelques larmes en bonne compagnie. Certains pays ont des réjouissances nationales et d'autres n'en ont pas. Il y a réjouissance nationale quand le public vous impose un silence rigoureux pendant la première moitié de la manifestation et se met à hurler et à trépigner pendant la seconde moitié.

Si vous acceptez cette définition, il n'y a pas de réjouissance nationale en France, sauf peut-être les braderies et ventes aux enchères. Ni en Italie; sauf peut-être le vol : on laisse faire le voleur dans un silence attentif (première moitié) et puis on trépigne et on crie « au voleur » pendant qu'il s'enfuit (deuxième moitié). Au contraire, la Belgique a les combats de coqs, l'Allemagne a le vampirisme et l'Espagne les corridas. J'ai appris à New York que le jazz était une réjouissance nationale. A Paris il sert à danser, mais c'est une erreur; les Américains ne dansent pas au son du jazz : ils ont à cet effet une musique particulière qui sert aussi aux premières communions et aux mariages et que l'on nomme : *music by Musak.* Il y a des robinets dans les appartements, on les tourne, et Musak musique : flirt, larmes, danse. On ferme le robinet, et Musak ne musique plus : on couche les communiants et les amants.

Au Nick's Bar à New York, on se réjouit nationalement. C'est-à-dire qu'on s'assied dans une salle enfumée, à côté des matelots, des malabars, des putains sans carte, des

1. Cf. 47/131.

dames du monde. Tables, boxes. Personne ne parle. Les matelots vont par quatre. Ils regardent, avec une haine légitime, les godelureaux qui vont s'asseoir dans les boxes avec leur chacune. Ils voudraient des chacunes, et ils n'en ont pas. Ils boivent, ils sont durs; les chacunes sont dures aussi : elles boivent, elles ne parlent pas. Personne ne bouge, le jazz joue. Il joue du jazz de dix heures à trois heures du matin. En France, les jazzistes sont de beaux hommes mats avec des chemises flottantes et des foulards. Si ça vous embête d'écouter, vous pouvez toujours les regarder et prendre des leçons d'élégance.

Au Nick's Bar, il est conseillé de ne pas les regarder; ils sont aussi laids que les exécutants d'un orchestre symphonique. Visages osseux, moustaches, vestons, cols demi-durs (au moins au commencement de la soirée) et le regard n'est même pas velouté. Mais les muscles bossuent leurs manches.

Ils jouent. On écoute. Personne ne rêve. Chopin fait rêver, ou André Claveau. Pas le jazz du Nick's Bar. Il fascine, on ne pense qu'à lui. Pas la moindre consolation. Si vous êtes cocu, vous repartez cocu, sans tendresse. Pas moyen de saisir la main de sa voisine et de lui faire comprendre d'un clin d'œil que la musique traduit votre état d'âme. Elle est sèche, violente, sans pitié. Pas gaie, pas triste, inhumaine. Les piaillements cruels d'oiseaux de proie. Les exécutants se mettent à suer, l'un après l'autre. D'abord le trompettiste, puis le pianiste, puis le trombone. Le contrebassiste a l'air de moudre. Ça ne parle pas d'amour, ça ne console pas. C'est pressé. Comme les gens qui prennent le métro ou qui mangent au restaurant automatique. Ça n'est pas non plus le chant séculaire des esclaves nègres. On s'en barbouille, des esclaves nègres. Ni le petit rêve triste des Yankees écrasés par leurs machines. Rien de tout cela : il y a un gros homme qui s'époumone à suivre son trombone dans ses évolutions, il y a un pianiste sans merci, un contrebassiste qui gratte ses cordes sans écouter les autres. Ils s'adressent à la meilleure part de vous-même, à la plus sèche, à la plus libre, à celle qui ne veut ni mélancolie ni ritournelle, mais l'éclat étourdissant d'un instant. Ils vous réclament, ils ne vous bercent pas. Bielles, arbre de couche, toupie en mouvement. Ils battent, ils tournent, ils grincent, le rythme naît. Si vous êtes dur, jeune et frais, le rythme vous agrippe et vous secoue. Vous sautez sur place, de plus en plus vite, et votre voisine saute avec vous; c'est une ronde infernale. Le trombone sue, vous suez, le trompettiste sue, vous suez davantage, et puis vous sentez que quelque chose s'est produit sur l'estrade; ils n'ont plus le même air : ils se pressent, ils se communiquent leur hâte, ils ont l'air maniaque et tendu, on dirait qu'ils cherchent autre chose. Quelque chose comme le plaisir sexuel. Et vous aussi, vous vous mettez à chercher quelque chose et vous vous mettez à crier. Il faut crier, l'orchestre est devenu une immense toupie : si vous vous arrêtez, la toupie s'arrête et tombe. Vous criez, ils grattent, ils soufflent, ils sont possédés, vous êtes possédé, vous criez comme une femme qui accouche. Le trompettiste touche le pianiste et lui transmet sa possession comme au temps de Mesmer et de ses baquets. Vous criez toujours. Toute une foule crie en mesure, on n'entend même plus le jazz, on voit des gens, sur une estrade, qui suent en mesure, on voudrait tourner sur soi-même, hurler à la mort, taper sur la figure de sa voisine.

Et puis, tout d'un coup, le jazz s'arrête, le taureau est estoqué, le plus vieux des coqs est mort. C'est fini. Vous avez tout de même bu votre whisky, tout en criant, sans vous en apercevoir. Un garçon impassible vous le remplace. Vous restez hébété un moment, vous vous secouez, vous dites à votre voisine : « Pas mal... » Elle ne vous répond pas, et ça recommence.

Vous ne ferez pas l'amour cette nuit, vous n'aurez pas pitié de vous-même, vous ne serez même pas parvenu à vous saouler, vous n'aurez même pas versé le sang, et vous aurez été traversé par une frénésie sans issue, par ce crescendo convulsionnaire qui ressemble à la recherche coléreuse et vaine du plaisir. Vous sortirez de là un peu usé, un peu ivre, mais dans une sorte de calme abattu, comme après les grandes dépenses nerveuses.

Le jazz est le divertissement national des États-Unis.

## *Pour un théâtre de situations* [1]

La grande tragédie, celle d'Eschyle et de Sophocle, celle de Corneille, a pour ressort principal la liberté humaine. Œdipe est libre, libres Antigone et Prométhée. La fatalité que l'on croit constater dans les drames antiques n'est que l'envers de la liberté. Les passions elles-mêmes sont des libertés prises à leur propre piège.

Le théâtre psychologique, celui d'Euripide, celui de Voltaire et de Crébillon fils, annonce le déclin des formes tragiques. Un conflit de caractères, quels que soient les retournements qu'on y mette, n'est jamais qu'une composition de forces dont les résultats sont prévisibles : tout est décidé d'avance. L'homme qu'un concours de circonstances conduit sûrement à sa perte n'émeut guère. Il n'y a de grandeur dans sa chute que s'il tombe par sa faute. Si la psychologie gêne, au théâtre, ce n'est point qu'il y ait trop en elle : c'est qu'il n'y a pas assez; il est dommage que les auteurs modernes aient découvert cette connaissance bâtarde et l'aient appliquée hors de portée. Ils ont manqué la volonté, le serment, la folie d'orgueil qui sont les vertus et les vices de la tragédie.

Dès lors, l'aliment central d'une pièce, ce n'est pas le caractère qu'on exprime avec de savants « mots de théâtre » et qui n'est rien d'autre que l'ensemble de nos serments (serment de se montrer irritable, intransigeant, fidèle, etc.), c'est la situation. Non pas cet imbroglio superficiel que Scribe et Sardou savaient si bien monter et qui n'avait pas de valeur humaine. Mais s'il est vrai que l'homme est libre dans une situation donnée et qu'il se choisit lui-même dans et par cette situation, alors il faut montrer au théâtre des

1. Cf. 47/143.

situations simples et humaines et des libertés qui se choisissent dans ces situations. Le caractère vient après, quand le rideau est tombé. Il n'est que le durcissement du choix, sa sclérose; il est ce que Kierkegaard nomme la *répétition*. Ce que le théâtre peut montrer de plus émouvant est un caractère en train de se faire, le moment du choix, de la libre décision qui engage une morale et toute une vie. La situation est un appel; elle nous cerne; elle nous propose des solutions, à nous de décider. Et pour que la décision soit profondément humaine, pour qu'elle mette en jeu la totalité de l'homme, à chaque fois il faut porter sur la scène des situations limites, c'est-à-dire qui présentent des alternatives dont la mort est l'un des termes. Ainsi, la liberté se découvre à son plus haut degré puisqu'elle accepte de se perdre pour pouvoir s'affirmer. Et comme il n'y a de théâtre que si l'on réalise l'unité de tous les spectateurs, il faut trouver des situations si générales qu'elles soient communes à tous. Plongez des hommes dans ces situations universelles et extrêmes qui ne leur laissent qu'un couple d'issues, faites qu'en choisissant l'issue ils se choisissent eux-mêmes : vous avez gagné, la pièce est bonne. Chaque époque saisit la condition humaine et les énigmes qui sont proposées à sa liberté à travers des situations particulières. Antigone, dans la tragédie de Sophocle, doit choisir entre la morale de la cité et la morale de la famille. Ce dilemme n'a plus guère de sens aujourd'hui. Mais nous avons nos problèmes : celui de la fin et des moyens, de la légitimité de la violence, celui des conséquences de l'action, celui des rapports de la personne avec la collectivité, de l'entreprise individuelle avec les constantes historiques, cent autres encore. Il me semble que la tâche du dramaturge est de choisir parmi ces situations limites celle qui exprime le mieux ses soucis et de la présenter au public comme la question qui se pose à certaines libertés. C'est seulement ainsi que le théâtre retrouvera la résonance qu'il a perdue, seulement ainsi qu'il pourra *unifier* le public divers qui le fréquente aujourd'hui.

## *Présence noire* [1]

Alioune Diop a eu raison d'appeler sa revue *Présence africaine*. Bien des pays ont été tour à tour présents à nos soucis : hier l'Allemagne, aujourd'hui l'U.R.S.S. et les États-Unis. Mais l'Afrique, pour beaucoup d'entre nous, n'est qu'une absence, et ce grand trou dans la carte du monde nous permet de conserver une bonne conscience. Les quelques noirs qui vivent ici, nous les aimons bien, nous les considérons avec estime, nous les traitons sur un pied d'égalité, et c'est assez pour que nous considérions la France comme la terre de la liberté. Lorsqu'on vient nous parler de ce qu'on nomme, aux U.S.A., ségrégation, nous brûlons d'une indignation sincère; mais c'est au plus fort de cette indignation que nous sommes le plus comiques et le plus coupables. Bien sûr, les Martiniquais ou les Sénégalais qui viennent faire leurs études en France, nous les prenons pour nos égaux. Mais combien sont-ils? Sait-on à quel filtrage soupçonneux, à quelle sélection sévère ils ont été soumis? Mesure-t-on la longueur et les obstacles du chemin qui mène des villages du Congo aux facultés de Paris? Après tout, on accepte aussi, de temps en temps, à Vassar College, près de New York, une étudiante de couleur. Ces quelques invités, qu'on a laissés entrer après leur avoir fait subir tous les rites de l'initiation, ce sont des otages et des symboles. Ils témoignent, à nos yeux, de notre mission civilisatrice; en les honorant, nous avons conscience de nous honorer; chaque poignée de main que nous donnons *ici* à un noir efface toutes les violences que nous avons commises *là-bas*. *Ici*, les noirs sont de beaux étrangers courtois qui dansent avec nos femmes;

1. Cf. 47/144.

*là-bas*, ce sont des « indigènes » qui ne sont pas reçus dans les familles françaises et qui ne fréquentent pas les mêmes lieux publics. *Ici*, nous allons à leurs réunions, à leurs bals; *là-bas*, la présence d'un noir dans un café de Français ferait scandale. *Ici*, ils font figure d'étudiants aisés, ils se préparent à des métiers bourgeois; *là-bas*, il n'est pas rare qu'un travailleur indigène soit payé 150 fr. par mois [2]. *Là-bas* : mais nous n'allons pas y voir; nous ressemblons à ce puritain qui voulait bien manger de la viande, à condition qu'il pût s'imaginer qu'elle poussait sur les arbres et qui refusa toujours d'aller voir aux abattoirs la véritable origine des biftecks qu'on lui servait. Je souhaite que *Présence africaine* nous peigne un tableau impartial de la condition des noirs au Congo et au Sénégal. Point n'est besoin d'y mettre de la colère ou de la révolte : la vérité seulement. Cela suffira pour que nous recevions au visage le souffle torride de l'Afrique, l'odeur aigre de l'oppression et de la misère.

Mais il dépend surtout de nous que l'Afrique nous soit présente. Un livre, si beau soit-il, ne donne rien que l'on ne s'y prête; et ce qu'on y trouve est à l'exacte mesure de ce qu'on y cherche. Il est cent manières de rendre cette revue inoffensive. Je redoute surtout que, forts de nos mille ans de littérature, de nos Villon, de nos Racine, de nos Rimbaud, nous ne nous penchions sur les poèmes et les nouvelles de nos amis noirs avec cette indulgence charmée qu'ont les parents, au jour de leur fête, pour le compliment de leurs enfants. Gardons-nous de voir dans ces productions de l'esprit un hommage rendu à la culture française. Il s'agit de tout autre chose. La culture est un instrument; ne pensons pas qu'ils ont élu la nôtre; les Anglais eussent-ils occupé le Sénégal, au lieu de nous, les Sénégalais eussent adopté l'anglais. La vérité, c'est que les noirs tentent de se rejoindre eux-mêmes à travers un monde culturel qu'on leur impose et qui leur est étranger; il faut qu'ils retaillent ce vêtement tout fait; tout les gêne et les engonce, jusqu'à la syntaxe, et pourtant ils ont appris à utiliser jusqu'aux insuffisances de cet outil. Une langue étrangère les habite et leur vole leur pensée; mais ils se retournent, en eux-mêmes, contre ce vol, ils maîtrisent en eux ce bavardage européen et, finalement, en acceptant d'être trahis par le langage, ils le marquent de leur empreinte. Pour ma part, je considère avec admiration l'effort qu'ont fourni ces auteurs, malgré les conditions de

2. Dans un pays où le poisson coûte 25 fr. le kilog. et la viande 70 à 80 francs.

leur vie, contre eux-mêmes et contre nous, pour se conquérir dans et par le langage hostile des colonisateurs.

Je souhaite que nous apprenions à lire ces œuvres et que nous sachions gré aux noirs d'enrichir notre vieille culture cérémonieuse; embarrassée dans ses traditions et son étiquette, elle a bien besoin d'un apport neuf; chaque noir qui cherche à se peindre au moyen de nos mots et de nos mythes, c'est un peu de sang frais qui circule en ce vieux corps. Il faut que la présence africaine soit, parmi nous, non comme celle d'un enfant dans le cercle de famille, mais comme la présence d'un remords et d'un espoir.

## *La Rencontre ou Œdipe et le Sphinx* [1]

Vous verrez d'abord le Sphinx parler, mais sans l'entendre : sa bouche danse. Puis Œdipe chantera, lèvres closes, avec son corps; enfin la musique elle-même se résorbera dans le mouvement; le corps à lui seul deviendra parole, chant et musique, comme si Kochno et Lichine avaient voulu nous faire accéder par degrés à ce silence gonflé de musique. Souvent je me suis interrogé sur l'essence du ballet : N'est-ce pas un genre impur? Pourquoi ces décors, cette intrigue, ces accessoires : ne suffit-il pas de danser? A mes questions il semble que ce spectacle muet fournisse les réponses. Il veut nous dire que la danse pure, séguedille ou pavane, reste une beauté abstraite. Le Danseur, a dit Valéry, vit au sein du Tourbillon comme la salamandre dans la flamme; mais il faut ajouter que cette flamme a tout calciné : la terre, l'eau, l'air et le feu ont disparu; une toupie tourne dans le vide. La fonction du ballet c'est de restituer le monde à la danse, mais en le métamorphosant.

Les dieux, dit-on, ont créé le monde pour l'homme. Mais cela n'est pas évident d'abord, puisqu'il faut gagner notre pain à la sueur de notre front; l'espace, le temps, mille obstacles séparent le désir de l'assouvissement. C'est qu'on prend la jouissance pour une fin dernière. Supposons, au contraire, que l'homme soit né pour agir. Alors l'acte n'est plus cette petite fièvre transitoire, cette petite rupture d'équilibre qui trouble la perfection du repos et qui s'efface et qu'on oublie quand le but est atteint. L'acte c'est l'homme et l'homme n'est qu'en acte et les désirs nous fournissent seulement des prétextes à l'action et les biens de ce monde

1. Cf. 48/167.

sont mis sur notre route pour nous tenter. Ces fruits mûrissent pour nous à la condition qu'on ne les cueille plus pour se nourrir. On mange pour cueillir et l'on cueille pour grimper à l'arbre. Les aliments, les fleurs, les armes, les outils, les obstacles même et les dangers deviennent les accessoires de cette grande forme stable : le mouvement. C'est là ce que veut *figurer* le ballet : au centre, la danse qui est l'action faite pour elle-même et dans la pure gratuité, l'éclosion de l'homme; le monde tourne autour de cet homme qui tourne sur lui-même, comme les planètes autour du soleil, le décor *entre dans la danse*, il est entraîné par la gravitation; le ballet l'absorbe et s'en colore comme il absorbait tout à l'heure la parole, la musique et le chant. Si je marche pour aller puiser de l'eau à la rivière, la marche est travail et malédiction. Mais quand Babilée marche, l'espace est un prétexte pour marcher, il s'offre aux pas pour qu'ils le tracent et le relient, la rivière, les chemins, la terre s'incorporent à la marche et la colorent. Un soir d'octobre, Mallarmé écrivait à Coppée : « Ma promenade me rappelle, par son automne... » La fin du ballet c'est qu'on puisse parler de l'automne d'une danse, de son soleil et de son ciel. Et surtout — puisque Kochno en est l'animateur — de sa lumière. L'intrigue ou, comme on dit, l'argument n'a pas d'autre but : il faut nous montrer dans les désirs et dans les douleurs, dans l'échec comme dans le triomphe des prétextes pour agir, c'est-à-dire pour danser. La mort même est justifiée : voyez ce sphinx ravissant qui se balance, épuisé : sa mort n'est pas, comme les nôtres, l'interruption absurde de la vie, ce coup de ciseau qui vient on ne sait quand, d'on ne sait où; elle entre dans l'acte comme sa terminaison naturelle, elle l'habite dès son commencement, comme l'accord de résolution habite la mélodie : on danse pour mourir, on meurt pour danser. Ainsi le ballet, sans rien nous masquer de la condition humaine, sauve et justifie les malheurs qu'il figure, en les rassemblant comme un troupeau autour de la danse, pur symbole du travail humain. Grâce à Boris Kochno, à Lichine, à Babilée nous pourrons voir chaque soir ce miracle : un monde tout entier hostile et tout entier soumis, un lourd bloc de ciel et de granit, de labeur, de souffrance et de mort qui repose sur de grêles jambes humaines comme sur une pointe exquise et que l'homme ébranle, échauffe, anime et fait tournoyer.

## *Il nous faut la paix pour refaire le monde*[1]

Les imbéciles prennent toujours le parti de la colère : ridicules, s'ils raisonnent, ils pensent intimider par leurs cris. Ils défilent en criant, ils appellent la violence parce que, aux époques de violence, tout le monde est imbécile. Si vous restez calme, vous êtes suspect : si vous refusez de crier, c'est par peur. Guillaume II disait un jour au belliqueux François-Joseph : « Que de bruit tu fais avec mon sabre. » Nos imbéciles font encore plus de bruit avec la bombe atomique des Américains. Si vous leur expliquez que les bombes tomberaient d'abord sur nous, ils diront que vous avez peur.

L'argument est vieux comme le monde. Vous ne croyez pas en Dieu et le chrétien vous dit : tu es athée par orgueil; vous ne voulez pas faire la guerre, et le militaire vous dit : tu es pacifiste par lâcheté. Comme s'il n'arrivait jamais de croire par orgueil ou par lâcheté, comme s'il n'arrivait jamais de se jeter vers la guerre par un héroïsme d'affolement.

Nos tranche-montagnes d'aujourd'hui ressemblent à ces roquets qui se réfugient entre les jambes de leur maître pour aboyer contre les visiteurs : ils hurlent aux chausses de l'U.R.S.S., tapis derrière les jupes américaines. Seulement on a renouvelé depuis peu le vocabulaire belliciste. Si vous aimez la paix, si vous voulez vous y tenir, on ne dit plus que vous êtes un lâche, on vous traite de munichois. Ce n'est qu'une sottise : mais elle court les rues. Il faut donc prendre la peine de la dégonfler.

Qu'est-ce qu'un munichois ? C'est un Français qui, en 1938, a approuvé la capitulation de son gouvernement à Munich. On appellera donc munichois, en 1948, un Français

1. Cf. 48/177.

qui préférera la capitulation à la guerre. Le munichois faisait de la politique à court terme, il ne voyait pas plus loin que le bout de son nez. S'il a reculé la guerre d'un an, il nous a contraints de la faire dans des conditions pires : il a indisposé l'U.R.S.S., laissé démanteler les forteresses de Tchécoslovaquie, il a donné à l'Allemagne le temps de compléter son armement : en un mot, il a livré son pays.

Si donc, nous autres qui ne voulons pas de la guerre, nous sommes munichois, c'est que nous méditons de livrer notre pays. Mais à qui? A l'U.R.S.S.? Aux États-Unis? Il n'est pas besoin de réfléchir longtemps pour voir que la situation s'est retournée depuis 38. En 38, l'Allemagne et la France étaient face à face, c'est à la France que l'Allemagne adressait directement ses exigences. Même si le conflit devait devenir mondial, il était d'abord un épisode de la lutte pour l'hégémonie en Europe. Il fallait se battre ou se soumettre.

La guerre qui menace aujourd'hui est *d'abord* mondiale. Nous n'avons plus l'initiative : deux puissances mondiales se heurtent sur toute la terre. Accepter la guerre, pour nous, c'est accepter la vassalité. C'est dans et par la guerre que nous perdrons le plus sûrement notre autonomie : l'étranger commandera à nos armées, il nous prêtera jusqu'à nos armes.

Il est beau de mourir pour l'indépendance; mais c'est une rare folie que de choisir la dépendance pour être plus sûr de mourir. Gribouille, un jour, vendit son âme au diable contre la corde qui lui servit à se pendre : nos bellicistes lui ressemblent. C'est dans la paix que nous pouvons conserver notre souveraineté nationale; et, parce que nous sommes pour les guerres d'indépendance quand elles sont nécessaires, nous voulons aujourd'hui conquérir l'indépendance par la paix.

Mais ce retournement ne doit pas nous surprendre : nous étions contre la capitulation de Munich, nous autres, munichois de 48. Nos antimunichois d'aujourd'hui, qu'est-ce donc qu'ils souhaitaient à l'époque? La capitulation inconditionnelle. A mieux y regarder, il n'y a pas là d'incohérence : ils ont voulu livrer la France à Hitler, ils veulent, à présent, la livrer aux U.S.A., qui ne tiennent pas tellement, d'ailleurs, à la prendre. Guerre, paix, ils s'en moquent. Il s'agit pour eux d'abattre l'U.R.S.S. S'ils ne voulaient pas se battre contre l'Allemagne nationale-socialiste, c'est qu'ils n'y avaient pas d'intérêt. On a lu cent fois leurs raisonnements dans les journaux d'alors : « Vaincus, nous serons dans les mains de Hitler; vainqueurs, dans celles de Staline. » Nous leur répondions alors que la capitulation sans combat donnerait un tel prestige à l'Allemagne qu'il en résulterait pour nous une défaite aussi grave qu'une guerre perdue. Mais ils s'en moquaient bien; car ils n'avaient qu'un seul ennemi : l'U.R.S.S. Que leur importait l'hégémonie hitlérienne : ils lui abandonnaient volontiers une liberté dont ils ne savaient que faire pourvu qu'on leur laissât leurs biens. C'étaient leurs biens qu'ils voulaient défendre. Leurs biens et le régime de la propriété privée. Ils voulaient la paix, hier; aujourd'hui, ils veulent la guerre. Mais c'est qu'ils ont de la suite dans les idées. Ils refusaient en 1938 le conflit qui pouvait profiter à l'U.R.S.S., ils veulent déclencher, dix ans après, celui qui permettra de l'anéantir.

Mais nous, qui avions pris les positions inverses, nous n'avons pas moins de cohérence; et nous ne sommes pas non plus contre toute guerre. C'est avec la classe ouvrière, *pour* la démocratie et *contre* le totalitarisme que nous refusons la guerre aujourd'hui.

On nous demande de faire la guerre aux Soviets? Fort bien. Mais pourquoi? Demandons-le à nos bellicistes. Il n'est pas besoin de les interroger longtemps : c'est — nous diront-ils — que les Russes entretiennent une armée de « séparatistes » dans notre belle France. N'allons pas plus loin : vouloir entraîner la France dans un conflit avec l'U.R.S.S., c'est être contre la classe ouvrière dans son ensemble. Je ne dis pas que l'U.R.S.S. protège partout et inconditionnellement les travailleurs, je ne dis pas que tous les travailleurs soient communistes, ni qu'on doive souhaiter qu'ils le soient : je dis que ceux qui sont prêts à faire la guerre à l'U.R.S.S. visent avant tout à faire la guerre dans leur propre pays au prolétariat. On l'a bien vu quand la troupe a tiré sur les mineurs. Dans certains journaux, nous avons vu reparaître le vocabulaire martial de 1914. Il n'était question que d'offensives, de conquêtes, de victoires comme dans les communiqués. Nos antimunichois, en écrasant une population affamée qui réclamait du pain s'imaginaient anéantir la Russie tout entière. Si nous sommes « munichois », nous, c'est parce que nous pensons qu'*en tout cas et quel que soit le prétexte*, c'est un crime que de tirer sur le prolétariat.

Nous ne choisissons pas davantage d'être aux côtés de l'U.R.S.S. contre l'Amérique. Nous ne saurions envisager de nous battre contre un peuple démocratique qui a fait preuve bien souvent d'un sens admirable de la liberté. Il est vrai que ce sens est en train de s'obscurcir; mais c'est précisément dans la mesure où les États-Unis craignent la guerre et s'y préparent. Nous ranger dans l'autre camp, c'est précipiter la guerre, inciter les Américains à s'enfermer dans un fascisme de précaution.

Au contraire, tous ceux qui souhaitent la paix en Europe, au lieu de rejeter les États-Unis en bloc, doivent y chercher des alliés contre l'internationale belliciste.

Nous ne voulons pas de la guerre parce que nous n'y sommes pas directement intéressés, parce que nous ne pouvons ni ne voulons choisir entre une démocratie capitaliste et un socialisme autoritaire, parce que le conflit dégénérerait chez nous en guerre civile, parce que notre pays, en tout cas, serait vassalisé et ruiné; si c'est là être munichois, alors vive Munich!

Mais cette comparaison est absurde pour une autre raison encore : être munichois, en 38, c'était ne rien comprendre à l'histoire; nous étions engagés alors dans une double guerre : la guerre impérialiste recouvrait une guerre civile. *Faire la paix* était impossible. Et, aussi bien, les munichois ne *voulaient pas* la faire; ils voulaient différer la guerre, l'éviter au jour le jour. Il s'agissait pour eux de conserver le plus longtemps possible, en reculant le conflit, un régime social qui, par sa structure interne, rendait le conflit inévitable. Il faudrait être naïf pour croire que la paix c'est seulement l'absence de la guerre. Et c'est l'absence provisoire de guerre que voulaient les munichois. Aussi n'avaient-ils qu'un moyen : céder, céder pouce par pouce et sauver du régime ce qui pouvait être sauvé. Cette paix négative et précaire, nous n'en voulons pas, nous : elle n'est pas préférable à la guerre. Refuser de choisir entre l'U.R.S.S. et l'Amérique, ce n'est pas céder à l'une, céder à l'autre, nous laisser ballotter entre elles. C'est faire un choix *positif :* celui de l'Europe, du socialisme et de nous-mêmes. Vouloir la paix, ce n'est pas vouloir sauver ce qui reste d'un régime qui menace ruine; c'est vouloir faire la paix en construisant le seul régime qui, dans sa structure même, soit pacifié : la démocratie socialiste. Nous ne sommes pas des munichois parce que nous ne voulons pas conserver la paix à tout prix — et, d'ailleurs, nous ne considérons pas que cette longue guerre larvée soit une paix. La volonté de paix, aujourd'hui, ne se distingue pas de la volonté révolutionnaire et démocratique. Nous ne sommes pas munichois parce que nous ne voulons pas la paix au nom des biens que nous possédons mais au nom de la tâche que nous avons à remplir.

## *De la vocation d'écrivain* [1]

A l'enfant, l'entreprise d'écrire, de peindre ou de sculpter paraît solaire et faste, toute naturelle; les produits de l'art sont des plénitudes hermétiques qui rutilent dans le monde de tous les jours. Dans les jardins où il joue, les statues sont des spécimens particuliers d'horticulture, destinés à nourrir les pigeons. Un livre, il en connaît d'abord le poids, la forme : c'est un éventail fermé qui s'ouvre en large et craque en lâchant une odeur de champignon. L'usage en demeure mystérieux, mais pas plus que celui d'une foule d'autres objets que les adultes manient d'un air fat et secret quand il leur prend la fantaisie de jouer aux grandes personnes. L'enfant n'imagine même pas la gratuité du livre, et ses parents la lui dissimulent : il n'y a rien d'inutile; il y a simplement des utilités « réservées ».

La *Revue des Deux Mondes* fut longtemps une molle tubéreuse aux intérieurs blancs qu'on posait sur un guéridon et qui s'y fanait au bout d'un mois, jusqu'à ce que, sur une terrasse, au bord de l'eau, je visse un vieillard mauve, l'œil fixe, un plaid sur les genoux : on avait glissé la revue entre ses mains cassables. Elle me parut alors appartenir à cette catégorie d'ustensiles, demi-naturels, traditionnels, à demi froids, bouillottes, tisanes et gilets de flanelle qu'on destine à conserver la vieillesse. Ainsi masque-t-on dès la naissance ce qu'il y a de pervers et de fou dans la littérature, et qu'elle n'est pas un jeu d'arabesques décorant la feuille d'un dépliant, mais un trou dans l'être par où les êtres disparaissent.

Un membre de la Confrérie, M. Léon Groc, s'est trahi en nommant un de ses romans *L'Autobus évanoui*. Eh oui,

1. Cf. 50/203.

évanoui, on ne le lui fait pas dire. L'écrivain considère l'autobus d'un œil sombre : « Puisqu'il ne peut être *à moi*, il ne sera donc *à personne !* » Et toc : il le volatilise. Plus tard, il restituera aux usagers un autobus un peu plus grand que nature, plus coloré, mais sans épaisseur, un simulacre peint dans les airs qui ne peut transporter que des simulacres de voyageurs. Cette entreprise de négation qui appauvrit le monde ne peut s'expliquer que par la sécheresse de cœur et d'autres sentiments négatifs.

Mais l'enfant a grandi au milieu des librairies, des épiceries, des magasins de chaussures; au Bon Marché le livre est un *article* parmi d'autres; le libraire est un honnête homme qui utilise le produit de son travail à nourrir sa famille, l'éditeur est un aristocrate qui consacre ses bénéfices à acheter des immeubles de rapport ou des hôtels particuliers. Il s'agit donc d'une *industrie* qui concourt, avec les autres, à augmenter la richesse nationale. Un livre, c'est un être de plus, un bien productif; les écrivains sont indispensables : si par impossible ils disparaissaient, les ouvriers du Livre tomberaient en chômage, d'où risque de conflits sociaux. On voit l'erreur : naturellement la bonne foi de ces spécialistes, imprimeur, fabricant de papier, éditeur, brocheur, relieur, n'est pas en cause : elle a été surprise. Mais enfin, il se trouve qu'ils ont gaspillé de l'énergie mécanique, des calories, du travail humain pour faire apparaître une absence, une fantasmagorie, le jeu irisé du néant. Mais le propre du néant, c'est de se cacher.

Un esprit non prévenu, que voit-il : un éditeur est un industriel qui s'associe avec un margoulin nommé imprimeur pour produire en série une certaine espèce de marchandises qu'un distributeur répartit entre les détaillants. Ceux-ci les vendent aux consommateurs et les bénéfices sont partagés entre le détaillant, le distributeur, l'éditeur et un décorateur chargé de renouveler l'aspect extérieur du produit, c'est-à-dire la répartition des signes sur les feuilles. L'argent gagné est investi dans de nouvelles entreprises ou remis en circulation. Tout cela est pleinement rassurant : partout l'utile, l'économique, l'être.

La bourgeoisie a si peur du négatif qu'elle se le masque par tous les moyens : l'écrivain, elle le voit comme un rouage de l'industrie du livre, c'est l'inventeur ou le metteur au point des prototypes. Dès lors, on expliquera *par l'être* la production des biens littéraires. Confondant habilement le roman, le poème et le volume qui les porte, on comparera l'écrivain à un arbre fruitier, à une femme enceinte, à une pondeuse. On dit qu'il est *doué;* le don d'écrire est un organe, quelque chose comme les corps jaunes ou les glandes interstitielles. Vous « avez » un joli brin de plume, comme vous « avez » les yeux de votre oncle Randu; mais vous « avez » les yeux de Randu comme vous avez la montre en or des Coint que votre tante tenait de votre grand-oncle, qu'elle vous a donnée le jour de votre naissance, qu'on a mise dans un tiroir, et que vous porterez le jour de votre majorité. La bourgeoisie a volé aux savants la notion encore confuse d'hérédité, et elle en a fait un mythe qui justifie l'héritage. La voix, les yeux, les dents, le caractère se lèguent comme les écus : pourquoi pas le talent? Renan a mis au point la théorie : les vertus familiales s'accumulent lentement, puis un beau jour, l'énergie patiemment épargnée explose en feu d'artifice : voilà le génie, voilà le chef-d'œuvre. Travail, famille, patrie, la terre et les morts, la France aux Français : l'arôme des choses possédées embaume les âmes bourgeoises; le poème, la statue sont les produits d'une distillerie séculaire, le talent naît de la capitalisation et fournit la preuve naturelle de la supériorité du capital sur le travail.

Une seule difficulté : c'est que l'œuvre d'art est une absence. Comment serait-on doué pour le néant? On admettra la transmission de certains caractères physiques [1]. Mais quoi? une musculature, un tempérament sanguin et même une complexion nerveuse pourraient-elles incliner certaines personnes à préférer le gratuit à l'utile et l'imaginaire au réel? Les poètes vont répétant qu'ils voient ce qui ne se peut voir et qu'ils n'aiment rien tant que ce qui n'est pas. Mais l'invisible, quelle conformation héréditaire de la rétine pourrait permettre de le voir? Et le non-être, quels os, quels muscles, quels doigts de le saisir?

*Terre, n'est-ce pas ce que tu veux : invisible*
*en nous renaître?*

écrit Rilke, et Blanchot :

« O nuit... je me penche sur toi, égale à toi, t'offrant un miroir pour ton parfait néant, pour tes ténèbres qui ne sont ni lumière, ni absence de lumière, pour ce vide qui contemple. A tout ce que tu es, et pour notre langage n'es pas, j'ajoute une conscience... »

Si c'est là ce qu'un poète doit être, un aveugle qui voit le rien, un clairvoyant qui ne voit pas l'être, je mets au défi

1. Rien n'est plus contesté que la transmission des caractères *acquis*.

d'expliquer par des données positives, constitution organique ou contenus de conscience, ses activités *négatives.*

Non, je ne crois pas au don. Cela ne signifie pas que n'importe qui puisse n'importe quand décider d'écrire. Mais que la littérature comme la pédérastie représente une issue virtuelle, qu'on invente en de certaines situations et qui, en d'autres, n'est pas même envisagée parce qu'elle ne serait d'aucun secours. Si vous n'écrivez pas bien, c'est que les circonstances ne vous ont pas sollicité, de mettre votre salut dans les mots. Après avoir parlé du « don d'affabulation » d'Oscar Wilde, Robert Merle, dans son excellent livre, se reprend : « C'est trop peu que de parler ici de don. L'affabulation est chez lui une nécessité vitale, puisqu'il ne peut vivre qu'en s'évadant à chaque instant de la vie, en substituant au monde un monde imaginaire... La fable dans les deux acceptions — esthétique et psychologique — du mot, en tant qu'histoire inventée et en tant que mensonge, est le centre même de son œuvre, la loi de son être, la forme de son talent [1]. » Le langage de Merle n'est pas tout à fait le mien, mais il lui faut être reconnaissant d'avoir montré, à la fin d'une longue étude sur un artiste que la *loi d'être* (nous dirions son projet fondamental, son « issue » — et c'est au fond ce que Merle veut dire puisqu'il nous montre Wilde *substituant* ou *s'évadant*, inventant sa défense) et *la forme du talent* par exemple ne font qu'un.

Il n'y a pas de don d'affabulation : il y a la nécessité de détruire virtuellement le monde [2] parce qu'on se trouve dans l'impossibilité d'y vivre. Il n'y a pas de don verbal : il y a l'amour des mots qui est un besoin, un vide, une misère, une attention inquiète qu'on leur porte parce qu'ils paraissent receler le secret de la vie. Le style, c'est un cancer du langage, une plaie cultivée comme celles des mendiants d'Espagne. Il n'y a pas de « sensibilité » : il y a des sentiments obsessionnels. Qui est plus insensible que Baudelaire ? Qui, plus sensible ? Sensibilité et insensibilité naissent en même temps chez lui de l'orgueil, et l'orgueil est sa réaction première à une situation intolérable.

Si la bourgeoisie demeure la pépinière des hommes de Lettres, ce n'est pas que les ouvriers soient moins doués que les bourgeois : mais ceux-ci, lorsque leurs « difficultés d'être » les ont dressés contre leur classe deviennent, à tous les sens du mot, impossibles : ils sont bourgeoisement contre

1. Robert Merle, *Oscar Wilde,* p. 482.
2. Le conte, la fable, le roman.

les bourgeois, en eux l'hydre bourgeoise se mord la queue et cherche à se bouffer elle-même; et puisqu'ils ne peuvent rien détruire qu'ils ne s'abolissent en premier lieu, ils choisiront d'accomplir, comme Mallarmé, comme Flaubert, une destruction symbolique qui laisse tout en état.

Je ne prétends pas qu'il n'y ait — et chez les écrivains bourgeois eux-mêmes — d'autres raisons d'écrire; je le prétends d'autant moins que mes mobiles ne sont pas ceux de Flaubert ou de Jean Lorrain. Mais fît-on les écrits les plus engagés, il faudrait encore expliquer pourquoi l'on a choisi d'agir sur l'être par le truchement du non-être. De ce point de vue, l'honorable Mme Beecher-Stowe elle-même était suspecte. En un mot, il faut deux conditions pour écrire, et deux seulement : la première c'est que la situation qui nous est faite ne comporte pas de meilleure issue. L'amour de la gloire, la culture, l'esprit d'imitation, la fréquentation des beaux esprits, la curiosité et même l'appât du gain peuvent mener des jeunes gens et des femmes à faire un livre. Mais s'ils n'ont que ces motifs d'écrire, le livre sera médiocre ou sans lendemain.

La deuxième condition, c'est que l'issue littéraire soit par chaque écrivain réinventée et voulue comme si personne avant lui n'avait jamais songé à écrire. Car la solution n'est pas inscrite dans les choses et la situation ressemble à la Nature dans l'expérience du physicien : elle dit non, ou ne dit rien. Pour n'avoir pas inventé la littérature, pour s'être fascinés sur le fait aberrant qu'elle existait déjà, nombre de gens dont elle eût été le salut, sont demeurés des songe-creux et des mythomanes. J'ai même vu ce cas : un jeune homme glissait vers la folie. Ses amis lui conseillèrent d'écrire. « Mais, répondit-il, c'est ce que je fais. » Il écrivait, en effet, des livres habiles et distingués, par amour, pour plaire, parce que d'autres avaient écrit. Pour finir, il devint fou : en cultivant les Belles-Lettres, il s'était détourné d'inventer la littérature.

Je ne pense pas, en effet, que le génie naisse de la folie, mais que, dans certaines situations, l'un et l'autre sont deux issues également acceptables : être fou par écrit, ou faire de la littérature orale, c'est, dans certains cas limites, à choisir. Imaginez qu'un géant chauve et moustachu se mette à clamer soudain : « Madame Bovary, c'est moi; je me suis empoisonnée hier, et je sens encore, dans ma bouche, l'affreux goût d'encre de l'arsenic », il a peu de chances d'échapper à l'asile, à moins qu'il ne se réfère très précisément à un ouvrage en cours de publication...

# La Vie commence demain
## *film de Nicole Védrès*

*En 1950, Sartre apparut dans ce film de Nicole Védrès, dans lequel des séquences étaient également consacrées à Jean Rostand, André Gide, Le Corbusier et Picasso.*

*On y voyait débarquer à Paris un jeune provincial en profond désaccord avec son époque. Après une soirée passée dans le Saint-Germain-des-Prés « existentialiste », le jeune homme, indigné, se précipitait chez Sartre, au 42, rue Bonaparte, sur les conseils d'un journaliste. Le jeune homme (interprété par Jean-Pierre Aumont) était accueilli par Jean Cau, alors secrétaire de Sartre, puis celui-ci l'introduisait dans son bureau.*

*

SARTRE : Alors, si je comprends bien, vous me tenez pour responsable de vos mésaventures ?

LE JEUNE HOMME : Responsable, le mot est peut-être excessif, mais vous avez une telle influence...

SARTRE : Mais alors, vous êtes venu ici pour me demander quelque chose ?

LE JEUNE HOMME : Eh bien, imaginez qu'un homme, un homme quelconque, tombe du ciel un soir, en pleine nuit, et s'asseye ici dans votre bureau, un homme qui ne soit pas tout à fait d'accord avec son époque. Qu'auriez-vous à lui dire ?

SARTRE : Je lui dirais d'abord que le fait d'être contre son époque, c'est encore une manière d'être d'accord avec elle.

LE JEUNE HOMME : Vous pourriez peut-être m'expliquer ça.

SARTRE : Bon. Eh bien, de quoi êtes-vous mécontent ?

LE JEUNE HOMME : Oh, comme si vous ne le saviez pas ! De tout : de la bombe atomique et des femmes qui se baladent en pantalon, des grosses bagnoles qui ne s'arrêtent pas quand on fait de l'auto-stop et ça juste le jour où les cheminots trouvent moyen de se mettre en grève, du gouvernement, des impôts, des deux cents familles. Et cette musique, cette peinture, cette sculpture, auxquelles on ne comprend rien. Et la criminalité infantile, les J-3 assassins, vous trouvez que c'est du propre? Ah non, vraiment, c'est une drôle d'époque!

SARTRE : Vous êtes employé de commerce, n'est-ce pas?

LE JEUNE HOMME : Comment le savez-vous?

SARTRE : Mais à ce que vous venez de me dire!

LE JEUNE HOMME : Moi? Je n'ai pas dit un mot de moi!

SARTRE : Vous m'avez renseigné sur vos goûts; vous êtes bien habillé, mais vous avez du ressentiment contre les grosses fortunes et en même temps vous avez contre les ouvriers cette antipathie... fraternelle de la petite bourgeoisie qui tient à se distinguer du prolétariat. Et puis vous avez un tas de lieux communs tout prêts à sortir. Tenez, les grèves, vous n'êtes sûrement pas contre, vous êtes trop sympathique; seulement on dit comme ça, en vendant : les femmes des ouvriers ont des bas de soie, ou bien : les ouvriers mangent du poulet le dimanche, on glisse ça dans l'oreille du client, ça fait sourire et ça fait acheter. Le commerce est une danse de séduction, et comme vous dépendez de la bonne et de la mauvaise humeur des clients, vous vous représentez que tout dans la société dépend de la bonté ou de la méchanceté des gens. Vous croyez que les crises économiques sont dues à la maladresse des gouvernants, le chômage à la paresse des ouvriers. Au lieu d'attribuer les événements à l'action de facteurs généraux et indépendants de notre volonté, vous trouvez plus facile d'en rendre les personnes responsables : ça vous permet de vous mettre en colère. D'abord parce que la colère est un sentiment agréable, ensuite parce que le grand public est mécontent par définition et qu'un bon vendeur doit lui refléter son mécontentement.

LE JEUNE HOMME : Alors, c'est la société qui m'a fait ce que je suis? Et mon mécontentement n'est pas à moi?

SARTRE : En un sens, non. Vous l'avez pris avec le lot.

LE JEUNE HOMME : Eh bien, si la société m'a fait ce que je suis, ça n'est pas moi qui suis responsable d'elle.

SARTRE : N'allons pas si vite. Elle vous a fait, mais vous le lui rendez bien. A partir du moment où vous acceptez d'être ce qu'elle vous a fait, c'est vous qui la faites. Donc, vous êtes mécontent?

LE JEUNE HOMME : Oui.

SARTRE : Mécontent des autres, pas de vous?

LE JEUNE HOMME : Bien entendu, des autres.

SARTRE : Vous êtes innocent, quoi. Innocent de *tout*.

LE JEUNE HOMME : Voilà!

SARTRE : Et vous êtes beaucoup d'innocents en France?

LE JEUNE HOMME : Pas mal, merci. Il y a encore des honnêtes gens.

SARTRE : Si vous êtes si nombreux que ça, vous commencez à ne plus être aussi innocents.

LE JEUNE HOMME : Ça y est, nous voilà coupables!

SARTRE : Écoutez-moi. Les révoltes dans les colonies, bien sûr, ça n'est pas les honnêtes gens qui en sont responsables?

LE JEUNE HOMME : Naturellement non!

SARTRE : Et les grèves des mineurs? Et la guerre froide? Et l'Allemagne? Les difficultés de l'O.N.U?

LE JEUNE HOMME : Bien sûr que ce n'est pas nous!

SARTRE : Et vous n'avez pas honte? C'est toute l'époque que je viens de vous décrire et vous m'expliquez que la puissante confrérie des honnêtes gens la laisse aller à vau-l'eau et n'intervient jamais. A vous tous, vous êtes responsables...

LE JEUNE HOMME : Vous tous? Mais on ne se connaît pas!

SARTRE : Au contraire, vous ne voyez que vous. Vous vous rencontrez partout, dans les magasins, dans la rue, dans les spectacles, vos visages dignes et sévères se renvoient les uns aux autres la mauvaise humeur du siècle, il suffit que deux bourgeois se saluent pour qu'ils se mettent dans un état d'indignation sacrée. Vous avez créé le mécontentement, le racisme, la xénophobie, la psychose de guerre, le marasme des affaires, vous êtes la mauvaise humeur de la France et son complexe d'infériorité.

LE JEUNE HOMME : Moi?

SARTRE : Bien sûr, comme tout le monde.

LE JEUNE HOMME : Oui, mais je n'ai pas l'impression d'être comme tout le monde.

SARTRE : Et vous en avez vu beaucoup, des types qui avaient l'impression d'être comme tout le monde?

LE JEUNE HOMME : Non.

SARTRE : Vous voyez. Vous ressemblez à tous les autres : vous vous prenez pour un original, comme tout le monde, vous êtes un honnête homme, comme tout le monde, un type qui répète tout le temps : c'est pas moi, j'ai rien fait, comme tout le monde. Tout le monde explique que les choses vont comme elles vont à cause de la méchanceté des autres et, comme finalement chacun pense que ce sont les autres qui ont tout fait, chacun est seul et condamne tous les autres à être seul. Vous vous retirez du monde, vous vous croisez les bras et vous jugez de haut, chacun sur une petite île. Vous êtes responsables de la solitude de notre époque et de tous les maux qui découlent de la solitude.

LE JEUNE HOMME : Quels maux?

SARTRE : Par exemple, le crime. Vous avez créé pour les autres l'univers de la faute et du crime. Le Mal, c'est vous qui l'avez inventé : c'est tout ce que vous avez envie de faire et que vous n'avez jamais fait par peur du qu'en-dira-t-on, c'est-à-dire l'opinion de tout le monde. Vous parlez tout le temps du Mal, parce que vous regrettez tellement de ne pas le faire : « Je n'ai pas fauté, mais ce ne sont pas les occasions qui m'ont manqué! » — « Quand on voit ce que font les autres, on se dit qu'on est trop bête! » Le criminel, c'est un type qui vous fascine et que vous haïssez, parce qu'il fait ce que vous avez envie de faire. Toute l'époque est un miroir qui vous renvoie votre visage et vous refusez de le reconnaître. Le criminel, c'est vous, le type du marché noir, c'est vous...

LE JEUNE HOMME : Alors il faut que je dise : le chômeur, c'est moi? Les enfants assassins, c'est moi? Le docteur Petiot, c'est moi? La bombe atomique, c'est moi?

SARTRE : Exactement.

LE JEUNE HOMME : Vous parlez d'un boulot! C'est éreintant!

SARTRE : Pas plus que de passer sa journée à dire : les chômeurs ça n'est pas moi! Les enfants assassins, ça n'est pas moi! La bombe atomique, ça n'est pas moi!

LE JEUNE HOMME : Mais alors, à ce compte-là, Einstein, c'est moi? Charlot, c'est moi? Bernard Shaw, c'est moi? Roosevelt, c'est moi? Staline, c'est moi? Picasso, c'est moi? André Gide, c'est moi?

SARTRE : Attention. Oui, si vous essayez de les comprendre, de comprendre leur œuvre, de l'installer en vous et d'en tirer les conséquences par vos actes. C'est une belle époque, vous savez.

LE JEUNE HOMME : Malgré la bombe à l'hydrogène?

SARTRE : Malgré la bombe à l'hydrogène. Jamais, peut-être, il n'y a eu tant de menaces contre les hommes et jamais les hommes n'ont eu une conscience si claire de leur liberté. Ça ne vous tenterait pas de réunir en vous tout seul toutes les angoisses et toute la conscience des hommes?

LE JEUNE HOMME : C'est selon... Je ne veux pas vous déranger plus longtemps. Mais je suis bien content d'être venu. Vous ne m'en voulez pas?

SARTRE : Je vous en voudrais si vous étiez comme ces

imbéciles qui viennent me faire perdre mon temps pour colporter ensuite des ragots stupides, mais comme je suis sûr que cette conversation vous aidera à regarder d'un peu plus près notre époque, eh bien, je suis content moi aussi.

## *Les Animaux malades de la rage* [1]

Les Rosenberg sont morts et la vie continue. C'est ce que vous vouliez, n'est-ce pas? Hier encore, nous étions leurs camarades, et vous les avez tués au plus vite pour faire de nous leurs survivants. Vous comptez sur le temps pour nous rendre chaque jour un peu plus oublieux, un peu plus coupables envers eux, pour vous rendre un peu moins cruels. Bien sûr. Il y aura des frais : on cassera des vitres de vos ambassades. Mais vous les remplacerez et puis, avec un peu de chance, les flics tireront sur les foules d'Europe et nous aurons des morts tout neufs, bien à nous, pour nous détourner de penser aux deux vôtres.

Vous nous avez déjà fait le coup avec Sacco et Vanzetti et il a réussi.

Cette fois, il ne réussira pas.

Sur un point, vous aurez gain de cause : nous ne voulons de mal à personne; le mépris et l'horreur que vous nous inspirez, nous refusons d'en faire de la haine. Mais vous n'arriverez pas à nous faire prendre l'exécution des Rosenberg pour un « regrettable incident », ni même pour une erreur judiciaire. C'est un lynchage légal qui couvre de sang tout un peuple et qui dénonce une fois pour toutes et avec éclat la faillite du pacte Atlantique et votre incapacité d'assumer le *leadership* du monde occidental. Votre erreur, je vais vous la dire : vous avez cru que l'assassinat des Rosenberg était un règlement de comptes privé. Cent mille voix vous répétaient : « Ils sont innocents. » Et vous répondiez stupidement : « Nous punissons deux de nos citoyens selon notre loi. Ce n'est pas votre affaire. »

1. Cf. 53/240.

Eh bien! justement, l'affaire Rosenberg est notre affaire : des innocents qu'on fait mourir, c'est l'affaire du monde entier. Le porte-parole du Vatican lui-même vous répétait jeudi que « la civilisation se trouve devant un choix d'où dépend son acquittement ou sa condamnation ». On vous le criait de partout : « Attention! Vous vous jugez vous-mêmes en les jugeant; il s'agit de décider si vous êtes des hommes ou des bêtes. »

Comprenez-vous à présent pourquoi nous vous avons suppliés de refaire le procès? Quand nous vous demandions justice pour les Rosenberg, cela voulait dire aussi : « Faites que votre cause soit juste. » Quand nous vous demandions d'épargner leurs vies, cela voulait dire aussi : « Épargnez les vôtres. » Puisqu'on a fait de nous vos alliés, le sort des Rosenberg risquait d'être la préfiguration de notre sort. Vous qui vous prétendez les maîtres du monde, vous aviez l'occasion de prouver que vous étiez d'abord maîtres de vous-mêmes. Mais si vous cédiez à votre folie criminelle, cette même folie, demain, pouvait nous jeter pêle-mêle dans une guerre d'extermination. Personne ne s'y est trompé en Europe : selon que vous donniez la vie ou la mort aux Rosenberg, vous prépariez la paix ou la guerre mondiale.

Il y avait eu les sinistres bouffonneries de MacArthur, les bombardements du Yalu, les flicailleries de MacCarran : chaque fois vous avez fait vos sales coups contre l'Europe et seuls. Pourtant vos partisans gardaient un peu d'espoir : si nos gouvernements n'avaient pas pu faire valoir leur point de vue, c'est qu'ils n'avaient pas su se mettre d'accord, c'est que la France n'avait pas suivi l'Angleterre, c'est qu'ils n'avaient pas les peuples derrière eux. Mais hier, c'est l'Europe tout entière, d'un seul mouvement, avec ses masses, ses prêtres, ses ministres et ses chefs d'État qui a demandé à votre président de faire le geste le plus humain, le plus simple.

On ne réclamait ni vos dollars, ni vos armes, ni vos soldats, non : mais deux vies, deux vies d'innocents.

Avez-vous seulement compris la portée de cette trêve extraordinaire? Les conflits de classes, les vieilles rancunes, tout était mis de côté; les Rosenberg avaient réalisé l'unité européenne. Un seul mot de vous et vous tiriez vous aussi le bénéfice de cette unité : l'Europe entière vous rendait grâces. Vous avez répondu : « L'Europe, on s'en fout. » Bien. Mais ne venez plus nous parler d'alliance. Des alliés se consultent, discutent, se font des concessions mutuelles, chacun d'eux influence les autres. Si vous répondez non quand on vous demande simplement de ne pas vous déshonorer pour rien, comment pourrions-nous croire que vous nous laisserez voix au chapitre quand il s'agira de grands intérêts?

Nous, vos alliés? Allons donc! Nos gouvernements sont aujourd'hui vos domestiques. Nos peuples seront demain vos victimes, voilà tout. Bien sûr, vous allez nous fournir de honteuses excuses : votre président ne pouvait pas se permettre de gracier les Rosenberg, il fallait qu'il lâchât du lest pour imposer ses vues en Corée. En Corée? Allons donc! Il s'y fait bafouer tous les jours par ses propres généraux et par le vieux Syngman Rhee.

Et qu'est-ce que c'est que ce pays dont les chefs sont forcés de commettre des meurtres rituels pour qu'on leur pardonne d'arrêter une guerre?

Nous savons désormais de quel poids nous pesons dans votre balance. Sur un des plateaux, vous avez mis l'univers, et sur l'autre MacCarthy. A l'heure où Rosenberg s'est assis sur la chaise électrique, la balance a penché du côté MacCarthy.

Croyez-vous que nous allons mourir pour MacCarthy? Nous saigner aux quatre veines pour lui offrir une armée européenne? Croyez-vous que nous voulons défendre la culture de MacCarthy? La liberté de MacCarthy? La justice de MacCarthy? Que nous ferons de l'Europe un champ de bataille pour permettre à ce sanglant imbécile de brûler tous les livres? De faire exécuter les innocents et d'emprisonner les juges qui protestent?

Détrompez-vous : jamais nous ne donnerons le *leadership* du monde occidental à l'assassin des Rosenberg.

Vous dites que MacCarthy passera et qu'on ménage en secret sa perte. Et après? Votre MacCarthy a des millions de têtes. Coupez-en une, il en renaîtra cent.

Tenez, j'ai sur ma table une photo prise jeudi dernier à Washington : des hommes bien nourris, bien vêtus et des femmes élégantes défilent pour demander la tête des Rosenberg; au premier rang, une jeune et jolie fille porte une pancarte sur laquelle on peut lire :

« Grillez-les et envoyez leurs corps en U.R.S.S.! »

Vous avez vu ces gens se promener dans vos rues pendant qu'un homme et une femme vivaient leurs dernières heures dans une prison, pendant que deux enfants, désespérés, demandaient en vain qu'on leur rende leurs parents. Vous les avez vus rire, crier, agiter leurs pancartes et leurs bannières et il ne s'est trouvé personne parmi vous pour venir leur casser la gueule. Décidément, il y a quelque chose de pourri en Amérique.

Et ne vous récriez pas qu'il s'agit de quelques excités, d'éléments irresponsables : ce sont eux les maîtres de votre pays, puisque c'est pour eux que votre gouvernement a cédé. Vous rappelez-vous Nuremberg et votre théorie de la responsabilité collective? Eh bien! c'est à vous aujourd'hui qu'il faut l'appliquer. Vous êtes collectivement responsables de la mort des Rosenberg, les uns pour avoir provoqué ce meurtre, les autres pour l'avoir laissé commettre; vous avez toléré que les États-Unis soient le berceau d'un nouveau fascisme; en vain vous répondrez que ce seul meurtre n'est pas comparable aux hécatombes hitlériennes; le fascisme ne se définit pas par le nombre de ses victimes, mais par sa manière de les tuer.

Et pourquoi ce déchaînement de fureur contre un homme et contre une femme à la veille de mourir? Pourquoi cette haine qui a stupéfié l'univers?

Parbleu, c'est qu'on vous a persuadés qu'ils voulaient vous prendre votre bombe. Vous ne vivez tranquilles que si vous êtes seuls à pouvoir détruire la terre. Le président Eisenhower a compté par dizaines de millions les innocentes victimes des Rosenberg; chacun de vous se sent déjà un mort de la guerre future; ce sont des morts qui réclamaient la mort, jeudi, pour les voleurs du secret atomique.

Malheureusement, quand on vous regarde d'Europe, on ne vous prend ni pour des innocents ni pour des morts : des morts innocents, nous n'en voyons que deux : vos victimes. Et quant au secret atomique, c'est le fruit de vos imaginations malades; la science se développe partout au même rythme et la fabrication des bombes est affaire de potentiel industriel.

En tuant les Rosenberg, vous avez tout simplement essayé d'arrêter les progrès de la science par un sacrifice humain. Magie, chasse aux sorcières, autodafés, sacrifices : nous y sommes, votre pays est malade de peur. Vous avez peur de tout : des Soviets, des Chinois, des Européens; vous avez peur les uns des autres, vous craignez l'ombre de votre propre bombe.

Ah! les beaux alliés que vous faites!

Et vous voudriez nous diriger! Vous nous entraînez à la guerre par terreur et vous la perdriez par panique au premier bombardement. Je sais, il y a chez vous des hommes courageux : l'avocat des Rosenberg — celui-là même qui disait hier : « J'ai honte d'être américain » —, le juge Douglas, les membres du comité Rosenberg, des centaines de milliers d'autres : mais que peuvent-ils, sinon courir au martyre?

Et puis il y a les masses qui restent saines et que vous mystifiez : il y a les noirs que vous opprimez, et surtout, il y a cette voix faible qui s'est tue aujourd'hui et qu'on entendait mieux que vos rodomontades, qui disait ces mots admirables : « Nous sommes jeunes, et nous ne voulons pas mourir, mais nous n'accepterons pas de payer la vie à ce prix. »

Après tout, les Rosenberg sont américains et si nous pouvons garder quelque espoir, c'est que votre pays a donné naissance à cet homme et à cette femme que vous avez tués.

Un jour peut-être, toutes ces bonnes volontés vous guériront de votre peur : nous le souhaitons car nous vous avons aimés.

En attendant, ne vous étonnez pas si nous crions, d'un bout à l'autre de l'Europe : Attention, l'Amérique a la rage. Tranchons tous les liens qui nous rattachent à elle, sinon nous serons à notre tour mordus et enragés.

## *Julius Fucik* [1]

Ce livre [2] n'est pas un roman : très modestement, Fucik l'appelait reportage et, d'une certaine manière, il avait raison : tout y est vrai, tout a été vécu. Seulement, c'est un reportage d'un genre assez particulier. Les journalistes ont souvent interviewé des soldats et des ingénieurs, des aviateurs et des scaphandriers; courageux par métier, il arrive à ces hommes — et à d'autres — de pousser le courage jusqu'à l'héroïsme; mais dans les circonstances ordinaires de leur profession, il n'est besoin que d'intelligence et de sang-froid. Fucik est le premier reporter qui écrive sur des héros. Non sur des héros d'occasion, mais sur des hommes qui furent héroïques à chaque minute pendant toute l'année qui sépara leur arrestation de leur mort. Une conception aristocratique du courage à plein temps fait du héros un homme seul, courageux par vocation, supérieur par nature à tous les autres. Mais dans la prison de Prague, il n'était question ni de vocation, ni d'élite : tous les prisonniers étaient héroïques simplement parce qu'il faut, en certaines circonstances, devenir un héros pour rester un homme. Fucik sait tout cela; il sait aussi que ses camarades vont mourir et que leurs noms resteront inconnus. Mais, dit-il, il n'est pas bon que les héros restent anonymes. Il écrira donc sur eux, il dira leur nom, leur âge, il racontera ce qu'ils ont fait : non pour qu'ils deviennent plus tard des objets de culte, mais pour qu'ils témoignent à nos yeux de ce que peut un homme — de ce que peuvent *tous les hommes*.

1. Cf. 54/258.
2. *Écrit sous la potence*, de Julius Fucik (Seghers, éd.).

Son livre retrace, comme vous le savez, la vie de militants communistes dans une prison tchèque entre le mois d'avril 1942 et le mois d'avril 1943 : un an de tortures avec la mort au bout. Ce sujet nous est malheureusement familier : nous avons lu cent témoignages sur les prisons nazies, sur les interrogatoires de la Gestapo, sur les camps de la mort lente et sur les exécutions; mais la lecture en est souvent déplaisante et difficilement supportable : plus que l'indignation, c'est l'abattement qu'elle provoque. Quand on a fini de lire et, parfois même, avant d'avoir fini, on repousse le livre très vite, avec une sorte de rancune; c'est que les auteurs décrivent ce qu'ils ont vu, ce qui les a effrayés, ce qui *devait* les frapper d'abord : le triomphe du mal. Ils veulent peindre avant tout la terreur qui régnait dans les cachots, ou dans les baraques; ils décrivent minutieusement l'organisation concentrationnaire; avec un grand luxe de détails, avec un horrible pittoresque, ils rapportent les traits ou les épisodes qu'ils jugent les plus propres à mettre en lumière le sadisme des geôliers; ils s'appliquent à montrer les techniques d'avilissement. Quand ils parlent des captifs, c'est pour nous faire mesurer leur impuissance et leur désespoir. Tous leurs maux leur viennent du dehors; ils ne peuvent que les subir. Les plus forts « tiennent », les plus faibles se laissent glisser dans la mort. Des uns comme des autres, nous voyons la progressive déchéance. Ce que nous en retenons, c'est qu'il y a des circonstances où il est impossible d'être un homme : on devient un singe ou un mort. Dans ces livres, bien sûr, il y a des hommes braves qui résistent aux tortures et meurent sans parler. Mais le sentiment habituel, même chez ceux-là, c'est la peur. Ils ne craignent pas de souffrir ni de mourir : ils ont peur d'eux-mêmes, ils redoutent que la souffrance ne leur arrache un nom, un renseignement. C'est que leurs bourreaux, avec leur énorme pouvoir, leur sadisme inventif et leurs instruments de supplice, finissent par ressembler à des diables : ils semblent à la fois supérieurs et inférieurs aux hommes. A la longue, le détenu en arrive à penser que les puissances maléfiques des nazis sont irrésistibles : s'ils veulent vous faire parler, les plus fortes chances sont pour que vous parliez. Et ceux qui ne parlent pas, c'est qu'ils ont reçu le secours d'une grâce particulière. Un simple hasard fait qu'un prisonnier est interrogé à la fin de la journée : il se tait, mais, à l'en croire, si l'interrogatoire avait eu lieu le matin, il était perdu. Des écrivains qui n'ont été ni torturés ni même captifs, pour ravaler l'héroïsme des résistants au niveau des médiocres vertus bourgeoises ont été plus loin encore : tout s'explique par la chance. Soumis au supplice de la baignoire, cet homme sent ses nerfs craquer : il décide de parler. En intention, il a trahi. Un hasard providentiel veut qu'il ait avalé trop d'eau. Il étouffe à moitié et ne peut que tousser. L'instant d'après, il s'est repris. Bref, on veut nous faire croire que les héros sont des traîtres qui n'ont pas eu le temps de trahir. Et que pouvons-nous dire, nous qui n'avons pas connu les tortures? Pouvons-nous récuser ces témoignages : on nous dit qu'on devient traître par défaillance. Qui nous prouve que nous aurions tenu le coup? Tout le monde, nous dit-on, peut avoir un moment de faiblesse. Allons-nous condamner toute une vie sur une minute? Vous voyez le piège qu'on nous tend, il s'agit de nous faire croire qu'on est homme *par hasard*.

Ce qui impose l'admiration quand on lit *Écrit sous la potence*, c'est que Fucik nous montre très exactement le contraire : en l'homme et hors de l'homme, le hasard, c'est l'inhumain. Dès les premières lignes, j'avais deviné qu'il allait être pris et torturé; ce livre, qui s'achevait par la mort de son auteur, je devinais qu'il débutait par des supplices. J'ai failli le refermer, et puis, j'ai continué et peu à peu mon horreur s'est atténuée, elle a fini par disparaître : pourtant, ce témoignage aurait dû me paraître d'autant plus intolérable qu'il est écrit au jour le jour; je *voyais* Fucik s'affaiblir d'une nuit à l'autre; *j'assistais* à ses interrogatoires. Qu'est-ce donc qui distingue son ouvrage de tous les autres? C'est, je crois, que Fucik n'a jamais peur de lui-même : il sait que, quoi qu'il arrive, à aucun moment, il ne sera tenté de parler. Non qu'il se crispe, qu'il s'acharne à se taire : simplement il est tel qu'il ne *peut pas* livrer ses camarades, et il le sait. Dès qu'il entre dans la salle de l'interrogatoire, tout ce qui peut lui arriver, il le sait, c'est de mourir dans les camps. Et cette mort même, il ne la redoute pas. Si elle vient pendant qu'on le frappe, elle le délivrera. Du coup, les tortionnaires perdent leur atroce pouvoir et leur grande apparence démoniaque s'évanouit; ils peuvent l'écraser sous les coups mais c'est tout juste ce que peut une grosse fièvre. En aucun cas leur volonté d'homme ne se substituera à la sienne. L'impuissance change de bord : ces démons sont de pauvres diables, des fonctionnaires zélés et piteux, des brutes qui frappent faute de pouvoir parler, des lâches. Ils ne comptent pas plus que le choléra ou la peste. Pourquoi s'occuper d'eux : laissons-les dans l'ombre.

Les peintres du Moyen Age nous montraient le Christ, ses plaies, la couronne d'épines. De ses tourmenteurs ils ne peignaient que les mains. Des mains sans corps qui donnaient des soufflets ou brandissaient un fouet. Ainsi, Fucik ne nous fait guère voir que les mains de ses tortionnaires nazis, pâles araignées qui grimpent le long de son corps et qu'il ne regarde pas. Ou bien, s'il parle d'eux, c'est sans haine parce que la haine enveloppe un certain respect. Que dire de ces pauvres bougres qui sont, tout à la fois, parfaitement criminels et presque irresponsables? On ne peut que les décrire, comme une espèce animale, avec une froide intelligence de leurs motifs et des facteurs qui conditionnent leur conduite. Comme une espèce animale? Non, pas tout à fait; on devine, sous l'objectivité, un curieux mélange de mépris invincible et de fraternité : et ce n'est pas à eux que cette fraternité s'adresse mais à ce qu'ils auraient pu être; ces bêtes féroces, après tout ne sont que des hommes manqués. Du coup, nous sommes délivrés de l'horreur : le livre de Fucik est écrit contre la peur, sous toutes ses formes. Même la peur fascinée que nous avions de nous-mêmes, il nous en débarrasse. Nous nous demandions : « Aurais-je tenu le coup, aurais-je su résister aux défaillances? » La sévérité de Fucik nous fait voir que la question est mal posée. Un de ses camarades, un seul, a parlé. Fucik rapporte le fait sobrement et nous pouvons croire, au premier abord, qu'il l'explique comme les auteurs dont je vous parlais, par un effondrement nerveux. Mais nous ne tardons pas à nous apercevoir qu'il s'agit de tout autre chose : car Fucik *ose* juger sur un instant d'oubli la vie entière de son camarade. Et cette sévérité n'est que l'envers d'une confiance absolue dans les forces humaines. Si vous envisagez en elle-même comme une minute isolée la défaillance qui fait d'un militant un traître, il est vrai que rien ne vous garantit contre elle. Mais si vous considérez qu'aucune minute d'une existence humaine n'est le simple produit du hasard, si vous demandez compte à l'homme entier, au communiste, au militant de la faiblesse la plus passagère, alors c'est la vie entière de chacun qui décide de son attitude devant la torture. Il a parlé, dit Fucik, parce qu'il a manqué de foi. Si vous avez suffisamment aimé, si vous vous êtes donné sans réserves à votre entreprise, vous êtes pour toujours à l'abri des défaillances. Ce n'est pas à l'instant des supplices qu'on peut inventer le courage d'y résister. Si nous le trouvons en nous, c'est qu'il était déjà là. C'est la fidélité, l'espoir, l'amour qui nous le donnent. Ainsi, le plus difficile est mis tout à coup à la portée de chacun. L'héroïsme n'est ni un but absolu ni une vocation. Mais on deviendra héros si l'occasion l'exige, quand on aura appris tout simplement à faire son métier d'homme, c'est-à-dire quand on sait aimer jusqu'au bout ce qu'on aime.

## *Tableau inédit de* Nekrassov [1]

*Le journal anticommuniste* Soir à Paris *a publié la liste des 20 000 personnes qui seraient fusillées si les troupes soviétiques occupaient Paris. Cette liste imaginaire est destinée à frapper les esprits. La candidate du gouvernement aux élections partielles de Seine-et-Marne, Mme Bounoumi, compte sur l'effet produit pour amener son concurrent radical Perdrière à se désister. Elle donne même une réception aux « futurs fusillés » et Perdrière est invité. Les scènes suivantes sont extraites d'un tableau inédit : Le Bal des Futurs Fusillés.*

JULES, *à Nerciat :* Bonjour, mon cher Président.

NERCIAT : Bonjour, Palotin, que dites-vous de notre réception?

JULES : Très réussie. Mais le public est un peu mêlé. Nous avons invité les fusillés mineurs.

NERCIAT : Que voulez-vous : il fallait inviter tout le monde ou personne. Mais je reconnais avec vous que cette liste est faite en dépit du bon sens et que nous sommes exposés à rencontrer nos fournisseurs.

UN INVITÉ, *serrant la main de Nerciat au passage :* Bonjour, cher ami. Cette fête est charmante; de ma vie je ne me suis tant amusé.

*Il passe.*

JULES : En voilà un qui est content.

NERCIAT : Oui. Trop.

JULES : Ça lui passera. Vous n'avez pas remarqué : il y a pas mal de gens qui sont un peu pâlots.

NERCIAT : Déjà.

JULES : Vous n'avez qu'à regarder, on se croirait sur le Calais-Douvres, par gros temps, une heure après le départ.

1. Cf. 55/266.

NERCIAT : Je voudrais bien vous croire, mais je crains que ce ne soit un effet de lumière. Où est Nekrassov?

JULES : Il ne tardera pas.

NERCIAT : Je compte sur lui pour animer la réception. *(Mme Bounoumi est entrée. Quarante ans. Fraîche, mais énorme.)* Voilà notre chère hôtesse.

JULES : Bonjour chère amie.

MADAME BOUNOUMI : Bonjour. Vous n'avez pas vu Perdrière?

JULES : Pas encore.

MADAME BOUNOUMI : Vous êtes sûr qu'il viendra?

JULES : Il l'a promis.

MADAME BOUNOUMI : Mon Dieu, faites qu'il vienne? *(Aux autres :)* S'il vient, il est cuit.

*Entre Cocardeau.*

COCARDEAU : Mon cher Jules, si vous me présentiez à Madame Bounoumi...

JULES : Chère madame, puis-je vous présenter notre grand écrivain Jérôme Cocardeau...

MADAME BOUNOUMI : Monsieur, je vous admire depuis longtemps.

COCARDEAU : Merci. *(Baise-main à Jules.)* Je souhaiterais qu'on me photographiât! *(Jules fait un signe au photographe.)*

LE PHOTOGRAPHE : Un groupe?

COCARDEAU : Un groupe d'abord.

LE PHOTOGRAPHE : Veuillez sourire. *(Un temps.)* Vous ne voulez pas?

JULES : Mais nous sourions!

MADAME BOUNOUMI : Non, cher ami, vous ne souriez pas.

JULES : Tiens! *(Regardant Mme Bounoumi.)* Vous non plus.

MADAME BOUNOUMI : Ah! je croyais... *(Sourire forcé.)* Voilà.

JULES : Voilà, voilà!

*Sourire forcé. Ils sourient tous. Photo.*

COCARDEAU, *au photographe :* A présent, j'aimerais que vous preniez une photo de moi. Non. Pas ici. Trouvez un cadre qui suggère ma solitude.

LE PHOTOGRAPHE : Peut-être si l'on ouvrait la fenêtre...

COCARDEAU : C'est cela, sur fond de nuit. *(Il va à la fenêtre, l'ouvre à deux battants et se place devant elle.)* Ai-je l'air seul?

LE PHOTOGRAPHE : Ma foi...

COCARDEAU : Très bien. Faites vite. *(Photo. Il rejoint le groupe.)* Je passe mon temps à fuir les photographes, mais en cette occasion, je ne puis me dérober.

MADAME BOUNOUMI : N'est-ce pas? Il me semble que c'est un devoir.

COCARDEAU : Un devoir, très exactement. Il faut mettre la France au courant de la terrible menace qui pèse sur ses défenseurs. J'ai toujours su que je périrais de mort violente.

MADAME BOUNOUMI : Comme c'est intéressant. Pourquoi donc ?

COCARDEAU : Mon style.

MADAME BOUNOUMI : Plaît-il ?

COCARDEAU : Je parle de mon style : sa concision a facilement l'air hautain. Montherlant me disait un jour : « C'est comme le fameux port de tête : on est bon pour la guillotine. » Il avait raison : à la première belle phrase qui naquit de ma plume, j'ai entendu les hurlements futurs de la masse et j'ai su qu'on m'avait condamné à mort. Mais ce n'est pas le tout de connaître son destin : il faut l'annoncer aux autres. Grâce aux révélations de Nekrassov et à votre charmante réception, madame, nous portons la mort sur nos visages. Déjà mes intimes me regardent avec une ferveur nouvelle : comme si j'étais sacré. Nous *sommes* sacrés, chers amis.

NERCIAT : C'est ma foi vrai.

COCARDEAU : Tout le monde n'a pas la chance d'être mort de son vivant. Vous savez qu'on donne ma pièce demain au théâtre Hébertot...

NERCIAT : *Scipion l'Africain* ?

COCARDEAU : C'est cela. La générale a lieu mardi. Je suis curieux de savoir si les critiques oseront m'éreinter. Que fera Boudin ?

MADAME BOUNOUMI : Boudin ?

JULES : C'est le critique de *Soir à Paris*. Il vous admire, cher Maître.

COCARDEAU : Bien sûr : mais c'était bon de mon vivant. A présent que je suis mort, je voudrais qu'il me respectât.

JULES : N'ayez crainte : je suis mort moi-même et je lui apprendrai le respect qu'il vous doit.

COCARDEAU : Ce qui m'ennuie, c'est que Jean-Jacques Gautier est sur la liste. Il va me mettre en pièces : de mort à mort on ne se respecte pas. Est-il ici ?

MADAME BOUNOUMI : Je l'ai aperçu dans le grand salon.

COCARDEAU, *s'inclinant* : Excusez-moi; je vais lui dire deux mots.

*Il sort.*

UN INVITÉ, *s'approchant :* Mes félicitations, chère amie.

MADAME BOUNOUMI : Votre femme n'est pas avec vous ?

L'INVITÉ : Eh bien ! n'est-ce pas, étant donné qu'elle ne figure pas sur la liste...

MADAME BOUNOUMI : La belle affaire; voyez, Martine et Carole sont venues.

MARTINE, *s'approchant* : Quelle soirée mer-veilleuse!

CAROLE : Tous ces hommes qu'on va tuer et qui sourient : quel moral mer-veilleux!

MADAME BOUNOUMI : Monsieur Sajerat n'a pas amené sa femme!

MARTINE : Oh! mais c'est très vilain : nous autres épouses, nous avons le droit d'être ici, vous savez bien que nous mourrons de votre mort.

CAROLE : Moi, c'est bien simple : si on me le tue, je m'empoisonne.

MARTINE : C'est que tu n'es pas sûre de toi, ma chérie. Moi, je ne prendrai pas de drogue : à l'heure de l'exécution mon cœur s'arrêtera de lui-même.

*Elles s'éloignent.*

MADAME BOUNOUMI : Braves petites femmes!

NERCIAT : Braves petites Françaises!

UN AUTRE INVITÉ, *s'inclinant* : Bravo, madame! Quelle bonne humeur! Quel panache!

*Il passe.*

MADAME BOUNOUMI : Trop de bonne humeur.

NERCIAT : Oui. Trop de bonne humeur.

MADAME BOUNOUMI : Comment impressionner Perdrière si l'atmosphère ne change pas?

JULES : Attendez un peu : ils sont si nombreux qu'ils finiront bien par se faire peur les uns aux autres. *(Dans le grand salon, une femme éclate d'un rire hystérique.)* Vous voyez que cela commence. *(Entre Champenois, rasant les murs.)* Hé! Champenois!

CHAMPENOIS, *effrayé* : Je te serais reconnaissant de ne pas prononcer mon nom.

JULES : Qu'est-ce que cela peut te faire : de toute façon, il est sur la liste. *(A Nerciat :)* Connaissez-vous Champenois, le rédacteur en chef du *Bonnet phrygien*? *(A Champenois :)* Monsieur Nerciat, le nouveau président de notre conseil d'administration. *(Nerciat et Champenois se serrent la main.)*

CHAMPENOIS : Jamais je n'aurais dû venir ici : j'ai fait une folie.

JULES : Et pourquoi donc?

CHAMPENOIS : Tu en as de bonnes mon vieux! Mais je suis de gauche, moi : dix pour cent de mes lecteurs sont des ouvriers.

NERCIAT : Qu'est-ce que cela peut faire? Nous sommes entre Français, ici, et vous appartenez à cette vieille gauche bien française dont nous, les modérés, nous serions les premiers à regretter la disparition. *(Geste de Champenois.)* Si, si, je lis vos éditoriaux et je salue en vous un Français véritable : un irréductible ennemi du parti de l'étranger.

CHAMPENOIS : Permettez : je suis l'irréductible ennemi du parti communiste, mais je tiens à préciser que je ne fais pas d'anticommunisme systématique.

NERCIAT : La nuance m'échappe.

CHAMPENOIS : L'anticommunisme est une manœuvre de la droite : moi j'attaque le P. C. parce que je suis plus à gauche que lui.

NERCIAT : Mais vous défendez le pacte Atlantique ? Et le réarmement allemand ?

CHAMPENOIS : Pour des raisons de gauche, monsieur.

JULES : Ne prends pas tant de peine pour te distinguer de nous; tu sais bien que nous serons fusillés ensemble.

CHAMPENOIS : Oui, mais moi, je tomberai à gauche. *(Un photographe s'approche.)* Qu'est-ce qu'il veut, celui-là ? C'est un photographe, Jules ! Ne me joue pas ce tour-là. *(Jules fait un tour derrière Champenois. Photo.)* Tu ne la publieras pas cette photo, dis, tu ne la publieras pas. J'ai une clientèle ouvrière et je...

JULES : Sois tranquille !

CHAMPENOIS : Je m'en vais ! Je m'en vais ! Je n'aurais jamais dû venir ici.

*Il sort.*

NERCIAT : Qu'est-ce qu'il est venu faire ?

JULES : Je ne sais pas : voir sa mort sur la tête des autres. *(Brusquement :)* Voilà Perdrière.

MADAME BOUNOUMI, *allant au-devant de Perdrière* : Mais c'est Perdrière ! Bonjour mon loyal adversaire.

PERDRIÈRE : Bonjour, ma tendre ennemie.

MADAME BOUNOUMI : Toujours irréductible ?

PERDRIÈRE : Plus que jamais.

MADAME BOUNOUMI : Qu'importe : la vie nous sépare, la mort nous réunira. Qui sait si l'on ne jettera pas mon corps sur le vôtre !

JULES, *à Nerciat* : Heureusement qu'il sera mort, le pauvre.

MADAME BOUNOUMI : Soyons amis. *(Elle lui tend la main. Il la prend.)*

JULES, *aux photographes* : Photo. *(Flash.)*

MADAME BOUNOUMI : Paulo ! Marco ! *(Deux enfants entrent en courant.)* Je vous présente deux futurs petits orphelins.

PERDRIÈRE, *sans comprendre* : Orphelins...

MADAME BOUNOUMI : Orphelins de mère : ce sont deux de mes fils. Dites bonjour au monsieur, les enfants.

PAULO : Sans rancune, monsieur.

MARCO : Sans rancune.

PERDRIÈRE : Pourquoi dites-vous : sans rancune, mes enfants?

PAULO : Parce que vous allez faire tuer notre maman.

MADAME BOUNOUMI, *aux enfants* : Voulez-vous bien vous taire!

PERDRIÈRE : Je ne comprends pas...

MADAME BOUNOUMI : Eh bien! n'est-ce pas, ces enfants sont simplistes : ils se disent que votre hostilité au réarmement de l'Allemagne risque de créer en Europe un vide militaire dont la conséquence fatale sera notre extermination.

PERDRIÈRE : Vous ne devriez pas parler politique devant eux.

MADAME BOUNOUMI : Allez, mes enfants! Allez jouer au jardin pendant que vous avez encore une mère.

PAULO, *à Marco* : On va jouer aux orphelins : ça c'est marrant. *(Rire hystérique. Perdrière sursaute.)*

PERDRIÈRE : Qu'est-ce que c'est que ça?

MADAME BOUNOUMI, *s'approchant du grand salon* : C'est Jeanne Chardin, la grande romancière : elle raconte son exécution.

UN INVITÉ, *à un autre :* Savez-vous que le peloton d'exécution se tient à moins de deux mètres des condamnés?

L'AUTRE INVITÉ : Si près? Je demanderai qu'on me bande les yeux.

PREMIER INVITÉ : Moi, je me tâte. J'aime bien regarder le danger en face.

*Ils passent.*

PERDRIÈRE, *scandalisé :* Permettez-moi de vous dire, chère amie, que cette réunion a quelque chose de malsain.

## *Brecht et les classiques*[1]

En certains côtés, Brecht est nôtre. La richesse et l'originalité de son œuvre ne doivent pas empêcher les Français d'y redécouvrir leurs anciennes traditions, enterrées par le XIXe siècle romantique et bourgeois. La plupart des pièces contemporaines s'efforcent de nous faire croire à la réalité des événements qui se déroulent sur la scène. De leur vérité par contre, elles ne se préoccupent guère : si l'on sait nous faire attendre et redouter le coup de revolver final, s'il nous casse bien les oreilles qu'importe son invraisemblance ? Nous « marchons ». Et ce n'est pas tant l'exactitude du jeu que le bourgeois admire chez les acteurs, c'est une qualité mystérieuse, la « présence ». La présence de qui ? Du comédien ? Non, mais de son personnage : si Buckingham paraît en chair et en os, nous lui laissons dire toutes les sottises qu'il voudra. C'est que la bourgeoisie ne croit qu'aux vérités particulières.

Brecht n'a guère subi, je crois, l'influence de nos grands auteurs ni celle des tragiques grecs qui leur servaient de modèles : plutôt que les tragédies, ses pièces évoquent d'abord des drames élisabéthains. Et, pourtant, il a ceci de commun avec nos classiques, avec les classiques de l'antiquité qu'il dispose d'une idéologie collective, d'une méthode et d'une foi : comme eux, il replace l'homme dans le monde, c'est-à-dire dans la vérité. Ainsi, le rapport du vrai et de l'illusoire se renverse : comme chez eux, l'événement représenté dénonce lui-même son *absence :* il a eu lieu autrefois ou bien il n'a jamais existé, la réalité se dissout dans la pure apparence ; mais ces faux-semblants nous révèlent les lois véritables qui régissent la conduite humaine. Oui, pour Brecht,

1. Cf. 57/292.

comme pour Sophocle, comme pour Racine, la Vérité existe : l'homme de théâtre n'a pas à la *dire*, mais à la *montrer*. Et cette entreprise orgueilleuse de montrer les hommes aux hommes sans recourir aux sortilèges douteux du désir ou de l'effroi, c'est, à n'en point douter, ce qu'on nomme un classicisme. Brecht est classique par son souci de l'unité : s'il existe une vérité totale, le véritable objet théâtral, c'est l'événement tout entier qui brasse les couches sociales et les personnes, qui fait du désordre individuel le reflet des désordres collectifs et dont l'évolution violente met au jour les conflits et l'ordre général qui les conditionne. Pour cette raison, ses pièces ont une économie classique : certes, il ne se soucie pas d'unifier par le lieu, par le temps; mais il élimine tout ce qui risque de nous distraire; il refuse les inventions de détails s'ils doivent nous faire manquer l'ensemble. Il ne veut point *trop* émouvoir pour nous laisser à chaque instant l'entière liberté d'écouter, de voir et de comprendre. Pourtant, c'est d'un monstre terrible qu'il nous parle : du nôtre. Mais il veut en parler sans nous terroriser; le résultat, vous allez le voir : une image irréelle et vraie, aérienne, insaisissable et multicolore, où les violences, les crimes, les folies et le désespoir deviennent l'objet d'une contemplation calme comme ces monstres « par l'art imité » dont parle Boileau.

Faut-il donc penser que nous allons rester impassibles sur nos sièges pendant qu'on crie, qu'on torture et qu'on tue sur la scène? Non, puisque ces assassins, ces victimes, ces bourreaux ne sont autres que nous. Racine, lui aussi, parlait d'eux-mêmes à ses contemporains. Mais il avait soin de les faire voir par le gros bout de la lorgnette. Dans la préface de *Bajazet*, il s'excuse d'avoir porté sur la scène une histoire récente : « Les personnages tragiques doivent être regardés d'un autre œil que nous regardons d'ordinaire les personnages que nous avons vus de si près. On peut dire que le respect qu'on a pour le héros augmente à mesure qu'il s'éloigne de nous... L'éloignement des pays répare en quelque sorte la trop grande proximité du temps. » Voilà une bonne définition de ce que Brecht, à son tour, nomme « effet d'éloignement ». Car le respect dont parle Racine, quand il s'agit de la sanguinaire Roxane, c'est surtout, c'est exclusivement une manière de couper les ponts. On nous montre nos amours, nos jalousies, nos rêves de meurtre et on nous les montre à froid, séparés de nous, inaccessibles et terribles, d'autant plus étrangers que ce sont les nôtres, que nous croyons les gouverner, et qu'ils se développent hors de notre atteinte, avec une impitoyable rigueur que nous découvrons et reconnaissons tout à la fois. Tels sont aussi les personnages de Brecht : ils nous étonnent comme des papous, comme des canaques et nous nous retrouvons en eux sans que notre stupeur diminue. Ces conflits, grotesques ou dramatiques, ces fautes, ces veuleries, ces misères, ces complicités, tout est nôtre. Si, du moins, il y avait un héros : le spectateur, quel qu'il soit, aime s'identifier à ces personnages d'élite qui opèrent en eux et pour tout le monde la réconciliation des contraires et la destruction du Mal par le Bien. Même brûlé vif, même coupé en morceaux, il rentre chez lui à pied, si la nuit est belle, en sifflotant, rassuré. Mais Brecht ne met pas des héros en scène, ni des martyrs — ou bien, s'il raconte la vie d'une nouvelle Jeanne d'Arc, c'est une enfant de dix ans : nous n'aurons pas la chance de nous identifier à elle; tout au contraire, l'héroïsme, enfermé dans l'enfance, nous paraît d'autant plus inaccessible. C'est qu'il n'y a pas de salut individuel : il faut que la Société se change tout entière; et la fonction du dramaturge reste cette « purification » dont parlait Aristote; il nous découvre ce que nous sommes : victimes et complices à la fois. C'est pour cela que les pièces de Brecht émeuvent. Mais notre émotion est très singulière : c'est un malaise perpétuel — puisque nous sommes le spectacle en suspens dans un calme contemplatif — puisque nous sommes les spectateurs. Ce malaise ne disparaît pas quand le rideau tombe; il grandit, au contraire, il rejoint notre malaise quotidien, ignoré, vécu dans la mauvaise foi, dans la fuite et c'est lui qui l'éclaire. La « purification » s'appelle aujourd'hui d'un autre nom : c'est la prise de conscience. Mais n'était-ce pas aussi une prise de conscience — en un autre temps, avec un autre contexte social et idéologique — ce calme et sévère malaise provoqué au XVIIe siècle par *Bajazet* ou par *Phèdre* dans l'âme d'une spectatrice qui découvrait tout à coup l'inflexible loi des passions humaines? C'est pour cela que le théâtre de Brecht, ce théâtre shakespearien de la négation révolutionnaire, m'apparaît aussi — sans que son auteur en ait jamais eu le dessein — comme une extraordinaire tentative pour renouer au XXe siècle la tradition classique.

# *Entretien de Sartre avec Francis Jeanson* [1]

*— On a dit que la gauche française, universaliste par essence, était déconcertée par le nationalisme des combattants algériens. Est-ce votre avis ?*

— Non. Il se peut qu'il y ait dans l'abstrait une contradiction formelle entre nationalisme et universalisme. Mais dans le développement réel de l'Histoire, les formations de gauche ont toujours été nationalistes et internationalistes à la fois. Le socialisme, comme réalité universelle, n'a jamais existé que dans les esprits. Du jour où il s'est incarné dans un pays déterminé, il a révélé sa vraie nature : c'est un chemin pénible et sanglant vers le Mieux et qui portera longtemps la trace des circonstances particulières de son développement. Mais si l'U.R.S.S., avec toutes ses contradictions, peut être considérée comme la patrie du socialisme, il ne faut pas en conclure que tous les ouvriers communistes de France sont des nationalistes russes. Bien au contraire, l'évolution historique devait — au nom même de la défense du socialisme en U.R.S.S. — les constituer comme des nationalistes français.

« Du reste, c'est la guerre de 39 qui a produit et défini la majorité des hommes de gauche contemporains. Or il ne faut pas oublier que, sous l'occupation, deux faits en apparence contradictoires mais en réalité complémentaires se sont produits : l'union des forces de la Résistance s'est faite sur un programme *national* et particulariste (chasser les occupants de France) et non sur un programme universaliste et social; les conditions de la lutte contre les ennemis "radi-

1. Cf. 59/329.

calisaient" les résistants; cela signifie que l'ensemble de ces mouvements nationalistes se "gauchissait" à mesure que leur combat s'intensifiait. En 1944, chez presque tous les Français, le particularisme national était indissolublement lié à un humanisme révolutionnaire. On sait comment la droite, avec la complicité des Américains, s'arrangea pour leur voler une fois de plus la victoire. Par la suite — cette suite qui dure encore — l'attitude de la gauche française en face des "blocs" fut une réaffirmation du nationalisme. Contre le pacte Atlantique et ses conséquences, la gauche conçut ce qu'on pourrait appeler une internationale des nationalismes : l'indépendance et la souveraineté nationale lui parurent, en chaque pays, le seul moyen de freiner la course à la guerre. On répétait volontiers vers 1950 que, dans ce moment historique, le nationalisme est progressiste. Il l'eût été en effet si les nations avaient su s'arracher aux conglomérats aveugles et terrorisés qui les retenaient prisonnières, pour se souder entre elles par des pactes réciproques de non-agression.

« Il est donc parfaitement incroyable que les hommes de gauche puissent se déclarer effrayés par le nationalisme des Algériens : certes ce nationalisme — comme toutes les réalités historiques — enveloppe des forces contradictoires. Mais ce qui doit compter pour nous tous, c'est que le F.L.N. conçoive l'Algérie indépendante sous la forme d'une démocratie sociale et qu'il reconnaisse, en pleine lutte, la nécessité d'une réforme agraire. Quelle que soit l'origine de ces combattants, quelle que puisse être pour eux l'importance de la foi religieuse, les circonstances de leur lutte les entraînent vers la gauche comme firent celles de notre Résistance entre 40 et 45.

« Si le nationalisme algérien effraie certains groupes de gauche qui devraient y reconnaître leur propre expérience et leur propre passé, ce n'est pas du tout que nous soyons devenus de purs universalistes. Mais — et c'est là qu'il faut se méfier de la mystification — la raison profonde est au contraire *notre* nationalisme. Contre l'impérialisme des blocs, la gauche se veut "française". Mais à partir de là, elle se laisse prendre aux mythes du nationalisme de droite. Elle a peur de "trahir", elle quête les approbations de tous les Français, elle réclame un brevet de patriotisme. De là naît la terreur. Il n'est pourtant pas difficile de voir que le nationalisme universaliste — qui réclame la souveraineté française pour sauver la paix du monde — doit vouloir, au nom du patriotisme lui-même, la fin d'une guerre qui nous met chaque jour un peu plus dans la dépendance de l'étranger; rien ne l'empêche, dans cette perspective, de *reconnaître* le nationalisme algérien comme un particularisme qui doit déboucher sur l'universalité.

— *Pouvez-vous nous expliquer, dans ce cas, les véritables raisons de nos divisions en face du problème algérien?*

— Ces raisons me semblent d'un tout autre ordre. Les disputes idéologiques dont je viens de vous parler n'opposent que des intellectuels et quelques hommes politiques qui parleraient moins haut si les masses ne gardaient si obstinément le silence.

— *N'est-ce pas qu'on les a désorientées?*

— En partie. Et c'est elles, en partie, qui désorientent leurs prétendus leaders.

« Pour comprendre ce mutisme, il faut garder sous les yeux ces deux vérités essentielles : l'une, c'est que le colonialisme est un système; et l'autre, qu'il n'y a pas de paupérisation absolue. Un système économique s'est institué dans les dernières années du XIX^e^ siècle pour régler les rapports entre les pays de grand capitalisme et ceux qu'on nomme aujourd'hui sous-développés. Ces rapports, établis et soutenus par la force militaire, se résument en ceci : grâce à la surexploitation des indigènes colonisés, la colonie achète au prix fort les produits manufacturés dans la métropole et lui vend au-dessous des prix mondiaux ses produits alimentaires (et, à l'occasion, ses produits bruts — mines, extractions). La possibilité de produire et de vendre des marchandises usinées sur une large échelle est tacitement mais rigoureusement refusée à la colonie par la métropole dont elle concurrencerait l'industrie. Par là — et c'est ce qu'il faut voir d'abord — le prolétariat métropolitain est protégé contre le chômage comme le patronat contre la ruine. Celui-là est solidaire de celui-ci quand il s'oppose à l'industrialisation du pays sous-développé. Et ce ne sont pas seulement les grands industriels de Dunkerque qui voient d'un mauvais œil "le plan de Constantine" : ce sont aussi leurs ouvriers.

« D'une façon plus générale — dans le système colonial pur[1] — nous sommes obligés de reconnaître : 1° qu'une

1. C'est-à-dire tel qu'il se présentait en Algérie jusqu'aux environs de 1939.

partie des ouvriers travaille pour une clientèle coloniale (colons et indigènes); 2° que les surprofits métropolitains laissaient (au moins jusqu'en 1914) aux entreprises industrielles une marge bénéficiaire telle que les patrons pouvaient, sous la pression des revendications ouvrières, consentir à des augmentations du salaire *réel;* 3° que certains produits coloniaux à bon marché, en faisant leur apparition dans les boutiques de la métropole, amenaient les producteurs français — quand il y en avait — à baisser leurs prix pour s'aligner sur les leurs. Ainsi le pouvoir d'achat dans une famille de salariés français s'accroissait dans la mesure même où celui du salarié colonisé diminuait. En fait, c'était finalement l'État (et, par conséquent, tous les métropolitains) qui payait la différence entre le prix normal de la marchandise métropolitaine et son prix concurrentiel. Il n'en demeurait pas moins que le Français, même en contribuant à dédommager les producteurs de France, demeurait largement bénéficiaire. Ajoutons — mais cela nous mènerait trop loin — que le capitalisme, à l'échelle mondiale, a pu éviter ou atténuer de nombreuses crises (au temps du colonialisme classique) grâce à l'existence de ses marchés coloniaux.

« La conclusion est, malheureusement, bien claire : tant que le système colonial a fonctionné sans graves avaries, l'ouvrier métropolitain — quelle que pût être alors la violence des conflits de classe — se trouvait plus proche de son patron, pour ce qui concernait l'exploitation des colonies, que n'importe quel "indigène colonisé". La communauté d'intérêts qui, selon certains, devait unir le prolétariat français au sous-prolétariat d'Algérie, n'existait qu'en paroles. Bien sûr : l'un et l'autre étaient victimes d'une même exploitation capitaliste. Seulement ils n'en souffraient pas de la même façon. Et la surexploitation du second tendait à alléger la misère du premier.

« Le résultat? Un certain paternalisme de la classe ouvrière envers le sous-prolétariat qu'on lui avait donné. Elle le plaignait, certes, mais on lui expliquait qu'il ne bénéficiait pas de ses lumières. Et puis, quoi? C'étaient des paysans. Elle blâmait l'entreprise coloniale parce qu'elle y voyait, à raison, une forme nouvelle et critique de l'impérialisme capitaliste mais elle comptait sur la révolution socialiste pour supprimer d'un même coup capitalisme et colonisation.

« C'est cette vieille et tenace habitude qui est à l'origine de notre immobilisme actuel. Sur les colonies, le prolétariat n'a eu, longtemps, que des "idées généreuses". Mais les idées généreuses sont des mots, elles restent parfaitement inefficaces tant qu'elles ne s'appuient pas sur une solidarité réelle d'intérêts.

*— Pensez-vous donc qu'il est impossible de compter sur un réveil des masses françaises ?*

— Je le penserais si le système colonial ne portait pas en lui-même sa propre destruction. Il est indispensable que tôt ou tard il se *renverse :* c'est son destin. En d'autres termes, après avoir servi l'économie capitaliste et — par le biais que j'ai montré — les salariés eux-mêmes, il se transforme inéluctablement en un parasite insatiable qui absorbe vainement toutes les forces du pays colonisateur.

« *Aujourd'hui*, les ouvriers français sont solidaires des combattants algériens parce qu'ils ont, les uns comme les autres, l'intérêt le plus urgent à briser les liens de la colonisation.

« Il était absolument nécessaire que la misère des Algériens allât en croissant. Aucune mesure prise par la métropole capitaliste ne pouvait enrayer cet appauvrissement. En premier lieu parce que la surexploitation ne peut se fonder là-bas que sur la croissance illimitée de la main-d'œuvre. En second lieu parce que les timides réformes projetées par le gouvernement *doivent* être sabotées par les colons — qui sont sur place — où, en tout cas, tournent d'elles-mêmes à leur profit. Enfin parce que l'industrialisation de l'Algérie, seule solution du problème économique, ne peut même être tentée sans menacer *en France même* les entreprises industrielles de même nature.

« La contradiction profonde du système colonial, c'est que dans la mesure où l'intérêt du colon exige que le salaire tende vers zéro, le racisme apparaît pour justifier cette exigence en faisant tendre la valeur humaine du colonisé vers zéro; mais en même temps, la misère et l'excès de main-d'œuvre obligent le colonisé sans emploi à émigrer vers la métropole. Le résultat de cette émigration chronique, c'est *d'abord* que l'homme algérien est poussé par la surexploitation à venir concurrencer l'ouvrier français dans la métropole, comme les vins algériens concurrencent nos vins sur le marché. C'est *ensuite* que — malgré l'hostilité d'une partie des Français et les difficultés de la vie matérielle — ils apprennent *ici* ce qu'on leur cache là-bas : notre tradition révolutionnaire, la lutte des classes, la nature du colonialisme et, par là même, leur véritable dignité humaine. En poussant la surexploitation jusqu'à former des sous-hommes, le colonialisme se renverse et le colonisé découvre contre les colons sa personnalité.

« Certes, l'ouvrier français est d'abord irrité par cette concurrence. Mais, en vérité, c'est par colère et paresse d'esprit qu'elle peut conduire certains salariés au racisme. Car *ce sont les colons* qui envoient ces hommes affamés concurrencer les Français en France. C'est le colonialisme seul qui forme sur notre territoire cette armée. De ce point de vue, il faut que nous comprenions que nos intérêts sont ceux des travailleurs algériens : ceux-ci viennent concurrencer les Français parce qu'une misère préfabriquée les chasse de *leur pays*. Ils sont en France parce qu'on leur a volé leur sol.

« Et s'ils reviennent avec la certitude que le colonialisme est un mal insupportable, qu'il faut en tout cas l'anéantir, s'ils prennent les armes et s'ils se battent à mort, c'est que le même système leur ôte les moyens d'être des hommes — en leur apprenant, bien malgré lui, que tout homme peut et doit réclamer sa valeur et sa dignité d'homme, fût-ce en prenant les armes.

« Le colonialisme engendre donc les guerres populaires d'émancipation : c'est le système qui les produit à la phase ultime de son renversement. Et, *précisément alors*, la solidarité du prolétariat français et des colonisés d'Algérie paraît avec éclat, puisque la charge coloniale pèse chaque jour plus lourd sur la France, puisque le système *oblige* les Algériens à nous faire la guerre et les Français de France à se battre en Algérie pour le maintien d'une économie périmée, puisque la classe bourgeoise, qui sent elle-même le poids de cette guerre, s'est arrangée pour la faire financer par les classes défavorisées, puisque pour des raisons qu'on a souvent exposées, l'oppression qui accompagne en Algérie la surexploitation ne peut se maintenir quelque temps encore qu'en passant en France même, avec cette surexploitation qu'est le financement de la guerre, et en s'y installant pour nous faire payer les frais du conflit. Toutes ces conséquences du système sont connues : elles montrent que les masses n'ont d'autre défense, en ce pays qui se fascise et se ruine peu à peu, que de prendre clairement conscience de leur solidarité nouvelle mais profonde avec les combattants algériens.

— *Vous dites qu'elles* devraient *en prendre conscience mais vous avez déclaré plus haut qu'elles demeuraient inertes. Que faut-il faire pour combattre cette inertie ?*

— J'ai dit qu'elles n'ont pas toujours été solidaires du sous-prolétariat colonisé; j'ai ajouté qu'elles ont gardé l'habitude d'un certain paternalisme. Rien d'étonnant si leurs réactions, aujourd'hui, vont souvent à détester ces "mauvais" colonisés qui les empêchent de dormir tranquilles. Comment pourrait-il en être autrement? Et n'a-t-on pas dit souvent qu'il n'y a pas en elles de "spontanéité"? et qu'elles sont victimes de la propagande et des slogans de la classe dirigeante? Le vrai problème aujourd'hui, c'est un problème d'*éducation*. Sur toutes les questions qui les concernent directement, les classes travailleuses font elles-mêmes leur expérience et s'émancipent à travers leurs luttes concrètes. Mais pour la question algérienne, les habitudes sont profondes et les enchaînements abstraits. Et puis le racisme, c'est si facile, si tentant lorsqu'on est inquiet, malheureux ou aigri.

« Je suis en parfait accord avec V. P. [*Vérités pour*...] lorsqu'il tente de former des groupes de militants qui puissent, dans l'action, reprendre la question à la base et pousser aussi loin que possible la démystification. Si la gauche doit pouvoir renaître, ce sont les masses qui la ressusciteront. Et la question fondamentale, celle qui doit produire une *autre gauche* et d'*autres hommes*, c'est de donner aux classes exploitées une conscience *pratique* de leur solidarité avec les combattants algériens. »

## Soledad, *de Colette Audry* [1]

Soledad, c'est un nom de femme et cela veut dire solitude. Le théâtre français d'aujourd'hui se nourrit de solitude, la solitude est son gagne-pain : on pourrait citer cinq pièces et dix films qui tirent leur succès chaque soir de ce qu'ils nous rabâchent, après mille autres, que personne ne peut connaître personne, que les âmes sont impénétrables, que les hommes sont des cailloux. Si Colette Audry venait nous répéter cela, sa pièce pourrait être bien faite : elle n'offrirait pas d'intérêt. Mais, justement, elle veut nous expliquer le contraire : elle ne nous prend pas pour des cailloux. L'esseulement qu'ont décrit tant d'auteurs et qui a fait leur fortune, elle pense qu'il existe dans certains milieux, pour certaines raisons qui tiennent peut-être à notre époque. Ce n'est pas cela qui l'intéresse : elle sait, par expérience, qu'on peut se lancer dans une entreprise commune, s'unir par l'action, se comprendre et s'aimer à travers la tâche commune. Les personnages qu'elle va vous montrer, vous les connaîtrez tout de suite : ce sont des êtres tout clairs, tout transparents, qui ne sont isolés des autres ni par leurs intérêts, ni par leur égoïsme, ni par la culture de leurs perversions, ni par le sentiment de leur supériorité.

Dans un pays qui s'endort sous une dictature policière, un groupe de jeunes gens et de jeunes femmes « résistent » : le régime est solide; aucun espoir de le renverser; il s'agit de *tenir*, d'affirmer les principes qu'il veut faire oublier, d'*exister* en somme, et d'attendre; de se faire connaître au peuple bâillonné, par des tracts, par des coups de main isolés. On ne peut rêver de liens plus forts : ils vivent les uns

1. Cf. 60/347.

par les autres, les uns pour les autres, tous pour un but commun; et, justement à cause de cela, au sein de la solidarité la plus étroite, de l'unité la plus rigoureuse, au sein du travail, des risques courus en commun, de la discipline et de l'amitié, la solitude existe, inaperçue, toujours niée; elle sépare à leur insu ces hommes sans secret. Le sentiment de Colette Audry, je ne pense pas le trahir ni le forcer en l'exprimant ainsi : plus étroits sont les liens, plus total est l'engagement et plus la solitude est forte. Pour elle, la solitude, c'est un échec secret, l'envers du lien collectif, toujours dépassé, toujours renaissant.

Vous verrez comment, dans ce groupe fermé, les relations privées naissent des relations sociales, comment, à peine nées elles semblent honteuses, coupables, comment elles gênent l'action commune qui les a engendrées et comment cette action, à son tour, les empêche de se développer. Paco aime Soledad qui ne l'aime pas : il le lui dit; il a tort : plus tard, quand les circonstances l'amènent à devenir son juge, son ressentiment d'amoureux évincé va le disqualifier. Son ressentiment? ou simplement la défiance des autres qui lui *supposent* ce ressentiment? ou les deux à la fois? Sébastian aime Soledad qui l'aime, et ne le lui dit pas; il se tait *justement* pour préserver l'unité du groupe : il a tort lui aussi; cet amour sans nom, passé sous silence, altère le rapport du chef à la militante; crée une sorte de lacune et de faux mystère entre eux, une agitation secrète aussi, une inquiétude. Fallait-il se déclarer? et Paco? la jalousie, la rancune eussent altéré ses rapports avec le groupe. Ainsi, chacun se sent trop volumineux pour la simple existence commune : chacun est de trop; et en même temps personne ne suffit à sa tâche; chacun voudrait être tous et, en même temps, se sent *autre* pour les autres; chacun, dans leurs yeux, se découvre autre qu'il n'est pour lui, irréductiblement exilé au cœur de l'union la plus étroite. La culpabilité n'est pas loin : au moindre soupçon, l'on est *dehors*, traître, *autre tout à fait*, et peu importe qu'on soit ou non fautif : on s'aperçoit qu'on a toujours été coupable.

La solitude c'est cela, c'est cette désintégration tournante, cette fissure toujours comblée et qui, toujours, renaît ailleurs. La dépassera-t-on jamais? Colette Audry ne le croit pas, ne le souhaite pas : c'est cette contradiction qui nous fait hommes; toujours dedans et dehors, par-delà et en deçà, accusateur avec tous, devant tous accusé. Il faut se jeter dans le monde, au milieu des hommes, les aimer, s'unir à eux sans cesse, ne jamais penser à soi : alors la solitude surgit, comme une distance secrète qui nous tourmente sans cesse et qui nous protégera toujours du danger de devenir des fourmis. Pour écrire une pièce d'une dureté si profondément optimiste, il faut que l'auteur ait vécu en personne le lien contradictoire de l'amitié et de la séparation, il faut que Colette Audry ait connu les exigences de l'action en commun qui ne tient pas compte des différences de profession, de milieu ou de sexe, mais seulement des capacités. En ce sens, c'est une pièce d'homme que vous allez voir jouer.

Mais il y a un autre aspect de la solitude : il faut, pour entrer dans la résistance clandestine, quitter père et mère ou les entraîner avec soi. Soledad a une sœur, Tita, c'est l'image d'elle-même, le lien des deux sœurs est le plus simple et le plus étroit : elles se comprennent sans avoir besoin de parler. Seulement Tita ne fait pas de politique ; elle n'appartient pas au groupe. Aux yeux du groupe, sa seule existence est comme une fuite perpétuelle, une trahison latente de Soledad ; aux yeux de Tita, le groupe est l'échec secret de ses rapports avec sa sœur. Mieux encore : Soledad au sein du groupe met en question Tita, son reflet vivant. Tout le drame naît de là. Or un homme n'aurait jamais pu montrer la relation de ces deux femmes, si claire et pourtant si complexe, ni cet amour des deux sœurs qui porte en soi la solitude, qui la refuse et qui finira par la vaincre. Pour décrire l'évolution de cet amour, il fallait être femme et sœur. C'est ce qui fait, je crois, le charme étrange de cette pièce hermaphrodite : les hommes y parlent comme des hommes et c'est la seule, peut-être, où, *en même temps*, les femmes entre elles parlent comme des femmes.

## « *Le cinéma nous donne sa première tragédie* : Les Abyssses[1] »

Le cinéma nous donne sa première tragédie : *Les Abysses*. Son sujet : le Mal. La partie est perdue d'avance pour tous les personnages puisqu'ils sont tous damnés; il faut la jouer pourtant, de bout en bout, jusqu'au double assassinat final, prédit dès la première image, prémédité, inattendu.

L'inflexible rigueur de cette œuvre efface jusqu'au souvenir des lentes rivières babillardes qu'on voit traîner sur nos écrans. Le rythme est neuf : brisé, cassé, bondissant, stagnant, syncopé au gré des situations mais progressant sans un répit, sans une digression vers la catastrophe qui est le moteur immeuble du film entier. Chaque geste le prépare et l'incarne en même temps : deux servantes frustrées s'acharnent sur leurs patrons, trois bourgeois ruinés, effarés, sans défense. La cuisine est le lieu des supplices : les couteaux, les casseroles sont des instruments de torture; peler des pommes de terre, pour les deux folles, c'est crever les yeux. Les objets, ternes et quotidiens, se chargent d'inquiétants pouvoirs, entre les mains des deux sœurs — deux admirables tragédiennes — il n'en est pas un qui ne soit un présage et qui ne livre, en même temps, sa vérité. C'est qu'on nous raconte le destin d'un petit groupe que sa contradiction voue d'avance à éclater.

L'art exceptionnel de Nico Papatakis a été de montrer les sœurs à leur paroxysme : leur incroyable agressivité ne désarme pas un instant; elles incarnent la violence nue, la haine, le désir de tuer. Comme disait à propos des jeunes un blouson noir : il n'est pas question de les guérir de leur Mal, elles *sont* le Mal. Pas d'excuse, au départ : il se trouve sim-

1. Cf. 63/387.

plement qu'elles sont jeunes et belles et que leurs maîtres sont laids. Mais peu à peu le retournement s'amorce : les inconsistantes victimes se découvrent comme les véritables bourreaux. A travers leur mollesse et leur insignifiance, ces trois bourgeois représentent l'ordre de fer qui a condamné les deux sœurs dès la naissance. Quand le Mal se déchaîne dans ces jeunes cœurs, nous comprenons que c'est l'oppression intériorisée et que, comme disait Babeuf, leurs bourreaux leur ont fait de mauvaises mœurs. Il suffit d'ailleurs que d'autres bourgeois, aussi faibles, viennent frapper à la porte : on s'aperçoit que l'explosion de folie, dans la cuisine, était inefficace; les biens sont vendus, la donation annulée, les sœurs seront chassées. Tout cela tranquillement, sans effort, par la seule vertu de l'ordre établi. Reste le meurtre. Les deux filles tueront leurs patronnes parce qu'elles y sont acculées. Mais dans le moment — les images sont extraordinaires — où nous sentions qu'elles vont se décider à frapper, ce n'est pas pour les deux bourgeoises que nous avons peur, c'est pour les malheureuses qui exécutent d'elles-mêmes la sentence portée contre elles et se mettent d'un seul coup, à vingt ans, hors la loi pour toujours.

Entre la vue et l'ouïe, la tension se maintient jusqu'au bout, c'est la substance même de cette tragédie. Et ce nouveau rapport, cette unité contrastée de la parole et du visible ouvrent au cinéma des chemins encore inexplorés.

## *Détermination et liberté*[1]

Qu'est-ce que l'expérience éthique ? Commençons par éliminer les *morales impératives* (Kant, Nietzsche, etc.) : elles tendent toutes à expliquer l'expérience morale, à unifier les prescriptions empiriques de leur temps, à remanier les « tables des valeurs » ou les impératifs, en objectivant sous une forme morale (et de ce fait universelle) des impulsions subjectives et originales. Si la morale ne se définit pas au niveau de l'homme social, dans son travail, dans la rue ou chez lui, on tombe dans une littérature parasitaire qui s'explique sans difficulté par la condition du moraliste. Que reste-t-il alors ? Des objets sociaux qui ont en commun une structure ontologique que nous appellerons *norme*. Ces objets sont divers : les *institutions*, en particulier les lois qui prescrivent la conduite et définissent la sanction ; les *coutumes*, non codifiées mais diffuses, qui se manifestent de manière objective comme des impératifs sans sanction institutionnelle ou avec une sanction diffuse (le scandale) ; enfin les *valeurs*, normatives, qui se réfèrent à la conduite humaine ou à ses résultats et qui constituent l'objet du jugement axiologique.

Nous reviendrons sur les institutions. Il n'est pas facile, au niveau de la superstructure, de les distinguer clairement de la coutume. Loi et coutume se confondent parfois : ne pas tuer est à la fois un impératif du code pénal et une interdiction morale diffuse. Inversement, dans certains milieux des classes dominantes, l'interdiction légale (frauder le fisc) ne s'accompagne pas d'une interdiction morale. Dans d'autres cas (celui des mœurs privées, par exemple), les impératifs de la morale ne sont pas accompagnés d'inter-

1. Cf. 66/436. Traduction de l'italien, non revue par Sartre.

dictions légales : la loi ne punit le mensonge que dans des cas bien déterminés, la morale l'interdit toujours rigoureusement.

Nous appellerons morale l'ensemble des impératifs, des valeurs et des jugements axiologiques qui constituent les lieux communs d'une classe, d'un milieu social ou d'une société tout entière.

Cela ne signifie pas que chaque membre du groupe y conforme sa conduite, mais chacun les maintient comme une prescription et une interdiction. Par exemple, à la première question d'une enquête faite dans un lycée de jeunes filles : « Est-ce que vous mentez? » 50 % ont répondu *souvent*, 20 % *très souvent*, 20 % *quelquefois*, 10 % *jamais*. A la seconde question : « Faut-il condamner le mensonge? » 95 % ont répondu *oui*, 5 % *non*.

Ces doubles réponses indiquent en gros le caractère objectif des prescriptions : ce sont les mêmes individus (tous ou presque tous) qui les maintiennent et qui n'hésitent pas à y contrevenir. Pourquoi cette contradiction? Serait-ce qu'ils veulent imposer aux autres une loi qu'ils ne respectent pas eux-mêmes? Non : ils l'imposent à eux-mêmes. Ils sont *rassurés* par l'existence de la loi. Si le mensonge est admis sans réserve, il devient réalité et la vérité n'est plus qu'une apparence mensongère. Tout se confond : « Je ne peux que mentir. » Kant a défini le caractère rassurant de l'impératif : « Tu dois, donc tu peux. » Le menteur préfère se reprocher d'avoir menti. L'interdiction du mensonge lui fait savoir qu'il peut toujours ne pas mentir.

Les diverses formes objectives de la morale, comme la morale elle-même et les institutions, ont en commun un certain lien avec la possibilité. Un acte donné s'impose *a priori* comme inconditionnellement possible. Ces deux termes méritent une explication. Le terme « possible », du fait même qu'il est lié au terme « inconditionnellement », s'oppose rigoureusement à la possibilité conditionnée du positivisme. Pour le positivisme, l'agent social est contingent mais rigoureusement conditionné : il est le point de rencontre d'une série de déterminations extérieures. Chacune d'elles est extérieure aux autres, en chacune la condition de la détermination présente est extérieure dans sa détermination antérieure. Si toutes les séries étaient connues, la conduite d'un agent pourrait être rigoureusement prévisible à chaque instant; c'est-à-dire recomposable. Si certaines séries échappent provisoirement à la connaissance, la conduite comporte un élément d'indétermination par rapport à la prévision :

on peut prévoir plusieurs comportements à un moment donné, et chacun d'eux constitue une possibilité.

Dans le domaine du comportement humain, le *possible*, en tant qu'indétermination du savoir, devient pour le positivisme un facteur objectif et subjectif de la conduite. En ignorant les données réelles qui l'empêcheront d'achever son acte (les déterminations sociales, psycho-physiologiques, historiques, etc.), l'agent n'entreprendra peut-être cet acte que grâce à cette ignorance elle-même. Bien que l'entreprise se conclue par un échec, elle le rendra par elle-même différent de ce qu'il aurait été si, connaissant toutes les séries, il n'avait rien entrepris. Pour le positivisme, la *prévision*, résultat du calcul raisonnable d'une conduite, confère à l'avenir un caractère de futur antérieur : le positiviste fait de l'avenir un passé qui se vérifiera, et du présent une réalisation de cet avenir qui était son passé. L'être de l'agent devient un fréquentatif, représenté par l'éternel des passés *extérieurs* sous l'aspect de futurs anciens, dont les conditions sont toujours données — et de ce fait toujours prévisibles — dans les présents passés. Le passé domine tout et le « sera » n'est plus qu'un « ceci était prévisible » masqué par un futur. L'homme est extérieur à lui-même, au même titre que le temps et l'espace.

L'impératif témoigne d'une *possibilité* entièrement opposée à celle que nous venons de décrire. *Il ne connaît pas la conjoncture*, c'est-à-dire le *lien* des déterminations antérieures. Il serait plus juste de dire *qu'il ne veut pas la connaître* : de tout temps, la littérature a décrit ces cas limites où l'*impératif* est arraché de toutes les déterminations extérieures, dans lesquelles il s'accomplit cependant. L'honneur, valeur féodale des familles patriarcales, a été représenté cent fois comme une exigence inconditionnée : l'agent peut toujours *sauver* l'honneur de la famille. Il n'est pas toujours possible de vaincre; cela dépend précisément de déterminations extérieures. Mais l'honneur est sauf si l'agent donne sa vie pour le préserver : « *Que voulez-vous qu'il fît contre trois? — Qu'il mourût.* » La possibilité fondamentale se déplace : 1. Toute exigence morale peut être accomplie *quelle que soit* la détermination antérieure-extérieure, à la condition que l'on mette *sa vie en jeu*, à la limite. 2. La possibilité la plus profonde *de chacun* consiste à mettre sa vie en jeu pour un impératif. Il s'agit bien entendu d'un cas limite.

L'impératif pose donc que l'homme est toujours capable de préférer telle ou telle conduite à une série de déterminations dont le cas limite est la vie. Ce refus inconditionnel des déterminations extérieures équivaut à *reconnaître à l'agent*, au-delà de l'extériorité, *une détermination dans l'intériorité.*

Cela signifie qu'au lieu de recevoir des déterminations de l'extérieur, comme une boule reçoit le choc d'une autre boule, l'agent se détermine contre elles comme une unité synthétique à partir de cette autre unité synthétique d'intériorité qu'est l'impératif ou la valeur. Les normes ne sont pas une combinaison d'éléments. L'impératif, par exemple, est un tout objectif, une unité d'interrelations, qui gouverne ses divers éléments.

Ainsi la norme, en tant que possibilité inconditionnée, définit l'agent comme un sujet en intériorité, unité synthétique de sa diversité. Elle ne relève pas ce sujet comme s'il existait déjà et comme si elle se limitait à lui prescrire un acte : elle affirme qu'il est toujours possible, en dépit de toute détermination extérieure. Seul un sujet en intériorité peut accomplir la norme. Un sujet, désigné comme tel, ne se réalise que dans l'accomplissement du devoir prescrit. En ce sens, la possibilité fondamentale que révèle la norme est celle qui consiste — par un lien de détermination extérieure — à se faire *sujet d'intériorité* à travers l'accomplissement du devoir. En d'autres termes, la norme se présente comme ma possibilité (caractère objectif : c'est en même temps la possibilité de chacun). Mais c'est dans la mesure où elle me révèle comme sujet possible de l'acte que la norme — quel qu'en soit le contenu qui pour le moment ne nous intéresse pas — représente *ma possibilité de me produire comme sujet*. On saisit alors le sens des réponses sur le mensonge faites par les lycéennes : dans l'épuisement de la vie quotidienne, elles exigent que la possibilité d'être un agent humain soit toujours maintenue, malgré les circonstances, par une interdiction inconditionnelle. En un mot, l'impératif vise en moi la possibilité de me produire comme une autonomie qui s'affirme en dominant les circonstances extérieures, en refusant d'être dominée par elles.

Tel est l'aspect réel du normatif : la possibilité inconditionnelle s'impose comme étant *mon avenir possible quel que soit mon passé*. Il importe peu que les hasards de ma formation, de mon enfance, m'aient rendu sournois, ni que le mensonge soit devenu une habitude, ni que des circonstances antérieures rendent ce mensonge utile : le sujet possible de l'acte normatif n'est pas atteint dans sa possibilité. Il se constitue ainsi comme avenir, indépendamment de n'importe quel passé. Mieux : comme l'avenir qui prétend s'instaurer sur les ruines du passé. De cette façon, il s'oppose à l'avenir positiviste qui est le retour offensif des circonstances extérieures. La norme, en tant que possibilité permanente de faire de moi un sujet d'intériorité, apparaît au contraire comme *l'avenir* pur, celui qui n'est en aucune manière déterminé par le passé. L'impératif est ainsi détermination de mon présent à travers la possibilité de me produire contre mon passé ou en dehors de lui.

Comme telle, cette possibilité ne peut constituer l'objet d'aucun savoir. Non seulement je ne possède aucun élément qui, dans les déterminations passées du monde et de moi-même, me permettent de prévoir — ne serait-ce qu'à titre de probabilité — ma réponse à la question, mais je peux sentir au contraire avec angoisse que tout concourt à me faire prévoir que je ne saurai pas y répondre. De nombreux résistants se demandaient : si on me torture, serai-je capable de ne pas parler? Sans doute peut-on définir de manière statistique le pourcentage de ceux qui parlent, les probabilités globales de parler suivant le traitement subi, établir une tactique *(résister vingt-quatre heures)*. Mais précisément de telles prévisions du passé ne me concernent pas : il s'agit pour moi, quel que soit le pourcentage, de me produire comme l'un de ceux qui ne parlent pas.

*L'avenir pur* de l'impératif n'est *ni connaissable ni prévisible*. Son caractère de pur avenir, c'est-à-dire avenir que rien n'a préparé, que rien n'aide à réaliser, en fait *un avenir à faire*. *Je risque* bien sûr de découvrir des ébauches de cet avenir, des systèmes de moyens qui m'aideront à le réaliser. Pour ne pas parler, je tenterai de me débrouiller, de jouer un autre personnage, bref, je ferai cet avenir avec ce qui m'est donné présentement. Mais cela consiste précisément à *expliquer le présent par la médiation de l'avenir*. Ce n'est pas la connaissance de l'avenir à travers le présent, mais du présent à travers l'avenir. Le présent assume immédiatement l'unité synthétique d'un champ d'action : dans la salle de torture, le prisonnier — qui a à l'esprit la norme « il ne faut pas parler » — regarde de tous les côtés, essaye de prévoir les tortures pour découvrir les moyens psycho-physiologiques d'y résister. Il n'y a pas de place pour la norme. Parler *devient* aussi, brusquement, une possibilité du sujet d'intériorité. Ce n'est pas le simple triomphe des déterminations extérieures : c'est le choix intérieur de se laisser déterminer par l'extériorité — antinormes, antivaleurs.

Ainsi la norme, la plus commune comme la plus stricte, se comprend comme *l'avenir qui doit se faire*, capable de déterminer le présent du seul fait qu'elle se donne comme possibilité inconditionnée. L'aspect *impératif* du devoir ne doit pas nous tromper, pas plus que celui des valeurs, qui sont des impératifs affectifs liés aux impératifs pratiques, des possibilités inconditionnées d'aimer, d'admirer, de respecter ces hommes ou ces objets.

Le *devoir*, par exemple, tel qu'il se présente dans les mœurs, a la structure du *commandement* qui, par principe, est un ordre donné par quelqu'un d'autre, et qui conserve pour l'agent ce caractère d'altérité. Comme dans la valeur, l'exigence possède une certaine *fixité* qui semble la pénétrer d'une inertie étrange. Rien ne permet de dire que la structure ontologique de la norme n'apparaisse pas déviée ou déformée par l'introduction de déterminations étrangères. Et c'est là que le positivisme nous instruit, en essayant de limiter les dommages.

En fait, sous l'expression classique au XIXe siècle, de la « morale et de la science », le positivisme révèle son manège irrationnel, son scandale pythagorique quand il découvre et qu'il décrit le caractère normatif des mœurs. Cet avenir pur, qui définit l'agent possible comme une intériorité qui doit se faire, est manifestement incompatible avec le monde du présent-passé, du futur antérieur et de l'extériorité. La norme en tant que possibilité nécessaire s'oppose, en particulier, à la contingence purement affirmative du fait. Jusqu'à présent, hormis les mœurs, le positivisme n'a jamais rien découvert, si ce n'est des faits : il est ainsi fait qu'il ne peut découvrir rien d'autre.

Mais les *normes*, dira-t-on? Eh bien! précisément, dit le positiviste qui reprend son sang-froid, si je les découvre dans l'expérience objective, cela veut dire *que ce sont des faits*. Désormais, après notre première description et notre découverte de la norme comme avenir pur d'intériorité, nous devons *donner raison* au positivisme et reconnaître avec lui que les normes *sont aussi des faits*, et, ce qui importe davantage, des *faits de répétition*. Cela résulte de deux considérations : 1. Les sociétés passées ont disparu avec leurs valeurs et leurs impératifs. Autrement dit, leur avenir pur, sans cesser d'être avenir, était un avenir passé. Il avait en lui-même la caractéristique d'être l'avenir répétitif de *cette société*. Pas plus qu'elle, il n'a résisté, par exemple, à l'arrivée d'un nouveau type de production qui reléguait dans le passé les anciens rapports de production; 2. Pour nous-mêmes aujourd'hui, *les impératifs d'une société présente*, apparaissent *à un certain niveau* (normatif) *comme avenir inconditionné et à un autre niveau, comme passé de répétition*, si nous ne sommes pas membre de cette société ou si, tout en y appartenant, nous avons conscience, dans certaines situations historiques, de notre position à son égard. Pour les indigènes de la zone centrale de l'Australie, c'est un devoir rigide que de se marier suivant certaines règles exogamiques. La phrase que j'ai prononcée comprend le fait et la norme dans la même proposition. L'exogamie est objectivement une *règle à observer*, une structure normative pour chaque indigène : c'est *son avenir* s'il n'est pas marié, celui de son fils ou de son neveu, plus tard, c'est-à-dire l'avenir de la famille. En un mot, l'avenir se présente à lui comme un changement qui a une orientation. Mais il est vrai aussi que le même indigène dans la situation d'informateur pour l'ethnographe, parle de cette structure comme d'un fait de coutume : *chez nous on se marie* de telle ou telle manière. C'est ce qu'on appellera le *paradoxe éthique.*

Dans l'impératif de la coutume, le contenu de la norme me fixe un destin : je dois me produire à travers mon acte. L'intériorité est de temps à autre le sujet de mon acte possible et de la possibilité que je me fasse sujet, en un mot la possibilité *qu'une détermination quelconque de mon passé* soit sans rapport avec mon acte. On renvoie le passé au passé et l'impératif est une découverte de l'avenir en tant que disqualification du passé.

Mais, simultanément, *cet avenir qui pose* la possibilité inconditionnée que je me produise en intériorité, la pose en tant qu'impératif qui a déjà été respecté par les individus des générations précédentes. Pour les hommes du passé, cela était un futur. En réalité, cet avenir est lui aussi un *futur antérieur :* pour l'agent moral que je suis aujourd'hui, il s'annonce comme *mon avenir* et comme un fait répétitif. Je respecterai *comme les générations précédentes* les lois de l'exogamie. Si l'on veut, le *tu dois donc tu peux*, qui est l'appel à l'intériorité à travers la norme, s'accompagne d'un « on peut faire ceci » ou d'un « on ne peut pas faire ceci » : « Pourquoi ne fais-tu pas comme cela? — Parce que, répond-on, cela ne se fait pas. » Et le « cela ne se fait pas » explique à son tour la situation empirique que recouvre la norme, ou la norme comme levain de la contingence. En somme, le *fait* se présente à moi comme une possibilité normative et future : *inconditionnellement*, *dans l'avenir pur*, *le passé répété de la société.*

Ce paradoxe éthique invite le positiviste, et surtout le néopositiviste, à considérer la norme comme un caractère illusoire de certains faits répétitifs qui se produisent à un certain niveau social.

Le fait est l'*exis* ou la pratique régulière de telles conduites;

la norme est le rapport *d'apparence* que la pratique en tant que *rôle social ou détermination culturelle* entretient avec l'individu qu'elle forme. Quand le groupe ou l'individu croient se déterminer en fonction de l'avenir, ils ne font que reproduire, sur un autre terrain, des déterminations plus profondes (par exemple les rapports de production) qui, à titre de *faits*, lui attribuent un *être* (par exemple l'être de classe); et *de manière anticipée*. Dans ce cas, l'*appel normatif* n'est rien d'autre que le piège qui me fait réaliser sans arrêt mon *être passé*, le *destin* que j'avais déjà avant de naître. Enfin, on peut dire que *l'être en intériorité et en extériorité se présente de manière trompeuse à l'agent comme l'être à réaliser à travers un sujet d'intériorité*. Dans ce cas, comme de la pensée néopositiviste de certains marxistes, l'homme, trompé par la possibilité illusoire *d'être son produit* — c'est-à-dire directement produit dans l'unité totalisante d'un schéma directif —, se fait inflexiblement *le produit de son produit*. La représentation de ma liberté est le motif qui me pousse à réaliser jusqu'au bout mon aliénation. Le néopositivisme reconnaît que l'ensemble des conduites qui font la *vie morale* d'une société implique — à côté de constantes répétitives — des évolutions, l'apparition de nouvelles normes ou la disparition d'impératifs anciens, des conflits entre ce qui disparaît et ce qui est sur le point de naître. Mais tous ces faits comportent pour lui des déterminations sociales plus profondes, des changements en extériorité des structures fondamentales.

Même si la valeur est l'expression permanente d'un certain nombre de faits, même si son aspect normatif est un moment inessentiel du processus par lequel l'agent normal est déterminé à produire son être, l'être que l'ensemble social lui a déjà assigné, le positiviste devrait rendre compte de l'être *normatif* de cette valeur. Simple apparence : soit. Mais apparence universelle. Et si, comme chez Hegel, il y a un être de l'apparence en tant que tel, le positiviste doit rendre compte de la norme comme possibilité d'un avenir pur d'intériorité. Dans l'interprétation précédente, après avoir bien indiqué la contradiction entre norme et faits, il lui suffit que les faits recouvrent habituellement les normes, pour réduire, sans autre processus, celles-ci à ceux-là.

Si l'on cherche les raisons de son échec, on s'aperçoit que le néopositivisme subordonne l'histoire au système, comme la valeur au fait. Le néopositivisme est un structuralisme : pour lui la société est un ensemble total et fonctionnel de relations. Ce sont les rapports qui définissent et produisent les termes. L'ensemble est un système qui naît, se développe, atteint son plein développement dans une période d'évolution, et disparaît.

Mais ce système, par suite de l'agencement des rapports qui le constituent, renferme *à l'origine* les raisons rigoureuses de son développement et de sa dégradation. Depuis l'origine, l'être du système est considéré comme un processus. Pourtant sa quasi-unité se réduit à la seule interaction des liens d'intériorité : il n'y a aucune présence réelle du tout concret en relation avec chacune de ses parties, aucun enrichissement qui s'effectuerait à travers les conflits, en un mot aucune intériorité. La *fausse unité*, ou *unité relative*, crée une pseudo-intériorité en protégeant le développement du système contre l'intrusion de forces extérieures. Mais de la même façon que, dans un laboratoire, l'expérimentateur *isole* le système expérimental.

Puisque l'évolution du système est le produit de ses réactions internes et de ses auto-régulations, l'observateur placé à l'intérieur du système n'a pas d'autre avenir que celui du système. Et il n'y a pas dans le système le moindre élément qui permette de prévoir ce qui se produira après sa disparition. Tout au plus peut-on admettre, après une période de désordre, qu'un autre système se constituera, avec ses structures et ses lois pseudo-intérieures qui régleront sa vie et sa mort.

Ce qui signifie qu'aussi *longtemps qu'un système est en phase de croissance*, tout ce qui se produit en lui ne peut que le faire s'accroître; aussi longtemps qu'un système est en phase décroissante, chaque événement, dans le système, a pour effet de le faire décroître. A l'intérieur du système, la prévision est déterminée par les lois qui constituent l'homme du système : elle s'étend au maximum jusqu'à l'abolition du système, et elle a généralement pour limites réelles la phase même qui a produit l'homme et sa prévision. Pour le *structuralisme, l'histoire est un produit interne du système*. Il y a autant *d'histoires* que de *sociétés structurées :* chaque société produit sa temporalité. Le progrès est le *développement de l'ordre*. Ce pluralisme historique parvient à subordonner l'histoire, en tant que mouvement, à l'ordre structural. L'avenir reste *prévisible*, mais à l'intérieur de limites bien définies, dans un sens positiviste. En ce sens, il se trouve déjà dans le passé. Il *sera* en tant que *futur antérieur*, il réalisera, pour l'agent social qu'il produit et qu'il conditionne, l'être futur qui est implicitement présent dans son passé. En d'autres termes, il n'est pas *à faire* mais à prévoir.

La *praxis* est ici éliminée au profit du processus. Mais c'est, comme le dit Engels, l' « homme qui fait l'histoire sur les bases des circonstances antérieures ». Non que les systèmes n'existent pas, mais c'est l'homme qui les produit, à travers l'objectivation de sa *praxis* qui s'inscrit dans le monde inorganique comme un sceau et qui se retourne contre lui en tant que pratico-inerte. L'unité du système est sa propre unification perpétuée par la médiation de l'homme qui en est indissolublement le produit et le producteur : la pratique efficace de l'homme s'y aliène et tente, contre lui, de se désaliéner. Ainsi l'avenir historique est partiellement prévisible — il est aliéné par le système que la *praxis* a produit — et il est partiellement imprévisible — il se développe dans le système et hors du système comme *avenir à faire*, à travers les déterminations structurales et contre elles.

L'histoire est la véritable unité du système par sa totalisation pratique, elle est parfois sa limite extérieure et son intériorité véritable, puisqu'elle s'enfonce tout entière dans le système qu'elle maintient : l'histoire dépasse toutes les structures et tout le système social, elle est à la fois la force motrice qui les produit, en produisant par leur intermédiaire un avenir aliéné, et la *praxis* concrète qui les conteste au nom d'un avenir véritable. Ce n'est pas par hasard que le pluralisme historique du néopositivisme supprime l'agent humain, en faisant de lui la simple courroie de transmission des modifications internes, dont se sert le système, ni que certains marxistes, tentés par le structuralisme, s'efforcent de mettre en sommeil le moteur de l'histoire, c'est-à-dire la *lutte des classes*.

Dans cette lutte, nous connaissons les forces qui *maintiennent* le système : les bourgeois, par exemple, sont les produits du système capitaliste, mais ils le maintiennent et le perpétuent sans arrêt, non par inertie, mais par choix, à travers l'élaboration d'une stratégie économique, sociale et politique. Nous connaissons l'ambiguïté profonde qui marque les classes exploitées. Avant leur émancipation, elles contribuent à maintenir le système : la nécessité de vivre les contraint à accepter les règles du jeu. Mais le travail constant qu'elles exercent sur elles-mêmes leur enseigne que leur réalité profonde est d'être en même temps le produit du système et sa contestation radicale. Quand Marx écrit que le prolétariat porte en lui la mort de la classe bourgeoise, il veut dire que le prolétariat est l'avenir pur, au-delà du système, à travers sa négation pratique de l'avenir répétitif de l'être et du destin que le système lui impose.

Il faut comprendre : 1. Que cet avenir est l'ébauche d'un système futur au-delà des ruines du capitalisme, celui qui naîtra de la destruction du système capitaliste, et pour lequel cela vaut la peine de détruire le capitalisme; 2. Qu'on ne peut saisir aucune détermination abstraite et schématique du système futur, si ce n'est à travers la *négation vivante concrète et pratique du système présent.* De ce point de vue, il semblerait que les classes défavorisées aient au moins *deux futurs.* L'un apparaît à l'intérieur du système, impérieux et contraignant : trouver du travail, nourrir sa famille, conserver son salaire, etc. L'autre se manifeste comme avenir pur et total à travers le refus du système et la production *d'un autre système.* Ainsi l'histoire, en se découvrant, nous montre un *double avenir.* Celui qui — local ou infrastructurel — vient aux hommes du système en partant des structures et celui qui — indéfini dans le temps — indique à chaque homme du système l'humanité comme une *humanité à faire ;* non pas dans la construction d'un système (fût-il le *système socialiste*), mais dans la destruction de chaque système. Ainsi l'homme communiste est le produit de lui-même.

Nous tombons en apparence dans une difficulté plus grande que la précédente : nous n'avions qu'un avenir, en voici deux. Mais examinons justement *impératifs et valeurs* à la lumière de cette découverte. Peut-être y trouverons-nous le rapport entre les deux futurs? En fait, à l'intérieur du système, la norme est en même temps avenir *inconditionné et avenir limité* (répétitif).

Cela signifie en effet que l'impératif ou la valeur ne trouvent pas leurs limites en eux-mêmes, dans la structure ontologique, mais dans une inertie qui leur est imposée du dehors.

# INDEX

# INDEX DES TITRES

Les œuvres principales de Sartre sont données dans l'ordre alphabétique selon le système qui est utilisé dans les notices (volumes en majuscules, articles en italiques, interviews entre guillemets). Les titres entre guillemets et précédés d'un astérisque sont ceux d'œuvres non publiées.

Les textes secondaires sont soit groupés sous le titre principal auquel ils se rapportent, soit arrangés en différentes rubriques : conférences, déclarations (et messages), discussions (et débats, tables-rondes, etc.), interviews (et entretiens), lettres (et correspondance), préfaces (introductions, avant-propos, etc.).

Les chiffres gras renvoient à la notice principale; les chiffres gras précédés d'un astérisque dénotent que le texte dont il est question est reproduit par nous dans son intégralité soit dans l'APPENDICE II, soit dans le corps d'une notice.

On trouvera à la fin de cet index une liste de volumes ou de brochures contenant des textes de Sartre non mentionnés dans la rubrique Préfaces.

LISTE DES VOLUMES OU BROCHURES CONTENANT DES TEXTES DE SARTRE (A L'EXCEPTION DES PRÉFACES)

# INDEX DES PÉRIODIQUES AYANT PUBLIÉ DES TEXTES OU INTERVIEWS DE SARTRE

# INDEX DES NOMS ET SUJETS

Pour les noms, les chiffres en italique renvoient aux pages où le nom est cité par Sartre; les chiffres en caractères normaux indiquent que le nom est cité par nous; les chiffres en caractères gras signalent les textes de Sartre consacrés à l'auteur mentionné.

Pour les sujets, les chiffres gras indiquent les textes portant principalement sur le sujet indexé.

A

## B

C

D

E

G

M

N



O

S

T

# ŒUVRES DE JEAN-PAUL SARTRE

nrf

*Romans :*

LA NAUSÉE.
LES CHEMINS DE LA LIBERTÉ.
I. L'Age de raison.
II. Le Sursis.
III. La Mort dans l'âme.

*Nouvelles :*

LE MUR *(Le Mur — La Chambre — Érostrate — Intimité — L'Enfance d'un chef).*

*Théâtre :*

LES MOUCHES.
LES MAINS SALES.
HUIS CLOS.
LE DIABLE ET LE BON DIEU.
THÉÂTRE, I : *Les Mouches — Huis clos — Morts sans sépulture — La Putain respectueuse.*
KEAN *(d'après Alexandre Dumas).*
NEKRASSOV.
LES SÉQUESTRÉS D'ALTONA.

*Littérature :*

SITUATIONS, I, II, III, IV, V, VI, VII.
SAINT GENET, COMÉDIEN ET MARTYR *(tome premier des Œuvres complètes de Jean Genet).*
BAUDELAIRE.
LES MOTS.
QU'EST-CE QUE LA LITTÉRATURE ?

*Philosophie :*

L'IMAGINAIRE *(Psychologie phénoménologique de l'Imagination).*
L'ÊTRE ET LE NÉANT *(Essai d'Ontologie phénoménologique).*
CRITIQUE DE LA RAISON DIALECTIQUE.

*Essais politiques :*

RÉFLEXIONS SUR LA QUESTION JUIVE.

*J.-P. Sartre — David Rousset — Gérard Rosenthal :*

ENTRETIENS SUR LA POLITIQUE.

L'AFFAIRE HENRI MARTIN *(textes commentés par J.-P. Sartre)*.

*Édition de luxe illustrée :*

LE MUR *(avec trente-six gravures à l'eau-forte, en couleurs par Mario Prassinos)*.

ACHEVÉ D'IMPRIMER
LE 9 FÉVRIER 1970
IMPRIMERIE FIRMIN-DIDOT
PARIS - MESNIL - IVRY

Imprimé en France
*N° d'édition :* 14827
Dépôt légal : 1er trimestre 1970. — 3127